SAGGI

MONTANELLI·CERVI

L'ITALIA DEL NOVECENTO

ISBN 88-17-86402-1

prima edizione Superbur Saggi: maggio 2000
terza edizione Superbur Saggi: maggio 2001

L'ITALIA
del
NOVECENTO

CAPITOLO 1

La Grande Guerra

L'OTTOCENTO SI CHIUSE, per l'Italia, con le cannonate di Bava Beccaris, il Novecento si aprì con l'uccisione di Umberto I a Monza: e la seconda tragedia ebbe uno stretto legame con quella che l'aveva preceduta. A Milano manifestazioni sovversive di scarsa importanza erano state represse con durezza dalla polizia, ai primi di maggio del 1898: ne erano seguiti disordini, e i disordini erano degenerati in tumulti. Il governo decise di proclamare nella città lo stato d'assedio, e di concedere pieni poteri al comandante militare, il generale Fiorenzo Bava Beccaris: che assolse con ottusa spietatezza il compito di ristabilire l'ordine, e fece sparare i cannoni contro le barricate dei dimostranti e anche contro il convento dei cappuccini di corso Monforte, che si sospettava ospitasse i rivoltosi e che invece era affollato di mendicanti in attesa della scodella di minestra. Il bilancio ufficiale fu di ottanta morti e quattrocentocinquanta feriti, parecchi in più i morti secondo altre fonti. Fu lamentato anche un caduto tra la truppa. Seguirono processi, davanti al tribunale militare, contro esponenti del socialismo e giornalisti, con pesanti condanne presto seguite da indulti riparatori. Bava Beccaris fu insignito della croce di Grande ufficiale dell'Ordine militare di Savoia «per rimeritare il grande servigio reso alle istituzioni e alla civiltà».

Dopo poco più di due anni, il 29 luglio 1900, Umberto I era a Monza con la moglie Margherita, ospite della Villa Reale che amava. Aveva assicurato la sua presenza, in serata, a un concorso ginnico della società Forti e Liberi. Al termine della premiazione – erano le 22,30 – la carrozza con i sovrani si mosse per rientrare. Un uomo frammischiato agli atleti trasse di tasca una pistola e sparò quattro colpi, tre dei quali raggiunsero il Re. Spirò quasi all'istante, una pallottola gli aveva centrato il cuore. Aveva cinquantasei anni. L'assassino era Gaetano Bresci, nato a Coiano presso Prato e tre anni prima emigrato negli Stati Uniti. Era un anarchico convinto, e un ottimo tiratore. Da Paterson – una cittadina del New Jersey nella quale si era stabilito – decise di «fare un salto in Italia»: per dirimere certe questioni d'eredità con i fratelli, disse laggiù. O piuttosto per vendicare i morti del '98.

L'uccisione di Umberto riempì l'Italia di esecrazione e di paura. Anche coloro che più avevano motivi di scontentezza nei confronti del cosiddetto «sistema» compresero che quel pover'uomo assassinato a freddo aveva pagato colpe non sue. Anche se non era stato un gran Re, non aveva demeritato il titolo di «buono» che – forse in mancanza di meglio – gli era stato appioppato.

I socialisti si guardarono dal solidarizzare col regicida. Turati si rifiutò di assumerne la difesa in tribunale, e l'*Avanti!* lo definì «un pazzo criminale». Ad esaltarne il gesto ci fu solo un frate, e francescano per giunta, don Giuseppe Volponi, e l'episodio non era affatto casuale: nell'odio contro l'Italia laica risorgimentale, di cui il Re era l'incarnazione, i preti battevano anche gli anarchici.

I funerali si svolsero il 9 agosto.

Due giorni dopo, mentre la folla romana seguitava a sfilare dinanzi alla bara tuttora esposta nel Pantheon, Vittorio Emanuele III si presentava alle due Camere riunite nella grande aula del Senato parata a lutto per prestare il giuramento e fare le prime dichiarazioni. Tutti si aspettavano qualche accenno al regicidio e l'annuncio di misure repressive. Ma non ci fu niente di tutto questo. Come non aveva versato una lacrima sul cadavere del padre, così non ci fu da parte sua se non qualche parola convenzionale di cordoglio, subito seguita da una energica affermazione di fiducia nei princìpi liberali. I progressisti ne complimentarono il capo del Governo Saracco, ritenuto autore di quella allocuzione. Ma questi dovette ammettere che, dopo avergliene commissionato il testo, il Re lo aveva disfatto e rifatto a suo modo. Dopodiché aveva detto che non c'era bisogno di leggi speciali né di speciali magistrature, neanche per giudicare il regicida. Dopo che Bresci fu condannato all'ergastolo, fece assegnare un sussidio alla moglie e alla figlia rimaste in America.

Vittorio Emanuele III, il nuovo Re, era nato l'11 novembre del '69 a Napoli dove suo padre, tuttora Principe Ereditario, era stato mandato per conquistare alla Casa Savoia gli ex-sudditi dei Borbone. Privo di calore e di colore, Umberto non era molto adatto al compito. Ma Margherita lo svolse a meraviglia, e fra le tante sue trovate per toccare il cuore di quella città ci fu anche l'attribuzione al neonato del nome Gennaro dopo quelli di Vittorio

Emanuele e Ferdinando per ragioni di famiglia, e di Maria per addolcire la Chiesa con cui i rapporti restavano pessimi.

Come frutto, Vittorio Emanuele non era da vetrina. Era cresciuto, ma solo di testa e di tronco. Di arti era rimasto sottosviluppato, e sulle gambe rachitiche si reggeva a stento. Che questo dipendesse dalle consanguineità ancestrali, è molto probabile. Anche suo padre, figlio di due cugini, aveva sposato una cugina. Comunque, il ragazzo si rendeva conto della propria anomalia, ne soffriva, e i genitori non facevano nulla per alleviargli la pena.

Su consiglio del Principe Ereditario di Germania, grande amico di Umberto e Margherita, a fargli da precettore fu chiamato il colonnello Osio, addetto militare della nostra Ambasciata a Berlino, al quale sono state attribuite molte colpe pedagogiche. Si è detto che plagiò il suo pupillo e ne lesionò definitivamente il carattere terrorizzandolo e mortificandone gli slanci. Si è detto che anche sul suo fisico ebbe pessima influenza costringendolo a penosi e logoranti sforzi. Si è detto che furono i suoi metodi repressivi a creare nel Principe quei complessi d'inferiorità da cui fu sempre afflitto, a traumatizzarlo, a inaridirlo, a riempirne l'animo di sordi rancori.

Ma se non proprio di falsità, si tratta di verità contraffatte. Militare dalla testa ai piedi, Osio era un uomo duro, imperioso, abituato al comando. «Il Principe è libero di fare tutto quello che voglio io» diceva. Ma era anche un gran signore, perfetto uomo di mondo, e nutrito di buone letture. Sebbene la sua carriera potesse esserne notevolmente avvantaggiata, esitò molto ad accettare l'incarico, vi si risolse solo dietro garanzia che nemmeno i genitori avrebbero più interferito nell'educazione del ragazzo, di cui egli diventava unico e assoluto responsabile, e al termine della sua missione non beneficiò di nessuno «scatto di grado». Quanto ai sentimenti di ribellione e di animosità ch'egli avrebbe suscitato nel pupillo, è un fatto che le uniche lettere di Vittorio Emanuele in cui si avverte un palpito di affettuosa e rispettosa gratitudine sono quelle ch'egli seguitò a scrivere al suo ex-precettore, il quale gli rispondeva seguitando a sua volta a trattarlo da ex-pupillo. Quando Morandi, scelto da Osio come insegnante di lettere, pubblicò un libro pieno di piaggerìe per il Principe e di velenose insinuazioni contro Osio che gli aveva affidato quell'incarico, Vittorio Emanuele scrisse al colonnello: «Ha visto il libro di Morandi? Non avrei mai pensato che si potessero stampare tante ridicolaggini».

Osio prese congedo da lui nel 1889, quando ormai erano pari

grado. Iscritto *pro forma* al collegio militare della Nunziatella, il Principe aveva avuto la carriera rapida di tutti i figli di Re: sotto-tenente di fanteria a diciassett'anni, a venti era colonnello come il suo precettore, dalla cui tutela veniva ora emancipato. A quanto pare, non la considerò una liberazione. Per quanto seve-ro sino alla crudeltà, Osio era stato in quegli otto anni l'unica persona con cui aveva avuto un rapporto umano. Coi genitori si era ritrovato solo due volte la settimana, il giovedì e la domeni-ca, a pranzo. Non aveva mai fatto loro confidenze, né mai ne aveva ricevute. In quell'immenso Quirinale, di cui detestava la solennità, il lusso e le cerimonie, aveva vissuto da estraneo. Ma anche questo era in perfetto stile Savoia. Dopo che Osio se ne fu andato, seguitò a scrivergli quasi tutti i giorni. Quando i giorna-li riportarono la notizia del suo matrimonio e ironizzarono sul fatto che la sposa aveva venticinque anni meno di lui, il Principe ne fu furioso come di un insulto alla propria persona.

È difficile dire se per la vita militare avesse un vero trasporto. Ma da quando Crispi, avendolo visto una sera a cena in un risto-rante romano, aveva raccomandato al Re di proibirgli gli abiti civili, non aveva quasi mai più smesso la divisa. Per risparmiar-gli l'umiliazione di venire scartato, si era dovuto abbassare di alcuni centimetri il già basso minimo di altezza richiesto. E ora, per fargli far pratica di comando, gli venne affidato quello del 1° Reggimento di Fanteria a Napoli.

Furono i suoi anni più belli. Strano a dirsi, Vittorio Emanuele amava Napoli, ne parlava benissimo il dialetto, e napoletano fu l'unico amico al quale concesse il tu: il Principe Nicola Brancaccio. Fu lui a istradarlo nella vita segreta di Napoli, che non era quella dell'alta società, ma dei camerini di teatro e di certi salotti e salottini che di rispettabile avevano solo la faccia-ta. Il povero prefetto Basile ebbe il suo daffare a seguire le piste dei due giovanotti e stabilirvi misure di sicurezza. Ma i suoi rap-porti, invece di allarmarli, rallegravano il Re e la Regina, i quali avevano sempre temuto che il loro erede non fosse in grado di procurarne altri alla dinastia. Il sole di Napoli e la contagiosa allegria di Brancaccio avevano sciolto la ritrosia del Principe, che mostrava anzi notevole intraprendenza. Per fare fronte agl'impegni del rango, egli ebbe anche un'amante d'alto bordo, la baronessa Barracco, di cui gli venne anche attribuita una figlia. Ma le sue preferenze andavano alle ballerinette e alle sciantose di approccio facile e di coscia lesta.

La felice stagione napoletana durò fino al '94 quando, promosso generale, lo trasferirono a Firenze. Ci si trovò malissimo. Scostante, insolente e beffarda, quella città sembrava fatta apposta per fargli rimpiangere il calore, la tolleranza e l'ossequiosità di Napoli.

COME OSIO gli aveva insegnato, Vittorio Emanuele aveva obbedito sempre e in tutto. Ma quando gli parlarono di moglie, puntò i piedi, e non ci fu nulla da fare: i risultati dei matrimoni combinati solo per motivi dinastici glieli documentava lo specchio, quando ci si guardava. Come disse più tardi al generale Porro: «Guardi bene come mi hanno fottuto le gambe!».

Eppure il fidanzamento con Elena del Montenegro fu anche il frutto di una trama politica. L'idea di dargli in moglie una principessa montenegrina era passata per la testa di Crispi, che nella sua consueta mania di grandezza sognava un'attiva politica italiana nei Balcani, di cui il Montenegro poteva essere il punto d'appoggio.

Il Montenegro era un Principato indipendente sotto lo scettro di Nicola Petrovich Niegos, una specie di capopastore che, rivestito di pelli di capra, amministrava la giustizia sotto l'albero di fico, a tempo perso componeva poesie, e a chi gli chiedeva quanti sudditi avesse, rispondeva: «Io e il mio amico lo Zar di tutte le Russie ne abbiamo centocinquantun milioni». La sua dinastia si reggeva infatti grazie all'appoggio dello Zar, che paternamente provvedeva anche a ospitare alla Corte di Pietroburgo i suoi nove figli – tre maschi e sei femmine –, a farli istruire e a procurargli vantaggiosi matrimoni. Due ragazze le aveva già accasate con Granduchi di famiglia. Ne restavano quattro senza una lira di dote, ma di poche pretese, di gusti semplici, di costumi illibati, e soprattutto di sangue sano e di fusto buono.

Vittorio Emanuele credette di essere stato lui a scoprire la sua Yela, quando la conobbe a Venezia nella primavera del '95. Viceversa l'incontro era stato discretamente combinato da Crispi con l'assenso di Umberto e Margherita.

Il Principe simpatizzò con quella bella figliola dagli occhi languidi, ma nulla di più. L'anno dopo fu invitato a Pietroburgo per l'incoronazione dello Zar Nicola II. Guarda caso, c'era anche Yela. E, a quanto pare, fu il solo a non capire come mai se la ritrovava accanto ai banchetti e ai balli. Tutti facevano a gara per lasciarli a tuppertù, e lo Zar ogni tanto li prendeva paternamente sotto braccio per un giro in giardino. Insomma, era un

vero e proprio complotto internazionale. Ma lui era convinto
che a Roma non ne sapessero nulla, e fu con un certo tremore
che, rientrato in patria, comunicò le proprie intenzioni al padre:
temeva che questi trovasse la scelta inadeguata al suo rango.
Viceversa l'assenso fu condizionato soltanto alla preventiva
conversione di Yela alla religione cattolica. Il Papa si sarebbe
contentato anche di una conversione successiva alle nozze. Ma
Margherita si mostrò più intransigente di lui.

Il 31 luglio del 1900 Vittorio Emanuele era sul *Yela* – il panfilo
cui aveva dato il nome della moglie – in crociera nei mari della
Grecia. Navigavano da oltre un mese, *Kodak* a tracolla, per fissare sulla lastra panorami, visitare scavi, cercare monete. Ora il
panfilo era sulla via del ritorno, e puntava su Reggio Calabria.
Mattiniero come sempre, il Principe se ne stava sul ponte a
guardare il levar del sole, quando sul semaforo di Capo
dell'Armi si vide uno sventolio di bandiere. Il comandante deci-
frò immediatamente la segnalazione: il Principe era invitato ad
accorrere a Monza perché il Re era gravemente ammalato.
Dopo un'altra ora di navigazione, una torpediniera si fece
incontro al *Yela*, con la bandiera abbrunata e a mezz'asta sul-
l'albero. Non c'era da equivocare: Umberto era morto, e il nuovo
Re era lui, Vittorio Emanuele.

Appena insediatosi in Quirinale, ne chiuse le porte alle amanti di suo padre, fece vendere i centocinquanta cavalli di cui
Umberto aveva riempito le scuderie reali, e abolì i banchetti di
corte. Per obbligo di cerimoniale, appena finito il lutto, diede un
ballo, vi comparve in ritardo, rimase per un poco a guardare le
quadriglie degli ospiti senza parteciparvi, si ritirò quasi subito, e
l'indomani fece chiudere i saloni. Tutti i servizi di corte furono
ridotti all'essenziale, messi sotto chiave i liquori e perfino i siga-
ri. Forse, se avesse potuto, il nuovo Re avrebbe licenziato volentieri anche i corazzieri che con la loro prestanza sembravano
messi lì per far vieppiù risaltare la sua miseria.

Ma il cambiamento più importante fu quello dei rapporti col
potere politico.

Quando suo padre cadde sotto la rivoltella di Bresci,
Presidente del Consiglio era il piemontese Saracco, un probo
magistrato ottuagenario, ultimo scampolo della vecchia Destra
di Sella e di Lanza con la sua religiosa concezione dello Stato e
del bilancio dello Stato. Confermato nella sua carica di Primo
Ministro dopo l'avvento del nuovo Re, che aveva respinto le sue
dimissioni, Saracco vi si reggeva tuttavia con molta difficoltà.

Sonnino, ch'era il suo principale sostegno, pubblicò sulla *Nuova Antologia* un articolo che tutti interpretarono come una campana a morto. Il regicidio, diceva, aveva drammaticamente dimostrato che il regime era alla mercé di due forze anticostituzionali e sovversive, i socialisti e i clericali. Solo un «fascio» di partiti nazionali, decisi a fronteggiare la situazione con energia e risolutezza, poteva salvarlo. Ed era chiaro che alla guida di questo fascio egli poneva la propria candidatura.

Indirettamente gli rispose Giolitti con un articolo sulla *Stampa* di Torino. Col pugno di ferro, diceva, non si risolve niente. Un Paese che ogni poco deve mobilitare l'esercito per mantenere l'ordine interno non può reggersi a lungo. Ciò che occorre è eliminare la causa del disagio, che è provocato dalle sperequazioni economiche e sociali. «Quando confronto il nostro sistema tributario con quello di tutti i Paesi civili, quando osservo le condizioni delle masse rurali in gran parte d'Italia e le paragono con quelle dei Paesi vicini, resto compreso d'ammirazione per la longanimità e la tolleranza delle nostre plebi, e penso con terrore alle conseguenze di un possibile loro risveglio. Io deploro quanti altri mai la lotta di classe. Ma, siamo giusti, chi l'ha iniziata?»

Sia Sonnino che Giolitti avevano attaccato Saracco perché avevano capito che la sua posizione ormai era logora. Quanto alla successione, Sonnino era sicuro che sarebbe toccata a lui, che ormai aveva assunto e intendeva svolgere la parte del «nuovo Crispi». Giolitti, per il momento, alla successione non mirava. Mirava soltanto a riavvicinarsi al potere da cui, dopo il grande scandalo finanziario della Banca Romana, che lo aveva coinvolto, era rimasto lontano per sette anni.

Due giorni dopo il suo discorso, Saracco diede le dimissioni, e Sonnino attese la convocazione, convinto che, al suo debutto sul trono e in un momento difficile come quello, il nuovo Re non potesse affidarsi che a lui. Ma il Re, contro il parere dei suoi consiglieri, si lasciò guidare da ben altra logica. Il governo, disse, è stato rovesciato dalle forze del centro-sinistra, cioè da quelle che fanno capo a Zanardelli e Giolitti: è dunque a queste che tocca la successione. E convocò Zanardelli, sebbene gli facessero notare che suo padre non lo aveva mai potuto soffrire.

Zanardelli aveva al suo attivo molte cose. Anzitutto, l'origine risorgimentale. Era stato un eccellente ministro dei Lavori Pubblici con Depretis e dell'Interno con Cairoli. Ma il meglio di sé lo aveva dato come ministro della Giustizia e ispiratore del nuovo Codice Penale che da lui aveva preso il nome. Era anche un magnifico oratore. Ma forse il suo difetto era di esserlo un po' troppo.

Quando il Re gli dette l'incarico, Giolitti dovette fargli prestare da un amico un appartamento decoroso in cui tenere le consultazioni perché quello suo si riduceva a un paio di stanze da studente: come tutti i notabili della sua generazione, non aveva tratto vantaggi dalla carriera politica ed era povero in canna.

Le difficoltà che incontrò per formare il nuovo governo furono tali che vi avrebbe rinunziato, se Giolitti non lo avesse dissuaso. Il gesto fu certamente da amico, ma anche da politico accorto: se Zanardelli declinava il mandato, questo sarebbe toccato a lui, che in quei frangenti preferiva assumere quello più modesto, ma anche politicamente più redditizio, di ministro degl'Interni. Così fu, ma tutti capirono il giuoco.

Zanardelli e Giolitti ebbero l'appoggio autorevole di Filippo Turati. Sulla sua rivista, *Critica sociale*, Turati invitò i suoi compagni socialisti ad abbandonare l'ostruzionismo che ormai si riduceva «a una pura posa coreografica», e a stringersi invece «intorno al governo per proteggerlo dagli attacchi e dalle insidie della reazione cospirante, vigilarlo perché tenesse fede al programma, sospingerlo sulla via delle riforme».

Cominciava così, fra Giolitti e Turati, quell'idillio che, se fosse sboccato in matrimonio, avrebbe sicuramente salvato la democrazia.

Giolitti aveva in quel governo una posizione di forza non solo perché sul piano operativo era molto più efficiente e positivo del suo maggior collega, ma anche perché era lui che gli garantiva in Parlamento l'appoggio dei socialisti. Costoro tennero nel 1902 un burrascoso congresso a Imola, dove la posizione moderata e collaborazionista di Turati venne violentemente attaccata sul piano della dottrina da Labriola, e su quello della demagogia da Enrico Ferri, che non disse nulla, ma lo disse urlando e con gesti gladiatori. Turati vinse e fece confermare l'appoggio al governo grazie ai buoni argomenti che Giolitti gli aveva fornito con le ultime misure prese in favore dei lavoratori: riduzione dell'orario ed esenzione dei ragazzi al di sotto dei dodici anni. Ma fu una vittoria risicata e di breve respiro. Bastò che nel Sud alcuni torbidi, sfociati come al solito in vandalismi, obbligassero i prefetti a provvedimenti repressivi perché la corrente massimalista riprendesse il sopravvento nel partito e l'obbligasse a ritirare l'appoggio al governo. Così Giolitti perse il suo più valido sostegno nei confronti non solo dell'opposizione, ma anche di

Zanardelli e degli altri colleghi di Ministero. Però sapeva che la sua ora sarebbe presto venuta.

L'occasione gli fu offerta da Ferri. Questo cattivo genio del socialismo italiano, moralmente marcio, ma facondo, teatrale, esibizionista con la sua chioma arruffata sotto il cappello a larghe tese, e quindi pieno di fascino agli occhi di platee che corrono dietro più al fumo che all'arrosto e preferiscono i grandi gesti e le grandi parole alla buona sostanza, era ora sulla cresta dell'onda. Invano Turati aveva cercato di mettere in guardia i compagni dal suo sconclusionato e gigionesco «sbraitare per i tetti». Il partito gli aveva affidato la direzione dell'*Avanti!*, di cui egli fece subito uno strumento di campagne scandalistiche.

Il governo aveva i giorni contati anche perché contati erano quelli dello stesso Zanardelli, minato da una malattia mortale. Egli rabberciò alla meglio il suo ministero assumendo di persona quello dell'Interno, e così si trascinò fino alle vacanze estive. Ma poi l'aggravamento delle sue condizioni lo costrinse al ritiro, cui non sopravvisse che un paio di mesi.

Tutti si aspettavano che il Re convocasse Sonnino o Rudinì, che in fondo erano stati i vincitori di quella battaglia. Invece convocò Giolitti e diede a lui l'incarico di formare il nuovo governo.

La scelta non era dovuta a personali simpatie. I due uomini fin allora si erano incontrati di rado, e se qualcosa avevano in comune, oltre alla patria e al dialetto piemontese, era una certa frigidità, che alle simpatie li rendeva entrambi allergici. Ma in quel momento il Re era più propenso alla politica di Giolitti che a quella dei conservatori, ch'egli disistimava anche personalmente. E di questo gli va dato atto. Come aveva lasciato presagire il suo primo discorso, egli voleva realmente una democrazia aperta alle classi popolari, ch'era appunto il programma di Giolitti. Questi, avendo capito quanto i capi socialisti fossero deboli e alla mercé della demagogia massimalista, decise di richiamarli alla realtà sciogliendo la Camera e indicendo nuove elezioni.

Queste si tennero nel novembre del 1904, e costituirono un fatto di fondamentale importanza per vari motivi. Prima di tutto perché rappresentarono un grosso successo della maggioranza governativa e le diedero un assetto destinato a restare quasi inalterato fino alla prima guerra mondiale. Secondo, dimostrarono che il massimalismo non paga. Terzo, segnarono l'ingresso dei cattolici – divisi tra integralisti e aperturisti – nella vita politica nazionale.

Al lancio d'un partito d'ispirazione confessionale nell'agone politico mancava sola la revoca del *Non expedit*. Il Papa non si sentì di farla, ma ne lasciò al suo successore tutte le premesse. Quando nel 1903 Leone XIII morì, tutti davano per certa la vittoria del cardinale Rampolla, Segretario di Stato, nel conclave. E forse sarebbe andata proprio così, se alla scelta dello Spirito Santo non si fosse opposto l'Imperatore d'Austria. Da secoli, ai Sovrani d'Austria, Spagna e Francia era riconosciuta una facoltà di veto. Francesco Giuseppe la esercitò perché Rampolla era di tendenze francofile. Ma fu l'ultima volta. Il nuovo Papa, sebbene proprio a questo veto dovesse la sua elezione, ne revocò il diritto minacciando la scomunica a chiunque ne avesse di nuovo avanzato la pretesa.

Questo nuovo Papa, che assunse il nome di Pio X, era Giuseppe Sarto, Patriarca di Venezia: un prelato all'antica, di carattere autoritario, ma di modi semplici anche perché veniva da una famiglia contadina. Alieno a ogni forma di temporalismo e unicamente devoto al suo magistero spirituale, la sua bestia nera erano i «modernisti», cioè quei cattolici che volevano «adattare» la Chiesa al momento attuale revisionandone i dogmi alla luce delle scoperte scientifiche. Contro di essi scatenò subito una «caccia alle streghe» di tipo inquisitoriale, di cui fecero le spese non solo eminenti scrittori come Fogazzaro, le cui opere vennero messe all'Indice; ma anche dei sacerdoti come Buonaiuti, che venne sospeso *a Divinis*. Fra gl'indiziati sottoposti a vigilanza ci furono anche il Vescovo di Bergamo Radini-Tedeschi e il suo segretario, un giovane parroco di nome Angelo Roncalli.

Ma quest'intransigenza dogmatica coincise con un sostanziale «via libera» all'ingresso dei cattolici in politica. Nelle elezioni nel 1904, il candidato liberale di Bergamo, Suardi, chiese l'appoggio dei cattolici locali. A Bergamo i cattolici erano fortissimi e, valendosi della loro facoltà di voto in campo amministrativo, dominavano insieme ai liberali il Comune e la Provincia. Ma Suardi fece capire che, se non fossero andati alle urne per sostenerlo anche sul piano politico, quest'alleanza sarebbe finita a tutto beneficio dei partiti di sinistra. I cattolici, che forse non aspettavano altro, mandarono una delegazione al Papa per fornirgli lumi e chiedergliene. E il Papa, che forse non aspettava altro anche lui, rispose: «Fate, fate quello che vi detta la vostra coscienza», ch'era un modo di dir di sì senza parere né prenderne la responsabilità. Naturalmente la cosa fu risaputa dovunque. E in tutti i collegi in cui la sorte del candidato moderato era incerta, i cattolici furono liberati dal *Non expedit* – ossia dal veto a un'attività politica – e mobilitati in suo favore. Anzi, in Lombardia ce ne furono quattro che si presentarono candidati nella lista moderata, e due di essi vennero eletti. A coloro che gridavano allo scandalo, si rispose che lo avevano fatto a puro titolo personale, e che non andavano considerati come deputati cattolici, ma come cattolici deputati. In questi *distinguo*, la Chiesa è maestra.

Pochi mesi dopo il *Non expedit* fu tacitamente revocato con una enciclica che dava ai Vescovi la facoltà di autorizzare o negare la partecipazione al voto, e invitava i cattolici a prepararsi seriamente per il giorno in cui sarebbero scesi anch'essi, e in proprio nome, nell'agone politico.

Nelle elezioni del 1904, dei loro trentatré seggi, i socialisti ne persero quattro. Non era una decurtazione grave, ma era l'inversione di una tendenza che fin allora era stata all'espansione, dovuta non a una crisi di sviluppo, ma a una malformazione organica, di cui quel partito non sarebbe mai più guarito e ch'era destinata a farne, anche nei momenti di maggior fortuna, un «gigante dai piedi d'argilla». Al momento della sua nascita, nel 1892, esso aveva rappresentato la grande speranza di tutta l'Italia progressista. Otto anni dopo, era già in preda a una dilacerazione che niente e nessuno sarebbe riuscito a sanare.

GIOLITTI NON GOVERNÒ ininterrottamente l'Italia fino alla guerra mondiale. Era troppo accorto per regalare questo argomento a coloro che lo accusavano di «dittatura parlamentare»: la stessa accusa ch'era stata lanciata contro Cavour e Depretis. Per due volte passò la mano, ora all'amico, ora al nemico, ma sempre restando padrone della maggioranza, e quindi l'arbitro della situazione. Non è perciò improprio parlare del suo decennio come di un vero «regime», di cui val la pena fissare i principali caratteri.

I risultati non si possono discutere. Sotto il segno di Giolitti l'Italia uscì definitivamente dal lungo periodo di recessione che l'aveva afflitta, fece un grosso balzo avanti sulla via dell'industrializzazione, pareggiò il bilancio, riportò il suo primo successo militare – la conquista della Libia –, diede inizio a una legislazione sociale, e attuò la più audace di tutte le riforme: il suffragio universale.

Molti storici gli contestano il merito di questi successi, dicendo ch'egli ebbe soltanto la fortuna di arrivare al potere nel momento in cui l'economia italiana entrava in fase di espansione per motivi indipendenti dalla politica, e ch'egli non fece che raccoglierne i frutti. Ma l'obbiezione non è molto persuasiva. Se la grandezza di un uomo politico consiste nel sapersi adeguare ai tempi e nel trarne il miglior partito, non c'è dubbio che Giolitti si dimostrò l'uomo più adatto a cogliere quella favorevole congiuntura e ad assicurarne al Paese i maggiori benefici. Altri gli rimprovera di essere stato soltanto un uomo di potere e di non aver mai mirato ad altro che a conquistarlo o a mantenerlo con oblique manovre e giuochi di corridoio. Ma anche questa tesi, alla luce dei fatti, non regge, o per lo meno va interpretata in altro modo.

Che Giolitti fosse uomo di potere, non c'è dubbio. Ne aveva l'ambizione, la smania, la brama, come del resto tutti gli uomini politici. Ma di oblique manovre neanche le cronache a lui più avverse recano traccia. Egli era convinto – e lo diceva – che del potere non bisogna andare in cerca, ma aspettare che venga a cercarci. Naturalmente egli sapeva creare le condizioni perché questo avvenisse, e avvenisse nei momenti in cui gli faceva comodo, ma senza mai ricorrere a quei subdoli intrallazzi che si chiamano «arti parlamentari». Come dice Ansaldo, i famosi divani della cosiddetta «sala dei passi perduti» a Montecitorio non furono mai logorati dai suoi pantaloni.

Ma, pur amandolo spasmodicamente, non è vero ch'egli facesse del potere il suo unico e supremo traguardo. Certo, evitava di giuocarlo su cause perdute, anche quando era convinto della loro bontà. Per questo, quando era stato ministro delle Finanze con Crispi, si era rifiutato di procedere alla riforma del sistema bancario, pur sapendo quanto ce n'era bisogno, perché capiva di non aver abbastanza forza per debellare gl'interessi che ne sarebbero stati lesi (e la pagò con lo scandalo della Banca Romana). Insomma egli ebbe sempre un senso molto preciso di ciò che si poteva e di ciò che non si poteva fare; e a ciò che non si poteva fare rinunciava, anche se lo considerava necessario e sacrosanto. «Gli uomini politici – disse una volta – non debbono fare i precursori.» Ma ciò non esclude ch'egli avesse anche un disegno politico, di cui considerava il potere un semplice strumento. Questo disegno è molto chiaro e si può riassumere così: integrare le masse popolari nelle strutture dello Stato liberale che fin lì le aveva escluse.

L'unica critica che va a bersaglio è quella del malcostume su cui il giolittismo si fondò. Giolitti non fece nulla per eliminare il clientelismo che ammorbava la vita politica italiana col suo codazzo di corruzione, intimidazioni e ricatti. Anzi, se ne servì. A chi gliene faceva accusa, egli rispondeva che «un sarto, quando taglia un abito per un gobbo, deve far la gobba anche all'abito».

Nelle elezioni del 1909 si vide quanto la politica di distensione sociale e l'appoggio dato al cauto riformismo giolittiano avessero giovato all'Estrema. I repubblicani conservarono i loro 24 seggi, ma i socialisti ne guadagnarono una dozzina, e quasi altrettanti i radicali. Un'altra importante novità fu la sempre più massiccia partecipazione dei cattolici alle spalle del *Non expedit*, formalmente ancora in vigore. Come al solito, i loro ventun eletti andarono alla Camera come «cattolici deputati» e non come «deputati cattolici». Ma non era che un puntiglio formale.

Quando Giolitti si ripresentò alla Camera poteva contare su una maggioranza di ben 350 voti. Il che lo mise in grado di por mano a due grandi riforme, quella dell'istruzione e quella elettorale, che estese il diritto di voto a otto milioni e mezzo di cittadini.

Non fu certo per un impeto d'entusiasmo che quest'uomo senza fantasia e dai nervi di ghiaccio decise nel 1911 l'impresa di Libia, ossia la guerra alla Turchia per la conquista della «quarta sponda». La decisione gli fu dettata da «un'assoluta necessità d'ordine nazionale», se non si voleva «andare incontro a guai gravissimi a breve scadenza». Tutto però lascia intendere che per «guai» egli non intendesse tanto l'installazione a Tripoli di una Potenza straniera, quanto la crisi di frustrazione e di scoraggiamento che ne sarebbe derivata al Paese. Refrattario all'epica, quest'uomo arido sentiva però che il Paese ne aveva bisogno. E fu certamente per questo che fin dapprincipio escluse una conquista «diplomatica». Più che la Libia, voleva la guerra, o meglio qualcosa che desse finalmente agl'italiani l'impressione di farne una e di vincerla.

Aveva calcolato bene perché infatti gli entusiasmi furono unanimi e sproporzionati alla modestia dell'impresa. Ne furono travolti persino degli alti prelati che benedissero la rivincita della Croce sulla Mezzaluna. D'Annunzio sciolse il suo inno alla «gesta d'oltremare», i braccianti meridionali posero assedio alle Questure chiedendo passaporti per la Tripolitania, e Giustino Fortunato, pur definendo l'avventura «infruttifera e perigliosa», disse che andava benedetta perché dava agl'italiani «la coscienza di essere italiani». Lo sciopero generale di protesta bandito per impegno di firma dalla Confederazione del

Lavoro, fallì. Solo in Romagna ci fu un tentativo di bloccare le tradotte militari svellendo i binari. A inscenarlo furono il socialista Mussolini e il repubblicano Nenni, che finirono in prigione. Un altro socialista, De Felice, ch'era stato l'eroe dei sanguinosi «Fasci» siciliani, chiese l'onore di essere imbarcato fra i primi, e da Tripoli mandò al suo giornale una corrispondenza in cui diceva che «il deserto è tutta terra coltivabilissima». La «grande proletaria», come Pascoli chiamava l'Italia, cantava in coro: «Tripoli, bel suol d'amore!».

Artefice della guerra di Libia, Giovanni Giolitti fu invece risolutamente contrario all'intervento italiano nella Grande Guerra 1914-1918. Ma nei pochi anni che divisero quella piccola campagna coloniale da un conflitto mondiale il «regime» giolittiano s'era andato logorando per gli attacchi d'un socialismo aggressivo – che ancor più lo era diventato sotto la guida di Benito Mussolini – e d'un nazionalismo parolaio, cui dava nobiltà intellettuale Gabriele D'Annunzio. Alla salvaguardia del potere giolittiano non bastò nemmeno il patto Gentiloni: un conte marchigiano, politico abile ma vanesio e chiacchierone, che s'era impegnato a mobilitare il voto cattolico in favore dei candidati liberali dovunque questi fossero minacciati dall'estrema Sinistra. In compenso i liberali s'impegnavano a difendere la parificazione delle scuole confessionali a quelle dello Stato e a ripristinare in queste ultime l'istruzione religiosa. Il giorno in cui l'attentato di Sarajevo appiccò il fuoco all'Europa il governo era a Roma nelle mani non di Giolitti, ma di Antonio Salandra. L'Italia era legata all'Austria e alla Germania dalla Triplice Alleanza: ma proclamò la sua neutralità. Gli alleati s'infuriarono, il Paese applaudì.

Le Potenze dell'Intesa – come si chiamava l'alleanza anglo-franco-russa –, e soprattutto la Russia, facevano offerte molto più sostanziose per trascinarci nel loro campo: promettevano Trento, Trieste, l'Albania. San Giuliano, ministro degli Esteri, lesinava le risposte col contagocce. Per il momento, più che a guadagnar terre, mirava a guadagnare tempo.

Il «via» alla campagna per l'intervento a fianco dell'Intesa lo dettero coloro che vi erano più interessati, cioè gl'irredentisti, e particolarmente quelli del Trentino, della Venezia Giulia e della Dalmazia, che si rifugiarono in Italia per venirvi a fare propaganda. Il più prestigioso era Cesare Battisti, che a Trento aveva diretto un combattivo giornale socialista e la cui voce suscitava una profonda eco negli ambienti democratici e repubblicani.

Per lui furono subito Bissolati, Bonomi, e tutto il gruppo radicale che faceva capo al *Secolo*.

Fu la spinta degl'irredenti a trascinare i nazionalisti che volevano l'intervento per l'intervento, e infatti fino all'ultimo erano stati incerti sulla scelta del campo. «Marciare, non marcire» era il motto di Marinetti, che aveva optato per la Francia perché con la cultura francese il futurismo aveva saldi legami.

Giolitti aveva evitato di pronunciarsi pubblicamente, ma proprio questo riserbo dimostrava la sua renitenza agli entusiasmi bellicisti. Egli ammirava la Germania, la riteneva capace di riprendere in qualsiasi momento l'offensiva, ma soprattutto aveva tratto dalla guerra di Libia un'opinione catastrofica dei nostri Comandi militari ed era convinto che il Paese non fosse in grado di affrontare una prova così severa. Come al momento dell'*ultimatum* austriaco alla Serbia aveva raccomandato a San Giuliano di attenersi all'interpretazione difensiva della Triplice, così ora gli raccomandava di resistere alle seduzioni dell'Intesa. Se un giorno, diceva, dovremo deciderci, «bisogna trovare modo d'intervenire per testamento», cioè quando l'Austria fosse ormai spacciata. E sebbene queste cose le dicesse soltanto in privato, la pubblica opinione le riseppe o le indovinò, e tutti i neutralisti, che seguitavano ad essere la schiacciante maggioranza, ricominciarono a guardare a lui come al salvatore della Patria.

A metà ottobre San Giuliano morì e Salandra chiamò al suo posto Sonnino. Sonnino era stato fra i pochi che avevano caldeggiato l'intervento a fianco degl'Imperi Centrali. E sebbene non avesse tardato a ricredersi, restava tuttavia sentimentalmente legato alla Triplice, o per meglio dire combattuto fra l'ammirazione per la Germania e quella per l'Inghilterra. Sugli orientamenti del governo egli esercitò un peso molto importante, dato il complesso reverenziale che Salandra nutriva nei suoi confronti; o meglio avrebbe potuto esercitarlo, se ne avesse avuto uno di suo. Ma per il momento si limitava a raccomandare di «scoprirci il più tardi possibile» in attesa che qualche suggerimento maturasse dagli eventi. Né Salandra né Sonnino avevano fatto i conti con gli elementi emotivi che, più forti e contro ogni calcolo politico, spingevano il Paese all'intervento. Di questi elementi emotivi, il grande suscitatore e interprete fu Gabriele D'Annunzio.

Dopo Sarajevo l'ambasciatore francese Barrère da Roma raccomandò al suo governo di guadagnare a tutti i costi D'Annunzio alla causa dell'intervento italiano. Qualcuno ha insinuato che i «costi» furono alti, ma si tratta di malignità: D'Annunzio lo si catturava meglio giuocando sulla sua vanità che sulla sua cupidigia. Lo condussero in pompa magna a visitare il fronte, ed egli diede conto di questo «battesimo del fuoco» con inni alla «sorella latina» e al «lavacro di sangue».

Da allora il poeta della voluttà non scrisse più che di eroismo e di olocausto. Dopo l'ode in francese alla *Resurrezione latina*, che *Le Figaro* pubblicò a tutta pagina, egli inondò l'Italia di poetici appelli: *Alla Nazione*, *Ai cittadini*, *Ai combattenti*, *Al Re*, che diventarono il vangelo della gioventù interventista. Lo invitarono a tornare da Parigi in Italia per assistere alla «prima» della sua *Fedra*, che stava per essere rappresentata alla Scala. Rispose che preferiva aspettare un'occasione più significativa, ed è probabile che già ne avesse studiato sul calendario la scadenza: il 5 maggio sarebbe stato il cinquantacinquesimo anniversario della partenza dei Mille per Marsala. Quale migliore occasione per indire a Quarto un'oceanica adunata cui presentarsi come un redivivo Garibaldi?

Mentre D'Annunzio a Parigi faceva la propria politica, il governo stentava a scegliere la sua. Nel dare al nostro ambasciatore a Londra, Imperiali, l'ordine d'intavolare negoziati coi rappresentanti dell'Intesa, Salandra e Sonnino non erano affatto decisi a concluderli. Come abbiamo detto, volevano guadagnar tempo lasciando la porta aperta, o almeno socchiusa, a un accordo con l'Austria. E anche per questo avanzarono, in cambio dell'intervento, pretese piuttosto pesanti: il Trentino fino al Brennero, cioè col Sud-Tirolo etnicamente tedesco; Trieste con le Alpi Giulie, tutta l'Istria e quasi tutta la Dalmazia, il che voleva dire quasi un milione di slavi; Valona col suo entroterra albanese; il Dodecaneso, che fin allora Francia e Inghilterra ci avevano contestato; e un trattamento da Grande Potenza coloniale nel caso di successive spartizioni in Africa e in Medio Oriente a spese della Germania.

Convinto che l'intervento italiano avrebbe provocato anche quello di Romania e Grecia, il ministro degli Esteri inglese, Grey, caldeggiò le richieste, e anche i francesi le accettarono. Ma le rifiutarono i russi, imbaldanziti da alcuni recenti successi e smaniosi di assurgere a protettori di tutte le popolazioni slave d'Europa. La loro opposizione rallentò le trattative inducendo Sonnino a riprenderle con l'Austria. Ma quando Vienna si disse disposta a trattare la cessione del Trentino, Sonnino avanzò nuove pretese: Gorizia, l'autonomia di Trieste, alcune isole della

Dalmazia, e mano libera in Albania. Era un vero e proprio «mercato», e Dio sa quanto sarebbe andato avanti, se da Londra non fosse giunta notizia che gli Alleati accettavano le nostre proposte. Battuti in Galizia, i russi non erano più in grado di opporvisi. Così si giunse al famoso Patto di Londra.

Il protocollo fu firmato – con l'impegno di entrambe le parti alla segretezza (che era la fissazione di Sonnino) più assoluta – il 26 aprile (del '15, naturalmente) pressappoco sulle basi proposte dall'Italia che s'impegnava a dichiarare la guerra entro un mese, cioè entro la fine di maggio, ma soltanto (ennesimo "distinguo" italiano ispirato al "non si sa mai") all'Austria.

Il Paese era in preda alla *suspense*. Nessuno sapeva cosa stesse per accadere, ma tutti sentivano che qualcosa sarebbe accaduto, e la polemica divampava più violenta che mai sulla stampa e nelle piazze.

Fu in questo ribollìo di passioni che D'Annunzio tornò in Italia per commemorare a Quarto la spedizione dei Mille. Sembrava ch'egli avesse combinato il proprio rientro con l'aiuto di qualche veggente. Quando aveva accolto l'invito di tenere la sua orazione, egli non poteva certo sapere che proprio il giorno prima – 4 maggio – l'Italia si sarebbe ufficialmente ritirata dalla Triplice – passo decisivo verso l'intervento –, dopo esser rimasta per otto giorni, cioè dal 26 aprile, quando aveva firmato il Patto di Londra, alleata contemporaneamente dei due blocchi in guerra. L'annuncio non era stato ancora dato, ma era nell'aria ed esaltava l'entusiasmo degl'interventisti, che ora correvano incontro al loro Vate per preparargli una «oceanica adunata».

Il Vate arringava, ma il governo s'era dimesso e in Parlamento la maggioranza era neutralista. In questa emergenza il Re si assunse una responsabilità che doveva rivelarsi decisiva non solo per l'intervento, ma per le sorti della stessa democrazia. A chi andassero le sue simpatie fu subito chiaro, almeno ai pochissimi che avevano con lui qualche dimestichezza. Cosa disse a Salandra quando questi gli presentò le dimissioni, rimase tra lui e Salandra. Le dimissioni furono comunque respinte: era il via all'intervento.

Ancora oggi si discute sulla costituzionalità del gesto. Formalmente, esso era irreprensibile. Alla Camera pacifista il Re aveva chiesto un governo che facesse fronte all'emergenza, e la Camera non gliel'aveva dato. Ma sostanzialmente quello del Re fu un colpo di Stato. Egli sapeva che il Parlamento era ostile alla guerra. Eppure, condusse le cose in modo da renderla irrevocabile. Nel conflitto drammaticamente apertosi fra la piazza e le Istituzioni, egli fu per la piazza contro le Istituzioni. E questa scelta era destinata a ripetersi anche in altra occasione.

Secondo l'ultimo bollettino di guerra, che tre anni e mezzo più tardi consacrò la vittoria italiana, le nostre forze sarebbero state numericamente inferiori a quelle nemiche. Questo è falso. All'inizio delle ostilità, noi avevamo in linea 400 mila uomini, gli austriaci 100 mila. E anche se dopo qualche mese il rapporto cambiò, questo rimase sempre all'incirca di 2 a 1. Ma l'inferiorità di armamento era evidente. L'artiglieria scarseggiava, non curava i collegamenti con le fanterie che finivano spesso per fare le spese dei suoi imprecisi tiri, e parecchi pezzi scoppiarono fra le mani degl'inservienti che difettavano di esperienza. Di mitragliatrici, che si stavano rivelando l'arma più efficace, ce n'erano due per reggimento, mentre gli austriaci ne avevano due per battaglione, che poco dopo diventarono otto. I nostri fanti ignoravano le bombe a mano; e quando a metà estate ne giunsero le prime cassette, per imparare a lanciarle ci rimisero parecchi morti e mutilati. Mancavano i fucili perché le nostre acciaierie non ne producevano che 2500 al mese, tanto che si dovettero rimettere in circolazione i Wetterli di quarant'anni prima, e le reclute vennero addestrate col bastone. Molti ufficiali furono costretti a comprare la rivoltella di tasca propria; e parecchi, non riuscendo a trovarne, parteciparono disarmati ai primi combattimenti. Mancavano gli elmetti, e solo dopo parecchi mesi ne vennero distribuiti due per plotone, che recavano la sigla R.F. perché ce li aveva mandati la Francia.

Non tutta la responsabilità di questo stato d'impreparazione ricadeva sui Comandi militari. Con la loro mania della segretezza, Salandra e Sonnino non avevano informato delle proprie intenzioni nemmeno lo Stato Maggiore, che fu messo al corrente degl'impegni presi a Londra solo il 5 maggio, neanche tre settimane prima dell'intervento. Fin allora aveva avuto tutte le ragioni di dubitarne perché il governo aveva seguitato ostinatamente a negare gli stanziamenti richiesti dal ministro della Guerra, generale Porro, che alla fine per protesta si era dimesso.

Era una sfasatura che si ripeteva puntualmente. In un Paese sprovvisto di spirito e di tradizioni militari, era logico che anche la classe politica ne fosse digiuna, e questo aggravava il divorzio fra i due ambienti. In tutti i governi che si erano fin allora succeduti, il generale e l'ammiraglio di turno, sempre designati dal Re, tiravano a sottolineare la loro indipendenza come se le vicende politiche non li riguardassero. Questo disinteresse condito di disprezzo era reciprocato dai politici, i quali consideravano le Forze Armate «il ricettacolo dei figli di famiglia più stupidi, dei quali non si sa cosa fare», come diceva Giolitti. Nemmeno l'impresa di Libia, che lì per lì aveva acceso tanti entusiasmi, era riuscita a fondere Nazione ed Esercito. De Bono racconta che nei «Circoli Ufficiali» d'anteguerra era quasi obbligo ignorare o fingere d'ignorare il nome del Presidente del Consiglio in carica, e per converso il deputato Marazzi scrive che nel mondo politico la mancanza di nozioni militari era considerata un vanto.

Con questa reciproca stima, politici e militari erano scesi in guerra, ma senza punto stabilire a chi ne spettasse la direzione. Formalmente, questa veniva assunta dal Re, come voleva la Costituzione. Ma Vittorio Emanuele, a differenza di suo nonno e di suo bisnonno che avevano sempre smaniato di esercitarla di persona, era abbastanza intelligente per capire di non esservi qualificato. Due giorni dopo l'inizio delle operazioni, cioè il 26 maggio, egli partì per il fronte affidando la Luogotenenza del Regno a suo zio Tommaso di Savoia. Ma non si stabilì a Udine, sede del Quartier Generale. Si accasò in un paesetto dei dintorni, Torreano di Martignacco, con un piccolo seguito di ufficiali e gentiluomini. E nella parte di «Re soldato» dimostrò subito di trovarsi a suo perfetto agio. Dormiva su una branda, la mattina si alzava all'alba e, seguito da qualche aiutante, partiva in automobile a visitare le linee, armato sempre di macchina fotografica. Questa vita all'aperto si rivelò, per la sua salute, una cura molto efficace. Vi ritrovò di colpo sonno e appetito, e perfino una certa allegria. Ogni sera, quando tornava da quelle ispezioni, un ufficiale di Stato Maggiore veniva a ragguagliarlo sulla situazione. Egli ascoltava, prendeva appunti, faceva delle osservazioni marginali sulla base di ciò che aveva visto durante la giornata, ma senza mai interferire sulle decisioni del Comando Supremo.

Questo era interamente nelle mani del Capo di Stato Maggiore, Luigi Cadorna, cui era riconosciuta la qualifica di *Generalissimo*. Cadorna era figlio del generale che nel '70 aveva comandato la spedizione su Roma, e padre di un altro futuro generale che nel '43 doveva assumere la direzione militare delle forze partigiane. Discendeva da una nobile famiglia piemontese di tradizione soldatesca, ed era uno dei pochi Ufficiali che non appartenevano alla Massoneria, anzi era devotissimo alla Chiesa cui aveva dato due figlie monache. Per quanto rapida e

brillante, la sua carriera era stata più quella di un grande burocrate che di un grande stratega perché sul campo di battaglia
non aveva mai avuto occasione di cimentarsi: i gradi se li era
guadagnati in caserma e negli uffici. Giolitti, che degli uomini
aveva un gran fiuto, lo disistimava. E quando nel 1908 si era
aperta la successione alla carica di Capo di Stato Maggiore,
disse al Re: «Conosco Cadorna. Ma appunto perché lo conosco,
gli preferisco Pollio che non conosco».

Pollio fu prescelto: non per il consiglio di Giolitti cui il Re, in
fatto di cose militari, non concedeva nessun credito, ma perché
Cadorna pose delle condizioni in cui è tutto il carattere dell'uomo.
Che il Re conservasse, in caso di guerra, tutte le apparenze del
comando, ma solo quelle: il comando effettivo doveva essere del
capo di Stato Maggiore, senza limitazioni. Quando nel '14 Pollio
morì, egli fu di nuovo interpellato, e pose le stesse condizioni di
sei anni prima. Stavolta il Re dovette arrendersi anche perché
l'*Annuario* non gli lasciava scelta. E così, mentre tutti gli eserciti
europei scendevano in guerra, Cadorna si trovò capo supremo di
quello italiano quando navigava già oltre la sessantina.

Di qualità morali, l'uomo non mancava, anzi ne aveva forse in
eccesso. Il concetto sacerdotale del dovere lo rendeva inflessibile anche con se stesso, e talvolta perfino inumano. La sua tenacia sconfinava nell'ostinazione, e il suo orrore dell'esibizionismo diventava spesso scontrosità. Chiuso e taciturno, immune
da favoritismi, ai suoi sottoposti non chiedeva collaborazione,
ma soltanto obbedienza. In che modo si proponesse di agire, lo
espose nella «circolare» che diramò ai Comandi poco prima del-
l'intervento e che rappresenta la *Summa* del suo pensiero strategico: *Attacco frontale e ammaestramento tattico*, di cui anni
dopo un autorevole critico militare, Valori, scrisse: «È terroriz-
zante pensare ch'esso abbia servito sul serio di base alle operazioni offensive di un esercito in una guerra moderna». Quando
Cadorna lo stilò, le grandi battaglie della Marna e di Tannenberg
avevano già dimostrato alcune cose: per esempio l'importanza
dei rapidi spostamenti negli attacchi a sorpresa, e quella del
cosiddetto «ordine sparso» per non offrire alle mitraglie il facile
bersaglio di una truppa ammassata. Per lui, il modulo dell'attacco era sempre quello: fuoco concentrato su fortificazioni e reticolati avversari, poi irruzione di reparti affiancati nei valichi
così aperti. Neanche quando l'esperienza ebbe dimostrato che
le nostre scarse e approssimative artiglierie i valichi non li aprivano e che «i poveri fanti italiani – scrisse Malaparte – andava-

no a stendere le loro carcasse sugl'intatti reticolati come cenci ad asciugare», Cadorna cambiò idea. Non poteva cambiarla perché non ne aveva altre. Egli concepiva la guerra come una gigantesca operazione d'assedio da portare avanti, uomo contro uomo, trincea contro trincea, a «chi più la dura, la vince». E di questa operazione, non intendeva dividere le responsabilità con nessuno. Fin dal primo giorno egli fece del Quartier Generale di Udine un feudo privato, una specie di Stato nello Stato, completamente indipendente da quello di Roma. Fin dal primo giorno si rifiutò di partecipare a consigli di guerra e perfino di fornire informazioni. L'unico punto su cui si trovava d'accordo coi «chiacchieroni» di Roma era che la guerra sarebbe stata breve e relativamente facile. Il risultato fu che «nessuno governò la guerra», come più tardi disse il generale Di Giorgio. Potere politico e potere militare s'ignorarono a vicenda. E quando gli avvenimenti li costrinsero a trovare fra loro un'intesa, fu un seguito di crisi che misero a repentaglio sia l'uno che l'altro.

IL CADORNA AUSTRIACO era quel generale Conrad von Hötzendorf che fin dal 1906, quando l'Italia era tuttora membro della Triplice, aveva progettato contro di essa una *Strafexpedition*, una spedizione punitiva, che ne prevenisse i tradimenti. Tale era il suo odio per il nostro Paese, e così estroverso e rumoroso, che alla fine avevano dovuto allontanarlo dalla carica. Ma quando l'Italia era scesa in guerra, gliel'avevano restituita. E da allora egli non aveva fatto che insistere presso i tedeschi per un'azione combinata dei due eserciti sul fronte italiano in modo da liquidarlo in pochi giorni. I tedeschi non lo avevano ascoltato un po' perché con l'Italia non erano in guerra e preferivano mantenere con essa un simulacro di pace, un po' perché non volevano distrarre forze dal fronte francese ch'essi consideravano quello decisivo. Nella primavera del '16 Conrad tornò alla carica, ma inutilmente. I tedeschi ripresero la loro offensiva in Francia con la grande battaglia di Verdun che si risolse in una paurosa emorragia per entrambi i contendenti. Ma non per questo il generale austriaco rinunziò ai suoi piani, convinto di poterli realizzare da solo.

Il 15 maggio 1916, un anno prima di Caporetto, quando l'Italia si apprestava a celebrare il primo anniversario dell'intervento, il Trentino prese fuoco, e non in senso soltanto figurato. Come quella nostra, l'artiglieria austriaca ignorava la tecnica del bombardamento concentrato su pochi essenziali obbiettivi, che i tedeschi invece praticavano da tempo.

Stavolta furono ben duemila i pezzi che d'improvviso si misero a rovesciare i loro obici sulle linee italiane. Era la prima volta che i nostri si trovavano, specie su quel fronte, sotto un simile inferno, ed è probabile che alla devastazione materiale si aggiungesse anche un trauma psicologico. L'attacco delle fanterie nemiche si sviluppò su un arco di 50 chilometri. Le ali tennero. Ma il centro cedette. E nella breccia gli austriaci dilagarono fino agli ultimi contrafforti alpini che danno sulla piana veneta. Vicenza era a trenta chilometri, e tutto il dispositivo dell'Isonzo rischiava di essere aggirato.

Anche Cadorna si trovò tra due fuochi. La notizia del disastro, giunta a Roma, vi provocò un sollevamento contro di lui. Atterrito non tanto dalla precarietà della situazione militare quanto dal pericolo che un crollo del fronte risvegliasse il Paese alla realtà provocandovi inquietudini che si era sempre cercato di sopire, Salandra convocò un Consiglio dei Ministri in cui il problema della sostituzione del Generalissimo tornò prepotentemente sul tavolo. Tuttavia, sebbene la tentazione di far di lui il capro espiatorio fosse grande, tutti convennero che non era il momento di aprire una crisi di comando, e ci si contentò di una soluzione di compromesso: la convocazione di un Consiglio di Guerra cui, oltre a Cadorna e a Porro, dovevano partecipare i comandanti di Armata, il Presidente del Consiglio e cinque ministri.

Stavolta il Generalissimo non chiese nemmeno di «studiare» la proposta. La rifiutò seccamente, dicendosi pronto soltanto a incontrarsi a Udine col Presidente e coi suoi cinque colleghi per fornire loro le informazioni che gli richiedessero. Ancora una volta il governo di Roma si trovò alla scelta: o inchinarsi a quello di Udine, o provocare le dimissioni di Cadorna. E ancora una volta ricorse al compromesso: mandò a Udine l'uomo di Cadorna, Morrone, che ne tornò con una cartella dattiloscritta, la cui lettura – dice Barzilai – provocò nei ministri «una vera insurrezione». Sonnino disse: «O lui, o noi», e la maggioranza fu per «noi». Salandra fu incaricato di esporre al Re il pensiero del governo, ma al momento della sua partenza, essendo stato chiesto ai ministri se questo pensiero doveva considerarsi «una deliberazione» o «un opinamento», la risposta fu: «Un opinamento». Eterna Italia.

A Salandra, il Re non mosse obbiezioni. Ma disse che la

responsabilità di destituire il Generalissimo doveva prendersela il governo: ch'era una risposta formalmente corretta, ma in perfetta antitesi con la prassi seguita sin allora, che lasciava al Re la scelta del Capo di Stato Maggiore. Non risulta però che Salandra gli muovesse questa obbiezione. Tornato a Roma, cercò soltanto d'insabbiare la questione e, quando i colleghi lo misero alle strette, disse che, da quel che gli era parso di capire, il Re non gradiva il cambio della guardia e lui stesso preferiva aggiornarlo in attesa di un accordo sul nome del successore. Con un respiro di sollievo, il Consiglio approvò all'unanimità l'*opinamento* e si limitò a chiedere a Cadorna se effettivamente egli aveva in animo di arretrare tutto il fronte, come la cartellina recapitata da Morrone lasciava intendere. Ma Cadorna non rispose.

Di fronte alla sua tracotanza la Camera però fu molto meno remissiva del governo. Non solo i giolittiani, che su Cadorna condividevano l'opinione del loro patrono, ma anche gl'interventisti, che di lui avevano sempre fatto il loro idolo, furono concordi che il suo potere andasse per lo meno ridimensionato. Di fresco reduci dalla trincea, i deputati Chiesa e Labriola formularono severissime critiche sull'operato del Comando, e Bissolati, che in trincea si era guadagnato due medaglie d'argento, propose l'istituzione di una speciale commissione parlamentare per tenere sotto controllo il potere militare.

Quando ai primi di giugno del 1916 la Camera si riunì, il destino di Salandra era segnato. La scelta del successore fu, come al solito, il frutto di un compromesso. L'emergenza richiedeva la formazione di un governo di concordia nazionale che, come tutte le concordie, era destinato a covare nel suo seno tutte le discordie. Paolo Boselli, che fu chiamato a presiederlo, possedeva tutti i requisiti, meno quelli che occorrono per guidare un Paese in guerra. Deputato ligure da parecchie legislature, era stato varie volte ministro con Crispi e Pelloux, ma nessuno se n'era accorto. Alla lontana, ricordava un po' Saracco. Passava per un esperto di questioni economiche, e moralmente era un personaggio di tutto rispetto. Ma politicamente era scolorito, e per di più aveva quasi ottant'anni. Ma proprio perché privo di precisi connotati, lo si ritenne il più adatto a barcamenarsi in una coalizione che conciliasse le più varie tendenze, e infatti egli le volle rappresentate tutte, ad eccezione dei socialisti. Tuttavia le figure di maggiore spicco rimasero le solite: Sonnino agli Esteri, Orlando agl'Interni, Nitti alle Finanze. Di nuovo, ci fu solo il socialista riformista Bissolati che, sebbene senza portafoglio, ebbe l'incarico più delicato: quello dei collegamenti col Comando Supremo, che in pratica significava il controllo su di esso. Ma proprio su questo si riaccese, più acuto che mai, il conflitto fra i due poteri.

Intanto l'offensiva austriaca perdeva gradatamente il suo slancio; e il 3 giugno si arenò definitivamente. Nel momento in cui il Parlamento mise Salandra in crisi, Cadorna aveva già superato la sua. Le nostre truppe stavano rapidamente riconquistando tutto il terreno perduto e veniva preparata la quinta battaglia dell'Isonzo.

Convinto di aver messo in crisi con la *Strafexpedition* tutto il nostro schieramento, Conrad fu colto di sorpresa quando il 6 agosto si vide piovere addosso, nel saliente di Gorizia, la III armata del Duca d'Aosta. Erano 17 divisioni contro 8. Gli austriaci resistettero dapprima vigorosamente sperando di fare in tempo a portare rinforzi. Ma dopo tre giorni dovettero abbandonare le loro munitissime posizioni del Sabotino e del San Michele che montavano la guardia all'Isonzo e a Gorizia, incalzati dalle fanterie del generale Capello, che fu il maggiore protagonista della brillante operazione. Il fiume fu attraversato, la città cadde, e per un momento parve che tutto il dispositivo nemico traballasse. Poi i nostri dovettero fermarsi per riparare alle pesanti perdite che avevano subito. Ma quella «prima, grande, autentica vittoria italiana», come la chiamò Bissolati, sollevò il morale delle truppe, fece salire la nostra quotazione in campo alleato, rinsaldò il governo e gli diede il coraggio di prendere alcune fondamentali iniziative. La prima fu la dichiarazione di guerra alla Germania. La seconda fu l'invio di un corpo di spedizione a Salonicco, dove gli anglo-francesi avevano aperto un fronte balcanico.

«LA PARTITA, PER QUEST'ANNO, pare che debba essere finita. Almeno, queste sono le nostre previsioni» scriveva il 4 ottobre 1917 nel suo *Diario* il colonnello Gatti, unico depositario delle confidenze di Cadorna. «Adesso – questi gli aveva detto – sto una quindicina di giorni a Vicenza, verso il 20 tornerò.» Non era il solo ad andarsene in congedo. Su sua istruzione, i vari Comandi avevano firmato ben 120 mila licenze, e i treni erano carichi di militari che tornavano a casa per godersi un po' di meritato riposo, ora che con l'avanzato autunno le operazioni entravano, come sempre, in letargo.

Il 9 Orlando, allora ministro degl'Interni, scrisse al Generalissimo per chiedergli se sapeva nulla di un'offensiva nemica che alcuni informatori gli davano come probabile. Cadorna gli rispose da Vicenza che quelle voci, giunte anche a lui, avevano tutte la stessa origine in quanto venivano da prigionieri o disertori austriaci, e pertanto erano da accogliere con beneficio d'inventario. «Ciò non toglie – aggiungeva – che io non dovessi dare e non abbia dato tutti gli ordini per fare fronte a un attacco, anche improvviso, prendendo le necessarie misure precauzionali.»

Non era del tutto vero. Come poi è risultato dai documenti, Cadorna non credeva affatto a quell'attacco, ma finse di prenderlo in considerazione per giustificare la sua inazione di fronte agli Alleati che, impegnati in una ennesima offensiva sul fronte francese, gli chiedevano di tenere in movimento quello italiano. Egli era convinto che la Russia, dove frattanto era scoppiata una seconda rivoluzione, quella di Lenin, stesse per abbandonare il campo: il che avrebbe consentito agli austro-tedeschi di concentrare tutti i loro sforzi sui fronti occidentali, compreso quello italiano. Ma pensava che ciò sarebbe avvenuto solo in primavera, quando si poteva contare sugli aiuti americani. Tant'è vero che le «misure precauzionali» di cui aveva dato assicurazione a Orlando erano ancora, in gran parte, allo stato delle intenzioni.

Per lungo tempo si è creduto che questo avvenisse per colpa non di Cadorna, ma di Capello che avrebbe disobbedito agli ordini. Ma è un'interpretazione che va per lo meno ridimensionata.

Secondo i suoi accusatori, Capello, capo della II armata, si sarebbe rifiutato di assumere lo schieramento difensivo che Cadorna aveva ordinato, fornendo in tal modo al nemico una facile breccia. Ma i documenti non suffragano questa tesi. È vero che in tutte le riunioni dello Stato Maggiore, Capello sostenne sempre che il miglior schieramento difensivo è quello controffensivo con artiglierie e rincalzi a ridosso della prima linea. Ma in realtà egli non tradusse in pratica questo concetto, e mantenne com'erano le posizioni conquistate sulla Bainsizza senza troppo preoccuparsi di dar loro un carattere invece che un altro perché era convinto di avere davanti a sé tutto l'inverno. Cadorna, che su questo punto la pensava come lui, non gli fece mai fretta. Capello era l'unico generale cui Cadorna non toglieva mai la parola di bocca e di cui, pur detestandolo, subiva il fascino.

Da Vicenza, dove trascorreva il suo riposo, il Generalissimo fece qualche ispezione sul fronte. Non su quello dell'Isonzo che

conosceva a memoria, e su cui era convinto che non potesse succedere nulla, ma su quello trentino, che aveva sempre trascurato. Il giorno 13 ricevette un rapporto del Servizio Informazioni –
che allora si chiamava «Ufficio situazione» –, secondo il quale
c'era da prevedere come «molto prossima» un'offensiva nemica
nel settore di Tolmino. Ma non si mosse: un'offensiva a metà
ottobre non era, secondo lui, nel novero delle cose possibili.

Capello invece ebbe dei dubbi. Il 14, parlando coi suoi sottoposti Badoglio e Cavaciocchi, disse che non credeva a un intervento dei tedeschi, «che sono più stanchi e logori di noi». Ma il
16 cambiò idea e spedì a Cadorna, tuttora in ferie, un urgente
messaggio per dirgli che, secondo ulteriori informazioni, il
nemico si preparava ad attaccare alla fine del mese. Non sappiamo di che fonte fossero queste informazioni: forse la stessa
cui aveva attinto il Re che proprio il giorno prima aveva inviato
a Cadorna lo stesso monito.

Finalmente – era il 19 – Cadorna si decise a tornare a Udine,
e subito vi convocò Capello per prendere accordi con lui e rimet-
tergli un'alta onorificenza. Il colloquio fu cordialissimo. Febbricitante e stremato da un grave attacco di nefrite, Capello s'impegnò ad accelerare lo schieramento difensivo che la sua Armata
non aveva ancora assunto, e che in ogni caso avrebbe richiesto
un certo tempo, ma sollecitò un breve congedo per rimettersi in
salute e proseguì per Padova.

Due giorni dopo due ufficiali romeni e un boemo disertarono
le linee austriache e si presentarono al nostro Comando per
informarlo che l'offensiva era imminente e avrebbe preso le
mosse da Plezzo, dove si erano concentrate numerose divisioni
tedesche. Cadorna, subito informato, si dimostrò scettico. La
nostra aviazione da ricognizione che quotidianamente sorvola-
va le linee nemiche non aveva segnalato movimenti di truppe e
la conca di Plezzo sembrava la meno adatta a un attacco per la
facilità con cui la si poteva imbottigliare. Questa fu anche l'opinione di Capello che, richiamato da Padova, rientrò al suo
Quartier Generale il 22. «Che vogliano cacciarsi nella conca di
Plezzo – disse ai suoi subordinati –, non ci credo. Ma poi, vengano pure. Li prenderemo prigionieri, e li manderò a passeggiare
a Milano per farli vedere.»

Questo ottimismo fu incrinato solo dal risveglio dell'artiglieria nemica. Quella che cominciò la mattina del 21 non fu una
grande azione di fuoco. Anzi, era chiaro che solo poche batterie
vi partecipavano. Ma Soffici ha descritto molto bene nella sua

Ritirata del Friuli l'impressione che suscitò. Non era il solito cannoneggiamento, massiccio ma approssimativo, con cui gli austriaci preparavano le loro offensive. Erano tiri isolati, ma a preciso bersaglio, con proiettili che «arrivavano senza sibilo e scoppiavano a tradimento». Se ne accorse anche il Re che ispezionava come al solito le linee, e che segnalò quelle novità a Cadorna. Ma Cadorna non vi diede peso. La sera del 23, Gatti racconta che alla mensa del Comando Supremo si parlò molto dell'offensiva, ma in tono di scherzo. Nessuno ci credeva veramente.

Vent'anni dopo, il maresciallo Erwin Rommel, la famosa «volpe del deserto» della seconda guerra mondiale, raccontò in un libro di memorie la battaglia di Caporetto, vista dalla parte dei vincitori, e cioè al di fuori della polemica che ha sempre inficiato il memorialismo nostrano. Rommel nel '17 era tenente, ma comandava un battaglione di alpini del Württenberg, che faceva parte di una delle sette divisioni mandate dai tedeschi in aiuto dell'Austria. Inchiodato sul fronte francese, il Comando germanico aveva finalmente accettato il piano di Conrad di una «spallata» a quello italiano, l'unico su cui si poteva riportare una vittoria decisiva prima che l'America facesse sentire il suo peso.

Perché la sorpresa funzionasse, le truppe furono rivestite in uniformi austriache, e i loro spostamenti avvennero solo di notte in modo da sfuggire agli avvistamenti dell'aviazione. In quattro giorni Rommel percorse coi suoi uomini oltre 100 chilometri a piedi e al buio. Sebbene non avesse che ventisei anni e rivestisse un grado subalterno, fu messo al corrente di tutto il piano di operazioni perché dal momento dell'attacco in poi avrebbe perso ogni contatto coi suoi Comandi e quindi doveva agire d'iniziativa. Questo piano s'ispirava a una nuova tattica, sperimentata da poco sul fronte russo di Riga: concentrazione delle forze d'attacco su un limitatissimo settore dello schieramento nemico, e infiltrazione nella falla di reparti, che senza curarsi di ciò che accadeva sulle ali, dovevano penetrare nelle retrovie avversarie e prenderne a tergo le posizioni.

Il tema fu svolto con meticolosa precisione. Dopo i tiri d'inquadramento operati i giorni precedenti, alle due del mattino del 24 ottobre l'artiglieria austro-tedesca si scatenò, ma il suo fuoco non durò che cinque ore e batté solo un tratto di quattro o cinque chilometri. Alle otto e mezza era quasi del tutto cessato, tanto che il generale Bongiovanni disse al Re, il quale si trovava presso il suo Comando, che quello non era di certo il prologo di una grande offensiva, e ne chiese per telefono conferma a Badoglio, che gliela diede dicendo che «nulla d'importante» era accaduto.

In quel momento il battaglione di Rommel era già penetrato nella piccola breccia aperta dal fuoco concentrato delle batterie tedesche, e si trovava una diecina di chilometri alle spalle delle nostre linee. Non aveva incontrato resistenza perché gli scampati all'uragano di ferro erano stati fulminati dai gas. Si trattava di fosgene che provocava la morte istantanea.

Nessuno si era accorto di questa infiltrazione perché i nostri posti di avvistamento avevano i cannocchiali puntati per in su invece che per in giù. Gli ufficiali che li comandavano avevano appreso dai loro manuali di tattica che le battaglie si combattono per il possesso delle cime. E siccome sulle cime non succedeva nulla, tutti erano convinti che nulla fosse avvenuto. Un colonnello che si trovava sul Monte Nero riferì più tardi alla commissione d'inchiesta di aver visto alle otto del mattino del 24 una colonna di soldati che marciava in bell'ordine sulla strada del fondovalle e di non avere nemmeno per un momento dubitato che si trattasse d'un reparto nemico. Se ne rese conto solo quando si vide assalito alle spalle e dovette cedere quasi senza resistenza le posizioni, la cui conquista due mesi prima era costata settimane di furibonda lotta frontale e diecine di migliaia di morti.

Dopo ventiquattr'ore Rommel con le sue tre compagnie di alpini aveva fatto 30 mila prigionieri e occupato le preziose posizioni del Kuk e del Kolovrat perdendo solo, fra morti e feriti, una trentina di uomini. Ma il Comando Supremo di Udine non si era ancora reso conto di quello che stava succedendo. In una lettera confidenziale al direttore del suo giornale, il corrispondente di guerra Alessi, eco fedele del Quartier Generale, scriveva che il nemico si era cacciato in un guaio spingendosi in avanti senza curarsi delle montagne. E questa, secondo Gatti, era anche l'opinione del Re e di Cadorna. Soltanto il 26 il sottocapo di Stato Maggiore, Porro, cominciò a chiedersi se non si era commesso un errore trascurando le difese dei fondivalle.

Mentre a Udine ci si ponevano queste domande, Rommel e compagni erano a Caporetto, una trentina di chilometri dietro il fronte, e marciavano a tappe forzate verso sud-ovest tagliando la via della ritirata alle truppe schierate sull'Isonzo. Di questa drammatica realtà, Cadorna cominciò a prendere coscienza solo nella notte fra il 26 e il 27, quando già la stessa Udine era minacciata dalle avanguardie nemiche. Non aveva un quadro esatto di ciò che stava avvenendo perché i telefoni dei vari Comandi non rispondevano più alle chiamate: o erano stati abbandonati, o le linee erano interrotte. Ma una cosa era certa: che il fronte era stato tagliato in due tronconi e che nella falla di Caporetto, larga ormai una cinquantina di chilometri, il grosso del nemico irrompeva a fiumana. Solo la III armata del Duca d'Aosta si stava sganciando con un certo ordine dalle sue posizioni. Ma la II, quella di Capello, era in piena dissoluzione e ridotta a una torma di fuggiaschi che intasavano le comunicazioni e vi creavano il caos.

Il 27 Cadorna diramò l'ordine di ripiegare sul Tagliamento, ma pochi furono i reparti che lo ricevettero. In quel marasma più nulla funzionava, e il ripiegamento si fece non per piano, ma per fuga.

Solo il 28 Cadorna si decise ad annunziare la disfatta con un comunicato che cominciava con queste parole: «La mancata resistenza di reparti della II armata, vilmente ritiratisi senza combattere o ignominiosamente arresisi al nemico...». Era insieme il tentativo di far passare quel disastro come frutto non di errori di comando, ma di un cedimento morale dovuto al disfattismo, e la vendetta contro Capello. A Roma se ne resero conto e attenuarono così la spietata e ingenerosa denunzia: «La violenza dell'attacco e la deficiente resistenza di taluni reparti della II armata hanno permesso alle forze austro-tedesche...». Ma il Comando Supremo aveva già diffuso per radiotelegrafo la versione originale in tutto il mondo, e gli austriaci naturalmente ne approfittarono per alluvionare con gli aerei le truppe italiane in fuga di volantini che dicevano: «In questo momento così critico per la vostra nazione, il vostro generalissimo, che insieme a Sonnino è uno dei più colpevoli responsabili di questa guerra inutile, ricorre ad uno strano espediente per scusare lo sfacelo. Egli ha l'audacia di accusare di viltà il vostro esercito, fiore della vostra gioventù che tante volte si è slanciata per ordine suo ad inutili e disperati attacchi. Questa è la ricompensa del vostro valore!».

La disfatta assumeva le proporzioni della catastrofe. Questa sembrava ormai irrimediabile. Udine era caduta, Venezia quasi a portata delle artiglierie nemiche, trecentomila uomini erano rimasti chiusi nella morsa e si avviavano verso i campi di concentramento, tremila cannoni, depositi, magazzini erano stati abbandonati e, frammischiati a un milione di soldati sbandati che cercavano scampo senza saper dove, brancolavano 500 mila civili che fuggivano l'invasione con carri e masserizie.

Cadorna, che aveva molto stentato a rendersi conto dell'entità del disastro, stentò ancora di più a fissare un piano, cioè un punto di resistenza. Il 27 pensava ancora di attestarsi sul Tagliamento, ben lontano dall'immaginare che le avanguardie nemiche c'erano già arrivate. Poi si decise per il Piave. E il Piave tenne. Il fatto è che contro gli austro-tedeschi finì per giuocare lo stesso elemento che tanto aveva giuocato contro di noi: la sorpresa. A detta dei loro storici militari, essi non si aspettavano né di poter operare una infiltrazione così facile, né di provocare un crollo così totale. E quando se ne accorsero, era ormai troppo tardi per lanciare sulle orme delle loro veloci avanguardie delle forze sufficienti a sfruttarne fino in fondo il successo, cioè a impedire lo «sganciamento» e a tagliare la strada alla III e alla IV armata, che riuscirono a ripiegare senza troppe perdite.

Vittorio Emanuele Orlando, che era succeduto a Boselli come Presidente del Consiglio, ha raccontato che al momento di assumere la carica, egli era già d'accordo col Re sulla sostituzione di Cadorna con Diaz. Ma, se non di un falso, si tratta certamente di una inesattezza. È probabile che, al momento della sua designazione al posto di Boselli, Orlando abbia parlato col Re di questa eventualità: Orlando non era un estimatore di Cadorna, che a sua volta considerava Orlando uno dei principali responsabili del disfattismo cui egli attribuiva la catastrofe. Per di più Orlando era convinto che, fin quando ci restava Cadorna, non fosse possibile stabilire fra Comando Supremo e governo un qualsiasi rapporto di collaborazione. Ma la decisione vera e propria della sua sostituzione non fu presa in quel momento né in quella sede.

Quando si era accorto del disastro, Cadorna aveva chiesto aiuto alla missione militare alleata dislocata presso il quartier generale, ma ne aveva ottenuto una risposta dilatoria. Già da un pezzo i franco-inglesi erano insoddisfatti di Cadorna e dei suoi criteri strategici, tanto che due mesi prima gli avevano ritolto i rinforzi di artiglieria che gli avevano concesso, convinti ch'egli avesse abbastanza mezzi per far fronte all'emergenza. Ma di fronte all'evidenza del collasso, i generali Foch e Robertson raggiunsero in tutta fretta Padova, nuova sede del nostro Comando, per rendersi conto coi propri occhi della situazione. Ne furono sgomenti e chiesero la convocazione di una speciale conferenza dei capi politici e militari a Rapallo per concordare le misure da prendere.

Fu qui che il 6 novembre i due Capi di Governo francese e inglese, Painlevé e Lloyd George, espressero la loro sfiducia in Cadorna e ne chiesero l'allontanamento. Orlando si disse d'accordo, ma fece anche presente «la difficoltà di fare tali mutamenti in momenti difficili». Cercava cioè di guadagnar tempo, e questo dimostra che la sostituzione non era ancora stata decisa. Ma Lloyd George insisté. Se Cadorna restava al suo posto, disse senza tanti complimenti, «dovremmo sempre temere che le truppe italiane alla destra e alla sinistra dei nostri reparti possano lasciarci nell'imbarazzo». Il che voleva dire: «O lo sostituite, o non vi diamo gli aiuti». La soluzione la trovò il diplomatico inglese Hankey che suggerì a Aldovrandi-Marescotti di nominare Cadorna rappresentante italiano al Consiglio Superiore Interalleato in via di costituzione. Aldovrandi lo riferì a Orlando che fece sua la proposta e incaricò Porro e Gatti, che lo avevano accompagnato a Rapallo, d'informarne Cadorna.

Gatti racconta la scena: «Sono le 19,30: l'ora di pranzo. Cadorna esce dalla stanza con Porro. Ha lo stesso passo di quando ci è venuto incontro, e pare abbia la stessa impassibilità; ma la testa gli è rientrata un po' più fra le spalle, che sono sempre state un po' alte. Si siede a tavola e dice: "Non mi abbatteranno mai. Se mi credono uguale a loro, sbagliano di molto"».

Non un cedimento, non un dubbio, nemmeno nell'ora del disastro e della disgrazia. Cadeva in piedi, col suo immenso orgoglio, con la sua incapacità di riconoscere ed ammettere un errore. Avevano sbagliato gli altri. Avevano tradito gli altri.

Dopo averlo rifiutato, su insistente preghiera del Re, accettò l'incarico al Consiglio Superiore. Ma non ci rimase che un paio di mesi. Dopo, fu collocato a riposo, e uscì di scena. Senza mai piegare la testa.

Come si giunse alla designazione di Diaz quale successore di Cadorna, non è del tutto chiaro. Il suo nome non era di quelli che potessero infondere fiducia a un Esercito e a un Paese, che soprattutto di fiducia avevano urgente bisogno. Quasi nessuno lo conosceva perché mai c'era stata occasione di renderlo noto. Piccolo di statura, occhialuto, con un aspetto più da professore che da soldato, e oberato da un forte accento napoletano che non contribuisce di certo alla marzialità, più che al comando di reparti, Diaz aveva fatto la sua carriera nello Stato Maggiore, ma non risulta che nemmeno qui avesse mai brillato. Dicono che a caldeggiarne la nomina fu Nitti per solidarietà meridionale e per rompere il monopolio piemontese del Comando

Supremo. Orlando la racconta così: «Sua Maestà mi disse che egli aveva presente un nome, ma desiderava che io comunicassi il mio. "Il generale Diaz" dissi obbedendo a un desiderio che era per me un ordine. "È pure il nome che io le avrei proposto"». Resterebbe da sapere perché il Re aveva pensato a lui, ma questo è più facile da capire. Gli Alleati avevano suggerito il Duca d'Aosta, o almeno mostravano per lui una spiccata preferenza. E il Re volle tagliargli la strada: il cugino era l'uomo di cui più diffidava, e a cui meno desiderava fornire occasioni di mettersi in luce.

Comunque, se quella nomina fu per tutti una sorpresa, ancora di più lo fu quella del sottocapo di Stato Maggiore che a Diaz venne affiancato con mansioni molto più importanti di quelle che l'uscente Porro aveva esercitato con Cadorna, e che infatti da quel momento fu la vera mente del Comando Supremo e l'ispiratore di tutti i suoi piani: Badoglio.

DEI SEI GENERALI che di lì a qualche mese furono sottoposti a inchiesta per il disastro di Caporetto – Cadorna, Porro, Capello, Cavaciocchi, Bongiovanni e Badoglio –, quest'ultimo era forse il più indiziato, e seguita ad esserlo forse anche perché è l'unico che riuscì sempre a restare sulla cresta dell'onda, prima con Mussolini e poi contro Mussolini, di cui fu insieme il successore e il carceriere. Ce n'è quanto basta per farne a tutt'oggi uno dei più controversi protagonisti del nostro tempo.

Badoglio era di Grazzano Monferrato, e veniva da una tipica famiglia di piccoli notabili di provincia piemontese. Coltivatori diretti, suo padre e suo nonno erano anche stati sindaci del paese, e Pietro ne aveva ereditato tutte le stigmate: la tenacia, l'avarizia, il buon senso, l'equilibrio fisico e morale. Fece l'ufficiale perché in tutte le famiglie di quello stampo la «giubba del Re» era titolo d'onore. E non potendo scegliere la cavalleria, dove gli scatti di grado si guadagnavano a furia più di blasone che di capacità, scelse l'artiglieria ch'era considerata l'«arma dotta».

La sua grande ora scoccò nel '16 con la conquista del Sabotino, sulle cui pendici i fanti avevano lasciato, in una lunga serie d'inutili assalti, migliaia di morti. Il colonnello Badoglio riuscì a convincere Cadorna che per conquistare quella cima bisognava ricorrere a una tattica diversa dall'attacco frontale, e se ne assunse l'esecuzione. Invece di farli uscire allo scoperto, egli portò i soldati, attraverso un dedalo di gallerie scavate nella roccia, quasi a contatto delle posizioni nemiche, sicché essi poterono prenderle d'assalto quasi di sorpresa e con poche perdite. Più tardi questo merito gli fu contestato: c'è chi dice che spetta a Montuori, c'è chi dice che spetta a Venturi. Ma qui si entra nel pettegolezzo. Il fatto è che Capello, forse il più intelligente generale italiano, che allora comandava il VI Corpo d'armata, dopo averne studiato il piano e seguito l'attuazione, fece promuovere Badoglio a generale, lo chiamò presso di sé, e quando assunse il comando della II armata, gli diede quello di un Corpo d'armata, che per grado non gli spettava e che infatti fece scandalo.

A quarantasei anni, Badoglio era al culmine della carriera. Sopra di lui c'erano solo Capello e Cadorna. Il Corpo d'armata ch'egli comandava, il XXVII, era uno dei perni del nostro fronte fra Tolmino e la Bainsizza, tanto che lo avevano dotato di 800 cannoni e di truppe di rincalzo. Quel perno fu travolto dall'offensiva tedesca. Ma Badoglio, invece della convocazione presso la commissione d'inchiesta, ricevette quella presso il quartier generale per assumere, insieme a Giardino, la carica di vicecapo di Stato Maggiore, che rappresentava una promozione. Come abbia fatto, è tuttora un mistero. Ma molto v'influì di certo la sua padronanza di nervi. Dopo il trauma, fu tra i primi a recuperare tutto il suo sangue freddo e ad affrontare la situazione con ponderata calma.

Come poi sia sfuggito all'inchiesta, lo rivelò alcuni anni fa il Presidente del Senato, Paratore. Questi fu pregato da Orlando di ricordare al presidente della commissione che Badoglio era ormai il vero Generalissimo, e che quindi il discredito gettato su di lui si sarebbe ripercosso su tutto l'Esercito proprio nel momento in cui questo era impegnato nello sforzo supremo. Fatto sta che nella relazione finale furono soppresse tredici pagine. E tutto lascia credere che fossero quelle relative alle responsabilità di Badoglio.

Un altro uomo aveva recuperato subito il suo sangue freddo, anzi non lo aveva mai perso: il Re. Era stato fra i primi a rendersi conto del disastro, e lo aveva seguito passo passo ispezionando i punti più minacciati e parlando coi vari comandanti: sempre impassibile, sino a dare una sensazione d'indifferenza. Il 6 novembre telegrafò ai capi politici e militari riuniti a Rapallo invitandoli a Peschiera per prendere le decisioni definitive. Vennero tutti: Painlevé, Lloyd George, ministri e capi di Stato Maggiore oltre, si capisce, i nostri.

Fu lui che tenne rapporto anche perché era il solo che poteva farlo nelle lingue degli ospiti (Orlando non parlava nemmeno il francese), e si guadagnò il rispetto di tutti per la chiarezza e franchezza con cui fece il punto della situazione, realisticamente e senza retorica. Elencò le cause del disastro citando anche la «falla morale», ma senza attribuirla alla propaganda disfattista, cui infatti non credeva (e lo aveva già detto ai nostri generali). Ma garantì la resistenza sul Piave escludendo perentoriamente qualsiasi ipotesi di crollo nazionale. «Alla guerra si va – disse in inglese – con un bastone per darle e con un sacco per prenderle.» Gli Alleati rimasero colpiti dalla sua fermezza, e concessero gli aiuti richiesti: sei divisioni francesi e cinque inglesi, che avrebbero collaborato col Comando italiano, ma senza essere poste ai suoi ordini.

Due giorni dopo, Orlando gli presentò il testo di un proclama da lanciare alla Nazione. Cominciava con queste parole: «Una immensa sciagura ha straziato il mio cuore di Italiano e di Re». Ma Vittorio Emanuele le cancellò: anche nell'emergenza rifiutava la retorica.

NEL GIUGNO DEL 1918, gli austriaci, bloccati sul Piave, decisero di riprendere l'offensiva.

Il primo attacco lo sferrarono nel Trentino, nella speranza che il nostro Comando vi facesse affluire truppe distraendole dal Piave. Ma Diaz e Badoglio non abboccarono, e lasciarono che l'azione si esaurisse da sola: il che avvenne dopo tre giorni di scontri isolati sulle cime.

L'offensiva vera e propria si sviluppò nella notte fra il 14 e il 15 giugno con un massiccio bombardamento accompagnato dal lancio di gas, e investì tutto il fronte. Il massimo sforzo gli austriaci lo produssero sul Grappa dove riuscirono a strappare alcune pericolose posizioni. Convinto di avere la partita in pugno, Conrad, che ora aveva lasciato la carica di capo di Stato Maggiore ad Arz e comandava l'Armata del Trentino, lanciò un proclama alle truppe in cui diceva che gl'italiani erano ormai «appesi con le sole mani a un balcone»: bastava una spinta per farli precipitare. Ma egli non aveva più a disposizione le divisioni tedesche, ch'erano state richiamate sul fronte occidentale, e dimostrava di non averne assimilato la tattica: invece di concentrare lo sforzo in un limitato settore per aprirvi una breccia e infiltrarvisi come i tedeschi avevano fatto a Caporetto, lo disperdeva su un vasto arco secondo la vecchia superata tattica dell'attacco frontale.

Dopo sei giorni d'inutile lotta, Arz ordinò la ritirata. Egli abbandonava sul terreno, fra morti e feriti, quasi 100 mila uomini, mentre le perdite nostre non superavano i 40 mila. I comunicati ufficiali maggioravano il divario delle cifre, ma ne tacevano una: quella dei prigionieri. Mentre gli austriaci ne lasciavano in mano nostra 25 mila, noi ne lasciavamo in mano austriaca quasi il doppio. Questo stava a dimostrare che il morale italiano era meno saldo di quanto gli ottimisti dicessero. Ma in compenso quello austriaco era precipitato a zero. «Per la prima volta – disse Ludendorff – avemmo la sensazione della nostra sconfitta.»

Il 26 settembre 1918 gli Alleati sfondarono la cosiddetta «linea Hindenburg» mettendo in crisi tutto lo schieramento tedesco del fronte francese. Il 29 i bulgari capitolarono sotto l'incalzare dell'Armata d'Oriente. Il 3 ottobre gli ungheresi, unica nazionalità dell'Impero asburgico rimasta sempre fedele all'Austria, se ne proclamarono indipendenti. L'indomani la Germania chiese di trattare sulla base proposta l'anno prima da Wilson nei suoi famosi «Quattordici Punti», cioè secondo il principio dell'autodecisione dei popoli e del loro diritto all'indipendenza nazionale.

Un'offensiva italiana s'imponeva. Cominciò alle tre del mattino del 24 ottobre col solito martellamento di artiglierie lungo tutto il fronte. Sul Grappa, ridiventato un inferno, gli austriaci respinsero sanguinosamente i nostri assalti, e sul Piave occorsero tre giorni di lotta per creare una testa di ponte. Una folata di pessimismo investì Comandi, truppa e Paese. «Siamo battuti – scrisse Nitti a Orlando –, l'offensiva è infranta, si profila un disastro, e tu ne sei il responsabile.»

Queste parole raggiunsero il destinatario proprio nel momento in cui la situazione si ribaltava. All'ordine di contrattacco, i reggimenti cechi, croati, polacchi, ungheresi gettarono le armi, e l'esercito austriaco crollò di schianto. Intuendone il collasso e agendo d'iniziativa, il generale Caviglia traghettò oltre il fiume a Susegana la sua VIII armata, e lanciò la cavalleria su Vittorio Veneto, che fu raggiunta la sera stessa. Minacciata di aggiramento, la VI armata austriaca dovette abbandonare il Monte Grappa, e da quel momento la ritirata si tramutò in rotta: «una Caporetto alla rovescia» dice Seton Watson.

L'indomani, 29 ottobre, un ufficiale austriaco si presentò a un

nostro Comando avanzato per preannunziare l'arrivo di un plenipotenziario con la richiesta d'armistizio. Il plenipotenziario
era il generale Weber von Webenau, e fu accolto a Villa Giusti nei
pressi di Padova da Badoglio. La trattativa era subordinata a
quella che si sarebbe tenuta a Versailles dove, secondo gli accordi intervenuti fra gli Alleati, si dovevano negoziare armistizi e
paci. L'unico punto da discutere era dunque la data della cessazione delle ostilità, e Badoglio non aveva fretta perché alla pace
voleva arrivare con le nostre truppe già in saldo possesso dei
territori assicuratici dal Patto di Londra. Egli firmò il documento il 3 novembre, ma con la clausola ch'esso sarebbe entrato in
vigore ventiquattr'ore dopo per dare tempo alle nostre avanguardie di entrare a Trento e alle nostre navi di sbarcare alcuni
reparti a Trieste.

Ancora si discute se Vittorio Veneto fu una battaglia combat-
tuta e vinta dall'Italia o non piuttosto l'improvviso crollo di un
esercito già in sfacelo. Fra morti e feriti, Arz lasciò sul terreno
circa 30 mila uomini: ben poco, in confronto agli oltre 400 mila
prigionieri. Scrivendo: «Vittorio Veneto è una ritirata che abbiamo disordinato e confuso, non una battaglia che abbiamo
vinto», Prezzolini è il testimone che più si avvicina alla verità.

CAPITOLO 2

La Marcia su Roma

L'ANNUNZIO DELLA VITTORIA – «una vittoria romana» la chiamò Orlando – sollevò nel Paese un'ondata di entusiasmi rumorosi ed effimeri, come lo sono sempre gli entusiasmi italiani. A raffreddarli fu anzitutto il conteggio dei costi. C'erano 600 mila morti e mezzo milione di mutilati. C'erano delle province devastate. Da 200 milioni, il disavanzo era salito a oltre 23 miliardi, l'inflazione galoppava, il costo della vita era quadruplicato, e lo spettro della crisi incombeva sulle industrie patologicamente enfiate dai consumi di guerra.

Altre delusioni vennero dalla diplomazia. L'Italia aveva approfittato delle clausole armistiziali imposte da Badoglio a Villa Giusti per occupare immediatamente tutti i territori assegnatici dal Patto di Londra: Trentino, Alto Adige, Venezia Giulia, Istria e Dalmazia. Ma per quest'ultima la Serbia fece opposizione, e il contrasto provocò una serie di reazioni a catena che lo resero sempre più aspro.

Il punto più controverso riguardava Fiume. Per questa città, prevalentemente italiana, ma non contemplata nel Patto di Londra, Bissolati chiedeva che si rinunziasse alla Dalmazia slava; mentre per Sonnino che lo considerava il suo «capolavoro», quel Patto era intoccabile.

A Versailles, dove si svolse la Conferenza della pace, Orlando e Sonnino si trovarono subito in una situazione difficile. Conducendola nel '17 in guerra a fianco degli Alleati il presidente americano Wilson aveva fissato in 14 «punti» e 4 «princìpi», gli scopi che l'America si prefiggeva. Uno dei punti era: «La rettifica delle frontiere italiane sarà fatta secondo linee di nazionalità chiaramente riconoscibili». Uno dei princìpi era: «I popoli e le province non devono più essere barattati dai governi come un gregge o usati come pedine di un giuoco di scacchi». Più che un uomo politico, Wilson era, da buon americano di mentalità quàcchera, un missionario fermamente risoluto ad anteporre l'esigenza morale a quella della «ragion di Stato», anzi incapace di riconoscere una ragion di Stato in contrasto con la morale. Per questo odiava i trattati segreti e reclamava che fossero messi per sempre al bando. Egli non si sentiva affatto impegnato dal Patto di Londra, di cui anzi ignorava l'esistenza e che aveva tutti i requisiti a lui più odiosi da quello del giuoco di scacchi a quello della segretezza.

Le discussioni diventarono sempre più aspre senza che si riuscisse a fare un passo avanti. Furono proposte altre varie soluzioni come quella di dare a Fiume, Zara e Sebenico – i centri più caratteristicamente ed etnicamente italiani incuneati in un territorio slavo – uno statuto di «città libere» sotto il controllo della Società delle Nazioni, come Danzica. Ma inutilmente. Allora Wilson si appellò direttamente al popolo italiano con un manifesto in cui lo invitava alla moderazione e al rispetto dei diritti delle altre nazionalità.

Il gesto era contrario a tutte le regole della diplomazia e anche a quelle della buona creanza perché era in pratica un invito alla sconfessione di Orlando. Infatti sortì un effetto opposto a quello che si riprometteva Wilson; suscitò un'ondata di furore nazionalistico. D'Annunzio aizzò la folla contro il Presidente americano che, con la sua bocca «piena di falsi denti e di false parole» osava impartire lezioni «a una nazione vittoriosa, anzi alla più vittoriosa di tutte le nazioni, anzi alla salvatrice di tutte le nazioni».

Orlando, per protesta, aveva abbandonato la Conferenza ed era ripartito con Sonnino per Roma. Vi fu accolto come un eroe e, lasciandosi come al solito contagiare dagli umori della folla, pronunciò parole che approfondivano ancora di più la rottura con gli Alleati. Egli era convinto che di fronte a quelle dimostrazioni di unità e concordia nazionale intorno al suo nome, costoro si sarebbero affrettati a richiamarlo a Parigi.

Ma il richiamo non venne. Dapprincipio Lloyd George e Clemenceau avevano tentato d'indurre Wilson a un gesto conciliante. Ma quando seppero che Sonnino aveva ordinato di sua testa lo sbarco di un piccolo corpo di spedizione ad Adalia in Asia Minore per assicurarsi i «compensi» promessici in quella zona dal Patto di Londra, persero la pazienza e decisero di riprendere per conto loro i negoziati con l'Austria e la Germania. Fu così che tutte le colonie tedesche in Africa vennero spartite tra Francia e Inghilterra senza nessun riguardo per l'Italia, e Lloyd George dichiarò seccamente che se questa seguitava a rifiutarsi di partecipare alle trattative, voleva dire che intendeva stipulare una pace separata, il che annullava il Patto di Londra.

In Italia, i furori nazionalistici che vi avevano ricreato un'atmosfera da «maggio radioso» sbollirono di colpo per lasciare il posto alle recriminazioni. I membri della delegazione rimasti a Parigi avvertivano che gli Alleati, infischiandosi delle reazioni italiane, facevano sul serio, avevano invitato Venizelos a mandare anche lui un corpo di spedizione in Asia Minore per fare da contrappeso a quello italiano, e stavano per concludere il negoziato con Austria e Germania. Non c'era tempo da perdere. La sera del 5 maggio 1919, quasi di nascosto, Orlando e Sonnino risalirono sul treno di Parigi.

Il tempo stringeva, e le trattative volgevano alla conclusione. La bozza del Trattato di Saint-Germain con l'Austria era pronta fin dal 3 giugno, anche se il documento venne poi firmato il 10 settembre. Il Trattato di Versailles con la Germania fu perfezionato il 28 giugno. Uno dei più perspicaci diplomatici italiani, il Conte Sforza, disse che l'Italia era la nazione che più aveva beneficiato della guerra e della vittoria non tanto perché aveva raggiunto le sue frontiere naturali, quanto perché – all'opposto della Francia, che ancora doveva vedersela con una Germania unita e potenzialmente fortissima – essa si era per sempre liberata del «nemico ereditario», ora che al posto dell'Austria-Ungheria coi suoi 50 milioni di abitanti, c'erano un'Austria di 6 milioni, e una Jugoslavia arretrata e devastata di 12.

Ma non la si vedeva così in Italia. Umiliato e deluso, Orlando riprese con Sonnino la via di Roma. Poche settimane erano bastate a fare del «Presidente della Vittoria» il «Presidente della disfatta». Infatti si consegnò quasi senza difesa a una Camera ostile che il 19 giugno lo travolse votandogli a larga maggioranza la sfiducia. E cedette il posto a Nitti che aveva dato le dimissioni sei mesi prima appunto per aspettare il suo turno e prepararvisi.

INTANTO A FIUME la situazione precipitava. Il 6 luglio, in uno dei tanti incidenti che in quella città si verificavano quasi giornalmente fra irredentisti e truppa alleata, nove soldati francesi vennero linciati. In piena Conferenza, Clemenceau chiamò gl'italiani «popolo d'assassini», fu nominata una commissione d'inchiesta interalleata. Questa, dopo aver indagato sul posto, chiese lo scioglimento del Consiglio Nazionale e l'istituzione di una forza di polizia alleata sotto controllo inglese. Di colpo, Fiume prese fuoco. Gl'irredentisti scesero in piazza, e inviarono un messaggio a D'Annunzio, invitandolo ad assumere il patronato della loro causa.

D'Annunzio non aspettava altro. Compose per la *Gazzetta del Popolo* una specie di articolo-proclama in cui spiegava in termini biblici ch'egli riprendeva le armi «per amore di Cristo» e in nome dello Spirito contro «il banco dell'usuraio», e annunciò la sua decisione in una lettera a Mussolini, ormai diventato col suo *Popolo d'Italia* il più ardente avvocato della causa irredentista: «Caro camerata, il dado è tratto. Domani mattina prenderò Fiume con le armi». L'indomani mattina era il 12 settembre (1919). Partì all'alba con circa 300 uomini, diretto a Ronchi, una cittadina a pochi chilometri da Trieste, che diede il nome a quella prima «Marcia». A Ronchi ebbe rinforzi, sicché il suo esercito salì a circa mille uomini, i soliti «Mille» di tutte le imprese italiane, sui quali «le stelle brillavano come brillavano a Quarto».

Alla notizia del suo imminente arrivo, il generale Pittaluga gli andò incontro per fermarlo. «Se lo considerate vostro dovere, sparate qui!» lo apostrofò D'Annunzio offrendogli il petto grondante di medaglie. Invece di sparare, Pittaluga si rifugiò tra le sue braccia gridando: «Viva Fiume italiana!», e i soldati dell'una e dell'altra parte fecero coro. Insieme si presentarono sul balcone del Municipio alla folla esultante, e tutta la guarnigione, compresi gli equipaggi delle navi da guerra ancorate nel porto, si mise agli ordini del Poeta. I reparti alleati furono consegnati in caserma per evitare incidenti con la popolazione impazzita, e poco dopo abbandonarono in punta di piedi la città.

D'Annunzio agì da Capo di Stato, e di uno Stato in guerra con tutti, anche con l'Italia. Formò un governo. Il saluto col braccio alzato, la cintura col pugnale, il grido di *Alalà*, la camicia nera istoriata di teschi, insomma tutto il funebre armamentario di simboli e di emblemi che in seguito doveva caratterizzare il fascismo, nacque allora a Fiume.

Il Vate governava sulla pubblica piazza, interrogando la folla dal balcone. «A chi, Fiume?». E la folla in coro: «A noi!». «A chi, l'Italia?» «A noi!». E così di seguito fino alla formula di chiusura, in dialetto veneto: «Vu con mi, mi con vu!». Fu con questa procedura ch'egli elaborò e promulgò la famosa «Carta del Carnaro», traduzione in termini statutari delle sue concezioni politiche e sociali. Vi si legge che il potere doveva essere gestito dai «migliori», che la popolazione doveva essere divisa in sei categorie di produttori come le Arti fiorentine, che «la vita è bella e degna di essere magnificamente e severamente vissuta», che la religione nazionale di Fiume doveva essere la Bellezza e l'Armonia, per cui la ginnastica e il canto rappresentavano doveri sociali, lo Stato doveva signorilmente provvedere ai vecchi e ai disoccupati, i sessi erano parificati, e al libero amore non era posto altro limite che quelli estetici: insomma dovevano farlo solo i belli e in bella maniera.

Uno degli obbiettivi che D'Annunzio si era proposto marciando su Fiume era quello di mettere in crisi il governo «rinuciatario» di Nitti, l'odiato «Cagoia». E alla lunga ci riuscì. Nel giugno del 1920 Giolitti riprese le redini del Paese. Convinto che l'ondata estremista fosse ormai in reflusso e che il Paese si stesse avviando alla normalità, Giolitti decise di liquidare l'ultima pendenza lasciata dalla guerra: la questione di Fiume, da cui dipendeva il definitivo regolamento di conti con la Jugoslavia. Appunto per questo egli aveva affidato gli Esteri a Sforza, risoluto partigiano di un accordo con Belgrado.

La trattativa diretta con gli jugoslavi si svolse a Rapallo in novembre. La condusse Sforza con molta abilità, Giolitti v'intervenne solo quando ormai l'accordo era raggiunto. Gli jugoslavi avevano opposto tenace resistenza perché quella linea di frontiera lasciava in casa nostra quasi mezzo milione di loro connazionali, ma furono accattivati dalla prospettiva di una vantaggiosa collaborazione economica che Sforza offrì in perfetta buona fede. Ora, firmato il trattato, restava da persuadere D'Annunzio ad abbandonare la città. E nel caso che avesse opposto resistenza, bisognava fare in modo che questa non sollevasse nel Paese un'altra ondata d'isteria nazionalista.

D'Annunzio era in crisi. L'ultimo guanto di sfida del Comandante fu lanciato con un'altra impennata oratoria: «Per Fiume, per le isole, per la Dalmazia, noi otterremo tutto ciò che è giusto. Ma se questo non potessimo ottenere, se non potessimo superare l'iniquità degli uomini e l'avversità delle sorti, io vi dico sul mio onore di soldato e di marinaio italiano che tra l'Italia e Fiume, tra Fiume e l'Italia e le isole, tra l'Italia e la Dalmazia resterà sempre il mio corpo sanguinante».

Giolitti tentò invano di evitare il sangue. Visti inutili i tentativi di pacifica composizione, il maresciallo Caviglia ordinò l'attacco in quello che poi D'Annunzio chiamò «il Natale di sangue». Di sangue ne corse poco perché una commissione di cittadini si presentò al Comandante scongiurandolo di porre fine a quella lotta fratricida. D'Annunzio rispose con un gesto degno di lui: affidando la decisione al «testa o croce» di una moneta lanciata in aria, ma senza specificare quale significato attribuiva all'uno e all'altro segno. Venne testa, e lui le attribuì il significato della resa.

Tolto di mezzo D'Annunzio restava Mussolini, ma a lui Giolitti non dava molta importanza. Era convinto che il suo *Fascio* non fosse che uno dei tanti «gruppuscoli» nati nel disordine del dopoguerra e destinati a dissolversi con la normalizzazione. Anzi si proponeva di strumentalizzarlo per tenere in rispetto i socialisti. E lo disse anche a Sforza, che invece se ne mostrava preoccupato: «Sono dei fuochi d'artificio, che fanno molto rumore ma si spengono rapidamente». E mai pronostico ebbe una più clamorosa smentita.

BENITO MUSSOLINI, l'uomo nuovo, era nato nel 1883 a Dovia, una frazione di Predappio in quel di Forlì. Suo padre Alessandro veniva da una famiglia di piccoli coltivatori diretti che, andati in rovina, avevano dovuto vendere il podere, e gestiva un'officina di fabbro, ma ci si dedicava poco, tutto preso com'era dalla politica. Militava nel Partito socialista, che allora si chiamava «internazionalista» e che ancora non si era liberato della sua matrice anarchica. Come padre di famiglia lasciava piuttosto a desiderare. A mandarla avanti provvedeva la moglie, Rosa Maltoni, che faceva la maestra elementare e teneva scuola in casa, in una stanzuccia annessa alla cucina. Di estrazione e formazione piccolo-borghese, essa era l'antitesi del marito: devota alla Chiesa e attaccata all'ordine tradizionale.

Molti storici dicono che Alessandro contò molto per la formazione di Benito. Ma questo ci sembra che valga solo per il carattere, i cui segni ereditari sono evidenti. Lo stesso nome gli fu dato in omaggio a Benito Juarez, il rivoluzionario messicano che pochi anni prima aveva fatto fucilare l'Imperatore Massimiliano, così come suo fratello ebbe quello di Arnaldo in omaggio ad Arnaldo da Brescia.

Il rivoluzionarismo di Mussolini dovette nutrirsi della miseria e delle frustrazioni che lastricarono la sua fanciullezza e adolescenza. Sua sorella Edvige racconta che il bambino rimase muto fino a tre anni, tanto che lo portarono da un dottore, il quale avrebbe diagnosticato: «Parlerà, state tranquilli, parlerà anche troppo»: un oroscopo che ci sembra un po' costruito *a posterio-*

ri, e che comunque dapprincipio non trovò conferma. Fino all'età dei pantaloni lunghi, il ragazzo parlò poco e quasi soltanto sotto lo stimolo dell'ira. Solitario e scontroso, trascorreva le sue giornate sui campi senza altri rapporti coi suoi coetanei che di risse e cazzottate. Quando tornava pesto a casa, suo padre l'aizzava a vendicarsene. E questi furono i veri influssi ch'egli esercitò su di lui.

Per fargli finire le elementari, sua madre dovette mettercela tutta. Dopodiché essa esigette che il ragazzo fosse mandato al collegio dei Salesiani di Faenza, il quale provvide a dare l'ultimo ritocco alla sua protervia. Abituato a dormire col fratello in cucina su un materasso imbottito di foglie di granturco e a mangiare mattina e sera una zuppa di piada e di verdura, Benito soffrì non della ferrea dieta del refettorio e del pane pieno di formiche, ma della divisione della mensa in tre reparti secondo la classe sociale degli allievi, e della sua relegazione in quella dei poveri. Per i suoi continui atti di ribellione passò da un castigo all'altro, finché un giorno ricorse al coltello ficcandolo nella coscia d'un compagno. E fu espulso.

A continuare gli studi lo mandarono al «Giosuè Carducci» di Forlimpopoli, diretto dal fratello del poeta, Valfredo. Benito ci arrivò con l'aureola dell'accoltellatore, che in Romagna è sempre molto apprezzata, ci rimase sette anni, e ne uscì nel '901 col diploma di maestro. Anche qui aveva trovato il modo di farsi espellere per indisciplina; ma Carducci, che aveva un debole per lui, gli aveva consentito di seguitare a frequentare le lezioni come «esterno». Dalle testimonianze dei suoi compagni di scuola, risulta ch'egli non ne cercò mai l'amicizia, ma solo la sottomissione. Non voleva essere amato, ma solo temuto e ammirato.

Sui sedici anni prese contatto con la locale sezione socialista, ma non risulta che vi abbia militato attivamente. Infatti non ostentò mai il distintivo d'obbligo dei socialisti romagnoli: la cravatta rossa. Il suo socialismo era quello de *I miserabili*, nonché degli opuscoli e degli articoli di Costa, di Cafiero, di Cipriani e degli altri «internazionalisti» che allora andavano per la maggiore. Forse l'unico classico del socialismo che gli entrò nel sangue come il più congeniale fu Babeuf, di cui lesse quasi tutto e su cui compose anche delle cattive poesie di stampo carducciano.

Come non ebbe amici, così non ebbe amori. La sua scuola di galanteria fu il bordello, di cui conservò sempre lo stile grossolano e spicciativo. Orgoglioso della propria virilità, la trovava incompatibile con l'abbandono e la tenerezza. Delle molte donne della sua vita, non si concesse a nessuna, tranne forse l'ultima, Claretta. Le prendeva come il gallo prende la gallina.

Il diploma di maestro con cui tornò a casa nel '901 non gli servì a trovare un posto. Cercò di rendersi utile dando una mano al padre nell'officina, ma con poco costrutto perché entrambi detestavano il lavoro; e intanto prendeva lezioni di violino da un maestro locale, un certo Montanelli, che bene o male gl'insegnò a strimpellarlo. Finalmente il comune socialista di Gualtieri gli offrì una supplenza, che gli servì solo a capire di essere poco vocato alla pedagogia. Fu allora che decise di emigrare in Svizzera.

Vi giunse nell'estate del '902, e ci rimase quasi due anni e mezzo, salvo un breve rimpatrio per una malattia di sua madre. Fu, per la sua formazione, un periodo importante, ma non per l'esperienza proletaria vissuta e sofferta deliberatamente, come dicono alcuni suoi apologeti. Mussolini fece anche il manovale, il magazziniere e altri umili mestieri perché le circostanze qualche volta ve lo costrinsero. Ma in realtà sin dapprincipio egli cercò di mettere a frutto la propria superiorità d'intelletto e di cultura sugli altri emigrati – povera gente analfabeta o semianalfabeta – dandosi ad attività organizzative e propagandistiche.

Un incidente contribuì a rendere vieppiù popolare il suo nome. Dopo un comizio a Berna in cui aveva incitato alla violenza, fu arrestato e dopo due settimane di prigione accompagnato alla frontiera. Ma in Svizzera le misure di polizia hanno vigore soltanto «cantonale», cioè regionale. Sicché l'espulso poté rientrare da un altro Cantone, quello di Losanna, dove lo richiamava una bella studentessa polacca con cui aveva intrecciato relazione. E fu qui che tornò dopo il breve rimpatrio per la malattia di sua madre. In Italia non voleva restare perché di lì a qualche mese la sua classe sarebbe stata chiamata di leva, ed egli aveva deciso di non presentarsi per manifestare pubblicamente il suo antimilitarismo. Infatti nell'aprile del '904 fu dichiarato disertore e condannato a un anno di reclusione.

Sempre in aprile fu di nuovo espulso perché, essendogli scaduto il passaporto e non potendo rinnovarlo per la sua condizione di disertore, ne aveva falsificato la data. Stavolta dovevano consegnarlo alla polizia italiana, che lo avrebbe avviato alla prigione. Ma appunto per questo i «compagni», sia italiani che svizzeri, organizzarono tali manifestazioni di protesta anche sulla stampa e in Parlamento che la misura fu revocata, e il reprobo, dopo un breve soggiorno in Ticino e in Savoia, poté

tornarsene a Losanna. Ora non frequentava più soltanto i poveri manovali, ma aveva allacciato rapporti con persone destinate
a contare sul seguito della sua avventura politica.

Una di queste era Angelica Balabanoff, già nota nel socialismo internazionale. Era una russa di buona famiglia borghese,
che fin da giovanissima si era imbrancata con quella *intellighenzia* rivoluzionaria da cui venivano anche i Lenin, i Trotzky,
e gli altri futuri grandi del bolscevismo. Gli anni più felici li aveva
trascorsi in Italia, dove fra l'altro aveva seguito le lezioni di
Antonio Labriola, il più serio interprete di Marx. Ma, a differenza della sua compatriota Anna Kuliscioff con cui non fu mai in
buoni rapporti nonostante la comunità di origine e di idee, non
era soltanto un'intellettuale del socialismo. Lo praticava da militante, vivendo da proletaria fra i proletari.

Fu così che nel 1902, mentre teneva a Ginevra un piccolo
comizio a un gruppo di emigrati italiani, vide fra i suoi ascolta-
tori un giovanotto dagli occhi sbarrati e dal volto cadaverico
sotto la barba mal rasata. Scesa dal podio, volle conoscerlo.
Mussolini le si presentò come un disperato, minato dalla sifilide
e da una tabe ereditaria, e incapace di sopportare qualsiasi
lavoro. Non si è mai saputo con certezza se la sifilide l'avesse
davvero (l'autopsia dopo la morte non ne rinvenne traccia). Ma
si sa ch'egli se ne faceva quasi un vanto, come di una garanzia di
virilità e di successo con le donne. Ad Angelica disse anche che
gli avevano offerto cinquanta franchi per la traduzione di un
opuscolo di Kautsky, ma che doveva rinunziarci perché non
conosceva abbastanza il tedesco. Angelica, che invece lo sapeva
benissimo, si offrì di aiutarlo. E così fra i due nacque un'amicizia di cui è difficile stabilire l'esatta natura.

Angelica non era bella, non aveva la grazia eterea ed esangue
di Anna. Ma non era nemmeno sgradevole, nonostante i fianchi
massicci e gli zigomi pronunciati, eppoi era russa, cosa che faceva grande effetto al piccolo provinciale di Predappio. Anche se
fra loro non divampò la passione che aveva legato Anna ad
Andrea Costa, qualcosa ci fu, ed ebbe la sua importanza. Angelica cercò d'incivilire quel selvaggio trasandato che passavá
da ostinati mutismi a interminabili sproloqui conditi di orrende
bestemmie. Lo sfamava, gli lavava la biancheria.

Alla fine di quell'anno 1904 un fatto nuovo permise a Mussolini di rientrare in Italia. La Regina Elena aveva dato alla luce
l'erede al trono, e come sempre capita in occasione di questi
fausti eventi, era stata promulgata un'amnistia di cui beneficia-

vano anche i disertori a patto che si presentassero al distretto. Mussolini decise di farlo. Fu arruolato tra i bersaglieri e destinato a un reggimento di Verona dove, su segnalazione della Questura di Forlì, lo tennero sotto stretta sorveglianza. La sua condotta fu esemplare. Di lì a poco ebbe una licenza per accorrere al capezzale di sua madre, ma non fece in tempo a vederla. Quanto profondo fosse l'affetto che lo legava a lei, non si è mai saputo con certezza. Qualcuno dice ch'egli l'amava teneramente e ne subiva molto l'influenza, ma non ne esistono prove. Nel settembre del 1906 terminò la sua ferma senza il minimo incidente, tanto che insieme al congedo gli rilasciarono un certificato di «buona condotta»: a un amico, il quale lo aveva invitato a svolgere propaganda socialista fra i commilitoni, aveva scritto una lettera di rifiuto.

In famiglia si trattenne due mesi, poi raggiunse Tolmezzo dove gli avevano offerto un posto di maestro, e fu un altro fiasco. Per sua stessa ammissione, il futuro dittatore non riuscì a tenere in pugno i ragazzacci che gli avevano affidato, ma forse non fu tanto mancanza di energia, quanto di vocazione: alla scuola non era portato, e per di più anche a Tolmezzo incappò in un'avventura galante che fece scandalo perché si concluse a bastonate fra lui e il marito dell'adultera.

Nel febbraio del 1909 partì per Trento, e stavolta senza impegni scolastici. Gli era stata offerta la direzione del periodico socialista locale, *L'Avvenire del lavoratore*. Fu la sua prima missione di partito, e non si presentava di facile assolvimento. Trento allora non era austriaca solo perché c'era un Prefetto di Vienna. Lo era anche culturalmente. Il partito di gran lunga più forte era quello «popolare», cioè cattolico, che aveva il suo *leader* in Alcide De Gasperi, deputato al Parlamento di Vienna e direttore del quotidiano *Il Trentino*. La sua lotta in difesa dell'italianità della provincia non andava oltre l'ambito amministrativo. I cattolici trentini si battevano per l'autonomia, non per la liberazione dal «giogo austriaco», e per questo la loro «base» era così forte: in sostanza erano dei conservatori strettamente legati ai poteri costituiti, cioè al Vescovo e all'Imperatore.

I socialisti erano una esigua minoranza che faceva capo a Cesare Battisti e al suo giornale *Il Popolo*; più che dal socialismo, traevano la loro forza dall'irredentismo. La loro bandiera era il tricolore anche se al posto dello stemma sabaudo avrebbero preferito la falce e martello. All'irredentismo Mussolini non si convertì mai, ma se ne servì per i suoi fini di parte. Solo impostando la lotta sul piano della difesa della lingua e della cultura italiana, si poteva sottrarre il socialismo trentino all'influenza emolliente della socialdemocrazia tedesca, da un pezzo convertita agl'ideali e alla pratica del riformismo e del parlamentarismo. Perché le bestie nere di Mussolini seguitavano ad essere queste: nella socialdemocrazia tedesca egli combatteva Bissolati, Turati, Treves, insomma i «notabili» del socialismo italiano.

Questa campagna egli la concluse con una violenza che gettò lo scompiglio nell'ambiente locale avvezzo a tutt'altro galateo polemico. «Pare che consideri la vita pubblica come un torneo d'insulti e di bastonate» scrisse il giornale di De Gasperi, che di Mussolini era il bersaglio preferito. E lo stesso Battisti mostrò qualche volta un certo disagio a tenere le parti di quello scomodo e irruente alleato.

Con De Gasperi, oltre a quelli giornalistici, ebbe uno scontro diretto in un pubblico contraddittorio a Untermais, e l'antitesi fra i due uomini si rivelò stridente: all'argomentazione serrata ma incolore di De Gasperi, Mussolini oppose un'eloquenza millenaristica, e il successo di platea fu suo. Nemmeno la colleganza professionale riuscì a gettare un ponte fra loro. Fin dal primo giorno si detestarono, né poteva essere altrimenti, visto che incarnavano non due ideologie, ma due concezioni morali e di vita diametralmente opposte.

Le autorità cominciarono a preoccuparsi di quell'arruffapopolo, e nello spazio di pochi mesi gl'inflissero ben sei condanne, e undici sequestri al suo giornale. Infine dovette andarsene. In realtà la grande maggioranza della popolazione non era affatto scontenta di quella misura che la liberava da uno scomodo ospite. L'espulsione era stata una vera e propria «crisi di rigetto» dell'ambiente. E c'è chi dice che lo stesso Battisti trasse un respiro di sollievo.

Tornato in Romagna, tentò invano di farsi assumere come redattore al *Resto del Carlino*. A tempo perso, dava una mano nell'osteria di casa, e fu così che l'occhio gli cadde sulla figlia della compagna di suo padre, Rachele. La conosceva sin da bambina, ma d'improvviso – come succede alle ragazze di quell'età – la ritrovava donna fatta, e fatta bene. Le fece la corte a modo suo, cioè al modo di un uomo che non era abituato a farla. Una sera la condusse in una balera e, siccome lei ballò con un altro, sulla via del ritorno le fece le braccia nere di lividi, dopodiché le ingiunse di lasciare l'osteria e di trasferirsi in un paese vicino, presso sua sorella. Suo padre e la madre di Rachele erano contrari a quell'idillio. «Non hai impiego, non hai stipendio, hai solo la politica che farà soffrire te e la donna che ti sarà vicina. Pensa a quante ne ha passate tua madre» gli disse Alessandro. Per tutta risposta, Benito trasse di tasca la pistola. «Se Rachele non mi vuole – disse –, qui ci sono sei colpi: uno per lei, gli altri cinque per me.» Come potesse uccidersi *cinque* volte, Dio solo lo sa, ma era una frase delle sue, che mirava all'effetto, e l'ottenne.

L'indomani raggiunse Rachele entrando come una ventata nella sua stanza, e le disse di sbrigarsi perché aveva molta premura. Essa fece alla svelta fagotto delle sue poche robe, ruppe il salvadanaio, e si lasciò portare dove lui voleva: in due fatiscenti stanzucce di via Merenda a Forlì. Si sposarono civilmente solo cinque anni dopo, quando già la prima figlia Edda ne aveva quattro, perché per i socialisti il matrimonio era un rito «borghese». Quello religioso lo celebrarono nel '25, quando lui era già Duce e rimuginava il Concordato con la Santa Sede.

La luna di miele, egli la trascorse arrabattandosi con la penna per metter d'accordo il desinare con la cena, e non sempre ci riuscì. Così nacque, su ordinazione di Battisti che glielo pubblicò a puntate sull'appendice del suo giornale, *Claudia Particella l'amante del Cardinale*. Le amanti dei Cardinali non portano fortuna agli autori che le prendono per eroine. Ne aveva già fatto l'esperienza Garibaldi, che su una di esse aveva confezionato un polpettone da oscurare la gloria di Calatafimi. A Mussolini non andò meglio, anche se quel centone alla Zévaco, abborracciato e volgare, lo aiutò a sbarcare il lunario. «Un orribile libraccio» egli stesso dirà alcuni anni dopo al suo biografo Emil Ludwig, dopo aver ordinato alla polizia di farne scomparire fin l'ultima copia.

Quasi per caso ebbe allora la proposta di dirigere un nuovo quotidiano socialista di Forlì, *La lotta di classe*: lo diresse scrivendolo quasi tutto di propria mano e assumendo le posizioni più estreme con una violenza che fece colpo persino sul pubblico romagnolo, alla violenza assuefatto da sempre. Fin da principio egli impegnò battaglia su due fronti: da una parte contro i repubblicani, dall'altra contro la direzione centrale del suo stesso partito, allora in mano ai riformisti. Grazie al giornale egli conquistò subito il cosiddetto *apparato* con la nomina a segretario della Federazione. Era la sua prima carica di partito. La grande occasione di essere al centro dell'attenzione gli fu data dalla campagna di Libia. Per boicottarla lanciò l'idea dello sciopero generale, e stavolta non esitò a far blocco coi repubblicani che a Forlì condividevano la sua posizione estremista, capitanati da un giovane tribuno di facile e vigorosa oratoria: Pietro Nenni. Il 26 settembre 1911 essi arringarono insieme, gareggiando in estremismo, una folla «oceanica», e insieme vennero arrestati pochi giorni dopo per istigazione alla violenza e atti di sabotaggio.

Il processo si svolse a metà novembre nella stessa Forlì, ed ebbe una cornice di pubblico da grande «prima». Di fronte a quella imponente e fremente platea, Mussolini la fece da mattatore, chiudendo la propria autodifesa con la famosa frase: «Se mi assolvete, mi fate un piacere; se mi condannate, mi fate un onore», che venne accolta da uno scrosciante applauso. Lo condannarono, come Nenni, a un anno, che poi la Corte d'Appello ridusse a cinque mesi e mezzo. E fu la sua fortuna. Mentre in cella egli ingannava il tempo scrivendo un'autobiografia che a tutt'oggi rimane uno dei documenti più credibili sul suo conto per sincerità, distacco e senso di misura, dentro il Partito socialista il rapporto di forze fra le correnti si capovolgeva, e i rivoluzionari prendevano il sopravvento sui riformisti. Sicché quando, con l'aureola del «martire», egli riprese il suo posto in Federazione e al giornale, poté tranquillamente dire ai «compagni» forlivesi: «Non siamo noi che torniamo nel partito, è il partito che torna a noi». Il rientro fu sancito in aprile (del '12) perché di lì a due mesi doveva svolgersi a Reggio Emilia un congresso nazionale che si annunziava decisivo per il regolamento dei conti fra riformisti e rivoluzionari.

Il congresso si aprì il 7 luglio, e Mussolini parlò il pomeriggio dell'8. Quando salì sul podio, molti si chiesero chi fosse. I suoi casi non avevano avuto nessuna risonanza nazionale perché di rotture e ricuciture col partito la storia socialista era gremita, e quanto ad arresti e processi non c'era dirigente che non ne avesse subìti. Le sue prime parole caddero nella generale indifferenza, ma poi di colpo l'ambiente si scaldò. Il congresso era aperto al pubblico, che vi era accorso in massa, gremiva palchi e loggione, e manifestava la sua appassionata partecipazione applaudendo, fischiando, interrompendo. Questa atmosfera di comizio era la più congeniale a Mussolini che al pubblico, più che ai delegati, immediatamente si rivolse interpretandone perfettamente gli umori barricadieri.

La clamorosa ovazione che salutò la fine del suo discorso dimostrò che la «base» l'aveva conquistata. Ma ora si trattava di vedere cosa sarebbe successo in sede di votazione, dove la parola era riservata ai delegati. Proprio qui Mussolini dimostrò di non essere soltanto un mattatore da podio. Fra correnti e gruppi egli si mosse, dietro le quinte del congresso, con l'abilità di un consumato professionista per assicurare la maggioranza al suo ordine del giorno. E l'ottenne con largo margine. L'indomani la stampa di tutta Italia parlava di lui come dell'«uomo nuovo» del socialismo italiano, della «stella nascente».

MUSSOLINI ASSUNSE la direzione dell'*Avanti!* il 10 dicembre del '12. A Milano si era trasferito da solo, lasciando Rachele e la bambina a Forlì con l'ordine di non muoversi. Non aveva ancora trent'anni. Il suo primo gesto fu quello di ridurre il proprio stipendio da 700 (lo stipendio che percepiva il suo predecessore Treves) a 500 lire e di nominare come capo-redattore aggiunto la Balabanoff per usarla come ostaggio: essa contava moltissimo nella corrente rivoluzionaria, di cui la sua presenza garantiva l'appoggio. Mussolini ne aveva bisogno per liberarsi delle influenze riformiste, a cominciare da quella di Treves, che seguitavano a pesare sul giornale. Quel direttore che nell'uso della terminologia giornalistica non aveva rivali si scatenò quando in Ciociaria sette braccianti caddero sotto il fuoco dei gendarmi. *Assassinio di Stato, La politica della strage, Il silenzio della vergogna*, erano i titoli degli editoriali di Mussolini, che di titoli era maestro. La sua prosa incendiaria colpiva e moltiplicava i lettori. E fu facendo leva su questo successo di pubblico ch'egli impose alla Direzione le sue tesi estremiste.

Definito «il neo-Marat dell'*Avanti!*», subì attacchi feroci. «Che è – si domandava Turati su *Critica sociale* – questa voce e questa parola, che vorrebb'essere voce e parola d'un partito d'avanguardia? Religione? Magismo? Utopia? Sport? Letteratura? Romanzo? Nevrosi?» Ma agli operai il senso di queste domande sfuggiva, mentre non sfuggiva quello degli articoli di Mussolini che la via per colpire il cuore e l'immaginazione del lettore la trovavano sempre.

Lungi dall'ubriacarsi di quel trionfo e da perdervi il senso della misura, egli ve lo ritrovò. In vista delle elezioni che si dovevano tenere in autunno, si allineò disciplinatamente sulle posizioni del partito. Quando i sindacalisti indissero un nuovo sciopero, non ne prese le parti. E quando lo sciopero fallì, li attaccò con la stessa violenza con cui pochi mesi prima li aveva sostenu-

ti. Accettò anche di portarsi candidato nel collegio di Forlì – dove
sapeva di non poter nulla contro il rivale repubblicano –, lui che
a Milano avrebbe stravinto. Ma il fatto è che al seggio parlamentare non teneva: il suo traguardo era il partito.

Le elezioni furono, per i socialisti, un notevole successo.
Malgrado l'amputazione dell'ala bissolatiana, essi passarono
dall'8 all'11 per cento e mandarono in Parlamento 53 deputati.
Mussolini esaltò la vittoria con articoli trionfalistici, e ne aveva
di che: quella vittoria era in gran parte sua, cioè della linea politica seguita dall'*Avanti!* Ora si trattava di tradurla in un'adeguata posizione di potere. E l'occasione stava per presentarsi: il
congresso nazionale che doveva tenersi ad Ancona nella primavera del '14. Non mancavano che pochi mesi.

Alla vigilia del congresso Mussolini stese il bilancio del giornale. Nei pochi mesi della sua direzione, la tiratura era passata
da 30 a 70 mila copie con punte di 100 mila. Dopodiché partì per
Ancona. Il congresso si aprì il 26 aprile con la solita relazione
del segretario generale Lazzari, piuttosto pedestre. Nemmeno
quella di Mussolini fece spicco. Ma il fatto è che non ci fu battaglia per mancanza di avversari. Allegando ragioni di salute,
Turati aveva dato *forfait*, e degli altri riformisti l'unico che tenne
la posizione fu Treves. La polemica si accese soltanto sulla questione dei massoni, e si concluse con la piena vittoria di
Mussolini che impose l'espulsione.

QUANDO L'ARCIDUCA Ferdinando d'Asburgo cadde a Sarajevo sotto le revolverate dei terroristi serbi, Mussolini dette
alla notizia poco risalto. Le revolverate di Sarajevo erano
esplose il 28 giugno, e per quasi tutto luglio l'*Avanti!* seguitò a
parlarne come di un episodio «doloroso, ma spiegabile»,
dando poco risalto agli sviluppi diplomatici dell'avvenimento.
Solo alla fine del mese, quando giunse la notizia dell'*ultimatum* austriaco alla Serbia, Mussolini prese una posizione decisa con un articolo intitolato *Abbasso la guerra!* che trovò consenziente tutta la sinistra italiana, fermamente risoluta anzitutto a non lasciarsi coinvolgere in un eventuale conflitto dalla
parte dell'Austria, cui eravamo legati dal trattato della Triplice
Alleanza. «Non un uomo, né un soldo» scriveva Mussolini. E il
partito lo approvò. Ma quando ai primi d'agosto l'Europa
prese fuoco, tutte le Potenze scesero in lizza, e all'invasione
austriaca della Serbia seguì quella tedesca del Belgio e della

Francia, fra Mussolini e l'*apparato* cominciarono le prime incrinature.

Mussolini si trovava di fronte a una scelta drammatica: istinto e temperamento lo portavano alla guerra, ma la guerra lo avrebbe portato alla rottura col partito e alla perdita della sua tribuna: il giornale. Il 18 ottobre (del '14), la Direzione socialista si riunì a Bologna per fare il punto della situazione. Per strada, mentre si recavano al convegno, i partecipanti comprarono l'*Avanti!*, e rimasero di stucco. C'era un lungo editoriale di Mussolini, il cui titolo *Dalla neutralità assoluta alla neutralità attiva ed operante* già diceva tutto. Con molta abilità vi era sostenuta questa tesi: che il dilemma – o guerra, o rivoluzione – era pretestuoso e artificioso: «Chi vi assicura che il governo uscito dalla rivoluzione non debba cercare appunto in una guerra il suo battesimo augurale?» E concludeva ponendone un altro a risposta obbligata: «Vogliamo essere, come uomini e come socialisti, gli spettatori inerti di questo dramma grandioso? O non vogliamo esserne, in qualche modo e in qualche senso, i protagonisti?».

Mussolini, che partecipava alla seduta, si trovò immediatamente nell'occhio del ciclone, quasi completamente isolato sotto una grandine di accuse. Le più violente gli furono mosse dai vecchi amici di un tempo: compresa la Balabanoff. Egli rispose a suo modo, attaccando invece di difendersi. Ma se aveva sperato di costringere il partito a cambiar rotta mettendolo di fronte al fatto compiuto, dovette amaramente ricredersi perché si trovò del tutto isolato. Con uno dei suoi soliti scatti, rifiutò la proposta di abbandonare per tre mesi la direzione del giornale allegando motivi di salute, e rassegnò su due piedi le dimissioni.

Quando Mussolini lasciò l'*Avanti!* Filippo Naldi direttore del *Resto del Carlino* di Bologna, si precipitò a Milano, e si offrì di finanziargli un nuovo giornale. Solo chi non ha conosciuto Naldi può stupirsi dell'offerta e annusarci sotto Dio sa quali intrallazzi. La verità è che Naldi avendo il fiuto degli uomini, e specialmente dei giornalisti, aveva capito che su Mussolini c'era da puntare. E, sebbene soldi non ne avesse nemmeno lui, era sicuro di poterne trovare per il lancio «d'un cavallo di quella razza». Mussolini, sulle prime, non voleva nemmeno riceverlo, e all'offerta di denaro si adombrò. Ma Naldi, ch'era una sirena, provvide subito a rassicurarlo: sarebbe stato, disse, denaro pulito e senza condizionamenti: Mussolini sarebbe stato libero di difendere le cause che voleva, senza risponderne a nessuno. E su questa condizione l'intesa fu raggiunta. Resta da sapere dove Naldi attinse il mezzo milione che poi versò a Mussolini. Negò recisamente di averlo avuto dall'ambasciatore francese, Barrère, e di questo sono oramai tutti, o quasi tutti persuasi. Dai francesi ricevette aiuti più tardi, ma gli vennero dai socialisti. Mussolini non cambiò idea per prendere dei soldi. Prese dei soldi per difendere la sua idea. È su questa idea, caso mai, che forse commise un errore. Lanciando *Il popolo d'Italia*, egli credeva probabilmente di trascinarsi dietro il Partito socialista. Ma aveva sottovalutato la compattezza del partito con cui ora doveva fare i conti.

Il primo numero de *Il popolo d'Italia* uscì il 15 novembre, venticinque giorni dopo le dimissioni di Mussolini dall'*Avanti!* In tre settimane Naldi aveva trovato una vecchia tipografia e allestito una redazione di poche stamberghe ammobiliate con casse e cassette. In due ore era già esaurito nelle edicole, e nei giorni successivi la tiratura non fece che aumentare fino alle 100 mila copie. Sotto la testata, esso recava la dicitura: «Quotidiano socialista». Ed era soprattutto questo a disturbare l'*Avanti!* che passò alla controffensiva lanciando il ritornello: «Chi paga?». Il 24 Mussolini fu convocato di fronte alla sezione socialista milanese, cui era iscritto, per rispondere del «tradimento». E vi si presentò. Fu una scena da «tribunale del popolo» che tuttavia non dovette dispiacere al suo teatrale temperamento. Egli fu sottoposto a un autentico linciaggio in un coro d'insulti, fischi e schiamazzi. Quando fu chiamato sul palcoscenico per difendersi, fu bersagliato da una grandine di monetine che volevano dire: «Venduto». Terreo in volto e màdido di sudore, Mussolini riuscì solo a far udire qualche frase smozzicata: «Sono pronto a sottomettermi a qualsiasi commissione d'inchiesta... Sono e rimango un socialista...» Alla fine, alzando la voce fino a dominare il tumulto, gridò: «Voi credete di perdermi. V'illudete. Voi mi odiate perché mi amate ancora...». Le ultime parole si persero fra urli e sghignazzate.

FRA I COLLABORATORI del *Popolo d'Italia* c'era di tutto, da Prezzolini a Papini a Nenni a Maria Rygier, ma il gruppo più compatto era quello dei sindacalisti, capeggiati da Panunzio e Lanzillo. C'era uno dei maggiori poeti del tempo, Umberto Saba. E c'era anche, più piacevole e meno ingombrante della Balabanoff, una bella ebrea dai capelli rossi: Margherita Sarfatti, che al direttore non prestava soltanto la sua penna. Salvemini non si era arruolato nella pattuglia, ma la secondava vigorosamente dal di fuori. Mussolini tenne la rotta polemizzando aspramente sia coi nazionalisti che coi socialisti. Ma via via che si avvicinava il «Maggio radioso», la sua polemica coi nazionalisti s'intiepidiva, mentre quella contro i socialisti e i giolittiani assumeva toni sempre più aspri.

Mussolini avrebbe voluto la chiamata alle armi, ma lo Stato Maggiore era ostile ai volontari, e specialmente a quelli di origine socialista, che considerava agenti d'inquinamento per la truppa. Per rivestire il grigioverde, egli dovette aspettare la mobilitazione della sua classe, che avvenne alla fine di agosto.

Al fronte, secondo i suoi apologeti, Mussolini si sarebbe comportato da eroe; secondo i suoi detrattori, da imboscato o quasi. Il più fedele alla verità è stato lui stesso, nel *Diario* che pubblicò a puntate nel suo giornale. Atti di gran valore non ne compì, forse anche perché gliene mancò l'occasione. Ma fu un buon soldato, coraggioso e disciplinato. Alla fine di febbraio del '17 un lanciabombe scoppiò vicino a lui, e una gragnuola di schegge lo investì. Gli se ne conficcarono in tutte le parti del corpo, ma specialmente nelle gambe, sicché arrivò all'ospedale quasi dissanguato. Le pinze del chirurgo dovettero lavorare a lungo per estrargliele, e solo dopo un paio di mesi poté ricominciare a camminare, ma con le grucce. In giugno fu congedato per invalidità, e poté riprendere il suo posto alla direzione del giornale.

La vittoria colse di sorpresa anche lui. Quando venne, scrisse trionfalmente che nessun altro esercito ne aveva riportata di così vaste proporzioni. Ma sotto i toni trionfalistici covava l'assillo di un *dopo* a cui non era preparato. Il suo primo tentativo fu di coagulare intorno a sé e al suo giornale tutto l'interventismo sia di destra che di sinistra. Fu un errore. Il fronte interventista ormai era rotto, e per ricucirne i tronconi – quello nazionalista, conservatore e monarchico, e quello democratico, progressista e repubblicano –, non bastava ignorare il problema istituzionale, come faceva Mussolini. La proposta cadde, e Mussolini rimase un generale alla ricerca di un esercito. I primi a fornirgli reclute furono i futuristi, che da movimento culturale stavano tentando di trasformarsi in movimento politico senza tuttavia riuscire a coagulare in un programma i loro contraddittori impulsi. In comune avevano solo il passato d'interventisti e valorosi combattenti. Per il resto, c'era di tutto, dal nazionalismo al sovversivismo anarchico, tenuti insieme da un attivismo fine a se stesso: non per nulla il loro motto era *marciare, non marcire*. Essi però erano riusciti a legare al loro carro gli *arditi* che tornavano dalle trincee con la nostalgia della violenza, e ben decisi a perpetuarla. I *fasci* nacquero dalla loro fusione. Nel febbraio del '19 ce n'erano già una ventina.

Il 2 marzo 1919 il *Popolo d'Italia* indisse per il giorno 23 una grande adunata di combattenti ed ex-combattenti nella sede dell'Alleanza Industriale e Commerciale in piazza San Sepolcro a Milano. «Sarà un'adunata importantissima» diceva il comunicato. Il 9 l'invito fu ripetuto, e stavolta motivato: «Il 23 marzo sarà creato l'antipartito, sorgeranno i Fasci di Combattimento contro due pericoli: quello misoneista di destra e quello distruttivo di sinistra». L'indomani il *Popolo d'Italia* annunciava che l'iniziativa aveva riscosso un enorme successo e che le adesioni fioccavano. In realtà, come risulta da un rapporto della polizia, i convenuti a quella cerimonia di battesimo, di cui per vent'anni tutta l'Italia fu costretta a festeggiare solennemente la ricorrenza, non furono più di trecento, anche se poi l'onore di avervi partecipato fu rivendicato da parecchie migliaia di persone che in qualche modo riuscirono a farselo riconoscere.

Le elezioni politiche del 16 novembre 1919 furono per il fascismo un disastro. Nella circoscrizione di Milano, su 270 mila voti, la lista capeggiata da Mussolini non ne raccolse neanche cinquemila. In tutta Italia, l'unico fascista che riuscì fu un certo Coda in Liguria. I socialisti, che avevano riportato un clamoroso successo assicurandosi ben 156 seggi mentre 100 erano andati ai «popolari» di Don Sturzo, celebrarono i funerali di Mussolini portandone in giro la bara.

Per rafforzare il suo seguito Mussolini spalancò le porte a conversi di tutt'altra estrazione sociale e ideologica: studenti, ex-combattenti delle ultime leve desiderosi di perpetuare l'«avventura», scampoli della piccola e media borghesia benpensante e conservatrice che invece vedevano nel fascismo la «diga» contro la sovversione, e una crescente falange di spostati in cerca di torbido in cui pescare. Questa trasfusione di sangue, è difficile dire se Mussolini la provocò o l'accettò. Si può solo dire che col suo istintivo opportunismo, e con la scusa del «problemismo», egli aveva lasciato talmente nel vago l'impalcatura ideologica del suo movimento da consentire a ciascuno d'interpretarlo come meglio gli conveniva: che fu la caratteristica del fascismo anche dopo essere diventato regime.

Sullo scorcio del '20, Mussolini diceva di avere ai suoi ordini 88 Fasci con 20 mila iscritti. Anche se la cifra rispondeva al vero – e c'è da dubitarne –, era una forza modesta, come del resto aveva dimostrato il fiasco elettorale dell'anno prima. Ma più che l'esiguità dei ranghi, contava la loro eterogeneità e frammentazione. I Fasci non erano un partito, né mostravano alcuna voglia di diventarlo. Si chiamavano «movimento», ma ognuno si muoveva per conto suo sotto la spinta propulsiva di qualche *ras* locale, ribelle a qualsiasi tentativo di direzione centralizzata.

Sociologicamente parlando, l'elemento più forte e agguerrito erano gli ex-combattenti della piccola borghesia urbana: quella che aveva pagato il più forte contributo di sangue alla guerra e che ora più gravemente ne pagava le conseguenze con l'inflazione e la disoccupazione. In essa, sulle idee prevalevano gli umori, e questi umori erano rivoluzionari, anzi eversivi. Il «piccolo borghese imbestialito», come sprezzantemente lo chiamava Trotzky, era imbestialito un po' contro tutti: contro i socialisti che, al ritorno dalle trincee, lo avevano svillaneggiato e aggredito, ma anche contro i capitalisti «pescicani» che avevano lucrato alle sue spalle, la Monarchia, la Chiesa, i partiti, la «politica» in generale, insomma quello che oggi si chiama l'*establishment*.

Proprio per le sue tendenze rivoluzionarie, il fascismo non aveva fatto molta breccia nella vecchia proprietà agraria, naturalmente conservatrice, anzi retriva. Ma questa classe, soprattutto in Emilia – impaurita dalla occupazione delle terre operata dalle «leghe» rosse e bianche, nella quale aveva visto il prodromo di una definitiva espropriazione – aveva venduto, anzi svenduto le proprie cascine e fattorie. E i nuovi proprietari, tutti ex-mezzadri, o fattori, o piccoli coltivatori diretti, portavano nella difesa dei loro diritti ben altro spirito e grinta. Essi videro nei Fasci la «guardia bianca» della proprietà e vi accorsero in massa col loro bagaglio d'idee – se così vogliamo chiamarle – reazionarie. Per loro, fascismo era sinonimo di ordine, e ordine era sinonimo di repressione. A inventare la tecnica della mobilitazione di squadre e della spedizione punitiva furono loro, che per numero e violenza fecero presto a soverchiare la vecchia guardia cittadina. Le cifre parlano chiaro. In pochi mesi gli 88 Fasci diventarono 834 e i 20 mila iscritti, 250 mila. Molte zone, e precisamente le zone agrarie come la Toscana e l'Emilia, cominciarono a passare quasi interamente nelle loro mani.

Le difficoltà fra cui Mussolini si muoveva erano grosse. Gli agrari avevano dato al fascismo un cospicuo contributo di uomini e di mezzi, ma vi portavano anche un ottuso spirito d'intransigenza reazionaria che ne inceppava la manovra. Per loro, Giolitti era un «sovversivo» con cui si doveva rifiutare qualsiasi accordo che, in vista delle elezioni, Mussolini considerava invece necessario un po' per sfuggire al pericolo di un fiasco come quello del '19, un po' per distrarre il vecchio statista dal suo eterno sogno di un «fronte» coi socialisti riformisti e coi popolari di Sturzo, da cui il fascismo sarebbe rimasto schiacciato.

Gli italiani furono di nuovo chiamati alle urne il 15 maggio 1921, e questa volta Mussolini registrò un vistoso successo. I socialisti, di cui si prevedeva il crollo, persero solo 34 seggi, di cui la metà andarono ai comunisti – già s'era avuta la scissione di Livorno tra le due ali della sinistra – che ne ebbero 16. I popolari ne guadagnarono 7, arrivando così a 107. I Blocchi nazionali, la coalizione giolittiana cui aveva aderito anche Mussolini, ne ottennero 275, che rappresentavano una buona maggioranza, ma insidiata dalla sua disomogeneità. Dentro di essi, i fascisti ebbero 15 eletti, e Mussolini riportò un mezzo plebiscito sia a Milano che a Bologna. Il 15 giugno Giolitti, *leader* di una maggioranza instabile, preferì dimettersi, passando la mano a Bonomi, il transfuga del socialismo che insieme a Bissolati, a Cabrini e a Podrecca Mussolini aveva fatto espellere dal partito, e che ora militava in una delle tante frazioni democratiche. Questo avveniva a metà giugno (del '21, si capisce).

L'ordine interno, ormai sfuggito al controllo dei pubblici poteri, era alla mercé delle squadre che avevano risolto a loro favore la partita della violenza. Questa aveva i suoi epicentri in Padania e in Toscana, le zone dominate dagli agrari, e la rottura di equilibrio fra quelli che oggi si chiamerebbero «gli opposti estremismi» era sopravvenuta tra la fine del '20 e il principio del '21, quando appunto gli agrari avevano preso nei Fasci il sopravvento. Uno degli episodi decisivi era stato quello di Palazzo d'Accursio, il Municipio di Bologna, il giorno in cui vi si era insediata la nuova Giunta socialista. Nemmeno oggi si sa con precisione chi ne fu responsabile. Mentre la folla aspettava in piazza che il sindaco parlasse, alcune bombe caddero dal tetto. Il pubblico che assiepava la sala consiliare ne ritenne responsabili i rappresentanti della minoranza e si mise a sparare contro di essi. L'avvocato liberale Giordani venne abbattuto a revolverate, il suo collega Colliva ferito, mentre in piazza si contarono una diecina di cadaveri. L'aggressione fu attribuita ai socialisti, contro cui l'indomani si scatenarono le squadre di Arpinati, il *ras* di

Bologna, e del suo luogotenente Buonaccorsi. La città fu sotto il controllo dei loro manganelli.

Un mese dopo, fu la volta di Ferrara. In origine, il Fascio di Ferrara era stato il più rivoluzionario e a sinistra di tutti. Lo aveva fondato un temerario gigante, ex-bersagliere tatuato di ferite e di medaglie, Gaggioli. Ma di proseliti ne aveva fatti pochi perché la borghesia terriera non si fidava dei suoi atteggiamenti sovversivi. Ancora alla fine del '20 erano in tutto una quarantina, conosciuti per soprannomi (Sciagura, Finestrachiusa ecc.). Ma poi era arrivato Balbo.

Balbo non aveva aderito al primo fascismo perché non lo trovava, per i suoi gusti, abbastanza repubblicano. Tornato dalla guerra, per la quale si era arruolato poco più che ragazzo come ufficiale degli Alpini, aveva ripreso a Firenze i suoi studi universitari. Fu l'Associazione Agraria che lo richiamò a Ferrara perché prendesse in mano gli squadristi locali e desse loro una riassettata borghese. Per le sue gesta di trincea, per il suo coraggio, per la sua loquela facile, anche se inceppata dalla lisca, aveva tutte le carte in regola per incutere rispetto agli squadristi e paura ai socialisti. Non gli mancavano nemmeno dei doni di calore umano, di generosità e di allegrezza goliardica che gli valsero qualche simpatia fra gli stessi nemici. Quando il Prefetto proibì il manganello, Balbo armò i suoi uomini di stoccafissi che, picchiati con energia sulla testa degli avversari, vi producevano gli stessi effetti; e che poi facevano da piatto forte di grandi mangiate conviviali cui talvolta venivano invitate le stesse vittime.

Di Fasci a Firenze fin da principio ce n'erano stati due. Uno, quello più autentico, faceva capo a una mezza dozzina di ciompi rotti a qualsiasi avventura: Banchelli detto «il Mago», Dumini, Frullini e i due fratelli Nenciolini; l'altro, signorile, in cui militavano i più bei nomi dell'aristocrazia terriera toscana. Dino Perrone Compagni era marchese ed ex-ufficiale di cavalleria: il che lo accreditava presso i nobili che lo sentivano dei loro. Ma ai ciompi lo rendeva simpatico l'essere stato degradato per debiti di giuoco e il suo modo di vivere da rottame fra bische e donne. Così fu lui a emergere e a diventare il capo di tutti, secondato da un certo Tamburini che si guadagnava la vita compilando biglietti da visita grazie al suo unico talento: la calligrafia.

La fusione avvenne ai primi del '21, sul sangue. Un anarchico lanciò una bomba in via Tornabuoni provocando due morti e una ventina di feriti. Perrone Compagni assunse subito la direzione della rappresaglia in cui tutti si trovarono uniti. Per due giorni la città echeggiò di spari. Uno studente fascista, Giovanni Berta, che voleva raggiungere la sua squadra oltre l'Arno, fu aggredito sul ponte dai socialisti che, dopo averlo lanciato oltre la spalletta, gli recisero le mani aggrappate a una sporgenza. Gli scontri si fecero ancora più fitti e sanguinosi. A Scandicci i socialisti drizzarono barricate che Tamburini espugnò lanciandovi contro i suoi camion. I rossi tentarono la rivincita a Empoli, quando un motociclista traversò il paese urlando che i fascisti erano in arrivo. Tutti corsero ai fucili, e quando sopraggiunsero i due convogli li presero sotto il loro fuoco incrociato. Uno, carico di morti e di feriti, riuscì a proseguire. L'altro fu bloccato dalla folla inferocita che ne linciò selvaggiamente i passeggeri. Solo a massacro ultimato, si resero conto che non di fascisti si trattava, ma di poveri marinai in trasferta da Livorno. I fascisti accorsero subito dopo, da Firenze, per infliggere il castigo, che fu duro. E da allora le spedizioni punitive in tutta la Toscana non si contarono più anche perché queste consentivano ai vari *ras* di mettersi in luce e di rinsaldare il proprio primato. Quello di Carrara, Renato Ricci, che sembrava un brigante albanese per via del lunghissimo *fez* appuntito sulla testa, aveva acquistato gran prestigio per l'energia con cui aveva domato gli anarchici che in quella città avevano la loro roccaforte. Ma non riusciva ad aver ragione di Sarzana, dove i fascisti non osavano nemmeno entrare.

A questo squadrismo diviso e rissoso faceva eccezione solo Cremona perché vi dominava un *ras* incontrastato, Roberto Farinacci. Era uno dei pochissimi capi fascisti, forse l'unico, che non avesse meriti combattentistici. Durante la guerra, era rimasto a casa, o meglio in stazione perché era impiegato delle Ferrovie, e come tale esentato dal richiamo. I suoi avversari infatti lo chiamavano «Tettoia».

DA QUANDO ALLE MODESTE sovvenzioni degli agrari si erano aggiunte quelle, molto più cospicue, degl'industriali, il fascismo poteva contare su un gettito rilevante. Ma nemmeno questo poteva sopperire ai bisogni della Milizia in cui erano state inquadrate, per meglio controllarle, le squadre. Il comando generale era stato affidato a Balbo e De Vecchi, cui poi si era aggiunto, in qualità di «tecnico», De Bono. Questi era un generale dell'Esercito, che sino a pochi mesi prima aveva simpatizzato più con l'antifascismo che col fascismo, e aveva anche collaborato come esperto militare al *Mondo* di Amendola. Poi, per recuperare il ritardo, aveva dato tali segni di zelo fascista che Soleri, ministro della Guerra, lo aveva messo fuori quadro. Quando fu deciso di affiancare a Balbo e a De Vecchi un generale vero, i primi candidati alla nomina furono Gandolfo e Capello. Ma Gandolfo era malato, e contro Capello militavano molte cose: l'ombra di Caporetto, la sua affiliazione alla massoneria, la fama di generale da pronunciamento, e soprattutto il fatto ch'egli era inviso a Diaz e a Badoglio, di cui conveniva conservare i favori. Ecco perché la scelta cadde su De Bono.

Si era ormai all'ottobre del 1922 e Facta, il luogotenente di Giolitti che guidava – si fa per dire – il governo, moltiplicava le sue pressioni sul vecchio statista, mandandogli a Dronero Soleri e il prefetto di Milano, Lusignoli, perché lo scongiurassero di venire a prendere il suo posto. A sua volta Giolitti si servì di Lusignoli per negoziare con Mussolini, che si mostrò disposto all'accordo, ma solo per tirarlo in lungo. Vedendo che le trattative con Giolitti andavano per le lunghe, Facta e Soleri avevano deciso di prendere qualche precauzione contro un possibile *golpe*. Avevano convocato prima Diaz e Badoglio, che si erano mostrati ottimisti sulla lealtà dell'esercito, e poi il generale Pugliese, che comandava il presidio di Roma. Questi era stato il più risoluto: aveva chiesto rinforzi e già approntato un piano per la difesa della capitale. Tranquillizzato, Facta non fece nulla per impedire la grande mobilitazione delle 30 mila camicie nere convocate a Napoli per il 24 ottobre. Diede solo ordine di sorvegliare che non fossero armate e di deviare da Roma i treni che le trasportavano.

Mussolini partì per Napoli il 23, e a Roma non si fermò che poche ore per un incontro con Salandra. Questi ha scritto nelle sue memorie che Mussolini parlò piuttosto bruscamente, da uomo sicuro del fatto suo. Voleva le immediate dimissioni di Facta, ed era pronto ad appoggiare un ministero Salandra in cui ai fascisti fossero riservati cinque ministeri, ma nel quale egli non sarebbe entrato per meglio tenere in pugno le squadre.

Napoli brulicava di camicie nere. Ne erano arrivate circa 60 mila che sfilarono per ore con labari e gagliardetti sotto una pioggia di fiori. Come uniformi e disciplina, era una specie di armata Brancaleone. Ma come prova di forza e sfida alle istituzioni, aveva la sua efficacia. In un Consiglio nazionale del partito riunito all'Hotel Vesuvio, Mussolini impartì le seguenti direttive. In tutta Italia le squadre dovevano essere messe in pre-allarme il 26. Il 27 sarebbe cominciata la mobilitazione. Alla mezzanotte il partito avrebbe rimesso tutti i poteri al Quadrumvirato che avrebbe posto il suo quartier generale a Perugia. Il 28, in tutte le città, si doveva procedere all'occupazione degli uffici pubblici: prefetture, questure, stazioni ferroviarie, centrali telegrafiche e telefoniche. Subito dopo, le squadre dovevano concentrarsi a Tivoli, Monterotondo e Santa Marinella per lo «scatto concentrico» delle colonne sulla capitale. Dati questi sommari ordini, Mussolini ripartì per Milano.

Le notizie che da Napoli erano giunte a Facta avevano rinforzato la sua propensione a «nutrire fiducia». Tutto si era svolto senza incidenti, e il discorso che Mussolini aveva tenuto al teatro San Carlo era quello di un uomo che si preparava più a governare che a rivoluzionare il Paese. Egli fu quindi molto sorpreso quando, il 26, Salandra venne a dirgli che i fascisti reclamavano le sue dimissioni e si preparavano a marciare sulla capitale, e che perciò occorreva richiamare subito il Re per prendere le decisioni che l'emergenza richiedeva.

Con un telegramma Facta informò il Re – in quel momento a San Rossore – che la situazione «consigliava» il suo ritorno a Roma. Il Re arrivò alle otto di sera. Era di pessimo umore e, secondo Soleri, disse a Facta, ch'era andato a riceverlo alla stazione, che si rifiutava di deliberare «sotto la pressione dei moschetti fascisti».

La notte del 28 ottobre i funzionari svegliarono Facta buttandogli sul letto un fascio di telegrammi. Le colonne fasciste erano in marcia verso i loro punti di concentramento. Molti viaggiavano sui treni dopo averli assaltati e averne fatto scendere i passeggeri; altri su camion sgangherati, in bicicletta, a piedi. Erano sommariamente equipaggiati in fogge più banditesche che militari, armati per lo più di fucili da caccia, e battevano i denti per il freddo perché pioveva come Dio la mandava. Non c'era ombra di disciplina, e neanche di collegamenti.

Il Consiglio dei Ministri si riunì al Viminale nella luce livida dell'alba: erano le sei. La discussione fu breve perché, secondo Paratore, il generale Cittadini, che vi prese parte, disse che se il governo si rifiutava di proclamare lo stato d'assedio, il Re avrebbe abdicato. Ma l'episodio è controverso. Da altre testimonianze, risulta che Cittadini era lì solo per raccogliere notizie, e questa versione ci convince molto di più. Comunque, la decisione dello stato d'assedio non sollevò obbiezioni. Siccome nessuno aveva mai redatto un proclama di quel genere, il ministro degli Interni Taddei rispolverò quello di Pelloux del '98 e, apportativi i dovuti aggiornamenti, ne fece tirar le copie da mandare ai prefetti e da affiggere sui muri della città. Nel momento in cui gli attacchini cominciavano il loro lavoro, cioè verso le otto e mezza, Facta si recava dal Re al Quirinale per fargli apporre la firma, che tutti consideravano scontata. E qui avvenne il colpo di scena. Il Re, che aveva trascorso la notte in piedi, quando vide la bozza del proclama, andò su tutte le furie, anzi strappò addirittura il testo dalle mani del Primo Ministro, e lo chiuse in un cassetto come se gli scottasse le mani. Quando poi seppe ch'era stato diramato anche all'agenzia ufficiale Stefani, la sua collera non conobbe limiti. «Queste decisioni – disse – spettano soltanto a me... Dopo lo stato d'assedio non c'è che la guerra civile...» E concluse: «Ora bisogna che uno di noi due si sacrifichi». Per la prima e forse ultima volta, Facta riuscì a trovare una battuta: «Vostra Maestà non ha bisogno di dire a chi tocca». E prese congedo.

Cosa fosse sopravvenuto a far mutare idea al Re, è tuttora materia di congetture. Qualcuno dice che c'era già un accordo segreto fra lui e Mussolini, ma questa voce non trova conferma in nulla, anzi è smentita da molte cose. Secondo altri, a spaventarlo fu l'atteggiamento del Duca d'Aosta che, disobbedendo all'ordine ricevuto di restare a Torino, si era trasferito a Bevagna, a pochi chilometri da Perugia, sede del Quadrumvirato. La figlia di Facta, dopo la caduta del fascismo, raccontò che, durante il colloquio col padre, il Re non aveva fatto che ripetere: «C'è il Duca d'Aosta, c'è il Duca d'Aosta...». Può darsi che nell'emergenza egli abbia paventato anche questa eventualità. Ma a deciderlo ad annullare lo stato d'assedio furono certamente altri elementi, e cioè i pareri delle persone ch'egli consultò quella notte. Fra queste persone, si dice, ci fu Diaz che, interrogato sull'assegnamento che si poteva fare sull'esercito, avrebbe italianamente risposto: «L'esercito farà il suo dovere, ma sarà meglio non metterlo alla prova». A dire questo non fu certamente Diaz che quella notte si trovava a Firenze, ma forse lo disse qualche altro: il grande ammiraglio Thaon di Revel, o il generale Pecori Giraldi, o Baistrocchi, o Grazioli.

Alle nove e trenta, quando tornò al Viminale per informare i colleghi della decisione del Sovrano, Facta era «pallido e disfatto», e alcuni ebbero l'impressione che non si fosse mostrato abbastanza fermo. Chiamò al telefono Giolitti, che non si era mai mosso dal suo rifugio piemontese. Lo informò di tutto, e lo supplicò di accorrere a Roma. Giolitti disse che avrebbe preso il treno la sera, ma non poté farlo perché ormai la linea ferroviaria era interrotta. Alle undici e mezza, dopo aver dettato un dispaccio che revocava lo stato d'assedio, Facta tornò al Quirinale per l'atto formale delle dimissioni, e il Re avviò la normale procedura delle «consultazioni». Aveva già il suo candidato.

A mezzogiorno del 29 ottobre Mussolini ricevette questo telegramma del generale Cittadini: «Sua Maestà il Re m'incarica di pregarla di recarsi al più presto a Roma desiderando darle l'incarico di formare il nuovo ministero». Solo allora i nervi di Mussolini cedettero di colpo. Cesare Rossi, che gli era accanto, racconta che dopo aver letto quelle parole Mussolini sbiancò e, accartocciando il foglio nella mano convulsa, disse al fratello con voce rotta: «*Se a i foss a ba'*», se ci fosse il babbo.

Partì da Milano alle otto di sera, in treno, e arrivò a Roma alle undici del 30, con molto ritardo per le soste in molte stazioni dove i fascisti avevano preparato manifestazioni di omaggio e di giubilo. «Tra poche ore – annunciò – l'Italia non avrà soltanto un Ministero, avrà un governo». Trascorse infatti le lunghe ore di viaggio a ritoccare la lista dei ministri. Nell'elenco di fascisti ce n'erano tre soli, e fra i più moderati. E alle Forze Armate due militari certamente gratissimi al Re: Diaz e Thaon di Revel. Solo dopo aver varato il Ministero, Mussolini si ricordò delle sue camicie nere che intanto avevano continuato, all'oscuro di tutto, e sotto la pioggia battente, a intirizzire di freddo e di fame, nei loro accantonamenti di Monterotondo e Santa Marinella. Invano chiedevano lumi ai Quadrumviri di Perugia. I Quadrumviri ne sapevano quanto loro, meno De Vecchi che stette quasi sempre a Roma a fare, come poi disse, «il capo degli assedianti nella fortezza».

Ricevettero l'ordine di marciare su Roma il 30, quando già Mussolini ne aveva preso saldo possesso e si disponeva a tenere la sua prima riunione di Gabinetto. Ci arrivarono alla spicciolata e con tutti i mezzi: chi in treno, chi in camion, chi in bicicletta. Ma da 30 mila che erano – se lo erano –, per strada diventarono 70 mila, ed altri ne trovarono ad aspettarli in città. Come al solito, gl'italiani correvano in aiuto del vincitore. Un po' forse perché inviperiti dalla lunga attesa sotto l'acqua, un po' per salvare la faccia della «marcia rivoluzionaria», si diedero a provocare gli operai del quartiere di San Lorenzo, dove ci furono una dozzina di morti. Mussolini impartì alla polizia e all'esercito ordini severissimi d'impedire a qualunque costo altri tumulti. Gli scalmanati se la rifecero soprattutto con gli alberghi, le trattorie, i caffè, le taverne e i bordelli dove gozzovigliarono tutta la notte senza pagare il conto. L'indomani sfilarono sotto il Quirinale dove il Re li salutò dal balcone, affiancato da Diaz e Thaon di Revel, mascherando il disgusto che doveva procurargli quell'esercito di Pancho Villa irto di pugnali, manganelli e schioppi banditeschi. La rivoluzione era finita. O meglio, non era mai cominciata.

IL 16 NOVEMBRE MUSSOLINI presentò il governo alla Camera per chiederne la fiducia. Come dosaggio di lusinghe, di minacce e di ricatto, quel discorso rappresenta uno dei «classici» del suo repertorio. «Con trecentomila fascisti armati di tutto punto – disse moltiplicando per dieci la cifra reale –, potevo castigare tutti coloro che hanno diffamato e tentato d'infangare il fascismo. Potevo fare di quest'aula sorda e grigia un bivacco di manipoli, potevo sprangare il Parlamento e costituire un governo esclusivamente di fascisti». La solita pausa, gravida di minaccia. Poi: «Potevo: ma non ho, almeno in questo primo tempo, voluto». La Camera gli votò la fiducia con 306 SÌ contro 116 NO, e subito dopo gli concesse i pieni poteri per un anno. Il Senato seguì l'esempio due settimane dopo dandogli una maggioranza ancora più forte: 196 contro 19.

Approvata nel 1923 la legge elettorale Acerbo, che assicurava una solida maggioranza alla lista vincente, la Camera fu sciolta il 25 gennaio (del '24), e le elezioni indette per il 6 di aprile. Ma subito fu chiaro che Mussolini intendeva dar loro il carattere non di una battaglia fascista, ma di un plebiscito pro o contro la politica fin lì perseguita. La sua lista di candidati fu subito ribattezzata «il listone» per il suo composito carattere di Legione Straniera. Riprendendo la tattica che già aveva usato per formare il suo primo Ministero all'indomani della Marcia, egli non volle trattare coi partiti. Trattò coi singoli uomini sbrancando fra loro quelli che più si dimostravano propensi alla collaborazione. Questa mossa mise in crisi sia gli uomini che i partiti, specialmente quello liberale, che alla fine se la cavò lasciando liberi i propri iscritti di fare di testa loro. Ci furono drammi di coscienza e drammi di ambizione. Entrò nel listone Salandra, ma ponendo come condizione di portarsi dietro un gruppo di fedeli. Vi entrò, sia pure «con immensa perplessità», Orlando. Vi entrò De Nicola. Ma non vi entrò Giolitti, nonostante i ponti d'oro che Mussolini gli faceva.

Alle urne andarono il 64 per cento degli elettori che, per le medie italiane, era una buona percentuale: oltre il 5 in più della precedente consultazione. Il primo pericolo, quello dell'astensione in massa, era stato evitato. Poi vennero le altre cifre. Su circa 7 milioni di voti validi, il listone e la lista bis ne raccolsero 4 milioni e 650 mila, pari al 66 per cento. Più tardi si disse che c'erano stati dei brogli. Ma Gobetti, uno degli antifascisti più intransigenti, ma anche più onesti, contestò la contestazione: anche se dei brogli c'erano stati, disse, non avevano alterato il senso del pronunciamento popolare.

La nuova Camera si aprì il 24 maggio, festa nazionale perché era la ricorrenza dell'ingresso dell'Italia in guerra, e nel discorso con cui, come al solito, inaugurava la legislatura, il Re salutò i deputati come «la generazione della vittoria». Quelli fascisti, in camicia nera, esultavano considerando definitivo e irreversibile il loro trionfo. E infatti dal punto di vista numerico, la loro maggioranza era schiacciante.

Fra listone e lista bis avevano conquistato 374 seggi, lasciandone poco più di cento a un'opposizione demoralizzata e divisa.

IL 30 MAGGIO 1924 Giacomo Matteotti, socialista intransigente, prese la parola dal suo banco di deputato. Il suo discorso, che avrebbe potuto esaurirsi in meno di un'ora, ne durò quattro perché continuamente interrotto dai fischi e dagli urli dei fascisti. Presidente dell'Assemblea era Enrico De Nicola, che invano scampanellava per riportare la calma. I fascisti, quando non urlavano, picchiavano ritmicamente i pugni sul banco per coprire la voce dell'oratore che, imperterrito, diceva dei risultati elettorali del 6 aprile: «Contro la loro convalida, noi presentiamo questa pura e semplice eccezione: che la lista di maggioranza governativa, la quale nominalmente ha ottenuto una votazione di quattro milioni e tanti voti, non li ha ottenuti di fatto e liberamente».

Scoppiò il putiferio. Matteotti aspettò che si placasse, poi cominciò ad elencare le prove del clima di violenza che aveva falsato il verdetto popolare. Ad ogni tempesta di fischi e minacce, Matteotti rispondeva: «Io espongo fatti che non dovrebbero provocare rumore. I fatti o sono veri, o li dimostrate falsi». «Voi svalorizzate il Parlamento» urlò una voce. «E allora sciogliete il Parlamento.» Farinacci esplose: «Va a finire che faremo sul serio quello che non abbiamo fatto!». «Fareste il vostro mestiere» ribatté Matteotti, e ricominciò a motivare le sue denunce nel solito frastuono. «Onorevoli colleghi, io deploro quello che accade...» ripeteva De Nicola, e rivolgendosi a Matteotti, lo sollecitò: «Concluda, onorevole Matteotti. Non provochi incidenti». Matteotti s'infuriò: «Ma che maniera è questa! Lei deve tutelare il mio diritto di parlare». «Sì, ma ho anche quello di raccomandarle la prudenza» ribatté De Nicola, come presago di quanto sarebbe accaduto. «Io chiedo di parlare non prudentemente né imprudentemente, ma parlamentarmente» ribatté Matteotti, e riprese la sua requisitoria intesa a chiedere l'invalidazione delle elezioni del 6 aprile. Quando ebbe finito, nel solito uragano di grida e minacce, disse, rivolto ai suoi vicini di banco: «Ho detto quel che dovevo dire, ora sta a voi preparare la mia orazione funebre».

Muto e immobile, Mussolini aveva seguito il discorso di Matteotti senza mai interromperlo, e anzi dando segno di fastidio per il chiasso che facevano i suoi. Ma il volto pallido e tirato denunciava il suo furore. Quando l'avversario ebbe finito, si alzò di scatto, attraversò l'aula a passi concitati, e rientrò a Palazzo Chigi. Nell'anticamera del suo ufficio s'imbatté in Marinelli, e lo investì: «Che fa la *Ceka*? ...Che fa Dumini? ...Se non foste dei vigliacchi, nessuno avrebbe mai osato pronunciare un simile discorso!» La *Ceka* era una squadraccia d'avanzi di galera, utili per bassi servizi di bastonature. E queste parole erano state pronunciate, purtroppo, davanti a Marinelli: il più zelante, ottuso e cinico collaboratore di Mussolini.

Il 10 giugno era un sabato, e faceva un gran caldo. Matteotti, che abitava nei pressi di quello che è oggi il Ministero della Marina, uscì di casa verso le quattro, e prese il Lungotevere per avviarsi verso Montecitorio. Non si avvide, o forse si avvide troppo tardi, di un'automobile in sosta sotto i platani. Quell'automobile era lì ferma da tanto tempo che il portinaio di una casa lì nei pressi, insospettito, ne aveva notato il numero. A bordo c'erano cinque uomini: Dumini, Volpi, Viola, Poveromo, Malacria. Erano essi la famosa *Ceka* a cui aveva alluso Mussolini. Quando Matteotti giunse alla loro altezza, gli balzarono addosso. Matteotti si difese come poté, e seguitò a dibattersi anche quando lo ebbero ficcato a forza nella macchina, che partì a tutta velocità verso Ponte Milvio. Riuscì anche a gettare dal finestrino la sua tessera di deputato nella speranza di attirare l'attenzione dei passanti. Sembra che a un certo momento egli tirasse un calcio così violento nei testicoli di Viola che questi, accecato dall'ira, gli vibrò una pugnalata recidendogli la carotide. Col morto in mano, i cinque persero la testa. Dumini, ch'era al volante, si mise a girovagare senza bussola per le stradette di campagna. Solo sul far della sera si fermò in un boschetto – il boschetto della Quartarella – e lì decise di seppellire il cadavere. Non avendone gli attrezzi, scavarono col cric una fossa profonda meno di mezzo metro, ci ficcarono a forza il morto piegato in due, rientrarono a Roma, e nella notte Dumini si presentò a Marinelli per riferirgli l'accaduto.

Qui, il filo dei fatti si perde in un groviglio di testimonianze contraddittorie. Non sappiamo come Marinelli accolse la notizia, non sappiamo come la riportò a Mussolini, non sappiamo come questi reagì. C'è chi dice che Marinelli uscì dal colloquio piangendo come un bambino duramente castigato. Ma non sono che voci. Torniamo ai fatti accertati. La notizia della scomparsa di Matteotti fu data naturalmente la notte stessa ai suoi amici dalla moglie sgomenta. Sulla stampa trapelò solo il 12, quando già la Camera tumultuante chiamava Mussolini a fornire spiegazioni. L'uomo, che portava sul volto i segni di una notte insonne, dichiarò di essere all'oscuro di tutto e di avere già impartito rigorosi ordini di ricerca alla polizia, compresa quella di frontiera. Sapeva invece tutto, meno il bosco in cui era sepolto il cadavere perché questo non riuscivano più a ubicarlo nemmeno gli autori del delitto; e accennava alla frontiera per dar credito a una voce che dava Matteotti per espatriato clandestinamente. L'opposizione accolse le sue parole con grida e tumulti, e il deputato repubblicano Chiesa lo accusò di voler coprire le responsabilità dei criminali, riconoscendosene in tal modo complice.

Probabilmente, in quel momento, egli sperava di abbuiare la vicenda. Ma il portinaio che aveva notato il numero di targa dell'automobile lo segnalò alla polizia che fece presto a identificare il proprietario della macchina: era Filippelli, il direttore del *Corriere italiano*, il quale l'aveva prestata a Dumini. La notizia era già sui giornali. E a questo punto non era più possibile fermare le indagini.

La notte si riunì il Gran Consiglio, al termine del quale fu emesso un laconico comunicato in cui si diceva ch'era stata presa in esame «la situazione politica generale». Naturalmente si era discusso invece del delitto, e qui erano esplosi tutti i contrasti, ideologici e personali, che covavano in seno al «vertice» fascista. Il pretesto era troppo buono per far cadere alcune teste, e Mussolini si accorse che le più bersagliate erano quelle di

Marinelli, che godeva della generale antipatia, di Finzi per le illecite speculazioni che gli venivano attribuite anche dall'opposizione, e soprattutto di Rossi per l'ascendente che tutti gli accreditavano su di lui. Forse non fu detto esplicitamente. Ma i capri espiatori erano già designati.

Quasi nelle stesse ore si riunivano i capi della opposizione che, su sollecitazione di Amendola e di Turati, decisero di disertare le sedute della Camera fin quando il governo non avesse chiarito le proprie responsabilità.

Non era ancora quello che poi si chiamò «l'Aventino», cioè il definitivo ritiro degli oppositori come gesto di condanna morale del regime. Ma vi preludeva. Fu dunque a un'aula popolata soltanto di deputati della sua maggioranza, anche se questa era profondamente scossa e divisa, che Mussolini si ripresentò l'indomani, 13, più rinfrancato, e con un piano di difesa ormai stabilito. Non c'era più dubbio, disse, che si trattasse di delitto. Ma i colpevoli erano già stati identificati, e due di essi arrestati: il che dimostrava che la Giustizia seguiva il suo corso e lo avrebbe seguito fino al completo accertamento delle responsabilità, quali che fossero. «Se c'è qualcuno in quest'aula – aggiunse – che abbia diritto più di tutti di essere addolorato e, aggiungerei, esasperato, sono io. Solo un mio nemico, che da lunghe notti avesse pensato a qualche cosa di diabolico, poteva effettuare questo delitto, che oggi ci percuote di orrore e ci strappa grida d'indignazione.» Dopodiché, con un colpo a sorpresa certamente concertato con lui, il Presidente Rocco aggiornò i lavori della Camera *sine die*, togliendo così ai nemici del regime il più autorevole podio da cui parlare.

Liberato dalla Camera, Mussolini non lo era però dalla stampa che, tuttora libera, non gli dava tregua. I giornali avevano raddoppiato le loro tirature, e si facevano concorrenza in sensazionalismo con titoli a tutta pagina. Mussolini sembrava distrutto. La sua anticamera era vuota. E l'usciere Quinto Navarra ha raccontato nelle sue memorie che un giorno, non sentendo più venire alcun rumore dalla stanza del Duce, ne aveva socchiuso la porta e lo aveva visto, in ginocchio su una poltrona, che batteva la testa contro il muro. La polemica sui giornali si faceva sempre più rovente. Quelli fascisti sostenevano la tesi del «cadavere gettato tra i piedi di Mussolini» dai suoi nemici fuoriusciti e massoni con la connivenza di alcuni traditori fascisti. La stampa antifascista sosteneva invece che Matteotti era stato soppresso per impedirgli di fare le «rivelazioni» che aveva in serbo sugli affari che fiorivano all'ombra del regime, e di cui aveva già consegnato la documentazione a Turati.

La prima ipotesi cadde subito per mancanza di elementi su cui fondarla. Nella seconda forse qualcosa di vero c'era. Matteotti, che di finanze s'intendeva, sapeva molte cose su certe concessioni di ricerche petrolifere alla *Sinclair Company* e altri casi di speculazione: vi aveva accennato anche in un articolo su un periodico inglese. Ma non si trattava di cose da mettere in crisi il governo, e lo dimostra il fatto che Turati non produsse mai i documenti di cui avrebbe avuto la copia. Una terza ipotesi, che dopo la Liberazione fu ripresa da Carlo Silvestri, e che fornisce argomenti a quella del «cadavere gettato fra i piedi di Mussolini», è che Matteotti venne soppresso dai «falchi» del fascismo per creare un «caso» che impedisse l'accordo con la Confederazione Generale del Lavoro, a cui Mussolini non aveva smesso di pensare.

Di tutte queste congetture, poco o nulla rimane. Oramai quasi tutti gli storici consentono su una genesi del delitto molto più semplice, almeno come meccanica di svolgimento. Marinelli aveva tradotto lo scoppio di furore mussoliniano in un ordine di castigo, e il gesto somiglia d'altronde al personaggio: un Himmler in sedicesimo, ottuso burocrate della violenza e carrierista ambizioso, assolutamente privo di qualità sia politiche che umane. Vent'anni dopo, condannato a morte dal Tribunale di Verona insieme agli altri «traditori» del 25 luglio, Marinelli confidò a Pareschi e a Cianetti, suoi compagni di prigione, che l'ordine l'aveva dato lui, convinto di esaudire i desideri del Duce. Resta solo da sapere se l'ordine fu di uccidere Matteotti, o di «dargli una lezione» com'era nello stile squadrista. Naturalmente gli esecutori sostennero sempre che uccidere non volevano, e che la vittima gli morì in mano. Alla loro parola naturalmente non si può credere. Ma il modo in cui si svolsero le cose dimostra ch'essi avevano agito da persone atterrite dal loro proprio misfatto e che non avevano nulla predisposto nemmeno per occultare il cadavere.

Ma il cadavere c'era, e con esso ormai Mussolini doveva fare i conti. Il 16 agosto il caso volle che un guardiacaccia passasse col suo cane nel bosco della Quartarella. Il cane puntò il naso per terra e cominciò a scavare furiosamente. Affiorarono dei resti umani: erano quelli di Matteotti. Nessuno aveva mai dubitato che il deputato socialista fosse stato ucciso, e la macabra scoperta non rivelava quindi niente di nuovo, ma rilanciò l'ondata dell'indignazione e dell'orrore.

Trascorsero, fino alla fine di quel drammatico 1924, alcuni mesi durante i quali Mussolini parve più volte sul punto di cadere: incalzato com'era dallo sbandamento della sua maggioranza e dagli attacchi degli ultra dello squadrismo, che gli imputavano un eccesso di debolezza e insicurezza. Si arrivò così al 3 gennaio, quando Mussolini prese la parola davanti alla Camera. Appariva «pallido e teso». Come sempre faceva nei momenti di emergenza, giuocò sulla sorpresa, cogliendo tutti di contropiede con una domanda che pareva audace e provocatoria: «L'articolo 47 dello Statuto dice: *La Camera dei Deputati ha il diritto di accusare i Ministri del Re e di tradurli dinanzi all'Alta Corte di Giustizia*». Pausa. «Chiedo formalmente se in questa Camera, o fuori di questa Camera, c'è qualcuno che voglia valersi dell'articolo 47.»

La pattuglia dei deputati fascisti, forse colti di sorpresa anche loro, balzò in piedi acclamando mentre tutti gli altri tacevano sbalorditi. Mussolini continuò: «Il mio discorso sarà dunque chiarissimo e tale da determinare una chiarificazione assoluta. Voi intendete che dopo aver lungamente camminato insieme con dei compagni di viaggio, ai quali del resto andrebbe sempre la nostra gratitudine per quello che hanno fatto, è necessaria una sosta per vedere se la stessa strada con gli stessi compagni può essere ancora percorsa nell'avvenire». Era la denuncia delle alleanze su cui il fascismo si era retto fin allora e l'*aut aut* a coloro che le avevano accettate: o col fascismo fino in fondo, o fuori del fascismo. E il fascismo era lui, Mussolini. «Dichiaro qui, al cospetto di questa Assemblea e al cospetto di tutto il popolo italiano, che io assumo, io solo, la responsabilità politica, morale, storica, di tutto quanto è avvenuto.» E come trascinato dalle proprie parole (il discorso non era scritto, e in molti punti appare improvvisato) aggiunse teatralmente: «Se le frasi più o meno storpiate bastano per impiccare un uomo, fuori il palo e fuori la corda. Se il fascismo non è stato che olio di ricino e manganello, e non invece una passione superba della migliore gioventù italiana, a me la colpa. Se il fascismo è stato un'associazione a delinquere, io sono il capo di questa associazione a delinquere!». E giù con queste frasi più da comizio di piazza che da aula parlamentare, ma che erano destinate a un grande effetto sulle pagine dei giornali, fino alla logica conclusione che del semplice «effetto» andava al di là:

«Voi avete creduto che il fascismo fosse finito perché io lo comprimevo, che fosse morto perché io lo castigavo, e poi avevo anche la crudeltà di dirlo. Ma se io mettessi la centesima parte dell'energia che ho messo a comprimerlo, a scatenarlo, voi vedreste allora. Non ci sarà bisogno di questo perché il governo è abbastanza forte per stroncare in pieno definitivamente la sedizione dell'Aventino. L'Italia, o signori, vuole la pace, vuole la tranquillità, vuole la calma laboriosa. Noi questa tranquillità, questa calma laboriosa, gliela daremo con l'amore, se è possibile, e con la forza, se sarà necessario. State certi che nelle quarantott'ore successive a questo mio discorso, la situazione sarà chiarita su tutta l'area».

Nelle quarantott'ore successive, le sedute della Camera vennero sospese; e una pioggia di «riservate» si abbatté sui prefetti. Essi dovevano provvedere «allo scioglimento di tutte le organizzazioni che sotto qualsiasi pretesto possano raccogliere elementi turbolenti o che comunque tendano a sovvertire i poteri dello Stato»: una direttiva che si prestava a qualsiasi applicazione, ma che era controbilanciata da un telegramma ancora più riservato che autorizzava misure non meno rigorose contro i fascisti che avessero cercato di approfittare della favorevole situazione per commettere violenze e soprusi. Infine vennero chiamate in vigore le norme repressive della libertà di stampa, che fin allora erano rimaste sulla carta. Eppure, molti non capirono che col discorso del 3 gennaio il fascismo cambiava volto, e diventava dittatura.

CAPITOLO 3

Il Regime

IL DISCORSO DEL 3 GENNAIO 1925 prese tutti in contropiede. Era stato preso in contropiede anche il Re. Questi, secondo una testimonianza di Cino Macrelli, non solo non era stato informato del discorso da Mussolini, ma dopo che era stato pronunciato avrebbe avuto intenzione d'intervenire sollecitando le dimissioni dei due ministri militari, il generale Di Giorgio e l'ammiraglio Thaon di Revel. Sempre secondo questa testimonianza il conte Campello e il generale Cittadini – vicini al Re e ostili al fascismo – avrebbero detto ad Amendola di non prendere iniziative perché ormai il Sovrano era deciso a mettere alla porta Mussolini e il suo governo.

Mussolini aveva avuto un'ottima ragione per precipitare le cose, con il colpo di scena del 3 gennaio: l'ultimo dell'anno una quarantina di consoli della Milizia gli aveva fatto visita a Palazzo Chigi, con il pretesto di augurargli buon Capodanno; ma il loro vero proposito era di indurlo ad agire risolutamente, e se occorreva violentemente, contro l'opposizione. Se non l'avesse fatto – minacciarono – la Milizia avrebbe preso l'iniziativa «liberando da ogni vincolo di disciplina le squadre». A questa ragione se ne aggiungerebbe, se fosse vero quanto riferito da Macrelli, un'altra forse più forte. Mussolini avrebbe precipitato le cose non solo e non tanto per l'imposizione dei consoli, quanto per prevenire il passo del Re, mettendolo di fronte al fatto compiuto. Ma noi crediamo che le cose si siano svolte altrimenti. È molto probabile che Campello e Cittadini, simpatizzanti dell'opposizione, avessero cercato di spingere il Re a quel passo, e che il Re avesse dato una delle sue sibilline risposte, ch'essi avevano interpretato secondo i loro desideri.

Giovanni Amendola, il più tenace ispiratore dell'Aventino, credette alla loro versione, tant'è vero che il 4 gennaio inviò a Cittadini un messaggio che aveva per destinatario il Re: «Sorga fieramente il Re» eccetera. Certamente informato da lui, anche Turati pensava al Re: «Il duello non è soltanto con noi – scriveva alla Kuliscioff – ma è anche, e forse più, collo stesso Quirinale». E il fatto che anche i socialisti contassero sull'iniziativa del Re, ch'essi avevano clamorosamente insultato abbandonando al suo ingresso l'aula parlamentare, la dice abbastanza lunga sulla risolutezza dell'opposizione.

Il giorno stesso del discorso, Salandra e Giolitti s'incontrarono. Era la prima volta che questo avveniva dal 1915, quando Giolitti aveva bruscamente rotto con Salandra, accusandolo di «tradimento» per aver portato, contro gl'impegni assunti con lui, l'Italia in guerra. Poiché del colloquio abbiamo solo la versione di Salandra, non sappiamo se Giolitti gli chiese se era soddisfatto di ciò che la guerra aveva provocato. Comunque, il colloquio fu infruttuoso. Salandra propose di andare con lui e Orlando dal Re per saggiare le sue intenzioni, ma Giolitti lo escluse. «Si risaprebbe – disse – e parrebbe un pronunciamento.» E se Giolitti si rifiutò di compiere il passo, vuol dire che lo riteneva inutile, cioè che il Re non aveva nessuna intenzione di muoversi.

Quanto all'Aventino, invece di stringersi intorno alla propria bandiera, si disunì vieppiù e si perse in un mare di chiacchiere. Alcuni, fra cui lo stesso Turati, volevano tornare in aula e riprendervi la loro battaglia di opposizione. Ma Amendola, fedele alla sua idea della «condanna morale», riuscì ancora a imporla. Solo l'8 gennaio l'Aventino formulò la sua risposta a Mussolini in un documento che lo stesso Salvemini definì «un capolavoro di pedanteria pretenziosa e inutile», e che rappresentò in sostanza il suo testamento. In realtà, come forza di opposizione, non era mai esistito. L'uomo che lo aveva ideato, Amendola, era sul piano morale degno del più alto rispetto. Ma, malinconico e introverso, chiuso nel suo puritanismo, e senza nessuna presa sulla pubblica opinione, non era affatto un politico. Alcuni lo avevano seguito condividendone l'intenzione: ch'era quella di costituire il punto di riferimento per la coscienza civile di un Paese che ne era cospicuamente sprovvisto. Ma i più lo avevano fatto per sottrarsi agli scomodi e ai pericoli di una opposizione in aula, faccia a faccia coi fascisti. Nessuno di loro aveva rinunziato alle proprie piccole beghe di partito, di gruppo e di corrente. Ma proprio questo spettacolo d'impotenza e di faziosità aveva scoraggiato la pubblica opinione antifascista.

L'affare Matteotti gli aveva offerto una grande occasione. Il Paese aveva avuto un sincero soprassalto di sdegno che se avesse trovato in Parlamento un risoluto interprete avrebbe messo Mussolini alle corde. Ma bisognava capire che gli sdegni sono temporanei, specialmente in Italia. La guerra di logoramento fatta dall'Aventino con le denunce, molte delle quali infondate, e coi memoriali, alcuni dei quali falsi, non poteva che stancare, alla lunga, la pubblica opinione. Non osiamo dire che Mussolini aveva tergiversato per sei mesi appunto per dare tempo a questo processo di maturare. Ma sia stato l'istinto a suggerirglielo, o le circostanze a imporglielo, è certo che prese le decisioni del 3 gennaio quando ormai il Paese era disposto ad accettarle, e forse in cuor suo le sollecitava non perché avesse acquistato maggior fiducia in Mussolini ma perché aveva completamente perso quella nei suoi oppositori. E questo vale per il Re come per l'uomo della strada.

Nei mesi successivi Mussolini si mosse tra apparenti oscillazioni ma rispettando una ferrea logica del potere, come sempre gli accadeva quando era meglio assistito dal suo grande fiuto politico. Il fascismo «rivoluzionario», che mal sopportava la normalizzazione ed era insofferente dei vincoli costituzionali imposti dalla monarchia, doveva avere, dopo il 3 gennaio, una soddisfazione. Mussolini, che pur voleva sovrapporre lo Stato al Partito, più che il Partito allo Stato, gli diede questa soddisfazione affidando la Segreteria del Pnf a Farinacci. Tra i due uomini non correva buon sangue. Il *ras* di Cremona era sempre stato il capo dell'ala fascista più intransigente e riottosa. Non approvava, a volte probabilmente non capiva, le mosse tattiche di Mussolini, le sue concessioni ai moderati legalitari, ancora incerti di fronte al fenomeno fascista, le sue residue esitazioni nel procedere sulla strada della dittatura. Farinacci era inoltre più sensibile alle esigenze degli agrari – ossia degli spalleggiatori del fascismo più violento e rozzo – che non a quelle degli industriali: e tra le due categorie esisteva un obbiettivo conflitto di interessi, in tema di protezionismo e di tariffe doganali. Ma Farinacci era anche l'unico esponente del fascismo che potesse tenere a bada l'irrequieta periferia dello squadrismo, e darle la sensazione di avere avuto, nella svolta del 3 gennaio, una totale vittoria. La nomina di Farinacci fu decisa all'unanimità, dal Gran Consiglio, il 12 febbraio. Tre giorni dopo, il 15 febbraio, il Capo del governo cadeva malato per un attacco di ulcera che gli organi di informazione del Regime tentarono di gabellare come una normale influenza, ma che fu serio e preoccupante tanto che si temette per la sua vita.

Gli avversari del Regime avevano quasi del tutto perduto l'unico strumento del quale potessero servirsi – dopo che l'Aventino li aveva privati della tribuna parlamentare – per ribattere le tesi del governo: la stampa. Con le armi della diffida, o del sequestro, o della soppressione definitiva, il governo controllava sempre più strettamente i giornali. Alla Camera, assenti gli aventiniani, Mussolini non aveva problemi. Un progetto di legge elettorale che ripristinava il collegio uninominale fu approvato con 307 voti favorevoli e 33 contrari (tra gli ultimi Orlando e Giolitti). Più tardi la Camera varava addirittura un pacchetto gigantesco di 2376 decreti legge. Qualche maggiore difficoltà il fascismo aveva in Senato, per il carattere vitalizio e l'origine reale della carica, e per il prestigio personale di alcuni tra i componenti l'Assemblea.

Più del Parlamento, più degli intellettuali antifascisti che avevano diffuso un loro nobile e politicamente sterile manifesto, redatto da Benedetto Croce, più della opposizione aventiniana, Mussolini ebbe a temere, nella seconda metà del '25, il rinfocolarsi della violenza delle squadre d'azione, che allarmava i fiancheggiatori, riaccendeva le diffidenze del Re, irritava la Chiesa. Tre forze che Mussolini non voleva provocare gratuitamente.

In effetti Mussolini voleva veder trionfare non la illegalità, ma la legalità della Rivoluzione. Lo spartiacque tra i due concetti è spesso, negli Stati autoritari, incerto. Ma la differenza sostanziale è questa: la punizione e repressione degli oppositori doveva venire, secondo Mussolini, dall'autorità, non da iniziative di gruppi o di individui. Con ciò egli poteva dosare i provvedimenti secondo circostanze e valutazioni politiche, che non intendeva affidare al caso, o peggio ancora ai criteri di estremisti e di *ras* locali. La più perfetta dimostrazione di questo criterio Mussolini la diede tra la fine del 1925 e la fine del 1926, quando spazzò via gli ultimi residui di libertà di stampa, di opposizione politica, di garanzie legali fissate dallo Statuto albertino, ma scegliendo l'ora e il modo con tale tempismo da attuare la grande «purga» senza incontrare ostacoli né da parte della Corona, né da parte di simpatizzanti che tuttavia conservavano qualche scrupolo giuridico. I pretesti per realizzare tutti gli obbiettivi di cui aveva posto le premesse con il discorso del 3 gennaio gli furono offerti da una serie di attentati alla sua persona, rimasti allo stato di progetto o portati ad esecuzione.

Il primo, e politicamente il più importante, divenne noto con l'arresto, ordinato il 4 novembre 1925, dell'onorevole Tito Zaniboni (a Roma) e del generale Luigi Capello (a Torino). Lo Zaniboni – che la polizia teneva d'occhio da lunga data – era stato sorpreso nella camera 90, al quinto piano dell'albergo Dragoni, da dove avrebbe voluto sparare, con un fucile Mannlicher a cannocchiale, contro Mussolini, di cui era previsto un discorso da Palazzo Chigi per celebrare l'anniversario della Vittoria. L'arma sarebbe stata puntata, da una cinquantina di metri di distanza, sul balcone del Palazzo. Zaniboni, socialista turatiano, si era comportato bene in guerra, con gli alpini, raggiungendo il grado di maggiore: ed era pluridecorato. Aveva condotto contro il fascismo, dopo la Marcia su Roma, una lotta affannosa e donchisciottesca, tentando le più diverse strade, da una contrapposizione Mussolini-D'Annunzio al colpo di Stato attuato da poche centinaia di uomini decisi a tutto. Infine si era deciso alla eliminazione fisica dell'«oppressore». «Alla violenza – questo era diventato il suo credo – bisogna opporre la violenza.»

Non sperava più nel Re, dal quale si era fatto ricevere due volte senza ottenerne nulla. Dall'estero gli era arrivato qualche incoraggiamento, in particolare del radicale francese Herriot e del vecchio democratico cecoslovacco Masaryk. La massoneria di Palazzo Giustiniani gli aveva elargito a un certo punto una somma modesta anche per quei tempi, cinquemila lire, ma poi non aveva più voluto saperne dei suoi progetti. In questa ricerca di sostegni Zaniboni si era imbattuto in Carlo Quaglia e Luigi Capello. Il Quaglia, studente, vicino alle idee del Partito popolare, ebbe nella vicenda un ruolo spregevole, perché fingeva di collaborare con Zaniboni e nel contempo informava la polizia. Capello, massone, si era lasciato dapprima allettare dai propositi dello Zaniboni, dimostrandosi una volta di più stratega avventato, ma pare che quando fu catturato – si preparava a espatriare – avesse già lasciato cadere tutto.

L'itinerario umano e politico di Capello era stato imprevedibile e tortuoso, motivato da interessi personali e da suggestioni contingenti più che da veri ideali. Luigi Capello aveva comandato in guerra la II armata, la maggiore dell'esercito italiano, con i suoi quattrocentomila uomini. Proprio l'armata nella quale erano entrati come il coltello nel burro, la tragica notte di Caporetto, i cunei delle divisioni tedesche inviate sul fronte italiano per una offensiva demolitrice. La responsabilità del disastro era stata fatta ricadere, dalla commissione d'inchiesta, principalmente su di lui, per la ostinazione con cui, obbedendo a un proprio disegno strategico, aveva trasgredito, o applicato con reticenza, gli ordini impartiti da Cadorna affinché la II armata assumesse uno schieramento più difensivo. Non era tipo che si rassegnasse alla oscurità. Aveva scritto libri per discolparsi, ed era diventato fascista. Dopo la Marcia su Roma lo si vide sfilare con le colonne di camicie nere in una strana tenuta fuori ordinanza, che a un osservatore sarcastico ricordò l'immagine di un generale sudamericano. Ma l'atteggiamento del fascismo verso la massoneria (e forse anche gli onori e le riabilitazioni di cui avevano goduto i Cadorna e i Badoglio, ma non lui) risospinsero Capello, che nella loggia di Palazzo Giustiniani occupava una posizione eminente, tra le file dell'antifascismo.

Se il complotto era stato velleitario e quasi risibile, il suo sfruttamento politico ebbe invece una importanza di prim'ordine. Mussolini si era visto offrire su un piatto d'argento il pretesto di cui aveva bisogno per indurire il Regime. A loro volta i fiancheggiatori desiderosi di salvare la coscienza avevano un pretesto per ammettere che, di fronte al comportamento criminale della opposizione, un giro di vite diventava inevitabile. Crisi di coscienza subitanee colsero così le proprietà di quei giornali che erano rimasti indipendenti, e che, pur avendo attenuato gli atteggiamenti antifascisti mantenuti durante la crisi Matteotti, si permettevano ancora delle critiche. Cambiò direttore, tra gli altri, il *Corriere della Sera*. Luigi Albertini dovette lasciare, insieme al fratello Alberto, la guida del maggior quotidiano italiano. Gli Albertini erano qualcosa di più che «la direzione» nel *Corriere della Sera*: non solo perché possedevano una quota di proprietà, ma soprattutto perché avevano legato il loro nome, e il loro prestigio, a una politica coerente e intransigente, da grandi borghesi illuminati. Alla direzione fu insediato Pietro Croci, un redattore di non spiccato rilievo che compì quietamente l'opera di «conformizzazione» del giornale. Questo non fu che uno dei segni di un «adeguamento» al Regime che prendeva proporzioni sempre più massicce, tanto che Balbo osservava, in una lettera, che «non si trova più un antifascista a pagarlo a peso d'oro».

AI PRIMI DI GENNAIO del '26 i «popolari» di De Gasperi decisero di scendere dall'Aventino. Scelsero, per l'azione, un momento che – illudendosi di gran lunga sugli scrupoli e sulla sensibilità dei fascisti – ritenevano favorevole: la commemorazione a Montecitorio, il 16 gennaio 1926, della Regina Margherita, morta ai primi dell'anno a Bordighera. Un gruppo di popolari e di demosociali riuscì effettivamente a penetrare nell'aula, e poté ascoltare le orazioni celebrative del Presidente dell'Assemblea, Casertano, e del ministro dell'Interno Federzoni. Ma subito dopo i più brutali tra i deputati fascisti aggredirono gli «intrusi», li presero a ceffoni, pugni, calci, buttandoli letteralmente fuori da Montecitorio, dove erano stati mandati dagli elettori. Il Presidente non intervenne. Mussolini spinse la sua tracotanza fino al punto di prendere la parola, il 17 gennaio, nella stessa aula, e di definire «inaudito» non già ciò che i fascisti avevano fatto, ma il comportamento degli uomini che «furtivamente si erano insinuati» nell'aula «al riparo di una grande morta»: cosicché la «indignazione» dei deputati fascisti era pienamente giustificata. Da quel momento ogni velleità di ritorno degli aventiniani cessò. Un anno dopo, essi furono dichiarati decaduti dal mandato parlamentare.

Per la repressione il regime ormai instaurato ebbe due strumenti: la polizia segreta (Ovra, opera di vigilanza e di repressione dell'antifascismo) e il Tribunale per la sicurezza dello Stato. L'Ovra cominciò subito a dar lavoro al Tribunale speciale. Nel creare questo organismo Mussolini e il ministro della Giustizia Rocco erano stati ispirati da due motivi: quello, anzitutto, di poter colpire gli esponenti dell'antifascismo con una rapidità, una durezza, una disinvoltura e docilità all'esecutivo che i giudici ordinari non avrebbero potuto garantire. Pur essendo in massima parte di tendenza politica moderata, e magari simpatizzante per il fascismo, la Magistratura avvertiva troppo fortemente il condizionamento della legalità per potersi piegare alle esigenze di processi nei quali la ragion di Stato prevaleva su ogni altro elemento. Non erano mancate sentenze coraggiose e, per il fascismo, molto fastidiose. Ma a Mussolini – che voleva, in circostanze normali, far trionfare lo Stato sul partito – interessava anche di non inquinare irrimediabilmente, politicizzandola, una Magistratura che si era sempre saputa distinguere, per indipendenza e integrità, tra gli altri Poteri dello Stato. Il Tribunale speciale si prestò dunque ai bassi servizi del Regime, e giudicò, tra la fine del '26 e l'inizio del '29, 5046 persone. I condannati furono meno di mille, ma degli altri non si sa quanti vennero inviati al confino. In quel periodo vi fu, secondo i dati raccolti dallo storico Renzo De Felice, una sola sentenza capitale, sei condanne varianti tra i 25 e i 30 anni di reclusione, 42 tra i 15 e i 25 anni, trecentosettanta tra i 5 e i 15, le altre minori. Questi giudizi settari scompaginarono ancora più le file già assottigliate dei partiti. Quello che seppe meglio organizzarsi clandestinamente, e che subì anche la repressione più aspra, fu il Partito comunista. Nel «processone» del 1928 contro i dirigenti del Pci Terracini fu condannato a 22 anni, Gramsci, Roveda e Scoccimarro a 20. Cosicché anch'esso fu presto ridotto a gruppuscoli continuamente insidiati dalla caccia degli uomini di Bocchini, capo della Polizia. In realtà l'attività propagandistica, così come la stampa del materiale giornalistico, si trasferì all'estero, e soprattutto a Parigi dove agiva la «Concentrazione antifascista». In un paio d'anni Bocchini riuscì a sgominare ogni attiva resistenza antifascista, cui l'opinione pubblica del Paese non dava d'altro canto largo appoggio. Il Tribunale speciale durò 16 anni e cinque mesi. La sua ultima sentenza fu pronunciata il 22 luglio del 1943. In quel periodo esso irrogò 27.735 anni di carcere a 4596 imputati, e pronunciò 42 condanne a morte, 31 delle quali furono eseguite.

Eliminata ogni resistenza interna, normalizzato il partito, assestati i rapporti con la monarchia, Mussolini ebbe le maggiori preoccupazioni dalla situazione economica, e ad essa si dedicò alla sua maniera spicciativa. I problemi sul tappeto erano la difesa della lira, la battaglia del grano, i grandi lavori pubblici. Tutto questo nel contesto – almeno secondo le enunciazioni ufficiali – d'una struttura corporativa della società e della produzione. Per attestare la stabilità della lira Mussolini nel 1927 ne fissò d'imperio il cambio con la sterlina: 92 lire e 46 centesimi, la famosa «quota novanta» che ebbe per effetto una grave recessione industriale. A questa decisione se ne accompagnarono altre di carattere protezionistico. Il disastro di Wall Street del 1929, che ebbe ripercussioni gravi anche in Italia, causò ulteriori sacrifici ai lavoratori dipendenti, e crisi nelle aziende. Per questo nacque (1933) l'Iri, un ospedale o un ospizio per imprese in collasso.

La battaglia del grano mirava a rendere l'Italia meno dipendente dalle forniture estere per questo alimento essenziale. Qualcosa fu tentato, e realizzato, sul piano della maggiore efficienza. Ma la battaglia del grano si basò sulla quantità più che sulla qualità. La coltura del frumento fu estesa ad aree in cui era antieconomica, a scapito di altri prodotti agricoli – vino, olio – che in condizioni normali sarebbero stati più remunerativi, e che appartenevano alla tradizione locale. In definitiva i consumatori pagarono il prezzo di questo sforzo. In realtà la battaglia del grano, con la suggestione di quella sua etichetta guerriera, obbediva ad una profonda istanza del Regime, e di Mussolini: l'ancoraggio dell'Italia ai valori di quella che fu chiamata la ruralità. Le minacce e le opposizioni non solo al fascismo. ma alla sua più generica e perenne ideologia, venivano, e Mussolini l'aveva perfettamente capito, dalla industrializzazione rapida, dalla nascita di un proletariato urbano insensibile agli antichi richiami della religione, della patria, della famiglia. Per questo Mussolini amò assai più stare in mezzo ai *vèliti del grano*, trebbiare per ore, ballare sulle aie con le massaie fasciste, presentare il suo torace forte e tozzo in piena luce, piuttosto che intrattenersi con gli operai delle fabbriche (che però subivano anch'essi, seppure in minor misura, il suo fascino). Questi propositi non erano nascosti. Il Duce non voleva l'emigrazione dalle campagne verso le città. «I mattoni sono forse commestibili?» aveva chiesto una volta ironicamente. E in un'altra occasione aveva sottolineato che «il fascismo rivendica in pieno il suo preminente carattere contadino» e che «la dottrina di questo fascismo è tutta e solo e veramente nel canto sano del contadino che torna a casa verso un nido in cui può trovare la serenità calma e calda di una famiglia e di una figliolanza sorridenti al benessere nuovo».

La figliolanza numerosa diventava, in questo quadro idilliaco, un elemento indispensabile. «Il numero è potenza.» La campagna demografica lanciata nel 1927 impose questa equazione che rispondeva al fondamento moralistico e puritano di tutte le dittature, coincidenti in questo, seppure per altre strade, con l'insegnamento della Chiesa cattolica. Mussolini dava l'esempio. Nel settembre dell'anno che segnò l'inizio della campagna demografica gli era nato a Milano il quarto figlio, Romano, che seguiva a distanza di quasi dieci anni il terzogenito Bruno. Anna Maria venne alla luce nel settembre del 1929. La spinta alla natalità fu sorretta da misure legislative: la più nota – una vera manna per gli umoristi – fu la tassa sugli scapoli, che assoggettò ad un particolare tributo tre milioni di uomini non sposati (le nubili ne rimasero indenni, ritenendosi che fossero rimaste tali non per loro volontà). Il reddito della tassa era modesto, meno di cento milioni annui, ma nel contempo furono decisi privilegi di carriera per i dipendenti dello Stato che fossero sposati con prole, rispetto agli altri. La «Giornata della madre e del fanciullo» celebrò i fasti delle famiglie numerose, le coppie che si sposavano in infornate massicce promettevano di dare al Regime, trascorsi nove mesi, un congruo numero di futuri balilla, si prescrisse perfino che gli ufficiali della Milizia salutassero romanamente ogni donna incinta in cui si imbattessero per la strada.

L'Opera nazionale per la protezione della maternità e dell'infanzia, subito istituita, fu lo strumento burocratico-assistenziale della campagna, cui il Duce prestava, con il suo linguaggio perentorio, motivazioni politiche e storiche.

Queste tre direttrici di base – la difesa della lira, la battaglia del grano, la campagna demografica – furono accompagnate e integrate da un vasto programma di lavori pubblici. Nessuno può negare che l'Italia ne avesse bisogno, e che le contingenze del momento – con la lievitazione del numero dei disoccupati – lo rendessero urgente. La tendenza – propria dei regimi autoritari – di ascrivere le opere realizzate con il denaro di tutti a gloria di un uomo o di un partito, la propensione a scegliere lavori pubblici di vetrina, che ne consentissero una utilizzazione a fini di propaganda, definisce meglio le caratteristiche di quel complesso di iniziative, ma non ne sminuisce l'importanza. Fu avviata la elettrificazione della rete ferroviaria, che includeva 2100 chilometri a fine 1929 e ne avrebbe aggiunti 1600 nei quattro anni successivi, fu istituita l'Anas con il compito di costruire migliaia di chilometri di nuove strade e di aprire le prime autostrade, furono gettati quattrocento nuovi ponti, compreso quello che doveva congiungere Venezia alla terraferma, fu fortemente migliorata la rete telefonica, furono realizzati acquedotti per le regioni più aride. I treni, secondo uno slogan risaputo, erano in orario, e il tempo di percorrenza di un treno da Roma a Siracusa fu dimezzato.

Nel 1928 era pubblicata la legge sulla bonifica integrale, preparata da Arrigo Serpieri, che prevedeva un complesso di nuovi lavori per sette miliardi, quattro e mezzo dei quali destinati alla bonifica idraulica, alla irrigazione, alla raccolta di acqua potabile, il resto per alloggi rurali e per borgate nell'Italia meridionale e insulare. Fu deciso di «redimere» le paludi pontine, desolata landa malarica a sud di Roma che invano imperatori e papi avevano tentato di trasformare in terra coltivabile, e che era preclusa anche al pascolo per la malaria. Un esperto di agricoltura, il conte Valentino Orsolini Cencelli, fu incaricato di bonificare l'agro romano, studiò a fondo il problema, trasferì nella zona contingenti di capaci contadini toscani, veneti, friulani, emiliani. All'inizio degli anni Trenta il recupero agricolo dell'agro romano era un fatto compiuto. Ci furono in questo sforzo, ripetiamo, miopie, errori, sperperi e abusi. L'enfasi retorica con cui queste realizzazioni vennero celebrate e commentate sfiorava il grottesco. Ma uno slancio, un entusiasmo, una volontà o una illusione di rinnovare l'Italia nelle sue strutture e nel suo animo erano avvertibili.

Le Camere furono «fascistizzate», il Gran Consiglio del fascismo venne proclamato «organo costituzionale dello Stato» con la facoltà di pronunciarsi anche sui poteri del Re e sulla successione al trono (l'affronto alla monarchia era bruciante). Il Duce aveva congegnato una struttura politica, sociale, burocratica che rispondeva ai suoi scopi. Tutto faceva capo a lui, il Gran Consiglio, il governo, il partito, le corporazioni. Lo Stato era fascista, e il fascismo era statalizzato. La Rivoluzione, che continuava a qualificarsi tale, era diventata amministrazione.

LA CONCILIAZIONE FU IL PUNTO d'arrivo di due esigenze diverse ma tendenti allo stesso obbiettivo. Per la Santa Sede si trattava di porre fine con un accordo soddisfacente, che non sembrasse una resa, alla «iniqua condizione fatta al romano Pontefice». Per Mussolini si trattava di accelerare la dissoluzione di ciò che restava del Partito popolare, togliendo alla sua opposizione al Regime il fondamento morale e politico della «Questione romana»; e di attirare inoltre verso il fascismo quelle masse cattoliche che ancora erano perplesse ed esitanti.

Il 4 maggio 1926 scrisse a Rocco: «Con profonda fede nella missione religiosa e cattolica del popolo italiano, il governo fascista ha proceduto metodicamente, con una serie di atti amministrativi e di provvedimenti legislativi, a restituire allo Stato e alla nazione italiana quel carattere di Stato cattolico e di nazione cattolica che la politica liberale si era sforzata, durante lunghi anni, di cancellare».

Nell'estate di quello stesso 1926 furono avviate trattative vere e proprie che, sulla scia dell'azione di in precedenza svolte dal padre gesuita Tacchi Venturi, vennero condotte da personaggi apparentemente di secondo piano, ma abili e discreti. Per l'Italia il consigliere di Stato Domenico Barone, per la Santa Sede l'avvocato marchese Francesco Pacelli, fratello del futuro segretario di Stato e Pontefice. Fino a tutto il 1926 gli incontri ebbero il carattere di sondaggi, più che di vero e proprio negoziato, e gli interlocutori non erano investiti di un incarico formale. Lo ebbero soltanto dal 1° gennaio del 1927, quando Barone fu espressamente delegato a «trattare per la determinazione dei rapporti tra lo Stato italiano e la Santa Sede». Barone e Pacelli – quest'ultimo si sarebbe intrattenuto con il Papa 129 volte, prima che si arrivasse alla firma – si trovarono d'accordo sulla opportunità di formulare gli accordi in tre documenti: il Trattato, relativo ai rapporti tra i due Stati sovrani, che avrebbe sanato la ferita aperta con la breccia di Porta Pia, il 20 settembre del 1870; il Concordato, riguardante il ruolo della religione cattolica, e delle sue istituzioni, in Italia; infine la convenzione finanziaria, in forza della quale alla Santa Sede sarebbero state versate globalmente le somme che le erano assicurate dalla legge sulle Guarentigie, e che non erano mai state riscosse.

Nel gennaio del 1929 Domenico Barone, uno dei protagonisti del negoziato, moriva. Mussolini assunse allora di persona il compito di perfezionare gli accordi, e più volte, in quella estrema fase, l'avvocato Pacelli si trattenne con lui dopo cena, e fino a notte. Tutti gli scogli erano stati ormai superati. Il Vaticano aveva rinunciato a rivendicare il territorio di Villa Pamphili, il che aveva placato le apprensioni di Vittorio Emanuele III per un eventuale ingrandimento dello Stato vaticano. La indennità che la Santa Sede – le cui finanze erano in quel momento tutt'altro che floride – pretendeva dallo Stato italiano era stata ridotta dagli originari tre miliardi a un miliardo e 750 milioni, di cui un miliardo in titoli al portatore e il resto in contanti. Importanti, dal punto di vista finanziario, furono anche alcune esenzioni fiscali accordate ai beni e investimenti della Santa Sede, esenzioni attorno alle quali si doveva poi sviluppare, nel dopoguerra, durante il papato di Pio XII, una lunga polemica.

Ma più importanti della convenzione finanziaria furono, naturalmente, il Trattato e il Concordato. Il Trattato – che regolava il rapporto tra due Stati sovrani – aveva un preambolo di 27 articoli, e subito all'inizio ribadiva il contenuto dell'articolo primo dello Statuto albertino in forza del quale la religione cattolica apostolica romana era la sola religione dello Stato italiano. Riconosceva quindi la piena sovranità e la esclusiva ed assoluta potestà e giurisdizione della Santa Sede sul Vaticano, creando a tale scopo la Città del Vaticano, i cui servizi pubblici sarebbero stati a cura dello Stato italiano. Il Trattato stabiliva quali fossero le persone soggette alla sovranità della Santa Sede, riconosceva ad essa il diritto di legazione attiva e passiva (ossia il diritto di accreditare e ricevere missioni diplomatiche). La Santa Sede dichiarava «definitivamente ed irrevocabilmente composta» la «Questione romana», e riconosceva il Regno d'Italia sotto la dinastia dei Savoia.

Nel Concordato, riguardante la posizione della Chiesa nell'ordinamento interno italiano, si riconosceva alla Chiesa personalità giuridica, con tutti i diritti che ne derivavano, si dava eguale riconoscimento alle «famiglie» religiose, si attribuiva «il dovuto ufficio ed onore all'insegnamento religioso» (con una speciale menzione dell'Università Cattolica di Milano), si ammetteva il ruolo legittimo dell'Azione cattolica. Ai sacerdoti era affidata, nella celebrazione del matrimonio religioso, la funzione di ufficiali civili. Si stabiliva infine che i sacerdoti apostati o colpiti da censura non potessero occupare uffici pubblici, e si concedeva a cardinali e vescovi una speciale posizione giuridica. I vescovi dovevano tuttavia giurare lealtà allo Stato, al Re e al Governo.

La «Questione romana» era chiusa. Indipendente e libero, nei quarantaquattro chilometri quadrati della città leonina, il Romano Pontefice riconosceva finalmente la legittimità del Regno d'Italia, con Roma capitale. L'11 febbraio 1929, un lunedì, poco prima di mezzogiorno, il corteo ufficiale che accompagnava Mussolini si avviò verso il Palazzo apostolico lateranense, dove sarebbe avvenuta la cerimonia della firma. Pioveva a dirotto. Il segretario di Stato cardinale Gasparri attendeva Mussolini (in *redingote* come il sottosegretario agli Esteri Dino Grandi) nella vasta sala delle Missioni. Per primo firmò Gasparri, quindi porse la stilografica d'oro massiccio che il Papa gli aveva affidato a Mussolini, il quale firmò a sua volta. La penna gli rimase in dono, a ricordo dell'avvenimento. Mentre Mussolini usciva, le campane della basilica di San Giovanni in Laterano suonarono a festa. L'indomani, settimo anniversario della sua incoronazione, Papa Ratti fu acclamato da una grande folla di fedeli per l'accordo raggiunto con «l'uomo che la Provvidenza aveva stabilito di farci incontrare», secondo la sua stessa definizione.

In tutte le chiese d'Italia si pregò e si esultò per la Conciliazione che aveva ridato «Dio all'Italia e l'Italia a Dio». Il governo dichiarò l'11 febbraio festa nazionale. Le formalità parlamentari che avrebbero reso costituzionalmente operanti i Patti del Laterano furono superate senza difficoltà. La nuova Camera – eletta come vedremo il 24 marzo – fece registrare solo due voti contrari, e sei il Senato: quelli di Luigi Albertini, Bergamini, Croce – il filosofo aveva spiegato in un discorso il suo dissenso non alla Conciliazione, ma al modo in cui era stata realizzata –, Paternò, Ruffini, Sinibaldi.

IL «PLEBISCITO» DEL 24 MARZO 1929 fu certamente, dal punto di vista della democrazia formale, una parodia di elezione parlamentare. Gli italiani erano chiamati ad approvare o respingere una lista di quattrocento candidati alla Camera, tutti designati dal Gran Consiglio del fascismo attraverso un dosaggio delle proposte presentate dalle varie categorie e organizzazioni ammesse ad avere voce in capitolo. L'elenco degli enti che compilarono i mille nomi tra i quali il Gran Consiglio scelse i quattrocento definitivi è lungo e va dalla Confederazione nazionale degli agricoltori e degli industriali e dalla Confederazione nazionale degli operai e impiegati dell'industria al Touring Club e al Coni. Nel vaglio, furono favorite le organizzazioni padronali, e sacrificate quelle dei prestatori d'opera. I quattrocento erano fascisti o simpatizzanti (una cinquantina non iscritti). Tra gli iscritti un buon terzo era post-Marcia su Roma. Votò quasi il novanta per cento degli aventi diritto. I sì furono 8.519.559, i no 135.761. Il fascismo aveva stravinto.

Nell'autunno – come per sottolineare, forse inconsciamente, il passaggio da Capo del governo a Duce in tutte maiuscole – Mussolini aveva cambiato casa lasciando l'appartamento di via Rasella, e aveva cambiato ufficio lasciando Palazzo Chigi. La famiglia Mussolini si era finalmente riunita a Villa Torlonia, sontuosa dimora sulla via Nomentana, con quaranta stanze, 14 ettari di parco, tennis, galoppatoio, che il principe Giovanni Torlonia aveva offerto e occasionalmente prestato al dittatore da tempo, e poi definitivamente ceduto per l'affitto simbolico di una lira al mese. «Mi sembrava quasi incredibile – ha raccontato Rachele nelle sue memorie – io, la contadinella di Salto, sarei andata a vivere nella villa di un Torlonia... Al piano terreno c'era un grande salone che mi ricordava quello del Teatro alla Scala, e numerose colonne di marmo.» Da brava reggiora romagnola Rachele guidava cinque persone di servizio: una ragazza sua conterranea, Irma Morelli, si incaricava del vestiario di Mussolini, che del resto per l'eleganza era uomo di pochissime pretese, e otteneva, anche quando ne aveva, risultati mediocri. Sul retro della villa Rachele teneva un pollaio, e provvedeva personalmente a distribuire il becchime.

La moglie di Mussolini non volle mai essere «presidentessa», e a Palazzo Venezia, durante i quindici anni in cui Mussolini vi trascorse gran parte della sua giornata, mise piede solo poche volte, perché desiderava vedere meglio qualche sfilata o manifestazione. In compenso a Villa Torlonia comandava lei. Mussolini era a suo modo un uomo casalingo. Tutte le sere infallibilmente, quando era a Roma, tornava in famiglia, e anche durante la lunga relazione con Claretta Petacci non contravvenne mai a questa regola. La sera il grande parco pareva trapunto di lucciole: erano le sigarette che, cercando di farsi notare il meno possibile, accendevano i poliziotti annoiati messi lì a vigilare sulla sicurezza del Capo del fascismo. Intanto, nella villa, Mussolini amava assistere dopo cena, nella saletta cinematografica, alla proiezione dei documentari Luce – per controllarne il contenuto – e a una pellicola amena. Prediligeva i film comici – soprattutto quelli di Charlie Chaplin, fino a quando non fu bandito per le sue origini ebree e la sua ideologia antitotalitaria – ma gli piacevano anche i *western*. Poco incline a romanticherie e sentimentalismi, *fan* di Stanlio e Ollio, era tuttavia affascinato dal volto enigmatico e luminoso di Greta Garbo.

Un paio di mesi prima del trasloco a Villa Torlonia, Mussolini attuò anche quello a Palazzo Venezia. Con la sua mole merlata, con il suo colore cupo, il palazzo che era stato sede degli ambasciatori della Serenissima collocava Mussolini in una cornice severa, intimidatoria. Al piano nobile era la sala del Mappamondo, vastissima e spoglia, eccessiva ed enfatica senza dubbio per un Primo ministro, ma adeguata alle esigenze del Duce. Egli dispose che l'immenso locale non avesse altro arredamento che il suo tavolo, nell'angolo opposto a quello da cui i visitatori entravano, tutti scattando, salvo che si trattasse di personalità straniere, nel saluto romano. Sul tavolo erano un calamaio di bronzo con due leoni ai fianchi (Mussolini non si servì mai di stilografiche), orologio barometro, un vasetto di porcellana per le matite che egli consumava fino a quando fossero diventate dei mozziconi, un tagliacarte d'argento, un asciugacarte, un abatjour di seta gialla, una miniatura della madre Rosa. Quando la relazione con Claretta Petacci si consolidò, alcuni anni più avanti, fu aggiunto a questi oggetti un *bibelot* raffigurante una casetta e un cuore, sul quale era scritto «una capanna e il tuo cuore». Tre telefoni erano a portata di mano del Duce, uno collegato con il centralino della presidenza, un altro per le comunicazioni interurbane, un terzo «diretto». Di quest'ultimo nessuno, tranne l'usciere Quinto Navarra, conosceva il numero. Nemmeno lo stesso Mussolini – a quanto ha raccontato Navarra – se ne ricordava.

In un cassetto della scrivania era una pistola carica, in un altro del denaro per eventuali elargizioni immediate. Un'apposita tastiera per le luci consentiva a Mussolini di graduarle, secondo l'importanza dell'interlocutore: per i più modesti, si teneva in penombra, come un idolo nel tempio. Tra il tavolo e la finestra fu collocato, dopo la morte del figlio Bruno, un busto che lo raffigurava. I gerarchi erano tenuti solitamente in piedi, per riferire e ricevere ordini. Le personalità trattate con più riguardo avevano a loro disposizione una poltrona. Il solo Italo Balbo osò una volta sedere confidenzialmente su un angolo del tavolo, ch'era anch'esso di grandi dimensioni, e accuratamente spoglio di carte. Mussolini non ve ne lasciava mai, abbandonando l'ufficio. Portava via le pratiche in sospeso in una cartella di cuoio. La luce sul tavolo di Mussolini restava accesa anche quando se n'era andato per tornare a Villa Torlonia. Non è una leggenda. La disposizione era stata impartita da lui, personalmente. Il mito dell'insonne non è stato casuale, apparteneva a una coreografia che Mussolini istintivamente andava creando e perfezionando di giorno in giorno. Essa fu completata quando venne istituito il corpo dei Moschettieri del Duce – un altro parallelismo sintomatico con i Corazzieri del Re – che erano giovani volontari di famiglie della Roma-bene, e indossavano una uniforme funereamente nera, con un teschio ricamato sul fez.

Nessun ufficio ministeriale fu trasferito a Palazzo Venezia – dove il preesistente Museo venne relegato in poche sale – a testimoniare il carattere eccezionale di questa sede del Primo ministro. Vi trovarono sistemazione solo gli uffici della Presidenza. Una seconda reggia. Un'ultima prerogativa faceva di Palazzo Venezia una sede ben più idonea di Palazzo Chigi per le esigenze di Mussolini: la piazza. Anche da Palazzo Chigi Mussolini aveva arringato sovente la folla, affacciandosi a un balcone d'angolo così che lo potessero sentire e acclamare non solo coloro che si trovavano in piazza Colonna, ma anche coloro che fossero in via del Corso. Ma la disponibilità di spazio per adunate che si avviavano ad essere sempre più oceaniche vi era limitata. Piazza Venezia offriva ben altre possibilità: e il balcone che fu per anni la ribalta della vita politica italiana si affacciava su di essa da una posizione ideale. L'oratore era visibile da ogni punto, lontano quanto occorreva perché avvenisse la trasfigurazione dall'uomo al mito, abbastanza vicino per poter dominare la folla e percepirne l'abbraccio estatico e insieme – per usare un termine di cui la retorica fascista si compiacque – incandescente.

A Palazzo Venezia Mussolini arrivava d'estate verso le otto del mattino, d'inverno verso le nove e mezza. Aveva già avuto il tempo di dare una scorsa ai giornali, in automobile, e rimuginava elogi o rimbrotti per questo e per quello (non riuscì mai a liberarsi, anche quando fu all'apice della sua potenza, di un atteggiamento da redattore capo: non di un singolo giornale, ormai, ma di tutti i giornali e i giornalisti d'Italia). Sul tavolo trovava il rapporto del segretario del partito, e quindi procedeva alle prime udienze. L'ordine in cui esse avvenivano è eloquente. Il Duce voleva sempre conoscere a puntino la situazione dell'ordine pubblico, ed essere informato su fatti, retroscena, pettegolezzi raccolti dalla fitta rete degli informatori. Entravano dunque da lui, in rapida successione, il comandante dei carabinieri, il capo dell'Ovra, il capo della Polizia, il sottosegretario alla Presidenza, il ministro degli Esteri, il ministro della Cultura popolare, il segretario del Partito, il ministro dell'Interno. Relegato, quest'ultimo, in una posizione che dimostra come Mussolini considerasse se stesso il vero ministro dell'Interno, anche quando non resse ufficialmente quel dicastero.

Veniva poi una lunga serie di udienze non di *routine*, che era interrotta alle due del pomeriggio per un pasto frugale (era sempre tormentato dall'ulcera che gli procurava lancinanti dolori allo stomaco), e quindi continuava fino a sera. Tra le otto e mezza e le nove tornava a Villa Torlonia. Nei giorni festivi, quando il meccanismo burocratico era paralizzato, Mussolini sedeva ugualmente dietro la sua scrivania, irritato e smanioso per il vuoto che avvertiva attorno a sé. Il «motore del secolo» girava a vuoto. Sul finire della giornata Mussolini ebbe sempre una lunga conversazione con il fratello Arnaldo: l'unica persona al mondo in cui avesse confidenza e a cui desse confidenza. La conversazione riguardava prevalentemente *Il Popolo d'Italia*, ma sovente si estendeva ad altri argomenti.

Arnaldo fu, in qualche modo, la coscienza di Benito: l'attacco cardiaco che lo fulminò a 46 anni nel dicembre del 1931, accrebbe patologicamente la solitudine, ma anche l'egocentrismo del dittatore. Di qualche anno più giovane del fratello, Arnaldo aveva nel fisico forti rassomiglianze con lui: ma i tratti imperiosi di Benito si addolcivano, in Arnaldo, l'impianto massiccio diventava pinguedine. L'atteggiamento abituale di Arnaldo non era dinamico, ma meditativo. Tuttavia non mancava di carattere né, entro i limiti concessigli, di iniziativa. Di sentimenti profondamente religiosi, aveva contribuito notevolmente a determinare taluni ammorbidimenti del Duce durante il periodo che precedette e seguì la Conciliazione. A volte Mussolini firmava testi di Arnaldo – che non era un cattivo articolista, anche se mancava di mordente – a volte Arnaldo firmava testi di Mussolini che preferiva restare nell'ombra. Il rapporto tra i due fratelli fu sempre lealissimo. È certo che, scomparso Arnaldo, il processo di deificazione del Duce, e il suo distacco dalla realtà quotidiana del Paese presero un ritmo precipitoso.

La solitudine fu una delle caratteristiche fondamentali di Mussolini, e si accentuò con il trascorrere degli anni. I suoi incontri a Palazzo Venezia con collaboratori abituali o con visitatori saltuari erano di solito brevi, bruschi, spesso senza neppure un minimo di convenevoli. Con i compagni della prima ora non si intratteneva a lungo, né forse volentieri, soprattutto con quelli che, come Balbo, Grandi o Farinacci, si ostinavano a rivolgerglisi con il «tu». A Villa Torlonia si concedeva raramente un momento di abbandono, e il figlio Vittorio ha scritto che «non apparteneva alla famiglia» e tantomeno agli amici, perché «avendo conosciuto da vicino gli uomini e la loro miseria ne aveva non solo un'intolleranza psichica, ma anche fisica». Non amava i ricevimenti, e nella sua residenza ne offrì pochissimi (a uno di essi il Mahatma Gandhi arrivò tenendo al guinzaglio una capretta). Non teneva salotto, come Hitler, che in questo senso era molto più socievole e invitava la sera i fedelissimi, con i quali discorreva a lungo, o piuttosto monologava, ma almeno in tono confidenziale e amichevole.

Nella triade dei modelli storici cui amava ispirarsi uno solo fu permanentemente utilizzato nella liturgia del Regime: la romanità. E si spiega. Intanto, la simbologia e il linguaggio della romanità erano stati presenti nel fascismo fin dalle origini, anzi fin dai movimenti precursori, i Fasci futuristi e il legionarismo fiumano di D'Annunzio. Il saluto (*Eja Eja Eja Alalà*), i gradi e i nomi dei reparti nella Milizia erano stati mutuati dalla fabbrica cesarea. Ma a queste ragioni se ne aggiunsero, quando il suo potere fu consolidato, e parve poter reggere ad ogni prova, altre meno occasionali: una scelta di modello storico.

Così la romanità, vista in chiave carducciana e dannunziana, divenne alla fine il sottofondo e la cornice perenne dei riti fascisti, con punte di grottesco che erano di origine, più che romana, romagnola. Anche i coltivatori di frumento appresero d'improvviso, con stupore, di essere i *véliti del grano*. La romanità aveva avuto confini ideali e geografici abbastanza capaci per contenere tutte le ambizioni fasciste, e sembrava legittimare l'intento di riportare il popolo italiano a virtù remote, ma non spente. Mussolini ebbe qualche incertezza nello scegliere, tra i romani, il suo personale predecessore, oscillò tra Cesare e Augusto, ma poi preferì Cesare.

IN UNA ITALIA che tentava faticosamente – come tutto il mondo occidentale, del resto – di rimarginare le ferite infertele dalla crisi economica mondiale dopo il crollo di Wall Street del 1929, il fascismo festeggiò il decennale della Marcia su Roma. Questa ricorrenza era importante, perché attestava la solidità del Regime attorno al quale, nonostante le difficoltà e gli scontenti, si andava agglutinando un consenso sempre più vasto: e fu celebrata con la solennità tonitruante che i tempi esigevano. La liturgia dell'anniversario ebbe il suo tempio maggiore nella Mostra della Rivoluzione, allestita a Roma nel Palazzo delle esposizioni in via Nazionale, con la regia di Dino Alfieri.

Ma negli stessi mesi in cui assordava gli italiani con un'orgia di retorica, il Regime offriva loro una serie di realizzazioni concrete, e indiscutibili. Nell'autunno '32 Mussolini aveva inaugurato Littoria, la prima delle cittadine dell'agro romano bonificato, dove già si insediavano i coloni: nel giro di altri tre anni sarebbero sorte Sabaudia e Pontinia. Grandi navi scendevano dagli scali e nell'agosto del 1933 il *Rex* conquistò il nastro azzurro, riconoscimento spettante alla più veloce traversata atlantica, congiungendo l'Europa agli Stati Uniti in quattro giorni e mezzo. Entrava in funzione l'autostrada Milano-Torino. Tra il dicembre del '30 e il gennaio del 1931 Italo Balbo, ministro dell'Aeronautica, aveva guidato la crociera aerea nell'America meridionale, compiuta da dodici idrovolanti. Poi, nell'estate del 1933, volò con 22 idrovolanti, pilotati da ufficiali che sotto l'uniforme azzurra indossavano la camicia nera, da Orbetello a Chicago. Per ricompensa il quadrumviro, che era generale di brigata aerea, fu promosso maresciallo dell'aria, con grande stizza dell'altro e più anziano quadrumviro De Bono, che rimase generale dell'Esercito. A Roma fu aperta, il 28 ottobre del 1932, la via dei Trionfi, e il Duce ribadì, rivolgendosi ai decorati al valore – presente il Re che non era atteso, e che era giunto inaspettatamente – che «l'Italia fascista deve tendere al primato sulla terra, sul mare, nei cieli, nella materia e negli spiriti». La crisi economica, che di per se stessa imponeva un programma di opere pubbliche che alleviasse la disoccupazione, facilitò nell'arco dei due anni fra il '32 e il '33 lo sforzo del Regime per offrire al mondo una vetrina convincente della sua efficienza e della sua vitalità, mentre entrava nel secondo decennio dell'Era fascista.

Protagonista primario di questa immensa parata fu ovviamente Mussolini. Ma altri due uomini, con ruoli completamente diversi, furono anch'essi protagonisti, accanto a lui: Achille Starace, segretario del partito, e grande cerimoniere del Regime, e Balbo.

Starace, nato a Gallipoli, in Puglia, da famiglia borghese, diplomato in ragioneria, aveva allora 42 anni. In guerra si era battuto valorosamente come ufficiale dei bersaglieri, nel fascismo era entrato sin dalla prima ora, «distinguendosi» in azioni squadriste nella sua regione d'origine, e nel Trentino. Di fisico asciutto, capelli impomatati, salutista, maniaco delle uniformi, non aveva una collocazione politica autonoma né un seguito personale. Proprio i suoi difetti più evidenti, la superficialità, la limitatezza di orizzonti culturali, la propensione per una pompa pseudo-guerriera e in effetti piuttosto sudamericana, la docilità agli ordini, fecero cadere su di lui la scelta di Mussolini. I contatti tra il Duce e i suoi collaboratori si erano ridotti a brevi e secchi scambi di domande e risposte, senza mai un reale approfondimento dei problemi. Per dare maggior solennità alle sue decisioni Mussolini non usava neppur più il sì, quando si dichiarava favorevole a un provvedimento. «Approvo» sentenziava gravemente. Questa sbrigatività a volte paralizzante metteva in imbarazzo i gerarchi più intelligenti e sensibili, che avrebbero voluto discutere, capire, far capire. Ma per Starace era l'ideale.

Egli spiegò ogni sforzo – ed era capace di impensabili astuzie, a volte – per monumentalizzare ancor più Mussolini, che di spinte in quel senso non aveva molto bisogno. Ebbe il suo primo colpo d'ala quando coniò la formula del «saluto al Duce!» che apriva e chiudeva ogni cerimonia, conferì alla coreografia una impronta sempre più magniloquente, volle con maniacale tenacia regolare costumi, atteggiamenti, frasario, luci, musiche, entrate, uscite, nelle recite in divisa che non si stancava mai di allestire. Fu sua l'iniziativa di far scrivere Duce in tutte lettere maiuscole in giornali e libri (anche RE godeva di analogo privilegio, ma con un uso assai più parco). Furono sue le trovate grazie alle quali, in omaggio al principio della diarchia, si cercava di citare il Re senza peraltro anteporlo a Mussolini. «Per volere del DUCE, nel nome augusto del RE, viene inaugurata» etc. etc.

Maschilista («la missione delle donne è fare figli»), negato al pensiero (anche se una volta si azzardò a criticare le poesie di Montale), Starace non era un esaltatore della morte come lo spagnolo Millán Astray («Viva la muerte, abajo la inteligencia!»), ma piuttosto della ginnastica e del muscolo, anch'essi da preferire all'intelligenza. Obbligò i suoi camerati più in vista a saltare attraverso il cerchio di fuoco o sulla siepe di baionette, li impegnò in corse bersaglieresche (delle quali del resto si compiaceva anche l'altro bersagliere, Mussolini), una volta pretese dal direttorio del partito che provasse più volte, come se i suoi componenti fossero comparse d'opera, il «saluto al Duce» prima di essere introdotti nella sala del Mappamondo. I suoi detti furono, a loro modo, memorabili. Leo Longanesi sintetizzò l'era staraciana in una disposizione che faceva perentorio divieto ai camerati fascisti di portare il colletto della camicia nera inamidato. Starace stabilì che «chi è dedito alla stretta di mano è sospetto», che «la cravatta nera svolazzante significa anarchia e socialismo», che la parola «insediare» doveva essere evitata perché connessa alla sedia «o peggio alla poltrona», che «le cure dimagranti sono politicamente sospette». Achille Starace – che seppe poi morire bravamente, in piazzale Loreto – devitalizzò e narcotizzò il Pnf applicando puntualmente la volontà di Mussolini. Questa fu, se vogliamo usare una parola grossa, la sua funzione storica.

Quando compì la seconda crociera atlantica, Balbo aveva 37 anni. L'esperienza e la responsabilità del potere lo avevano maturato, pur senza appannare il suo piglio da moschettiere. Dell'Aeronautica era stato non soltanto il ministro ma, come ha scritto Federzoni, il «padrone», e vi aveva portato molto slancio e, insieme, molta intolleranza verso chi non condividesse le sue impostazioni tecniche. Voleva fare le cose in fretta, e ottenere subito i risultati. Le trasvolate diedero una indubbia conferma delle sue grandi qualità di trascinatore, anche se dal punto di vista tecnico va pur detto, oggi, che le direttrici fondamentali di Balbo, per lo sviluppo della aviazione, erano errate. Egli puntò sull'idrovolante e sul trimotore: formule, entrambe, che si dimostrarono perdenti, in confronto a quelle dell'aereo terrestre e – almeno finché sopravvisse la propulsione a elica – a pari numero di motori. Fu, quella di Balbo, una aeronautica da regime dittatoriale, ansiosa di affermazioni risonanti, e capace di realizzarle, anche se priva di un adeguato fondamento industriale e produttivo (un fenomeno analogo fu quello dei voli spaziali sovietici, e dei primati che in questo campo l'Urss inizialmente ottenne). Così pure si può discutere sulla effettiva validità dello strumento bellico che Balbo consegnò al suo successore nel ministero, il sottosegretario Valle (titolare era ridiventato

Mussolini), alla fine del 1933. Ne fa fede una lettera che lo stesso Mussolini, piuttosto malignamente, gli aveva scritto, dopo il passaggio delle consegne: «Nella tua visita di congedo mi dicesti che mi lasciavi un totale di 3125 apparecchi... Ho proceduto alla necessaria discriminazione e ne consegue che tale numero si riduce a quello di 911 apparecchi, efficienti dal punto di vista bellico, alla data odierna». Balbo replicò confermando la giustezza della sua valutazione. Pur con tutte queste precisazioni, la figura di Balbo restava notevole, e la sua popolarità immensa. Anche per questo il Duce lo relegò nel dorato esilio del governatorato libico.

TRA IL 1933 E IL 1934, mentre Balbo tramontava, come «delfino» del Duce, un nuovo astro si affacciava sul firmamento fascista: Galeazzo Ciano, trentenne (era nato nel 1903), figlio della medaglia d'oro Costanzo, fascista della prima ora e «notabile» tra i maggiori del Regime, marito di Edda Mussolini. Anche se il Pnf gli riconobbe *a posteriori* i titoli di «sciarpa littoria», e di partecipante alla Marcia su Roma, Galeazzo Ciano si era sostanzialmente disinteressato, da ragazzo, di politica. Era stato fascista, ma passivamente, da giovanotto che preferiva la mondanità salottiera e frivola alle contese di uomini e di princìpi. Le sue ambizioni erano piuttosto letterarie e giornalistiche. Mussolini non aveva conosciuto a fondo il pretendente prima di concedergli la mano della sua intelligente e irrequieta primogenita. Le riunioni di amici non erano una sua consuetudine, e anche se Costanzo Ciano apparteneva al gruppo dei gerarchi che più gli erano fedeli e vicini, Galeazzo, diplomatico all'inizio della carriera, era un'incognita, per il Duce, quando il fidanzamento fu consolidato, e finalmente coronato (24 aprile 1930) da un matrimonio sfarzoso.

Tornato in Italia, Ciano fu aggregato nel '33 alla missione politico-diplomatica inviata alla Conferenza economico-monetaria di Londra, e non sfigurò. Informato della buona prova che il genero aveva dato, il Duce decise di concedere la luce verde per un suo rapido *cursus honorum*. In agosto il giovane conte Ciano divenne capo dell'ufficio stampa della Presidenza: assunse cioè una funzione di primo piano nel meccanismo attraverso il quale i giornali italiani apprendevano quali fossero le notizie da valorizzare e quelle da censurare, quale impostazione o tono dovessero avere le informazioni o i servizi speciali su determinati avvenimenti, a volte anche quale collocazione, quali titoli, e quale dimensione, andassero riservati ad alcuni fatti. Un anno dopo questa centrale delle veline, sempre diretta da Galeazzo Ciano – che poi era l'esecutore di disposizioni di Mussolini, mai dimentico di essere il primo giornalista d'Italia –, fu elevata alla dignità di Sottosegretariato per la Stampa e la propaganda, e poi di Ministero.

Questa ascesa fece intuire ai gerarchi, i cui sentimenti al riguardo furono divisi, che il «generissimo», o il «ducellino», prendeva quota, e poteva presto diventare il numero due del Regime. Come in effetti fu durante gli anni in cui resse il ministero degli Esteri. Lì difetti e qualità di Ciano apparvero in piena luce: e possono essere pienamente valutati dallo storico grazie anche a quel documento impareggiabilmente prezioso che è il suo *Diario*. Ma, pur sospendendo un giudizio finale, si può dire che fin dai primi passi Ciano gerarca si rivelò per quello che era: intelligente ma superficiale, velleitario più che virile, fatuo più che brillante, smanioso di imitare Mussolini anche nella ostentata rinuncia a ogni principio di moralità internazionale – ma privo della testa, della grinta, dell'intuito di lui. Si atteggiava a rude, e riusciva ad essere soltanto goffo. Bel ragazzo, un po' del genere tango, aveva però, nel modo di muoversi, alcunché di inguaribilmente molle. Aveva anche delle qualità. Capiva i problemi, era coraggioso – ne fa fede il modo in cui affrontò la fucilazione nel poligono di Verona, nel 1944 – aspirò alla cultura, anche se non la raggiunse. I suoi vizi furono ingigantiti dalla fulmineità del successo, dalla facilità con cui diventava sempre più potente.

ANCHE MUSSOLINI fu colto di sorpresa dall'irruzione sulla scena tedesca, ed europea, delle camicie brune di Adolf Hitler. Non se l'era aspettata, e l'accolse con una soddisfazione di circostanza («un altro grande paese d'Europa si ribella con milioni di voti al crollante mito democratico») alla quale si mescolavano, neppure troppo mascherati, l'imbarazzo e il timore. Certo l'idea fascista, genericamente intesa, faceva un enorme passo avanti, ma per iniziativa di un popolo che, dovunque mettesse piede, sul campo di battaglia come in quello della ideologia, tendeva a diventare padrone; e Mussolini se ne rendeva perfettamente conto.

I rapporti fra il fascismo e il nazismo diventarono da quel momento più stretti e frequenti, e tenuti a più alto livello. Le delegazioni fasciste ai congressi razzisti di Norimberga compresero esponenti di primo piano, come il ministro delle Corporazioni Bottai, e Göring fu ricevuto in udienza da Mussolini. Ma verso Hitler il Duce ebbe sempre un atteggiamento circospetto, dilazionando fino ai limiti del possibile un incontro personale che dall'emulo tedesco continuava a venirgli chiesto con insistenza e con deferenza. E poi tra i due stava, come un macigno, la questione austriaca, la minaccia dell'*Anschluss*.

Il Cancelliere austriaco Engelbert Dollfuss aveva una radice politica cristiano-sociale, ma si stava incamminando verso un regime autoritario più per la forza delle circostanze che per sua volontà. La sua posizione era precaria. Era attaccato violentemente da sinistra, ad opera dei socialdemocratici, assai forti, e dei comunisti; ed era insidiato con azioni palesi o sotterranee, organizzate oltre frontiera dai nazisti. In quelle condizioni, non gli restava che sperare in una garanzia delle maggiori potenze europee. Ma ebbe pronto ascolto solo a Roma, dove tuttavia Mussolini gli chiedeva in cambio di «fascistizzare» l'Austria, e di dare una posizione di maggior spicco alle *Heimwehren* del principe Stahremberg.

Erano queste una organizzazione paramilitare di destra, che si poneva come concorrente del nazismo e nemica dell'*Anschluss*. Le *Heimwehren* recavano l'impronta del loro capo, conservatore e filo-autoritario, che tuttavia nella seconda guerra mondiale combatté con l'aviazione alleata. Il piccolo Cancelliere, che aveva aggiornato *sine die* il Parlamento e messo fuori legge il Partito comunista, si risolse a fine giugno 1933 al gran passo di dichiarare illegale il nazionalsocialismo. Motivazioni per il provvedimento ne aveva a iosa. La vita politica dell'Austria era punteggiata da attentati terroristici, sconfinamenti, lanci di volantini che esortavano alla rivolta contro il governo, sorvoli arbitrari. Ma ne fu attizzato l'odio di Hitler che considerava il governo di Dollfuss una «mostruosità» e un impaccio ai suoi disegni: anche perché adesso non gli potevano essere rimproverati eccessivi peccati di democrazia e di parlamentarismo. Il 19 e 20 agosto 1933 il Duce e Dollfuss ebbero lunghe conversazioni a Riccione, nella Villa Mussolini. Il Cancelliere austriaco era accompagnato dalla graziosa moglie Alwine, che aveva trovato l'Adriatico di suo gusto, e promesso di tornarvi anche l'anno successivo, per le vacanze. Mussolini riconfermò il suo appoggio all'Austria, e rinnovò al Cancelliere la richiesta di accentuare il carattere filo-fascista del suo governo, dando maggiore spazio al principe Stahremberg e ai suoi uomini. Il Duce suggeriva inoltre che Dollfuss facesse una dichiarazione di amicizia verso tutte le nazioni compresa la Germania, ma che ribadisse «le storiche e inalienabili funzioni di un'Austria indipendente» nonché «le particolari relazioni con l'Ungheria e l'Italia».

Dollfuss si adeguò. L'11 settembre, in un discorso a Vienna, annunciò la nascita dello «Stato tedesco cristiano sociale dell'Austria a base corporativa». Decretò anche limitazioni alla libertà di stampa e di riunione. Ma esitava a trasformare il suo regime in dittatura. La spinta decisiva gli fu data dai moti di Vienna e di Linz del febbraio 1934, durante i quali la folla operaia, in massima parte raccolta sotto le bandiere socialdemocratiche (ma invano i capi tentarono di placarne il furore), manifestò violentemente contro il governo. Intervenne la truppa, e in tre giorni di scontri 300 morti rimasero sul terreno. Dollfuss sciolse il Partito socialista, e nel maggio promulgò una nuova Costituzione che aveva ancora qualche riverbero cattolico (si richiamava alle encicliche *Rerum novarum* e *Quadragesimo anno*) ma che in pratica istituiva uno Stato autoritario, federale, corporativo, con assemblee esclusivamente consultive. La mossa esasperò Hitler che voleva, sì, la «fascistizzazione» dell'Austria, ma sotto il segno della unità germanica, di cui l'Austria doveva diventare la «marca» meridionale. Il suo atteggiamento si fece così minaccioso che Italia, Francia e Inghilterra decisero di frenarne l'aggressività con una nota congiunta, che sottolineava la «necessità di mantenere la indipendenza e la integrità territoriale dell'Austria».

L'atmosfera italo-tedesca era dunque tutt'altro che idilliaca quando, nel giugno del 1934, si arrivò a quell'incontro col Duce, che Hitler aveva tanto agognato. Fu stabilito che il 14 giugno Hitler sarebbe venuto a Venezia, ma che si sarebbe trattato di un «contatto personale» tra i due Capi di governo, non di una visita di Stato. Era un giovedì soleggiato di tarda primavera. Mussolini aspettava, in divisa di caporale d'onore della Milizia, lo *Junker* che atterrò sulla pista dell'aeroporto di San Niccolò di Lido. Quando Hitler si affacciò al portello dell'aereo, il Duce sussurrò al genero Galeazzo Ciano, allora capo del suo uffficio stampa: «Non mi piace». Il Führer indossava un impermeabile cachi con cintura, su un abito grigio, aveva scarpe di vernice, copriva il famoso ciuffo con un cappello di feltro. Era pallido, e il contrasto tra quel suo dimesso abbigliamento borghese e lo schieramento di uniformi fasciste lo irritò. «Perché non mi avete detto che dovevo vestire l'uniforme?» rimproverò all'ambasciatore a Roma von Hassel.

L'incontro fu apparentemente cordiale, con una nota protettiva e di superiorità nel Duce, che batté familiarmente una mano sulle spalle di Hitler. («Adolfo davanti a Cesare» titolò un suo famoso articolo il giornalista francese Béraud). Quel pomeriggio i due dittatori ebbero il loro primo colloquio nella Villa Pisani, a Stra. Fu un *tête-à-tête* senza testimoni e senza interprete, perché Mussolini, che si piccava di conoscere bene il tedesco, aveva voluto così. In effetti egli parlava tedesco meglio di quanto alcuni pretendano, ma non abbastanza per poter cogliere tutto ciò che veniva detto torrenzialmente da Hitler nei suoi sfoghi politico-profetici.

L'incontro, questo è certo, fu piuttosto uno scontro, perché il Duce pose immediatamente sul tappeto il problema dell'Austria. Non si sa quanto fossero fondate le informazioni diffuse dalla stampa internazionale (erano 400 gli inviati speciali o corrispondenti presenti) che accennò a pugni battuti sul tavolo e a scoppi di voci accalorate nei quali spiccava la parola *Österreich*, Austria. Ma di un idillio non si trattò sicuramente. Hitler si disse comunque disposto a fissare, per l'Austria, alcuni punti fermi, il primo dei quali era una rinuncia all'*Anschluss* «che non era realizzabile internazionalmente» (dove è facile scorgere una trasparente *arrière pensée*). Voleva peraltro la sostituzione di Dollfuss, nuove elezioni, e dopo di esse l'inclusione nel governo di esponenti nazisti. Mussolini prese nota.

L'indomani il Duce e il Führer discussero nuovamente al Lido, passeggiando sull'erba, e affrontarono temi meno scottanti. Il disarmo, la Società delle Nazioni, l'antisemitismo, i rapporti con la Chiesa. Hitler ribadì che nella Società delle Nazioni non sarebbe rientrato, perché la considerava inutile. Quanto al disarmo, concordarono che era fallito. Nessuna vera intesa fu raggiunta, anche se in un discorso in piazza San Marco – dove la folla riservò a lui tutti gli applausi – Mussolini spiegò che «Hitler ed io ci siamo incontrati non già per rifare e nemmeno modificare la carta politica dell'Europa e del mondo... ma per tentare di disperdere le nuvole che offuscano l'orizzonte». La parte protocollare della visita non ebbe smalto, una passeggiata in motoscafo per i canali fu guastata a Mussolini da un ennesimo monologo di Hitler, la colazione al Golf Club del Lido era stata noiosa (un cameriere aveva versato sale, anziché zucchero, nel caffè del Führer). Quando, la mattina del 16 giugno, lo *Junker* decollò, Mussolini sembrò liberato da un peso. Quella «scimmietta chiacchierona» l'aveva indispettito.Tutt'altra impressione ricavò invece Hitler. Renzetti, che aveva partecipato subito dopo il ritorno del Führer a un pranzo ristretto da lui offerto, riferì queste sue parole: «Sono felice che l'incontro mi abbia dato la possibilità non solo di confermare la mia opinione ma altresì di ampliarla. Uomini come Mussolini nascono una volta ogni mille anni, e la Germania può essere lieta che egli sia italiano e non francese. Io, ed è naturale, mi sono trovato alquanto impacciato con il Duce, ma sono felice di aver potuto parlare lungamente con lui».

Di che pasta fosse fatto l'ometto cui aveva riserbato la sua altezzosa condiscendenza a Venezia, Mussolini poté constatarlo due volte, nel volgere di poche settimane. Il 30 giugno 1934, nella «notte dei lunghi coltelli», Hitler aveva sterminato il capo delle Sa Röhm, i suoi uomini più fidati, il generale Schleicher, oppositori della più varia estrazione, in tutto un migliaio di persone. Il sangue della terribile notte non si era ancora seccato, che altro ne corse, e in circostanze ancora più drammatiche. Il 25 luglio i nazisti austriaci vollero accelerare i tempi, e realizzare subito l'*Anschluss*. Il *putsch* fu sventato dalle forze dell'ordine; ma i rivoltosi che avevano assalito la Cancelleria uccisero Dollfuss: aveva quarantuno anni. Hitler sconfessò pubblicamente l'azione: ed è possibile che essa fosse dovuta all'iniziativa dei nazisti locali. Ma è certo che il piano insurrezionale, anche se per avventura non concordato e prematuro, si inquadrava perfettamente in una politica che dell'*Anschluss* faceva uno dei suoi maggiori e irrinunciabili obbiettivi. La tragedia poneva a Mussolini, insieme al problema politico, che era tremendo, anche un problema umano. L'agonia di Dollfuss era durata tre ore. Gli scherani nazisti, che indossavano uniformi austriache, lo avevano intrappolato nella Cancelleria, la stessa dove dopo il Congresso di Vienna del 1815 era stata firmata la pace postnapoleonica. Nove tra gli assalitori avevano quindi forzato le porte e sparato alla gola del Cancelliere, che s'era dissanguato lentamente, mormorando ad alcuni tra i suoi che lo assistevano: «Volevo solo la pace, Dio li perdoni» e raccomandando poi che il suo amico Mussolini si prendesse cura della moglie e dei figli.

Alwine Dollfuss era da undici giorni a Riccione ospite dei Mussolini insieme ai suoi bimbi. Per la famiglia del Cancelliere era stata affittata una villa poco lontana da quella del Duce.

Negato forse alla vera amicizia, Mussolini provava tuttavia per Dollfuss il sentimento più vicino all'amicizia di cui si sentisse capace. Solo a sera, accompagnato da Rachele, si decise a recarsi, sotto la pioggia, alla villa dei Dollfuss, per dare ad Alwine – che era già coricata e li accolse in vestaglia – la notizia. Le disse esitante, in tedesco, che il marito era «gravemente ferito». Ma l'espressione di entrambi e la solennità della visita lasciavano chiaramente trapelare la verità. In quelle stesse ore il Duce ordinò che quattro divisioni di stanza al confine nord-orientale fossero messe in allarme, e che alcuni reparti si attestassero sulla linea di frontiera. La sera, rientrato a Roma, chiamò a rapporto il sottosegretario alla Guerra Baistrocchi e il sottosegretario all'Aeronautica Valle. Intanto a Vienna il presidente della Repubblica Miklas aveva affidato la carica di Cancelliere a un altro cattolico, Kurt von Schuschnigg, evitando ogni vuoto istituzionale e di potere. I golpisti, che dalla radio di cui si erano impadroniti avevano già proclamato che il governo sarebbe passato al loro capo, von Rintelen, erano stati temporaneamente sconfitti. I «volontari» nazisti che erano pronti al confine austro-bavarese non si mossero.

Fu quello il momento peggiore dei rapporti tra i due dittatori. La polemica antitedesca, che risvegliava negli italiani sentimenti profondamente radicati, e trovava un largo consenso nell'opinione pubblica, rispondeva anche a un preciso fine politico. Il Duce voleva un riavvicinamento alla Francia; e lo voleva per ottenere la luce verde alla conquista dell'Etiopia. S'era convinto che se con la Germania si fosse di nuovo arrivati alle strette per l'*Anschluss* Inghilterra e Francia non si sarebbero impegnate a fondo. «Avremo la disgrazia della Germania al Brennero – aveva detto a Dino Grandi –. La sola alternativa che ci rimane è l'Africa.» L'Africa, ossia l'Etiopia.

PER SCATENARE LA GUERRA occorreva un «incidente» che avvenne a Ual-Ual. Era questo il nome di una località dove esistevano dei pozzi di vitale importanza, per le popolazioni del confine somalo-etiopico. Il territorio era di appartenenza incerta. L'Etiopia lo rivendicava, sostenendo che esso si trovava alcune decine di chilometri all'interno della linea (peraltro molto contestata) di confine. I somali consideravano quella zona e quei pozzi storicamente legati al loro gruppo razziale e alla loro esistenza.

Poiché a Roma rullavano sempre più forti i tamburi della guerra contro l'Etiopia, Hailé Selassié, l'imperatore di Etiopia, pensò di svolgere qualche azione di molestia verso questo avamposto italiano dell'Ogaden. Non lo fece in prima persona, ma servendosi di bande armate, capeggiate da ras minori, che potevano essere sconfessati quando la loro azione avesse provocato complicazioni. Accadde comunque che i *dubat* (i soldati di colore dell'esercito italiano) e gli irregolari abissini (questi ultimi anche più di mille in certi momenti) si fronteggiassero con il dito sul grilletto. L'ordine alle truppe italo-somale era di non sparare se non provocate. Lo furono. Il pomeriggio del 5 dicembre ('34) partì da uno dei due schieramenti (non si saprà mai quale) il solito colpo di fucile, fu ingaggiato un combattimento che i *dubat* conclusero a loro favore. Con le luci dell'alba, il 6, si contarono sul terreno una trentina di morti e un centinaio di feriti in campo italiano, oltre cento morti tra gli abissini. Si è sempre sospettato che lo scontro di Ual-Ual fosse stato organizzato o almeno provocato dagli italiani, per creare un *casus belli* secondo una tecnica antica quanto la storia delle guerre. Ma nessun documento, e nessuna testimonianza lo conferma. Va inoltre osservato che, in eventualità del genere, la guerra segue quasi subito l'incidente, e dopo Ual-Ual vi fu invece un lungo periodo di trattative e di preparazione.

Finalmente gli indugi vennero rotti. Il 2 ottobre 1935 di mattina, Mussolini fu ricevuto al Quirinale dal Re. Vittorio Emanuele era stato a lungo perplesso sulla opportunità dell'impresa, riecheggiando in questo le obbiezioni di generali e ammiragli, compreso Badoglio. Ma ora gli disse: «Duce vada avanti. Sono io alle sue spalle. Avanti le dico». Alle sei e mezzo del pomeriggio il Duce si affacciò al balcone di Palazzo Venezia. La piazza era nereggiante di folla. Altre moltitudini attendevano nelle piazze di tutta Italia davanti agli altoparlanti della radio. Venti milioni di italiani, disse Mussolini, erano in ascolto. Forse non esagerava. Fu, il suo, un discorso suggestivo e demagogicamente sapiente, nel quale l'Italia era la vittima, e la Lega delle Nazioni, che all'impresa si opponeva, la sopraffattrice. All'Italia era stato negato «un posto al sole». Attorno al tavolo della «esosa pace» non le erano toccate che «scarse briciole del ricco bottino coloniale». «Abbiamo pazientato – tuonò – tredici anni durante i quali si è ancora più stretto il cerchio degli egoismi che soffocano la nostra vitalità. Con l'Etiopia abbiamo pazientato quaranta anni. Ora basta!» Disse che «alle sanzioni economiche opporremo la nostra disciplina, la nostra sobrietà, il nostro spirito di sacrificio» e che «alle sanzioni militari risponderemo con misure militari, ad atti di guerra risponderemo con atti di guerra». Il 3 ottobre 1935, alle cinque del mattino, le avanguardie varcarono il Mareb, fiumiciattolo che divideva, a nord di Adua, l'Eritrea dal territorio abissino e che per molti italiani era «la frontiera della vergogna». Il dado era tratto. Cominciava la campagna d'Etiopia.

IL MEZZOGIORNO DEL 2 OTTOBRE 1935 il generale Emilio De Bono, quadrumviro della rivoluzione, alto commissario in Africa Orientale dal gennaio precedente, comandante superiore delle truppe per la conquista dell'Etiopia, si era trasferito da Asmara a Coatit, un villaggio che distava una cinquantina di chilometri dalla frontiera del Mareb. Lì era stato impiantato, in baracche piuttosto comode («Troppo comode» osserverà acidamente Badoglio in un suo rapporto a Mussolini), il Quartier generale.

De Bono inseguiva ancora una gloria militare che gli si era sempre ostinatamente rifiutata. Il comando delle operazioni contro l'Etiopia era stato un suo vecchio sogno, già da quando era ministro delle Colonie. Nell'autunno del 1933 si era presentato al Duce cui si rivolgeva (era uno dei pochi) con il confidenziale «tu» e gli aveva detto: «Senti, se ci sarà una guerra laggiù tu – se me ne ritieni degno e capace – dovresti concedere a me l'onore di condurla». Ha riferito lo stesso De Bono che Mussolini gli rispose: «Certamente», e avendogli il quadrumviro chiesto se non lo considerasse troppo vecchio, aveva aggiunto: «No, perché non bisogna perdere tempo». La scelta di De Bono non spiaceva a Mussolini, per almeno due ragioni. Essendo nota la mediocrità del quadrumviro come stratega e come organizzatore, il merito della vittoria sarebbe stato attribuito più largamente al Duce; la guida di De Bono avrebbe «fascistizzato» la guerra. In realtà Mussolini voleva essere, sia pure da Palazzo Venezia, il condottiero della guerra. Non a caso aveva ripreso i dicasteri militari e il Ministero delle Colonie.

Nelle direttive segrete che il Duce aveva diramato a pochi diretti collaboratori il 30 dicembre del 1934 erano riassunte le linee della sua azione. «Per una guerra rapida e definitiva ma che sarà sempre dura, si devono predisporre grandi mezzi. Accanto ai 60 mila indigeni si devono mandare almeno altrettanti metropolitani. Bisogna concentrare almeno 250 apparecchi in Eritrea e 50 in Somalia. Carri armati, 150 in Eritrea e 50 in Somalia. Superiorità assoluta di artiglieria. Dovizia di munizioni. I 60 mila soldati della metropoli, meglio ancora se 100 mila, devono esser pronti in Eritrea per l'ottobre del 1935.» Queste cifre, che già prospettavano l'invio di un corpo di spedizione quale mai si era visto in Africa, furono poi largamente superate, almeno per le truppe di terra.

Insieme ai soldati, partivano per l'Africa anche i lavoratori, inizialmente diecimila, secondo le richieste di De Bono, poi progressivamente cresciuti fino a oltre centomila. Essi dovevano essere impiegati soprattutto per ingrandire il porto di Massaua, per migliorare la strada Massaua-Asmara, per costruire edifici e baraccamenti, e soprattutto strade, strade, strade. I segretari federali profittarono di questa occasione per spedire in Eritrea e in Somalia elementi indesiderabili, disoccupati che erano tali soprattutto per la scarsa voglia di lavorare, intellettuali disadattati. De Bono lamentò che «in quei primi scaglioni fu inviato giù chiunque, senza scelta, senza nessuna garanzia fisica né morale. Fra di essi ce n'erano che non avevano mai preso un attrezzo di lavoro in mano: si trovavano 12 maestri di scuola, 4 farmacisti, 3 avvocati, 9 orologiai, parecchi barbieri».

La profusione dei mezzi, l'affarismo di appaltatori e trafficanti, la rivalità e la mancanza di coordinamento tra le Forze Armate, determinarono ruberie e sperperi, come sempre in circostanze di questo genere. Ma dalla guerra coloniale l'industria fu tonificata. Il miraggio delle nuove terre, delle nuove ricchezze, del nuovo «posto al sole», accese le fantasie. Tra i volontari c'erano di certo anche emarginati e avventurieri; ma c'erano anche molti sinceri patrioti, che pensavano di contribuire alla grandezza dell'Italia e, insieme, alla civilizzazione di un paese barbaro.

De Bono aveva predisposto l'inizio delle operazioni per il 5 ottobre; ma quando il Duce gli ingiunse di iniziare l'avanzata sulle prime ore del 3 ottobre, obbedì. Da settentrione mossero dunque le colonne del più potente esercito europeo di cui l'Africa avesse memoria. I reparti non incontrarono resistenza alcuna. Marciavano pazienti ed entusiasti con la loro dotazione di centodieci cartucce, viveri per quattro giorni, due litri d'acqua a testa, scoprendo passo passo, su piste e sentieri polverosi, la nuova terra. Gli ascari davano sfogo alle loro fantasie, e sparacchiavano (gli unici colpi di arma da fuoco della giornata). I bombardieri avevano cominciato a martellare gli obbiettivi, Galeazzo Ciano e Alessandro Pavolini, volontari nell'aviazione così come i figli del Duce Vittorio e Bruno, attaccarono con i loro trimotori Adua, accolti da una certa reazione contraerea. Si trattò in sostanza di una faticosa passeggiata.

Le operazioni militari ebbero andamento analogo anche nei tre giorni successivi. Pochi e sporadici i segni della presenza di armati etiopici. Il 5 ottobre fu presa Adigrat, il 6 la sconfitta di Adua era vendicata con la conquista della città che poi, constatarono i nostri soldati, era una borgata miserabile, popolata da neri pacifici e famelici, che si stringevano attorno agli occupanti per averne un'elemosina. Ma in Italia, dove non si sapeva che quella «battaglia» era costata al II Corpo d'armata, in tutto e per tutto, un ufficiale morto, tre feriti tra gli italiani, una cinquantina tra le truppe di colore, la conquista di Adua, per tutto ciò che questo nome evocava, suscitò un'ondata di entusiasmo nel quale veramente non c'era nulla di orchestrato. La famosa «onta» di cui tutti i testi scolastici, e anche i ricordi degli anziani recavano traccia, era stata lavata.

Se i soldati non avevano dovuto dar prova di eroismo, essendo praticamente mancata ogni resistenza, era stato tuttavia chiesto loro molto sacrificio. La mancanza di vie di comunicazione, e l'avanzata di decine di migliaia di uomini, avevano tagliato i cordoni ombelicali che devono unire la truppa di prima linea alla sussistenza. A un certo punto fanti, militi, alpini, avevano dovuto cibarsi con il granoturco raccolto nei campi, e arrostito alla meglio. Gli operai si erano comunque messi immediatamente all'opera per aprire nuove strade e allargare le piste esistenti, sulle quali avventurosamente avanzavano, coi loro pesanti carichi, i camionisti, che furono i veri eroi di quella guerra: ne morirono a centinaia, precipitati nei burroni, o caduti negli agguati. La popolazione sembrava fraternizzare volentieri con gli «invasori» che diedero notizia del bando civilizzatore emanato da De Bono. La schiavitù era soppressa. Questo provvedimento che, nella feudale società etiopica, aveva una portata rivoluzionaria, non fu accolto con l'entusiasmo che il generale si aspettava.

Vari sintomi lasciarono capire che le forze centrifughe stavano già cominciando ad agire tra gli abissini, e che l'opportunismo e il tradimento lavoravano in nostro favore. Senza aspettare molto, il Capitolo copto della cattedrale di Axum si presentò ad Adua per riconoscere l'autorità italiana, e subito dopo Axum stessa era presa senza colpo ferire. Sempre in quella primissi-ma fase della campagna il degiac Hailé Selassié Gugsa, genero dell'imperatore, si consegnò agli avamposti italiani, seguito da milleduecento uomini con fucili e otto mitragliatrici.

La mancanza di un vero contatto tra i due eserciti nemici derivava da due motivi: la disorganizzazione, e lo «spontanei-smo» della struttura militare etiopica; e il deliberato proposito del Negus di lasciare sgombra una fascia di confine per ragioni politiche. Alla Società delle Nazioni egli aveva assicurato la eva-cuazione del territorio per una profondità di trenta chilometri, così che non potesse essergli imputata la responsabilità di inci-denti per dimostrare inequivocabilmente che gli aggressori erano gli italiani. All'inizio delle operazioni la copertura del fronte era garantita principalmente da ras Sejum che aveva i suoi trenta o quarantamila uomini a sud di Adua, un'ottantina di chilometri lontano dal confine, e che dopo aver inviato qual-che reparto in avanscoperta, impegnandolo in scaramucce, rinunciò a ogni velleità di contrastare l'attacco. Il colonnello russo Konovaloff, che fu consigliere militare di Sejum, ne apprezzava la cortesia, ma lasciò scritto che quando gli aveva chiesto dove fossero le carte topografiche, si era sentito rispon-dere: «Non ve ne preoccupate. Io posso fare a meno delle carte. Ras Cassa se ne interessa molto, è capace di studiarle per ore intere. Ma a me non dicono niente. Non vi affaticate».

Nella zona di Macallè, con un quaranta o cinquantamila uomini – era difficile valutare la consistenza di quegli eserciti quasi «personali», ed elastici nella consistenza dei reparti – si accampava ras Cassa Darghiè, cugino in secondo grado del Negus, uomo più di chiesa che di guerra. In suo aiuto soprag-giungeva, con la maggiore armata etiopica – 70-80 mila uomini – e la meglio equipaggiata, il ministro della Guerra ras Mulughietà, che vantava notevoli glorie guerriere nella lotta alle rivolte dei feudatari periferici, ma che era ultrasettantenne, e bevitore accanito. Infine dal Goggiam saliva verso il Tacazzè, con quarantamila uomini, ras Hailé Selassié Immirù, non anco-ra quarantenne. Questa radunata avveniva a piedi, da enormi distanze, con l'intermezzo di tappe pigre, nel disordine di comandi espressi da un paese dove il 96 per cento della popola-zione era analfabeta.

In sei giorni, e con il solo intoppo di uno scontro, peraltro breve, con armati etiopici, fu realizzata la conquista di Macallè, che vendicava Galliano, ma scopriva il fianco destro dello schie-

ramento italiano, non essendo stata seguita coordinatamente
da un progresso dei reparti che erano giunti ad Adua. E ancora
Mussolini, spinto dalle sue ragioni politiche e suggestionato dal-
l'eco di nomi ritornanti dalla storia patria, ingiungeva a De Bono
di muovere «senza indugio» verso l'Amba Alagi. Al che De Bono
replicava – ed è probabile avesse ragione – che «a parte doloroso ricordo storico che secondo me non abbisogna di rivendicazione, posizione di Amba Alagi non ha alcuna importanza strategica et est tatticamente difettosa perché aggirevole ovunque».
Forse con quel dispaccio De Bono segnò la fine della sua breve
campagna d'Africa. Mussolini, che scalpitava d'impazienza, si
era convinto che il quadrumviro avesse fatto il suo tempo.

Scoccava l'ora di Pietro Badoglio marchese del Sabotino (per
gli ammiratori) o del responsabile di Caporetto (per i denigrato-
ri). A un comandante in capo fascista ne seguiva uno che non
era né fascista né antifascista. Era esclusivamente badogliano.
La fretta di Mussolini non era irragionevole. Egli stava lottando
contro il tempo. Sul piano politico, per liquidare al più presto la
«pendenza» etiopica, e riprendere il colloquio con le grandi
potenze europee. Sul piano economico, per evitare che le sanzioni producessero danni gravi. La Lega, sotto l'impulso inglese,
aveva preso le sue deliberazioni con sollecitudine, dopo l'inizio
delle ostilità. Il 7 ottobre l'Italia fu condannata in quanto, scate-
nando un conflitto, «aveva commesso un atto di guerra contro
tutti gli altri membri della Società delle Nazioni». Quattro giorni
dopo furono decise le sanzioni economiche, alle quali aderirono
cinquantadue Stati membri (si dissociarono solo l'Austria,
l'Ungheria e l'Albania). Con le sanzioni gli Stati aderenti alla
Lega promettevano di applicare all'Italia, oltre all'ovvio embar-
go delle forniture di armi e munizioni, anche il divieto di importazione e di esportazione di una lista di merci necessarie alla
guerra, lista dalla quale fu tuttavia escluso l'indispensabile
petrolio. Nelle stesse sedute societarie fu affidato alla Francia e
all'Inghilterra, su proposta belga, il compito di svolgere ulteriori trattative per un accordo tra i belligeranti.

Le sanzioni produssero tra gli italiani, sul piano emotivo, un
effetto enorme. Un popolo così poco animato da spirito civico e
di solidarietà fu cementato nella sua opposizione allo straniero
dalla minaccia dello «strangolamento», ingigantita e dramma-
tizzata, nei suoi effetti, da un'abile, martellante propaganda.
Nella «giornata della fede», il 18 dicembre, un mese dopo che le
sanzioni erano entrate in vigore, fu offerta alla patria la vera

nuziale d'oro, sostituita da un'altra di metallo vile, e l'esempio venne dato dalla Regina Elena che compì quel gesto sul Vittoriano, con grande solennità, ad attestare che la casa Savoia sosteneva totalmente il fascismo. Milioni di italiani diedero la loro fede. Vi fu una ondata di xenofobia economica, ma anche psicologica e perfino letteraria: i termini leghista (non nella accezione attuale, è ovvio) e sanzionista assunsero un significato spregiativo, e tutto ciò che riguardava l'Inghilterra e gli inglesi («il popolo dai cinque pasti») divenne oggetto di scherno. Gli italiani vennero ossessionantemente esortati a boicottare i prodotti sanzionisti e a scegliere sempre i prodotti di casa, anche quando erano surrogati scadenti. Nel campo tessile fu dato sviluppo alle stoffe nazionali, canapa, lino, ginestra, l'orbace sardo che Starace volle fosse adottato per le uniformi dei gerarchi, la lana ricavata dal latte. La lignite fu ritenuta un valido sostituto del carbone. Si procedette alla raccolta dei rottami metallici, e perfino la bevanda più cara agli italiani – il caffè – fu sostituita da un intruglio abissino piuttosto simile al tè, il carcadè.

Questa volontà di «fare da sé», che come concezione economica avrebbe avuto il nome grecizzante di «autarchia», era per molti aspetti velleitaria, insensata, comica. Ma trovò rispondenza profonda, bisogna pur dirlo, nei cuori degli italiani di allora. Gli scrittori britannici furono banditi con poche eccezioni: l'una quella di Shakespeare, perché anche il Minculpop e Starace non avevano il coraggio di epurare dal panorama letterario il più grande drammaturgo di tutti i tempi; un'altra, quella di Shaw, perché l'irlandese bastian contrario aveva recisamente deplorato le sanzioni. Ma una lunga serie di espressioni di uso corrente, di nomi di cinematografi e di ritrovi, fu censurata in odio alla perfida Albione. Cadde sotto i rigori anti-inglesi anche l'albergo Eden di Roma, il cui nome non aveva ovviamente nulla a che fare con il ministro sanzionista, ma che, venne spiegato, poteva urtare, per il casuale accostamento, la «suscettibilità degli italiani».

AI PRIMI DI DICEMBRE DEL 1935, quando Badoglio prese in pugno le redini della guerra, non era ancora avvenuto il contatto tra il corpo di spedizione italiano e il grosso dell'esercito abissino. Solo il 15 dicembre forti avanguardie dell'armata di ras Immirù giunsero al fiume Tacazzè, pattugliato da bande indigene al comando di ufficiali italiani. Le truppe di Immirù si erano mosse, in buona parte, dalla regione di Debra Marcos, mille chilometri lontano, e avevano subìto, cammin facendo, bombardamenti e mitragliamenti aerei. Per di più le avevano assottigliate le defezioni. Ma era pur sempre una massa di qualche decina di migliaia di uomini quella che si faceva sotto.

Nel gennaio del 1936, dopo due mesi di stasi delle operazioni, Badoglio aveva una gran voglia di «togliersi dallo stomaco» il peso dell'Amba Aradam, della quale da Macallè poteva vedere il profilo massiccio, culminante non in una vetta, ma in un pianoro. Senonché l'attività delle armate di ras Cassa – cui il Negus aveva affidato il comando supremo del suo esercito nel Nord – e di ras Sejum verso il Tembien lo convinse a cambiare idea. Per evitare ogni rischio, si risolse a prendere in contropiede i due ras scagliando contro di loro tre forti colonne. Il 21 gennaio sopravvenne l'incidente che segnò, per Badoglio, il momento peggiore della campagna. La colonna che era uscita dal campo trincerato di passo Uarieu, formata da militi al comando del generale Diamanti, si era spinta troppo innanzi. Le truppe di ras Sejum l'avevano presa in una morsa alla quale si era potuta sottrarre solo perdendo 355 uomini, tra morti e feriti, e tornando alle posizioni del passo, tenute dalla divisione 28 Ottobre. Ma la fortunata azione aveva imbaldanzito gli etiopici, che si erano buttati sulle fortificazioni, ed avevano costretto i militi a ripiegare dai trinceramenti periferici. Dal Quartier generale del Negus veniva diramato un bollettino trionfale, che annunciava l'annientamento della colonna Diamanti e della divisione 28 Ottobre, nonché la cattura di 29 cannoni, 175 mitragliatrici e 2654 fucili. Erano le consuete esagerazioni dei fantasiosi comunicati di Addis Abeba. La 28 Ottobre era assediata, ma teneva, rifornita anche con aviolanci. La seconda divisione eritrea, che avrebbe potuto accorrere in difesa del presidio di passo Uarieu, si era mossa in ritardo. Scarseggiava, a passo Uarieu, l'acqua. Gli attaccanti premevano guidati dai due figli di ras Cassa, Averrà e Uonduosse. Un cappellano, il domenicano Reginaldo Giuliani, fu ucciso con una sciabolata, mentre dava l'estrema unzione a un morente, durante uno dei tremendi corpo a corpo di quelle giornate. Badoglio, da Enda Jesus, seguiva le sorti della battaglia con preoccupazione, in qualche momento con angoscia. Finché giunse la notizia che aspettava: la crisi era stata superata, una colonna al comando del generale Vaccari si era ricongiunta con la guarnigione di passo Uarieu, la pressione nemica andava calando.

Il comandante etiopico ras Cassa spiegò *a posteriori* la sua rinuncia al proseguimento della offensiva con l'uso dei gas tossici, e in particolare dell'iprite, un terribile vescicante, da parte degli italiani. Su questo argomento crediamo possano essere dette alcune cose non controverse. In alcune occasioni gl'italiani fecero uso dei gas. Lo ha ammesso, sia pure a scopo riduttivo, Lessona, secondo il quale il generale Graziani decise di far sganciare, per intimidazione e per diritto di rappresaglia, «tre, dico tre, piccole bombe a gas sul campo nemico teatro di tanta ferocia». La ferocia era stata esercitata sullo sventurato pilota Minniti che gli abissini avevano catturato sul fronte somalo, e quindi ucciso, decapitato, mutilato. La sua testa fu portata in segno di macabro trionfo per la regione (scempio analogo, con torture ed evirazioni, fu riservato ad altri prigionieri). Dell'uso dei gas in misura assai più consistente di quella indicata dal Lessona fa cenno un volume ufficiale italiano nel quale si attesta che 5 aerei del fronte somalo lanciarono «kg 1700 gas». Mussolini stesso, a Graziani che il 16 dicembre 1935 aveva chiesto «libertà di azione» per i gas, rispose che autorizzava il loro impiego «nel caso V.E. lo ritenga necessario per supreme ragioni difesa». I gas furono usati dagl'italiani, così come le pallottole esplosive «dum-dum» furono usate dagli abissini. Né l'una né l'altra di queste barbare armi fu adottata su tale scala, e con tale frequenza, da aver potuto sensibilmente modificare il corso del conflitto: questo è tanto vero che molti combattenti italiani poterono negare in perfetta buona fede che ai gas si fosse fatto ricorso.

A questo punto Badoglio poteva finalmente passare all'offensiva, e liberarsi di quell'incubo che era l'Amba Aradam: fortilizio naturale largo otto chilometri e profondo tre. L'onore di issare il tricolore sulla vetta fu, per ragioni politico-propagandistiche, concessa alle camicie nere della divisione 23 Marzo. anziché agli alpini della Pusteria, che se ne risentirono, e non lo nascosero. Nel ripiegamento, gli abissini sbandarono paurosamente per le incursioni incessanti dell'aviazione italiana, cui era stato affidato lo sfruttamento del successo, e per gli attacchi alle spalle dei guerriglieri Azebò Galla, tradizionali nemici degli scioani dominatori, che non davano tregua ai fuggiaschi. Un figlio di ras Mulughietà fu ucciso e mutilato da loro: la castrazione dei nemici rientrava nello stile di guerra di queste bande. Il ras, che era tornato alla retroguardia per scagliarsi contro gli Azebò Galla e vendicare il figlio, fu colpito e ucciso.

L'una dopo l'altra le armate etiopiche venivano annientate, con perdite minime del corpo di spedizione, gravi dell'avversario. L'intero fronte era in movimento. Il I Corpo d'armata, superata l'Amba Aradam, si era mosso verso l'Amba Alagi, senza incontrare alcuna resistenza, e il giorno 28 il tricolore vi sventolava. Badoglio aveva in quel momento cinque Corpi d'armata in azione, 250 mila uomini, e trovava spalancate davanti a sé le porte dell'Etiopia, tranne quelle della capitale, ancora difesa dalle ultime truppe del Negus.

SUL FRONTE SOMALO, Rodolfo Graziani aveva dovuto adattarsi, lo sappiamo, a un ruolo minore. Badoglio gli aveva prescritto di limitarsi a impegnare il nemico. Disponeva di una sola divisione nazionale, la Peloritana, ed era fronteggiato da truppe considerate tra le migliori dell'esercito etiopico. Quarantamila uomini erano raggruppati nell'armata di ras Destà Damtu, che aveva sposato la primogenita di Hailé Selassié, Tananye Uork; altri 30 mila erano agli ordini del degiac Nasibù Zamanuel, giovane e, per lo standard etiopico, particolarmente preparato, al cui fianco era il consigliere turco Wehib Pascià. Infine 10 mila venivano radunati dal degiac Amdé Micael. Ras Destà ebbe per sua sfortuna l'ambizione di insidiare il territorio somalo a Dolo. Per realizzare questo obbiettivo radunò a Neghelli, nelle stesse settimane in cui anche Badoglio, al Nord, era sulla difensiva, le sue truppe, e mosse verso il confine, attraverso 400 chilometri di terreno arido e inospitale. Fu una manovra disastrosa. Gli attacchi aerei, le malattie, la fame, il deserto, decimarono l'armata, che arrivò esausta in vista di Dolo.

Graziani l'attendeva a piè fermo, non solo, ma aveva preparato una reazione demolitrice. Proprio a Dolo egli aveva allestito una unità di 14 mila uomini, con 784 mitragliatrici, 26 cannoni, 700 autocarri, 3700 quadrupedi, alcune decine di mezzi corazzati; e il 12 gennaio la scagliò, divisa in tre colonne – quella di centro comandata dal generale Bergonzoli, cui le truppe daranno il soprannome di «barba elettrica» –, contro gli abissini di ras Destà. Una volta sloggiati dalle posizioni che avevano occupato a ridosso di Dolo, attorno alle quali era stato organizzato un embrione di servizio logistico, i soldati del Negus furono perduti. Lottavano ormai non per vincere ma per il cibo e soprattutto per l'acqua. Il giornalista Sandro Volta ha descritto

la «massa imbestialita» degli etiopici che «si buttavano contro
la morte certa per un sorso d'acqua» ed erano «falciati dalle
mitragliatrici». Il 20 gennaio Neghelli, stroncata ogni resistenza, era occupata senza che vi fosse sparato un colpo di fucile.
Anche Graziani aveva così avuto la sua offensiva, ideata e condotta brillantemente, ma anche con schiacciante superiorità di
mezzi.

Con assoluta tranquillità, Badoglio si apprestava ora a completare la vittoria strategica. Era così sicuro del favorevole sviluppo degli avvenimenti che nella prima settimana di marzo,
durante una sosta all'Asmara, aveva detto all'intendente
Dall'Ora che si preparasse ad allestire una colonna di più di
mille autocarri; quella che sarebbe servita per marciare su
Addis Abeba.

Il 21 marzo il Negus assunse il comando dell'unica armata
che a nord gli era rimasta, e la fece muovere verso lo schieramento italiano. Appena informato di questa manovra, Badoglio
tirò un respiro di sollievo, e telegrafò a Mussolini che la sorte del
Negus «sia che attaccasse, sia che attendesse il mio attacco, era
ormai decisa: egli sarebbe stato completamente battuto».

Hailé Selassié scelse l'attacco: ma lo scelse con esitazioni e
ritardi. Dal 24 marzo l'azione abissina fu rinviata al 28, infine al
31. Quel giorno i combattimenti furono accaniti, ma senza che
mai gli abissini potessero intaccare le linee italiane. Qualche
effimero progresso inebriava i soldati etiopici che, le spalle cariche di bottino, si precipitavano a mostrarlo ai capi. L'intervento
della guardia imperiale, sei battaglioni bene armati e addestra-
ti, non riuscì, neppure esso, a realizzare un sia pure modesto e
parziale sfondamento. La sera, dal suo Quartier generale di Ajà,
il Negus telegrafò all'Imperatrice che «le nostre truppe hanno
attaccato le forti posizioni nemiche combattendo senza tregua»,
che «i più importanti e fidati soldati sono morti o feriti» e che «le
nostre truppe per quanto non siano in grado di svolgere un combattimento di tipo europeo hanno sostenuto per la intera giornata il confronto con quelle italiane». Era l'ammissione della
sconfitta.

Il 2 aprile Hailé Selassié abbandonava il suo posto di comando di Ajà e iniziava, con i 20 mila uomini che gli restavano, la
ritirata verso il lago Ascianghi. Dietro di lui già incalzava il
Corpo d'armata eritreo, lanciato da Badoglio all'inseguimento.
Oltre che dall'aviazione e dagli Azebò Galla, le truppe abissine
erano ormai tormentate anche dalle popolazioni locali le quali,

vuoi in odio agli scioani, vuoi per desiderio di rapina, si avventavano sui fuggiaschi e li depredavano. Alcuni reparti dovettero pagare un pedaggio, per essere autorizzati a transitare. Hailé Selassié si illuse per un momento di poter resistere in Dessiè dove era il principe ereditario Asfa Uossen con alcune migliaia di uomini. Ma proprio allora decise di compiere un pellegrinaggio alla città santa di Lalibelà, perdendo qualche preziosa giornata. Quando ne tornò, per recarsi a Dessiè, apprese che Asfa Uossen l'aveva evacuata senza combattere, e che il comando del Corpo d'armata eritreo vi si era già insediato il giorno 15. Il 20 aprile anche Badoglio era a Dessiè, mentre i brandelli dell'armata del Negus venivano martellati dall'aviazione nella loro tragica rotta, lasciando una scia di morti.

A Dessiè, in tutta fretta per non essere sorpreso dalla stagione delle grandi piogge, il maresciallo Badoglio organizzava la marcia su Addis Abeba, assumendone personalmente il comando. Vi avrebbero partecipato una colonna autocarrata e due colonne a piedi, di protezione. Reparti eritrei avrebbero costituito le altre due colonne, che si sarebbero mosse con anticipo su quella autocarrata, la cui partenza fu disposta per il 26 aprile. In tutto 10 mila soldati nazionali e 10 mila eritrei, con 1725 automezzi. Faceva parte della spedizione anche un congruo numero di cavalli, affinché Badoglio e le più importanti personalità del suo seguito potessero entrare in Addis Abeba con la solennità di antichi conquistatori.

Graziani, sul fronte sud, era pungolato e amareggiato dalle vittorie del suo superiore e rivale al nord. Si lamentava senza tregua, con il maresciallo e con Mussolini, perché non gli erano stati concessi in tempo i mezzi e gli uomini che aveva chiesto e che, affermava, avrebbero consentito di liquidare più rapidamente l'esercito etiopico. Ad Harar, lo sapeva, era atteso dal bastone di maresciallo. Tra Graziani ed Harar si frapponeva, oltre a 500 chilometri di deserto, anche l'ultima armata abissina che fosse ancora in piedi, quella di ras Nasibu. Circa 30 mila uomini con 500 mitragliatrici e 500 cannoni di piccolo calibro, protetti da fortificazioni che il consigliere turco Wehib Pascià aveva fatto approntare secondo dettami tecnici molto razionali. Troppo poco per fermare Graziani. La resistenza etiopica fu da principio tenace. Cedette di schianto il 25 aprile, e la conquista di Harar fu rallentata solo dalla pioggia e dal fango.

Mentre Badoglio si avvicinava alla capitale, il Negus l'abbandonava, per rifugiarsi all'estero, dopo qualche velleitario proposito di unirsi a ras Immirù e condurre la guerriglia nel Goggiam. Alle 4,20 del 2 maggio Hailé Selassié, la famiglia, un centinaio di dignitari e servi (tra i notabili, ras Nasibu e Wehib Pascià che avevano abbandonata al suo destino l'armata dell'Ogaden) prendevano posto su un treno per Gibuti. Graziani chiese a Roma l'autorizzazione di bombardare il convoglio, che gli fu negata. Prima un incrociatore inglese, poi una nave di linea, trasportarono quindi l'Imperatore detronizzato in Europa.

Ad Addis Abeba si erano intanto scatenati la rappresaglia e il saccheggio di guerriglieri, briganti, sbandati, contro gli europei e contro la popolazione in generale. Molti edifici erano stati incendiati, infiniti negozi depredati, e i loro proprietari spesso uccisi barbaramente. Molti europei erano rifugiati nelle legazioni francese e inglese, e l'arrivo degli italiani veniva invocato da tutti come una liberazione. Nel pomeriggio del 5 maggio Badoglio con la sua colonna autocarrata era in vista di Addis Abeba. Mancava ancora un paio d'ore all'ingresso nella capitale, ma il maresciallo decise di inviare in quel momento a Mussolini il messaggio fatidico: «Oggi 5 maggio alle ore 16, alla testa delle truppe vittoriose, sono entrato in Addis Abeba». Lasciata la sua auto, montò a cavallo, e così procedette sotto la pioggia fitta che bagnava i volti e inzuppava le uniformi. Il gruppo di cavalieri giunse alla legazione d'Italia, dove fu issato il tricolore. Addis Abeba, costellata di cadaveri di assassinati, cadde senza combattimento.

QUELLA SERA STESSA, dal balcone di Palazzo Venezia, Mussolini annunciò «al popolo italiano e al mondo che la guerra è finita, che la pace è ristabilita», e fu salutato da ovazioni fervide e spontanee. Dieci volte il Duce dovette riaffacciarsi per rispondere alle acclamazioni, mentre in ogni parte d'Italia altre moltitudini esultavano. Alle 22,30 del 9 maggio, con un altro memorabile discorso, Mussolini proclamava l'Impero riapparso «sui colli fatali di Roma». «Ne sarete voi degni?» chiese il Duce con una di quelle interrogazioni retoriche di cui tesseva sovente il suo dialogo con le folle. Gli rispose un formidabile «sì». Vittorio Emanuele III, re d'Italia, assumeva, per sé e per i suoi successori, il titolo di Imperatore d'Etiopia.

Fu toccato in quei giorni il momento più alto della parabola politica e umana di Mussolini. L'Italia era stretta attorno al Duce, e dimenticava il «buco» finanziario aperto dai 12 miliardi che la guerra era costata. Modesto invece il tributo di sangue. 1304 morti in combattimento e 1009 per cause di servizio tra le truppe nazionali, 1600 morti tra le truppe indigene, e in più 453 operai caduti.

Il fondatore dell'Impero, aureolato di gloria, Primo ministro più potente del suo Re, ebbe da quell'autunno del 1936 qualcosa che il casalingo Vittorio Emanuele III non aveva: una favorita. La vita sessuale di Mussolini era stata fino a quel momento tanto intensa quanto era stata arida la sua vita sentimentale. Non aveva bisogno di cercare avventure: queste gli si offrivano – a volte disinteressate, a volte no – a Palazzo Venezia, dopo un filtro di polizia. L'usciere Navarra ha lasciato un'accurata descrizione di questi incontri, variante quotidiana della *routine* di lavoro. Erano incontri frettolosi, rustici, senza un minimo di conforto. Avvenivano su un lungo sedile in pietra della sala del Mappamondo, o su un tappeto. Mussolini non aveva il palato fine, nella scelta delle sue conquiste, e non disdegnava le tardone. Se qualcuna tra loro, illusa dalla prima esperienza, si faceva troppo insistente, provvedeva Bocchini a ricondurla alla ragione con adeguati avvertimenti.

In questo carosello di visite si era inserita, dal 1932, anche Claretta Petacci: ma per quattro anni gli incontri erano stati romantico-intellettuali. Il Duce e Claretta s'erano casualmente conosciuti il 24 aprile 1932, una domenica, sulla strada per Ostia. Il Duce era al volante della sua Alfa Romeo rossa – era ancora il tempo in cui si compiaceva di guidare personalmente e spericolatamente l'automobile – e si era vista la strada bloccata da una lunga *limousine*. Impaziente, aveva strombazzato per ottenere il passo, e Claretta, riconosciutolo, si era sbracciata in gesti di saluto. Claretta Petacci era allora ventenne; una graziosa bruna dal volto vivace, dal seno opulento, dalle gambe snelle e diritte. Erano con lei, sulla grossa macchina guidata da un autista, la sorella Myriam di nove anni, la madre Giuseppina, e il fidanzato Riccardo Federici, tenente dell'aeronautica, un giovanotto prestante e serio.

Lusingato e incuriosito dallo slancio di quella bella figliola, Mussolini si era accostato alla vettura dei Petacci, che aveva frenato. Non sapeva di essersi imbattuto in una ammiratrice fanatica, che gli aveva inviato lettere traboccanti di entusiasmo per il politico e per l'uomo: entusiasmo espresso anche in versi. Di questi sfoghi è probabile ch'egli non avesse avuto neppure notizia. Ma Claretta ebbe modo di parlargliene, nei cinque minuti in cui si trattennero in conversazione, mentre il Federici rimaneva impalato sull'attenti. L'indomani a Palazzo Venezia Mussolini ordinò di ricercare, nell'archivio della corrispondenza a lui diretta, le lettere di Claretta, e gliele fece galantemente recapitare, quasi che gli fossero state sempre vicine, e particolarmente care. Quindi invitò Claretta a Palazzo Venezia. Fino al 1936 ebbero una ventina di colloqui, sempre brevi, sempre corretti. All'adorazione della ragazza, Mussolini rispondeva in tono paterno, atteggiandosi a potente immalinconito dalla sua stessa potenza e solitudine.

Il padre di Claretta, dottor Francesco Saverio, apparteneva al cosiddetto «generone»: termine esclusivamente romano che stava ad indicare, nel tramonto dello Stato della Chiesa, le famiglie «che vivevano in agiatezza, ricoprivano uffici quasi ereditari nei dicasteri pontifici, possedevano una vigna e tenevano una carrozza». Il dottor Petacci discendeva appunto da una famiglia di quello stampo, ed era infatti medico pontificio. Aveva una buona clientela, era agiato, si piccava di divulgazione medica e infatti più tardi collaborò al *Messaggero*. Oltre a Claretta e a Myriam, aveva un figlio, Marcello: l'unico Petacci che abbia scandalosamente profittato, per affari e intrighi, della sua successiva posizione di «cognato morganatico». Ai progressi economici della famiglia, e alla costruzione, alcuni anni più tardi, della villa La Camilluccia a Monte Mario, Mussolini, amante taccagno (e questo non tanto per principio quanto perché attribuiva scarsissima importanza al denaro) non darà alcun contributo. Al professor Petacci quel legame spurio servirà più che altro per rendere più accetta e meglio retribuita la sua collaborazione giornalistica; e a Myriam, che voleva fare del cinema e del teatro, sarà utile per avere spianate le vie di una carriera che, nonostante questo, fu senza smalto e venne troncata dalla caduta del fascismo.

Un giorno d'ottobre del 1936 Claretta, il cui matrimonio con il tenente Federici era stato poco fortunato, tanto che, separata, era tornata in famiglia, vide dunque Mussolini, nella sala del Mappamondo, per una delle ormai consuete conversazioni. Ma il Duce le si fece incontro furioso, le disse come gli risultasse, grazie alle informazioni della sua onnipresente polizia, che lei aveva una nuova relazione. «Mentre rispettavo in voi prima la fanciulla e poi la sposa, voi tradivate vostro marito con il primo venuto.» Claretta, spaurita ma anche lusingata da questa scena di gelosia, rispose che erano calunnie, e come tutte le scene di gelosia anche quella finì nel giaciglio (di pietra). Claretta entrava nella vita del Duce, l'avrebbe accompagnato fino all'ultimo passo.

La Petacci diventò da allora l'ospite fissa, quasi tutti i pomeriggi, dell'appartamento Cybo, che prende il nome da un prelato cui il Palazzo Venezia era passato dopo che il cardinale Pietro Barbo, divenuto Papa con il nome di Paolo II, l'aveva lasciato incompiuto. A questo appartamento si accedeva solo attraverso un ascensore privato o dalla Sala Regia. Sono tre locali, un'anticamera, uno studio, e un salotto, detto dello Zodiaco perché sul soffitto a volta azzurra erano dipinti in oro i segni zodiacali. Il salotto era arredato con un divano-letto. Da esso si accedeva a una a toilette che, ha annotato diligentemente Navarra, «era munita soltanto di un lavabo, di un water, di un asciugamano e di una saponetta. *Non altro*». La giovane donna trascorreva ore nell'appartamento Cybo, leggiucchiando e provando qualche nuova vestaglia, in attesa della visita di Ben, che amava farsi aspettare, ed era sovente frettoloso. Tuttavia dal 1936 fino al 1939 almeno – Mussolini aveva 54 anni, nel 1936, trenta più di Claretta – il legame fu appassionato e tenero, anche se non per questo il Duce interruppe i suoi rapporti con altre occasionali visitatrici.

Mai egli trascorse una notte con Claretta a Palazzo Venezia. S'incontravano, tra molti e quasi comici sotterfugi, anche a Riccione, quando egli vi si recava con la famiglia – i Petacci si trasferivano per l'occasione in un albergo di Rimini – o al Terminillo, durante qualche vacanza sciatoria. Forse in qualche momento la Petacci ebbe l'ambizione di essere l'ispiratrice o la consigliera politica, oltre che l'amante di Mussolini. Non vi riuscì mai, o dovette limitarsi a queruli ammonimenti sulla pochezza e sull'infido comportamento dei suoi collaboratori (come Rachele, del resto).

CAPITOLO 4

L'alleanza fatale

Dopo la vittoriosa conclusione dell'impresa etiopica il Regime fascista avrebbe avuto gran bisogno di un periodo di pace: per completare l'occupazione del neonato Impero, ancora in preda, nelle sue regioni periferiche, alle convulsioni della guerriglia e del banditismo; per proseguire la normalizzazione dei rapporti con le potenze sanzioniste; per riassestare le finanze italiane, duramente provate dallo sforzo coloniale. Le dittature non amano l'ordinaria amministrazione: ma sul trionfo africano la popolarità e l'ambizione di Mussolini avrebbero potuto vivere di rendita per molto tempo. Sopravvenne invece, a impegnare il fascismo in una nuova avventura, inizialmente non voluta, e comunque non provocata, la guerra civile spagnola.

Il fascismo era stato sicuramente ostile alla repubblica proclamata in Spagna nel 1931, e ancor più al governo del Fronte popolare uscito dalle elezioni celebrate nel febbraio del 1936: è tuttavia certo che non ebbe un ruolo determinante nella preparazione dell'*alzamiento* militare. E di questo si ebbe la prova nella reazione di Mussolini e di Ciano alle prime informazioni sul *golpe*. Al giovane ministro degli Esteri italiano smanioso di successi, ma sempre nello stretto ambito di direttive tracciate da Mussolini, le prime notizie sulla insurrezione delle Forze Armate spagnole pervennero in maniera confusa e contraddittoria. Ancora il 22 luglio, a quattro giorni dallo scoppio della rivolta, Roma stentava a raccapezzarsi: ma con la generica sensazione che gli insorti avessero fallito il loro obbiettivo. In effetti l'insurrezione si era affermata in Africa, nelle province conservatrici del Nord e in parte dell'Andalusia: ma non aveva realizzato la conquista della capitale e di Barcellona. In quella fase i due monconi della Spagna «nazionalista» non avevano contiguità territoriale, e contatti potevano essere stabiliti o per via aerea o tramite il Portogallo compiacente.

Entrambi gli schieramenti, quello ribelle e quello governativo, si affrettarono a invocare l'aiuto straniero. Già la sera del 19 luglio Giral, nuovo Primo ministro della Repubblica, si rivolgeva pressantemente a Léon Blum: «Colto di sorpresa da pericoloso colpo militare. La prego aiutarci immediatamente con armi e aeroplani». Quello stesso giorno Francisco Franco, che dalle Canarie si era trasferito a Tetuan nel Marocco spagnolo, decise di chiedere a Mussolini, tramite il giornalista e scrittore monarchico Luis Bolín, dodici aerei da bombardamento e tre da caccia; e indusse il console italiano a Tangeri a formulare, con un dispaccio, la stessa richiesta. Il dispaccio fu visto il 20 luglio da Mussolini che lo annotò con un secco «no». Il 22 luglio Bolín e un altro emissario indicato dall'ex-Re Alfonso XIII, il marchese de Viana, s'incontrarono con Ciano, che si dimostrò favorevole a un intervento italiano, e riconvocò i due per il 23 luglio. Ma poi non li ricevette, con un pretesto, perché il Duce era sempre riluttante a impegnare il suo prestigio in una vicenda dall'esito dubbio. In sua vece Filippo Anfuso liquidò cortesemente gli inviati di Franco. Miglior sorte ebbe, subito dopo, un inviato del generale Mola che nella sua offensiva contro Madrid stava incontrando ostacoli gravi, e subiva perdite pesanti. Mola si rivolse contemporaneamente a Roma e a Berlino: e per la missione in Italia si affidò ad Antonio Goicoechea che guidava un movimento monarchico e che già aveva stabilito contatti con il governo fascista nel 1934.

Quando il 25 luglio Goicoechea fu ricevuto da Ciano, la situazione era molto diversa, soprattutto perché – e su questo elemento il messo insistette – Francia e Unione Sovietica si erano già pronunciate per la Repubblica, e mosse per aiutarla. Il ministro degli Esteri si intrattenne a lungo con Goicoechea, e ne ascoltò le spiegazioni, ricavandone la convinzione che convenisse dare appoggio al *golpe*, anche per scongiurare il pericolo che nella penisola iberica si instaurasse uno Stato comunista.

Ciano promise dunque che ai primi di agosto sarebbero arrivati nel Marocco spagnolo dodici bombardieri S 81, trimotori utilizzabili anche per quei trasporti di truppe e materiali dei quali Franco aveva assillante bisogno. Intanto gli «ambasciatori» della ribellione erano anche in Germania. Hitler ricevette gli emissari il 26 luglio a Bayreuth e accordò l'appoggio tedesco. Tuttavia la Germania rimase costantemente orientata per un intervento che comportasse l'invio di aerei e di piloti con il personale tecnico necessario, e di piccoli reparti speciali, ma non di grandi unità di terra. Subito trenta aerei da trasporto Junkers

32 furono inviati in Marocco. Seguirono 6 caccia Heinkel diretti a Cadice, primo nucleo della legione *Condor*. Nel contempo venne allestita una complessa organizzazione che, sotto apparenze turistico-commerciali, assicurava il flusso dei rifornimenti tedeschi.

Il 30 luglio, addirittura con anticipo sulla data indicata da Ciano, i 12 Savoia Marchetti erano radunati nell'aeroporto di Elmas in Sardegna, i distintivi di nazionalità cancellati alla meglio con una mano di vernice. Gli equipaggi erano volontari. I bombardieri furono soltanto l'avvio di una serie di rifornimenti che si fece sempre più consistente (il 7 agosto, ad esempio, 27 caccia, 5 carri armati, 40 mitragliatrici, 12 cannoni contraerei) Quasi contemporaneamente, 38 aerei francesi erano forniti alla Repubblica. Ma Léon Blum avanzò anche, il 1° agosto, la proposta di una «rapida adozione e di una rigorosa osservanza di comuni norme di non intervento in Spagna». Tutti i principali interessati – Gran Bretagna, Italia, Germania, Unione Sovietica, Portogallo – ricevettero comunicazioni di questa iniziativa, che diede inizio alla lunga e per molti aspetti grottesca commedia del «non intervento» recitata mentre quasi tutti intervenivano, più o meno sfacciatamente.

Nel frattempo l'Unione Sovietica, superate le esitazioni del prudente Stalin, aveva deciso a sua volta di rifornire la Repubblica: decisione favorita dalla caduta a Madrid del governo e dalla sostituzione di Giral con un socialista di sinistra, quel Largo Caballero che era detto il Lenin spagnolo. Nel ministero erano presenti i comunisti. Alla fine di ottobre l'Unione Sovietica aveva spedito ai repubblicani almeno 50 aeroplani, 400 autocarri, 100 carri armati e 400 specialisti (piloti di aereo o carristi).

Benché la commedia del non intervento si trascinasse, a fine ottobre l'appoggio straniero alle due Spagne – e vogliamo riferirci ad armi, materiali e uomini inviati per diretta iniziativa dei governi, non alle brigate internazionali – era diventato così massiccio da costituire ormai l'elemento determinante per il risultato della guerra. Il 6 novembre si raggruppava a Siviglia la legione *Condor*, comandata dal generale Sperrle, che aveva per principale collaboratore il colonnello von Richthofen. L'unità comprendeva cinquantotto bombardieri, altrettanti caccia, una squadriglia di idrovolanti, alcuni aerei da ricognizione e da addestramento: e inoltre un contingente limitato di truppe di terra, con batterie contraeree e anticarro, e quattro compagnie di carri armati. In tutto meno di diecimila uomini, anche nel momento di massima presenza. Mussolini e Ciano si stavano invece orientando per l'invio in Spagna di un corpo di spedizione, allettati anche dalla illusione di potervi cogliere successi importanti con poca fatica.

Il 18 novembre l'Italia e la Germania riconobbero il governo nazionalista di Burgos – questa città era la capitale ufficiale, anche se il Capo dello Stato e molti ministeri e ambasciate erano a Salamanca – che aveva ormai in Franco dal 1° ottobre il suo *leader* riconosciuto. In due mesi e mezzo il generale Franco era diventato Capo dello Stato, in quattro mesi Generalissimo e Caudillo.

Galiziano di El Ferrol, Franco era nato nel 1892 di famiglia modesta, in cui correva anche sangue italiano – Vietti – ed ebreo. Suo padre era commissario di navi, e anche lui avrebbe voluto entrare in Marina. Ma l'Accademia Navale aveva sospeso gli arruolamenti, e così il ragazzo dovette contentarsi dell'Esercito. Uscì dalla scuola allievi ufficiali nel 1910 coi galloni di sottotenente e con queste note caratteristiche: «Allievo zelantissimo, dotato di un senso austero del dovere che surroga le deficienti risorse fisiche, scarsa comunicativa, alte doti di comando». Era un ritratto quasi completo di Franco, e dimostra che qualche volta anche i militari vedono giusto. Si era distinto nel combattere la rivolta marocchina e conobbe a Oviedo, dove comandava un battaglione, colei che doveva diventare sua moglie e che, molto verosimilmente, è stata l'unica donna della sua vita: Carmen Polo y Martinez Valdés, figlia di un grosso industriale, che si oppose al fidanzamento. Dicono che fu proprio lui, per allontanare quel corteggiatore, a persuadere il colonnello Millán Astray a richiamare Franco in Marocco. Millán Astray vi stava costituendo una milizia speciale, il *Tercio*, la Legione Straniera spagnola, e offrì a Franco il posto di *lugarteniente*. Franco accettò senza esitare. Le prime reclute della sua *bandera* furono un ex-ufficiale prussiano, un ex-aviatore italiano e alcune dozzine di avanzi di galera: gente a cui era più facile chieder la vita che imporre la disciplina. Franco ci riuscì.

La guerriglia dei marocchini era diventata guerra e impegnava sempre più duramente gli spagnoli. Astray, ch'era un comandante coraggioso ma fantasioso e pasticcione (aveva ribattezzato i suoi uomini *los novios de la muerte*, i fidanzati della morte), cadde conducendo di persona un assalto e fu ridotto a un brandello d'uomo inabile al comando e destinato a fare d'allora in poi il Delcroix spagnolo, una specie di cimelio dell'eroismo, per il quale fu coniato il titolo di *protomartire*. Lo sostituì Valenzuela, ma per poco perché una pallottola tolse di mezzo, e definitivamente, anche lui. Fu il Re in persona a volere che il comando del *Tercio* fosse affidato, coi gradi di colonnello, a Franco. «No hay quien le supere», non c'è chi lo superi, disse. Con quella promozione, Franco ottenne anche la mano di Carmen, con cui fece una breve luna di miele, e subito rientrò a Tetuan.

Primo de Rivera, portato al governo con poteri dittatoriali proprio per fare fronte alla tragedia marocchina, venne sul posto e propose il ritiro delle truppe dall'interno per limitare l'occupazione alla zona costiera. Tutti furono d'accordo, meno due giovani colonnelli: Mola e Franco. Questi avanzò un'altra proposta: previo accordo militare con la Francia, anch'essa duramente impegnata a domare la rivolta, uno sbarco di sorpresa a Alhucemas, roccaforte dei ribelli. Dopo molte esitazioni – l'impresa era in effetti rischiosissima – il piano di Franco fu approvato e a lui fu affidato l'incarico di costituire la prima testa di ponte a terra. L'operazione riuscì perfettamente, e il successo fruttò a Franco una *medalla militar* (la seconda), la greca di generale e la direzione dell'Accademia di Saragozza. Aveva trentadue anni.

La politica bussò alla sua porta, quando Re Alfonso abdicò senza opporre alcuna resistenza all'ondata antimonarchica, e al suo posto s'installò il Presidente della Repubblica, Zamora. Ma Franco non aprì. L'ordine che impartì ai suoi cadetti fu di rispettare le istituzioni, quali che fossero. Ed egli stesso ne diede l'esempio respingendo l'invito di Sanjurjo e Mola a un gesto di dissidenza. Questo gli valse l'ostilità dei suoi colleghi, quasi tutti monarchici, senza procurargli le simpatie del nuovo Regime, e soprattutto del ministro della Guerra, Azaña, che aveva annunciato il proposito di «triturare» l'esercito. Una delle sue prime misure fu proprio la chiusura dell'Accademia di Saragozza. Franco incassò e invitò i cadetti a fare altrettanto obbedendo disciplinatamente agli ordini. Ma concluse il suo proclama con un «Viva la Spagna!», e non con «Viva la Repubblica!». Azaña, convocatolo, glielo fece rilevare. «Mi auguro che lo abbia fatto senza rifletterci», disse. «Signor Ministro» rispose Franco «io non dico niente senza averlo prima scritto, e non scrivo niente senza averci prima riflettuto.» Ma continuò a rifiutare la sua partecipazione ai complotti di Sanjurjo, Mola, Kindelán, Yagüe, Queipo de Llano ed altri.

Nel '34, battute alle elezioni, le sinistre cercarono la rivincita nell'aperta ribellione, e la Repubblica per difendersi dovette ricorrere all'esercito che aveva pensato di triturare. Per domare le Asturie fu scelto, insieme a Goded, Franco, che di tutti i generali appariva il meno pericoloso per le istituzioni. Franco pose come condizione i pieni poteri all'Esercito, li ebbe, e li usò senza risparmio. «Io sono spagnolo – scrisse un corrispondente del giornale conservatore *A.B.C.* – e come tale non sono portato a dare troppo peso alla vita umana, ma l'impassibilità di Franco di fronte alla medesima mi ha sbalordito.» La rivolta fu domata, ma in un lago di sangue.

In ricompensa, Franco ebbe dal democristiano Gil Robles, nuovo ministro della Guerra, la carica di Capo di Stato Maggiore. Se ne avvalse per allontanare dal comando i generali graditi alle sinistre e Sanjurjo. A chi gli chiedeva perché Sanjurjo, rispose: «Per la stessa ragione per cui ho eliminato gli altri: la politica». Ma Robles durò poco, le sinistre riconquistarono il potere grazie alla disunione delle forze di centro e di destra, Azaña il trituratore tornò al potere, stavolta come Primo ministro, e naturalmente il suo primo gesto fu quello di allontanare Franco destinandolo alla guarnigione di una zona morta, le Canarie, e di restituire i più importanti comandi ai generali che Franco aveva silurato: Miaja, Villalba, Camacho, Sandino, che ritroveremo nella guerra civile alla testa delle truppe repubblicane. Con questo, l'Esercito si ruppe, e per Franco si fece più difficile il rifiuto di schierarsi con l'una o con l'altra parte.

Stava facendo le valigie per raggiungere la nuova sede, quando ricevette la visita di José Antonio Primo de Rivera, che lo supplicò di non partire prima di aver visto Mola, Yagüe e Valera. Franco accettò. Fu un incontro freddo, dominato dalla reciproca diffidenza. I tre generali dissero a Franco di aver saputo da fonte certa che Caballero si proponeva di processare i responsabili della repressione in Catalogna e nelle Asturie. Ma Franco non ci credette, o ci credette solo a mezzo, si rifiutò di aderire a congiure, ma accettò d'includere nel suo bagaglio un cifrario segreto per mettersi in contatto coi suoi tre colleghi se ce ne fosse stato bisogno.

La condizione si verificò subito. Franco aveva appena raggiunto la nuova sede che radio e giornali davano annunzio dei propositi manifestati da Caballero alle Cortes: erano quelli che Mola gli aveva preannunziato. Messo con le spalle al muro, Franco trasse il dado. Col cifrario che gli avevano dato, si mise in comunicazione coi congiurati per assicurargli la sua disponibilità e raccomandare che, al segnale convenuto, le guarnigioni fossero già padrone delle piazze. Negli stessi giorni però egli fece pervenire al Primo ministro Casares Quiroga – che era anche ministro della Guerra – una lettera, datata 23 giugno 1936.

In essa Franco dava al governo di Madrid un estremo avvertimento. «Assumerei una grande responsabilità e mancherei alla lealtà – scriveva il generale al «Respetado ministro» – se non facessi presenti i pericoli rappresentati, per la disciplina dell'Esercito, dalla mancanza di intima soddisfazione e dallo stato di inquietudine morale e materiale che sono diffusi tra gli ufficiali e i sottufficiali.» A quel punto Franco elencava le «provocazioni e le aggressioni» degli estremisti, non sufficientemente contrastate e deplorate dal governo, i trasferimenti punitivi di ufficiali «de historia brillante», i sospetti dai quali le Forze Armate erano investite. «Mentono – affermava Franco, che mentiva a sua volta – coloro che Le presentano l'Esercito come ostile alla Repubblica, e che fanno apparire come cospirazione la inquietudine, la dignità e il patriottismo degli ufficiali.» E quindi invitava il ministro della Guerra a prendere immediate misure «di considerazione, di equità, e di giustizia» per evitare «future lotte civili». V'era, in quel documento, tutta la cautela di Franco, che volle mettersi in pace con la coscienza, e preparare le pezze d'appoggio per una futura difesa, davanti a un Tribunale o davanti alla Storia. Cospiratore esitante, diede al governo un'ultima *chance*. Ma a Madrid la serietà e gravità del monito non fu capita.

A mezzogiorno del 17 luglio ('36), Franco, tuttora a Las Palmas nelle Canarie, udì alla radio le felicitazioni di un certo Pedro a un certo Rodriguez per il suo compleanno. Era il segnale convenuto, e voleva dire: «Le truppe d'Africa si sono sollevate stamattina». Nello stesso momento un misterioso bimotore decollava da Londra recando a bordo il già citato Bolín, un funzionario di Scotland Yard, Pollard, sua figlia Diana, e una certa Dorothy Watson, di cui non si sono mai sapute le mansioni. Bolín aveva noleggiato l'apparecchio dalla Compagnia Olley e chiesto al pilota Beeb di compiere il volo Croydon-Las Palmas senza scali in territorio spagnolo. Aveva anche detto che a Las Palmas avrebbero imbarcato «un tale» per condurlo a Tetuan. Il «tale» naturalmente era Franco, in borghese e con occhiali scuri, che raggiunse Tetuan l'indomani 18, senza che nessuno si fosse accorto della sua partenza. «Che fa Franco?» chiese per telefono Caballero al Primo ministro, Casares Quiroga, quando giunsero le prime notizie dell'insurrezione. «Franco è ben guardato alle Canarie» rispose il ministro. In quel momento il governo considerava il *putsch* già fallito. Infatti solo a Valladolid, a Pamplona e a Siviglia gl'insorti avevano in mano la situazione. L'unica inquietante incognita erano le truppe d'Africa che, se riuscivano a sbarcare nella madrepatria, potevano rovesciare la situazione. Perciò la flotta, i cui equipaggi avevano neutralizzato, il più delle volte uccidendoli, gli ufficiali, ricevette l'ordine di schierarsi davanti a Tetuan.

Dovettero esser giorni terribili per Franco che rischiava di restare imbottigliato lì in Marocco, mentre in Spagna la congiura si andava spegnendo. E forse il *putsch* sarebbe realmente fallito, come ormai già credeva il governo repubblicano, senza l'intervento dei Savoia Marchetti, e poi degli aerei da trasporto tedeschi. Lo sbarco dei primi contingenti in Andalusia, dove il generale Queipo de Llano riusciva ancora a tenere in scacco le truppe governative, fu risolutore soprattutto sul piano psicologico. Abilmente propagandato dalle radio che ne ingigantivano la portata, esso rianimò la rivolta e soprattutto le diede un capo.

Tutti coloro che aspiravano a diventarlo stavano infatti scomparendo uno dopo l'altro per fatalità che, dal punto di vista di Franco, potevano apparire provvidenziali. Sanjurjo, che per grado, prestigio e anzianità di complotto poteva essere considerato il protocospiratore, era morto in un incidente aereo mentre tornava dal Portogallo in Spagna, il 20 luglio. Primo de Rivera, che avrebbe potuto pretendere alla conduzione politica e ideologica dell'*alzamiento*, era prigioniero dei repubblicani, che l'avrebbero poi fucilato, e con lui mancava l'unico «civile» che poteva contendere ai militari la *leadership* di quella che già cominciava ad essere chiamata la *cruzada*, la crociata. Restava Mola. Ma anche Mola fu eliminato il 3 luglio 1937 da un incidente aereo su cui poi si malignò a lungo.

Franco era l'uomo con cui italiani e tedeschi dovevano ora trattare. Piccolo di statura, rotondetto, con una sgradevole voce di falsetto, un volto molliccio e inespressivo, non aveva nulla di carismatico, e nemmeno di amabile. Non era amico di nessuno e nessuno gli era amico. A trattare gli uomini aveva imparato come comandante dei *Regulares* marocchini e poi del *Tercio*, gli uni e gli altri soldati di ventura, capaci di uccidere anche i loro ufficiali. E quanto alla scuola politica, l'aveva fatta coi ribelli del Riff, dividendone i capi, giuocando gli uni contro gli altri e tradendoli tutti per non dargli tempo di tradire lui. Non aveva mai viaggiato fuori della Spagna, non aveva letto quasi nulla, non conosceva nessuna lingua, di cui del resto non avrebbe saputo cosa farsi perché di rado apriva bocca. Anche del tempo aveva una concezione tipicamente spagnola: pensava che quello perduto fosse guadagnato.

ORA L'ITALIA, che aveva riconosciuto il governo nazionalista, e stretto con esso un trattato di amicizia, era pronta a trasformare il carattere del suo intervento. Non più aiuti materiali o invii di specialisti, ma un corpo di spedizione. Un esercito fascista nella guerra civile. A comandare i «legionari» fu designato, prima ancora che i loro reparti prendessero forma, il generale Mario Roatta, già capo del Sim, il servizio informazioni militari. Roatta non aveva il fisico del condottiero. Con gli occhiali e la incipiente pinguedine – caratteristiche comuni a troppi alti ufficiali italiani del tempo – era un tipico generale da tavolino e da corridoio, capace di destreggiarsi egregiamente nelle rivalità e negli intrighi che inquinavano i vertici delle Forze Armate, abile nel tessere ottimi rapporti con la gerarchia fascista.

Tra il dicembre 1936 e il febbraio 1937 il Corpo truppe volontarie assunse il suo assetto definitivo. I cinquantamila uomini che lo componevano erano raggruppati fondamentalmente in quattro unità. La I divisione camicie nere *Dio lo vuole!* (generale Edmondo Rossi); la II divisione camicie nere *Fiamme nere* (generale Amerigo Coppi); la III divisione camicie nere *Penne nere* (generale Luigi Nuvoloni); la divisione *Littorio* dell'Esercito (generale Annibale Bergonzoli). In più, naturalmente, reparti speciali, aviazione, autotrasporti. Sul totale, il 60 per cento circa era della Milizia, il 40 per cento dell'Esercito. Non può inoltre essere dimenticato l'apporto della Marina, che impegnò nella scorta alle navi mercantili, in missioni di blocco, e in operazioni corsare contro il traffico diretto verso i porti repubblicani 13 incrociatori, 22 cacciatorpediniere e 42 sommergibili.

Nel febbraio 1937 gli italiani entrarono in azione nella battaglia di Malaga. La città era difesa da 12 mila uomini, riuniti in bande di miliziani molto indisciplinate, e comandati da un ufficiale di carriera, il colonnello Villalba, che tuttavia si era convertito in pieno a teorie rivoluzionarie. «Io non costruisco fortificazioni – diceva – semino la rivoluzione. Se entrano, i ribelli saranno inghiottiti dalla rivoluzione.» Il 7 febbraio ogni resistenza fu travolta, e il mattino successivo italiani e spagnoli entrarono nella città semideserta e fortemente danneggiata dai bombardamenti. I repubblicani fuggirono disordinatamente lungo la strada costiera che era stata lasciata libera proprio per evitare che, spinti dalla disperazione, fossero indotti a una resistenza a oltranza. Diecimila tra loro caddero prigionieri. Le perdite italiane, ove si pensi alla brevità della battaglia, non furono irrilevanti: i soldati si erano battuti bene, lasciando sul terreno 94 morti e 276 feriti. Alla conquista di Malaga seguì, ad opera dei franchisti, una repressione feroce. La cifra di 4000 fucilati, data da una testimone oculare, può essere esagerata, ma le esecuzioni sommarie, o precedute da una parvenza di processo davanti a una corte marziale, furono molte.

Poi venne Guadalajara. L'idea di sfondare a Guadalajara – in alternativa alla irrealizzabile offensiva verso Valencia – era nata quando, a sud di Madrid, Varela aveva attaccato sul fiume Jarama, riuscendo a varcarlo, ma restando poi bloccato, fino a essere messo in serie difficoltà dai contrattacchi repubblicani. Guadalajara era una assonnata cittadina a nord della capitale. Se Varela avesse progredito, una avanzata dal settentrione sarebbe stata l'altro braccio di una tenaglia che avrebbe rinserrato e stritolato Madrid. Ma sul Jarama si era arrivati a una guerra di posizione, dopo alterni combattimenti durante i quali Roatta era stato invano sollecitato ad anticipare i tempi della sua azione. Il comandante del Ctv voleva preparare le cose per bene: guardava agli interessi del suo settore, e della sua carriera, più che a quelli di Franco; contraccambiato cordialmente, in questi sentimenti, da Franco stesso. Il Caudillo assicurò comunque a Roatta, il 1° marzo, che quando le divisioni italiane si fossero mosse, anche il settore del Jarama sarebbe stato riattivato. Mussolini, informato dell'attacco verso Guadalajara, lo considerò «ottimo per accerchiare sul serio Madrid e forse determinare la resa». Roatta, in un ordine operativo, definiva «risolutiva» la progettata operazione. All'accerchiamento di Madrid mostrò di credere anche Franco, che fissò orientativamente il punto d'incontro tra le truppe di Roatta e le truppe spagnole attaccanti da Sud «nella ragione tra Alcalá de Henares e Tajuna».

Il Ctv fu ammassato al completo per l'offensiva. Tre divisioni di camicie nere, la divisione *Littorio* dell'Esercito, 81 carri veloci armati di mitragliatrice e otto autoblindo. In tutto 35 mila uomini. Queste divisioni moderne e bene equipaggiate, rispetto allo standard della guerra civile, erano tuttavia motorizzate solo in parte: nel senso che ogni unità non aveva automezzi sufficienti per il trasporto di tutti gli uomini, ma doveva secondo le circostanze chiedere i camion alla sezione autoveicoli. Gli altri procedevano a piedi. Sulla destra del Ctv era schierata la divisione *Soria* del generale Moscardó, il difensore dell'Alcázar di Toledo, con 10 mila uomini. Nella prima fase dell'attacco la *Littorio* non fu impegnata, perché ancora in trasferimento verso il fronte. Due divisioni repubblicane spagnole di nuova formazione presidiavano debolmente il settore.

La mattina dell'8 marzo 1937, alle 7,30, le *Fiamme nere* del generale Amerigo Coppi diedero inizio all'avanzata. Il tempo era inclemente, cadeva la pioggia che presto si trasformò in nevischio. Gli aeroporti erano bloccati da una bruma insistente. Le camicie nere della II divisione erano al battesimo del fuoco e, come fu scritto in un rapporto, dimostrarono, in quelle avverse condizioni, poca propensione ad attaccare. Il coordinamento tra l'azione della II divisione (*Fiamme nere*) e la III del generale Luigi Nuvoloni (*Penne nere*) fu carente, e i progressi inferiori al previsto. La manovra prevedeva «scavalcamenti» di reparti che causarono ingorghi e confusione. Comunque il cuneo del Ctv riuscì a penetrare nella fragile linea nemica per una profondità variante tra i 6 e i 12 chilometri. Una notizia impensierì Roatta, meno tuttavia di quanto avrebbe dovuto: gli spagnoli non avevano sferrato i promessi attacchi sul Jarama, consentendo al comando repubblicano di avviare verso Guadalajara robusti rinforzi.

Il giorno successivo le cose sembrarono andare meglio, con la conquista della località di Almadrones. Il comandante delle forze repubblicane di Guadalajara, Vicente Rojo, ebbe il 9 marzo la sensazione che gli italiani e Moscardó avessero realizzato uno sfondamento tipo Malaga, anche se nel frattempo reparti dell'XI brigata internazionale, con carri russi 726, stavano affluendo al fronte, prendendovi posizione. Nella notte dal 9 al 10 un reggimento comandato dal console della Milizia Francisci raggiunse d'impeto Brihuega catturandone la guarnigione al completo. Proprio davanti alle linee di Brihuega del Ctv, si attestò la mattina del 10 marzo il battaglione Garibaldi della XII brigata internazionale, formato da italiani antifascisti. La prima brigata internazionale agli ordini di El Campesino giungeva a Guadalajara, come unità di riserva. La sera del 9 marzo Roatta poteva ancora sperare in un brillante proseguimento dell'offensiva: ma per qualche giorno i combattimenti si svolsero, accanitamente, al limite che l'avanzata aveva raggiunto.

L'11 marzo Roatta ordinò una sospensione di 24 ore delle operazioni, e rinnovò gli appelli a Franco per una vivacizzazione del fronte del Jarama, ricevendone l'assicurazione che esso si sarebbe mosso.

Invece si mossero, il 12 marzo, i repubblicani, con un contrattacco potentemente appoggiato dalla loro aviazione, meno handicappata di quella legionaria e nazionalista dal maltempo perché usufruiva di aeroporti con piste migliori, il cui fondo non si era trasformato in fanghiglia. I combattimenti, che ebbero il loro epicentro in un tratto della strada Madrid-Saragozza, non apportarono mutamenti sostanziali alle posizioni; ma la divisione *Penne nere* diede allarmanti segni di cedimento morale e di incapacità tattica, con episodi di fuga disordinata, e con la perdita di cinque pezzi di artiglieria piazzati in posizione avanzata. Per questo Roatta decise di sostituire la I divisione camicie nere (*Dio lo vuole!*) alla seconda, e la divisione *Littorio* alla III, la più provata: il che lo lasciò senza riserve fresche. Quindi telegrafò a Roma che «la situazione era completamente ristabilita», e forse lo sarebbe stata se, rinunciando a ogni proposito di ulteriore avanzata, egli fosse passato decisamente alla difensiva. Ma non poteva farlo, anche perché un telegramma del Duce, con singolare intempestività, intonava fanfare trionfali: «A bordo del *Pola* in rotta verso la Libia ho ricevuto le informazioni sulla grande battaglia che si sviluppa di fronte a Guadalajara. Con fiducia nel cuore seguo questa battaglia, profondamente convinto che il valore e lo spirito dei nostri legionari spezzerà la resistenza dell'aggressore. La distruzione delle forze internazionali sarà un successo di immensa portata e sarà specialmente un successo politico. Comunicate ai legionari che seguo di ora in ora le loro azioni che saranno coronate dalla vittoria».

INSIEME ALLA GUERRA guerreggiata si svolgeva intanto, tra le linee opposte, una guerra propagandistica, soprattutto là dove le camicie nere si scontravano con i «garibaldini» italiani della Repubblica. Già l'11 marzo furono buttati sulle linee italiane volantini il cui testo era attribuito a soldati del Ctv presi prigionieri il giorno precedente. «Camerati, commilitoni – recava il volantino – siamo 31 soldati del I battaglione mitraglieri. Il 10 marzo ci hanno mandato avanti per prendere Guadalajara. Ci hanno mandato avanti senza dirci che avevamo di fronte degli italiani... Le storie sui banditi rossi, gli incendiari, gli assassini sono tutte fandonie. Dei lavoratori come noi, dei contadini come noi ci stavano di fronte. Ci hanno detto perché combattono e hanno ragione...»

Il fronte era illusoriamente stazionario, ma i «rossi» preparavano la loro controffensiva nel settore di Brihuega facendovi affluire reparti delle brigate internazionali e carri armati russi. Il proposito di prendere l'iniziativa era stato avversato, in campo repubblicano, dai generali Miaja e Rojo. L'avevano invece sostenuto a oltranza Lister, Longo, Vidali (del ruolo che gli italiani ebbero tra i «rossi» parleremo più avanti). Fu deliberato che l'attacco sarebbe stato portato dalla brigata Garibaldi, dalla brigata del Campesino, e dai carri armati con equipaggi russi: questi ultimi impiegati parsimoniosamente, e se possibile da lontano, per evitare il rischio della cattura. Stalin aveva impartito ordini precisi, in proposito, e ai generali e consiglieri russi – pochi dei quali scamparono, nonostante lo zelo servile, alle successive purghe – importava più obbedire a Stalin che vincere una battaglia. L'offensiva avrebbe coinciso con il 18 marzo, data anniversaria della Comune di Parigi.

Proprio quando Roatta usciva da una difficile conversazione con il gelido Caudillo gli fu recapitata la notizia che i repubblicani si erano avventati sulla I divisione camicie nere, e l'avevano messa in crisi. Reggeva invece ottimamente la *Littorio*, contro la quale non erano tuttavia entrati in azione i carri armati: l'animoso Bergonzoli aveva subito reagito, incoraggiando i soldati delle prime linee con la presenza fisica, com'era nelle sue abitudini di trascinatore. Riportò anche una lieve ferita. Il generale Rossi aveva annotato che «la mattina trascorse calma». Quando, nelle primissime ore del pomeriggio, fu sferrato l'attacco – e la concentrazione del fuoco di artiglieria e di aviazione repubblicano non lasciava dubbi sugli obbiettivi –, il comandante della *Dio lo vuole!* si diede a girovagare, per rendersi conto di cosa stesse succedendo. Durante circa tre ore non fu diramata da lui alcuna direttiva: e quando cominciò a darne, gli eventi erano ormai sfuggiti al suo controllo. Non ci fu alcun serio tentativo di attuare un perimetro difensivo, di organizzare una seconda linea. Il cedimento fu, o almeno apparve, così rapido e catastrofico, che Rossi inviò al comando del Ctv, alle 19,15, un fonogramma avvilito. «Con freddezza pari alla gravità della situazione comunico che la mia divisione ha ceduto di fronte alle forti pressioni avversarie e che le truppe ripiegano in inesorabile ritirata. Col mio comando sto trasferendomi ad Algora.»

Nelle retrovie le cose andavano malissimo. Gli sbandati erano molti. A loro volta le forze «rosse» – cui aveva reso visita lo stesso Presidente della Repubblica Azaña – avevano in gran parte esaurito, il 18 marzo, la loro forza propulsiva, tanto che la sera stessa il contatto tra i due schieramenti fu interrotto, e quasi per l'intero 19 marzo i legionari non furono disturbati, nel loro ripiegamento, dal nemico. La battaglia di Guadalajara era già finita, a quel punto. Tutto sommato una battaglia che, fallite le ambizioni di chi l'aveva impegnata, diventava secondaria dal punto di vista militare. L'avvilimento italiano, e l'abilità propagandistica dei repubblicani, la trasformarono in un avvenimento di risonanza enorme.

Su Guadalajara, Mussolini tacque fino a quando, con la campagna del Nord, il Ctv ritornò in azione. Il 19 giugno, sul *Popolo d'Italia*, fu pubblicato un articolo non firmato, che era di pugno del Duce: bastava ad attestarlo, oltre allo stile, anche la disposizione, diramata dai comandi, che fosse letto nelle caserme della Milizia. Il titolo era, appunto, *Guadalajara*. Nella ricostruzione della battaglia Mussolini attribuì la causa prima dell'insuccesso al maltempo e alla confusione avvenuta durante la manovra di «scavalcamento» tra la prima divisione camicie nere e le unità che avrebbero dovuto rimpiazzarla. I reparti furono così, spiegava il Duce, facile bersaglio dell'aviazione «rossa». A un certo punto il comando italiano «diede l'ordine alle truppe di retrocedere, e questo fu un errore, un grande errore». «I legionari italiani si erano battuti da leoni, e non erano stati battuti... Lo scacco di un battaglione diventò una disfatta. Un ripiegamento imposto da un comando e che si svolse in ordine quasi perfetto fu bollato come una catastrofe... Più che di un insuccesso deve parlarsi di una vittoria italiana, che gli eventi non permisero di sfruttare a fondo.» Veniva, da ultimo, la frase ad effetto: «Anche i morti di Guadalajara saranno vendicati».

GLI ANTIFASCISTI ITALIANI – ci riferiamo soprattutto alla emigrazione, perché la voce degli oppositori interni era fioca – videro subito nella guerra civile spagnola una grande occasione. Carlo Rosselli, che del movimento «Giustizia e Libertà» era l'animatore, riassunse con grande enfasi questo stato d'animo. «Alla Spagna proletaria tutti i nostri pensieri. Per la Spagna proletaria tutto il nostro aiuto. Oggi in Spagna. Domani in Italia. Anzi, oggi stesso in Italia perché l'esempio dei fratelli spagnoli può e deve essere seguito. Gioventù d'Italia, sveglia! Antifascisti italiani, sveglia! Uomini liberi, in piedi!»

In quelle settimane l'organizzazione e l'afflusso dei fuoriusciti italiani avvenivano ancora alla spicciolata, per iniziative spontanee. Alcuni erano già in Spagna. Così, oltre a Calosso, il socialista Fernando De Rosa, che aveva attentato alla vita del Principe Umberto, nel 1929, a Bruxelles, e, condannato a sette anni di carcere, era tornato in libertà dopo averne espiati tre. Emigrato in Spagna, aveva partecipato alla rivolta delle Asturie (altra condanna, questa volta a diciannove anni, cancellata dall'amnistia del febbraio 1936). Cadde in battaglia a metà settembre. Così i comunisti Vittorio Vidali ed Ettore Quaglierini. Vidali, figlio di un operaio di Monfalcone, era stato uno degli «arditi rossi» di Trieste, durante la convulsa vigilia della Marcia su Roma, quindi era andato vagando negli Stati Uniti, in Messico, in Unione Sovietica (dove era stato addestrato in una scuola del partito), in Germania. Viveva in Spagna dal 1934, come dirigente del «soccorso rosso» internazionale. Con il nome di battaglia di Carlos Contreras fu l'organizzatore di quel V reggimento che conservò questa etichetta anche quando ebbe le dimensioni di un Corpo d'armata, e vi svolse funzioni di commissario politico. Sembra anzi che l'idea dei commissari politici nei reparti fosse stata suggerita da lui, sulla base dell'indottrinamento avuto in Russia.

La stragrande maggioranza dei volontari affluì tuttavia in Spagna da oltre frontiera, dapprima frammentariamente, quindi in forma più organica. Già il 12 agosto 1936 la caserma Carlo Marx di Barcellona ospitava qualche decina di volontari italiani, addetti alla XXII centuria (è curiosa questa terminologia insieme romana e garibaldina, legione, centuria, che ad un orecchio disattento potrebbe rammentare i rituali fascisti). Ad essi si aggiunse, insieme ad alcuni «tecnici» comunisti (tra gli altri Celeste Negarville), anche Leo Valiani. Un'altra centuria, dedicata a Gastone Sozzi, militante socialista morto nelle carceri del fascismo, era formata in massima parte da operai italiani emigrati in Francia, ma includeva anche polacchi, francesi, belgi, danesi.

Tra settembre e ottobre, in sintonia con la conversione di Stalin dall'attendismo all'intervento massiccio, si ebbe – come si dice oggi – un «salto di qualità» nella composizione e nella quantità dei volontari. La presenza comunista diventò molto più forte tra i combattenti, prevalente a livello organizzativo, dominante ai vertici, dove avveniva il collegamento tra le formazioni internazionali, gli spagnoli (governo e militari) e i sovietici. Luigi Longo si recò una prima volta in Spagna, in missione esplorativa, rientrò brevemente in Francia, e quindi tornò a Madrid. Proprio Longo (nome di battaglia Gallo) consegnò al V reggimento la bandiera del Pci, esprimendo la speranza di riportarla «fiammante e trionfante, alla testa del popolo italiano in marcia per la propria liberazione». Lo stesso Longo, il sanguinario André Marty e un altro emigrato italiano, Giuseppe Di Vittorio, furono incaricati di sovrintendere all'acquartieramento e al primo addestramento dei sempre più numerosi volontari. Il loro Quartier generale venne stabilito inizialmente a Figueras, quindi ad Albacete, una cittadina a mezza strada tra Madrid e Valencia.

L'inquadramento dei volontari era impresa difficile, quasi disperata. Insieme ai rivoluzionari di professione e a elementi fortemente politicizzati e ideologizzati, vi erano tipi avventurosi, o semplicemente avventurieri: e anche violenti, fanatici, romantici, dannunzianamente ansiosi del lavacro di sangue e della bella morte. I più, anche i migliori, volevano combattere, ma non fare esercitazioni. Mancavano i capi. Gli italiani erano la componente, numericamente cospicua, di un piccolo esercito di cinquanta diverse nazionalità, presto diviso da invidie, rancori, antagonismi ideologici o nazionali. Coloro, tra i volontari, che s'erano illusi di battersi in reparti senza burocrazia e senza odi, nei quali la solidarietà antifascista fosse un mastice infallibile, piombarono in un viluppo di rivalità e di sospetti. Poiché la disciplina era necessaria, la s'impose, anche con i plotoni di esecuzione. Poiché la possibilità di infiltrazioni di spie obbiettivamente esisteva, la macchina spietata della inquisizione personale e dell'accusa senza prove si mise in moto, dando al «macellaio» Marty il modo di esplicare le sue più temibili doti. Il battaglione italiano, forte nei primi tempi di seicento uomini, prese il nome da Garibaldi, e fu aggregato alla prima brigata. Suo comandante fu un comunista, Umberto Galleani, già emigrato in America, commissario politico Antonio Roasio, anche lui comunista, biellese, già funzionario di partito a Mosca.

Il 27 ottobre, a Parigi, i rappresentanti dei partiti socialista, repubblicano e comunista deliberarono di costituire una «legione italiana autonoma», che fu poi la brigata Garibaldi. A suo comandante venne designato Randolfo Pacciardi, che in Spagna c'era già stato in settembre, appunto per creare un reparto di volontari italiani, ma si era scontrato con le perplessità e le riluttanze di Largo Caballero. Nel novembre, quando Pacciardi si insediò ad Albacete, quegli ostacoli erano stati superati, anche se il nuovo comandante ebbe subito qualche amarezza perché la Garibaldi rischiava a suo avviso di sperdersi «nell'anonimato dell'internazionalismo».

Pacciardi aveva allora trentasette anni. Figlio di un ferroviere grossetano, bersagliere e pluridecorato nella prima guerra mondiale, poi laureato in legge, era entrato nelle file dei repubblicani italiani, ed aveva mantenuto un coraggioso atteggiamento di opposizione al fascismo, tanto da essere costretto, come tanti altri, all'esilio. Il suo grande temperamento, il suo sprezzo del pericolo, il suo calore umano gli consentirono di affermarsi anche nel ruolo di comandante militare che gli era stato attribuito. Tra i suoi comandanti di compagnia ebbe Pietro Nenni, che alternava l'attività politica e propagandistica alla guerra. Nenni intervenne, nell'inverno tra il '36 e il '37, alle battaglie di Pozuelo e del Jarama, ma fu sovente a Madrid per tenere discorsi alla radio.

I comunisti impegnati in Spagna avevano il filo diretto con Mosca, e da Mosca prendevano direttive. Per farle eseguire Stalin aveva disseminato i suoi diplomatici e i suoi consiglieri militari, terrorizzanti e terrorizzati: erano duri, burocratici, se occorreva spietati, perché dovevano rispondere delle loro azioni a un potere duro, burocratico, e spietato anche quando non occorreva. Ma per una tessitura più articolata e duttile delle sue trame politiche Stalin aveva in Spagna un uomo di eccezionali qualità: Palmiro Togliatti, volta a volta dissimulato sotto i nomi di battaglia di Alfredo o di Ercole Ercoli.

Alto dirigente del Comintern, capo della «sezione latina» da anni attento a ciò che succedeva in Spagna, Togliatti dava ai sovietici le migliori garanzie. Sapevano che avrebbe accettato tutto, anche le peggiori ignominie, e che sarebbe stato capace di farle digerire ai comunisti spagnoli meglio di chiunque altro. Le sue regole erano la segretezza, l'isolamento, la freddezza, quel gelo politico e umano di cui amava circondarsi, e che gli aveva consentito di sopravvivere alle purghe staliniane.

Anche in Spagna Togliatti, con la moglie Rita Montagnana, organizzò la sua vita con il mistero di chi della clandestinità e della cospirazione era uno specialista: e insieme con la meticolosità burocratica dell'alto dirigente. Conservò abitudini spartane, un appartamentino identico a quello di Mosca o di Parigi, «due stanze, il cucinino, il tavolino, i libri ammucchiati sul pavimento», come ha scritto Giorgio Bocca. Al fronte ci fu poche volte, per visitare le brigate internazionali. Era così poco in vista che lo spionaggio franchista, di solito bene informato, ne diede, in una scheda biografica, una descrizione totalmente errata, «con i capelli lunghi e i baffi e con il fare ossequioso dell'ex seminarista».

A un esecutore così docile degli ordini di Stalin non si poteva chiedere che assumesse in Spagna atteggiamenti indipendenti, né che, venuta l'ora delle rese dei conti, si dimostrasse tenero verso gli anarchici e i trotzkisti locali. Ma fu molto attento a non sporcarsi direttamente le mani. Della sua freddezza e cinismo, si racconta che una volta assistette alla esecuzione di un «nazionalista» catturato, e che i fucilatori gli offrirono in dono l'orologio del morto: da allora lo tenne sempre nel taschino, come un caro ricordo. E Vidali ha scritto che un giorno, messolo al corrente di una faccenda delicata riguardante un compagno, si sentì rispondere: «Ti ho ascoltato attentamente ma come membro della Segreteria del Comintern ho il dovere di riferire tutto ciò che ho sentito da te». Vidali, allibito, protestò: «Ma come, vengo a farti delle confidenze e tu le riferisci al padrone?». «È quello che farò.» E lo fece.

«Alfredo» seguiva con minuzia, ma da lontano, le vicende militari. Quando si stabilì in Spagna, i repubblicani avevano già ottenuto il successo di Guadalajara, e Pacciardi l'aveva ricordato il 27 marzo 1937, alla radio di Madrid, dicendo che i legionari fascisti erano fuggiti non perché fossero vigliacchi, ma perché «avevano *tanks*, cannoni, mitragliatrici, fucili, moschetti, ma non avevano idee». Nonostante questa euforia, Togliatti fu subito critico, circa la partecipazione italiana. «Tra gli elementi che si battono in prima linea gli italiani non sono più del 9 per cento. Si arriva al 20 per cento se si considerano i comandi, i servizi, etc. Situazione che non può durare, data la decisione governativa per cui nelle brigate internazionali ci deve essere almeno dal 40 al 50 per cento di volontari stranieri.» Era per una disciplina severa, e per il legalismo formale. Volle la destituzione del commissario politico della brigata Garibaldi, Ilio Barontini, che aveva rimandato i volontari negli acquartieramenti prima di una rivista militare disposta dallo Stato Maggiore repubblicano perché aveva preso a piovere. Propugnò la politica delle larghe alleanze, la ragionevolezza, la rinuncia alle collettivizzazioni e all'egualitarismo salariale allo scopo di salvaguardare la produzione. Queste posizioni moderate non erano in contrasto con l'implacabile funzionamento della macchina del terrore, con le carceri «private» dei sovietici e dei comunisti, con i *paseos*, le passeggiate mortali, con le sparizioni: anzi, quella repressione, esercitata verso l'ultrasinistra spontaneistica e trotzkista, contro gli anarchici, contro gli eretici comunisti di Andrés Nin, voleva proprio garantire la «razionalità» della rivoluzione. D'Onofrio – che con Giuliano Pajetta fu uno dei comunisti importanti in Spagna – elencava in una relazione al Comintern «28 seguaci di Nin, 34 trotzkisti, 39 fascisti» tra gli «agenti del nemico» passati per le armi. Su questa strada si arrivò alla strage di Barcellona, e alla fine di Nin.

Proprio mentre Togliatti decideva il trasferimento in Spagna, Carlo Rosselli, lucido avversario del fascismo, veniva assassinato a Bagnoles-sur-l'Orne. A Bagnoles era andato a trovarlo il fratello Nello, e lì, il 9 giugno 1937, furono uccisi entrambi a rivoltellate, e pugnalati già morti. La stampa fascista tentò di attribuire il duplice delitto alla massoneria (un pugnale abbandonato accanto ai corpi sembrava evocare rituali massonici) o ai comunisti. Ma pochi mesi più tardi i responsabili materiali del crimine furono individuati e in parte arrestati dalla polizia francese. Erano affiliati alla «cagoule», un'organizzazione francese di estrema destra.

Poco prima della fine dei Rosselli, si era spento Gramsci. «Certo – ha scritto Paolo Spriano – Antonio Gramsci avrà saputo della vittoria di Guadalajara e forse anche che una batteria di artiglieri garibaldini portava il suo nome.» Il «capo storico» del comunismo italiano morì nella clinica Quisisana di Roma all'alba del 27 aprile 1937. Da pochi giorni soltanto, dopo dieci anni abbondanti di prigionia scontata nelle carceri o in case di cura, aveva legalmente riacquistato lo *status* di libero cittadino. Ma era fisicamente allo stremo, e una emorragia cerebrale lo finì.

Per il suo partito, e per il movimento comunista mondiale, Gramsci era un simbolo prezioso: in carcere o comunque sotto la sorveglianza fascista era utile. In un congresso sarebbe stato scomodo. Il suo nome era associato, nelle celebrazioni comuniste, a quelli di Thälmann e di Rakosi, altri grandi combattenti internazionali prigionieri del fascismo. Nel parco di cultura Gorki a Mosca campeggiava un suo ritratto. Vetrina. In realtà Gramsci morì in una tragica condizione di isolamento politico, conseguenza del dissidio con Togliatti e con il gruppo dirigente comunista italiano.

MUSSOLINI, SPECIALISTA DI *SLOGANS*, consacrò la nascita dell'Asse. Lo fece, probabilmente, senza rendersi conto dell'importanza che quella definizione, frutto del suo gusto giornalistico per le immagini pittoresche, avrebbe avuto nella storia d'Italia. Il discorso di Mussolini fu tenuto in piazza del Duomo a Milano il 1° novembre del 1936, e intese fissare «la posizione fascista per quanto riguarda le relazioni con altri popoli d'Europa». Per la Francia disse che fino a quando quel governo avesse tenuto verso l'Italia un atteggiamento «di attesa riservata», il governo fascista avrebbe fatto altrettanto. Per l'Inghilterra disse che «se per gli altri il Mediterraneo è una via, per noi italiani è la vita» e che esisteva, nei rapporti tra i due Paesi, una sola soluzione, «l'intesa schietta, rapida, completa sulla base del riconoscimento dei reciproci interessi». Tono moderato, a conti fatti. Ma poi ci fu la parte riguardante la Germania: «Gli incontri di Berlino (tra Ciano e i capi nazisti – *N.d.A.*) hanno avuto come risultato una intesa fra i due Paesi su determinati problemi, alcuni dei quali particolarmente scottanti in questi giorni. Ma queste intese... questa verticale Berlino-Roma, non è un diaframma, è piuttosto un asse attorno al quale possono collaborare tutti gli Stati europei animati da volontà di collaborazione e di pace».

La maggiore intimità italo-tedesca, che le sanzioni avevano provocato e che la Spagna consolidava, produceva intanto un effetto certo: l'intransigenza di Mussolini circa l'eventualità dell'*Anschluss* si attenuava. Il Cancelliere austriaco Schuschnigg, che avvertiva con malessere quasi fisico la pressione hitleriana, si rese conto di questo ammorbidimento. E in aprile corse a Roma nella speranza di essere rassicurato. Non lo fu, o non abbastanza. In sostanza il fascismo non chiedeva più al nazismo di rispettare l'Austria. Gli chiedeva soltanto di prendersela salvando le forme. «Non c'è niente da fare – aveva confidato il Duce a un suo ministro – noi non possiamo fare la guerra alla Germania per l'Austria. La Francia e l'Inghilterra ci lascerebbero soli.» Su queste inquietudini mussoliniane Hitler faceva leva con tenacia e alacrità, premeva perché il Duce mantenesse la promessa di recarsi in Germania, e finalmente il viaggio fu deciso. Il 25 settembre del 1937 il Capo delle camicie nere arrivò a Monaco per incontrarvi il Capo delle camicie brune.

Il primo colloquio tra i dittatori si era trasformato, come al solito, in un monologo del tedesco, interrotto da brevi e svogliate osservazioni del Duce. Nel pranzo ufficiale era mancato il calore. Ma poi venne la parata militare delle forze d'assalto e delle SS, e tutto cambiò. In file di dieci, gli uomini ritmavano il passo dell'oca con una precisione di macchine, i tamburi rullavano. «Con i loro capelli biondi – ha ricordato un testimone – parevano forti come buoi e il volto di Mussolini era radioso nel guardarli.» Era affascinato. Si era proposto, partendo da Roma, di essere «più prussiano di loro», e infatti fece grande sfoggio di uniformi, cambiandone perfino cinque in un giorno. Ma avvertì la forza che si sprigionava da quei soldati: e la avvertì anche assistendo alle manovre militari nel Macklenburg. Fu più rapido e pronto, nel percepire la potenza tedesca, dei suoi esperti militari e del suo ministro degli Esteri. Ciano si dichiarò non favorevolmente impressionato dalla macchina militare hitleriana. Più grave è che un apprezzamento analogo fosse stato espresso da Badoglio, che in una diagnosi perentoria, ritenne mediocri l'armamento e le truppe. Meglio, secondo lui, l'armamento italiano e francese. «Sono convinto – sentenziò – che il mio amico Gamelin avrà facilmente ragione dell'esercito tedesco.»

Dall'avvio freddo di Monaco la visita proseguì in un crescendo di entusiasmo tedesco, orchestrato o no, e di lusinghe per la vanità mussoliniana. L'arrivo alla stazione di Spandau Ovest, una dozzina di chilometri fuori Berlino, dei due treni speciali del Duce e del Führer fu un capolavoro di tecnica ferroviaria. Essi si affiancarono, su binari paralleli, e per un quarto d'ora procedettero di conserva. Quindi il convoglio di Hitler accelerò così da giungere sotto la pensilina qualche secondo prima dell'altro: e il Führer si trovò pronto a stringere affettuosamente la mano al camerata italiano.

L'Asse stava diventando un blocco ideologico, e potenzialmente militare. La «linea Roma-Tokio» fu tirata il 6 novembre 1937 con l'adesione dell'Italia al patto anti-Comintern, che Germania e Giappone avevano sottoscritto un anno prima. Esso aveva per scopo la lotta al comunismo internazionale e ai suoi agenti.

GIÀ ALLA FINE DEL 1937 Hitler aveva ben chiare nella mente le successive tappe della sua azione: l'*Anschluss*, la eliminazione della Cecoslovacchia, come Stato indipendente, dalla carta geografica, la spinta verso est in cerca dello spazio vitale. Voleva, per realizzare questi scopi, esecutori di tutta fiducia. Il 4 novembre aveva convocato nella Cancelleria del Reich, per una riunione importante e segreta, il ministro degli Esteri von Neurath e i quattro più alti capi militari: Blomberg, ministro della Guerra e comandante supremo delle Forze Armate, Fritsch, comandante dell'Esercito, Göring, comandante dell'Aviazione, Raeder, comandante della Marina. Tre dei cinque interlocutori di Hitler – Neurath, Blomberg, Fritsch – furono estromessi, nel giro di poche settimane, dalle cariche che ricoprivano. Una purga, in parte frutto del caso, in parte determinata da spietati giuochi di potere rivoluzionò l'alto comando tedesco, e ne trasferì la guida suprema al Führer, ansioso di neutralizzare nella casta degli ufficiali ogni opposizione, se non politica, almeno tecnica ai suoi orientamenti. Alla vigilia dell'*Anschluss* l'uomo che voleva fare la guerra, e che riteneva di sapere come e quando farla, poté dare direttamente i suoi ordini alla Wehrmacht, senza più intermediari ingombranti.

Gli avvicendamenti, lo si è accennato, riguardavano anche i ministri civili. Hjalmar Schacht, celebre esperto di finanza, ministro dell'Economia e plenipotenziario per la Economia di guerra, si dimise dopo lunghi contrasti soprattutto con Göring che, essendo stato nominato plenipotenziario per il Piano quadriennale, interferiva pesantemente nelle decisioni economiche. Lo sostituì Walther Funk, un giornalista specializzato in economia. Il cauto barone von Neurath, tiepido sostenitore del Regime, fu rimpiazzato al ministero degli Esteri da Joachim von Ribbentrop, cui erano già state affidate, quando era ambasciatore a Londra, missioni delicate, che scavalcavano il responsabile ufficiale della politica estera.

Joachim von Ribbentrop proveniva da una famiglia della piccola nobiltà. Nato nel 1893, da ragazzo aveva girato il mondo, e a diciassette anni si era trasferito in Canada. Là rappresentava, sembra con successo, una marca di champagne. Quando scoppiò la prima guerra mondiale l'emigrato – pur potendo essere dispensato dal servizio militare – tornò volontario per prestare servizio nella Wehrmacht. Ma presto fu scelto – grazie alla sua conoscenza dell'inglese, e del mondo anglosassone – per altri compiti. Venne inviato in Turchia, nell'ufficio dell'addetto militare tedesco, von Papen, e quindi partecipò ai lavori della Conferenza della pace nel 1919. Sanzionata la disfatta, tornò allo champagne: e rafforzò questa sua vocazione commerciale portando all'altare la figlia di un magnate dei vini.

Si poteva supporre che, da quel momento, Ribbentrop si limitasse ad arricchire tranquillamente. Fu invece folgorato, nel '32, da un incontro con Hitler. I due si intesero subito. O piuttosto, il Führer soggiogò completamente Ribbentrop, e prese a servirsene in incarichi dapprincipio finanziari, quindi diploma-tici. Bisogna riconoscere che, nelle prime missioni affidategli – a Londra per ottenere il ripristino della marina militare tedesca, nel '35, poi ancora a Londra per placare l'allarme suscitato dalla occupazione della Renania – Ribbentrop se la cavò abba-stanza bene: tanto da essere nominato, dopo queste mansioni svolte in qualità di plenipotenziario, ambasciatore permanente nella capitale britannica, da dove Hitler lo richiamava, spesso e volentieri, per altre operazioni della sua diplomazia parallela, non coincidente con quella del ministero degli Esteri.

Su un punto coloro che lo frequentarono sono unanimi. Era un uomo sgradevole. Bastianini ce ne ha lasciato un ritratto spietato: «In verità egli non era fatto come noi, di muscoli, d'os-sa, di cartilagini e di sangue, ma evidentemente aveva cura per motivi speciali, intimissimi, e non comprensibili a prima vista, di tenere la sua persona tutta intera dentro un involucro rigido, dopo averla intirizzita a mezzo di qualche procedimento chimi-co a noi ignoto... La virtù di saper aspettare doveva sembrargli perdita di tempo, la pazienza nel trattare debolezza, il tatto mancanza di dignità».

Non fece nulla per moderare l'aggressività hitleriana, anzi la incoraggiò sempre. Appunto perché aveva quel temperamento e quelle idee, Ribbentrop rappresentava per Hitler il ministro degli Esteri ideale, una volta deciso che al relativo perbenismo nazista dei primissimi anni (ci riferiamo alla politica internazionale) dovesse seguire la fase delle annessioni, e delle aggressioni.

LA SERA DEL 10 FEBBRAIO 1938 Schuschnigg lasciò Vienna, in treno, insieme al giovane ministro degli Esteri Guido Schmidt, per incontrarsi, a Berchtesgaden, con Hitler. Al suo ministro Schuschnigg mormorò, mentre salivano sulla vettura-salotto, che per un colloquio con Hitler l'interlocutore più adatto sarebbe stato il dottor Wagner-Jauregg: che era un famoso psi-chiatra austriaco. Il freddo era intenso e le strade ghiacciate quando gli ospiti, lasciata la vettura-salotto, si avviarono verso il «nido dell'aquila», tanto che dovettero essere impiegati, per il tragitto, dei mezzi semicingolati dell'Esercito.

Schuschnigg fu subito ricevuto da Hitler, per una conversa-zione a quattr'occhi: e nel tentativo di essere amabile, osservò, alle prime battute, che da quella sala si godeva di una magnifica vista. «Non siamo qui per parlare del panorama» lo interruppe bruscamente Hitler. Sconcertato, l'austriaco spiegò che il suo governo aveva compiuto ogni sforzo per dimostrare, con i fatti, di voler essere amico della Germania, e di voler tenere fede all'accordo dell'11 luglio 1936. Gli toccò subire, in risposta – e lo ha poi raccontato nelle sue memorie – uno sfogo furioso di Hitler: che dapprima sfidò ironicamente Schuschnigg a un plebiscito nel quale avrebbero gareggiato l'uno contro l'altro, quindi lo diffidò dal rafforzare le frontiere: «Voi non ci potete fermare, e nemmeno ritardare di mezz'ora, forse vi sveglierete una mattina e ci troverete già a Vienna, come un temporale di primavera». Infine il Führer sbraitò contro le persecuzioni cui erano soggetti i nazisti austriaci, avvertì che avrebbe offerto a Schuschnigg un'ultima opportunità di evitare il peggio, e infine alla ovvia domanda «quali sono le vostre condizioni?» replicò gelido: «Le conoscerete nel pomeriggio».

Quando la discussione riprese, Hitler era circondato da collaboratori: e presentò un progetto di protocollo in base al quale il suo proconsole austriaco, Seyss-Inquart, doveva essere nominato ministro dell'Interno, con piena autorità sulla sicurezza; una amnistia generale sarebbe stata concessa a tutte le persone condannate o incriminate per attività naziste; ogni discriminazione nei riguardi dei nazisti sarebbe cessata; si sarebbe proceduto a una «assimilazione» dell'economia austriaca a quella tedesca; un nazista sarebbe stato nominato ministro delle Finanze; le Forze Armate dei due Paesi avrebbero collaborato strettamente, con riunioni congiunte di Stato Maggiore e scambi di ufficiali, e Glaise-Horstenau, non ufficialmente nazista ma pangermanista fervente, già incluso nel governo Schuschnigg come ministro dell'Interno, sarebbe diventato ministro delle Forze Armate. Una clausola aggiuntiva, e decisiva, stabiliva che «il nazionalsocialismo è compatibile con le condizioni dell'Austria». Schuschnigg tentò di temporeggiare, ma Hitler lo trasse in disparte e gli intimò: «Questa è la bozza del documento. Non c'è niente da discutere. Se lei firma bene, in caso contrario il nostro incontro sarà stato inutile, e io deciderò durante la notte il da farsi». Con qualche attenuazione, l'accordo fu sottoscritto dallo stremato Cancelliere austriaco, che ripartì immediatamente, declinando un invito a cena.

Nonostante le limitazioni di Berchtesgaden, il Partito nazista austriaco, incoraggiato dalle impunità, rafforzato nei suoi ranghi, ormai spadroneggiava e, soprattutto nelle zone più favorevoli, organizzava comizi e parate in uniforme. Schuschnigg accelerò i tempi dell'azione tedesca con un'iniziativa disperata, prima della quale s'era a lungo consultato con i suoi più intimi. Decise di indire un plebiscito sulla indipendenza austriaca, ritenendo che uno schiacciante voto popolare a favore della indipendenza stessa avrebbe fatto sbollire l'impeto dei nazisti e privato Hitler di ogni valido pretesto per l'*Anschluss*. Hitler seppe dell'iniziativa solo la mattina del 9 marzo, poche ore prima che Schuschnigg rivolgesse un discorso radiofonico alla nazione. Dapprima incredulo, entrò subito dopo in una crisi di rabbia e, tra il pomeriggio del 9 e la mattina del 10, si intrattenne febbrilmente con Keitel e con altri capi militari per organizzare l'invasione prima del 13 marzo. All'Okw non esistevano piani operativi al riguardo. Nonostante questa grave lacuna, e l'esigenza che la manovra fosse predisposta nel volgere di 48 ore – il Führer voleva scagliare l'attacco la mattina di sabato 12 marzo – il brillante Stato Maggiore tedesco riuscì a trovare soluzioni soddisfacenti. Ma Hitler, pur approntando l'attacco militare, era ansioso di evitare spargimenti di sangue, non certo per spirito umanitario, ma perché desiderava che l'*Anschluss* apparisse voluto dagli austriaci, non imposto dalla Germania.

Anzitutto gli premeva che Schuschnigg annullasse il plebiscito: e incaricò Seyss-Inquart e Glaise-Horstenau di recapitare al Cancelliere un vero e proprio *ultimatum*. Schuschnigg, che aveva trascorso il giovedì in illusoria euforia, fu posto dinanzi a una alternativa drammatica. Dopo essersi consultato con il Presidente della Repubblica, Wilhelm Miklas, promise a Seyss-Inquart di disdire il plebiscito. Ma questo non bastava più, ormai, a Hitler, che «aveva perso ogni fiducia» nelle parole di Schuschnigg. Pertanto furono sottoposte al Cancelliere austriaco condizioni molto più dure. Egli avrebbe dovuto dimettersi, Seyss-Inquart sarebbe stato nominato Cancelliere in sua vece ed avrebbe telegrafato a Hitler chiedendogli che le truppe tedesche entrassero in Austria per rimettervi ordine. A questo punto la patata bollente passò da Schuschnigg – che accettò di dimettersi insieme all'intero governo – al povero Miklas, personaggio rimasto fino allora sullo sfondo, e d'improvviso scaraventato in primo piano. Miklas prese nota delle dimissioni di Schuschnigg, ma rifiutò di designare Seyss-Inquart perché, osservò, l'Austria era uno Stato indipendente, e nessuno poteva imporgli la scelta del Cancelliere.

Alle cinque del pomeriggio di venerdì 11 – dopo che Göring, il quale teneva i contatti con Vienna, aveva avuto la notizia, falsa,

del già avvenuto insediamento di Seyss-Inquart – Miklas resiste-
va ancora, e si affannava a cercare un contatto telefonico con
Mussolini e con Ciano, che risultarono irreperibili sia per lui sia
per il ministro d'Italia a Vienna. Göring fissò alle 19,30 la scadenza di un termine ultimo, dopo il quale sarebbero state aper-
te le ostilità. Intanto a Schuschnigg – che era rimasto in carica,
come d'uso, per la «ordinaria amministrazione», termine davvero improprio date le circostanze – era stato detto che reparti
della Wehrmacht stavano varcando il confine. Il Cancelliere
ordinò comunque al Comando austriaco di non opporre resistenza, e quindi rivolse ai suoi concittadini, per radio, una breve
allocuzione, nella quale disse tra l'altro che il Paese si trovava a
fronteggiare una forza preponderante, e che per evitare lo spargimento di sangue tedesco le Forze Armate avevano ricevuto
l'ordine di ritirarsi senza combattere. Concluse con una invocazione: «Dio protegga l'Austria!».

Alle otto e mezza di sera Hitler firmò l'ordine di avanzata per
le sue truppe. Suppergiù alla stessa ora il principe d'Assia fu
ricevuto da Ciano, e quindi fu dallo stesso Ciano scortato a
Palazzo Venezia, per riferire al Duce. Secondo Ciano la reazione
di Mussolini fu assolutamente calma, e quasi compiaciuta.
Ormai gli conveniva far buon viso a cattivo giuoco. Alle 22,30
Assia, euforico, telefonò a Hitler. «Ritorno adesso da Palazzo
Venezia. Il Duce ha accettato l'intera faccenda in modo molto
amichevole.» Hitler: «Allora vi prego di dire a Mussolini che non
lo dimenticherò mai... Mai, mai, mai qualsiasi cosa accada... Se
mai gli occorrerà il mio aiuto, o sarà in pericolo, può essere sicuro che sarò al suo fianco qualsiasi cosa accada, anche se il
mondo intero fosse contro di lui». Mezz'ora dopo mezzanotte,
Miklas firmò la designazione di Seyss-Inquart.

La mattina di sabato 12 marzo i reparti del generale Beck varcarono la frontiera: la prima di una lunga serie di occupazioni. I
principali obbiettivi erano Vienna, il Brennero, la frontiera con la
Cecoslovacchia. Göring garantì all'ambasciatore cecoslovacco,
Voytech Mastny, «sulla sua parola d'onore», che «si tratta solo
dell'*Anschluss* e che non un solo soldato tedesco si avvicinerà al
confine con la Cecoslovacchia». Fu una passeggiata, e una passeggiata trionfale. Adolf Hitler entrò in territorio austriaco – non
vi aveva più rimesso piede dalla fine della guerra mondiale –
poche ore dopo le sue truppe, sostò a Braunau-am-Inn, dov'era
nato, quindi raggiunse Linz, la città della sua infanzia. Lì Seyss-
Inquart gli si rivolse con l'appellativo «mein Führer» ma Hitler

gli rispose chiamandolo, correttamente, «signor Cancelliere».
Sembra che ancora in quel momento Hitler pensasse di mantenere all'Austria una apparenza di sovranità realizzando una
unione personale: egli sarebbe stato il capo dei due Stati e dei due
partiti nazisti, una reminiscenza dell'assetto che Austria e
Ungheria avevano nello scomparso Impero. Ma domenica 13 –
quando si sarebbe dovuto svolgere il plebiscito indetto da
Schuschnigg – le sue idee cambiarono. Lo incoraggiarono ad
adottare la soluzione più radicale, probabilmente, sia le notizie
circa l'acquiescenza delle capitali estere – e in particolare di
Londra – al fatto compiuto, sia le ovazioni delle folle.

IN ITALIA LA DIARCHIA Regime-Monarchia aveva funzionato, passabilmente, fino all'*Anschluss*, anche se in Mussolini
affioravano di tanto in tanto moti di stizza verso quel Re che si
permetteva qualche critica, ma poi incamerava disinvoltamen-
te i successi e le conquiste. La collaborazione tra la Corona e il
Regime era in apparenza idilliaca. La propensione del Re e
Imperatore per la riservatezza e la discrezione lasciava spazio
più che sufficiente alle esibizioni mussoliniane. I rari ricevimenti al Quirinale erano grigi e frettolosi: «pochi e perfidi i
liquori, immangiabili i dolci», come sottolineava acidamente
Edda Ciano. Vittorio Emanuele III rendeva omaggio alle qualità
del Duce, «certamente la più grande testa che ho incontrato in
vita mia».

A turbare questo equilibrio sopravvenne l'idea di attribuire il
grado speciale di Primo maresciallo dell'Impero al Re e a
Mussolini. A Vittorio Emanuele III la novità non poteva andare
a genio, anche per il semplice fatto che nessuno gliel'aveva proposta.

La creazione dei Primi marescialli dell'Impero fu il frutto di
un vero e proprio colpo di mano, i cui ideatori vanno cercati nel
clan dei Ciano, per l'occasione alleati con Starace. Il 30 marzo
1938 furono discussi in Senato i bilanci dei ministeri militari:
una vuota formalità perché, adducendo motivi di segretezza, il
governo vietava anche quella parvenza di discussione che gli
altri bilanci consentivano, almeno in sede tecnica. Mussolini
pronunciò – e non era nelle regole, il più delle volte intervveniva-
no soltanto i sottosegretari – un discorso ridondante fiducia
nella preparazione bellica italiana. Egli annunciò, senza mezzi
termini, il suo proposito di assumere personalmente il comando

delle Forze Armate, ove l'Italia fosse entrata in guerra. «Nell'Italia fascista il problema del comando unico che tormenta altri paesi – disse – è risolto. Le direttive politico-strategiche della guerra vengono stabilite dal Capo del governo. La loro applicazione è affidata al Capo di Stato Maggiore generale, e agli organi dipendenti. La storia, anche la nostra, ci dimostra che fu sempre fatale il dissidio tra la condotta politica e quella militare della guerra. Nell'Italia del Littorio questo pericolo non esiste. In Italia, come lo fu in Africa, la guerra sarà guidata, agli ordini del Re, da uno solo: da chi vi parla.»

Terminato in un uragano di applausi il discorso, mentre i senatori votavano, il Presidente dell'Assemblea, Federzoni, fu avvertito che Galeazzo Ciano voleva parlargli d'urgenza, al telefono. Nessuno dei vicepresidenti poteva sostituirlo, e Federzoni, che si piccava di essere ligio al regolamento, fece rispondere che non era in grado di muoversi. Ciano lo avvertì allora, tramite un funzionario, che non doveva togliere la seduta, perché era atteso un avvenimento importante, e poco dopo sopraggiunse trafelato per annunciare a Federzoni che la Camera aveva lì per lì approvato – ovviamente per acclamazione – una legge che attribuiva al Re e al Duce il grado inedito di Primo maresciallo dell'Impero. «Bada – aggiunse il ministro degli Esteri, mentendo – che sua Maestà è informato, consente e gradisce. Ti preghiamo di fare approvare in questa seduta la legge, che sarà il coronamento del grande discorso di oggi.» Intanto, proveniente da Montecitorio, si dirigeva verso Palazzo Madama un corteo entusiastico e chiassoso di deputati, guidati dal loro corpulento Presidente Costanzo Ciano e da Starace, che entrarono nel Senato cantando in coro *Giovinezza*. Essi gremirono le tribune, tripudiando, come i *Pétitionnaires* – l'analogia è di Federzoni – nella sala della Convenzione rivoluzionaria francese. Sembra che *in extremis* Vittorio Emanuele III avesse saputo, tramite il suo aiutante di campo, Asinari di Bernezzo, quel che si preparava, e avesse fatto rispondere con un laconico «sta bene».

Quando Costanzo Ciano e Federzoni andarono a informare il Duce – che affettò la solita indifferenza per questo riconoscimento, anche se non è dubbio che all'origine della manovra vi fosse la sua volontà – si sentirono chiedere: «Il Senato ha fatto ogni cosa in regola, non è vero?». «Per quanto è possibile» rispose Federzoni. L'indomani, a mezz'ora di intervallo l'uno dagli altri, Vittorio Emanuele III ricevette prima Mussolini, quindi i due Presidenti delle Assemblee. Con Costanzo Ciano e con Federzoni, ritenendoli, quali in sostanza erano stati, solo dei fantocci manovrati dall'alto, fu cortese e freddo. Lo fu meno con Mussolini. Dell'incontro – anzi dello scontro – Mussolini diede una descrizione giornalisticamente viva al tempo della Repubblica di Salò, nella *Storia di un anno*.

«Dopo la legge del Gran Consiglio (sulla successione dinastica – *N.d.A.*), questa legge è un altro colpo mortale contro le mie prerogative sovrane» proruppe Vittorio Emanuele III con il mento che gli tremava per l'ira. «Io avrei potuto darvi, quale segno della mia ammirazione, qualsiasi grado, ma questa equiparazione mi crea una posizione insostenibile, perché è un'altra patente violazione dello Statuto del Regno.» E dopo qualche cauta obbiezione di Mussolini aggiunse: «Data l'imminenza di una crisi internazionale non voglio aggiungere altra carne al fuoco, ma in altri tempi piuttosto che subire questo affronto, avrei preferito abdicare. Straccerei questa doppia greca».

IL 24 APRILE 1938, a Karlsbad, Konrad Henlein formulò in otto punti le «ragionevoli richieste» che la *Sudetendeutsche Partei*, il Partito tedesco dei Sudeti, presentava al governo di Praga. Henlein non aveva agito di testa sua. Prima di innescare la crisi che avrebbe portato al Patto di Monaco, il Führer dei Sudeti aveva ricevuto particolareggiate istruzioni da Ribbentrop, con l'intesa che da quel momento in poi ogni sua azione sarebbe stata diretta dal ministro di Germania nella capitale cecoslovacca, e coordinata strettamente con il governo di Berlino.

La Cecoslovacchia era uno Stato multinazionale che aveva nei cechi e negli slovacchi (nove milioni e mezzo) il suo nerbo, ma contava cinque milioni di appartenenti alle minoranze tedesche, rutene, magiare, polacche. Tra esse la tedesca, con i suoi tre milioni e mezzo di Sudeti – come appunto si chiamavano –, era di gran lunga la più consistente: ed era sorretta dalla potenza del Terzo Reich. Alla Conferenza di Versailles era stato assicurato che il nuovo Stato avrebbe creato un sistema cantonale, sull'esempio della Svizzera. Quei progetti non ebbero esecuzione, e solo tardivamente, sotto l'urgenza delle minacce hitleriane, il Presidente cecoslovacco Edward Beneš si affannò a garantire che l'assetto del Paese avrebbe meglio rispettato, in futuro, le autonomie etniche. È comunque molto dubbio che concessioni più sollecite avrebbero potuto frenare lo slancio nazista verso lo «spazio vitale» all'Est.

Queste le richieste di Henlein: 1) piena eguaglianza tra tedeschi e cechi, ossia abbandono della concezione secondo la quale esisteva un Stato cecoslovacco con una minoranza tedesca; 2) riconoscimento del gruppo dei «Sudeti di razza germanica» come persona giuridica; 3) determinazione dell'area germanica in Cecoslovacchia e riconoscimento legale dei suoi confini; 4) all'interno di quest'area, piena autonomia in ogni settore della vita pubblica; 5) garanzie per i tedeschi residenti fuori di quest'area; 6) eliminazione «di tutte le ingiustizie commesse contro i tedeschi dei Sudeti a partire dal 1918» e riparazione dei danni da essi sofferti; 7) riconoscimento del principio che tutti i funzionari dei distretti tedeschi avrebbero dovuto essere tedeschi; 8) piena libertà per i tedeschi di proclamare il loro germanesimo e la loro adesione alla «ideologia dei tedeschi ispirata ai principi e agli ideali del nazionalsocialismo», con la conseguenza che il governo di Praga avrebbe dovuto procedere a una revisione totale della politica estera «fino a quel momento allineata con i nemici del popolo germanico». Il governo di Praga rifiutò di discutere quella piattaforma che presupponeva in sostanza l'inserimento di uno Stato tedesco e nazista nel corpo stesso dello Stato cecoslovacco.

Sulla carta, la Cecoslovacchia godeva di una tutela internazionale vasta e solida. La proteggeva, ed era il meno, la carta della Società delle Nazioni, che però era servita ben poco sia alla Cina, sia all'Etiopia, sia all'Austria. Con la Germania aveva firmato, nel 1928, il patto Briand-Kellog, che escludeva il ricorso alla guerra «quale strumento politico». Era vincolata da trattati di mutua assistenza alla Francia e all'Unione Sovietica. Aveva la garanzia di un aiuto, in caso di emergenza, dagli altri Paesi firmatari della Piccola Intesa. Il suo esercito era buono, le sue fortificazioni rivolte ad ovest, proprio nella zona dei Sudeti, poderose. Mancava, in questa elaborata costruzione, quando Hitler cominciò a concretare le sue minacce, l'elemento decisivo: la volontà degli alleati della Cecoslovacchia di fare la guerra per difenderne l'integrità territoriale. A questa rinuncia contribuì in modo determinante la Gran Bretagna, che aveva sempre limitato la sua più immediata sfera di interessi al Reno, ma che, per l'occasione, premette sulla Francia – che non chiedeva di meglio – perché acconsentisse, fin dall'inizio, all'idea di un compromesso. La storia ha messo sul banco degli imputati, per la politica che fu detta di *appeasement*, di pacificazione, Neville Chamberlain, *premier* inglese, il suo ministro degli Esteri, lord Edward Halifax, e il Capo del governo francese, Daladier. Ma forse, rivista nella prospettiva del tempo, la condanna appare troppo severa.

Chamberlain fu miope, forse, impari probabilmente all'ora tragica che si approssimava, e che un Churchill avrebbe affrontata con ben altra risolutezza. Ma tutt'altro che una nullità. Il Primo ministro francese, Edouard Daladier, che fu l'altro protagonista di Monaco, nello schieramento delle democrazie occidentali, non nutriva le illusioni del suo collega inglese. Mentre Chamberlain navigò, in quella tempesta, lungo una rotta sbagliata ma impugnando saldamente il timone, Daladier andò alla deriva, incerto, sfiduciato, e in più di un momento inutilmente profetico, con il suo buonsenso contadinesco. Cinquantacinquenne, radicalsocialista, per il suo aspetto greve e per una certa sua massiccia irruenza comiziesca lo chiamavano «il toro di Vaucluse». Ma era un toro perplesso. Galantuomo, avvertì amaramente l'umiliazione disonorevole che la Francia avrebbe subito abbandonando al suo destino la Cecoslovacchia amica e alleata. Ma fu sempre piegato dalla volontà di Chamberlain.

A distanza di poche settimane dall'annuncio degli otto punti di Karlsbad, Henlein dichiarò drammaticamente che ogni trattativa con il governo di Praga era impossibile, e partì per la Germania; a sua volta Beneš riunì il governo che ordinò la mobilitazione di una classe di riservisti e di alcune migliaia di specialisti. La morte di due dirigenti della SdP che trasportavano, in motocicletta, materiale di propaganda, e che erano stati uccisi dai gendarmi non avendo obbedito alla intimazione di alt, offrì un classico *casus belli*. L'Europa trattenne il fiato, e lord Halifax comunicò all'ambasciatore tedesco a Londra che da una guerra tedesco-cecoslovacca sarebbe derivato probabilmente un conflitto tra Germania e Francia, e poi tra Germania e Inghilterra. A sua volta, Daladier mostrò all'ambasciatore tedesco a Parigi l'ordine di mobilitazione che aveva pronto sul suo tavolo dicendo «dipende da voi che io lo firmi o no». L'Unione Sovietica si dichiarò pronta a reagire. Hitler, stupefatto da questa dimostrazione di energia, assicurò Mastny, ambasciatore ceco a Berlino, che non aveva propositi aggressivi, e poi si isolò cupo per una settimana, in meditazione febbrile: terminata la quale, decise che la questione dei Sudeti doveva essere risolta entro l'anno.

Diede perciò incarico a Keitel di perfezionare i piani di quella «Operazione verde», appunto contro la Cecoslovacchia, che era già stata studiata, e di cominciare nel contempo la costruzione della linea Sigfrido a difesa del confine occidentale. Gli era stata imposta una battuta d'arresto, ma i suoi programmi generali non cambiavano. Henlein, autorizzato da Hitler, ebbe una serie di incontri con il *premier* cecoslovacco Milan Hodza, capo del partito agrario: ma fu presto chiaro che tra i punti di Karlsbad, quali venivano intesi dal luogotenente di Hitler, e l'autonomia proposta da Praga correva una distanza invalicabile.

Comunque a Hitler l'autonomia e il programma di Karlsbad non interessavano. Voleva che le sue truppe varcassero il confine. Infatti il partito di Henlein e la Cancelleria a Berlino furono presi dal panico quando, il 4 settembre, Beneš, pressato da Londra e da Parigi perché si dimostrasse comprensivo, e allarmato dall'intensificarsi dei preparativi militari tedeschi, ricevette i delegati della SdP e disse loro: «Dettate le clausole dell'autonomia, e io firmerò tutto». Firmò infatti, da solo, sotto dettatura, una serie di concessioni che coincideva quasi completamente con gli otto punti di Karlsbad. Con quel documento in mano, un Henlein angosciato si precipitò a Norimberga, dove era in corso il Congresso nazista, per riferire a Hitler. Che fu, nel suo discorso, sprezzante e minaccioso verso i cecoslovacchi, ma si astenne dall'indicare un termine ultimativo.

Parve a quel punto a Chamberlain che fosse venuta l'ora di attuare il piano Z, tenuto rigorosamente segreto tranne che a pochissimi collaboratori, sul quale stava meditando da giorni. «Ho pensato – scrisse il *premier* a lord Walter Runciman, suo inviato a Praga – a un passo drammatico e improvviso che può cambiare l'intera situazione... Io potrei informare Hitler che posso andare subito in Germania per incontrarlo. Se acconsente, e sarebbe difficile per lui rifiutare, potrei sperare di persuaderlo che gli si offre una impareggiabile opportunità di aumentare il suo prestigio e di realizzare gli obbiettivi che ha enunciato.» La sera del 14 settembre la Bbc annunciò il viaggio di Chamberlain – fino a quel momento assai riluttante a servirsi dell'aereo – a Berchtesgaden, dove sarebbe stato accolto da Hitler nel «nido dell'aquila».

Mai un uomo che, come tanti storici hanno affermato, prese una decisione rovinosa, fu più entusiasticamente osannato per averla presa. Chamberlain ricevette solo elogi e incoraggiamenti. In realtà il dialogo – come capitava con tutti gli interlocutori di

Hitler – fu un monologo, il cui senso può essere così riassunto: Hitler disse che se il governo inglese gli avesse garantito di accettare il principio della autodeterminazione, si sarebbe poi potuto discutere sulle sue modalità. In caso contrario ogni negoziato era inutile. Non si trattava più di autonomia: si trattava di indire un plebiscito che avrebbe sanzionato l'annessione dei Sudeti alla Germania. Da quel momento in poi il problema, per gli amici della Cecoslovacchia, fu soltanto quello di limitare le richieste di Hitler, ma più ancora quello di indurre Praga ad accettarle.

Il 16 settembre, dopo che Chamberlain si fu consultato a Londra con Daladier, nacque il «piano anglo-francese» che prevedeva il passaggio alla Germania di tutti i territori cecoslovacchi con oltre il cinquanta per cento di tedeschi. In compenso Francia e Gran Bretagna avrebbero garantito le nuove frontiere. Beneš si trovò di fronte a un dilemma perentorio. O aderiva al piano, o restava solo, e si piegò. Con questo viatico Chamberlain intraprese il 22 settembre il viaggio per un secondo incontro con il Führer. Era soddisfatto. In fin dei conti portava con sé il pieno accoglimento delle pretese tedesche.

Ma l'appetito di Hitler pareva insaziabile. A tarda sera del 23 settembre Chamberlain ricevette un documento che fissava una data per la evacuazione del territorio dei Sudeti. I cechi dovevano iniziare lo sgombero la mattina del 26 settembre e completarlo entro il 28. «È un *ultimatum*» protestò il *premier*. «Niente affatto – disse Hitler, umorista senza saperlo, probabilmente – non è un *diktat*: come lei vede c'è scritto *memorandum*.» Anche per il paziente Chamberlain questo era troppo. Ripeté a Hitler – e delle sue parole riferì più tardi alla Camera dei Comuni – che quello era un *ultimatum* bello e buono, lo ammonì sulle terribili conseguenze di una guerra, se la guerra fosse scoppiata, gli rimproverò di non «avere assecondato in alcun modo i miei sforzi per assicurare la pace». Dovette essere energico, perché Hitler rese più elastica la scadenza dell'*ultimatum*, e garantì che «non desiderava avere altri popoli oltre al tedesco nell'interno del Reich». Mentre il *premier* rientrava a Londra, la situazione precipitava. La Francia decretava la mobilitazione parziale. A Praga, ove il generale Syrovy aveva sostituito Hodza come Capo del governo, negozi e fabbriche erano chiusi, e gravava sulla città un'atmosfera luttuosa. Polacchi e magiari avanzavano le loro rivendicazioni in vista dello smembramento della Cecoslovacchia.

Il 25 settembre, al Palazzo dello Sport di Berlino, Hitler pronunciò un altro discorso, garantendo che i Sudeti erano «l'ultima pretesa territoriale tedesca in Europa», ma aggiungendo che se «codesto Beneš» non se ne fosse andato dal territorio dei Sudeti entro il 1° ottobre la Germania vi sarebbe penetrata, e in testa a tutti egli stesso, quale primo soldato del Reich. Hitler ebbe parole elogiative per Chamberlain e ammirative per Mussolini che dimostrava «comprensione per le sofferenze del nostro popolo». Hitler aveva ragione di compiacersi della solidarietà italiana, che appariva totale. Ciano annotava nel suo *Diario* che «il Duce e io, pur non spingendo la Germania al conflitto, non abbiamo fatto niente per trattenerla», e il 26 settembre, in vista dell'irreparabile, si limitava a commentare: «È la guerra. Dio protegga l'Italia e il Duce».

Il 27 settembre Hitler rinnovò il suo *ultimatum* questa volta in termini inequivocabili. Entro le quattordici del 28 il governo cecoslovacco doveva accettare integralmente le condizioni tedesche, ossia la evacuazione immediata del territorio dei Sudeti. In caso contrario la Wehrmacht avrebbe agito. La Gran Bretagna dichiarò lo stato di emergenza, mobilitò la flotta, richiamò in servizio le forze aeree ausiliarie. Quella sera Chamberlain decise di preparare il suo popolo al peggio con un discorso per radio, mentre già venivano apprestati i rifugi antiaerei.

Ma proprio quella sera, prima che Chamberlain si coricasse, gli fu comunicata una lettera «urgente e importante» di Hitler. In sostanza il dittatore tedesco pregava Chamberlain di continuare a mediare per «far fallire le manovre di Praga» e «indurre i cechi alla ragione». Si apriva uno spiraglio insperato. Ma quale poteva essere, dopo il fallimento di Godesberg, una nuova via di negoziato? Solo una, rifletté il *premier*: quella già da lui rimuginata in precedenza, di una conferenza dei quattro grandi europei: lui, Daladier, Hitler, Mussolini, in funzione di arbitri del destino della Cecoslovacchia.

Subito la notizia fu comunicata a Daladier e Bonnet, che ne furono entusiasti (specialmente Bonnet). La mattina successiva, 28 settembre, alle dieci, l'ambasciatore Perth chiese udienza a Ciano e gli illustrò la proposta di Chamberlain. Ciano si precipitò a Palazzo Venezia, per ragguagliare il Duce. Questi assentì, e immediatamente telefonò all'ambasciatore Attolico, a Berlino, le sue istruzioni: «Andate subito dal Führer e, premesso che in ogni evenienza sarò al suo fianco, ditegli che lo consiglio di dilazionare di 24 ore l'inizio delle ostilità. Nel frattempo mi riservo di studiare quanto potrà essere fatto per risolvere il problema». Nel primo pomeriggio Attolico fece sapere che Hitler era d'accordo.

ALLE SEI DEL POMERIGGIO (28 settembre 1938) il treno speciale che avrebbe portato Mussolini e la delegazione italiana a Monaco di Baviera partì dalla stazione Termini. Chamberlain era partito di prima mattina, in aereo, dall'aeroporto di Heston: a mezzogiorno atterrò a Monaco, accolto da von Ribbentrop e subito condotto all'appuntamento con gli altri «grandi». Poco prima era infatti giunto, anche lui in aereo, Daladier, scortato dal segretario generale del Quai d'Orsay, Aléxis Léger. Bonnet non era con lui. Né Chamberlain né Daladier parvero far caso alla circostanza, non trascurabile, che nella Conferenza cui era affidato il compito di decidere i destini della Cecoslovacchia nessun rappresentante cecoslovacco avrebbe fatto ascoltare la voce del suo Paese.

L'edificio in cui la Conferenza si svolse, la *Führerbau*, o casa del Führer, era uno dei due in cui era stato insediato, a Monaco, il Quartier generale del Partito nazista. Per le discussioni era stato scelto l'ufficio privato di Hitler – l'*Arbeitszimmer* – un'ampia stanza rettangolare con un camino in un angolo e accanto ad esso un tavolino rotondo, attorno al quale erano state disposte delle poltrone e un divano. I funzionari del Foreign Office furono scandalizzati dalla mancanza di matite, cartelle e blocchi di carta per appunti.

Hitler prese subito la parola, ma, se è facile immaginare la sostanza di ciò che disse, più difficile è stabilirne, a distanza di decenni, il tono. Secondo Chamberlain (che ne informò successivamente la sorella in una lettera) il tono del Führer fu così moderato «che io ne ebbi un immediato sollievo». Secondo Daladier quello fu un «tremendo discorso», carico di rabbia e di accuse ai cechi. Certo è che egli lamentò le «persecuzioni barbariche» alle quali i tedeschi dei Sudeti erano esposti, dichiarò che 240 mila profughi si erano aggiunti, dopo il suo ultimo incontro con Chamberlain, a quelli già scappati in Germania, spiegò che aveva pazientato ulteriormente solo per le pressioni del suo amico Mussolini, ma che voleva ottenere giustizia per i connazionali oppressi. Daladier, stando alla versione da lui lasciata, replicò dicendo che se Hitler voleva puramente e semplicemente distruggere la Cecoslovacchia, annettendola, la Conferenza non aveva scopo. A quel punto Mussolini ebbe la prima opportunità di esercitare la sua opera di mediatore. Quello scontro, spiegò con una certa concitazione, era frutto di un malinteso. E Hitler acconsentì a moderare il suo tono. Il Duce aveva sugli altri partecipanti il vantaggio di parlare e capire bene il francese, e passabilmente il tedesco. Hitler, Daladier e Chamberlain non se la cavavano in alcuna lingua, all'infuori della loro.

Per Mussolini era arrivato il momento di mettere sul tavolo, con magistrale colpo di scena, una proposta risolutiva. Da una tasca dell'uniforme egli trasse un foglietto di carta nel quale erano fissati alcuni punti. La prima clausola di quello schema prescriveva che la evacuazione dei territori da cedere alla Germania cominciasse il 1° ottobre. La seconda prevedeva che «le potenze garanti, Inghilterra, Francia e Italia, garantiscono alla Germania che la evacuazione sarà completata entro il 10 ottobre, e che nel frattempo non avverranno distruzioni di installazioni esistenti». Il piano di Mussolini era in realtà un piano tedesco, presentato ora come iniziativa italiana. L'interprete Schmidt, che si destreggiava male con l'italiano, aveva avuto un momento di panico quando il Duce aveva cominciato a leggere il documento. Ma si era poi immediatamente rassicurato riconoscendo in esso il testo che ventiquattro ore prima aveva tradotto in francese, per farlo recapitare a Roma. Gli fu pertanto agevole raccapezzarvisi.

Chamberlain e Daladier accettarono la proposta di Mussolini come base di discussione. Ma il *premier* inglese obbiettò, ragionevolmente, che l'accordo doveva pur avere la approvazione dei cechi. Senza un loro assenso lo sforzo per risolvere la crisi pacificamente poteva fallire. Questa richiesta di Chamberlain mandò su tutte le furie Hitler, e provocò una sua nuova filippica contro i cecoslovacchi. Finalmente venne decisa una sospensione.

Quando la Conferenza riprese fu reso noto che due rappresentanti, o piuttosto «osservatori» cecoslovacchi, erano in volo da Praga. Essi, fu concordato, avrebbero potuto soltanto dare suggerimenti e informazioni a Chamberlain e a Daladier. I due, Hubert Masaryk, capo di gabinetto del ministro degli Esteri Krofta, e Vojtech Mastny, ministro di Cecoslovacchia a Berlino, furono accolti all'aeroporto da una scorta di SS, condotti all'hotel Regina Palace, dove era anche il Quartier generale della delegazione britannica, e praticamente confinati nelle loro stanze.

All'ora di cena, Hitler era fuori dalla grazia di Dio perché gli scambi di opinioni, i *memorandum*, le traduzioni si accavallavano, senza che apparisse imminente la conclusione. I nazisti avevano previsto un solenne banchetto di Stato. Ma, quando la seconda interruzione divenne inevitabile, anche per concedere un po' di respiro ai partecipanti, inglesi e francesi declinarono l'invito.

Poi la Conferenza fu riavviata, ormai stancamente, in un incrociarsi di documenti e traduzioni così disordinato che, ad un certo punto, Daladier, insofferente, volle tornare all'albergo delle Quattro Stagioni, per aspettare là il momento finale. Sir Horace Wilson, che accompagnava Chamberlain, ebbe, alle dieci di sera, il tempo di vedere Masaryk e Mastny per dir loro che bisognava accettare il documento in preparazione. Tuttavia Chamberlain, ancora ottimista a oltranza, ritenne d'avere ottenuto un successo quando strappò a Hitler l'invito per un incontro a quattr'occhi, il mattino successivo, nell'appartamento privato del Führer.

All'una di notte, finalmente, i testi in quattro lingue del patto erano pronti per la firma. Gli otto articoli del documento prescrivevano che dal 1° ottobre i cecoslovacchi iniziassero la evacuazione del territorio dei Sudeti e la completassero entro il 10 ottobre. Una commissione internazionale includente, oltre ai rappresentanti dei quattro, anche quelli cecoslovacchi, avrebbe regolato le modalità della evacuazione, riguardante i territori «a carattere prevalentemente tedesco». In determinati territori la cui delimitazione sarebbe spettata alla commissione internazionale, doveva essere tenuto un plebiscito.

Quella stessa notte Chamberlain e Daladier assolsero la sgradevole incombenza di notificare ai cechi il contenuto dell'accordo. Masaryk e Mastny obbiettarono invano. Quando chiesero se fosse necessario un assenso del loro governo ottennero, per tutta risposta, occhiate imbarazzate. Francesi e inglesi davano per scontato che l'indomani i delegati cechi raggiungessero, a Berlino, gli altri componenti designati della istituenda commissione di controllo. Quest'incontro malinconico avveniva nella *suite* di Chamberlain, che cascava dal sonno, e a un certo punto congedò amabilmente ma perentoriamente i presenti. La Cecoslovacchia del 1918 aveva finito di esistere, e nel volgere di pochi mesi avrebbe finito di esistere anche la Cecoslovacchia mutilata di Monaco. Poco dopo mezzogiorno del 30 settembre il Presidente Beneš annunciò l'accettazione di un accordo «preso senza di noi e contro di noi».

Mentre i cechi bevevano fino alla feccia l'amaro calice, i

«grandi ospiti» se ne andavano, lasciando un clima di euforia in Germania, e ritrovandolo a casa loro. Daladier rimase esterrefatto dalle accoglienze trionfali dei parigini. Chamberlain rientrava a Londra con un raccolto politico che poteva sembrare eccezionale, e che tale fu giudicato da quasi tutti, a cominciare da Re Giorgio VI che lo invitò a recarsi subito a Buckingham Palace perché voleva esprimergli le più fervide congratulazioni. Il «vecchio buon Neville» portava agli inglesi la «pace per il nostro tempo», la «pace con onore» (ma già qualcuno parlava di disonore senza pace).

Benito Mussolini aveva lasciato Monaco in treno, accompagnato alla stazione, in segno di deferenza, da Hitler. Valicato il Brennero, la intensità delle manifestazioni che accompagnarono il viaggio lo impressionò, suscitando in lui sentimenti contrastanti. Da una parte si compiaceva di questa ondata travolgente di popolarità, da un'altra ne era indispettito, perché capiva che essa testimoniava il profondo desiderio di pace del popolo italiano: quel popolo italiano che egli avrebbe voluto sempre ansioso di combattere e vincere. Alla stazione di Firenze Vittorio Emanuele III, che era a San Rossore, volle, come Giorgio VI con Chamberlain, complimentare il brillante mediatore di Monaco.

LE LEGGI RAZZIALI DEL 1938 furono motivo di sgomento per gli ebrei e di indignazione per la stragrande maggioranza degli altri italiani. Ne apparve chiara, immediatamente, la estraneità non soltanto alla storia del Paese, ma alla storia stessa del fascismo. Vennero intese come un prodotto di importazione e come il frutto peggiore dell'adeguamento mussoliniano alla «moda» tedesca.

L'idea razzista era stata in Italia, per lungo tempo, il patrimonio di pochi, inascoltati, e per lo più disprezzati profeti, e almeno fino al 1936 Mussolini l'aveva respinta. Un censimento del 1938 registrava la presenza in Italia di 47 mila ebrei, l'uno per mille della popolazione. Per oltre la metà erano concentrati in tre città: Roma, Milano, Trieste. Si era ben lontani da situazioni come quella polacca o austriaca – la Vienna del 1935 contava 176 mila ebrei – né avvennero mai nell'Italia del Novecento tentativi o tentazioni di *pogrom*. Più degli ebrei di ogni altra nazione europea, quelli italiani avevano tendenze a sposare persone di altra religione. I matrimoni omogenei erano circa la metà del totale.

Tra i sansepolcristi – molti dei quali del resto rifluirono presto verso l'opposizione – vi furono almeno cinque ebrei. Tre ebrei furono elencati tra i caduti della Rivoluzione. Ebrea era Margherita Sarfatti, amante di Mussolini, che diresse la sua rivista *Gerarchia*. Nei due anni d'incubazione della presa di potere il Capo del fascismo espresse, sugli ebrei e sull'antisemitismo, due tesi diametralmente opposte: a testimonianza non solo del suo spregiudicato pragmatismo, ma anche della mancanza, in lui, di un radicato pregiudizio antisemita.

Nei primi anni dopo la Marcia su Roma, Mussolini dedicò agli ebrei la poca attenzione meritata da un problema che non era un problema. Un ebreo, Aldo Finzi, dannunziano, squadrista, fu nominato sottosegretario agli Interni, e un altro ebreo, il prefetto Dante Almansi, fu vicecapo della Polizia, sotto De Bono. Senza dubbio nel quotidiano di Farinacci, *Cremona Nuova*, in pubblicazioni minori, a volte anche in articoli di giornali autorevoli e di larga diffusione, è possibile rintracciare spunti antiebraici. Mai però si ebbe, in quel periodo, l'impressione che una spinta in tal senso venisse dal vertice del fascismo. Si trattava di iniziative o malumori individuali, che raramente avevano una coerenza ideologica.

Quella coerenza ebbe invece, è innegabile, l'azione di Giovanni Preziosi, un prete spretato di origine campana (era nato nel 1881 a Torrella dei Lombardi, in provincia di Avellino), che era stato nazionalista e interventista. Nel 1917 aveva promosso con Maffeo Pantaleoni un «fascio parlamentare di difesa nazionale». Sulla sua rivista *La vita italiana* elaborò le linee di un antisemitismo che, dapprima rivolto contro le centrali ebraiche di potere economico, assunse successivamente i caratteri del razzismo più intransigente, in perfetta consonanza con le tesi naziste. Hitler stesso, con un articolo firmato «un bavarese», collaborò alla rivista. Il contenuto dell'articolo parve così oltranzista, anche all'oltranzista Preziosi, da indurlo a una nota redazionale che prendeva le distanze da alcune sue conclusioni. Ben presto, comunque, l'antisemitismo di Preziosi ricalcò tutte le argomentazioni naziste sulla «congiura mondiale» dell'ebraismo, attingendo largamente, per convalidare le sue tesi, a quel grossolano falso, che porta il nome di *Protocolli dei Savi Anziani di Sion*.

In effetti la prima avvisaglia di un diverso clima per gli ebrei non li riguardò direttamente, come cittadini italiani: riguardò invece il sionismo, con il quale il fascismo arrivò a una totale rottura prima che i provvedimenti razziali prendessero forma. Agli inizi del 1937 l'antisionismo cominciò tuttavia a colorarsi di antisemitismo di tipo razzista, sull'esempio tedesco. Un *pamphlet* di Paolo Orano, *Gli ebrei in Italia*, forse non scritto su commissione ma non disapprovato e tanto meno censurato *in alto loco*, deplorava con tono pacato ma con sostanza minacciosa la tendenza degli ebrei a sottolineare la loro peculiarità, a separarsi, nei meriti patriottici o culturali o sportivi, dagli altri cittadini. «Per le comunità è arrivato il giorno del *redde rationem*» ammoniva Orano. Se questa pubblicazione fosse rimasta in penombra, come le altre di tono analogo che l'avevano preceduta, la sua importanza sarebbe stata scarsa. Ma l'ampiezza, il rilievo, l'autorevolezza delle recensioni che le furono dedicate sui più importanti giornali, e non casualmente di certo, lasciarono capire che Orano non aveva parlato per sé solo. Il *Corriere della Sera*, pur senza infierire, addebitò agli ebrei molti errori, *La Stampa*, più aspra, scrisse che «se lo Stato fascista è totalitario non può ammettere che un gruppo privilegiato di cittadini, al coperto da leggi speciali, compia, sotto il pretesto della beneficenza e del collegamento culturale coll'estero, veri atti di politica estera ispirandosi non agli interessi italiani ma a quelli dell'ebraismo mondiale». Finché, a trasformare in allarme acuto la preoccupazione degli ebrei, arrivò una recensione del *Popolo d'Italia* che, con un interrogativo retorico di stampo classicamente mussoliniano, dopo aver spiegato che era sorto un problema nuovo nel cuore del Paese, così si esprimeva: «Si considerano, essi, ebrei in Italia oppure ebrei d'Italia? Si sentono ospiti del nostro Paese, oppure parte integrante della popolazione?». Era il prologo dell'offensiva.

Nel 1938, dopo tanto altalenare, il fascismo decise la persecuzione razziale. Indottrinata dal Minculpop la stampa – ora anche la grande stampa, non soltanto *La difesa della razza* di Telesio Interlandi o il *Tevere*, con le loro pretese pseudo-scientifiche – iniziò un tambureggiamento propagandistico contro gli ebrei, provvedendo nel contempo a sopprimere ogni notizia che agli ebrei stessi fosse favorevole: dei loro meriti di combattenti, di uomini di cultura, di scienziati, non si parlò più. Alcuni studiosi, tra i quali figurava un solo nome di rilievo, quello dell'endocrinologo Nicola Pende, accettarono di elaborare un *Manifesto degli scienziati razzisti* nel quale si asseriva che «le razze umane esistono», che «ve ne sono di grandi e di piccole», che «la popolazione dell'Italia attuale è di origine ariana», che «esiste una pura razza ariana», che i caratteri fisici e psicologici puramente europei degli italiani «non debbono essere alterati in alcun modo». Il 3 settembre 1938 l'Accademia d'Italia costituì una commissione di suoi membri (nella quale furono inclusi uomini del valore di Paribeni e Tucci), per studiare «quali furono attraverso i secoli le manifestazioni e i riflessi dell'ebraismo nella vita d'Italia dai tempi di Roma antica a oggi»: commissione i cui studi furono illustrati il 20 novembre, in Campidoglio, presente Vittorio Emanuele III.

Prima della seduta del Gran Consiglio che tracciò le linee della legislazione razziale, il Duce saggiò gli umori del Re e del Partito. Presso Vittorio Emanuele III non incontrò una vera opposizione, ma solo blande richieste di ammorbidimento di questo o quel punto, e di più larghe discriminazioni nei riguardi di ex-combattenti e ufficiali.

Nella gerarchia fascista un solo uomo contrastò con vigore i procedimenti antisemiti, e fu Italo Balbo. Egli fu tenace, e coraggioso in questa azione: e riuscì ad ottenere qualche emendamento nelle misure persecutorie. Avverso alle leggi razziali fu anche il quadrumviro De Bono, probabilmente non per simpatia per gli ebrei, o per scrupoli umanitari, ma semplicemente perché gli pareva che l'improvviso zelo antisemita del Regime fosse malaccorto e sospetto. Il caso umano e politico più singolare, nella classe dirigente fascista, fu quello di Bottai: volta a volta fedelissimo e dissenziente, moderato e oltranzista, secondo gli itinerari suggeriti dalle sue teorizzazioni tormentate, stavolta si distinse – si fa per dire – nell'accanimento antiebraico. Bottai raccomandò che *La difesa della razza* fosse letta e chiosata nelle biblioteche universitarie, stabilì che la «coscienza razzista» fosse gradualmente formata nelle scuole, dispose la sostituzione dei libri di testo di autori ebrei, ordinò ai provveditori di escludere gli ebrei da ogni incarico o supplenza.

Nella notte tra il 6 e il 7 ottobre 1938 il Gran Consiglio approvò una dichiarazione che, scagliati i consueti fulmini contro l'ebraismo mondiale, stabiliva anzitutto il divieto di matrimoni di italiani e italiane «con elementi appartenenti alle razze camita, semita, e altre razze non ariane» e inoltre il divieto, per i dipendenti pubblici (sottinteso uomini) di sposare straniere «di qualsiasi razza». Veniva poi disposto il divieto all'ingresso di ebrei stranieri, e l'espulsione di quegli ebrei stranieri che non avessero superato i 65 anni. Quanto agli ebrei italiani il Gran Consiglio stabiliva anzitutto che fossero considerati ebrei i figli di genitori entrambi ebrei, oppure di padre ebreo e madre straniera, o coloro che essendo nati da un matrimonio misto professassero la religione ebraica. Erano discriminati gli appartenenti a famiglie di caduti in guerra o per la causa fascista, a famiglie di volontari di guerra, a famiglie di combattenti insigniti della croce di guerra, a famiglie di fascisti iscritti al Pnf dal '19 al '22 o nel secondo semestre del '24 (ossia dopo il delitto Matteotti), infine gli appartenenti a famiglie «aventi eccezionali benemerenze che saranno accertate da apposita commissione». Per gli ebrei non discriminati il Gran Consiglio prescriveva che non potessero essere iscritti al Pnf né possedere o dirigere aziende che impiegavano più di cento persone, né essere possessori di oltre cinquanta ettari di terreno, né prestare servizio militare in pace e in guerra. «L'esercizio delle professioni – annunziava il comunicato – sarà oggetto di ulteriori provvedimenti.»

Il 10 novembre 1938 un decreto legge ricalcò, con qualche modifica, le disposizioni del Gran Consiglio, tra l'altro disponendo che potesse essere privato della patria potestà quel genitore ebreo che ai figli non ebrei impartisse una educazione «non corrispondente ai loro principi religiosi e ai fini nazionali», e disponendo ancora che un ebreo non potesse avere domestici ariani. La parte più traumatica della legge riguardava l'impiego degli ebrei nella amministrazione pubblica. Essi erano esclusi da tutte le branche, centrali e locali, della amministrazione, compresi gli enti parastatali e le aziende municipalizzate, dalle amministrazioni di «aziende connesse o direttamente dipendenti dagli enti di cui alla precedente lettera», dalle banche di interesse nazionale, dalle compagnie di assicurazione, benché private. In ossequio a queste norme 96 professori universitari, 174 professori di scuola media e 195 liberi docenti dovettero immediatamente lasciare, all'inizio dell'anno scolastico, l'insegnamento. L'Ufficio demografico presso il ministero dell'Interno era stato intanto trasformato in Direzione generale per la Demografia e Razza, in gergo Demorazza.

La promulgazione delle leggi razziali provocò attriti tra il fascismo e Pio XI che – prossimo ormai alla morte, avvenuta nel febbraio del 1939 – tentò di attenuare almeno la portata di talune disposizioni. Il Papa era stato esplicito – con la *Mit brennender Sorge* di un anno prima – nel condannare il razzismo hitleriano: che aveva tuttavia connotazioni diverse da quello fascista, faceva riferimento solo al fattore biologico, e non teneva affatto in conto la religione. Emanate le leggi, la Santa Sede protestò ufficialmente, ma si guardò bene dal denunciare i Patti Lateranensi. La deplorazione di Pio XI fu tuttavia esplicita: «L'antisemitismo è inammissibile. Noi siamo spiritualmente dei semiti».

Nella versione della stampa fascista – ossia di tutta la stampa quotidiana – il popolo italiano esultò per i provvedimenti razziali. Era vero esattamente il contrario. Verso gli ebrei si accentuava un moto di simpatia anche in chi non ne aveva avuta in precedenza. Vi furono, naturalmente, sciacalli che strumentalizzarono le difficoltà dei perseguitati promettendo e magari assicurando discriminazioni a pagamento. La gente fu in complesso solidale con le vittime delle leggi razziali. Le autorità locali applicarono in generale con il massimo possibile di comprensione le misure vessatorie, mitigando le disposizioni di Demorazza, che erano invece intransigenti, e che spesso peggiorarono, nelle circolari di applicazione, le leggi. Ma gli ebrei erano irrimediabilmente cittadini di serie B, e soffrirono per questa degradazione sociale, che si rifletteva in mille piccole o meno piccole angherie. Poiché un ebreo non poteva avere al suo servizio personale ariano, l'illustre matematico Levi-Civita morì in condizioni di abbandono, senza una infermiera che lo accudisse.

La più alta e tragica protesta contro l'odiosa persecuzione fu espressa dall'editore Angelo Formiggini con il suicidio. Era, Formiggini, un editore intelligente e sofisticato. Gli piaceva autodefinirsi, ha ricordato Geno Pampaloni, dilettante, e bizzarro. La sua collana più nota e più personale fu quella dei «Classici del ridere»: ma pubblicò anche, tra le «Medaglie», un *Albertini* di Alvaro e un *Mussolini* di Prezzolini. Approvate le leggi razziali «liquidò la casa editrice (citiamo ancora da Pampaloni), dispose che le carte familiari, la preziosa raccolta di testi dell'umorismo di tutti i tempi, tutte le opere da lui pubblicate e tutta la documentazione dell'attività editoriale fossero conservate nella biblioteca estense della sua Modena». Scrisse alla moglie una lettera che aveva il valore di un testamento spirituale. Quindi acquistò un biglietto di sola andata da Roma (dove ormai abitava) a Modena, e vestito inappuntabilmente, come per una cerimonia, si gettò nel vuoto dalla Ghirlandina, l'altissima torre che domina la città. Con l'eleganza che lo distingueva, Achille Starace dedicò a Formiggini questo epitaffio: «È morto proprio come un ebreo: si è buttato da una torre per risparmiare un colpo di pistola».

La lotta alle leggi razziali fu l'ultima pagina, alta e nobile, del pontificato di Papa Ratti. Il 10 febbraio di quel fatale anno 1939 Pio XI morì, e anche questo fu considerato a posteriori un evento fatale. Nonostante gli ottantadue anni suonati, sino a pochi giorni prima era apparso pieno di vigore, e correva voce che per il giorno 11, decimo anniversario dei Patti Lateranensi il Papa, che allora aveva definito il Duce «l'uomo della Provvidenza», avesse già preparato un discorso «esplosivo» di denuncia del nazismo, e quindi anche, di riflesso, del fascismo. Il Conclave fu rapido e, da quel che se ne sa, poco combattuto, sia perché le tensioni internazionali non consentivano vuoti di potere al vertice della Chiesa, sia perché il successore Eugenio Pacelli, che prese il nome di Pio XII, era già designato.

Eugenio Pacelli recava ben visibili, perfino nel fisico, le connotazioni della società da cui proveniva: quell'agiata borghesia romana comunemente chiamata «generone» che, grazie alla sua familiarità con la Curia, cui da secoli forniva personale religioso e laico, aveva finito per identificarvisi. Nato nel '76, aveva frequentato l'aristocratico collegio Capranica e, presi i voti a ventitré anni, fu subito assunto nella Segreteria di Stato. «Studia già da Papa» dissero i maligni. E la sua carriera fu infatti rapida e facile. A quarant'anni era arcivescovo e nunzio apostolico in Baviera, dove rimase dodici anni. Tornò a Roma nel '29 per prendere, insieme al cappello cardinalizio, il posto di Gasparri che era, dopo quello del Papa, il più importante.

Tutto ve lo designava: la formazione di Curia che lo aveva familiarizzato coi problemi di governo della Chiesa, l'esperienza diplomatica, la perfetta conoscenza di molte lingue, la sua stessa maestosa e imperiosa figura di prelato del Rinascimento, di cui aveva anche certe debolezze nepotiste. Ad amministrare le finanze del piccolo Stato egli chiamò il fratello Francesco. E Ratti lo lasciava fare perché Pacelli, più ancora di Gasparri, era il suo «Segretario del cuore». Qualità di comando ne aveva: era un lavoratore instancabile, che lasciava poco margine d'iniziativa ai suoi subalterni. Pacelli amava la Germania, dove aveva trascorso gli anni più belli della sua vita, e dove aveva trovato una creatura della cui totale dedizione egli doveva restare, in un certo senso, prigioniero: Suor Pasqualina. Le malevole voci che poi corsero sulla loro relazione appartengono al pettegolezzo di fureria. Pasqualina non esercitò su Pacelli nessuna influenza, ma ne lenì la solitudine e seppe rendersegli necessaria nella quotidianità dell'esistenza. Le simpatie di Pacelli per la Germania non erano simpatie per il nazismo, ma moderarono le sue antipatie per quel regime anche quando il Führer sfidò la Chiesa e mise a dura prova la coscienza dei suoi fedeli.

L'INCHIOSTRO DELLE FIRME poste sotto il Patto di Monaco si era appena asciugato, e già Hitler meditava nuovi colpi: l'annessione della Boemia, la riduzione della Slovacchia al ruolo di Stato vassallo, la messa sul tappeto della «questione di Danzica».

La Cecoslovacchia – o meglio ciò che restava della Cecoslovacchia – doveva cessare di esistere. Senza alcuna esitazione il Führer rinnegava il solenne impegno secondo il quale, una volta incorporati tutti i tedeschi, il Reich non avrebbe avuto altre rivendicazioni da presentare. Il Patto di Monaco aveva lacerato irreparabilmente lo Stato cecoslovacco. Un giurista sessantenne, già presidente della Corte Suprema, Emil Hacha – traduttore in ceco del *Libro della giungla* di Kipling –, aveva sostituito Beneš come Capo dello Stato. Primo ministro fu nominato Rudolph Beran, *leader* del partito agrario, ministro degli Esteri Frantisek Chvalkovsky, un diplomatico di carriera che era stato ministro a Berlino e a Roma. La struttura dello Stato – privato dei Sudeti, dei territori passati agli ungheresi e del distretto di Teschen incamerato dai polacchi – era diventata federale: quel che ci voleva per fornire a Hitler il pretesto della futura azione. Egli avrebbe risposto ai «gridi di dolore» dei conculcati slovacchi e ruteni. Affinché non sussistessero equivoci la Germania dichiarò subito, per bocca del Führer, che la garanzia internazionale prevista a Monaco era stata superata dagli avvenimenti.

Durante i mesi dal novembre '38 al febbraio '39 Ribbentrop trescò con gli esponenti slovacchi e ruteni, minando progressivamente la residua autorità di Praga. Il debole Hacha ebbe, ai primi di marzo, un soprassalto di energia. Sciolse dapprima il governo ruteno il cui capo, Julien Revay, si precipitò a Berlino per invocare la protezione tedesca, quindi sciolse (9 marzo) il governo slovacco di monsignor Tiso, confinato in un monastero. Le cose andavano, per Hitler, anche meglio di quanto avesse immaginato. Fuggito, Tiso fu ricevuto dal Führer, nella Cancelleria del Reich, la sera del 13 marzo. Erano presenti Ribbentrop, Keitel e Brauchitsch. «Domani a mezzogiorno – disse Hitler – darò inizio a un'azione militare contro i cechi, che è affidata al generale Brauchitsch. La Germania non intende incorporare la Slovacchia nel suo *Lebensraum*, ed ecco perché voi dovete proclamare immediatamente l'indipendenza della Slovacchia; diversamente, non mi interesserò più della vostra sorte.» Tiso si affrettò a obbedire, ringraziando, e il suo esempio fu seguito dai ruteni.

Restava da adempire un'ultima formalità, la resa dei cechi. Quattordici divisioni tedesche si ammassarono alla frontiera mentre, il 14 marzo, Hacha e Chvalkovsky erano convocati a Berlino, e lì tenuti in una sorta di cupa segregazione, anche se, con ironico formalismo, le autorità naziste avevano tributato al Presidente ceco gli onori dovuti a un Capo di Stato, e offerto il rituale mazzo di fiori alla figlia che lo accompagnava. All'una della notte sul 15 marzo Hacha si trovò davanti a una sorta di tribunale politico composto da Hitler, Göring – richiamato da Sanremo dove trascorreva un periodo di ferie – Ribbentrop, Keitel. Al prostrato Hacha, Hitler pose – dopo l'immancabile preambolo sulla malvagità ceca – una alternativa implacabile. O Hacha firmava un documento che accettava il protettorato del Reich sulla Boemia e Moravia, o il Paese sarebbe stato invaso dalle armate germaniche alle sei del mattino. Lasciati su un tavolo i pezzi di carta che attendevano la firma di Hacha e Chvalkovsky, il Führer si allontanò.

Lo sventurato Presidente ceco tentò di ribellarsi. «Se firmo questo documento sarò maledetto in eterno dal mio popolo» disse. Ma Göring e Ribbentrop lo incalzavano con lusinghe e minacce. «Tra due ore metà della vostra Praga sarà già distrutta.» All'alba Hacha, che aveva avuto un collasso, e si reggeva solo grazie alle cure tonificanti che gli erano state praticate, firmò. Hitler aveva avuto la sua libbra di carne, ancora una volta, senza colpo ferire, e assaporò a Praga, installandosi nella antica reggia dei re di Boemia, il castello di Hradschin, la gioia della conquista.

A Chamberlain cadde il velo dagli occhi. La collera dell'uomo paziente si manifestò in un discorso a Birmingham, la sua città, in cui affermò: «Non si potrebbe compiere errore più grave di quello di credere che questo Paese, per il fatto che giudica la guerra una cosa insensata e crudele, abbia perduto la sua energia al punto di non volersi impegnare con tutte le sue forze per opporsi a una simile sfida». Da notare che quando, un mese dopo, Chamberlain decise di istituire la coscrizione militare obbligatoria – si trattava di richiamare circa duecentomila giovani –, urtò ancora una volta contro il no laburista. Attlee, con ragionamento tortuoso, sostenne che la coscrizione obbligatoria «lungi dal rafforzare il nostro Paese costituirebbe un motivo di indebolimento e di divisione» e aggiunse che la Gran Bretagna, avendo una grande flotta e una aviazione in crescita «non può fornire anche un grande esercito continentale". Chamberlain era stato a lungo cieco. I laburisti lo rimasero dopo che a lui si erano aperti gli occhi.

Mussolini e Ciano avevano fatto buon viso al giuoco tedesco «per evitare di rendersi "a Dio spiacenti ed ai nimici sui"» (l'osservazione è di Ciano). Vollero tuttavia lenire l'umiliazione con una contromossa. Al successo tedesco era necessario contrapporre un successo italiano. Il pezzo di terra da conquistare senza troppa fatica e da buttare sul piatto della bilancia propagandistica per non farla pendere troppo dalla parte di Hitler, c'era. Si chiamava Albania. La rivalsa non era delle migliori. Nel piccolo Stato balcanico l'Italia aveva una influenza internazionalmente riconosciuta, e pagata con aiuti piuttosto cospicui. Ma l'Albania era indipendente e anche piuttosto riluttante a lasciarsi interamente assorbire. *Ergo*, conquistabile.

L'AVVERSARIO CHE MUSSOLINI si era inventato era in realtà figlio suo. Il Re Ahmed Zog, come si usa dire, «non nasceva». Apparteneva a una dinastia di capimafia del Mathi, che sarebbe un po' la Calabria dell'Albania, e il suo vero nome era Ahmed Zogolli. Gli Zogolli, che dopo l'occupazione turca erano stati tra i primi a convertirsi all'islamismo, avevano affermato il loro potere sulla contrada grazie alla protezione dei Pascià che via via venivano a governare il Paese in nome del Sultano. Possedevano delle pecore, qualche pascolo e una banda di *killer* di cui si servivano per puntellare la loro piccola signoria feudale e regolare a loro piacimento le faide e guerriglie, endemiche fra quei *clan* di pastori montanari. Ma non risulta che nessuno Zogolli avesse mai preteso o ambito estendere la propria influenza oltre quell'impervio cantone abitato da poche decine di migliaia di uomini quasi tutti analfabeti, e gelosamente attaccato alla propria autonomia, che i turchi rispettavano.

Ahmed fu forse il primo della sua dinastia ad allargare l'orizzonte delle proprie ambizioni. Nato nel 1895, aveva studiato all'Accademia militare di Costantinopoli, ma quando l'Albania passò, in seguito alle guerre balcaniche, sotto il dominio di Vienna, si traslocò nell'esercito austriaco – lo strumento di cui l'Impero absburgico si serviva per fondere i vari elementi nazionali di cui era composto – e vi diventò colonnello. Congedato alla fine della prima guerra mondiale, e rimasto senza grado, senza bandiera e senza soldo, ritornò nel Mathi, ma non rassegnato a vegetarvi come i suoi antenati.

Il regime democratico che i trattati di pace avevano imposto al Paese era naturalmente una burla, ma consentiva a chiunque di farsi avanti. Ad Ahmed bastò il nome per diventare deputato del suo distretto ed entrare così nel giuoco del potere. La sua ambizione era ben servita dall'astuzia ereditaria degli Zogolli, da un notevole coraggio e da una totale mancanza di scrupoli. Prima dei trent'anni era già ministro degl'Interni, carica di cui si servì per moltiplicare gli amici, perseguitare i nemici, e subito dopo installarsi alla Presidenza del Consiglio.

Foraggiato da Mussolini, Zog riuscì poi a coronarsi Presidente della Repubblica. Ma non gli bastò. Tre anni dopo volle una corona vera, quella di Re, e Mussolini glielo consentì in cambio di una dichiarazione di eterna fedeltà all'Italia che, pronunciata da un uomo come Zog, valeva quel che valeva.

Privo di tradizioni dinastiche, Zog cercava di compensarle con gesti di fierezza nazionale e il fasto di una Corte da operetta. Segreto e sospettoso, concepiva la politica come un intrigo di palazzo, nel quale però era maestro. Raramente si mostrava in pubblico, esigeva da tutti, anche dai diplomatici italiani, a cominciare dal capo missione, il ministro Jacomoni, l'osservanza di un cerimoniale puntiglioso, parlava poco e non si confidava con nessuno. L'unica influenza che subiva era quella della famiglia, e particolarmente delle sorelle, che da lui si erano fatte riconoscere il grado di generalesse e, vestite in divisa, facevano a palazzo reale il bello e il cattivo tempo. Erano violentemente anti-italiane anche perché temevano che Roma volesse dare al Re una moglie italiana che le avrebbe spodestate.

Effettivamente questo era il progetto che Roma covava, e per realizzarlo qualcuno aveva anche suggerito di «sacrificare» a Zog una principessa di sangue Savoia. Ma non se n'era trovata nessuna disposta a tanto, e allora si era ripiegato su una baronessina che, sebbene italiana, discendeva in linea diretta e portava il nome del più prestigioso campione della nazionalità albanese: Skanderbeg. Ma Zog dovette sapere che si trattava di un ripiego, orgogliosamente lo rifiutò e, per riaffermare la propria indipendenza, volle fare una scelta per conto suo. La fece su una fotografia mostratagli da una ragazza ungherese che gli era stata proposta dal suo segretario. Zog respinse la ragazza, ma tenne la fotografia, e ne invitò a Tirana l'originale: era Geraldina Apponyi che, erede di una grande famiglia decaduta, non aveva altra dote che il proprio nome e un viso dolcissimo, del tutto in carattere col suo carattere.

Le nozze furono celebrate il 28 novembre del '37, venticinquesimo anniversario dell'indipendenza albanese, e furono un ennesimo motivo di attrito, stavolta più profondo, con l'Italia. Non soltanto perché Zog aveva rifiutato una sposa italiana, ma anche per gli sgarbi che furono fatti, specie dalle sorelle generalesse, ai due rappresentanti italiani, che erano Ciano per il governo, e il Duca di Bergamo per Casa Savoia. La crisi, si capisce, era già nell'aria per motivi meno futili. E Zog, o che non ne avesse sentore, o per impennata d'orgoglio, non fece nulla per evitarla.

Il 31 marzo 1939 fu messo a punto, a Palazzo Chigi, il piano di invasione, approntato troppo tardi, e con mezzi che sarebbero stati inadeguati se appena gli albanesi avessero opposto resistenza. Il 6 aprile, alle quattro del pomeriggio, le navi italiane salparono per Durazzo, dove le truppe cominciarono a prendere terra prima che facesse luce, il 7. Fu poco più che una escursione. La mattina dell'8 aprile Galeazzo Ciano poté atterrare a Tirana. L'Albania era diventata, come si malignò, il Granducato di Toscana.

Seguirono discorsi, brindisi, dimostrazioni di folla inneggiante a Ciano che si affacciò al balcone di Palazzo Skanderbeg. I 45 mila uomini armati che si mormorava fossero risoluti a dare battaglia non si fecero vivi. Solo a Durazzo si contarono alcuni morti tra le truppe italiane – otto marinai e tre bersaglieri – per il fuoco di fucileria e di mitragliatrici aperto da una banda di irregolari, anch'essi liberati dalle prigioni come i saccheggiatori di Tirana. Re Zog non lasciava molti rimpianti, anche se la presenza di Geraldina con il figlio neonato nella carovana dei fuggiaschi diede alla vicenda un tocco romantico e drammatico insieme.

Il 16 aprile una delegazione albanese offrì solennemente la corona a Vittorio Emanuele III. Shefqet Verlaci, capo del governo vassallo già costituito, pronunciò «con stanchezza e senza convinzione» al Quirinale – ha scritto Ciano – il discorsetto d'occasione, il Re e Imperatore rispose «con voce incerta e tremante» sotto lo sguardo di «un bronzeo gigante, Mussolini». L'atto di forza italiano suscitò qualche ripercussione internazionale, ma molto modesta. In fin dei conti l'Italia, impadronendosi dell'Albania aveva compiuto, osservò qualcuno, un gesto paragonabile a quello di chi rapisca la propria moglie.

IL 28 MARZO 1939 Madrid cadde nelle mani delle truppe di Franco che il 1° aprile poté annunciare la fine della guerra civile. «È una nuova formidabile vittoria del fascismo – commentò Ciano –, forse, finora, la più grande». L'epilogo, in realtà, era scontato. Già da alcuni mesi il collasso dei repubblicani appariva evidente, e drammaticamente accelerato dai loro contrasti intestini, sfociati in episodi di vera e propria guerra civile nella guerra civile.

I «consiglieri» sovietici che dominavano il governo – anche perché senza gli aiuti di Stalin la Repubblica sarebbe crollata in un batter d'occhio – avevano trapiantato a Madrid e a Barcellona i sistemi di inquisizione e di terrore che vigevano in Russia. Grande inquisitore sovietico in Spagna, per delega di Stalin, era Aleksandr Orlov, già capo della sezione trasporti ferroviari e marittimi della famigerata e temuta Nkvd. Nella tarda primavera del 1937, Orlov ritenne di dover dar prova del suo zelo, anche perché proprio in quei giorni, in Russia, il maestro Stalin aveva dato il buon esempio con la fucilazione del maresciallo Tuchacevskij e di altri sette generali, riconosciuti responsabili di cospirazione con la Germania. Si arrivò così al massacro di Barcellona.

Nella capitale catalana la centrale telefonica era, fin dall'inizio della guerra civile, in mano agli anarchici, che si erano così acquistata un'isola di potere importante. Vi venivano controllate le comunicazioni del governo catalano, non solo, ma anche le comunicazioni del governo repubblicano, insediato a Valencia. Comunisti, socialisti e consiglieri sovietici trovavano intollerabile la situazione. Il problema della centrale era il riflesso episodico del grande duello tra comunisti e anarchici: questi ultimi occasionalmente affiancati dal Poum, il *Partido obrero de unificación marxista*, una formazione politica di estrema sinistra anti-stalinista che Trotzky aveva criticato, ma che aveva anche commesso l'imprudenza di invitare lo stesso Trotzky a raggiungere la Spagna, per rafforzare la lotta contro il fascismo. Le fazioni della sinistra si combattevano senza esclusione di colpi, i *paseos*, le passeggiate fatali troncate da un colpo di pistola, cui erano stati sottoposti i nazionalisti, colpivano ora anche gli anarchici o i comunisti.

Il 3 maggio 1938 la centrale telefonica fu conquistata, di sorpresa, da guardie d'assalto comuniste. Anarchici e aderenti al Poum reagirono spontaneamente in tutta la città, che divenne teatro di una violenta guerriglia urbana. Furono erette barricate. La rivolta degli anarchici e del Poum durò cinque giorni, e venne domata dall'afflusso di truppe mandate da Valencia. Si contarono circa 600 morti. Tra essi ebbero spicco due italiani, Camillo Berneri e Francesco Barbieri, e un *leader* del Poum, Andrés Nin.

Berneri, nativo di Lodi, aveva quarant'anni, era laureato in filosofia. Socialista nella prima giovinezza, si era poi fatto anarchico. Colto, dotato, come si ama dire oggi, di carisma, non aveva risparmiato critiche alle degenerazioni dello stalinismo. A Barcellona si era precipitato nel luglio del 1936 e vi aveva organizzato, con Carlo Rosselli, la prima colonna di volontari italiani. Barbieri, di origine calabrese, quarantaduenne, anche lui anarchico, era una figura di minore rilievo. Il 5 maggio, verso le sei del pomeriggio, un gruppo di poliziotti comunisti bussò alla porta dell'appartamento di Barcellona in cui Berneri abitava. Aprì Barbieri. Con i due italiani erano la compagna di Barbieri e una miliziana. «Vi arrestiamo come controrivoluzionari» annunciò il capo della squadraccia. Berneri e Barbieri protestarono, rivendicando la loro milizia anarchica: ma con quei tipi non c'era molto da discutere. Li seguirono in strada, per il *paseo*. Poco lontano ricevettero l'ordine di mettersi in ginocchio. Due pallottole, una, sparata male, alla spalla destra, l'altra alla nuca, finirono Berneri. Barbieri costò ai «giustizieri» maggior spreco di proiettili, per essere finito. I corpi vennero abbandonati sul selciato, due caduti tra i tanti.

Per imprigionare sveltamente i quadri dirigenti del Poum il console sovietico a Barcellona, Antonov-Ovseenko, emissario di Orlov, aveva escogitato uno splendido stratagemma. L'albergo Falcón, nel quale il Comitato centrale del Poum aveva installato i suoi uffici, fu dichiarato, come albergo, chiuso, e immediatamente riaperto come prigione. I suoi ospiti divennero detenuti. Ma l'uomo da eliminare, non solo fisicamente ma anche moralmente, era Andrés Nin, uno dei fondatori del Partito comunista spagnolo, «socialista erudito e intellettuale di gran classe», come lo ha definito Victor Serge, passato all'antistalinismo dopo aver trascorso alcuni anni nell'Urss ed avervi ricoperto la carica di segretario della Internazionale sindacale. Nin non era nell'albergo Falcón, fu catturato isolatamente. Orlov provvide a fabbricare prove del suo coinvolgimento in un complotto falangista, e la stampa comunista cominciò a tuonare contro di lui. Ma dov'era Nin? Nessuno lo sapeva.

Il personaggio era di primo piano, e le accuse che gli venivano mosse inverosimili. Avrebbero retto nella Russia di Stalin, non reggevano nella Spagna repubblicana, agitata da convulsioni sanguinose, ma pullulante di giornalisti di tutto il mondo. Non appena la sparizione di Nin divenne preoccupante, si levarono molte voci per chiedere a Negrín, nuovo Capo del governo (dal maggio 1937) in sostituzione di Largo Caballero, informazioni su di lui. Negrín convocò il suo ministro dell'Interno, che si disse all'oscuro di tutto. Poi Vittorio Codovilla (compagno Medina), un argentino di origine italiana che era stato inviato dal Comintern in qualità di istruttore, disse che Nin era in stato di fermo, e sotto interrogatorio. Togliatti, interpellato a sua volta, si affrettò a scagionare i russi, sostenendo che dall'ambasciata sovietica non era stato ordinato nulla, e nulla vi si sapeva. A loro volta i comunisti spagnoli giuravano che Nin, perfido transfuga, gavazzava ormai a Salamanca, sotto lo scudo di Franco, o addirittura a Berlino, all'ombra di Hitler.

Il disperso era invece molto più vicino: ad Alcalá de Henares, patria di Cervantes. Lì Orlov se lo stava lavorando con metodi ben sperimentati; ma si era imbattuto in un soggetto difficile da persuadere. Intanto lo scandalo montava, e Orlov non era in grado di tenere il prigioniero più oltre, né di presentarlo docile e confesso. Jesús Hernandez, che fu uno dei capi repubblicani comunisti, ma poi abiurò la sua fede, ha scritto in un libro di memorie che la soluzione fu trovata grazie all'ingegnosità di Carlos Contreras, ossia del triestino Vittorio Vidali (Vidali ha definito «una sciocchezza» il racconto di Hernandez). Vidali avrebbe dunque proposto che si inscenasse un attacco nazista per la liberazione di Andrés Nin. Ciò avrebbe consentito di prendere i classici due piccioni con una fava. Nin sarebbe morto nello scontro, e la sua collusione con il nemico avrebbe ricevuto definitiva conferma. Il piano fu attuato. Di notte una decina di tedeschi delle brigate internazionali, che lanciavano ostentatamente ordini e imprecazioni nella loro lingua, e che dimenticarono di proposito per terra alcuni biglietti delle ferrovie germaniche, assaltarono la «prigione» di Nin che fu portato via con un furgone, e trucidato.

La storia lo vendicò. Gli agenti russi che importarono il terrore in Spagna rimasero a loro volta quasi tutti vittime del terrore stalinista e sparirono dalla faccia del mondo.

LIQUIDATA L'AUSTRIA, liquidata la Cecoslovacchia, ora nel mirino di Hitler era la Polonia. Per divorarla, Hitler doveva arrivare a un accordo con l'Urss: e per arrivarci doveva superare in velocità Chamberlain e Daladier, che avevano avviato negoziati con Mosca, ma stancamente, e contraddicendo la loro personale avversione al comunismo. Per di più essi urtarono subito contro un ostacolo che apparve difficilmente sormontabile. L'Unione Sovietica era disposta a stringere una alleanza con Francia e Gran Bretagna, e a fornire una sua garanzia, e assistenza, a cinque Stati già posti sotto la protezione delle Potenze occidentali (Belgio, Grecia, Romania, Polonia, Turchia). Ma voleva anche poter inviare le sue truppe, in caso di emergenza, negli Stati baltici e in Polonia: condizione questa che sia gli uni sia l'altra (e per ragioni storicamente più che fondate) rifiutavano risolutamente.

Se per Chamberlain e Daladier, così come per i loro ministri degli Esteri lord Halifax e Bonnet, l'alleanza con Stalin era un passo politicamente e ideologicamente ostico, per Hitler era addirittura il ripudio di due suoi dogmi: l'antibolscevismo, e la ricerca di uno «spazio vitale» a oriente, perché solo a oriente poteva trovarlo. Ma Hitler era tanto fanatico, inflessibile e coerente nelle sue motivazioni di fondo, quanto pragmatico ed elastico nelle sue mosse tattiche. Come del resto Stalin. La decisione di accettare, e quasi mendicare, la collaborazione russa gli costò un tormentoso travaglio. Ma, incalzato com'era dalla furia d'agire, capì che, per farlo, non aveva altro mezzo.

Una volta accettata questa ipotesi, Hitler fu freneticamente ansioso di portare a termine le trattative. Stalin aveva di proposito calcato la mano, nel fissare il prezzo della compravendita. Per la sua benevola neutralità, chiedeva mano libera negli Stati baltici e in Finlandia, la Polonia fino alla linea di Brest-Litovsk, e la cessione da parte della Romania della Bessarabia. I tedeschi non mercanteggiarono. Volevano soltanto che si firmasse subito. Il 20 agosto Hitler, incapace di contenersi, inviò al «signor I. V. Stalin, Mosca», un telegramma in cui quasi lo supplicava di ricevere Ribbentrop, dotato di pieni poteri, il 22 o 23 agosto.

La notte dal 23 al 24 agosto 1939 Ribbentrop e Molotov firmarono il patto di non aggressione, che aveva una durata di dieci anni e conteneva due clausole segrete aggiuntive, rese note al processo di Norimberga. Con esse, «nell'eventualità di una trasformazione territoriale e politica», la frontiera settentrionale della Lituania sarebbe anche diventata la frontiera tra le sfere d'interesse tedesca e russa negli Stati baltici, mentre «la linea Narev-Vistola-San avrebbe diviso le reciproche sfere d'interesse in Polonia». «Il problema se il mantenimento di uno Stato polacco indipendente possa essere considerato auspicabile nell'interesse di entrambe le parti – precisavano le clausole segrete – sarà risolto in modo definitivo soltanto nel corso degli ulteriori sviluppi degli avvenimenti politici.» Si brindò, al Cremlino, per festeggiare l'imminente bottino.

La notizia dell'accordo russo-tedesco fu comunicata ai governi italiano e giapponese – firmatari con la Germania del Patto anti-Comintern, che era una vera crociata ideologica e politica contro il comunismo – poche ore prima che le agenzie di stampa la diffondessero in tutto il mondo. A Tokio, l'annuncio fu politicamente devastante. Il ministero entrò in crisi, si pensò ad un richiamo dell'ambasciatore a Berlino e Auriti, ambasciatore italiano a Tokio, avvertì in un rapporto telegrafico che cresceva una «profonda indignazione verso la Germania, accusata di aver tradito l'amicizia e il patto anticomunista senza neppure preavvisare circa i suoi disegni». A Roma il contraccolpo fu diverso: nessuna deplorazione ufficiale, anche se Ciano ribolliva di rabbia; anzi, un senso di intimorita ammirazione per quel giuocatore d'azzardo che sapeva sfoderare, nel momento più imprevedibile, gli assi tenuti ben nascosti nella manica.

La mattina del 29 agosto i giornali di Goebbels pubblicarono, con accenti di indignazione e di esasperazione, la notizia che altri sei cittadini tedeschi erano stati assassinati in Polonia. Vera o falsa che fosse la informazione – e non possiamo sapere quali tenebrose trame si nascondessero dietro quelle morti – essa offriva a Hitler un ulteriore pretesto psicologico.

Quello stesso giorno Hitler e Ribbentrop prepararono una serie di proposte che, una volta presentate ai polacchi, avrebbero dovuto essere accettate o respinte immediatamente. Un plenipotenziario polacco doveva presentarsi a Berlino entro l'indomani, venerdì 30 agosto. «I miei soldati – spiegò Hitler all'ambasciatore inglese Henderson, che protestava per la forma ultimativa della comunicazione e sottolineava la impossibilità di far arrivare il plenipotenziario in tempo utile – vogliono un sì o un no.» Henderson riferì a Chamberlain, Chamberlain informò i polacchi, e Beck fece sapere che era disposto a negoziare, ma «su una base di correttezza», non nelle condizioni di Schuschnigg o di Hacha.

A mezzanotte del 30 agosto Ribbentrop convocò Henderson e

gli lesse rapidamente, in tedesco, un documento che conteneva una serie di proposte alla Polonia. Quando l'ambasciatore, che conosceva un po' il tedesco ma non abbastanza per capire quanto Ribbentrop martellava senza una pausa, chiese una copia del testo, non l'ottenne (gli fu comunicata solo l'indomani sera). Le proposte di Hitler, in sedici punti, appaiono, alla lettura, abbastanza ragionevoli e moderate: restituzione di Danzica alla Germania, plebiscito nel «Corridoio» non prima che fosse trascorso un anno, per deciderne l'appartenenza, una serie di misure di smilitarizzazione. Ma la verità vera è che Ribbentrop considerava decaduta quell'offerta, per il mancato arrivo di un plenipotenziario polacco «atteso invano durante due giorni», nel momento stesso in cui la presentava. Essa aveva esclusivamente valore propagandistico, per futura memoria.

Alle nove di sera del 31 agosto ci fu, puntuale, l'incidente provocatorio. Al comando di un ufficiale delle SS, Alfred Naujocks, alcuni uomini penetrarono, fingendosi polacchi, nella sede della radio tedesca di Gleiwitz, trasmisero un proclama in polacco, si lasciarono dietro alcuni morti. Alle 4,45 del 1° settembre 1939 i cannoni dell'incrociatore corazzato *Schleswig-Holstein* aprirono il fuoco contro installazioni costiere polacche, le sbarre di confine furono alzate, i reparti tedeschi penetrarono in Polonia. Così, senza dichiarazione di guerra, la guerra era cominciata.

Mussolini aveva disposto, per la vetrina, una serie di procedimenti d'emergenza. Oscuramento, distribuzione di carte annonarie, limitazioni alla circolazione automobilistica, divieto di vendita del caffè, chiusura dei locali pubblici alle undici di sera, apprestamento di ricoveri antiaerei, nomine militari. Le forze dell'Esercito sul territorio metropolitano furono divise in due gruppi di armate, l'una al comando del Principe di Piemonte (due armate al comando rispettivamente dei generali Marinetti e Grossi), l'altro al comando di Graziani (due armate al comando di Ambrosio e Bastico). Furono anche deliberate severe pene contro gli accaparratori. L'Italia, voleva far capire il Duce, era pronta.

Pronta sì, ma a staccarsi dalla Germania, e la popolazione lo apprese, con immenso sollievo, dalla dichiarazione che il Consiglio dei ministri, riunito il 1° settembre alle tre del pomeriggio, approvò in fretta (Mussolini e Ciano l'avevano già preparata il mattino). Essa spiegava che il conflitto tra Germania e Polonia aveva avuto origine nel Trattato di Versailles, che le misure adottate dall'Italia «hanno e conserveranno un carattere semplicemente precauzionale» e che infine «l'Italia non prenderà iniziativa alcuna di operazioni militari». Gli italiani seppero, in quelle stesse ore, che Hitler approvava l'atteggiamento dell'alleato. Un suo telegramma ringraziava il Duce «per l'aiuto diplomatico e politico che avete ultimamente accordato alla Germania» ed esprimeva la convinzione di poter adempiere, con le sue sole forze, «il compito assegnatoci». «Credo pertanto di non avere bisogno, in queste circostanze, dell'aiuto militare italiano.»

I tedeschi dilagarono subito in Polonia – qualcuno ha osservato acutamente che in quelle pianure «la seconda guerra mondiale combatteva contro la prima», nel senso che si fronteggiarono due strategie e due armamenti tra i quali correva una distanza di decenni – e già il mattino del 5 settembre il generale Halder potrà affermare che «il nemico è praticamente disfatto». Il problema non era quello della resistenza polacca, era quello dell'intervento francese e inglese. Le grandi democrazie onorarono i loro impegni, ma con indecisioni e lentezze, soprattutto francesi.

Non valse a modificare il corso fatale degli eventi un tentativo di Mussolini, che alle dieci del 3 settembre, un'ora prima che la Gran Bretagna aprisse ufficialmente le ostilità, inviò una nota a Hitler facendogli sapere che: «ci sarebbe ancora la possibilità di far accettare da Francia, Inghilterra e Polonia una conferenza sulle seguenti basi: 1) armistizio che lasci le armate dove sono ora; 2) riunione della conferenza entro due o tre giorni; 3) soluzione della vertenza polono-tedesca. Danzica è già tedesca e la Germania ha già avuto la sua soddisfazione morale». Ma, nell'ipotizzare il consenso anglo-francese alla sua iniziativa, Mussolini si era spinto troppo oltre. Ribbentrop obbiettò subito che Inghilterra e Francia gli stavano ponendo degli *ultimatum*, e Londra fece sapere che, senza lo sgombero dei territori invasi, nessun negoziato poteva essere intrapreso.

Così la Gran Bretagna fu in guerra con il Terzo Reich dalle undici del 3 settembre, e la Francia dalle diciassette di quello stesso giorno.

LE VITTORIE TEDESCHE si susseguirono con ritmo veloce. La *Blitzkrieg*, la guerra lampo, stupì, affascinò e atterrì il mondo. Il 6 settembre cadde Cracovia, il 7 il governo polacco si trasferì a Lublino, poi in due grandi operazioni di accerchiamento i resti delle unità polacche furono distrutti. Il 16 settembre, in base agli accordi segreti di Mosca, le forze sovietiche si mossero, per partecipare alla divisione delle spoglie.

Caduta la Polonia, vi fu un periodo di stagnazione delle operazioni militari, la *drôle de guerre*. Ma Berlino passò nuovamente all'azione il 9 aprile 1940 contro la Norvegia e la Danimarca (quest'ultima occupata senza colpo ferire). Le Forze Armate tedesche diedero un'altra straordinaria dimostrazione della loro capacità combattiva e organizzativa, i franco-inglesi rivelarono invece sintomi evidenti delle debolezze che sarebbero poi affiorate rovinosamente nello scontro di giganti sul fronte occidentale. A un Mussolini che era sempre più propenso alla guerra questa seconda campagna trionfale di Hitler diede una ulteriore spinta. Peggio ancora, egli si convinse che il fascino del successo stesse contagiando gli italiani, perché il popolo «è puttana, e va col maschio che vince».

La sera del 9 maggio 1940 Ciano cenò all'Ambasciata di Germania (si lamentò poi nel suo *Diario* del «lungo e noioso *après-dîner*»). Ma l'epilogo del ricevimento fu eccitante. A mezzanotte e mezza, congedandosi da Ciano, l'ambasciatore tedesco a Roma von Mackensen l'avvertì che forse, durante la notte, avrebbe dovuto disturbarlo per una comunicazione telefonica che attendeva da Berlino. Altro asserì di non sapere. Alle quattro infatti arrivò a Ciano una telefonata dall'ambasciatore, che chiese di essere ricevuto da Mussolini, e andò da lui insieme al ministro, portando in una cartella un pacco di documenti. Con impertinenza Ciano gli domandò se fossero arrivati anch'essi per telefono, e von Mackensen, imbarazzato, biascicò che il corriere che li portava era rimasto in albergo fino a quando Berlino gli aveva dato il via.

Il Duce, preavvisato da Ciano, attendeva «calmo e sorridente» l'ambasciatore che lo informò dell'offensiva sul fronte occidentale, e quindi consegnò uno scritto di Hitler che lo invitava «a prendere le decisioni che riterrete necessarie per il futuro del vostro popolo». La *drôle de guerre* era finita. Cominciava la guerra *tout court*. Il 14 maggio si arrese l'esercito olandese, il 28 maggio il Belgio, il 4 giugno a Dunkerque furono evacuati 190 mila soldati inglesi e 140 mila francesi. Hitler aveva vinto e suggellò il suo trionfo, il 14 giugno, con la conquista di Parigi.

Abbacinato dalle vittorie tedesche, Mussolini aveva ormai optato per la guerra, ma voleva anche comandarla. Vittorio Emanuele III l'accontentò attestando in un «rescritto» reale che «il sovrano conserva il comando supremo e ne fa delega al Capo del governo dal momento che egli (il Re) desidera recarsi in zona di operazione».

Il 10 giugno 1940 alle 17,30, mezz'ora prima che Mussolini, dal balcone di Palazzo Venezia, annunciasse l'intervento, Ciano consegnò le dichiarazioni di guerra prima a François Poncet («È un colpo di pugnale ad un uomo in terra» disse l'ambasciatore francese e aggiunse: «I tedeschi sono padroni duri, ve ne accorgerete anche voi»), quindi a Percy Loraine, che «ha accolto la comunicazione senza batter ciglio, né impallidire». Pressappoco alla stessa ora Mussolini telefonò alla Camilluccia, la residenza dei Petacci. Gli rispose Myriam, la sorella minore di Claretta, che ha rievocato l'episodio in una intervista. Mussolini le disse che «tra poco dichiarerò la guerra, sono costretto a dichiararla». «Ma sarà breve, Duce?» chiese la ragazza. «Sarà lunga. Non meno di cinque anni.» Ma forse quel pessimismo, era solo scaramantico.

Il discorso che Mussolini rivolse alla folla non merita molte citazioni. Fu un *collage* di pretesti («noi vogliamo spezzare le catene di ordine territoriale e militare che ci soffocano nel nostro mare», «questa è la lotta dei popoli poveri e numerosi di braccia contro gli affamatori») che nascondeva il motivo vero dell'entrata in guerra. Infatti il Duce non indugiò sulla travolgente avanzata dei tedeschi, che in Francia avevano superato la Senna, a ovest di Parigi, e stavano accerchiando la capitale, dalla quale il governo era già fuggito. «Secondo le leggi della morale fascista quando si ha un amico si marcia con lui fino in fondo» tuonò il Duce. E infine lanciò la parola d'ordine: «Vincere!».

CAPITOLO 5

La disfatta

UNA DECINA DI GIORNI dopo l'intervento dell'Italia nella seconda guerra mondiale Mussolini ordinò un'offensiva sul «fronte occidentale», contro la Francia agonizzante. Al Duce premeva di avere un po' di caduti e qualche chilometro di terreno conquistato da affiancare alle vittorie tedesche. I morti ci furono – 631. Fu presa Mentone: ossia nulla.

Il 23 giugno i plenipotenziari francesi, che avevano firmato a Compiègne l'armistizio con la Germania, giunsero a Roma a bordo di aerei tedeschi, e furono portati a Villa Incisa, sulla Via Cassia. Badoglio aveva le lagrime agli occhi mentre la delegazione «nemica» prendeva posto a un lungo tavolo. Roatta lesse il testo francese della convenzione d'armistizio, e il generale Huntziger, sollevato perché s'era aspettato peggio, chiese un rinvio per poterne riferire al suo governo, a Bordeaux. Nel frattempo – lo ha ricordato Roatta nel suo *Otto milioni di baionette* – Hitler ebbe un ripensamento, e chiese che la occupazione italiana in Francia fosse ampliata di quel tanto che consentisse di collegare le truppe italiane alle tedesche, e di chiudere completamente alla Francia «libera» la frontiera svizzera. Mussolini ordinò che il desiderio di Hitler venisse esaudito, ma gli si fece notare che ormai i francesi erano in possesso del documento armistiziale, e sarebbe stato poco corretto alterarne i termini. Pertanto non se ne fece nulla. Anzi, all'ultimo momento Badoglio, che già aveva rinunciato alla consegna della flotta – del resto i francesi non erano assolutamente disposti a darla – concesse che i vinti si tenessero i pochi aerei sfuggiti alla distruzione e non estradassero i fuoriusciti politici. Alle 19,15 del 24 giugno Badoglio e Huntziger firmarono.

LA GUERRA VERA l'Italia l'avrebbe dovuta e potuta fare in Africa Settentrionale dove, crollata la Francia, anche le unità della V armata (generale Gariboldi), schierate al confine con la

Tunisia, erano diventate disponibili per l'impiego a est, verso l'Egitto, dove era dislocata la X armata del generale Berti. Gli inglesi erano, per il momento, deboli, sia nel numero sia nei mezzi. Il loro comandante, generale Wavell, poteva fare pieno affidamento sui 40 mila soldati britannici e sugli 8500 neozelandesi e rhodesiani del suo esercito: un po' meno sui 15 mila indiani; pochissimo sui 40 mila egiziani, che in Londra vedevano più un'occupante che una alleata. Ma quel non molto che Wavell aveva, era idoneo ai combattimenti in terreno desertico, e in condizioni climatiche difficili. Di queste deficienze Italo Balbo, governatore della Libia, era pienamente consapevole, tanto che, nonostante il temperamento impetuoso e la vulnerabilità dell'armata di Wavell, si dimostrava molto scettico sulle prospettive di un attacco.

Ma non ebbe il tempo di dar prova delle sue capacità di comandante in guerra. Aveva ideato una manovra – sullo stile di quelle nemiche – che consentisse di catturare alcune autoblindo: ed era partito in volo il 28 giugno per verificare di persona l'esito dell'azione. Lungo la rotta, avvistate a Tobruk le colonne di fumo provocate da un bombardamento, aveva deviato, portandosi sulla piazzaforte. Forse dal suo S 79 non furono fatte le segnalazioni prescritte, forse da terra, nella confusione seguita all'attacco, non le videro. Certo è che la contraerea dell'incrociatore *San Giorgio*, ancorato in rada, prese di mira il trimotore che, colto in pieno, si schiantò al suolo. Balbo e i suoi compagni di volo morirono tutti. Nessun attentato, dunque, anche se molti ne mormorarono, prendendo spunto dai dissidi tra il Duce e il quadrumviro. Mussolini si preoccupò di dare subito un successore a Balbo: e lo trovò nel maresciallo Graziani, inviato in Libia – di sicuro Badoglio non ne fu scontento – senza che gli venisse tolta, almeno formalmente, la carica di Capo di Stato Maggiore dell'Esercito. Il compito di scatenare l'offensiva passò così al maresciallo, che si dimostrò ancor più restio del predecessore.

Nonostante il piglio da condottiero, Graziani era prudente. Un colpo di sperone di Mussolini del 19 agosto lo avvertiva che «l'invasione dell'Inghilterra è decisa... può essere fra una settimana o fra un mese... il giorno in cui il primo plotone di soldati germanici toccherà il territorio inglese voi simultaneamente attaccherete». L'obbiettivo era, secondo il Duce, poco importante, si trattasse di Sollum, a ridosso del confine, o di Alessandria d'Egitto, l'essenziale era avanzare. Ancora ai primi di settembre Graziani invocò un rinvio almeno fino alla prima decade del mese successivo, ma questa volta Mussolini, angosciato dal timore che la conquista germanica dell'Inghilterra trovasse l'Italia immobile, fu perentorio: l'offensiva doveva cominciare. E cominciò il 13 settembre, con la partecipazione di sole cinque divisioni, più il gruppo autoportato del generale Maletti. Gli inglesi fecero sostanzialmente il vuoto davanti alle colonne avanzanti, che ebbero i loro maggiori avversari nel terreno e nei campi minati. Il 16 settembre le avanguardie occuparono Sidi el-Barrani. L'operazione era costata perdite esigue, 91 morti e 270 feriti, e aveva dato a Graziani, e a Mussolini, un risultato soddisfacente dal punto di vista propagandistico, tanto che il maresciallo libico, in una comunicazione allo Stato Maggiore, si domandava «quando gli inglesi cominceranno a capire che hanno a che fare col più attrezzato esercito coloniale del mondo?».

ALL'ALBA DEL 28 OTTOBRE 1940 le truppe italiane d'Albania, al comando del generale Sebastiano Visconti Prasca, si misero in marcia per l'attacco alla Grecia. Mussolini e Ciano ebbero così, finalmente, la loro guerra da opporre, con le sue pronosticate vittorie e conquiste, alle vittorie e conquiste tedesche dei mesi precedenti. Alla causale dell'aggressione Ciano aveva già pensato, e provveduto, con l'acquiescenza del luogotenente generale in Albania Francesco Jacomoni. Non era possibile sbandierare, contro il regime di Atene, incompatibilità ideologiche, anzi. Giovanni Metaxás, il generale che da quattro anni governava autoritariamente la Grecia, era un dittatore di stampo fascista, in versione balcanica. L'Italia avrebbe potuto utilmente operare, in Grecia, per indurre Metaxás a schierarsi con l'Asse. Ma a Mussolini non interessava di avere altri alleati a buon prezzo. Gli interessava di avere, a ogni costo, un avversario da sconfiggere. Per trasformare un potenziale amico in uno strenuo nemico furono costruiti capi d'accusa debolmente argomentati. Il primo era che la Grecia offrisse aiuti, riparo, rifornimenti, nelle innumerevoli isole del suo arcipelago, alla flotta inglese. Il secondo era che esistesse, nell'Epiro, una minoranza ciamuriota – ossia albanese – oppressa e conculcata, e che l'Italia, come protettrice dell'Albania, dovesse farsi carico di questo irredentismo.

La campagna contro la Grecia era divenuta urgente, all'improvviso, il 12 ottobre. I tedeschi avevano fatto sapere a

Mussolini, il giorno precedente, che «in seguito a richiesta della Romania» una missione militare germanica si sarebbe recata a Bucarest e che aerei della Luftwaffe avrebbero difeso i pozzi di petrolio di Ploesti. In realtà già dall'8 ottobre reparti tedeschi avevano cominciato a insediarsi in Romania. Un'ennesima iniziativa militare era stata presa da Hitler senza consultare il camerata del Patto d'Acciaio: e un nuovo passo era stato compiuto verso quella supremazia assoluta della Germania in Europa che Mussolini voleva contrastare per mantenere l'alleanza entro i limiti di una partnership e non di una troppo evidente leadership tedesca. Ciano, soddisfatto perché il caso, o meglio Hitler, aveva portato acqua insperata al mulino della sua guerra, registrò nel Diario: «(Mussolini) è indignato per l'occupazione germanica della Rumania... "Hitler mi mette sempre di fronte al fatto compiuto. Questa volta lo pago della stessa moneta: saprà dai giornali che ho occupato la Grecia. Così l'equilibrio verrà ristabilito." Domando se è d'accordo con Badoglio: "Non ancora" risponde. "Ma do le dimissioni da italiano se qualcuno trova delle difficoltà per battersi coi greci". Ormai il Duce sembra deciso ad agire. In realtà, credo l'operazione utile e facile». La data dell'attacco fu fissata per il 26 ottobre.

Le truppe italiane in Albania erano agli ordini del generale di Corpo d'armata Visconti Prasca, addetto militare a Parigi fino agli inizi del 1940, poi comandante del II Corpo d'armata sul fronte occidentale. In Albania aveva sostituito, in giugno, il generale Carlo Geloso, che non andava d'accordo né con Jacomoni né con gli albanesi. Visconti Prasca era un bell'uomo fiero della sua prestanza fisica. Quando prese possesso della sua carica, si trovavano in Albania cinque divisioni: tre di fanteria (Ferrara, Arezzo e Venezia), una alpina (Julia), una corazzata (Centauro), e in più corpi autonomi italiani e albanesi (tra gli altri il III reggimento Granatieri di Sardegna) equivalenti, secondo le valutazioni ottimistiche dello Stato Maggiore, a un paio di divisioni.

Morso com'era dalla tarantola della vendetta contro Hitler, Mussolini diede appuntamento a Palazzo Venezia, per le 11 del 15 ottobre, a Badoglio, Roatta, Soddu, Visconti Prasca, Ciano, Jacomoni. Fungeva da segretario il tenente colonnello Trombetti. Della riunione è rimasto un verbale completo. Mussolini esordì chiarendo gli scopi della campagna che «doveva portare in un primo tempo alla presa di possesso di tutta la costa meridionale albanese, con l'occupazione delle isole joni-

che Zante, Cefalonia, Corfù e la conquista di Salonicco». Anche
la Bulgaria, aggiunse Mussolini, sarebbe stata invitata a partecipare alla azione (Re Boris declinò cortesemente l'offerta).
Questo elemento decisivo, dal quale dipendeva la possibilità per
i greci di concentrare o no le loro forze sul fronte albanese,
venne così lasciato in forse, quasi che avesse importanza margi-
nale. Jacomoni descrisse, quando ebbe la parola, lo stato d'animo degli albanesi, frementi per il desiderio di combattere, e dei
greci «ostentatamente noncuranti», ma anche più decisi a resistere di quanto fossero un paio di mesi prima. A sua volta
Visconti Prasca spiegò che l'azione contro le forze greche
dell'Epiro, trentamila uomini circa, prevedeva una serie di
avvolgimenti grazie ai quali in dieci o quindici giorni la regione
sarebbe stata conquistata. Assicurò che l'offensiva era stata
preparata fin nei minimi dettagli, e che lo spirito delle truppe
era altissimo. Per Salonicco sarebbe stato necessario pazienta-
re un paio di mesi, proseguì Visconti Prasca. Ma la base di tutto,
anche della marcia su Atene, era l'occupazione dell'Epiro e del
porto di Prevesa.

Solo a questo punto Badoglio si fece vivo per raccomandare
che gli inglesi fossero impegnati in Africa, mentre la Grecia
veniva attaccata, così da evitare che vi inviassero un corpo di
spedizione, e per aggiungere: «Bisogna che occupiamo tutta la
Grecia se il problema vuol essere redditizio» e «per questo
occorrono circa venti divisioni mentre in Grecia ne abbiamo
nove più una di cavalleria» (si sbagliava, le divisioni erano nove,
compresi i reparti di cavalleria). «In queste condizioni occorrono tre mesi» insistette il maresciallo. Ma Visconti Prasca replicò:
«L'invio di altre truppe dipende da quello che è lo svolgimento
del piano, e non possono essere mandate che ad Epiro occupato». Più tardi, con altre cinque o sei divisioni, anche Atene, concluse, sarebbe caduta. La discussione, se così si può chiamarla,
era durata un'ora e mezza, e il Duce la suggellò con questa sintesi: «Offensiva in Epiro, osservazione e pressione su Salonicco
e, in un secondo tempo, marcia su Atene». Badoglio e Roatta
approvarono e si congedarono, con la rituale battuta di tacchi e
il saluto romano.

Vi fu, in quella riunione, la convergenza di quattro elementi
nefasti: l'ansia mussoliniana di «ripagare» Hitler; la facilone-
ria carrieristica di Visconti Prasca; la leggerezza di Ciano, innamo-
rato della sua guerra; l'acquiescenza pavida di Badoglio e di
Roatta che, da buoni tecnici quali erano, avevano capito la

inconsistenza e la pericolosità del piano operativo, ma non seppero difendere il loro punto di vista. Il comandante delle truppe d'Albania fu, nella vicenda, il peggiore consigliere di Mussolini. La sua riluttanza ad accettare l'invio immediato di nuove divisioni aveva la più semplice e la più meschina delle spiegazioni. Cinquantasettenne, generale di Corpo d'armata tra i meno anziani, egli temeva di essere sostituito da qualche più titolato collega, se le forze alle sue dipendenze fossero diventate troppo imponenti. Preferiva che le unità di rinforzo arrivassero quando lui, grazie alle prime vittorie, fosse stato promosso sul campo; che insomma crescessero contemporaneamente i suoi galloni e il corpo di spedizione. In una lettera che gli inviò il 25 ottobre, Mussolini accennò ai «tentativi fatti per togliervi il comando alla vigilia dell'azione».

Qualcuno ha affermato – senza provarlo – che la campagna di Grecia fu affrontata con leggerezza stupefacente perché Ciano credeva di essersi assicurato il tradimento di generali e personalità politiche greche. Il collasso del fronte interno nemico avrebbe eliminato ogni possibile difficoltà. L'ipotesi è, almeno in questi termini, storicamente infondata. Di corruzione, Ciano e Jacomoni non parlarono a Palazzo Venezia: eppure l'argomento era di vitale importanza. Visconti Prasca, che nel suo successivo sforzo autodifensivo avrebbe avuto il massimo interesse ad avallare questa tesi, l'ha invece smentita, e comunque non ne seppe nulla, anche se «più tardi si parlò di assegni al portatore emessi da una banca di Roma per l'importo di cinque milioni». Badoglio ha scritto d'avere appreso da Ciano, poco dopo la riunione di Palazzo Venezia, che «era riuscito ad avere dalla sua diverse notabilità greche, alcune facenti parte dell'attuale Governo, per il rovesciamento del Governo stesso e per il passaggio della Grecia dalla nostra parte. Soggiungeva che ciò gli era costato un po' caro, ma che il successo giustificava anche questa spesa».

Non sappiamo se debba essere dato credito totale alla testimonianza di Badoglio, memorialista interessato. Ma i casi sono due: o ha esagerato Ciano – per millantare un complotto inesistente e incitare così il prudente Capo di Stato Maggiore a vincere le sue perplessità – o ha esagerato Badoglio. È vero che corse, in quella vigilia della campagna, del denaro. Ma la corrispondenza riguardante queste somme veniva scambiata tra Tirana e Roma. Jacomoni giustificava (a pochissimi giorni dall'attacco) il bisogno di queste erogazioni con l'urgenza di creare «le situazioni ambientali, sia al di qua sia al di là della frontiera, necessarie a uno svolgimento idoneo degli avvenimenti».

Quando fu chiaro che questa volta Mussolini era fermo nella sua decisione, Badoglio, in un soprassalto di energia, disse a Ciano e a Soddu che l'azione contro la Grecia, in quelle condizioni, era insensata, e che se non fosse stato posto riparo ai più marchiani errori del piano si sarebbe dimesso. Ma il Duce rimase irremovibile, e al genero che gli riferiva i propositi del maresciallo replicò con una sfuriata: «Ha (Mussolini) un violento scoppio d'ira e dice che andrà di persona in Grecia per assistere alla incredibile onta degli italiani che hanno paura dei greci. Intende marciare a qualunque costo, e se Badoglio darà le dimissioni, le accetterà seduta stante. Ma Badoglio non solo non le presenta, ma neppure ripete a Mussolini quanto ieri ha detto a me. Infatti il Duce narra che Badoglio ha soltanto insistito per avere qualche giorno di rinvio: almeno due». Con la proroga dell'ora X dal 26 al 28 ottobre – la coincidenza con l'anniversario della Marcia su Roma fu dunque casuale – il maresciallo venne placato.

L'aggressione ebbe il prologo di prammatica in incidenti di frontiera e «provocazioni» greche, organizzate ovviamente dagli italiani. Il 26 ottobre infatti la Stefani annunciò che una banda greca aveva attaccato un posto di frontiera presso Coriza, causando la morte di due albanesi e lasciando nelle mani delle truppe di confine sei prigionieri. Inoltre tre bombe erano state fatte scoppiare dai terroristi greci nell'ufficio luogotenenziale di Santi Quaranta. Mentre questi inequivocabili segnali di allarme venivano lanciati dall'agenzia di stampa fascista, al Teatro Nazionale di Atene era rappresentata una speciale edizione della pucciniana *Madama Butterfly*. All'avvenimento, programmato da tempo, erano presenti ad Atene il figlio del Maestro e la moglie, ospiti di riguardo del governo greco. Dopo la rappresentazione, la sera del 26 ottobre, il ministro Grazzi offrì nella legazione d'Italia un solenne ricevimento, cui intervennnero la famiglia reale e Metaxás. Gli ospiti si intrattenevano ancora, a mezzanotte passata, con Grazzi, quando cominciò ad arrivare un lungo telegramma in cifra, recante il testo dell'ultimatum che il ministro d'Italia avrebbe dovuto presentare. Gli invitati notarono il nervosismo dei nostri diplomatici, sempre più evidente a mano a mano che i dispacci venivano messi in chiaro. Per un disguido la prima parte del messaggio, nella quale erano precisate data e ora dell'attacco, fu decifrata per ultima, cosicché il povero Grazzi, preso congedo dalle personalità greche, temette fino alle cinque del mattino di dover annunciare la guerra a un Primo ministro che da pochissimo aveva lasciato la palazzina della legazione. Fu sollevato quando apprese, almeno, che l'ultimatum doveva essere consegnato alle tre della notte sul 28 ottobre, con scadenza alle sei, tre ore dopo.

Un quarto d'ora prima delle tre l'automobile, guidata dall'addetto militare Mondini, sulla quale aveva preso posto Grazzi, si fermò davanti alla villa bizantineggiante di Metaxás, nel sobborgo ateniese di Kifissià. Al capo del servizio di guardia Grazzi disse che doveva vedere il Primo ministro «per comunicazioni urgentissime». Metaxás, un ometto corpulento malandato in salute, si buttò sulla camicia da notte una vestaglia, e andò incontro a Grazzi, sulla porta. Insieme raggiunsero un salottino al pianterreno, e Grazzi cominciò a leggere lentamente, in francese, il testo dell'ultimatum che, dopo aver addebitato alla Grecia violazioni della neutralità e provocazioni, chiedeva per l'Italia «la facoltà di occupare con le proprie Forze Armate per la durata del presente conflitto con la Gran Bretagna alcuni punti strategici in territorio greco. Il governo italiano chiede al governo greco che esso dia immediatamente gli ordini necessari perché tale occupazione possa avvenire in maniera pacifica». In caso contrario, ogni resistenza sarebbe stata stroncata con la forza.

Dopo aver commentato con angoscia «Alors, c'est la guerre», Metaxás tentò di spiegare che era impossibile, nel volgere di tre ore, avvertire il Re, il ministro della Difesa, il comandante in capo maresciallo Papagos, e far pervenire alle truppe l'ordine di non resistere. Quindi chiese quali fossero i punti strategici che l'Italia voleva ottenere, e Grazzi, allargando sconsolatamente le braccia, dovette ammettere che non lo sapeva. «Vedete dunque che è la guerra» ripeté Metaxás e mormorò: «Vous êtes les plus forts». Lo «oki», il no greco che divenne poi lo slogan nazionale, non fu pronunciato esplicitamente. Ma la decisione di Metaxás era stata presa. Del resto l'ultimatum era congegnato in modo tale da non lasciargli alternative. All'alba le colonne italiane cominciarono a snodarsi, nel buio, sotto una pioggia battente che cadeva, dopo un lungo periodo di secca, su tutta la zona di confine.

La campagna di Grecia durava da poche ore soltanto quando Hitler e Mussolini s'incontrarono a Firenze. I due dittatori s'erano visti il 4 dello stesso mese al Brennero, dove Hitler aveva ammesso che lo sbarco in Inghilterra non era più attuale, e aveva in compenso risfoderato il suo antibolscevismo, lasciando capire che la luna di miele con Stalin era agli sgoccioli. Adesso il Führer era reduce da colloqui con Pétain e con Franco: il secondo (durato nove ore, a Hendaye, sulla frontiera franco-spagnola) particolarmente ingrato. Il Caudillo aveva opposto laconici e sfumati ma inequivocabili dinieghi alle insistenze tedesche per un intervento della Spagna nella guerra, a fianco dell'Asse. I primi accenni sull'azione italiana in Grecia avevano raggiunto Hitler mentre era in viaggio e subito, tramite von Ribbentrop, aveva proposto il nuovo «vertice», nella speranza di bloccare il passo falso dell'alleato.

Ma era troppo tardi. Un Mussolini euforico gli annunciò che l'offensiva italiana era in corso e Hitler fece buon viso a cattivo giuoco, tanto che Ciano poté registrare che «la solidarietà tedesca non è venuta meno». In realtà i tedeschi erano furenti, e von Ribbentrop aveva confidato ai suoi intimi, la sera prima, durante la cena sul treno blindato: «Gli italiani non concluderanno niente in Grecia durante le piogge d'autunno e le nevi invernali. Il Führer è deciso a fermare questo piano pazzesco a tutti i costi».

Infatti la campagna fu un disastro. Dopo l'effimera avanzata dei primissimi giorni i greci, comandati dal generale Alessandro Papagos che non era un fulmine di guerra ma era un buon tattico, contrattaccarono cominciando a premere, senza successi spettacolari, ma con significativi progressi, in Macedonia occidentale. L'asse del fronte stava così ruotando, nella sua totalità, spinto verso nord, in Macedonia occidentale, dai greci, e verso sud in Epiro, dagli italiani. Intanto la Julia, il perno, si era staccata dai due bracci che avrebbe dovuto sostenere, ed era terribilmente esposta. Reparti greci riuscirono infatti a infiltrarsi alle sue spalle. Il 6 novembre il generale Gabriele Nasci, comandante del XXVI Corpo d'armata, ordinò al comandante della divisione, generale Mario Girotti, di far ripiegare i suoi battaglioni, che si aspersero strenuamente la strada tra i nemici che li accerchiavano – subendo gravi perdite – per riparare sulle posizioni di partenza. Al ponte di Perati si ritrovò solo il fantasma della splendida divisione che il 28 ottobre si era mossa incontro al nemico.

Da Roma lo Stato Maggiore, cui i primi rovesci avevano aperto gli occhi, disponeva affannosamente l'afflusso di altre divisioni, e intanto decideva di costituire (6 novembre) il gruppo di armate di Albania con quattro Corpi d'armata (contro i due iniziali). La IX armata (verso la Macedonia occidentale) e la XI armata (verso l'Epiro). Il siluramento di Visconti Prasca era nell'aria, e già il suo ex-protettore Soddu si faceva avanti («Se potessi avere un comando potrei rispondere dei provvedimenti da prendere... vi chiedo Duce di andare ad assumere il comando delle Forze Armate in Albania»).

Badoglio intuiva che il peggio non era ancora venuto, e volle preparare le pezze d'appoggio della sua difesa. Il 10 novembre – lo stesso giorno in cui morì Neville Chamberlain – si tenne, presente Mussolini, una riunione dei Capi di Stato Maggiore, e il maresciallo declinò ogni responsabilità per ciò che stava accadendo. «I fatti – disse – sono quelli che avete esposto, ma di questi fatti non può essere reso responsabile né lo Stato Maggiore generale né lo Stato Maggiore Regio Esercito.» Mussolini incassò, per il momento.

Un brutto momento anche perché, mentre si delineava la catastrofe d'Albania, avvenne il disastro di Taranto, un'azione di aerosiluranti inglesi contro le unità alla fonda nella base navale. L'incursione contro il nerbo della flotta italiana era stata preparata con un lavoro minuzioso. Essa presupponeva alcune condizioni: che la portaerei dalla quale avrebbero decollato gli aerosiluranti Swordfish (pesce spada) si portasse fino a 170 miglia dalla base italiana (da maggior distanza gli apparecchi non avrebbero avuto autonomia sufficiente), che l'operazione avvenisse di notte perché, lenti com'erano, gli Swordfish sarebbero stati altrimenti facile preda dei caccia, e che, infine, i siluri fossero lanciati a pelo d'acqua, e dotati di speciali dispositivi, per evitarne l'eccessivo affondamento iniziale (la cosiddetta «sacca»). I fondali del Mar Grande e del Mar Piccolo, i due bacini in cui era diviso il golfo di Taranto, erano infatti bassi, e i siluri si sarebbero incagliati se fossero discesi troppo. Il comando della Marina a Taranto si sentiva – a torto – abbastanza tranquillo.

Il contrammiraglio inglese Lyster aveva previsto due ondate di dodici Swordfish: in effetti la seconda ne comprese soltanto otto. Tutto si svolse, con il favore di una notte splendida, secondo i piani. Gli aerosiluranti subirono perdite (due di essi furono abbattuti dalla contraerea delle navi o di terra), e alcuni loro siluri si infilarono nella sabbia o esplosero senza colpire. Ma tre siluri andarono a segno, sulla Littorio, e uno ciascuno sulla *Cavour* e sulla *Duilio*, aprendo immensi squarci nelle corazzate che si posarono sul fondale. Le esplosioni provocarono 32 morti sulla corazzata maggiore, orgoglio della Marina, 17 sulla *Cavour*,

3 sulla *Duilio*. La *Littorio* rientrò in squadra, riparata, il 9 marzo successivo, la *Duilio* il 16 maggio, la *Cavour* non vi rientrò mai più. «Venti aerei – annotò l'ammiraglio Cunningham – avevano inflitto alla flotta italiana più danni di quelli inflitti alla flotta d'altomare tedesca nell'azione diurna dello Jutland nel 1915.»

UMILIATO DAL FALLIMENTO della sua guerra-lampo in Grecia e dal disastro di Taranto, Mussolini pronunciò il 18 novembre, nella Sala Regia di Palazzo Venezia, davanti ai gerarchi provinciali del Partito fascista, un discorso che nascondeva l'imbarazzo e l'amarezza sotto la tracotanza degli slogans. Lì coniò la frase imprudente che gli si sarebbe sempre ritorta contro, nei mesi successivi: «C'è qualcuno tra voi, o camerati, che ricorda l'inedito discorso di Eboli, pronunciato nel luglio del 1935, prima della guerra etiopica? Dissi che avremmo spezzato le reni al Negus. Ora, con la stessa certezza *assoluta*, ripeto *assoluta*, vi dico che spezzeremo le reni alla Grecia. In due o dodici mesi non importa. La guerra è appena incominciata... Una volta preso l'avvio io non mollo più fino alla fine. L'ho già dimostrato e, qualunque cosa accada o possa accadere, tornerò a dimostrarlo. I 372 caduti, i 1081 feriti, i 650 dispersi nei primi dieci giorni di combattimenti sull'Epiro saranno vendicati».

L'esercito italiano di Grecia era in piena crisi. Un colpo d'ariete era bastato per mettere lo scompiglio in una organizzazione poco accurata, e fondata sul comodo presupposto di una costante spinta offensiva. I rincalzi venivano fusi nel calore della battaglia. Fu dato avvio al ripiegamento. La mattina del 22 novembre gli ultimi bersaglieri del 4° reggimento uscirono da Coriza, e il Comando supremo diramò un bollettino di guerra (il 168) che rintoccava a morto. «Le nostre truppe di copertura formate da due divisioni che all'inizio delle ostilità si erano attestate in difesa al confine greco-albanese di Coriza si sono ritirate, dopo 11 giorni di lotta, su una linea a ovest della città, che è stata evacuata. Durante questo periodo si sono svolti aspri combattimenti. Le nostre perdite sono sensibili. Altrettante, e forse più gravi, quelle del nemico. Sulla nuova linea si concentrano i nostri rinforzi.»

La crisi del fronte macedone si ripercosse fatalmente su quello dell'Epiro. Le truppe che avevano realizzato la prima illusoria avanzata percorsero a ritroso le stesse strade e mulattiere, la Centauro dovette abbandonare molti dei suoi piccoli carri armati che poi i greci rimisero alla meglio in condizione di funzionare. La nuova linea di resistenza si dimostrò vulnerabile quando, il 28 novembre, i greci presero Pogradec, che avrebbe dovuto invece essere uno dei pilastri del fronte ricostituito.

Visconti Prasca aveva già pagato la sua leggerezza, ora Badoglio pagò le sue ambiguità. Il maresciallo fu chiamato in causa – in termini che, dati i tempi, erano molto espliciti – da Roberto Farinacci. Sul suo quotidiano Regime Fascista il ras di Cremona – sicuramente ispirato da Roma – scrisse che la sconfitta della Grecia sarebbe diventata una realtà «anche se qualche imprevidenza e intempestività del comando dello Stato Maggiore generale ha permesso a Churchill di avere uno sciocco diversivo». Badoglio chiese udienza a Mussolini e pretese una smentita, abbozzandone anche il testo, che Farinacci giudicò inaccettabile. Piuttosto che pubblicarlo «avrebbe messo la dinamite sotto le rotative del giornale». Come sempre quando veniva affrontato in modo duro, Mussolini diventò malleabile, e scaricò ogni responsabilità sull'intemperante Farinacci.

A quel punto il maresciallo presentò una lettera di dimissioni e, presisi quattro giorni di licenza, andò nel Monferrato a meditare e a cacciare. Il 29 novembre Mussolini informò ufficialmente il Re – già ragguagliato grazie alle sue fonti speciali – delle dimissioni di Badoglio, che non trovò in Vittorio Emanuele III un alleato, tutt'altro. Dopo aver osservato che Badoglio non era insostituibile, e che anzi «non tutto il male verrà per nuocere» il Re ricevette il maresciallo, tornato a Roma: e impietosamente lo liquidò con questo giudizio: «Mi ha fatto un'impressione disastrosa. Fisicamente è distrutto, intellettualmente è intorpidito. Domattina, ha detto, si recherà dal Duce per ritirare le dimissioni». Un rottame aggrappato alla poltrona, insomma. Il 4 dicembre vi fu, tra Mussolini e Badoglio, il colloquio risolutivo. Al maresciallo il Duce disse che Cavallero era andato in Albania per vedere se Soddu, cui era stato concesso l'agognato comando delle truppe in Grecia, aveva ancora i nervi a posto. Se Soddu poteva reggere, Cavallero avrebbe rimpiazzato Badoglio: se non poteva, Cavallero sarebbe rimasto in Albania e il maresciallo a capo dello Stato Maggiore generale. «Non posso aspettare le decisioni del signor Cavallero» ribatté Badoglio. «Va bene, da questo momento siete in libertà» lo congedò Mussolini.

«Generale affarista», come è stato definito, Ugo Cavallero aveva indubbie doti d'ingegno. Laureato in matematica pura, traduttore dall'inglese e dal tedesco, primo alla scuola di guerra, brillante ufficiale del Comando supremo nel '15-'18, generale a trentott'anni, aveva percorso tutta la carriera nello Stato Maggiore. Era suocero di Jacomoni, e si muoveva molto bene negli ambienti non militari. Aveva per insegna l'ottimismo, e Mussolini non chiedeva di meglio, assediato com'era da generali e ministri sconfortati e rissanti. Badoglio e Cavallero si detestavano da decenni. Dopo la designazione a capo di Stato Maggiore generale Cavallero confidò al figlio Carlo: «Siamo di nuovo a Caporetto, e come allora devo rimediare agli errori di Badoglio».

Non era Caporetto, ma Soddu si comportava come se lo fosse. Il giorno stesso in cui Badoglio veniva licenziato, il comandante delle truppe d'Albania telefonò a Roatta che nulla lasciava prevedere la possibilità «nonché di una ripresa, neanche di un equilibrio», e da Guzzoni, in un'altra telefonata, sollecitò «una soluzione politica del conflitto». «È la proposta di domanda di un vero e proprio armistizio» disse un Mussolini costernato a Pricolo, capo di Stato Maggiore dell'Aeronautica. «Piuttosto che chiedere l'armistizio alla Grecia è preferibile partire tutti per l'Albania e farci uccidere sul posto.» Cavallero seppe almeno reagire a questo collasso psicologico. Nel pomeriggio del 4 dicembre atterrò ad Elbasan e subito si concertò con Soddu e Vercellino sulle misure da prendere. L'intendente generale in Albania Scuero gli consegnò un promemoria sulla consistenza dei magazzini che recava testualmente: «Viveri di riserva: nulla. Equipaggiamenti: minimo. Indumenti di lana: zero. Munizioni di fanteria: zero. Munizioni di artiglieria: insignificanti. Armi e artiglieria: esaurite tutte le disponibilità. Materiale del genio: praticamente nulla. Materiale sanitario: insufficiente».

Sotto Natale – dopo che i greci avevano ottenuto un ennesimo successo con la conquista di Himara, sul fronte della XI armata – il fronte appariva abbastanza stabilizzato. Cavallero e Soddu collaboravano ancora, il freddo sulle montagne era intenso, gli ospedali da campo italiani – come i greci del resto – si riempivano di congelati. Nevicava anche a Roma, e Mussolini se ne dichiarava contento: «Questa neve e questo freddo vanno benissimo – commentava raggiante nel caldo di Palazzo Venezia –. Così se ne vanno le mezze cartucce e migliora questa mediocre razza italiana».

IN LIBIA, DOPO IL BALZO a Sidi el-Barrani, le unità italiane d'Africa Settentrionale non s'erano più mosse. Graziani

si era preoccupato di organizzare e fortificare i campi trince-
rati e le ridotte della nuova linea: e l'aveva fatto con la mentalità, con la tecnica, e con i mezzi della sua esperienza coloniale. Mentre Graziani temporeggiava, e il suo esercito, pachider-
mico e statico, fronteggiava il vuoto, Churchill da Londra chiese a Wavell di creare fastidi agli italiani con una «incursione in
grande stile».

Il fattore che decise l'imminente battaglia fu la superiorità
inglese, qualitativa e quantitativa, in carri armati: una cinquantina di 30 tonnellate, 176 medi da 15 tonnellate, quasi 200 tra
carri leggeri e autoblindo. Le «scatole di sardine» italiane, con le
loro fragili corazze e le loro mitragliatrici, erano, in un qualsiasi
scontro, spacciate in partenza.

Le direttive di Wavell prevedevano che le sue forze corazzate
si incuneassero in un varco, a tergo del più avanzato schieramento italiano, e che gli indiani attaccassero invece frontalmen-
te. L'offensiva non si proponeva vasti obbiettivi: nel peggiore dei
casi avrebbe dovuto imporre una battuta d'arresto ai piani d'attacco italiani, e nel migliore portare alla riconquista di Sidi el-
Barrani. Con grande segretezza, profittando anche della insufficiente ricognizione aerea italiana, la VII corazzata e la divisione
indiana furono portate a ridosso delle linee di Graziani. All'alba
del 9 dicembre avanzarono. La sorpresa fu quasi totale, e un
bombardamento di grossi calibri della flotta inglese dal mare
contribuì ad accrescere lo smarrimento nel reparti italiani. I
capisaldi vennero travolti o aggirati, il generale Maletti, che
comandava l'omonimo raggruppamento, fu destato dal cannoneggiamento mentre era in pigiama, abbrancò una mitragliatrice per participare alla resistenza contro il nemico, e lì cadde
ucciso. Il generale Gallina fu invece catturato con tutto il suo
Stato Maggiore e una divisione in trasferimento, la Catanzaro, si
polverizzò sotto il fuoco delle avanguardie britanniche. Con un
esercito di trentamila uomini o poco più, ma armato moderna-
mente e guidato con intraprendenza, Wavell aveva travolto la
prima linea di Graziani e ripreso Sidi el-Barrani. I prigionieri
italiani, in quella prima fase, furono 38 mila, tra cui 4 generali.
In più un bottino di 237 cannoni, 70 carri, circa mille automezzi. Tra morti, feriti e dispersi, l'offensiva era costata agli inglesi
624 uomini.

A questo punto Wavell modificò i suoi piani. Il dispositivo italiano aveva rivelato una fragilità insospettata: tanto valeva insistere.
L'avanzata proseguì pertanto lungo la via Balbia e nel deserto,

verso Bardia, Tobruk, Derna, Bengasi. Le divisioni italiane ripiegarono affannosamente con l'incubo d'essere accerchiate, e l'Aeronautica si prodigò in compiti di appoggio: ma era stata falcidiata dalla distruzione di una settantina di apparecchi al suolo, e dalla insufficienza tecnica dei bombardieri e caccia, assolutamente inadeguati alle condizioni climatiche difficili. Per ridare nerbo ai reparti, e solidità a uno schieramento dissestato, sarebbe stato necessario un comandante risoluto e dai nervi saldi. Graziani perse invece completamente la testa. Un suo rapporto a Mussolini – 12 dicembre – era un impasto penoso di retorica e di avvilimento. Il maresciallo era a Cirene, a 500 chilometri dal fronte, ma riteneva utile «anziché sacrificare mia inutile persona portarmi a Tripoli, se mi riuscirà, per mantenere almeno alta su quel castello la bandiera d'Italia, attendendo che Madrepatria mi metta in condizioni di continuare ad operare». Tripoli, a 1500 chilometri di distanza e «se mi riuscirà»! Secondo lo stesso Graziani «la salvezza della Libia è oggi affidata alla volontà del nemico. Vorrà esso spingersi oltre Tobruk o si arresterà volontariamente su questo obbiettivo?». Come impostazione strategica, quella del maresciallo era indubbiamente originale, perché affidava i successivi sviluppi della battaglia soltanto all'avversario. Per quel che lo riguardava, aveva rinunciato. Venivano così perdute le piazzeforti della Cirenaica (Tobruk, Bardia).

Il popolare generale Bergonzoli, soprannominato «barba elettrica», che aveva guidato la difesa di Bardia, era stato costretto a sottrarsi alla cattura, come è scritto nella Storia ufficiale italiana, «percorrendo a piedi, da Bardia a Tobruk, circa 120 chilometri e riuscendo a sfuggire alla prigionia attraverso gravi peripezie, trafilando, di notte, negli schieramenti nemici ed occultandosi durante il giorno, seguito da un nucleo di ufficiali che si assottigliava durante il cammino a causa dello sforzo, lungo e gravoso». Bergonzoli riuscì soltanto a rinviare la cattura, che avvenne il 7 febbraio 1941, quando una sua brigata corazzata fu circondata dal nemico, e distrutta, al termine della disastrosa ritirata. Il capo di Stato Maggiore di Graziani, Tellera, che si era spinto tra i reparti avanzati per contrastare l'estremo urto degli inglesi, ormai entrati in Bengasi, fu ferito a morte.

La X armata italiana aveva cessato di esistere. Graziani chiese l'8 febbraio di essere sostituito perché «gli ultimi avvenimenti hanno fortemente depresso i miei nervi e le mie forze, tanto da non consentirmi di tenere più il comando nella pienezza delle mie facoltà». Dopo una esitazione di qualche giorno, Mussolini lo rimpiazzò con il generale Gariboldi. Stava del resto per arrivare Rommel, che già aveva visitato il fronte con una «commissione» tedesca incaricata di studiare le modalità dell'invio di un corpo di spedizione: e le sue conclusioni sull'azione di Graziani erano state delle più negative.

ALL'INIZIO DEL 1941 la poderosa macchina bellica tedesca era intatta, ma aveva mancato, senza neppure tentare di raggiungerlo, il suo maggiore obbiettivo: l'invasione dell'Inghilterra. Con la rinuncia all'Operazione Leone Marino – così era stato battezzato dai tedeschi l'attacco alla fortezza insulare inglese – perse ogni motivo d'impiego anche il Cai, ossia quel Corpo aereo italiano che Mussolini, nella sua smania presenzialista, aveva voluto fosse inviato negli aeroporti della Manica per partecipate ai bombardamenti e ai duelli aerei nel cielo di Londra.

Gli aerei destinati al Cai, comandato dal generale Rino Corso Fougier, erano circa 200: due stormi di bombardieri, uno di caccia e una squadriglia per la ricognizione strategica. La logica avrebbe voluto che giungessero in zona di operazioni nel corso dell'estate, ma l'approntamento fu così lento che risultarono utilizzabili nella seconda metà di ottobre, quando già il sogno dell'invasione si era dissolto, più di 1700 aerei tedeschi erano stati perduti nel vano tentativo di sgominare la Raf, e, come ammise in un rapporto a Roma lo stesso Fougier, «c'era stato un radicale cambiamento della situazione e un naufragio delle speranze». Nell'autunno nordico i piloti e gli apparecchi italiani affrontarono difficoltà per le quali erano impreparati. I caccia Cr 42 erano macchine vetuste, con l'abitacolo insufficientemente riscaldato, e la strumentazione per il volo senza visibilità inadeguata, se non inesistente. Ai primi di novembre le formazioni italiane furono impegnate in qualche puntata addestrativa, e finalmente l'11 una decina di bombardieri protetti da 80 caccia tentarono un attacco diurno su Harwich che costò la perdita di 10 apparecchi (si affermò che i caccia italiani ne avevano abbattuti altrettanti, ed è dubbio). Certo è che l'apporto del Cai alla guerra aerea della Manica risultò platonico, e distrasse forze preziose dai fronti africano e albanese. I tedeschi consigliarono il rimpatrio del contingente aereo italiano, che rientrò ai primi di gennaio 1941 accompagnato dagli elogi di prammatica di Göring e di Kesselring.

Carico di tanti lividi, il Duce tenne il 23 febbraio, nel Teatro Adriano di Roma, un «rapporto alle camicie nere». Fu autodifensivo e, esplicitamente o implicitamente, accusatorio verso i marescialli e generali che non avevano saputo utilizzare le armi e gli uomini di cui disponevano. Le armate d'Africa, una delle quali era stata fatta a pezzi da Wavell, non mancavano di mezzi, precisò Mussolini: tra il 1° ottobre 1937 e il 31 gennaio 1941 erano stati inviati in Libia 14 mila ufficiali, 396 mila sottufficiali e soldati, 1924 cannoni, 25 mila mitragliatrici, 779 carri armati, 10 mila automezzi. Quindi aggiunse: «Noi diciamo pane al pane e vino al vino, e quando il nemico vince una battaglia è inutile e ridicolo cercare di negarlo o minimizzarlo. Un'intera armata, la X, è stata travolta quasi al completo con uomini e relativi equipaggiamenti. La quarta squadra aerea si è quasi letteralmente sacrificata. Poiché noi facciamo questo riconoscimento è inutile che il nemico gonfi le cifre del suo bottino... Gli eventi vissuti in questi giorni esasperano la nostra volontà e devono accentuare contro il nemico quell'odio freddo, implacabile... che è un elemento indispensabile per la vittoria». E concluse: «Fra poco verrà primavera, e come vuole la stagione, la nostra stagione, verrà il bello... dai quattro punti cardinali».

NEI PRIMI DUE MESI del 1941, dopo che i greci avevano ottenuto un ultimo rilevante successo, il 10 gennaio, con la conquista di Klisura, il fronte albanese si immobilizzò, o quasi. La morte di Metaxás, il 29 gennaio, non aveva prostrato i greci, che avevano più temuto che amato questo dittatore duro e grigio. Ormai contro i 54 reggimenti – più una ventina di battaglioni non irreggimentati – di cui disponeva Cavallero, Papagos, con i suoi 42 reggimenti, doveva accontentarsi di tenere, magari con qualche sortita qua e là. Dopo l'euforia dei successi, cominciavano a serpeggiare anche tra i greci sintomi di stanchezza e di insofferenza. I due eserciti erano ridotti a una guerra di posizione che ricordava i *surplaces* sanguinosi del '14-'18. Ma Mussolini pretendeva una vittoria, almeno parziale, e la pretendeva presto. I tedeschi si apprestavano a far piazza pulita, alla solita maniera, anche nei Balcani, ed era necessario contrapporre loro, quando avessero fatto irruzione dalla Bulgaria in Macedonia, un bilancio meno desolantemente negativo.

L'offensiva di primavera – in realtà si svolse nella prima metà di marzo – sarebbe stata onorata, fu deciso, dalla presenza del

Duce. Il 2 marzo Mussolini decollò da Bari per Tirana «pilotando personalmente» un trimotore S 79 scortato da altri due velivoli dello stesso tipo, da due idrovolanti Cant Z 506 e da dodici caccia Macchi 200. I saluti all'atterraggio furono sbrigativi.

Dopodiché il corteo di automobili – naturalmente erano in Albania, insieme a Mussolini, anche Ciano, Starace, Farinacci e altri gerarchi ansiosi di non lasciarsi scappare, se ci fosse stata, quell'ora di gloria, e qualche medaglia – giunse a Rehova, dov'era il comando del generale Gastone Gambara, che si era distinto in Spagna e che avrebbe guidato l'offensiva: che aveva propositi modesti. Fu illustrato al Duce il piano dell'offensiva: un attacco limitato in Val Desnizza, sul fronte della XI: ossia verso la valle che sbocca su Klisura. L'azione di Cavallero non aveva possibilità di sviluppo, al di là della riconquista di Klisura, e non poteva collegarsi all'imminente intervento tedesco. Ma Cavallero era ossessionato – dopo le brucianti esperienze dei mesi precedenti – dalla preoccupazione di una controffensiva greca. Più che a vincere, pensava a non perdere.

Esposti i suoi propositi, Gambara chiese qualche giorno ancora di preparazione, e Mussolini, con il suo lungo pastrano grigioverde e i gradi di Primo maresciallo dell'Impero, fu portato a spasso per le retrovie, a ispezionare battaglioni, assistere a manovre a fuoco, tenere rapporti ai generali. Finalmente venne, all'alba del 9 marzo, l'appuntamento con l'offensiva di primavera. Il Duce raggiunse l'osservatorio del Komarit che, a ottocento metri di quota, dominava un panorama di dossi scoscesi e di montagne, simile in qualche modo al tragico Carso. Il punto di osservazione consisteva in una casamatta, affollata di generali. Ottima nella mattinata, fredda ma tersa, la visibilità. Il fuoco di preparazione dell'artiglieria fu intenso, centomila colpi sparati in un paio d'ore. Una collina scabra in mano ai greci ribolliva di scoppi: era indicata nelle carte come località Monastero, per i bassi edifici di un convento, ridotto in macerie, che vi sorgevano con altre casupole; e costituiva uno dei primi obbiettivi dell'offensiva. Sempre più cupo, Mussolini assistette a una estenuante replica delle «spallate» alla Cadorna, che l'11 marzo era già diventata sterile, sanguinosa *routine*.

Lo sfondamento non venne. Il 13 e poi il 14 quota Monastero fu conquistata e persa, un mitragliamento di aerei greci si abbatté sulle retrovie italiane non lontano dall'osservatorio del Komarit (Mussolini non diede alcun segno di paura), e finalmente Cavallero dovette confessare che le unità italiane non erano più «idonee a produrre la rottura del fronte al nemico, il quale ha sfruttato il tempo che noi impegnavamo a formare il fronte per fare una sistemazione difensiva molto efficace». Le perdite erano state severe: cinquemila uomini fuori combattimento nell'VIII Corpo d'armata, altri cinquemila nel XXV, 1800 nel V. Risultato zero. Con Pricolo Mussolini si sfogò: «Sono nauseato di questo ambiente. Non abbiamo progredito di un passo. Mi hanno ingannato fino a oggi. Disprezzo profondamente tutta questa gente».

Gli avvenimenti provvidero comunque a togliere l'iniziativa – si fa per dire – dalle mani di Mussolini, e a ridarla totalmente alla Germania, che era pronta ad agire nei Balcani: e a tale scopo aveva insediato le sue truppe, dal 1° marzo, in Bulgaria, con il pieno assenso di Re Boris e del governo, che avevano mobilitato il loro esercito. Ma Hitler dovette affrettare i tempi, e modificare i suoi piani, per un improvviso voltafaccia jugoslavo.

A Belgrado due fazioni, l'una filo-tedesca, l'altra filo-inglese, si disputavano sotterraneamente il potere. La prima aveva come punto di riferimento il Principe reggente Paolo, la seconda il Re minorenne Pietro. Inglesi e tedeschi esercitavano tutte le possibili pressioni per trascinare gli jugoslavi, attanagliati da una tremenda e giustificata paura, nel loro rispettivo campo. In quegli stessi giorni Anthony Eden conduceva ad Atene tormentose trattative per concordare le modalità dell'invio di un corpo di spedizione britannico in Grecia. Il 15 marzo il ministro di S.M. britannica a Belgrado, Campbell, che aveva conferito con Eden, tornò nella sua sede per consegnare al reggente Paolo una lettera del ministro degli Esteri inglese. Ma il reggente non era a Belgrado, per la semplice ragione che si era recato a Berchtesgaden, a conferire con Hitler nel «nido dell'aquila». Di quell'incontro si videro le conseguenze il 25 marzo, quando la Jugoslavia aderì al Patto Tripartito Italia-Germania-Giappone, imitando la Bulgaria che l'aveva già fatto il 1° marzo (agli jugoslavi Hitler aveva promesso compensi territoriali, e in particolare Salonicco). Due giorni dopo un colpo di Stato militare defenestrò il reggente, e con lui il Primo Ministro Zvetkovic. Re Pietro, allora diciottenne, assunse nominalmente la responsabilità del potere, esercitato, come nuovo Primo ministro, dal generale Dusan Simovic, capo dei congiurati. Sul carattere antitedesco del *putsch* non era possibile avere dubbi, anche se Simovic tentò di barcamenarsi, ostentando equidistanza. D'altro parere furono le folle che, per le strade di Belgrado e di altre città, inneggiarono a Pietro II e agli inglesi.

Hitler, che s'era illuso d'avere inserito la Jugoslavia, come alleata, nel suo sistema politico-strategico, fu sconvolto dalla notizia del colpo di Stato, tanto che in un primo momento ritenne si trattasse di uno scherzo. Poi convocò, in preda a una furia isterica, Göring, Keitel, Jodl, Ribbentrop, e ordinò che si preparasse la distruzione della Jugoslavia come entità militare e come nazione. All'alba del 6 aprile, una domenica – sempre di domenica le armate di Hitler avevano attaccato la Polonia, la Norvegia, e la Francia – Grecia e Jugoslavia furono invase dai tedeschi. Non vi fu dichiarazione di guerra alla Jugoslavia. Al Primo ministro greco Korizis il principe Erbach, ministro tedesco ad Atene, consegnò un breve documento che accusava il governo ellenico di essere asservito agli inglesi, e incapace ormai di decidere autonomamente. La disgregazione delle forze jugoslave, mentre le unità corazzate tedesche irrompevano, e anche le truppe italiane al comando di Ambrosio varcavano il confine, fu rapida. Già il 7 aprile Ante Pavelic fece appello ai croati per la creazione di uno Stato indipendente, il 12 cadde Belgrado, il 18 fu firmata la resa che consegnava alle forze dell'Asse 334 mila prigionieri, mentre Pietro II e il suo governo si rifugiavano in Grecia, da dove poi avrebbero trasmigrato a Londra.

Anche in Grecia la penetrazione dei tedeschi fu travolgente. Il 9 aprile entrarono in Salonicco, e si prepararono a una conversione verso Florina, Kastoria, Kalabaka, per prendere alle spalle l'esercito di Albania. La mattina del 12 aprile Papagos ordinò alle divisioni greche dell'Epiro e della Macedonia occidentale di ripiegare, per sfuggire alla tenaglia italo-tedesca. Era un ordine tardivo, ma necessario, che tuttavia provocò sgomento e rabbia tra i comandi e nella truppa. Il 13 aprile comunque la ritirata ebbe inizio, e lo schieramento italiano avanzò perché quello greco retrocedeva. Finalmente alcuni tra i generali greci di più alto grado decisero, scavalcando il Re e Papagos, di chiedere un armistizio ai tedeschi. La richiesta fu accettata, il 20 aprile, dal comandante della divisione SS Adolf Hitler, generale Dietrich.

Il generale Halden annotò sul suo diario: «Il Führer ha ordinato che l'armistizio non sia applicato senza la sua approvazione. Questo per dare agli italiani una scappatoia. Ma questa soluzione ridicolizza il maresciallo comandante della XII armata e inoltre... consolida il mito che gli italiani abbiano costretto i greci ad arrendersi. In realtà al momento dell'armistizio non c'era contatto tra greci e italiani». Intanto von Rintelen, l'addetto militare tedesco a Roma, tentava di rabbonire un Mussolini furibondo, che pretendeva una dura punizione dei greci, e perciò non ammetteva che i soldati sbandati potessero essere rinviati alle loro case, e che gli ufficiali fossero lasciati in possesso delle loro pistole. Alle undici di sera del 23 aprile fu firmato dal generale Ferrero in rappresentanza di Cavallero (per i tedeschi c'era Jodl, per i greci il generale Tsolakoglu) l'armistizio definitivo. Lo stesso Tsolakoglu costituì poi un governo collaborazionista ad Atene e, conclusa la guerra, morì nel carcere dove era stato rinchiuso per tradimento.

La campagna di Grecia era così finita, nello stesso modo umiliante in cui era cominciata. Il bollettino di guerra italiano numero 323 del 24 aprile annotò tuttavia con compiacimento che «fino alle 18 di ieri, ora in cui sono cessate le ostilità, l'avanzata in territorio greco ha proseguito senza soste. Nei combattimenti degli ultimi giorni abbiamo avuto circa seimila uomini fuori combattimento, dei quali, tra morti e feriti, circa 400 ufficiali». Le armate d'Albania comprendevano, al momento del «cessate il fuoco», 31 mila ufficiali, mezzo milione di sottufficiali e uomini di truppa, 63 mila quadrupedi, 13 mila automezzi. L'inutile guerra era costata 13.755 morti, 50 mila feriti, 12 mila congelati, 25 mila dispersi da considerare in massima parte caduti sul campo. Tredicimila i morti greci, 42 mila i feriti. Le perdite tedesche per l'attacco alla linea Metaxás erano state modeste: 263 ufficiali morti o feriti, 1160 sottufficiali e soldati morti.

MUSSOLINI AVEVA PROMESSO che con la primavera sarebbe venuto il bello – una frase cui era affezionato, l'aveva già pronunciata nel 1925, riapparendo in pubblico dopo una seria malattia – e i fatti gli diedero in qualche modo ragione, perché le truppe dell'Asse presero trionfalmente l'iniziativa in Africa Settentrionale. Ma prima che questa schiarita succedesse a un inverno di sconfitte e di delusioni, o mentre essa si sviluppava, le Forze Armate italiane dovettero aggiungere al loro già pesante bilancio negativo due altre tragedie: lo scontro navale di Gaudo e Matapán, e la perdita dell'Impero.

La sera del 26 marzo la corazzata *Vittorio Veneto* lasciò il porto di Napoli, affiancata più tardi da tre divisioni di incrociatori: la prima (*Fiume, Pola, Zara*), la terza (*Trieste, Trento, Bolzano*), l'ottava (*Garibaldi, Duca degli Abruzzi*). Le unità maggiori erano scortate da cacciatorpediniere. La squadra, al comando dell'ammiraglio Tadino, puntò verso Creta e fu avvistata dai ricognitori britannici, che misero in allerta l'ammiraglio Cunningham ad Alessandria, da dove uscì la sera del 27 la Forza A della Mediterranean Fleet, con le tre corazzate *Barbam*, *Valiant*, *Warspite*, la portaerei *Formidable* e 9 cacciatorpediniere. Dal Pireo si era a sua volta mossa, per congiungersi a Cunningham, la Forza B del viceammiraglio Pridham-Wippel con gli incrociatori *Orion*, *Ajax*, *Perth*, *Gloucester*, oltre a quattro cacciatorpediniere.

Gli inglesi presero il mare sapendo che una poderosa squadra italiana era in navigazione. All'alba del 28 marzo la terza divisione di incrociatori italiana (ammiraglio Sansonetti) incocciò nella formazione di Pridham-Wippel, e l'attaccò. Lo scontro, nel quale nessuna unità fu colpita seriamente, durò una quarantina di minuti e l'inglese, contro le consuetudini aggressive della sua Marina, si sottrasse al combattimento. Lo fece, verosimilmente, nel tentativo di portare gli incrociatori italiani sotto il tiro delle corazzate, la cui presenza a distanza ravvicinata era ignota a Jachino. Questi si insospettì, tuttavia, e ordinò a Sansonetti di desistere dall'inseguimento con il risultato che Pridham-Wippel mutò tattica e da cacciato divenne cacciatore. L'impeto del viceammiraglio inglese lo trascinò in una situazione critica perché, al largo dell'isola greca di Gaudo, a sud di Creta, Jachino riuscì ad aggirare gli incrociatori inglesi che rischiarono di trovarsi tra due fuochi: da una parte la *Vittorio Veneto*, dall'altra la divisione Trieste. La corazzata italiana sparò infatti sugli inglesi, inquadrando abbastanza bene il bersaglio senza tuttavia colpirlo. A quel punto Jachino decise il rientro alla base.

Cunningham non aveva più alcuna speranza di agguantare la squadra italiana, salvo che un fatto nuovo l'avesse ritardata. E di fatto nuovo poteva essercene uno solo: un'avaria provocata dagli aerosiluranti. Nelle prime ore del pomeriggio – le 15,19 per l'esattezza – una squadriglia di cinque aerosiluranti inglesi raggiunse la *Vittorio Veneto*, affrontò con grande audacia lo sbarramento contraereo, e sganciò i siluri. L'attacco decisivo fu portato con tre apparecchi, da direzioni diverse: e il siluro fatale fu lanciato dal capo squadriglia Dalyell-Stead che, mollatolo, venne colpito dal tiro delle mitragliere italiane, e precipitò in mare. Ma l'ordigno andò a segno, anche se di striscio, vicino all'elica sinistra della *Vittorio Veneto*. Nello scafo si aprì una falla attraverso la quale irruppero quattromila tonnellate d'acqua, il timone fu bloccato, le macchine tacquero.

La corazzata era a settecento chilometri dalla sua base, e ormai tallonata dalla Mediterranean Fleet. Jachino aveva in quel momento un obbiettivo primario, riportare la *Vittorio Veneto* in porto. Per sua fortuna le due macchine di dritta ripresero a funzionare, una delle due pompe del timone tornò in efficienza, consentendo di governare; così, ansimando, a 19 nodi di velocità, il colosso riprese la rotta del ritorno, fiancheggiato da sei incrociatori e undici cacciatorpediniere. Anche se più tardi la velocità della formazione si ridusse a 15 nodi, fu evitato il contatto con il nerbo della flotta inglese. Con la notte, la navigazione sarebbe proseguita più sicura, e l'alba avrebbe trovato la squadra da battaglia italiana già a ridosso delle sue coste. Ma sopravvenne, a questo punto, un grave imprevisto. Al tramonto, in un altro attacco di aerei inglesi, l'incrociatore *Pola* fu immobilizzato, a sud di Capo Matapán, da un siluro a poppa. Privo anche di energia elettrica, l'incrociatore non era neppure più in grado di ruotare le torri dei cannoni.

Jachino decise di ordinare una inversione di rotta agli altri due incrociatori della prima divisione, lo *Zara* e il *Fiume*, e ai cacciatorpediniere *Alfieri*, *Gioberti*, *Carducci* e *Oriani* perché portassero soccorso all'unità paralizzata. Fu una decisione disastrosa. Le corazzate inglesi, che puntavano sul *Pola* si trovarono sotto tiro, d'improvviso, gli altri incrociatori e i cacciatorpediniere della la divisione: e fu un massacro. Sullo *Zara* e sul *Fiume* si abbatté una valanga di ferro e di fuoco, analoga sorte toccò ai cacciatorpediniere *Alfieri* e *Carducci* – il comandante dell'*Alfieri*, capitano di vascello Toscano, volle eroicamente immolarsi con la nave – mentre scamparono avventurosamente, sfiorando nelle tenebre le navi nemiche, l'*Oriani* e il *Gioberti*. Lo *Zara* e il *Fiume* galleggiarono qualche ora, mentre gli equipaggi si prodigavano per domare gli incendi e soccorrere i feriti. Alle 2,30 della notte sul 29 marzo, lo *Zara*, abbandonato dall'equipaggio, fu fatto saltare. Poco prima il *Fiume* si era appoppato ed era affondato capovolgendosi sulla dritta. Cunningham aveva nel frattempo rivolto la sua attenzione al *Pola*, inerme, che egli riteneva fosse la *Vittorio Veneto* in avaria. Nell'oscurità il cacciatorpediniere *Jervis* abbordò il relitto, i marinai britannici si issarono a bordo e se ne impadronirono. Dopo aver trasferito l'equipaggio del *Pola* sullo *Jervis*, gli inglesi colarono a picco l'incrociatore con un siluro. In totale a Capo Matapán gli inglesi trassero in salvo circa 900 naufraghi; altri 160 furono recuperati dalla nave ospedale *Gradisca*, giunta sul posto solo il 31 marzo. Tremila marinai italiani persero la vita, i più per assideramento: tra essi l'ammiraglio Cattaneo, e i comandanti dello *Zara* e del *Fiume*, Corsi e Giorgis.

NELLA SECONDA METÀ di gennaio ('41) scattò contro l'Impero di Etiopia la duplice offensiva inglese. Le truppe che muovevano dal Sudan erano al comando del generale William Platt, quelle che muovevano, a sud, dal Kenya, al comando del generale Alan Cunningham. Sul fronte nord il generale Magi Frusci, che aveva a disposizione 35 mila uomini (più del nemico), 140 pezzi di artiglieria, 36 carri armati, si trovò alle prese con un dilemma angoscioso. Abbandonare la pianura, sprovvista di ostacoli naturali, e ripiegare immediatamente sui contrafforti dell'altopiano, o contendere il terreno palmo a palmo? Frusci esitava, e non meno di lui esitavano il Viceré Amedeo d'Aosta e il suo capo di Stato Maggiore Trezzani. Andò a finire che il ripiegamento fu ordinato, ma in ritardo, e costò perdite ingenti perché si svolse in disordine, sotto la pressione di Platt.

Il 29 gennaio gli anglo-indiani entrarono in Agordat e i reparti italiani ricacciatine si asserragliarono nella conca di Cheren la cui principale strada di accesso, insinuata in una gola, era stata fatta saltare per duecento metri. La posizione di Cheren è naturalmente forte. «Il crinale di tutto il sistema – scrive Angelo del Boca nel suo libro sulla caduta dell'Impero – si eleva ad un'altezza media di 1700 metri, ed è in genere caratterizzato da una serie di picchi, cuspidi, speroni e burroni dalle pareti a strapiombo.» Il comando della piazza fu affidato, il 2 febbraio, a un generale capace e animoso, Nicola Carnimeo, che disponeva in quel momento dell'XI reggimento Granatieri di Savoia, appena arrivato in autocarro da Addis Abeba, dell'XI brigata indigena, di due squadroni di cavalleria coloniale, di due gruppi di artiglieria. Non più di seimila uomini, mancando ancora all'appello le forze del colonnello Lorenzini, un vecchio coloniale, che dopo la stremante ritirata nel bassopiano si stavano riorganizzando a una dozzina di chilometri di distanza. Gli anglo-indiani, ancora convinti di poter sfruttare la spinta della precedente avanzata, si scagliarono senza indugi contro il sistema di caposaldi, e progredirono tanto che l'8 febbraio qualche loro avanguardia irruppe nei quartieri periferici della città. Ma i reparti italiani e coloniali, che si battevano con un mordente eccezionale, non solo riuscirono ad arrestare l'avanzata, ma costrinsero il nemico ad arretrare. La resistenza italiana destò ammirazione negli inglesi, e il colonnello Barker scrisse, rievocandola: «Cheren costituì il supremo sforzo bellico italiano, e ciò che fecero le truppe di Carnimeo non fu probabilmente mai superato nella storia militare italiana». Carnimeo annotò, *a posteriori*, che gli Alti comandi italiani non prelevarono unità dai settori contigui per mantenere invece uno schieramento «a chiazze», e di attesa, presso ciascun governo regionale. Cinquemila uomini soltanto andarono perciò ad aggiungersi ai difensori del baluardo.

Il 15 marzo Platt scatenò il nuovo attacco, spadroneggiando nel cielo dove solo un vecchio Cr 42 dell'intrepido capitano Visintini si affacciava di tanto in tanto a contrastare le squadriglie inglesi. Per scompaginare le linee inglesi e frenarne l'avanzata, il tenente colonnello Amedeo Guillet – soprannominato dai suoi *dubat* «Communtàr as Sciaitan», colonnello diavolo – si produsse in una delle ultime due cariche di cavalleria della Storia militare (l'altra fu quella del «Savoia» in Russia). A briglia sciolta e sciabola sguainata sfondò lo schieramento del nemico, ammirato di tanta audacia, ma naturalmente rimase tagliato fuori dai nostri, e seguitò a fare una piccola guerra per conto suo, travestito da abissino. Dodici giorni dopo, il 27 marzo, quando anche Lorenzini, promosso nel frattempo generale, era caduto in combattimento, il ridotto di Cheren si arrese, e le truppe che erano riuscite a sfuggire alla morsa inglese offrirono resistenza su posizioni più arretrate, ma senza poter ripetere il miracolo. Il 1° aprile le truppe britanniche entrarono all'Asmara. Massaua cadde l'8 aprile.

Sul fronte del Giuba – il fiume era la linea che Amedeo di Savoia e Trezzani avevano deciso di difendere – la resistenza fu molto meno accanita. Il fronte andò subito in pezzi: le unità italiane – alcune, comprendenti molti coloniali, ridotte a scheletri, con i soli ufficiali e i nazionali – ripiegarono caoticamente e i generali non furono presto in grado di esercitare una effettiva azione di comando.

Il 31 marzo il Viceré decise di abbandonare l'indifendibile Addis Abeba, e ordinò fossero avviate trattative per un ordinato passaggio dei poteri. Il 6 aprile le prime camionette inglesi, scortate dai motociclisti della Pai, la polizia dell'Africa italiana, entrarono nella capitale mentre i guerriglieri etiopici «dalle zazzere irsute, dalle divise lacere, unte, trasudate» si abbandonavano a una fantasia selvaggia: «Un gruppo indossava le divise di ufficiali italiani morti, un altro sospingeva a calci un asino al cui collo era stata avvolta la bandiera tricolore». Nei primi giorni di occupazione inglese Addis Abeba fu nel caos: alcune decine di italiani vennero massacrati e fu ordinato che la comunità bianca si riunisse in due zone di sicurezza, facilmente controllabili e difendibili.

Fino al momento in cui abbandonò Addis Abeba, Amedeo di Savoia fu molto incerto sulla posizione da scegliere per l'ultima resistenza. Avrebbe potuto ripiegare nel Galla e Sidama, dove i cinquantamila uomini del generale Gazzera non erano ancora stati provati da combattimenti duri, o rifugiarsi con il generale Nasi nel ridotto di Gondar, o avviarsi verso la regione degli Arussi. Alla fine preferì l'Amba Alagi: e anche se questa disperata opzione fu motivata con ragioni strategiche – la speranza di impedire o almeno ritardare da quel bastione il congiungimento delle forze di Platt con quelle di Cunningham – è molto probabile che vi sia stata in essa una forte componente sentimentale. Sull'Amba Alagi si era immolato Toselli, nel dicembre del 1895. Personaggio romantico, Amedeo d'Aosta volle in qualche modo emularne il sacrificio. Caviglia, che definì quella del Duca «una puerile decisione», «una ragazzata sotto il punto di vista militare», fu ingiusto e arido.

Amedeo d'Aosta avrebbe potuto lasciare l'Amba con un aereo, quando ancora gli inglesi non si erano infiltrati profondamente, ma rifiutò sdegnosamente quel privilegio. Il 15 maggio una scheggia lo colpì all'avambraccio sinistro: volle che non se ne dicesse nulla. Già dal giorno precedente Mussolini l'aveva autorizzato alla resa, e il Duca aveva designato come negoziatore il generale Volpini, che gli era sempre stato accanto negli ultimi anni, «la persona alla quale volevo più bene dopo mio padre». Ma il generale fu massacrato con la sua scorta dai ribelli etiopici, che premevano tutt'attorno al ridotto, smaniosi di vendette. Alle 12 del 17 maggio le condizioni di resa furono finalmente pattuite dai generali Trezzani e Cordero di Montezemolo per parte italiana, dal colonnello Dudley Russel per parte inglese.

La mattina del 19 maggio i resti del presidio italiano dell'Amba Alagi si avviarono verso la prigionia, «un manipolo sporco ed eterogeneo, i relitti di un naufragio» scrisse il giornalista Quirino Maffi, mentre gli inglesi che presentavano le armi «sembravano usciti dalla lavanderia». Amedeo d'Aosta fu trasferito prima ad Adi Ugri, quindi a Kartum, infine in un villino di caccia a cento chilometri da Nairobi, dove morì di tubercolosi il 3 marzo 1942.

L'INVIO DI UN CORPO di spedizione in Africa Settentrionale fu per i tedeschi spiacevole ma inevitabile. S'impegnavano in Africa controvoglia – Hitler metteva a punto l'Operazione Barbarossa contro l'Unione Sovietica, intralciata dalle iniziative mussoliniane – ma lo facevano anche con la consueta, straordinaria efficienza. Per l'Africa Settentrionale l'Okw (Oberkommando Wehrmacht, cioè Comando supremo) non concesse molto: una divisione leggera, la 5ª – che leggera era nella terminologia tedesca, ma che disponeva di 2 mila automezzi, 111 pezzi anticarro, un reggimento di carri – e la 15ª corazzata: la prima pronta ad operare fin dalla metà del febbraio 1941, la seconda da sbarcare a scaglioni, entro maggio. A capo di questo Afrika Korps, e della Operazione Girasole che gli era affidata, fu posto il generale prediletto del Führer, Erwin Rommel.

Questo grande e spericolato tattico stava per compiere cinquant'anni quando sbarcò a Tripoli. Non era uno Junker, un orgoglioso aristocratico: né era stato dotato da madre natura di un fisico imponente. La sua statura era anzi inferiore alla media. Ma aveva una vocazione sicura per la vita militare, ineguagliabili doti di trascinatore di uomini in combattimento, una volontà di ferro.

In Rommel, Hitler vedeva il suo ideale di comandante: non un altezzoso prussiano, poco disposto a seguire le istruzioni dell'«imbianchino austriaco», legato alla tradizione e ai canoni strategici, ma un uomo ambizioso, audace, duro, spicciativo, implacabile nel volere la vittoria del Reich. Hitler mandò il brillante ufficiale a vedersela con il deserto, con gli inglesi e con i «camerati» italiani, ormai non più agli ordini di Graziani, ma a quelli dell'anziano Italo Gariboldi, un generale dotato di buon senso e assolutamente sprovvisto di fantasia: il che ne faceva, in qualche modo, l'anti-Rommel.

Una volta insediato, Rommel si era accordato con Gariboldi per un'azione su El-Agheila, punta avanzata nello schieramento britannico: ma per il Comando italiano era pacifico che quella «rettifica» del fronte dovesse semplicemente eliminare un fastidioso saliente, senza propositi ambiziosi. Il 24 marzo 1941 un reparto esplorante tedesco e un nucleo celere italiano agli ordini del tenente colonnello Santamaria raggiunsero l'obbiettivo, che le truppe di Wavell avevano sgombrato. A quel punto, secondo Gariboldi, era opportuno sostare in attesa almeno che la 15ª divisione corazzata tedesca fosse a ranghi completi. Rommel era di ben diverso avviso: aveva constatato – e poteva farlo di persona, perché aveva posto il suo Comando a ridosso degli avamposti, ed eseguiva frequenti ispezioni nelle prime linee – che il dispositivo inglese era debole. Decise quindi di puntare a sorpresa su Marsa el-Brega, per impedire che il nemico vi si fortificasse, e mandò in avanti uno snello gruppo da combattimento della 5ª divisione leggera, con una compagnia di *panzer* e colonne miste italo-tedesche. Con perdite insignificanti anche Marsa el-Brega fu conquistata, il 31 marzo.

Ma l'appetito di Rommel andava crescendo a mano a mano che divorava fortini e chilometri di litoranea. Da Marsa el-Brega egli puntò subito su Agedabia, e in una relazione al Comando superiore italiano chiese che altre grandi unità seguissero il movimento in avanti, compiuto «secondo le norme di combattimento dell'esercito tedesco». Osservazione questa insieme orgogliosa e irritante per Gariboldi che, invitato da Mussolini a esprimere «il suo netto pensiero in merito a tali azioni», disse chiaro e tondo che non era d'accordo.

Quando i due generali s'incontrarono al quartier generale di Rommel erano già disponibili indizi certi che gli inglesi stavano addirittura sgomberando Bengasi. Ne avevano dato notizia sia un ufficiale italiano che, preso prigioniero nella offensiva britannica, era riuscito a raggiungere un reparto della 5ª divisione leggera tedesca, sia un parroco che dalla città si era diretto verso le linee italo-tedesche. Il colloquio fu tuttavia tempestoso. «Si venne – ha scritto Rommel nel suo *Guerra senza odio* – a una discussione alquanto vivace durante la quale esposi con tutta chiarezza il mio punto di vista. Il generale Gariboldi voleva innanzi tutto ottenere il consenso dei comandi di Roma, ma ciò poteva richiedere anche parecchi giorni. Non cedetti e dissi che avrei continuato a fare quello che nella situazione esistente ritenevo giusto.»

La travolgente azione portò le truppe dell'Asse a Sollum, ossia al confine con l'Egitto. Alle loro spalle rimase la piazzaforte di Tobruk. Contro quella munita posizione, che riceveva consistenti rinforzi dal mare, furono scagliati attacchi successivi (come era nel suo carattere, Rommel non attese, e forse sbagliò, di avere sul posto tutte le forze che un comandante meno impetuoso avrebbe ritenuto indispensabili): ma l'osso si rivelò più duro del previsto. Gli assalti si rinnovarono, senza esito, fino ai primi di maggio.

VENTIQUATTR'ORE PRIMA dell'Operazione Barbarossa, Ciano ne ebbe finalmente sentore, nel più ovvio dei modi: il consigliere dell'ambasciata di Germania a Roma, principe Bismarck, aveva confidato a Filippo Anfuso che era atteso, per la notte successiva (dal 21 al 22 giugno), un messaggio di Hitler a Mussolini: il suo contenuto poteva soltanto riguardare la guerra a est. Le riflessioni del ministro degli Esteri italiano, mentre aspettava la comunicazione fatale, furono per una volta adeguate alla importanza dell'avvenimento. «I tedeschi pensano che nel giro di otto settimane tutto sia finito, e ciò è possibile perché i calcoli militari di Berlino sono sempre stati più esatti di quelli politici. Ma se così non fosse? Se l'esercito sovietico trovasse una forza di resistenza superiore a quella di cui hanno dato prova i Paesi borghesi?»

Alle tre di notte la lettera di Hitler fu recapitata a Ciano, che ne diede notizia a Mussolini, in vacanza a Riccione, svegliato una volta di più, con grande stizza, alle ore piccole. Senza molta convinzione, il Führer spiegava d'essere stato costretto alla «decisione più grave della sua vita» malgrado «l'assoluta sincerità dei nostri sforzi per venire a una definitiva conciliazione»: ma aggiungeva che, fatto il gran passo, si sentiva «di nuovo spiritualmente libero».

Mussolini aveva fatto sapere per tempo che, se al conflitto con l'Urss si fosse arrivati, l'Italia avrebbe rivendicato l'onore di parteciparvi con le sue truppe. «Col cuore colmo di gratitudine» ma con un evidente desiderio di declinare l'offerta il Führer scrisse che vi sarebbe stato modo, in futuro, di soddisfare la richiesta italiana e suggerì che «l'aiuto decisivo, Duce, lo potrete sempre fornire col rafforzare le vostre truppe nell'Africa Settentrionale». Ma il Duce non se ne dette per inteso, e, dichiarata guerra a sua volta all'Urss, insistette. «Sono pronto a contribuire con forze terrestri e aeree, e voi sapete quanto lo desideri. Vi prego di darmi una risposta.» L'alleato dovette assentire, di malavoglia. Così l'Italia si trovò direttamente implicata nello scontro tra i due eserciti più giganteschi che l'umanità avesse mai visto.

Nella prima fase della offensiva i *panzer* e le divisioni di fanteria tedesche penetrarono profondamente nel territorio russo dando a Roma l'illusione che la campagna dovesse essere rapida, e concludersi presto con la cattura di cinque milioni di prigionieri («cinque milioni di schiavi» precisò il principe Bismarck a Ciano). Questo ritmo travolgente pungolò Mussolini. e di riflesso Cavallero, ad approntare rapidamente quel corpo di spedizione italiano che, nelle immense distese dell'Est, avrebbe dovuto condividere le glorie dell'alleato. L'organizzazione del Csir – Corpo di spedizione italiano in Russia – fu abbastanza veloce, in rapporto ai ritmi dell'esercito italiano. Il 26 giugno vennero caricati sui treni i primi reparti, per un trasferimento che durò un mese, e che li portò nell'Ungheria orientale, da dove dovettero percorrere quasi trecento chilometri per raggiungere, in Romania, la zona di radunata, e là aggregarsi alla XI armata tedesca. Il Csir comprendeva due divisioni «autotrasportabili» – eufemismo questo per dire che non disponevano dei mezzi necessari a farle muovere in blocco, e che quindi era necessaria una complessa «navetta» degli autocarri –, la Pasubio e la Torino, e una divisione Celere, la 3ª Principe Amedeo d'Aosta. In più reparti del genio, un battaglione chimico, e un supporto aereo costituito da una cinquantina di caccia, 22 ricognitori, 10 apparecchi da trasporto.

In totale 62 mila uomini con 5500 automezzi e una sessantina di carri armati leggeri, ripartiti in quattro squadroni. Questi carri si rivelarono subito così inadeguati alle caratteristiche delle rotabili che già in agosto ne furono eliminati 20, le cui parti vennero utilizzate come pezzi di ricambio per gli altri: e i quattro squadroni si ridussero a tre. Questo Corpo d'armata a motorizzazione alternata doveva essere inserito in un'armata, la XI, che era schierata sul corso meridionale del Dnestr tra la XVII armata germanica e la IV romena: l'XI armata aveva carattere multinazionale, e inquadrava, già prima dell'arrivo del Csir, un Corpo d'armata ungherese e grandi unità romene, oltre a tre Corpi d'armata tedeschi.

Giovanni Messe, che aveva assunto il comando del Corpo d'armata italiano, era un buon generale: sensato, animoso, sollecito dei bisogni della truppa, risoluto nell'esporre a Roma le carenze e le imprevidenze che ostacolavano l'impiego delle unità. Sapeva che secondo gli ordini di Cavallero il Csir doveva essere utilizzato in blocco, non a pezzi e bocconi: ma sapeva altresì che Roma, quando i tedeschi premevano, finiva sempre per accontentarli, e che per di più era difficile pretendere che restassero costantemente collegate divisioni che non potevano procedere con passo analogo, perché quando l'una correva in autocarro le altre marciavano, o viceversa: e dunque tra di esse si apriva un solco di centinaia di chilometri.

Il Csir partecipò alla grande manovra con cui due armate corazzate, quella di Guderian da nord e quella di von Kleist da sud, si avventarono sul Dnepr, per chiudersi alle spalle delle forze sovietiche che difendevano Kiev: e fu incaricato di tenere un fronte di oltre cento chilometri sul Dnepr, compito che assolse brillantemente, catturando diecimila prigionieri. Messe riteneva a quel punto che il suo Corpo d'armata abbisognasse di un periodo di riposo e di riorganizzazione, ma i comandi tedeschi replicavano che altri obbiettivi erano in vista, per l'armata in cui le truppe italiane erano inquadrate: Stalingrado e i pozzi petroliferi di Majkop. Dopo altri combattimenti si arrivò alla relativa stasi imposta dell'inverno. In una lettera dei primi di dicembre a Hitler, Mussolini si offrì di triplicare la forza operante sul fronte russo, e di inviarvi in particolare delle ottime divisioni alpine. Questa volta, affamato com'era di truppe da gettare nella gelida fornace russa, Hitler accettò volentieri. Il frenetico presenzialismo mussoliniano pose le premesse per la tragedia dell'Armir.

QUELL'AUTUNNO DEL 1941 diede alla guerra, anche se alcuni tra i suoi maggiori protagonisti non se ne accorsero, la svolta decisiva. La diede con la imprevista resistenza dell'esercito russo, che a metà dicembre riuscì anche a realizzare, sul fronte di Mosca, una poderosa controffensiva: e la diede con l'attacco giapponese di Pearl Harbor, il 7 dicembre, e l'ingresso degli Stati Uniti nel conflitto mondiale.

Entrambi gli avvenimenti, anche se di segno opposto, rallegrarono Mussolini che, mancandogliene di più sostanziose, si riprendeva le sue rivalse constatando gli smacchi tedeschi o esaltando le vittorie giapponesi. Fin dal luglio del 1941 Ettore Bastico aveva sostituito il generale Gariboldi come Comandante delle truppe in Africa Settentrionale, e il suo Capo di Stato Maggiore era Gambara, cui fu anche affidata la responsabilità di un Corpo d'armata motocorazzato «di manovra». Ma i loro consigli potevano poco, contro la volontà di Rommel. Il 18 novembre, agli ordini di Cunningham, il vincitore dell'Africa Orientale, scattò l'avanzata delle unità britanniche, che avevano un largo vantaggio in mezzi corazzati – circa 700 contro i 250 italo-tedeschi – e godevano di un buon appoggio aereo. Gli inglesi si scontrarono dapprima con una resistenza tenace, nella quale si distinsero sia il presidio dei giovani fascisti di Bir el-Gobi sia l'Ariete.

Per il resto tuttavia l'operazione procedette favorevolmente per gli inglesi, in una serie di combattimenti che, come sempre nel deserto, somigliavano per i rapidi spostamenti, le avanzate e gli sganciamenti a una battaglia navale. Rommel, evacuato l'aeroporto di Sidi Rezegh, era ancora fiducioso, e sperava di evitare un ripiegamento profondo. Nella emergenza, chiese comunque che fosse affidato al suo comando anche il Corpo d'armata di Gambara perché «il generale Bastico non ha avuto finora alcuna influenza personale sul corso della battaglia» e perché «è necessario sostituire subito al comando a due delle operazioni il comando unitario di tutti i reparti che si trovano in Marmarica e in Cirenaica».

Gli inglesi scoprirono intanto le loro carte. Il 21 novembre la Bbc annunciò che «l'VIII armata con circa settantacinquemila uomini equipaggiati ed armati in modo eccellente ha iniziato un'offensiva generale nel deserto occidentale con l'obbiettivo di distruggere le forze italo-tedesche in Africa». Gli intrappolati di Tobruk potevano diventare, a quel punto, intrappolatori: il braccio di una tenaglia nella quale le forze di Rommel sarebbero state stritolate.

Ma poi l'avanzata s'inceppò, Sidi Rezegh fu ripresa dalle truppe dell'Asse, Rommel, con alcune puntate avventurose, portò lo scompiglio nello schieramento nemico – e a volte anche nel suo – e Cunningham fu assalito da forti dubbi sulla opportunità di proseguire l'offensiva. Auchinleck, che aveva sostituito Wavell nel comando inglese, era d'avviso opposto: per ragioni militari, e anche per ragioni politiche, l'avanzata non poteva concludersi, nei pressi della frontiera con l'Egitto, con un nulla di fatto. Comunicò a Churchill che Cunningham, «ammirevole fino a questo momento, ha cominciato ad orientarsi verso una condotta difensiva anziché offensiva, principalmente a causa delle gravi perdite di carri subite», e ottenne di sostituirlo col suo sottocapo di Stato Maggiore, Ritchie. I fatti diedero, per il momento, ragione ad Auchinleck. Tobruk fu liberata, e gli italo-tedeschi ricacciati gradualmente fino ad Agedabia, al di là della riperduta Bengasi. Questa nuova oscillazione del pendolo si svolse tra recriminazioni e bisticci di Rommel con i comandanti italiani. A fine anno la spinta inglese s'era totalmente esaurita. L'Operazione Crusader era costata alle truppe dell'Asse 2300 morti – divisi equamente tra italiani e tedeschi – 6100 feriti e 29 mila dispersi e prigionieri: tra essi 20 mila italiani. 2900 i morti britannici, 7300 i feriti, 7500 i prigionieri e dispersi. Tutto per riconquistare una distesa di sabbia (ma anche i preziosi aeroporti della «protuberanza», la grande curva che la costa fa per formare il Golfo della Sirte). Tra breve, Rommel si sarebbe preso una clamorosa anche se effimera rivincita.

L'SLC (SILURO A LENTA CORSA ribattezzato familiarmente «maiale») rese possibile la straordinaria impresa d'Alessandria. Un maiale sulla cui groppa si sistemavano, a cavalcioni, due operatori muniti di autorespiratori, il siluro doveva essere portato fino in prossimità dell'obbiettivo, perché la sua bassa velocità (meno di cinque chilometri l'ora), assicurata da un motore elettrico, e la scarsa autonomia, vietavano lunghi spostamenti. La testa esplosiva conteneva all'incirca 250 chili di esplosivo. Staccata dal siluro, e applicata allo scafo della nave prescelta con una ventosa elettromagnetica, la testa scoppiava grazie a una spoletta a tempo. Il congegno era rudimentale, si può dire artigianale: e nell'impiego presentò non pochi inconvenienti. Ma rispondeva, nella concezione, agli scopi cui era destinato: richiedeva tuttavia personale allenato e di un coraggio a tutta prova. Quand'anche l'azione, il cui rischio era solo di poco inferiore a quello di un attacco suicida, avesse felice esito, il recupero degli equipaggi diventava aleatorio, e spesso impossibile.

Poiché i «maiali» dovevano prendere il mare nelle adiacenze degli obbiettivi, alcuni sommergibili – *Iride*, *Gondar*, *Sciré* – furono modificati in modo da imbarcarne tre. Un primo tentativo contro la base di Alessandria fallì perché il sommergibile *Iride*, sul quale i mezzi speciali erano imbarcati, fu affondato da aerosiluranti inglesi nel golfo di Bomba, in Cirenaica. Quasi l'intero equipaggio perì tra le lamiere dello scafo. Furono progettate altre due azioni, una contro Alessandria, l'altra contro Gibilterra, affidate, per l'avvicinamento, ai sommergibili *Gondar* e *Sciré*. Dello *Sciré* era comandante Junio Valerio Borghese. L'impresa del *Gondar* fallì, come quella dell'*Iride*, anche se facendo una sola vittima, perché il 28 settembre 1940, a circa 110 miglia da Alessandria, il sommergibile fu avvistato, cannoneggiato, bombardato da unità di superficie britanniche, e costretto all'autoaffondamento. Gli inglesi catturarono non solo l'equipaggio del *Gondar*, ma i piloti dei mezzi d'assalto, e il capitano di fregata Giorgioni, comandante dell'intero gruppo sommozzatori.

Nemmeno con l'attacco a Gibilterra, due mesi dopo, i «maiali» cominciarono a dare soddisfazioni. Lo *Sciré* aveva caricato, insieme ai «maiali», tre «coppie» di «operatori»: tenente di vascello Birindelli e palombaro Paccagnini; capitano del genio navale Teseo Tesei e palombaro Pedretti; sottotenente di vascello Durand de La Penne e palombaro Bianchi. I «maiali» furono

portati fino a poche decine di metri dagli obbiettivi, ma i loro
difetti di funzionamento, e l'inadeguatezza dell'equipaggiamento degli uomini, resero irraggiungibile il bersaglio, quando era a
portata di mano. Purtroppo Birindelli e Paccagnini caddero prigionieri (la vicinanza della costa spagnola consentì agli altri di
rifugiarvisi). Gli inglesi erano ormai sull'avviso: sapevano che i
«maiali» erano un pericolo grave. I primi risultati i mezzi d'assalto li diedero non con i «maiali» ma con i barchini esplosivi
che, il 26 marzo 1941, quando Creta era ancora in mani inglesi,
violarono la baia di Suda, misero fuori combattimento l'incrociatore York che non poté più essere riparato e danneggiarono
seriamente una grossa petroliera. I sei piloti dei barchini si salvarono, prigionieri.

Ancora Gilbilterra, il 26 maggio 1941, e ancora un colpo a
vuoto. Poi, il 26 luglio, la più ambiziosa, la meno fortunata, e la
più sanguinosa tra le imprese dei mezzi d'assalto. L'intera
X Mas fu mobilitata per violare il porto di La Valletta, a Malta. Il
piano prevedeva l'impiego simultaneo di barchini esplosivi e di
«maiali», che avrebbero dovuto infrangere le ostruzioni e quindi buttarsi contro le navi all'ormeggio. Era scontato che alcuni
barchini esplosivi fossero sacrificati per provocare nelle reti di
sbarramento gli squarci necessari alla penetrazione degli altri
mezzi. Il comandante e il vice-comandante della X Mas, capitano di fregata Vittorio Moccagatta e capitano di corvetta Giorgio
Giobbe, avrebbero personalmente guidato l'attacco. Fu anche
preordinata una serie di bombardamenti aerei, nella notte e
all'alba del 26 luglio, per distrarre l'attenzione dei difensori e
facilitare, provocando l'accensione dei proiettori, la visibilità
per i mezzi d'assalto. Nella loro preparazione Moccagatta e
Giobbe avevano tenuto conto di tutti gli elementi tranne uno
essenziale: il radar, che localizzò gli incursori quando ancora
erano in fase di avvicinamento. Fu un disastro sia per i «maiali», sia per i barchini, sia per i Mas che li avevano portati a ridosso del porto di La Valletta. Si contarono quindici morti, tra essi
Moccagatta, Giobbe, e l'eroico Teseo Tesei che cavalcava uno
dei «maiali»: altri 18 componenti la spedizione caddero prigionieri, e due Macchi 200 dell'Aeronautica andarono perduti in
combattimenti con i caccia inglesi.

Finalmente – passata la X Mas al comando di Borghese –
venne il primo risultato positivo per i «maiali». La notte dal 19 al
20 settembre 1941, depositati in vicinanza di Gibilterra dallo
Sciré, tre Slc penetrarono nella rada: uno di essi – tenente di

vascello Vesco e palombaro Zozoli – dovette desistere per le consuete difficoltà tecniche; il tenente di vascello Catalano e il palombaro Giannoni affondarono la motonave armata *Durham* di diecimila tonnellate, il tenente di vascello Visintini e il palombaro Magro affondarono la cisterna militare *Denbydale* di 16 mila tonnellate. I protagonisti dell'attacco riuscirono a raggiungere la costa spagnola. I «maiali» avevano funzionato a dovere, ed erano pronti per la loro più memorabile impresa: Alessandria.

La navigazione dello *Sciré*, che si era mosso da Lero, fino nei pressi di Alessandria, fu di per se stessa epica. Per tutto il giorno 18 dicembre 1941 il sommergibile procedette, come ha ricordato Borghese, «in zona presumibilmente minata, a quota di sessanta metri, strisciando sul fondo in fondali rapidamente decrescenti, finché si trovò a poco più di un miglio dal fanale del molo di ponente del porto commerciale di Alessandria». Tre erano i «maiali» destinati alla missione, con Luigi Durand de La Penne come capogruppo. Poco dopo essere stati mollati dallo *Sciré*, gli equipaggi ebbero, e se lo meritavano dopo tante avversità, un colpo di fortuna: le reti d'ostruzione del porto furono spalancate per lasciar passare tre cacciatorpediniere che vi entravano, e i «maiali» vi si infilarono sulla scia delle siluranti, una delle quali sfiorò addirittura Durand de La Penne spingendone per qualche momento in profondità il «maiale». De La Penne e il suo palombaro Emilio Bianchi riuscirono ad avvicinarsi alla corazzata *Valiant*, superando di slancio anche le reti che la cingevano. Il freddo era intenso e gli speciali indumenti di de La Penne facevano acqua, tanto che egli temette di non essere in grado di proseguire. A quel punto il «maiale», dopo aver urtato contro lo scafo, si inabissò, e i due si persero di vista. Rimasto solo, e con l'ordigno sprofondato, de La Penne non si diede per vinto.

Riuscì a portare il «maiale» fino alla corazzata. Applicò la carica, attivò le spolette a tempo – tre ore per lo scoppio – quindi, liberatosi del respiratore, si allontanò a nuoto. A quel punto sentì qualcuno che, da bordo, lo chiamava. Continuò a nuotare, ma un proiettore lo illuminò e una scarica di mitragliatore lo indusse a dirigersi verso la boa di prua della corazzata, dove già era Bianchi, che gli disse d'essersi appena ripreso da uno svenimento. Erano le tre e mezza di notte, e una imbarcazione a motore inglese andò a catturare i due uomini che furono scortati sulla corazzata, e poi trasferiti a terra in una baracca. Il primo a essere interrogato fu Bianchi, che tacque, poi toccò a Durand de La Penne, che tacque anche lui. Gl'inglesi naturalmente avevano capito ch'erano sommozzatori e per sapere dove avevano applicato le cariche esplosive ricorsero al solito vecchio espediente. «Bianchi ha già rivelato tutto» dissero a de La Penne. Ma invano.

Riportato sulla nave, il capo-gruppo italiano si sentì intimare, questa volta dal comandante della *Valiant*, di dire dove avesse collocato la carica. Rifiutò ancora, e fu fatto scendere assieme a Bianchi in una cala della stiva che si trovava proprio, calcolò, tra le due torri della corazzata, là dove era la testa esplosiva del «maiale». Gl'inglesi, minacciando di farli saltare con la nave, speravano di indurli a parlare. Non furono comunque brutali, anzi offrirono del rum: e Bianchi, stremato, si addormentò.

Quando mancavano dieci minuti allo scoppio Durand de La Penne chiese di conferire con il comandante, e, condotto alla sua presenza, l'avvertì che la nave stava per saltare, e che aveva appena il tempo di mettere in salvo l'equipaggio. Gli altoparlanti diffusero immediatamente l'ordine di sgombero, e Durand de La Penne fu fatto ridiscendere nella cala. Poi avvenne la deflagrazione, potentissima; con un sussulto e uno sbandamento la *Valiant* si adagiò sul fondo.

Contuso a un ginocchio, ma non ferito, Durand de La Penne risalì in coperta da solo (il portello d'uscita non era stato chiuso) e raggiunse la poppa dove era gran parte dell'equipaggio, «che si alza in piedi al mio passaggio». Erano le 6,16. Dalla poppa della Valiant, Durand de La Penne vide la *Queen Elisabeth* che «saltava» a sua volta. «Si solleva dall'acqua per qualche centimetro e dal fumaiolo escono pezzi di ferro, altri oggetti e nafta che arriva in coperta da noi e sporca tutti quanti.»

Meno travagliato era stato l'approccio di Antonio Marceglia, capitano del genio navale, e del palombaro Spartaco Schergat, alla *Queen Elisabeth*, gemella della *Valiant*, che issava le insegne dell'ammiraglio Cunningham. Marceglia credeva, erroneamente, che si trattasse della *Barham*, silurata il 25 novembre da un U Boot (ma Marceglia non lo sapeva). L'applicazione della carica fu eseguita «con una perfezione da manuale» e non vi furono allarmi, anche se Schergat era ormai in condizioni fisiche precarie. I due nuotarono fino a una zona del porto, stabilita in precedenza, che si riteneva fosse la meno sorvegliata. Il sommergibile *Zeffiro* avrebbe incrociato tra la mezzanotte e le tre dei due giorni successivi al largo del delta del Nilo per recuperare, se possibile, gli operatori. Si supponeva che questi riuscissero a procurarsi una barca per raggiungere il luogo dell'appuntamento dove, una volta approssimatosi il sommergibile, si sarebbero fatti riconoscere gridando «Lombardi, Lombardi!», che era il nome del comandante: sistema d'incontro per la verità alquanto ingenuo. Ma un'altra ingenuità, più seria, pregiudicò ogni tentativo di sfuggire alla cattura. Le sterline inglesi delle quali gli assaltatori erano stati muniti non avevano corso in Egitto. Giunti a Rosetta, Marceglia e Schergat furono fermati da una pattuglia della polizia costiera egiziana, e consegnati agli inglesi. La *Valiant* riprese il mare solo nel 1943, la *Queen Elisabeth*, benché rimessa a galla, non rientrò mai più in attività.

Il terzo equipaggio (capitano delle armi navali Vincenzo Martellotta e palombaro Mario Marino) aveva per obbiettivo una portaerei, che in realtà era partita per l'Oceano Indiano. In mancanza di meglio i due ardimentosi sabotarono una petroliera, la *Sagona*, di circa ottomila tonnellate. Il cacciatorpediniere *Jervis*, che le era affiancato, subì anch'esso danni. Martellotta e Marino furono presi dagli egiziani mentre tentavano di uscire dal porto e di entrare in città.

ROMMEL NON ERA UN GENERALE che, dopo un ripiegamento, indugiasse a leccarsi le ferite. Già a fine gennaio era pronto a scagliare le sue forze contro l'esercito multinazionale di Auchinleck, comprendente (oltre agli inglesi) indiani, sudafricani, polacchi, gollisti. Perché il suo ruolo e il suo rango fossero più chiari Rommel aveva ottenuto dal Führer che l'Afrika Korps diventasse Armata Corazzata Afrika, e che la sua qualifica fosse quella di «Comandante superiore». «Con questa denominazione – rileva la Storia ufficiale italiana – si accentuava tra il Comando tedesco e quello italiano un contrasto sulle rispettive funzioni, perché ognuno di essi si riteneva superiore all'altro.»

Negli ultimi giorni di gennaio del 1942 Rommel lanciò una delle sue robuste puntate esplorative e, constatata la fragilità dello schieramento avversario, che si era subito scompaginato, agì secondo i suoi princìpi e il suo temperamento: ossia incalzò il nemico, senza dargli modo di riprendersi. Alla fine del mese Bengasi era riconquistata, e già il generale tedesco accarezzava il proposito di sgomberare dalle forze britanniche l'intera Cirenaica. Il piano aveva per obbiettivo, nella fase iniziale, l'accerchiamento e l'annientamento delle forze britanniche schierate nella zona Bir el-Gobi-Tobruk-Ain el-Gazala-Bir Hacheim.

Poi, con una azione rapida, sarebbe stata presa Tobruk, e l'Armata Afrika avrebbe proceduto verso Bardia e Sollum.

Rommel si mosse, il 26 maggio, con un esercito inferiore, per uomini e per mezzi, a quello avversario. Per gli italo-tedeschi: 50 battaglioni di fanteria (31 italiani), 535 carri armati (240 italiani), 148 autoblindo (80 italiane), circa 700 aerei. Per i britannici: 55 battaglioni di fanteria, 650 carri armati, 300 autoblindo, un migliaio di aerei. E nemmeno poté contare sull'elemento sorpresa, perché i documenti trovati nei giorni successivi addosso a un generale inglese catturato provavano che l'offensiva era attesa. Ma anche Auchinleck, sul quale Churchill esercitava pressioni vivaci fino alla rampogna, stava predisponendo una offensiva, e questo conferiva maggior vulnerabilità al suo schieramento.

Quando, il 15 giugno, la 15ª divisione corazzata tedesca irruppe dall'interno sulla via Balbia, forti contingenti nemici si trovarono chiusi in una sacca e, tentando di uscirne, subirono pesanti perdite. Quel giorno gli italo-tedeschi furono ai margini della piazzaforte di Tobruk, presa d'assalto il 20 giugno. Primi ad irrompere nelle difese furono i guastatori italiani del 31° battaglione, poi si avventarono nei varchi i mezzi corazzati e le fanterie tedesche. Anche l'Ariete era impegnata nell'azione. Mentre gli italo-tedeschi progredivano, nella piazzaforte cessava gradualmente ogni parvenza di organizzazione militare. Poi la resa. Caddero prigionieri 19 mila britannici, 9000 sudafricani bianchi e 1800 di colore, 2500 indiani, in totale 32 mila uomini circa con sei generali.

Fino a El-Alamein l'armata di Rommel – superato il campo trincerato di Marsa Matruh dove il 29 giugno irruppe il 7° reggimento bersaglieri, catturando seimila prigionieri – procedette sull'abbrivio. Il nemico era disorientato e demoralizzato, Auchinleck si era personalmente sostituito allo sconfitto Ritchie, e gli Alti comandi, al Cairo, a Londra e a Washington, prendevano già in considerazione l'ipotesi di una evacuazione forzata del Delta.

A 105 chilometri da Alessandria la posizione di El-Alamein, tra il Golfo degli Arabi e la depressione di El-Qattara, costituiva uno sbarramento relativamente breve e non aggirabile: in pratica il terreno operativo, tra Marsa Matruh e Alessandria, si restringeva a una fascia costiera la cui larghezza variava tra i 50 e i 150 chilometri. Rommel avrebbe voluto incalzare gli inglesi, ma subì, i primi di luglio, una brusca battuta d'arresto. Forze corazzate e di artiglieria britanniche avevano sorpreso la divisione Ariete mentre occupava le nuove posizioni assegnatele e l'avevano sottoposta a un fuoco micidiale: dallo scontro l'Ariete uscì praticamente distrutta, lasciando sul terreno più di cinquecento uomini.

Nelle lontane retrovie si aggirava, dal 29 giugno in poi, Mussolini, seguito da un codazzo di ufficiali, gerarchi e giornalisti che avevano l'impegno di dare contenuto e colore alle sue giornate a volte noiose e vuote. Voleva incontrare Rommel, ma il maresciallo, che era all'apice della sua gloria, e giocava in quei giorni il tutto per tutto, non ne volle sapere di lasciare i suoi posti di comando avanzati per una chiacchierata con il Duce. Si diceva che a Derna una nave fosse pronta per l'ingresso di Mussolini ad Alessandria, che uno stallone candido fosse tenuto nelle scuderie in attesa dello stesso evento, che del bagaglio facesse parte la spada dell'Islam, dono di Balbo, da sguainare nell'ora del trionfo. Dalla Libia Mussolini telegrafò a Ciano, per incaricarlo di definire con i tedeschi la futura sistemazione politica dell'Egitto: Rommel Comandante militare, Delegato civile un italiano, il ministro plenipotenziario Mazzolini. Hitler si dichiarò subito d'accordo per Rommel, meno per i poteri civili a un italiano, e comunque sottolineò, una volta tanto realisticamente, che la questione non era urgente. Il 19 luglio Mussolini rientrò deluso in Italia («per la seconda volta i militari mi hanno esposto a una brutta figura»).

L'ARMIR (ARMATA ITALIANA IN RUSSIA, VIII nella numerazione burocratica) fu costituita, nell'estate inoltrata del 1942, quando la spinta propulsiva tedesca a est, ripresa dopo la stasi del gelo e i primi segnali di riscossa dell'esercito sovietico, era ancora veemente. Ne prese le redini il generale Gariboldi, che si era dimostrato mediocre in Libia, e che nel frattempo non era migliorato.

In un primo momento Mussolini aveva pensato di inviare in Russia una ventina di divisioni, poi le aveva ridotte a 15, infine decise, più modestamente, per due nuovi Corpi d'armata (il II e l'alpino) da affiancare al Csir, che riprese la vecchia denominazione di XXXV Corpo d'armata. L'organico della grande unità, con quella forte componente di truppe specializzate nella guerra in montagna, faceva pensare a un impiego nel Caucaso, che era stato anche nei progetti tedeschi. L'armata di Gariboldi agì invece in pianura, e la sua insufficienza di automezzi – ancor più gravi di quella del Csir – la condannava a una staticità che contribuì alla tragedia finale.

Al termine della radunata l'intero contingente italiano – ex-Csir e i due nuovi Corpi d'armata – comprendeva le divisioni Pasubio, Torino e Celere del XXXV (ex-Csir); le divisioni Sforzesca, Cosseria e Ravenna del II; le divisioni alpine Tridentina, Julia e Cuneense, più la divisione di fanteria Vicenza del Corpo d'armata alpino. In tutto 122 battaglioni più 50 compagnie autonome corrispondenti ad altri 16, sedicimila automezzi, cinquemila motomezzi, venticinquemila quadrupedi, un migliaio di pezzi di artiglieria, 31 carri leggeri e 19 semoventi, 23 aerei da ricognizione e 41 caccia Macchi 200 e 202. Gli uomini erano 230 mila.

All'inizio l'Armir prese posizione sulla sponda destra del Don, inquadrata tra la II armata ungherese, e la VI armata tedesca. Il gruppo di armate B, nel quale l'Armir era inclusa, doveva lanciarsi alla conquista di Stalingrado mentre il gruppo A galoppava verso il Caucaso: ma a questo compito erano state destinate la VI e la IV armate tedesche. I fatti d'arme cui le truppe italiane parteciparono in quel periodo non furono, nel quadro dell'immane massacro, molto importanti. Uno di essi – la carica del Savoia Cavalleria, l'ultima della storia militare, nella steppa di Isbušenskij – è rimasto memorabile, nello stesso tempo, per la sua impronta eroica e per la sua irreparabile arcaicità.

I sovietici premevano per alleggerire la minaccia su Stalingrado, e nella notte sul 24 agosto pattuglie nemiche si erano portate quattamente a ridosso degli acquartieramenti del Savoia. Solo quand'erano ormai vicinissime furono avvistate da un reparto in perlustrazione. Dato l'allarme, il comandante del reggimento, colonnello Bettoni, ordinò che il 2° squadrone andasse alla carica. Di fronte ai cavalleggeri erano tre battaglioni di fanteria, contro i quali lo squadrone del capitano De Leone si buttò impetuosamente. A De Leone si affiancò il maggiore Manusardi, di recente promosso e fino a pochi giorni prima comandante del 2° squadrone, che non disponendo di un suo cavallo montò, senza chiedere autorizzazioni, quello del generale Barbò, comandante del raggruppamento di cavalleria. Lo squadrone manovrò «come in piazza d'armi»: trotto, galoppo, carica al grido di «Savoia!». De Leone ebbe il cavallo ferito, altri cavalli «già morti continuavano a galoppare come fantasmi schiantandosi poi al suolo di colpo». Lo squadrone proseguiva sotto il fuoco russo, e perse presto metà degli effettivi; di rincalzo furono lanciati il 4° e il 3° squadrone, e finalmente gli attaccanti furono volti in fuga (ma 500 vennero presi prigionieri). Si seppe dopo, ha scritto Lucio Lami nella sua rievocazione di Isbu̇senskij, che i seicentocinquanta cavalieri del Savoia avevano dovuto affrontare duemila siberiani: erano rimasti sul campo 32 morti italiani (di cui 3 ufficiali) e 150 russi.

NELL'AGOSTO DEL 1942 il comando inglese del Cairo era passato da Auchinleck ad Alexander, e a capo dell'VIII armata era stato posto Montgomery. In un ultimo tentativo di contropiede, Rommel scagliò il 30 agosto le sue forze corazzate contro le posizioni britanniche. Mancarono tuttavia a questa azione alcune condizioni fondamentali di successo: la sorpresa, un appoggio aereo che impedisse l'assoluto predominio dei caccia e dei bombardieri anglo-americani, un affusso adeguato di rifornimenti. Già il 2 settembre il maresciallo tedesco diede l'alt. «Con l'insuccesso di quell'offensiva – commentò poi – era tramontata l'ultima occasione di occupare il Canale di Suez.» L'indomabile condottiero aveva perso la fiducia, era affaticato, e accusava malanni. Decise di andare in vacanza.

In sua assenza fu scatenata il 23 ottobre l'offensiva inglese (Lightfoot). Si fronteggiavano, come ha scritto Igino Gravina nella sua storia delle battaglie di El-Alamein, 12 divisioni italo-tedesche, di cui quattro corazzate, e 10 divisioni dell'VIII armata, di cui tre corazzate. Ma queste cifre ingannano. Ogni divisione di fanteria britannica contava 16 mila uomini – e armamenti in proporzione – contro 7000 della divisione tedesca o italiana, e le corazzate britanniche 15 mila contro 8600. L'esercito di Montgomery, potentemente armato, aveva 220 mila uomini, quello di Rommel 108 mila (la metà tedeschi), su un fronte di 57 chilometri. Schiacciante era la superiorità britannica in mezzi corazzati, quasi assoluto il dominio del cielo. Il generale Stumme che sostituiva Rommel fu fatto segno, mentre ispezionava le prime linee, a raffiche di mitragliatrice d'una pattuglia nemica infiltrata. Fu colpito a morte il suo aiutante, ed egli, sceso dalla vettura, venne folgorato da un attacco cardiaco. Fino al ritorno di Rommel, il 25 ottobre, il comando fu assunto dal generale von Thoma.

La «volpe del deserto» fu di nuovo alla testa delle sue truppe già all'alba del 26 ottobre. Il colpo era stato duro, le perdite gravi: la divisione italiana di paracadutisti Folgore si era battuta allo stremo, ed era stata ridotta a brandelli. L'VIII armata si apprestava a irrompere dalla stretta di El-Alamein in campo aperto, mentre l'esercito di Rommel era in piena crisi. Le lente divisioni italiane furono facile preda per le colonne corazzate britanniche. Nel pomeriggio del 5 novembre dovette arrendersi la Brescia, poi (6 e 7 novembre) fu la volta della Folgore e della Pavia, o dei loro resti. Cadde prigioniero, in quella fase della battaglia, anche il generale von Thoma, incappato in un reparto corazzato inglese mentre ispezionava le prime linee.

Da quel momento Rommel fu impegnato in una serie di sganciamenti, con la preoccupazione di salvare soprattutto le unità corazzate (in pratica le unità tedesche), e Montgomery procedette senza esporsi mai, forte di una prevalenza che non lasciava dubbi sull'esito di ogni duello. Il 10 novembre i britannici erano al passo Halfaya, il 12 a Tobruk, il 19 a Bengasi, il 16 dicembre a El-Agheila. A Rommel erano rimasti 35 carri armati e i resti di due divisioni, ma Montgomery a questo punto si prese due settimane per riorganizzare le sue forze. Non aveva fretta, né aveva bisogno di forzare i tempi. L'Africa Settentrionale era preda sicura, dacché gli anglo-americani erano sbarcati in Algeria e in Marocco. Le operazioni in Africa Settentrionale, anche se impegnavano grandi masse d'uomini, avevano assunto una fisionomia univoca: quella della eliminazione di un superstite centro di resistenza dell'Asse. Un centro di resistenza con centinaia di migliaia di combattenti ancora straordinari nella loro dedizione, ma destinato a cadere.

Il 23 gennaio 1943, proprio il giorno in cui Tripoli andava perduta, Mussolini comunicò a Messe, che aveva lasciato la Russia alla vigilia di quel disastro per dissensi con Gariboldi, la nomina al comando dell'armata italiana in Tunisia. «Comandante degli sbandati» commentò Messe, alludendo ai reparti italiani che, provenienti dalla Libia, non erano più che i rottami di un immenso naufragio.

Arrivava Messe, e se ne andava Rommel. Ma prima di abbandonare i suoi, la «volpe del deserto» si concesse un'estrema soddisfazione, e in Tunisia sferrò un paio di colpi azzeccati. Tra il 14 e il 23 febbraio 1943, al passo di Kasserine, una divisione americana fu sgominata, e lasciò sul terreno 200 morti, e 5000 tra feriti e prigionieri. Rommel aveva tuttavia perso gusto a quella avventura senza speranze: il 9 marzo visitò il Duce a Roma e prospettò la situazione in termini crudi. Poiché Mussolini opponeva, enfaticamente, che la Tunisia «è la roccaforte d'Europa, e una volta caduta, la situazione mondiale potrà subire cambiamenti definitivi», il maresciallo replicò con scetticismo. Il Duce ne fu così irritato che non gli consegnò la medaglia d'oro al valor militare che aveva già pronta. Il giorno dopo Rommel vide Hitler, e indispettì anche lui proponendogli di salvare il salvabile, in Africa, prima che fosse troppo tardi. Per tutta risposta, Hitler lo invitò a riposarsi, e affidò le forze di Tunisia al generale von Arnim.

Si approssimava l'inevitabile epilogo. Il 5 maggio 1943, nell'anniversario della conquista di Addis Abeba, il Duce si affacciò su Piazza Venezia e per l'ultima volta parlò alla folla dal fatidico balcone. «La grande impresa – disse – non è finita; è semplicemente interrotta. Io so, io sento che milioni e milioni d'italiani soffrono di un indefinibile male, che si chiama il male d'Africa. Per guarirne non c'è che un mezzo: tornare. E torneremo.» Invece gli italiani se ne andavano. Il 7 maggio fu persa Tunisi, il 12 si arrese von Arnim, il giorno successivo, ottenutane facoltà dal Comando supremo, si arrese Messe, promosso maresciallo sul campo. Circa 250 mila tedeschi e italiani deposero le armi.

I SOVIETICI DIEDERO L'AVVIO, il 19 novembre 1942, al movimento che avrebbe preso in trappola e stritolato, a Stalingrado, la VI armata di von Paulus. Tre giorni dopo le due branche della tenaglia si chiusero a Kalač, sul Don, isolando dal resto della Wehrmacht l'intera VI armata e parte della IV corazzata: in tutto 248 mila uomini, 100 carri armati, 1800 cannoni, 10 mila automezzi. La III armata rumena era andata in pezzi, sotto il formidabile urto, e il 23 novembre cinque sue divisioni si arresero senza opporre resistenza. Lo Stato Maggiore tedesco cercò a quel punto di convincere Hitler che v'era un unico modo per scongiurare un disastro: compiere uno sforzo disperato per raggiungere la sacca di Stalingrado, e ordinare nello stesso tempo a von Paulus di tentare d'aprirsi un varco a ovest, congiungendosi alle unità che gli venivano incontro. Ma Hitler non intese ragioni: il nuovo carro Tigre avrebbe fatto meraviglie, promise, e la Luftwaffe avrebbe provveduto a rifornire l'armata assediata. In effetti Göring s'era impegnato ad assolvere questo compito immane. Non poteva riuscirci, e non ci riuscì.

Il maresciallo von Manstein, che a fine novembre aveva preso il comando del gruppo d'armate B, ribattezzato gruppo d'armata del Don, compì il 12 dicembre un estremo tentativo per salvare l'armata prigioniera. I *panzer* tedeschi riuscirono a portarsi fino a 60 chilometri dalle posizioni di von Paulus. Se questi avesse avuto l'autorizzazione per una sortita, probabilmente il cerchio sovietico sarebbe stato spezzato. Hitler negò l'autorizzazione, il piano di von Manstein (Tempesta d'inverno) perse con ciò ogni senso, e per gli uomini di von Paulus non ci fu più speranza di salvezza.

La puntata di von Manstein ritardò di qualche giorno quella Operazione Piccolo Saturno che i sovietici avevano già programmato contro l'VIII armata italiana, e che ebbe inizio a metà dicembre. Lo schieramento dell'Armir vedeva allineati, da nord-ovest verso sud-est, il Corpo d'armata alpino, poi il II Corpo d'armata con la Cosseria e la Ravenna, il XXXV (ex-Csir) con la 298 tedesca e la Pasubio, il XXIX (di nuova creazione) con la Torino, la Celere e la Sforzesca. Nel gelo i reparti siberiani, con i loro indumenti caldi e con i loro stivali confortevoli, si buttarono contro le posizioni della Cosseria e della Ravenna, dopo che 2500 bocche da fuoco avevano martoriato il terreno. Incontrarono dapprima una valida opposizione, vi furono anche contrattacchi, ma presto la linea si disintegrò. Il 19 dicembre il II Corpo d'armata aveva cessato di esistere, più di diecimila prigionieri erano in mano russa, e il nemico avanzava profondamente. Un uragano di analoga violenza si abbatté sugli altri Corpi d'armata che arretrarono con fretta e anche con panico scoprendo il fianco destro delle divisioni alpine. Queste tenevano bene, per il momento. La Julia era stata mandata a presidiare Taly, una località di vitale importanza per proteggere il ripiegamento, e la tenne poi per un mese.

Ma una parte dell'Armir arrancava già verso occidente, nel disperato tentativo di sottrarsi alla prigionia, e a mano a mano che la marcia nella neve e nel freddo implacabile proseguiva, i reparti perdevano la loro capacità di combattimento, diventavano torme di uomini disperati: le loro file si assottigliavano, per gli attacchi delle colonne mobili russe e per l'assideramento. Nella *débâcle* non erano coinvolti solo gli italiani. Soldati ungheresi, romeni, anche tedeschi fuggiti da chissà dove, diretti chissà dove ma comunque lontano da quell'inferno di ghiaccio, si frammischiavano in una dolorosa internazionale della disfatta.

Il Corpo d'armata alpino, lambito ma ancora non investito in pieno dalla offensiva sovietica, fu preso di petto a metà gennaio. Sotto l'attacco, il 16 gennaio, la debole divisione Vicenza, che al Corpo d'armata alpino era stata aggregata e che era priva di artiglierie, si sfasciò: le unità ungheresi che erano a nord degli alpini sul Don si erano già ritirate lasciando «in aria», come si dice in gergo militare, le divisioni italiane, costrette anch'esse ad arretrare e tutto il dispositivo cedeva. A Nikolajevka il 26 gennaio questa massa eterogenea e disperata, nella quale pre-valevano gli alpini della Tridentina, seppe ancora dimostrare una certa vitalità e aggressività respingendo forze sovietiche equivalenti a una divisione. Fu un'azione spontanea. Nessuno guidava più l'Armir, anche se Gariboldi fingeva di dare disposi-zioni che cadevano nel vuoto. «Nikolajevka – citiamo Egisto Corradi – non fu una battaglia da testo militare. ...Fu l'ultimo cancello di fuoco, l'ultimo cancello prima della libertà.» Ma molti, troppi, non riuscirono a superarlo, e restarono nella neve della pianura russa, morti o destinati a morire, o condannati alla prigionia.

Il bilancio della battaglia del Don suscita ancora commozione per il sacrificio della truppa, orrore per le condizioni in cui essa visse una ritirata di seicento chilometri, indignazione per l'osti-nazione con cui Mussolini e l'Alto comando, che non riuscivano a sostenere decentemente il peso della guerra negli scacchieri cui l'Italia era direttamente interessata, vollero andare a farla nelle steppe. «Le forze presenti ed operanti all'inizio della batta-glia – ha scritto l'Ufficio storico dell'Esercito – ammontavano complessivamente a 229.000 uomini. Detratto da tale cifra il numero dei feriti e dei congelati rimpatriati, pari a 29.690, restano 199.310 combattenti. Alla conclusione della battaglia mancavano all'appello 84.830 uomini. I superstiti furono dun-que 114.485. L'Urss ha restituito 10.030 prigionieri. Il numero dei combattenti dell'VIII armata che non sono tornati in Italia dal fronte russo ammonta pertanto a 74.800. Nessuno, né da parte italiana né da parte sovietica, ha potuto indicare quale fosse, in questa cifra, il numero dei morti e il numero dei disper-si. «Tuttavia a Corte – come ha sottolineato Bocca – non si dram-matizza: il Re, ricevendo Cavallero, manifesta particolare inte-resse per il fronte russo: ma ha mostrato di non sopravvalutare le perdite dell'VIII armata.»

LA SCONFITTA ERA ALLE PORTE; il Regime era in ago-nia. Le grandi città venivano straziate da bombardamenti mas-sicci degli anglo-americani, lo Stato Maggiore alleato aveva pronti i piani – non geniali in verità – per l'invasione dell'Italia.

Poco contava a quel punto che Cavallero fosse stato rimpiazzato dal generale Ambrosio – noto per la sua fede monarchica –, che l'ultimo segretario del Partito, Carlo Scorza, avesse preso il posto di Vidussoni, che lo stesso genero del Duce, Galeazzo Ciano, non fosse più ministro degli Esteri.

L'11 giugno 1943 vi fu l'umiliante resa del presidio dell'isola di Pantelleria, prologo dell'attacco alla Sicilia. Dopo Pantelleria – il 24 giugno – Mussolini pronunciò, davanti al direttorio del Partito nazionale fascista, un discorso che tradiva, sotto l'ostentata sicurezza, molto disagio e imbarazzo.

«Un giorno dimostrerò – disse – che questa guerra non si poteva, non si doveva evitare, pena il nostro suicidio.» Quindi ribadì le sue speranze e le sue certezze, che sarebbero state cancellate nel volgere di un mese: «Bisogna che non appena il nemico tenterà di sbarcare (in Sicilia – *N.d.A.*) sia congelato su quella linea che i marinai chiamano della bagnasciuga, la linea della sabbia dove l'acqua finisce e comincia la terra. Se per avventura dovesse sbarcare, bisogna che le forze di riserva, che ci sono, si precipitino sugli sbarcati, annientandoli fino all'ultimo uomo». Parole, solo parole.

Nella notte tra il 9 e il 10 luglio l'armata anglo-americana, con i suoi 2800 tra navi e mezzi da sbarco, i suoi 150 mila uomini, i suoi 600 carri armati, i suoi 1000 cannoni, si presentò davanti alle coste siciliane. Eisenhower capeggiava, tra Algeria, Tunisia e Libia, forze equivalenti a trentacinque divisioni: ne utilizzò sette.

La resistenza iniziale fu debole, in parecchi punti inesistente. Le divisioni costiere non diedero alcuna preoccupazione agli anglo-americani che lamentarono perdite di mezzi da sbarco e di uomini molto inferiori al previsto. Il presidio della Marina di Siracusa – conquistata nel volgere di poche ore – si arrese senza sparare un colpo. Scandaloso fu l'abbandono di Augusta, una potente, munita piazzaforte che venne evacuata (e i suoi cannoni distrutti) prima che un qualsiasi reparto nemico si affacciasse all'orizzonte. Lo sfascio delle forze italiane era stato, salvo le solite onorevoli ma non risolutive eccezioni, desolante. Gli episodi di impreparazione e anche di codardia, nei comandi e nella truppa, furono innumerevoli. Il bilancio finale delle perdite nell'intera campagna di Sicilia – 4178 morti italiani, contro 5 mila morti e 15 mila feriti dei tedeschi, e 22 mila tra morti e feriti degli alleati – dimostra che la resistenza fu vergognosamente debole. I soldati disertarono e si arresero in gran numero: ma il cattivo esempio venne senza dubbio dall'alto.

A METÀ LUGLIO DEL 1943, mentre la Sicilia andava perduta, Vittorio Emanuele III decise la caduta di Mussolini. Sotto l'incalzare della disfatta, la grande crisi di rigetto del Paese verso il Regime e il suo Capo era diventata, ai vertici, congiura e ribellione. La congiura degli Alti comandi, legati strettamente a Casa Savoia; la ribellione dei più accorti, o ambiziosi, o onesti, tra i massimi gerarchi fascisti. Sullo sfondo, ma con una influenza crescente, rimanevano gli esponenti della vecchia Italia antifascista, per i quali, molto tristemente, l'ora della sconfitta era anche l'ora della rivincita. Si discuterà a lungo sulla importanza che ciascuno dei due filoni cospirativi ebbe per la fine politica di Mussolini (a Salò non tornò in scena il Mussolini vero, ma una sua patetica controfigura). Fu determinante il complotto dei generali, oppure fu determinante la notte del Gran Consiglio, durante la quale i capi fascisti decisero il parricidio, e segnarono, insieme alla sorte del Duce, anche la loro? Gli storici, su questo punto, non sono d'accordo, e forse non lo saranno mai.

Del complotto militare erano depositari soprattutto due uomini, Ambrosio e il suo ufficiale addetto generale Castellano. Le loro personalità si integravano. Castellano, cinquantenne, era il più giovane generale dell'Esercito. Siciliano di riflessi rapidi e di scilinguagnolo sciolto, mondano, i capelli accuratamente impomatati a coprire la incipiente calvizie, svelto nell'intrigo, era l'antitesi umana del suo capo, soldatone all'antica. La ribellione dei gerarchi ebbe invece il suo ispiratore in Dino Grandi, presidente della Camera dei fasci e delle corporazioni, benvisto e stimato a Corte.

Il 21 luglio Scorza telefonò a tutti i componenti il Gran Consiglio per convocarli a Palazzo Venezia il sabato 24 alle ore 17 in sahariana nera e pantaloni grigioverdi. Secondo Grandi fu proprio Hitler che, mettendo in guardia il Duce dai traditori di cui era circondato, l'indusse a precipitare una prova di forza dalla quale risultasse che il padrone era sempre lui. Ipotesi suggestiva ma non persuasiva. Nel Mussolini del 25 luglio affiora più un enigmatico *cupio dissolvi* che una fanatica volontà di eliminare gli avversari.

Grandi ha raccontato che, ricevuta la convocazione, tirò fuori «l'ordine del giorno (di ripristino dei meccanismi costituzionali – *N.d.A.*) che avevo scritto nelle trincee dell'Epiro nell'inverno 1940-41». Puntualmente, gli pervenne un invito a vedere il ministro della Real Casa Acquarone, ma rifiutò perché «io non intendevo congiurare contro Mussolini... Io non volevo il colpo di mano, complice la Corona. Ciò avrebbe falsato interamente il carattere della nostra azione... I militari sopraggiunti dopo – e soltanto dopo che il Sovrano ebbe deciso – si incaricarono di trasformare quello che nei nostri intendimenti doveva essere lo sviluppo costituzionale della situazione in un colpo di Stato da paese balcanico o sudamericano». Volendo far tutto «alla luce del sole», Grandi diede notizia dell'ordine del giorno a Scorza e perfino a Farinacci: il che significava informare i tedeschi. Non basta: lo espose direttamente, con due giorni di anticipo, a Mussolini, che del resto lo aveva visto tramite Scorza, e lo aveva giudicato «inammissibile e vile». Il documento, che subì alcune correzioni prima di approdare al Gran Consiglio, ma che mantenne intatta la sua sostanza, proponeva «l'immediato ripristino di tutte le funzioni statali attribuendo alla Corona, al Gran Consiglio, al Governo, al Parlamento, alle Corporazioni le responsabilità stabilite dalle nostre leggi statutarie e costituzionali», e invitava «il Capo del Governo a pregare la Maestà del Re di ... assumere con l'effettivo comando delle Forze Armate ... quella suprema iniziativa di decisione che le nostre istituzioni a lui attribuiscono».

Il 22 luglio il Duce andò a rapporto dal Re, e ne uscì con la convinzione che Vittorio Emanuele III fosse tuttora «il suo migliore amico». Quest'amico aveva invece confidato al suo aiutante di campo, generale Puntoni: «Ho tentato di far capire al Duce che ormai soltanto la sua persona ... ostacola la ripresa interna e si frappone a una definizione netta della nostra situazione militare. Non ha capito, o non ha voluto capire. È come se avessi parlato al vento». L'intera giornata del 23 luglio fu spesa da Grandi a raccogliere consensi al suo ordine del giorno.

A loro volta i cospiratori militari, che potevano ormai contare su tempi brevi, si dedicarono a tre problemi: i carabinieri, la polizia, lo schieramento di truppe attorno a Roma. Al comandante dell'Arma Hazon, che era un uomo su cui la Monarchia poteva sicuramente contare, ma che era morto nel bombardamento di San Lorenzo, doveva succedere, pena il fallimento del *golpe*, un generale che desse analoghe garanzie. Ma la scelta spettava a Mussolini. Ambrosio non indugiò e gli propose il generale Cerica, anteponendolo al più titolato ma meno docile Pièche. Non appena Cerica ebbe il sì di Mussolini, Castellano lo chiamò al Comando supremo e, parlandogli a nome di Ambrosio, gli chiese «se sei rimasto nello stesso ordine di idee di qualche mese fa, quando mi pregasti di dire che eri pronto a obbedire a qualsiasi ordine». Cerica si limitò a porre una domanda: «Ciò che mi si chiederà di fare è legale o illegale?». Confortato dalla promessa che ogni direttiva sarebbe stata avallata dal Re, si mise a disposizione. Per la Polizia non si poteva contare sulla collaborazione del suo nuovo capo, Renzo Chierici: ma venne stabilito che Carmine Senise, dimesso a metà aprile, si sarebbe reinsediato non appena ci si fosse liberati di Mussolini.

Grandi, Ciano e Bottai discussero un paio d'ore, il 24 luglio, sul comportamento da tenere nell'imminente Gran Consiglio. L'ordine del giorno era stato battuto in varie copie, e una di esse fu inviata al Re insieme a una lettera di Grandi che lo definiva «l'ultimo tentativo volto a determinare la restaurazione delle garanzie statutarie e delle prerogative della Corona». Nella cartella che prese con sé, il presidente della Camera dei fasci e delle corporazioni ripose anche due bombe a mano. Aveva fatto testamento. Bottai annotò sul suo Diario: «Il nostro dovere ci ha messo a un bivio tra Paese e Partito, tra Italia e Regime, tra Re e Capo». Bisogna pur ammetterlo: nella svolta storica del 25 luglio, i migliori tra i gerarchi fascisti dimostrarono una forte tensione morale e una genuina angoscia per le sorti del Paese. Il loro pronunciamento ebbe una patina di nobiltà disinteressata. La congiura reale e militare risulta, al confronto, meschina, miope, egoistica.

ALLE CINQUE DI QUEL TORRIDO POMERIGGIO tutti i convocati si ritrovarono nella Sala del Pappagallo, che, adiacente alla Sala del Mappamondo, serviva normalmente da anticamera per le udienze del Duce, ma ospitava anche le riunioni del Gran Consiglio. Ne facevano parte i membri vitalizi (i quadrumviri), i membri divenuti tali per le cariche che ricoprivano (i presidenti del Senato e della Camera, i ministri, il presidente della Accademia d'Italia Federzoni, il Capo di Stato Maggiore della Milizia, il presidente del Tribunale speciale, i presidenti delle confederazioni fasciste) e infine i membri cooptati per meriti speciali, come Bottai, Ciano, Buffarini Guidi, Farinacci, De Stefani, Alfieri, Marinelli, Rossoni. I sottosegretari agli Esteri e agli Interni, Bastianini e Albini, convocati, non avevano diritto di voto, ma finirono per votare entrambi a favore dell'ordine del giorno Grandi.

A un invito del commesso Navarra tutti si sistemarono ai loro posti, quindi entrò – erano le 17,14 – Mussolini, che non rivolse la parola ad alcuno, e fece appena un cenno quando Scorza intimò il saluto al Duce, e gli altri risposero con il rituale e corale «A noi!» alzando il braccio nel saluto romano. Senza indugi, Mussolini si rivolse ai «camerati che hanno ritenuto fosse loro dovere esporre a me personalmente il loro punto di vista sulla situazione del Paese»; la sua voce era calma, con qualche punta sarcastica, a tratti stanca. Da una cartella traeva documenti che via via citava.

La guerra, ammise il Duce, era in una fase «estremamente critica», il territorio metropolitano era stato investito, e questo aveva dato fiato agli oppositori, compresi i fascisti imborghesiti che vedevano in pericolo le loro personali posizioni. «In questo momento – riconobbe – io sono l'uomo più detestato, anzi odiato in Italia, il che è perfettamente logico... La verità è che nessuna guerra è popolare all'inizio: lo diventa se va bene, e se va male diventa impopolarissima.» «È questo – continuò – il momento di stringere le file, e di assumersi le responsabilità necessarie. Non ho alcuna difficoltà a cambiare uomini, a girare la vite... Nel 1917 furono perdute province del Veneto, ma nessuno parlò di resa, allora si parlò di portare il Governo in Sicilia. Oggi, qualora fosse inevitabile, lo porterò nella valle del Po.» Infine, pose il dilemma: guerra o pace? Capitolazione o resistenza?

Il discorso, durato due ore, era finito. L'autodifesa era stata debole. Dopo alcuni interventi senza rilievo alle 21, mentre il caldo opprimente si stava un po' attenuando, gli occhi dei gerarchi si volsero a Dino Grandi. Era il turno del conte di Mordano – questo il titolo nobiliare concessogli dal Re – che presentò l'ordine del giorno, e per un'ora lo illustrò, dopo aver professato, a mo' d'introduzione, la sua fedeltà al Duce. Spiegò che era proprio nell'interesse del Duce di essere alleviato di «una parte del pesante fardello che attualmente pesa solo su di te».

«Restituiteci Duce – perorò – la nostra vecchia cara indimenticabile camicia nera, senza aquile e galloni e fronzoli» e concluse citando una frase pronunciata nel 1924 da Mussolini stesso: «Periscano tutte le fazioni, anche la nostra, purché si salvi la Patria».

Grandi sedette. Mussolini, impassibile, diede la parola a Polverelli (ministro del Minculpop), e subito dopo a Galeazzo Ciano. Ancora pallido per una recente malattia, il genero del dittatore cominciò esitante, ma divenne sempre più sicuro a mano a mano che procedeva nel suo intervento, dedicato ai rapporti con i tedeschi, e alla doppiezza di cui essi si erano resi colpevoli nei riguardi dell'Italia. Il tono era deferente verso Mussolini, che tuttavia seguiva il discorso con crescente malumore, roteando gli occhi e stringendo le mascelle. Solo quando Ciano ricordò che la Germania s'era buttata in guerra nel 1939 dopo aver assicurato che non l'avrebbe fatto se non in epoca molto successiva, Mussolini mormorò: «Verissimo».

La Germania aveva nel Gran Consiglio un difensore a oltranza, Farinacci, che balzò in piedi, massiccio, greve, la voce tonante, e presentò un suo ordine del giorno che alla prima lettura poteva sembrare assai vicino a quello di Grandi. Suggeriva anch'esso di attribuire agli organi dello Stato i compiti istituzionali, e di restituire al Re il Comando supremo, ma aveva la sua chiave in questa frase: il Gran Consiglio «afferma il dovere sacro per tutti gli italiani di difendere fino all'estremo il sacro suolo della Patria, rimanendo fermi nell'osservanza della alleanza conclusa».

Passate le 23, il capo di Stato Maggiore della Milizia Galbiati suggerì qualcosa a Scorza che passò un biglietto a Mussolini. «Alcuni camerati, data l'ora tarda e il prolungamento della seduta – disse Mussolini – ne propongono il rinvio a domani.» Grandi insorse: «Per la Carta del lavoro ci tenesti qui sette ore. Adesso che si tratta della salvezza della Patria possiamo rimanere a discutere per tutto il tempo necessario». Con strana docilità, il Duce accettò l'obbiezione. «Va bene – disse – sospenderemo per mezz'ora.» A passi decisi si avviò verso la Sala del Mappamondo.

I membri del Gran Consiglio si erano trattenuti a bere surrogato, a masticare qualche panino – il buffet era sguarnito perché nessuno aveva previsto la lunghezza della riunione – e a fumare. Grandi aveva lasciato su un tavolo due copie del suo ordine del giorno: lo firmarono De Bono e De Vecchi, e dopo di loro altri, anche Ciano. «No, tu no» tentò di dissuaderlo Grandi, che oltre tutto lo detestava. Ma l'altro firmò ugualmente. La diciannovesima firma fu quella di Alfieri: con Grandi, 20 su 28 presenti.

Trascorsero tre quarti d'ora prima che la discussione riprendesse. In quel momento Mussolini dovette avere la sensazione che fosse possibile domare il pronunciamento, e parlò con efficacia. «Chi chiede la fine della dittatura – osservò – sa di volere la fine del fascismo. Grandi può porre in giuoco l'esistenza del Regime.» Allarmato dall'effetto che Mussolini aveva ottenuto, Grandi si affrettò a respingere il «ricatto sentimentale» implicito nelle sue parole, ma anche a dichiarare che «noi abbiamo sempre inteso di porre la tua persona al di fuori e al di sopra non solo di questa, ma di tutte le discussioni e di tutti gli esami che abbiamo fatto».

Fu a questo punto che Scorza presentò il suo ordine del giorno che esaltava i combattenti «insieme coi valorosi camerati germanici», e proclamava la urgente necessità di «attuare quelle riforme e innovazioni nel Governo, nel Comando supremo, nella vita interna del paese le quali... possano rendere vittorioso lo sforzo unitario del popolo italiano». Lo sviluppo del dibattito aveva fatto capire anche ai più tardi che l'ordine del giorno Grandi era una sfida a Mussolini. Si ebbero così le prime defezioni. Cianetti, ministro delle Corporazioni, espresse delle perplessità, che avrebbe formalizzato l'indomani in una lettera di ritrattazione a Mussolini e che gli salvarono la vita nel processo di Verona. Il presidente del Senato Suardo, che aveva spesso la testa appannata dall'alcool, ritirò la firma già apposta, e propose una fusione tra il testo Grandi e il testo Scorza, idea questa che trovò consenziente Ciano. Se solo si fosse data la briga, in quel frangente, di formulare un suo ordine del giorno, e presentarlo come una sintesi degli altri, Mussolini avrebbe probabilmente ottenuto una maggioranza. Rinunciò a farlo, e alle 2,30 diede inizio alla votazione, cominciando dall'ordine del giorno Grandi. I sì furono 19, i no 8, gli astenuti uno, Suardo. Votare gli altri documenti era ormai superfluo. «Chi porterà al Re questo ordine del giorno?» domandò Mussolini raccogliendo le sue carte. «Tu» rispose Grandi. «Signori – sentenziò Mussolini – ... voi avete aperto la crisi del Regime.» Quando Scorza barrì il suo «saluto al Duce» Mussolini troncò secco: «Ve ne dispenso», e il solo Polverelli non riuscì a frenare il suo flebile «A noi!».

La notte fu ancora lunga per Grandi, che Acquarone aspettava con ansia accanto a Montecitorio. Per due ore il promotore del pronunciamento fascista mise al corrente il ministro della Real Casa sullo svolgimento della seduta, gli consegnò una copia dell'ordine del giorno con le firme, infine suggerì che il nuovo governo fosse presieduto da Caviglia, e includesse l'industriale Alberto Pirelli come ministro degli Esteri, nonché elementi antifascisti come Alcide De Gasperi e Marcello Soleri. Perché Caviglia e non Badoglio? volle sapere Acquarone. Perché, spiegò Grandi, Badoglio era un antifascista che aveva accettato onori, cariche, titoli e denari dal fascismo, facendosi complice di Mussolini: ed era il responsabile della guerra perduta. Lasciato

Grandi, Acquarone si recò immediatamente a riferire a Vittorio Emanuele III. D'accordo con lui fece preparare il decreto che nominava Badoglio Capo del governo e che, firmato dal Re, fu portato da Ambrosio e Castellano al maresciallo. Questi lo controfirmò.

L'INDOMANI MUSSOLINI non prese i provvedimenti che la logica della dittatura avrebbe suggerito, si dedicò anzi puntigliosamente alla *routine*. Derogò dalla norma unicamente per chiedere che il Re gli desse udienza nel pomeriggio alle 17. Solitamente i loro incontri avvenivano il lunedì e il giovedì, la domenica era un giorno inconsueto. Fu una mossa che spianò il compito dei congiurati. L'udienza venne accordata, e fu anche precisato che il Capo del governo doveva presentarsi ad essa «in borghese». La richiesta di udienza al Re era stata, per i congiurati militari, un aiuto e un vincolo allo stesso tempo. La preda si offriva all'agguato, ma fissava il luogo e l'ora indipendentemente dalla loro volontà. Non appena la novità fu conosciuta Castellano convocò a Palazzo Vidoni il comandante dei carabinieri Cerica. Insieme stabilirono di annullare la libera uscita dei carabinieri, con il pretesto di un giro di visite del nuovo comandante, di predisporre la occupazione dei ministeri e dei centri di comunicazione, di designare cinquanta uomini scelti e ufficiali di indiscusse capacità e fiducia per l'arresto di Mussolini. Agli ordini del tenente colonnello Frignani, ebbero l'incarico di procedere materialmente alla operazione i capitani Raffaele Aversa e Paolo Vigneri. Ai carabinieri caricati su un autocarro venne detto che dovevano dare la caccia a certi paracadutisti nemici, lanciati nei dintorni di Roma: furono molto sorpresi quando si ritrovarono nel parco di Villa Savoia, in posizione defilata. Un'ambulanza, sulla quale Mussolini sarebbe stato «rapito», completò i preparativi. Alle 16 Carmine Senise entrò nell'ufficio del Capo della polizia Chierici, e gli annunciò che da quel momento il capo era lui. Sconcertato – e ne aveva di che – Chierici chiese spiegazioni, le ebbe, e si acquetò docilmente. Qualche decina di minuti prima dell'udienza Cerica fece sapere che era impossibile eseguire la missione all'esterno di Villa Savoia: il Re doveva consentire che si procedesse all'interno di essa. Vittorio Emanuele, in divisa di Primo maresciallo dell'Impero, nervoso e pallido, ebbe un moto di stizza quando seppe del nuovo piano, che l'obbligava ad infrangere, dentro

casa sua, le più elementari regole dell'ospitalità. Poi, corruccia-
to, disse: «E va bene». Stava per entrare nel viale; con cinque
minuti di anticipo, l'auto di Mussolini, la cui scorta sostò, come
di consueto, accanto all'ingresso del parco. Tutto filò liscio come
l'olio. Mentre il Re, Mussolini e il suo segretario De Cesare si
avviavano verso un salotto – l'aiutante di campo Puntoni origlia-
va, per il caso vi fosse stato bisogno di lui, da dietro una porta –
l'autista Boratto fu condotto nella portineria, con un pretesto, e
là rinchiuso fino a mezzanotte.

Del colloquio, durato venti minuti, sono rimaste versioni un
po' divergenti: ma la sostanza è sicura. Mussolini tentò di spiegare i suoi progetti politici e militari, ma il Re non gliene lasciò il
tempo. Precipitosamente, a disagio, biascicò le frasi che aveva
preparato: «Le cose non vanno più... l'Italia è in tocchi... l'esercito è moralmente a terra, i soldati non vogliono più battersi... il
voto del Gran Consiglio è tremendo». Poi il querulo vecchio
assunse atteggiamenti protettivi: «Io vi voglio bene, ve l'ho
dimostrato più volte difendendovi da ogni attacco, ma questa
volta devo pregarvi di lasciarmi libero di lasciare ad altri il
governo. Rispondo con la mia testa della vostra sicurezza personale, statene certo. Ho pensato che l'uomo della situazione è il
maresciallo Badoglio. Fra sei mesi si vedrà». Al nome di
Badoglio, Mussolini si accasciò. «Allora tutto è finito» farfugliò,
quasi incredulo. «Mi spiace, mi spiace» ripeteva il Re, riaccom-
pagnando Mussolini, e porgendo la mano non solo a lui ma
anche (era la prima volta che accadeva) a De Cesare.

«Dov'è l'auto del presidente?» si informò, sulla soglia. Era ai
piedi della scalinata, ma quando Mussolini fece per avviarvisi, il
capitano Vigneri gli si fece incontro: «Sua Maestà mi prega di
proteggervi, vi prego di seguirmi» gli disse su un tono che non
era di preghiera, ma di comando. Mussolini era seccato. «Che
esagerazione – disse – non ce n'è bisogno». Ma Vigneri insistette: «Da quella parte». Il dittatore deposto vide i carabinieri
armati di mitra, si lasciò guidare alla autoambulanza che dopo
la sosta sotto il sole era un forno, e vi salì insieme a De Cesare,
inserendosi fra tre ufficiali in borghese e tre carabinieri armati.
La macchina partì a gran velocità e raggiunse prima la caserma
di via Podgora, quindi quella della Legione allievi di via
Legnano, ritenuta più sicura.

Là, all'una di notte, Mussolini ricevette una lettera di
Badoglio in cui gli si diceva che lo si era trattato a quel modo nel
suo «personale interesse», essendo stato segnalato un complot-

to, e che il governo era pronto a «dare ordini per il vostro futuro accompagnamento, con i dovuti riguardi, nella località che vorrete indicare». Mussolini rispose immediatamente: ringraziava per le attenzioni riservategli, chiedeva di poter raggiungere la Rocca delle Caminate, assicurava il maresciallo – «anche in ricordo del lavoro in comune svolto in altri tempi» – che non gli avrebbe creato alcuna difficoltà, e concludeva: «Sono contento della decisione presa di continuare la guerra con gli alleati... e faccio voti che il successo coroni il grave compito al quale il maresciallo Badoglio si accinge per ordine e in nome di Sua Maestà il Re del quale, durante ventun anni, sono stato leale servitore e tale rimango».

Tra tanta gente agitata, Badoglio era rimasto fermo in casa sua durante la giornata: aveva anzi avvertito scherzosamente i familiari: «Siete tutti consegnati», e si era ben guardato dal disdire la partita a bridge pomeridiana con gli amici. Ma aveva fatto mettere in fresco una bottiglia di champagne, per brindare, più tardi. La chiamata telefonica che attendeva gli giunse alle 17,30, cinque minuti dopo l'uscita di Mussolini da Villa Savoia. Il Re lo voleva subito. «Il tempo di mettermi in uniforme» rispose Badoglio al suo interlocutore, che era Acquarone.

A Villa Savoia il Re e il maresciallo discussero del futuro, ma la lista di ministri che Badoglio aveva in tasca non piacque con i nomi di Casati, Soleri, Bergamini, Einaudi: troppi politici. Vittorio Emanuele III voleva un governo di tecnici. Più urgente era comunque neutralizzare il Partito fascista, tranquillizzare i tedeschi, e far diffondere la notizia del rivolgimento e i proclami che Vittorio Emanuele Orlando aveva compilati, e il Re ratificati con qualche modifica. Il comunicato, letto alle 22,45, spiegava succintamente che il Re e Imperatore aveva accettato le dimissioni del «cavaliere Benito Mussolini», e nominato in sua vece il maresciallo d'Italia Pietro Badoglio. Dei due proclami, quello reale era di una vuotaggine esemplare: ma ammoniva che «nessuna deviazione deve essere tollerata, nessuna recriminazione può essere consentita». Quello di Badoglio, che parlava di «governo militare... con pieni poteri», comprendeva il famoso e discusso passaggio: «La guerra continua. L'Italia... mantiene fede alla parola data». Tra la sera del 25 luglio e il 26 fu formato il nuovo governo che avrebbe benissimo potuto essere un vecchio governo Mussolini. Funzionari, generali, diplomatici, occuparono i dicasteri più importanti.

La disinvoltura, miscelata a frivolezza, con cui l'Italia fascista ripudiava il fascismo testimoniava la profonda decomposizione del Regime, sotto la copertura d'orbace, ma anche la superficialità e leggerezza di un Paese allergico al caso di coscienza. Non ci furono drammi, tranne uno: quello del presidente dell'agenzia di stampa Stefani, Manlio Morgagni, che si tirò un colpo di rivoltella alla tempia, dopo aver vergato queste parole: «La mia vita è finita, Viva Mussolini».

Si ebbe una curiosa sensazione di immobilità al vertice, mentre per le vie delle città italiane esplodeva una gioia che, quando non si tingeva di rivalsa personale, significava soprattutto una cosa: nella fine del fascismo la gente vedeva, nonostante il proclama badogliano, il preludio alla fine della guerra. Il Regime, che in parte era stato sempre di cartapesta, ma che sotto l'impatto delle sconfitte si era svuotato di ogni sostanza, finiva nella spazzatura. «Cimici» tolte dall'occhiello, cocci di fasci littori e di busti del Duce, brandelli di manifesti, pezzi d'intonaco su cui erano tracciati gli slogans fatidici, imbrattavano le vie.

BADOGLIO VOLEVA USCIRE dalla guerra, e per uscirne era necessario trattare con gli anglo-americani, che avevano dettato da Casablanca la dura richiesta della resa incondizionata. Ma ogni resa esige un negoziato. Ne furono maldestramente abbozzati alcuni, ma veniamo al negoziato fondamentale, quello di Castellano che si sentiva chiamato ad alti destini, dopo la parte avuta nel complotto del 25 luglio. Il 12 agosto Ambrosio gli annunciò la missione di cui era stato incaricato aggiungendo (e le istruzioni si limitarono a questo) che avrebbe dovuto esporre la nostra situazione militare, ascoltare le intenzioni degli Alleati «e soprattutto dire che noi non possiamo sganciarci dalla Germania senza il loro aiuto».

Nemmeno Badoglio avvertì l'esigenza di intendersi bene con Castellano prima della sua partenza in treno. In quei giorni una delegazione del ministero degli Esteri doveva rilevare, a Lisbona, il personale della nostra ambasciata a Santiago del Cile, richiamato dopo la rottura delle relazioni tra i due Paesi. Castellano fu aggregato alla delegazione, nelle vesti di funzionario del ministero degli Scambi e Valute, sotto la falsa identità di «commendator Raimondi». Al generale fu affiancato con funzioni di interprete il console Franco Montanari che era di madre americana, e si era laureato a Harvard.

A Lisbona Castellano prese contatto con l'ambasciatore inglese Ronald Campbell, e poi attese i rappresentanti del Comando alleato che non si fecero vivi fino al giorno 19 perché a Quebec, dove era in corso un vertice anglo-americano, Churchill, Roosevelt e i loro Stati Maggiori, informati da Hoare del passo di Castellano, erano in disaccordo, e anche aspro, sull'atteggiamento da tenere. Alla fine erano riusciti a intendersi su un documento generico, il cosiddetto «armistizio corto», che in 12 clausole sanciva la resa incondizionata, rimandando a più tardi la stesura definitiva dell'«armistizio lungo», più gravoso del precedente con le sue clausole specificamente politiche, economiche e finanziarie. Furono delegati all'incontro il capo di Stato Maggiore di Eisenhower, Walter Bedell Smith, e il capo del servizio informazioni dello Stato Maggiore britannico, il gigantesco generale Kenneth Strong.

Alle 22,30 del 19 agosto Castellano incontrò i suoi interlocutori, che furono rigidi e formali. Non salutarono, non strinsero la mano, si limitarono a un cenno del capo. Smith, che aveva un caratteraccio anche per via dell'ulcera che lo tribolava, disse secco: «Mi risulta che siete venuto per chiedere i termini di un armistizio. Ecco le condizioni». Lesse i 12 articoli dell'armistizio corto (*short military armistice*) – «cessazione immediata di ogni attività ostile da parte delle Forze Armate italiane» e poi tutto il resto – e aggiunse: «Questi termini non possono essere discussi, ma solo accettati integralmente». Castellano vide subito sfumare i suoi sogni di negoziatore. Si illudeva di essere accolto quasi come un nuovo alleato, e si trovava di fronte a un *diktat*.

Smith e Strong si chiusero in uno scudo di impenetrabilità quando il delegato italiano volle sapere dove e quando sarebbe avvenuto lo sbarco principale in Italia, e chiese che la data dell'armistizio fosse conosciuta, da Badoglio, con una quindicina di giorni di anticipo per poter predisporre efficacemente la protezione del governo e della famiglia reale. Smith ribatté che l'annuncio dell'armistizio avrebbe preceduto di poche ore lo sbarco principale; gli italiani ne sarebbero stati preavvisati nella giornata stessa, non prima.

Infine ci si occupò delle modalità attraverso le quali il governo italiano avrebbe comunicato la sua accettazione. Castellano venne munito di una radio ricevente e trasmittente, occultata in una anonima valigetta. Si provvide a escogitare un cifrario servendosi di un libro italiano reperito a Lisbona – Montanari aveva trovato in una libreria *L'omnibus del corso* di Bino Sanminiatelli –. Da ultimo si fissò al 30 agosto il termine ultimo entro il quale l'approvazione di Roma sarebbe stata comunicata. Ove ci fosse stato il sì di Badoglio, un nuovo incontro sarebbe avvenuto il 1° settembre in Sicilia. I generali alleati e i loro consiglieri ripartirono in aereo, Castellano in treno: fu di ritorno solo il 27 agosto. Stanco per i tre giorni e le tre notti di treno, ma piuttosto euforico, si precipitò a rapporto da Badoglio, taciturno ed enigmatico. Il 29 agosto – l'indomani scadeva l'*ultimatum* degli Alleati – la discussione si spostò al Quirinale: ma il Re si limitò a prendere atto delle tesi in contrasto e lasciò capire chiaramente che spettava a Badoglio, non a lui, di stabilire cosa fosse giusto fare. Era o no un Monarca costituzionale? Il dibattito fu agitato. Castellano, che aveva avuto a che fare con Smith e Strong, e sapeva in quale modo inglesi e americani affrontavano il problema dell'armistizio, spiegò che sarebbe stato inutile inviarlo in Sicilia a far delle chiacchiere. Stretto in angolo dagli Alleati, che tempestavano per avere una risposta, il 30 agosto Badoglio decise di mandare in Sicilia Castellano perché dicesse ni. Secondo le direttive impartitegli, Castellano doveva comunicare che il governo italiano aveva deciso di denunciare l'alleanza con la Germania, di «cessare le ostilità contro le Nazioni Unite» e di «prendere tutte le misure contro le forze tedesche per cacciarle oltre le Alpi». Infine Badoglio in un appunto precisava che «non è possibile dichiarare l'accettazione dell'armistizio se non a sbarchi avvenuti di almeno quindici divisioni, la maggior parte di esse tra Civitavecchia e La Spezia». Così erudito, Castellano intraprese il suo viaggio. Da Roma fu comunicato agli Alleati che il delegato italiano stava per arrivare. Il 31 agosto, alle 9, Castellano e Montanari atterrarono a Termini Imerese, da dove il generale Strong li accompagnò, con un apparecchio americano, a Fairfield Camp. Era stato così denominato il posto di comando avanzato di Alexander: una serie di tende piantate a Cassibile, nella tenuta di mandorli e olivi di un nobile siracusano, certo Grande. Bedell Smith fu deluso quando seppe che l'inviato italiano non era munito di pieni poteri. Gli Alleati rimasero irremovibili nel mantenere il segreto sui loro progetti, ma prese corpo l'idea di aiutare lo sforzo italiano attorno a Roma con una divisione aerotrasportata.

Alle quattro del pomeriggio Castellano e Montanari furono riportati a Termini Imerese, e di là decollarono per Roma. Badoglio dormiva già quando sbarcarono a Roma: si dovette aspettare l'indomani per una riunione che vide allo stesso tavolo, in un ufficio del Viminale, Badoglio, Ambrosio, Guariglia,

Castellano, Acquarone. Il delegato italiano – che il maresciallo ascoltava taciturno, a capo chino – assicurò piuttosto fantasiosamente che gli Alleati avrebbero fatto irrompere in Italia una potenza militare inaudita, Guariglia si convertì alla accettazione dell'armistizio, ma il generale Carboni, cui spettava la difesa di Roma, oppose obbiezioni su obbiezioni: il suo Corpo d'armata, ripeté, mancava di tutto e non era in grado di fronteggiare i tedeschi. Si addivenne, infine, a una decisione. L'armistizio veniva accettato, Castellano, che ebbe questa volta come viatico un abbraccio di Badoglio, sarebbe tornato a Cassibile.

La mattina del 2 settembre un trimotore S 79 si alzò in volo da Guidonia. Ai comandi era il maggiore Vassallo, pilota di Ambrosio, che portava Castellano, Montanari e il maggiore Luigi Marchesi, segretario dello stesso Ambrosio. Con l'identica procedura del giorno precedente il gruppo raggiunse Fairfield Camp, e subito fu chiesto a Castellano se fosse autorizzato a firmare la resa. Rispose di no. Vi furono altri affannosi e indecorosi scambi di messaggi con Roma e finalmente venne il sì di Badoglio. Alle 17 in punto del 3 settembre Bedell Smith entrò, a Cassibile, nella tenda dove dal giorno precedente erano ospitati, e confinati, i tre delegati italiani, e disse loro di seguirlo nella grande tenda della mensa dello Stato Maggiore. Castellano ha descritto la scena: «Eisenhower è in piedi dietro un grosso tavolo. Sono presenti, oltre a Bedell Smith, il generale Strong, il generale Rooks capo del reparto operazioni, il commodoro Dick e il capitano Dean, interprete. Mentre sto per entrare sotto la tenda, ne escono due borghesi in maniche di camicia. Sono i consiglieri diplomatici di Eisenhower (Murphy e Macmillan – *N.d.A.*) che non rimarranno presenti per sottolineare così, con maggiore evidenza, che l'armistizio è un fatto prettamente militare».

Tra le camicie di tela cachi degli anglo-americani, Castellano era in doppiopetto scuro, un candido fazzoletto al taschino della giacca. Qualcuno sostiene che calzasse, a rendere ancora più incongruo il suo abbigliamento, scarpe gialle (ma lui ha negato l'autenticità del particolare, così come ha negato che, tratta di tasca una penna stilografica, questa si fosse rifiutata di funzionare). Inforcati gli occhiali, Castellano sedette al tavolo, sul quale erano poggiati due telefoni, e firmò tre copie dell'armistizio corto. Quindi Smith, che lo aveva osservato rimanendo in piedi, firmò a sua volta «per delega del generale Eisenhower». Erano le 17,15. Ike si avvicinò, a quel punto, a Castellano e gli strinse la mano. Fu offerto del whisky, ma non si brindò. Poi vennero ammessi il fotografo e il cineoperatore. Eisenhower, che affermò più tardi di non aver voluto personalmente sanzionare con la sua firma «quello sporco affare», uscendo dalla tenda staccò una fronda di ulivo da un albero e la sventolò, in segno di pace. Un aereo lo aspettava, per ricondurlo ad Algeri.

Castellano si augurava che le sue emozioni e le sue sorprese fossero finite: ed erano appena incominciate. Anzitutto non conosceva la data in cui l'armistizio sarebbe stato annunciato: e gli Alleati, che già avevano fissato l'8 settembre, si guardavano bene dal comunicargliela. Ritenne, in base a considerazioni sue, di poter indicare il 12, e quest'azzardo ebbe conseguenze disastrose. Ma Roma era peggio di Castellano. Non si faceva nulla – con l'incubo dei tedeschi – per facilitare lo sbarco (mai attuato) nella capitale d'una divisione aerotrasportata americana, alle grandi unità furono inviati ordini vaghi, il capo di Stato Maggiore generale Ambrosio trovò conveniente un viaggio in treno a Torino – per un trasloco – il 6 settembre (!), il re si lavava le mani, Badoglio era frastornato, il generale Giacomo Carboni era in preda al pessimismo benché i tedeschi fossero, in quell'area, nettamente inferiori. In queste condizioni di collasso, e di fuga dalle responsabilità, si arrivò all'8 settembre.

I tentativi italiani d'ottenere che l'annuncio dell'armistizio fosse rinviato vennero respinti con durezza dagli Alleati. A Badoglio non restò che fare la sua parte. Era stato ordinato a Carboni di predisporre un microfono collegato con l'Eiar, ma Carboni s'era dimenticato, o aveva omesso, di eseguire. Il maresciallo si avviò pertanto in automobile verso la sede della Radio. Era in abito grigio, con cappello floscio. Verso le 19,30 entrò nell'auditorio O, dove era stato convocato lo speaker Giovan Battista Arista. Furono messe in onda marce militari e canzonette mentre avveniva la registrazione. Con voce neutra Arista presentò il maresciallo, la cui voce abbastanza ferma lesse finalmente il testo concordato: «Il governo italiano, riconosciuta l'impossibilità di continuare l'impari lotta contro la schiacciante potenza avversaria, nell'intento di risparmiare ulteriori e più gravi danni alla nazione, ha chiesto l'armistizio al generale Eisenhower... La richiesta è stata accolta. Conseguentemente ogni atto di ostilità contro le forze anglo-americane deve cessare da parte delle forze italiane in ogni luogo. Esse però reagiranno ad eventuali attacchi da qualsiasi altra provenienza». Erano le 19,45. L'Italia s'illuse che la guerra fosse finita.

IL RE, IL GOVERNO, i supremi comandanti militari erano chiamati a risolvere, annunciato l'armistizio, tre problemi: la tutela, per quanto possibile, delle forze militari italiane disseminate tra vari scacchieri e il più delle volte inchiodate al luogo in cui si trovavano dalla mancanza cronica di mezzi di trasporto; la difesa di Roma; la salvaguardia della incolumità personale della famiglia reale e delle maggiori personalità. Nella gerarchia delle preoccupazioni la terza diventò, fin dal primo momento, preponderante. In Provenza e Corsica erano dislocati 230 mila uomini, in Jugoslavia 300 mila, altri 300 mila in Albania e Grecia, 53 mila nelle isole dell'Egeo. In tutto 900 mila uomini, moltissime baionette, ma una forza infinitamente inferiore al numero. Dei due milioni di soldati che erano minacciati dai tedeschi, ma che a loro volta li potevano minacciare, nessuno parve ricordarsi, a Roma, nelle ore che seguirono. L'appuntamento per tutti i pezzi grossi era stato fissato, in caso di emergenza, al Ministero della Guerra (Palazzo Baracchini) in via XX Settembre, predisposto a difesa con postazioni di armi automatiche. Lì si trasferirono immediatamente il Re, la Regina, il Principe Umberto, gli aiutanti di campo, un cameriere e una cameriera. Vennero sistemati nell'appartamento del ministro, con due corazzieri di sentinella alla porta. Di ritorno dall'Eiar, Badoglio consumò nello stesso edificio una cena frugale e poi se ne andò a letto, mentre il ministro della Stampa e Propaganda disponeva che i quotidiani dell'indomani pubblicassero il testo dell'armistizio listato a lutto, con frasi di omaggio ai Sovrani, e senza accenni polemici verso i tedeschi. L'ultimo ordine di Ambrosio prescrisse: «Ad atti di forza reagire con la forza».

Nella notte del 9 settembre Roatta decise di svegliare tutti e di predisporre la fuga. Si fece sapere al Re che si doveva partire. Non ci volle molto per convincerlo anche se avanzò una blanda obbiezione «Sono vecchio, cosa volete che mi facciano?». Ambrosio si offerse di rimanere, ma poi imitò gli altri. Chiese tuttavia un po' di tempo per dare qualche disposizione, e a Badoglio suggerì: «Forse anche tu, maresciallo, devi dare qualche disposizione». Badoglio riflettè un momento, poi sentenziò: «Nulla. Io parto». Alle 5,10, quando si annunciavano appena all'orizzonte i primi chiarori dell'alba, il Re salì, insieme alla Regina, a Puntoni e al tenente colonnello De Buzzacarini, sulla sua Fiat 2800 grigioverde. Badoglio seguì insieme al duca Acquarone e al fido Valenzano, in una terza vettura era il Principe di Piemonte. Dopo di loro, a intervalli abbastanza regolari «come per un *rally* automobilistico» ha osservato qualcuno, si mossero gli altri generali. Due autoblindo facevano da scorta. Cammin facendo, essendoglisi guastata l'auto, Badoglio passò in quella di Umberto di Savoia che, vedendolo infreddolito, gli prestò il suo cappotto militare. Con gesto furtivo Badoglio rimboccò le maniche, perché non fossero visibili i gradi. L'appuntamento era, per gli eletti che si era deciso di ammettere nella grande fuga, all'aeroporto di Pescara. Il convoglio di testa proseguì regolarmente traversando l'Appennino abruzzese – a Campo Imperatore, non molto lontano, era prigioniero Mussolini, della cui sorte nessuno parve interessarsi – e giunse ad un bivio, a una quindicina di chilometri da Pescara, nelle cui vicinanze era il castello di Crecchio, appartenente ai duchi di Bovino, ben conosciuti dalla famiglia reale. Su suggerimento di Umberto, il Re e la Regina decisero di sostarvi, in attesa di avere più precise informazioni.

A quel punto Umberto di Savoia fu preso da scrupoli: «Credo sia meglio che io ritorni indietro» disse a Badoglio che, ritrovata l'energia, lo redarguì: «Lei porta le stellette. È un soldato e deve obbedienza a me». Nel pomeriggio le auto del Re e del seguito raggiunsero l'aeroporto di Pescara. Da Zara era stata chiamata a Pescara la corvetta *Baionetta*, da Taranto l'incrociatore *Scipione l'Africano* e la corvetta *Scimitarra*. Ma la popolazione della città stava dimostrando, a quanto venne riferito, insofferenza verso la comitiva che scappava, e fu preferito il molo di Ortona a Mare. Là si sarebbero tutti ritrovati, venne deliberato, a mezzanotte.

I fuggiaschi si divisero in tre gruppi. Badoglio e De Courten nell'aeroporto di Pescara, Ambrosio e Roatta a Chieti, i reali ancora nel castello di Crecchio. Badoglio preferì, non si sa mai, imbarcarsi a Pescara, dove la *Baionetta* aveva sostato. L'imbarco di Ortona a Mare doveva essere un segreto riservato a pochi. Ma radio-generale aveva funzionato, e il Re, che credeva di andarsene quasi in solitudine, e in un certo ordine, arrivò su una banchina gremita di individui agitati, parte in borghese, parte in divisa. «Cosa succede?» domandò seccato.

Puntoni s'informò e apprese che una larga rappresentanza dello Stato Maggiore, 250 alti ufficiali con attendenti, familiari, carabattole, si erano precipitati all'appuntamento per seguire il governo, e arraffare altri onori, altre promozioni, altri nastrini, altre prebende, a ricompensa della sconfitta e della defezione. Roatta, in borghese con un fucile mitragliatore in spalla, pontificava, e Vittorio Emanuele III lo guardò scuotendo la testa. Assente fu invece in un primo momento la popolazione perché era stato dato, allo scopo di tenerla rintanata, l'allarme aereo, ma poi i curiosi cominciarono ad accorrere. Il Re era in ansia perché non vedeva Badoglio, e apparve molto stupito quando, rotti gli indugi e preso posto sulla bettolina dalla quale passò alla corvetta *Baionetta* – Umberto aveva dovuto gridare, per aprirsi un varco nella calca: «Siamo della famiglia reale» – scorse il maresciallo già a bordo. «Non più di trenta persone» urlava, e procedette personalmente alla selezione degli aspiranti alla partenza, sostituito poco dopo, in quell'incarico di portineria, da De Courten. Roatta riuscì a far ammettere il suo fido Zanussi, e Ambrosio il suo fido Marchesi, tra battibecchi umilianti.

Gli eletti furono in tutto 57, agli altri che rimasero a terra imprecando e mostrando i pugni – alcuni nella foga di squagliarsela erano saliti su una draga priva di equipaggio, che ovviamente non si mosse – fu promesso che sarebbe arrivata una seconda unità, a raccoglierli. La promessa, stranamente, fu mantenuta alle sette del mattino, allorché un'altra nave da guerra entrò nel porto. Ma i respinti si erano dispersi, e a testimonianza dell'unica vera battaglia che lo Stato Maggiore italiano abbia ingaggiato dopo l'8 settembre restavano solo fagotti e cartocci.

CAPITOLO 6

La guerra civile

ALLE 14,30 DEL 10 SETTEMBRE 1943 la corvetta *Baionetta*, con la famiglia reale, Badoglio, e una folla petulante di generali dello Stato Maggiore avvolti in coperte e pastrani, era in vista di Brindisi. Si accostò alla corvetta un motoscafo che issava la bandiera italiana: ne sbarcò l'ammiraglio Rubartelli, comandante della base della Marina, al quale nessun radiomessaggio aveva preannunciato la presenza del Re sulle unità in arrivo. All'ammiraglio, che era restato di sasso, Vittorio Emanuele III non consentì, con la solita gelida bruschezza, di esprimere il suo stupore. «Ci sono tedeschi a Brindisi?» interrogò. «No Maestà.» «Ci sono inglesi?» «No Maestà.» «Chi comanda allora?» «Comando io.» «Bene, andiamo.»

Fu stabilito, seduta stante, che il Re, la Regina e il Principe ereditario si insediassero nell'appartamento dell'ammiraglio, al primo piano di una palazzina adiacente al corpo principale del Castello. Fu svegliata la signora Rubartelli che, fedele alle usanze del Meridione d'Italia, si era concessa la pennichella pomeridiana, e che, confusissima, comparve davanti alla Regina in vestaglia. Badoglio e Acquarone furono sistemati nella casermetta dei sommergibili, i generali più importanti all'Albergo Internazionale, il governo – quale? – pose la sua sede negli uffici del comando della Marina, al Castello. L'aiutante di campo del Re, Puntoni, racimolò un nucleo di carabinieri e di marinai per assicurare un sommario servizio di sicurezza. La famiglia reale decise di prendere i pasti nel suo appartamento. Il seguito e i ministri presenti – che erano poi due, De Courten della Marina e Sandalli dell'Aeronautica, oltre a Badoglio – fondarono una «mensa del governo».

Quella stessa sera Radio Bari, troppo debole per essere ascoltata in tutta Italia, diffuse un proclama del Re nel quale era detto che «per assicurare la salvezza della capitale e per potere pienamente assolvere i miei doveri di Re, col governo e con le autorità militari mi sono trasferito in un altro punto del sacro e libero suolo nazionale».

Il 14 settembre una missione militare alleata – alla quale erano stati aggregati i consiglieri politici Murphy, americano, e MacMillan, inglese – prese contatto a Brindisi con il relitto della sovranità italiana. Gli emissari di Eisenhower furono duri. L'Italia era un paese occupato, e doveva dimostrare con i fatti d'aver diritto a un recupero d'indipendenza. Si chiedeva a Badoglio di dichiarare guerra alla Germania – il che avvenne dopo patetici tentennamenti di Vittorio Emanuele III – e gli si chiedeva di firmare a Malta, il 29 settembre, l'«armistizio lungo», ossia il documento, assai più elaborato e pesante, che completava le condizioni di resa già sottoscritte da Castellano a Cassible. Anche quest'impegno fu onorato (si fa per dire).

Mentre a Brindisi si discuteva sulla opportunità di dichiarare guerra alla Germania, la Germania stava facendo la guerra all'esercito italiano. Fu un immane e cupo rastrellamento illuminato solo da qualche episodio eroico – come nella difesa di Roma – e insanguinato dal sacrificio della divisione Acqui a Cefalonia. L'unità era agli ordini del generale Antonio Gandin. A Corfù era di stanza il 17° fanteria (colonnello Luigi Lusignani), a Cefalonia il comando dell'intera divisione. La Acqui si trovò, l'8 settembre, con viveri per novanta giorni e munizioni per trenta. Dopo l'equivoca pausa iniziale, determinata dalla cautela tedesca, la divisione scelse la fermezza. Gandin, un veneto, conosceva perfettamente la lingua tedesca e i tedeschi, ed aveva intrattenuto con loro rapporti cordiali. Tuttavia decise di non adeguarsi all'ordine di Vecchiarelli che prescriveva la consegna delle armi. Si tirò avanti fino al 12, quando i tedeschi proposero al generale italiano tre alternative: o la collaborazione, o la lotta, o la consegna delle armi. Gandin si consultò con i sette cappellani militari, che propendevano per la terza ipotesi. Ma i diecimila soldati avevano – diversamente dalla quasi totalità dei loro commilitoni – una animosa volontà di resistenza. Sapevano di disporre di una netta superiorità numerica – 10 mila italiani contro 1800 tedeschi – e contavano sulla vicinanza di Brindisi, 200 miglia, dove già era installato il governo di Badoglio. Ma i tedeschi, mentre negoziavano, avevano inviato armi pesanti a Cefalonia. All'alba del 13 settembre il capitano Renzo Apollonio, un triestino intrepido, vedendo due grossi pontoni da sbarco che doppiavano il capo San Teodoro, ordinò alle sue batterie di aprire il fuoco.

Cominciò così la battaglia. Da Cefalonia partirono subito per Brindisi messaggi radio che invocavano aiuto. Li ricevette, al comando della Marina, il contrammiraglio Giovanni Galati, che conosceva Gandin, che era un uomo di carattere, e lo aveva dimostrato opponendosi alla consegna delle sue navi agli anglo-americani, il che gli aveva meritato gli arresti in fortezza per un paio di giorni. Galati scelse due torpediniere, la *Sirio* e la *Clio*, le caricò di medicinali, pezzi antiaerei e munizioni, e fece rotta verso Cefalonia. Poi gli venne data per radio la notizia, infonda-ta, che l'unico approdo notturno disponibile a Cefalonia era controllato dai tedeschi, e decise di far rotta verso la più vicina Corfù, dove pure si combatteva. Ma da Taranto l'ammiraglio inglese Peters dispose – un'altra prova della cecità alleata, con-giurante con l'ignavia del *clan* Badoglio – che le due torpedinie-re rientrassero, avendo salpato le ancore senza autorizzazione dei vincitori. La missione di soccorso fallì.

Fino al 22 settembre durarono, a Cefalonia, i combattimenti, con interventi pesanti degli Stukas che mitragliavano e bombar-davano le posizioni italiane. Il 24 settembre Gandin fu catturato e fucilato nella schiena: prima di morire buttò a terra con sde-gno la Croce di ferro che Keitel gli aveva concesso. La strage fu orrenda. In una scuola 600 soldati e ufficiali vennero falciati a raffiche di mitragliatrice, 360 ufficiali furono giustiziati a grup-petti. Un sottotenente andò alla morte canticchiando la canzone del Piave, un colonnello con la pipa in bocca, tranquillamente. Cinquemila furono i massacrati della vendetta tedesca, 1200 i caduti in combattimento. Ad aggravare il bilancio della tragedia sopravvenne l'affondamento, per mine, di piroscafi che avreb-bero dovuto trasportare i superstiti nei *lager* tedeschi. Altri tre-mila morti, in tutto 9646. Il 25 settembre si arrese anche il pre-sidio di Corfù, che pure nella fase iniziale degli scontri aveva cat-turato 400 prigionieri tedeschi.

Il capo di Stato Maggiore della Wehrmacht Jodl, tracciando un riassunto del dopo 8 settembre, diede queste cifre: disarmate sicuramente 51 divisioni italiane; disarmate probabilmente 29 divisioni; non disarmate 3; 547 mila prigionieri di cui 34.744 ufficiali. La *débâcle* ebbe innumerevoli strascichi individuali, e germinò episodi tragici e grotteschi. Non mancarono gesti, anche sublimi, di eroismo e di orgoglio. Si uccisero a Cameri il colonnello pilota Alberto Ferrario, a Ivrea il tenente colonnello dei bersaglieri Alessandro del Piano; il tenente colonnello Davide Zannier, addetto al deposito dell'8° alpini, a Udine, si sparò un colpo di pistola alla testa mentre veniva deportato, ma miracolosamente sopravvisse: questi ufficiali vollero darsi la morte piuttosto che subire la cattura e la prigionia. Ma la condizione generale, per i soldati italiani, fu di sofferenza e di umiliazione.

DURANTE I 45 GIORNI badogliani l'ingombrante Mussolini era stato portato con la corvetta *Persefone* a Ponza, e da lì trasferito nella base navale della Maddalena. Infine il 27 agosto dalla Maddalena lo si era condotto all'albergo di Campo Imperatore, sul Gran Sasso. Posto a duemila metri d'altezza, l'albergo era collegato alla valle solo da una funicolare, il che lo faceva considerare inaccessibile. Ma non lo fu. La liberazione di Mussolini dal Gran Sasso risultò determinante per le vicende italiane dopo l'8 settembre. Essa restituì al fascismo il suo capo, sia pure avvilito e diminuito dalla sconfitta e dalla prigionia, consentì a Hitler di avere in Italia un vassallo di grande prestigio, diede un simbolo e un nome importanti all'ultima, fosca versione del Regime. Senza Mussolini, i tedeschi avrebbero dovuto affidarsi a un qualsiasi screditato e servile Quisling locale, un Farinacci, o un Ricci o un Buffarini Guidi: con Mussolini la Repubblica di Salò poté vantare una continuità e una legittimità; certamente poté anche opporsi con qualche efficacia a talune estreme soperchierie dell'occupante, e frapporre un diaframma, sia pure debole, tra l'ira tedesca e la popolazione civile. Il protagonista della svolta, appunto Mussolini, lo fu controvoglia, per lo zelo soccorritore di Hitler, per l'incalzare dei fedelissimi, per una inerzia delle cose che superava di gran lunga, ormai, la volontà fiaccata e le ambizioni dell'idolo infranto.

Tre furono gli ideatori e realizzatori della missione: il generale Kurt Student, comandante dei paracadutisti tedeschi nella zona di Roma, il maggiore Hans Mors, un ufficiale di 33 anni d'origine svizzera che comandava il 1° battaglione del 7° reggimento nella 2ª divisione paracadutisti, e infine il capitano delle SS Otto Skorzeny, un nazista austriaco dal fisico imponente e dal volto segnato dalla *mensur*. Mors stabilì che 12 alianti con un centinaio di uomini a bordo si portassero su Campo Imperatore, vi atterrassero in un fazzoletto di terra nelle immediate vicinanze dell'albergo, e che contemporaneamente il grosso del battaglione raggiungesse con lui la vallata e la stazione inferiore della funicolare per coadiuvare l'azione del reparto piombato dal cielo. Skorzeny ottenne di imbarcarsi «in qualità di ospite» su uno degli alianti, insieme ad alcuni elementi delle SS. Fu comunque delle SS l'idea di associare alla spedizione, volente o nolente, un ufficiale superiore italiano, cosicché i carabinieri di guardia, vedendolo, non osassero sparare. Lo scomodo ruolo toccò al generale Fernando Soleti che, convocato con un pretesto all'aeroporto di Pratica di Mare da dove gli alianti sarebbero decollati, fu spicciativamente informato del compito che gli spettava: e fu cacciato su un aliante accanto a Skorzeny mentre, secondo i ricordi di quest'ultimo, «il colore del suo viso diventa simile al grigioverde dell'uniforme».

Dei dodici alianti, solo nove giunsero felicemente alla meta: due si fracassarono contro il cratere lasciato da una bomba, uno s'infranse in atterraggio causando la morte di tutti gli occupanti. Dai velivoli superstiti balzarono a terra, armi in pugno, paracadutisti e SS. Fu detto che i carabinieri erano stati colti del tutto di sorpresa, il che sembra inverosimile data la lentezza di planata degli alianti, e la vigilanza che, anche per alcuni allarmi del mattino – il colpo avvenne alle 14 esatte del 12 settembre – era esercitata. L'ispettore capo di pubblica sicurezza Giuseppe Gueli, incaricato di sorvegliare Mussolini, faceva la pennichella, e al trambusto si affacciò, nudo, alla finestra della sua camera: si affacciò anche Mussolini e chiese a uno dei suoi custodi, il maresciallo Antichi: «Sono inglesi?». «No eccellenza, sono tedeschi.» «Questa non ci voleva proprio» fu la prima, significativa reazione di Mussolini.

L'operazione procedette senza intoppi. Spingendo Soleti che gridava «non sparate», Skorzeny avanzò verso l'albergo, mentre Gueli stesso si sbracciava a far segno che nessuno mettesse mano alle armi. Un colonnello andò incontro ai tedeschi, e Skorzeny gli ingiunse di arrendersi e di consegnare il Duce, lasciandogli un minuto per decidere. Per tutta risposta il colonnello brindò, con un bicchiere di vino, «ai vincitori». Una decina di minuti dopo lo sbarco, Skorzeny poteva irrigidirsi nel saluto militare davanti a un Mussolini più rassegnato che entusiasta dicendogli: «Duce, il mio Führer mi ha inviato da voi per liberarvi. Siete libero». Mussolini lo abbracciò. «Sapevo che il mio amico Adolf Hitler non mi avrebbe abbandonato.»

Per evitare possibili – anche se ormai estremamente improbabili – interventi delle forze «badogliane», era stato deliberato che dal Gran Sasso Mussolini raggiungesse Pratica di Mare con una «cicogna» pilotata da un aviatore di eccezionali capacità, il capitano Heinrich Gerlach, che nel frattempo aveva avuto l'ardimento e la capacità di atterrare nel prato davanti all'albergo. La «cicogna» era un piccolo biposto, e il decollo da Campo Imperatore con il pilota e un passeggero presentava già difficoltà enormi. Ma a questo punto Skorzeny s'impose, non voleva consentire che la storia di quella liberazione fosse narrata senza di lui, e in modo diverso da come lui la voleva descrivere. Pretese di issarsi sull'aereo, benché Heinrich Gerlach tentasse di dissuaderlo. «Furono le insegne delle SS – ha scritto giustamente Arrigo Petacco – che indussero tutti ad accontentare quell'omone il cui peso avrebbe potuto compromettere tutto.» Skorzeny si accomodò alla meglio dietro Mussolini, carabinieri e paracadutisti trattennero la «cicogna» – un po' il sistema usato sulle portaerei – mentre Gerlach forzava il motore al massimo, poi l'apparecchio prese velocità, si tuffò quasi nella valle, infine assunse un assetto normale. Gerlach ce l'aveva fatta, dopo poche decine di minuti la «cicogna» era a Pratica di Mare, e la sera stessa un trimotore che l'attendeva depositò il liberato-ostaggio a Vienna.

IL 13 SETTEMBRE Mussolini fu trasferito a Monaco dove lo attendevano la moglie e i figli minori. Si trattenne con donna Rachele, ascoltando i notiziari fascisti. Non è chiaro se vide subito Ciano, egli pure a Monaco. Non gli fu comunque concesso molto tempo per rilassarsi: il giorno dopo dovette rimettersi in viaggio per raggiungere a Rastenburg il quartier generale di Hitler. Lì si trovavano già alcuni gerarchi fascisti: Farinacci, il *ras* di Cremona, Alessandro Pavolini, già ministro della Cultura Popolare e poi direttore del *Messaggero*, Renato Ricci, già capo delle organizzazioni giovanili fasciste e ministro delle Corporazioni, e infine Giovanni Preziosi, l'antisemita fanatico da Mussolini stesso definito «un essere repulsivo, vera figura di prete spretato». Ad essi deve essere aggiunto Vittorio Mussolini. A Rastenburg, il redivivo Mussolini dovette dunque affrontare, in breve successione, Hitler e il gruppetto degli irriducibili: l'uno e gli altri risoluti a fare di lui lo strumento per la nascita e la crescita dell'ultimo fascismo. L'incontro tra i due dittatori, entrambi, sia pure in modo molto diverso, avviati alla fine, durò due ore. Si erano salutati con grande effusione.

Lasciato Hitler, Mussolini incontrò i gerarchi in una saletta del *Bunker*, e parlò loro in modo tale da far capire che «si considerava ormai fuori dalla partita o almeno desiderava restarvi».

Pavolini gli si rivolse in termini netti: «Il governo provvisorio nazionale fascista attende la ratifica del suo Capo naturale: solo dopo si può annunciare la composizione del governo». Quindi Mussolini tornò a Monaco, e da Roma (15 settembre) fu annunciato che «Benito Mussolini ha ripreso oggi la suprema direzione del fascismo in Italia», che Pavolini era il segretario «provvisorio» del Partito fascista repubblicano, che la Milizia era ricostituita sotto il comando di Renato Ricci, che i funzionari pubblici dovevano riprendere i loro posti e che infine gli ufficiali delle Forze Armate erano liberati dal giuramento prestato al Re. La sera del 18 settembre la radio fece udire agli italiani, dopo un lungo silenzio, quella inconfondibile voce, ora appannata dall'abbattimento e dalle frustrazioni. Un discorso piuttosto lungo, fatto di considerazioni e di rievocazioni più che di *slogans*. Vi furono enunciati i quattro punti sui quali si sarebbe fondata l'attività dello Stato che Mussolini intendeva instaurare e che «sarà nazionale e sociale nel senso più lato della parola: sarà cioè fascista nel senso delle nostre origini». 1) Riprendere le armi al fianco della Germania, del Giappone e degli altri alleati; 2) Preparare la riorganizzazione delle Forze Armate attorno alle formazioni della Milizia; 3) Eliminare i traditori e in particolare modo quelli che fino alle ore 21,30 del 25 luglio militavano, talora da parecchi anni, nelle file del partito e sono passati nelle file del nemico; 4) Annientare le plutocrazie parassitarie e fare del lavoro, finalmente, il soggetto dell'economia e la base infrangibile dello Stato. L'accenno ai traditori del Gran Consiglio preannunciava il peggio; ma Ciano vide tre volte, in quei giorni, il suocero, che gli diede assicurazioni quasi affettuose, e promise di parlar coi tedeschi per chiarire la sua (di Ciano) posizione. Goebbels schiumava di rabbia per l'indulgenza di Mussolini.

Sempre svogliato, ma ormai non più riluttante, Mussolini dovette partecipare, con lunghe comunicazioni telefoniche dal castello di Hirschberg nella foresta bavarese, dove era stato sistemato, al complesso lavorìo per la formazione di un governo fascista. Questa trama triangolare – Rastenburg, Hirschberg, l'ambasciata tedesca a Roma – vide alla ribalta, per parte tedesca, due personaggi che nella vita della Repubblica di Salò avrebbero avuto una parte di primissimo piano: Rudolph Rahn, ambasciatore presso Mussolini – in effetti un plenipotenziario in paese occupato – e il generale delle SS Karl Wolff. Albert Kesselring, comandante militare – dopo il progressivo disinteresse per gli affari italiani del maresciallo Rommel, che era a capo del gruppo armate B e come tale ebbe temporanea giurisdizione sull'Italia settentrionale – era il terzo componente del triumvirato tedesco. Ma di Kesselring già erano note sia le capacità militari – che nella campagna d'Italia ebbero straordinaria dimostrazione – sia l'attaccamento al nazismo, sia, per altro verso, una certa malleabilità nei rapporti con il paese «traditore». In contrasto con Rommel, che voleva l'immediato abbandono di Roma, egli decise di contrastare gli Alleati al Sud, e i risultati che ottenne gli diedero ragione.

Rahn era un diplomatico di carriera, quarantacinquenne: aveva collaborato, all'ambasciata di Parigi, con Otto Abetz, proconsole di Hitler in Francia, ed aveva dunque lunga pratica di rapporti con governi vassalli. Wolff era un ufficiale delle SS del tipo burocratico più che del tipo fanatico o sadico. Diresse la polizia nazista in Italia con efficienza distaccata e con l'occhio volto alle prospettive future.

Stabilito che Alessandro Pavolini fosse il segretario del Partito, restava il problema del ministero chiave, la Guerra, e alla fine fascisti e tedeschi si risolsero, quasi per disperazione, a offrirne la poltrona al maresciallo Graziani, che negli ultimi tempi del Regime era caduto in disgrazia e faceva il Cincinnato nella sua tenuta in Ciociaria. Proprio lì lo raggiunse il 22 settembre il sottosegretario alla Presidenza Barracu, latore di un messaggio di Mussolini. Graziani rifiutò l'offerta. Ma quando Barracu gli disse che «il vostro rifiuto potrebbe essere giudicato paura», cedette. Era scattata in lui una duplice molla psicologica: voleva dimostrare di non essere – come da tempo si andava ripetendo, dopo la miserevole azione di comando in Libia – un pavido e un incapace, e voleva opporre la sua coerenza cristallina al «tradimento» dell'odiato rivale Badoglio. Mussolini avallò la sera stessa la lista completa dei ministri, e il 23 settembre volò da Monaco a Forlì per trascorrere un ulteriore periodo di riflessione alla Rocca delle Caminate.

Occorreva stabilire la sede del governo di quella che, dopo un paio di ripensamenti, fu definitivamente battezzata Repubblica Sociale Italiana. Mussolini voleva Roma, ma i tedeschi su questo furono intransigenti: non ci pensasse neppure. Fu presa in considerazione Belluno, affinché i ministri vassalli fossero vicino al quartier generale di Rommel, ma Mussolini contropropose Merano o Bolzano, il che avrebbe riacceso la questione dell'Alto Adige. Finalmente i tedeschi si orientarono verso la zona del

Garda, con il decentramento dei ministeri in località anche lontane.

Il 10 ottobre Mussolini si installò nella Villa Feltrinelli di Gargnano. Gli Esteri e la Cultura Popolare furono sistemati a Salò, la Presidenza del Consiglio a Bogliaco, gli Interni e il Partito a Maderno, l'Economia a Verona, l'Agricoltura a Treviso, l'Educazione Nazionale a Padova, i Lavori Pubblici a Venezia, i dicasteri militari a Cremona, Monza, Asolo, Iseo, Milano, Montecchio, Vicenza, la Giustizia a Brescia, insomma era una galassia di centri di potere che non avevano potere. Villa Feltrinelli era vigilata da 30 SS della guardia personale di Hitler – solo più tardi un reparto italiano poté affiancarsi ai tedeschi – e un pezzo antiaereo era stato installato sul tetto. Almeno in un primo momento l'unico collegamento con l'esterno era assicurato da un telefono da campo sotto sorveglianza tedesca, e contrassegnato dal nome in codice Batavia. Con l'assestamento della organizzazione gli uffici del Duce furono installati nella Villa delle Orsoline, a 600 metri di distanza, e a Villa Feltrinelli rimase la sua residenza privata. I veri padroni, i tedeschi, erano appostati nei dintorni.

Era così nata la Repubblica di Salò. Ma la sua capitale – o meglio l'arcipelago delle sue capitali – non ne interpretava esattamente né la sostanza né l'anima. Anzi le anime, perché in questa estrema versione del fascismo confluirono cinque filoni fondamentali. V'erano i fanatici, mossi da una fede fascista cieca e da un odio violento per i badogliani, che cercavano più la vendetta che la rivincita ben sapendo – almeno gli intelligenti – che la rivincita era un sogno irrealizzabile. Il fanatismo divenne violenza e crudeltà anche in uomini che, come Alessandro Pavolini, avevano sensibilità e cultura. V'era in loro un'ansia di distruzione e di autodistruzione, di propensione al sangue e di aspirazione all'olocausto. È strano che alla schiera degli irriducibili votati alla morte abbiano finito per aggregarsi individui che non avevano alcun motivo razionale per farlo, un ex-comunista come Nicola Bombacci e un ex-perseguitato come Carlo Silvestri. I fanatici credevano al fascismo rigenerato anche se soccombente, purificato prima della fine da un lavacro di sangue, dei nemici e suo.

Poi v'erano i servi o manutengoli dei tedeschi, alla Buffarini Guidi (e via via scendendo lungo la scala gerarchica e umana), che si prestavano ai bassi servizi dell'occupante, tessevano i loro intrighi, esprimevano la loro abiezione, avidi del briciolo di potere e delle ricchezze che in quel momento potevano accaparrarsi, illudendosi di poter nell'ora ultima sfuggire, con chissà quale stratagemma o compromesso, alle rappresaglie. Sia attorno ai fanatici, sia attorno ai reggicoda dei nazisti, si aggrumò fisiologicamente una corte dei miracoli di spie professionali, di torturatori per vocazione, di sadici, di sgherri ignobili, di avventurieri, di delinquenti cui era stata concessa licenza di uccidere.

Terzo: i benintenzionati, politici, intellettuali, professori che esprimevano la ribellione al voltafaccia di Badoglio più che l'adesione al tedesco e al peggiore fascismo, come il filosofo Giovanni Gentile, il futurista Marinetti, il pittore e scrittore Ardengo Soffici, i giornalisti Ojetti, Barzini senior, Pettinato, Amicucci, qualche insigne cattedratico come Giovanni Brugi, titolare della cattedra di anatomia all'Università di Siena.

Quarto: i militari – spesso più degni, nelle motivazioni e nelle reazioni, dei generali dai quali era stato affollato il molo di Ortona a Mare durante la fuga del Re e di Badoglio – che non accettavano né la sconfitta né il tradimento dell'alleato. Avevano il loro capofila in Graziani, peraltro esemplare spurio perché la sua conversione a Salò era stata esitante e quasi estorta, e il loro uomo più rappresentativo nel comandante Junio Valerio Borghese.

V'erano infine fascisti di secondo piano e burocrati che per contingenze occasionali, per ragioni personali, magari per debolezza o per momentanea comodità, nei casi migliori per la convinzione di riuscire a mitigare le contromisure tedesche, accettarono la «Repubblica Sociale» spesso senza capire cosa essa fosse e soprattutto cosa sarebbe diventata.

IL COMITATO DI LIBERAZIONE NAZIONALE (Cln) fu costituito a Roma, in un alloggio di via Adda, alle 14,30 del 9 settembre 1943. Esso nacque da una riunione del «Comitato delle opposizioni» cui parteciparono l'indipendente Ivanoe Bonomi, il democristiano Alcide De Gasperi, il liberale Alessandro Casati, il socialista Pietro Nenni, il comunista Mauro Scoccimarro, infine Ugo La Malfa del Partito d'azione. I presenti approvarono una dichiarazione che diceva: «Nel momento in cui il nazismo tenta di restaurare in Roma e in Italia il suo alleato fascista, i partiti antifascisti si costituiscono in Comitato di liberazione nazionale per chiamare gli italiani alla lotta e alla resistenza e per riconquistare all'Italia il posto che le compete nel consesso delle libere nazioni». Non fu inserita nel testo la dichiarazione antimonarchica che La Malfa avrebbe voluta e che non andava a genio né a Bonomi, né a Casati, e in definitiva nemmeno a De Gasperi. Al Comitato aderì poi Meuccio Ruini (Democrazia del lavoro).

Al Cln Bonomi rivendicò il diritto d'essere considerato «l'unica organizzazione capace di assicurare la vita del paese». Gran galantuomo, ma un po' propenso ad enfatizzare, Bonomi aveva azzardato, così dicendo, una affermazione presuntuosa. Il Cln non poté, nella fase d'avvio della sua esistenza (e in verità nemmeno nelle successive) assicurare nulla: e non fu, almeno inizialmente, l'elemento propulsore dei primi nuclei ed episodi di ribellione alla dominazione nazista e alla rinascita fascista, che si svilupparono per germinazione spontanea. È sintomatico che, spentisi i combattimenti impegnati dalle truppe della difesa di Roma e da cittadini animosi – tra essi Sandro Pertini – a Porta San Paolo, Roma e l'area circostante abbiano mancato di veri e propri fatti d'arme contro l'occupante, attaccato da *commandos* per il sabotaggio e il terrorismo: quei fatti d'arme che si svilupparono invece al Sud, in contiguità della linea del fronte, o al Nord. Due tipi diversi di resistenza, originati da circostanze molto dissimili.

Al Sud la popolazione insorse contro i tedeschi in ritirata che, ripiegando passo passo sotto l'incalzare degli anglo-americani – bloccati poi a Cassino –, compivano le loro ultime vendette e distruzioni. Al Nord la ribellione si sviluppò in tutt'altro ambiente, e per altre motivazioni. Chi prese fin dall'inizio la via della montagna sperava sicuramente in un epilogo rapido della guerra. Se non il crollo immediato e totale del Reich nazista, almeno lo sgombero dell'Italia sembrava questione di giorni, al massimo di settimane. Ma i tedeschi erano presenti, ancora forti, minacciosi e inferociti dal tradimento. Nei nuclei di resistenza che si andarono via via aggrumando è possibile rintracciare in una fase iniziale sia gli sbandati che, non avendo alternativa, divennero partigiani, sia uomini o ragazzi animosi che operarono una scelta consapevole. Non pensavano, né gli uni né gli altri, che la lotta sarebbe durata venti mesi: ma sapevano che lotta ci sarebbe stata. Il filo tra la rotta dell'8 settembre e la nascita di focolai di rivolta fu molto più consistente di quanto si sia voluto far credere, per «politicizzare» la guerriglia.

Essa prese poi altre strade, perché cominciavano ad affermarvisi nuclei e capi animati da una ben definita ideologia,

come il comunista Cino Moscatelli in Valsesia, o come la formazione Italia Libera di Duccio Galimberti a Madonna del Colletto,
tra Valle Gesso e Valle Stura, o come gli uomini di Filippo
Beltrami, cattolico (ma anche capitano dell'Esercito, cosicché la
sua «banda» aveva una spiccata impronta militare tradizionale)
in Val d'Ossola. In questo sorgere della Resistenza, che era
ancora di «bande» non coordinate e non organizzate (basta
pensare che alla fine del 1943 i partigiani non raggiungevano il
numero di quattromila in tutta Italia), si delineò subito una delle
sue caratteristiche: la competizione, più che la collaborazione,
tra i vari gruppi ideologici. Gradualmente divennero minorita-
rie le formazioni «autonome» che, appellandosi soltanto alla
lotta contro tedeschi e fascisti, rifiutavano una etichetta di parte,
e tendevano a ripetere nella guerriglia la disciplina e le gerarchie formali dell'Esercito.

Nei comunisti lo scopo militare della guerriglia – ossia il contributo alla sconfitta del tedesco – s'intrecciò indissolubilmente
fin dall'inizio allo scopo politico. I partigiani di «Italia libera»,
emanazione di «Giustizia e Libertà», interpretazione partigiana
dell'azionismo, furono «puri e duri», una élite umana erede di
una élite culturale, come dicono i nomi dei loro «padri storici»
(Piero Gobetti, i fratelli Rosselli) e come dicono i nomi dei loro
leaders politici (Parri, Lussu, Valiani, Mila, Bauer, Garosci). I cattolici, le «Fiamme verdi», forti soprattutto nel Bresciano e
nell'Udinese, si diedero una «legge del patriota» che insisteva
sui contenuti morali a sfondo religioso, più che su quelli politici.
Le divisioni non vennero mai veramente sanate. Qualche volta
sfociarono in scontri, non mancarono delazioni – od omissioni di
soccorso d'una «banda» a danno di un'altra – in nome della
ragione di partito. Nel territorio giuliano non bastò più neppure
il mastice ideologico: la frattura nazionale ed etnica, e gli appetiti di conquista di Tito, fecero sì che vi fosse ostilità tra partigiani
comunisti italiani e partigiani comunisti jugoslavi. Un comunista, Luigi Frausin, che già il 9 settembre si mosse da Muggia con
una quarantina di operai del cantiere San Rocco per combattere
la sua guerriglia, seppe presto in quale trappola si fosse cacciato:
da una parte c'erano i tedeschi, ma dall'altra c'erano gli sloveni,
non meno spietati. E analoga sorte toccò alle formazioni friula-
ne. I comunisti – primi a dare un assetto organico alle loro formazioni – disposero che tutte le loro organizzazioni cittadine
mandassero in montagna a combattere il 10 per cento dei quadri
e il 15 per cento degli iscritti. Che siano stati obbediti, è dubbio:

ma che abbiano potuto fornire un numero di partigiani superiore a quello di ogni altro schieramento ideologico, è certo.

Gli avvenimenti più importanti di questo primo autunno della Resistenza furono estranei alla lotta armata, ma ebbero con essa una stretta connessione. Venne anzitutto realizzato un legame, ancora embrionale, tra i comandi dei «ribelli» e gli alleati anglo-americani. Il contatto fu stabilito da Ferruccio Parri, uno dei maggiori esponenti del Partito d'azione, che passò il confine con la Svizzera, e là s'incontrò con una missione alleata della quale faceva parte Allen Dulles, capo dei servizi segreti americani e fratello del futuro segretario di Stato.

Parri – il Parri di allora – era particolarmente qualificato per questo approccio. Valoroso ufficiale di Stato Maggiore e più volte decorato nella prima guerra mondiale, antifascista da sempre, aveva un coraggio e una buona fede a tutta prova.

Il secondo avvenimento fu la decisione nazista e fascista, presa a metà ottobre, di chiamare alle armi alcune classi, e di mobilitare gli uomini validi per il lavoro obbligatorio. Proprio Parri disse, rievocando al Teatro Eliseo di Roma, il 13 maggio 1945, le fasi della guerra partigiana: «Il governo fascista pensò allora di darci esso stesso un largo aiuto col richiamo delle classi: era tutta gente che accorreva a noi, ma non avevamo armi ed equipaggiamento sufficienti e l'afflusso di tanti nuovi elementi rappresentò per un certo tempo più un peso che una utilità». Terzo avvenimento fu lo sciopero generale che fermò molte industrie, a cominciare dalla Fiat, a metà novembre, e che infranse il sogno mussoliniano di riconciliarsi con la classe operaia.

IL 19 OTTOBRE 1943 il conte Carlo Sforza, ministro degli Esteri di Giolitti e Collare dell'Annunziata, tornò in Italia dopo lunghi anni di esilio. Sforza aveva un preciso disegno a medio o lungo termine: Badoglio alla Reggenza, con il piccolo Principe di Napoli sul trono, e lui alla Presidenza del Consiglio. Non è detto che questo spiacesse a Badoglio, tutt'altro, anche se dal comportamento del maresciallo non emerse alcuna volontà cospirativa. Semplicemente, egli era in contatto con la realtà, e Vittorio Emanuele III quel contatto l'aveva quasi del tutto perduto. Il Regno del Sud doveva comunque darsi un governo. Anche qui la fantasia italiana nell'escogitare formule inedite si dimostrò fervida. Poiché i politici di rango non volevano accettare, e per di più nessuno aveva destituito i ministri abbandonati a Roma dai fuggiaschi di Pescara, fu deciso che quei ministri sarebbero rimasti teoricamente in carica, e che di conseguenza si formasse un ministero di soli sottosegretari, abilitati tuttavia, con appositi provvedimenti, ad agire come ministri. La formula fu varata dal Re e da Badoglio l'11 novembre, quando Vittorio Emanuele III compiva 73 anni. I sottosegretari erano dei tecnici, quasi nessuno noto, tranne il professor Epicarmo Corbino, economista di valore.

I sottosegretari, nella loro prima riunione del 24 novembre, tolsero finalmente dalle formule ufficiali il riferimento al Regno d'Albania e all'Impero d'Etiopia, e quindi avviarono la defascistizzazione istituzionale dello Stato, e l'epurazione. Tutti i «fascisti responsabili della soppressione delle libertà politiche ed individuali» furono dichiarati indegni di esercitare i diritti politici, fu decisa la revisione dell'intera legislazione del ventennio «per uniformarla ai principi ispiratori della gloriosa tradizione giuridica italiana», revisione «già iniziata con l'abolizione della pena di morte, delle leggi razziali e delle disposizioni che limitano il diritto di famiglia». Fu ancora deliberato di «assicurare alla giustizia militare i fascisti che hanno impugnato armi fratricide, commesso violenza contro persone o cose o comunque collaborato con truppe ed autorità tedesche dopo la dichiarazione di armistizio».

Il Regno del Sud vivacchiava con un semigoverno di viceministri: e, benché disponesse di due marescialli e di molti generali, non aveva in effetti un Esercito degno di questo nome, i cui soldati non venissero addetti ad umilianti e faticosi lavori di retrovia. Le forze armate italiane regolari furono rappresentate, in quella fase della guerra, da un raggruppamento motorizzato che, agli ordini del generale Dapino proveniente dagli alpini, finalmente stava per entrare in linea. La nascita di questo reparto – meno di cinquemila uomini – era stata travagliata. Lo scudo sabaudo sulla manica e l'immutato giuramento di fedeltà al Re avevano irritato i partiti antifascisti, che vedevano in tutto questo un meschino espediente propagandistico della Monarchia. Il soldo misero – soprattutto in raffronto con quello degli Alleati – non era fatto per galvanizzare la truppa, il clima generale di sfacelo influenzava, in senso negativo, dei giovani designati al combattimento e al sacrificio. Tuttavia il raggruppamento resse, e, dopo una esercitazione positiva il 25 e 26 novembre, fu mandato alla prova del fuoco l'8 dicembre. Era stato aggregato ad una divisione americana, ed aveva per obbiettivo Monte Lungo, posizione determinante per l'avanzata verso Cassino che la V armata si apprestava a lanciare. L'azione non fu particolarmente fortunata, e le perdite ingenti (Umberto di Savoia, dopo aver lamentato la sproporzione tra i compiti assegnati al raggruppamento e le sue forze, le valutò in 400 caduti): e il 22 dicembre il generale Dapino dovette chiedere il ritiro dell'unità, stremata, dal fronte. Ma ufficiali e soldati si erano battuti bene.

I soldati alleati erano i ricchi del momento, e gli italiani i poveri. «A Bari – ricordava Degli Espinosa – nei caffè di corso Vittorio, militari delle Nazioni Unite bevevano e mangiavano a gruppi, mentre tutto attorno parecchi bambini si stringevano in cerchio, posando gli occhi brillanti di cupidigia sui piatti di dolci. A volte, con mossa repentina, un bambino si scagliava su uno di questi piatti, e fuggiva inseguito dal militare derubato. In previsione di questi furti i camerieri facevano pagare le consumazioni all'atto della consegna... A volte nelle piazze soldati inglesi dritti su camion fermi buttavano gallette e biscotti a folle di bambini e di donne, e ridevano delle zuffe che esplodevano ai loro piedi. Gli uomini occupati nei magazzini alleati raccontavano della feroce sorveglianza esercitata dai soldati negri armati di lunghe fruste.»

Era l'Italia degli *sciuscià* (i lustrascarpe il cui nomignolo derivò, è noto, dalle parole inglesi *shoe-shine*), delle strade *off-limits*, vietate ai militari alleati perché vi si trovavano i bordelli, dei furti endemici ai rifornimenti – con la complicità della stessa truppa alleata, a Napoli si calcolava che un terzo delle merci sbarcate prendesse il volo –, degli interventi di MP, gli uomini della *Military Police*, per ridurre alla ragione, con manganellate distribuite imparzialmente, gli ubriachi. Incentivata dalla povertà, la prostituzione dilagava, nelle forme più sfrontate e indecorose. I sottosegretari di Brindisi tentavano di istituire una parvenza di autorità, ma dovevano rispondere alla convocazione di un qualsiasi capitano inglese in vena di autoritarismo. Analogamente a quanto era avvenuto nel Nord per la Repubblica mussoliniana i dicasteri erano disseminati in varie città, la Marina a Taranto, la Guerra e gli Interni a Lecce, l'Economia, le Ferrovie, le Poste, la Giustizia, i Lavori Pubblici, l'Aeronautica a Bari.

Gli anglo-americani proseguivano la loro lenta campagna d'Italia, e il 22 gennaio azzardarono quello sbarco di Anzio che nelle intenzioni di Churchill avrebbe dovuto essere un «gatto selvatico» pronto a graffiare e mordere nelle retrovie tedesche.

Il gatto si rivelò piuttosto domestico, il VI Corpo d'armata americano fu costretto in un perimetro angusto e la Linea Gustav di Kesselring, incernierata su Cassino, non cedette.

Badoglio proseguiva nella sua azione «normalizzatrice». A Salerno – dove era stata trasferita la «capitale» – aveva formato un governo di ministri e non di sottosegretari – furono finalmente dichiarati decaduti i ministri che erano stati abbandonati a Roma – che poté contare su qualche nuovo nome di spicco, come quello di Vincenzo Arangio-Ruiz alla Giustizia. Una volta di più i ministri furono sparpagliati – alcuni restarono addirittura in Puglia – e i funzionari dovettero sobbarcarsi lunghi tragitti sulle strade intasate dal traffico militare e, ancor più, dal febbrile andirivieni dei piccoli e grandi trafficanti o semplicemente di gente in cerca di provviste. «Era una lotta dell'intera collettività retrocessa a secoli lontani. I piccoli centri rurali si rinchiudevano in una povera autarchia alimentare, i grandi centri urbani come Napoli ricorrevano a primitivi mezzi di commercio e di trasporto. Uomini e donne stimolati dalla miseria lasciavano in carovane le città e tornavano dopo quindici, venti giorni con un carico di farina, carne e legumi. Due o tremila lire erano sufficienti a costituire il capitale d'esercizio cosicché quasi tutti erano primitivi commercianti, o lo divenivano in breve.»

DURANTE IL PRIMO CONGRESSO del Partito fascista di Salò – metà novembre 1943 – a Verona v'era stato un intermezzo drammatico. Pavolini si alzò, chiese silenzio, e annunciò che «il commissario federale di Ferrara, che avrebbe dovuto essere qui con noi, il camerata Ghisellini, tre volte medaglia d'argento, tre volte medaglia di bronzo, è stato assassinato con sei colpi di rivoltella». Dalla sala infiammata si alzarono grida di «tutti a Ferrara, vendichiamolo con il sangue». A stento Pavolini indusse l'assemblea a proseguire i lavori, promettendo che «quello che bisognerà fare sarà fatto, sarà ordinato, e lo faremo con il nostro stile spietato e inesorabile». In poche ore ottantaquattro persone cui erano rivolte generiche accuse di antifascismo vennero rastrellate e ammassate in uno stanzone della caserma Littorio di Ferrara. Altri ostaggi furono prelevati dalla prigione. Undici sventurati vennero messi a morte, parte in gruppo, parte alla spicciolata.

Finirono presto, con questa strage, gli appelli alla concordia e l'illusione di alcuni fascisti che, con la Repubblica se non socialista almeno sociale, si potesse arrivare a una riconciliazione degli italiani. La guerra civile dettò la sua legge sanguinaria, i Gap (Gruppi di azione patriottica) colpirono sempre più audacemente nelle città, tedeschi e fascisti risposero sempre più crudelmente.

Il 25 novembre i fascisti fecero irruzione nella grande masseria di Praticello, tra Campegine e Gattatico, vicino a Reggio Emilia, dove viveva la famiglia Cervi. Erano, i Cervi, dei fittavoli che si erano insediati nel podere dal 1934: il padre, Alcide, la madre Genoveffa Cocconi, sette figli, il maggiore di 42, il più giovane di 22 anni. Nel loro cascinale i Cervi avevano dato ospitalità dopo l'8 settembre a prigionieri e sbandati – e di questo venivano sospettati dalle autorità fasciste – ma avevano anche organizzato azioni di squadre per disarmare i presidi fascisti. Il rastrellamento del 25 novembre mirava proprio a snidare i prigionieri rifugiati a Praticello (vi furono infatti catturati un russo, due sudafricani, un francese gollista, un irlandese, e un «rinnegato» italiano). I maschi della famiglia Cervi furono tutti trasferiti nelle carceri di San Tommaso, a Reggio Emilia. Due giorni dopo Natale a Bagnolo in Piano, nelle campagne di Reggio, venne ucciso da un *commando* il segretario fascista Vincenzo Onfiani, e questo segnò la condanna a morte, per rappresaglia, dei sette fratelli «rei confessi di violenze e aggressioni di carattere comune e politico, di connivenza e favoreggiamento con elementi antinazionali e comunisti». Il padre non seppe della feroce strage fino a quando uscì di prigione.

Altro sangue a Firenze dove il 1° dicembre fu «giustiziato» da tre partigiani il comandante del distretto militare, colonnello Gobbi, e cinque ostaggi antifascisti pagarono con la vita. Il 18 dicembre cadde sotto il fuoco dei guerriglieri il federale di Milano Aldo Resega, e in risposta un plotone della Legione Muti fucilò all'Arena di Milano nove «resistenti» che erano nel carcere di San Vittore, e che un Tribunale speciale aveva sul tamburo condannato a morte.

NEL CONGRESSO DI VERONA era stata invocata, contro i traditori del Gran Consiglio, un'alta corte di giustizia. In realtà il governo di Salò aveva provveduto ripristinando, fin dal 13 ottobre del 1943, il Tribunale speciale di triste memoria, e affidandogli specificamente il compito di giudicare «il tradimento di coloro che sono venuti meno non solo al proprio dovere di cittadini, ma anche al proprio giuramento di fascisti». Stabiliva il decreto che i giudici dovessero essere «fascisti di provata fede». A questi requisiti rispondevano certamente il ministro della Giustizia di Salò, Antonino Tringali Casanova, che era stato presidente del Tribunale speciale fino al 25 luglio, e il giudice istruttore del Tribunale speciale straordinario, Vincenzo Cersosimo, che aveva svolto identiche funzioni nel Tribunale speciale precedente. Galeazzo Ciano – che aveva ripetutamente chiesto di poter tornare in Italia dalla Baviera dove pure godeva di una certa libertà – fu accontentato il 19 ottobre e, sotto scorta delle SS, avendo accanto Frau Felicitas Beetz – una giovane e abile spia che i tedeschi gli avevano messo accanto soprattutto per recuperare i *Diari* – venne portato in aereo a Verona e subito trasferito al carcere cittadino degli Scalzi. Già vi si trovavano i dissenzienti del Gran Consiglio sui quali fascisti e tedeschi erano riusciti a mettere le mani: Carlo Pareschi, ministro dell'Agricoltura, Tullio Cianetti, ministro delle Corporazioni, Luciano Gottardi, presidente della Confederazione dei lavoratori dell'industria, Giovanni Marinelli, per vent'anni segretario amministrativo del Partito fascista e da ultimo sottosegretario alle Poste e Telegrafi. L'ottantenne maresciallo e quadrumviro Emilio De Bono – Collare dell'Annunziata come Ciano – fu autorizzato data l'età a rimanere sotto sorveglianza fino alla vigilia del dibattimento, nella sua villa di Cassano d'Adda, da dove fu portato direttamente a Castelvecchio.

La scelta di Verona era di cattivo auspicio per gli imputati: vi si respirava ancora il fanatismo del Congresso, vi spadroneggiavano gli oltranzisti, e il quartier generale di Pavolini era vicino, a Maderno. I nomi dei giudici furono approvati il 24 novembre. Aldo Vecchini, il presidente, era stato segretario del sindacato fascista degli avvocati e procuratori, e federale di Roma, i componenti della Corte erano tutti squadristi e ufficiali della Milizia. Uno di essi, Celso Riva, operaio metallurgico, aveva da poco perso il figlio per mano dei gappisti, a Torino. Tuttavia questi estremisti del fascismo avvertirono qualche turbamento, quando seppero di essere stati designati a giudicare – sarebbe meglio dire a condannare – i membri del Gran Consiglio: e lo stesso Vecchini tentò, senza riuscirvi, di essere esonerato. Renzo Montagna, luogotenente generale della Milizia, nominato giudice, fu non solo perplesso, ma anche convinto che «ogni cosa era stata decisa e che il processo sarebbe stato fatto unicamente per dare veste legale a una sentenza già stabilita».

A quel punto accadde un imprevisto che parve agli accusati un colpo di fortuna. Un infarto uccise Tringali Casanova, e il suo posto come ministro fu preso da Piero Pisenti, che era un serio e ragionevole uomo di legge. Questi diede un'occhiata ai fascicoli, e vide subito che l'accusa non reggeva. Chiese udienza a Mussolini, e si trattenne con lui per due ore. Ha poi ricordato d'avergli detto: «Duce, ho esaminato attentamente gli atti del processo: non c'è la minima prova di una connivenza tra i firmatari dell'ordine del giorno Grandi e la Casa Reale. La votazione si è svolta in modo regolare e siete stato voi, Duce, a chiederla. Vi assicuro che l'accusa di tradimento non è in alcun modo dimostrabile».

Secondo Pisenti, Mussolini domandò allora, roteando gli occhi, cosa si poteva fare, e il ministro suggerì che fosse almeno evitata la pena capitale con la concessione delle attenuanti generiche. «Parlatene con Vecchini» gli avrebbe detto, congedandolo, il Duce. Ma Dolfin (il nuovo segretario personale di Mussolini) ha dato del colloquio una versione diversa. A Pisenti che insisteva, Mussolini avrebbe risposto che «voi vedete nel processo il solo lato giuridico... io devo vederlo sotto il profilo politico. Le ragioni di Stato sommergono ogni altra considerazione. Ormai bisogna andare fino in fondo».

In realtà Mussolini era lacerato, sapeva che i tedeschi, anche se ostentavano neutralità, l'avrebbero disprezzato ove si fosse dimostrato clemente per ragioni familiari («il processo di Verona era per i tedeschi la pietra di paragone delle possibilità rivoluzionarie della Repubblica italiana» scrisse poi); sapeva altresì che i fascisti dell'ora estrema volevano Ciano morto, e che morto lo voleva la moglie Rachele «decisa a far cadere la scure sul capo del novello Bruto».

Ciano era il catalizzatore degli odi e perciò il perno del processo. Gli altri cinque – mancando il maggiore protagonista del 25 luglio, Dino Grandi, salvo in Portogallo – avevano un ruolo di tragiche comparse. Per strappare Ciano alla morte si prodigarono, alla vigilia del dibattimento e fino all'imminenza della esecuzione, due donne, la moglie Edda e Felicitas Beetz. Rientrata dalla Germania il 20 settembre dopo un ultimo gelido incontro con Hitler, Edda aveva visitato la Rocca delle Caminate, per salutare la famiglia, e poi Roma, per affidare ad amici sicuri i *Diari*, sui quali contava molto per negoziare la liberazione di Galeazzo, liberazione per la quale si impegnò con una grinta che ricordava in lei – unica tra i figli – quella del primo Mussolini.

Fino all'ultimo, scontrandosi aspramente col padre, tentando e ritentando canali italiani e tedeschi, fece il possibile e l'impossibile per ottenere la salvezza di quel suo uomo fatuo, leggero, forse un po' disprezzato, ma in fondo amato.

Frau Beetz, spia capace e magari cinica, ma pur sempre donna, e nordica, e sensibile al fascino latino, s'era presa di Ciano: e Ciano, *tombeur de femmes*, soprannominato dalla moglie «gallo», ebbe almeno, nelle ultime settimane di vita, questo conforto sentimentale e questa estrema soddisfazione alla sua vanità maschile.

In una Verona battuta da sgherri fascisti, e in un'aula funereamente addobbata, il processo cominciò la mattina dell'8 gennaio. Gli interrogatori furono senza storia. Di significativo, in quella parodia di dibattimento, vi furono soltanto lo smarrimento e la paura di Marinelli, e la perorazione quasi comiziesca di Cianetti, che ricordò d'avere inviato a Mussolini, poche ore dopo la fine del Gran Consiglio, una lettera in cui ritrattava il suo voto. A quel punto – dopo gli interventi dei difensori tra i quali il solo patrono di Cianetti, avvocato Arnaldo Fortini, sapeva di disporre di argomenti validi di fronte a una simile Corte – la sentenza era una formalità. Fu letta – dopo tre ore e mezza di attesa – alle quattordici del 10 gennaio. La voce a malapena udibile del presidente Vecchini annunciò: morte per tutti gli imputati, con la sola eccezione di Cianetti, cui erano inflitti trent'anni di reclusione.

A quanto risulta dalle memorie, non concordi, di alcuni tra i giudici, la discussione in camera di consiglio ebbe momenti di *suspense*. Secondo Montagna, Vecchini fece votare due volte perché la prima decisione era stata troppo indulgente. Secondo Franz Pagliani, la doppia votazione avvenne soltanto perché i giudici risposero a due domande: colpevoli o innocenti? (e la risposta fu unanime: colpevoli), e debbono essere o no concesse le attenuanti generiche? (e su questo punto Montagna si impegnò in difesa di De Bono ai cui ordini aveva combattuto in Africa). Sempre secondo Pagliani vi fu totale accordo nel negare le attenuanti a Ciano, e invece una maggioranza di misura (cinque contro quattro) nel negarle a Marinelli, De Bono, Pareschi e Gottardi. Maggioranza di cinque a quattro, invece, per concederle a Cianetti. Diversa, lo si è accennato, la versione di Montagna, secondo il quale il console Battista Riggio, uno dei giudici, che si era associato ai «clementi» per quattro imputati – il che avrebbe salvato tutti tranne Ciano – fu indotto a convertirsi alla durezza da Vecchini. Mussolini seppe subito della sentenza dal suo segretario Dolfin, che si era tenuto in contatto telefonico con Verona. Non fece nulla, giustificandosi in qualche modo col dire che «per me Ciano è morto da tempo».

Immediatamente fu ordinato di radunare, nella caserma della Guardia nazionale repubblicana, gli uomini del plotone di esecuzione. Ma s'interpose, a rendere frenetica la notte, un ostacolo: le domande di grazia che gli imputati avevano firmate su sollecitazione dei difensori – aveva firmato anche Ciano, dopo molte esitazioni – e che dovevano pur essere respinte da qualcuno (alla loro accettazione Pavolini non pensava neppure lontanamente). Logica avrebbe voluto che le domande fossero presentate al Capo dello Stato, ossia a Mussolini. Ma proprio questa soluzione ripugnava a Pavolini che le sottopose dapprima – il suggerimento era stato di Cersosimo – al generale Umberto Piatti dal Pozzo, comandante territoriale dell'Esercito a Padova. Piatti dal Pozzo, con l'avallo di un consulente legale, declinò seccamente l'incombenza. Pavolini, Cosmin che aveva in tasca le domande, Cersosimo, il pubblico accusatore Andrea Fortunato, il capo della polizia Tullio Tamburini discussero un paio d'ore, quindi si mossero tutti verso Brescia, su un'auto a gasogeno – alimentata cioè a carbone di legna – per interpellare il ministro della Giustizia Pisenti. Questi li ricevette subito nel suo ufficio, a Palazzo Martinengo, e disse chiaro e tondo che avrebbe portato le domande a Mussolini. Pavolini insorse adducendo – era proprio il caso! – pretesti umanitari: Mussolini non doveva essere posto di fronte a una alternativa dolorosa. Della faccenda si era sempre occupato esclusivamente il Partito, e avrebbe continuato ad occuparsene.

Ma colui che del Partito era segretario riluttava, per un singolare residuo di legalitarismo, a pronunciare in prima persona il fatale no. Da Brescia il gruppo si trasferì a Maderno, per un consulto con il ministro dell'Interno Buffarini Guidi, che voleva anche lui tener fuori Mussolini, ma riteneva si dovesse scovare un comandante militare disposto ad assumersi la responsabilità. Pensarono all'ufficiale di grado più elevato della Guardia nazionale repubblicana a Verona, e ritennero d'averlo trovato nel console Trevisan, ma questi obbiettò che c'era qualcuno sopra a lui, il console Italo Vianini, ispettore della V zona, quarantaquattrenne, ex-combattente in Russia, fascista accanito, ma non disposto a caricarsi di un tal peso. Assediato e incalzato per ore dagli altri, Vianini si arroccò nel suo no. Continuò a ripeterlo anche quando da Boscochiesanuova gli venne l'ordine di

Renato Ricci, il suo comandante. L'esecuzione era stata fissata per l'alba, ma alle 8 del mattino – lo ha narrato Silvio Bertoldi nel suo *Salò* – si discuteva ancora. E si discusse finché Ricci ebbe la trovata risolutiva: «Senti, Vianini, per tua tranquillità ho parlato con Gardone, sono tutti d'accordo. Lo devi assolutamente fare». Gardone, ossia Mussolini. Vianini si rassegnò, ma volle un ordine scritto, e Tamburini scrisse un biglietto nel quale attestava semplicemente che Ricci aveva telefonato per ordinare a Vianini di firmare.

Nella notte i sei – ma Cianetti faceva ormai parte per se stesso – furono assistiti dal cappellano del carcere, don Giuseppe Chiot. A lui Ciano, risvegliandosi da un breve sonno, disse: «Com'è lunga a venire la morte». Ad eccezione di Marinelli, che si disperava e tremava, i condannati si comportarono bene, con dignità e controllo. Secondo il racconto che ne ha fatto Cianetti nelle sue memorie Ciano tentò, in quelle ore tormentate, di togliersi la vita. Alle otto del mattino un funzionario del Tribunale passando di cella in cella, annunciò a ciascuno dei cinque il rigetto della domanda di grazia. Il cancello restò aperto, entrarono squadristi vocianti e rumorosi, armati di mitra. Mentre li conducevano via Ciano sussurrò al confessore don Chiot: «Verrà presto anche l'ora di Mussolini».

Un autobus portò tutti al forte Procolo dove era in attesa il plotone d'esecuzione. Nel rapporto tedesco fu scritto che «l'unico prigioniero che diede ancora da fare fu Marinelli, che parecchia gente dovette legare alla sedia» e che un condannato, Pareschi o Gottardi, gridò «Viva l'Italia, Viva il Duce». Le sedie erano malferme, gli uomini del plotone mirarono male, e si videro a terra i corpi dei colpiti che ancora si contorcevano, e dovettero essere abbattuti con altre scariche. La radio diede notizia dell'esecuzione facendola precedere da *Giovinezza*, e Mussolini s'infuriò. «Gli italiani amano mostrarsi in ogni occasione o feroci o buffoni» disse.

TRA LO SCORRAZZARE DEI MILITI in camicia nera, la presenza tedesca, le azioni dei Gap, le grandi città della Repubblica di Mussolini, prima tra tutte Milano, tentavano disperatamente di vivere. Erano aperti cinematografi e teatri, a San Siro si svolgevano le corse di cavalli, squadre di calcio improvvisate con grandi campioni si incontravano, si poteva assistere a qualche buon concerto con la direzione di maestri di fama, come Antonino Votto. I viveri erano scarsi con le tessere di razionamento, abbondanti alla borsa nera, che garantiva pane bianchissimo, ottimo burro, pasta, riso, carne: ma a prezzo enormemente maggiorato rispetto a quello ufficiale. Una trentina di lire al chilo il burro della tessera, 150 quello clandestino: rapporto ancor peggiore per lo zucchero, da 11 a 100 lire. Sovente i quantitativi di alimenti garantiti dalla tessera – 100 grammi di carne al giorno, duecento grammi di pane nero – risultavano introvabili. Era ridotta l'erogazione di elettricità, mancavano il carbone e la legna, inesistente il caffè, cuoio e tessuti rimpiazzati da prodotti «autarchici». Il coprifuoco imponeva che tutti rincasassero presto, e gli spettacoli dovettero perciò essere spostati al pomeriggio. Ma il pubblico era egualmente numeroso. Recitavano compagnie di prim'ordine, la Ruggeri-Marchiò, la Maltagliati-Cimara, la Torrieri-Carnabuci, la Ricci-Magni, e poi Memo Benassi, Giulio Donadio (lui sì fervente fascista), Rascel, Nino Taranto, perfino il varietà con Marisa Maresca. A Venezia era stato trasferito, insieme al corpo diplomatico accreditato presso Salò, anche ciò che sopravviveva di Cinecittà, ma i film in cantiere restarono quasi tutti incompiuti. Tra gli attori che si aggiravano in quella necropoli di glorie passate, erano anche Osvaldo Valenti e Luisa Ferida, entrambi famosi, che erano legati nella vita e sarebbero rimasti legati nella morte: lui ostentando, più per tracotanza di spaccone che per ansia guerriera o ferocia di rastrellatore, l'uniforme della X Mas. Avrebbe perfino assistito a interrogatori e torture di partigiani in quella palazzina di San Siro a Milano che, divenuta quartier generale del feroce Pietro Koch, fu ribattezzata Villa Triste.

Nel quadro dell'Italia non ancora occupata dagli anglo-americani, Roma aveva una posizione singolare: intanto perché il Vaticano e i palazzi apostolici che godevano del privilegio della extraterritorialità offrivano rifugio a molti antifascisti, o antitedeschi, o in generale a perseguitati. Le camerette dei seminaristi del Laterano erano gremite di personalità politiche, e Pietro Nenni ad esempio portava il nome di don Porta, appunto il seminarista del quale usurpava – per le drammatiche esigenze dell'ora – il provvidenziale alloggio. A questa presenza vaticana faceva da contrappunto l'assenza di ogni vera autorità che esercitasse il potere in nome della Repubblica mussoliniana.

Kesselring faceva la guerra, e la faceva molto bene, ma le SS si dedicavano alla caccia degli ebrei. Vi si erano dedicate anche al Nord – la *Juden Aktion* poteva finalmente dispiegarsi in tutto il suo rigore, ora che Mussolini era solo un fantoccio – e nella zona del Lago Maggiore avevano massacrato una cinquantina di ebrei rastrellati. Ma a Roma l'azione fu se possibile ancora più proterva. Il 26 settembre 1943 il tenente colonnello Herbert Kappler, capo della Gestapo, aveva ingiunto al presidente della comunità israelitica, Ugo Foà, che gli fossero consegnati 50 chili d'oro, ad evitare la deportazione di duecento ebrei. In due giorni quel quantitativo d'oro era stato raccolto. Foà s'era illuso d'avere con ciò messo la comunità al riparo da pericoli, tanto più che la liberazione di Roma non poteva tardare molto. «Abbiamo pagato le nostre vite» aveva detto. Si sbagliava, tragicamente. Il 16 ottobre le SS si avventarono sul ghetto, per una razzia di ebrei, e poi allargarono la loro caccia agli altri quartieri. Tutti dovevano seguire gli sgherri, ed erano autorizzati a portare con sé viveri per otto giorni, carte annonarie, carte d'identità, bicchieri, una valigetta con indumenti, denaro, gioielli. «Una nobildonna romana che si trova a passare nei pressi – hanno ricordato Piero Fortuna e Raffaele Uboldi – scorge su un camion un gruppo di bambini ebrei, pallidi, gli occhi dilatati dal terrore, silenziosi, le mani aggrappate alle fiancate del veicolo. In fondo a uno dei camion, alcuni neonati, affamati e intirizziti, buttati a caso su un'asse di legno, gemono sotto la pioggia che continua a cadere.» I treni li portarono verso il nord, i campi di sterminio, le camere a gas.

IL 14 MARZO 1944 il governo Badoglio diramò un annuncio che suscitò scompiglio e disorientamento nei partiti politici, sorpresa nella opinione pubblica italiana, costernazione a Londra e a Washington. «In seguito al desiderio a suo tempo ufficialmente espresso da parte italiana – diceva il comunicato – il governo dell'Unione delle repubbliche socialiste sovietiche ed il Regio governo hanno convenuto di stabilire relazioni dirette tra i due paesi. In conformità a tale decisione sarà proceduto fra i due governi senza indugio allo scambio di rappresentanti muniti dello statuto diplomatico d'uso.» Giuocando d'anticipo, Mosca metteva così in una posizione imbarazzante gli anglo-americani, che sopportavano l'intero peso militare della campagna d'Italia, che si atteggiavano a protettori e tutori dell'Italia stessa, ma che apparivano meschini e prevaricatori, a paragone con l'Urss. Mentre l'Urss «apriva» a Badoglio, Palmiro Togliatti viaggiava verso l'Italia. Era partito da Mosca, in aereo, il 18 febbraio, ma fu costretto a seguire un itinerario accidentato e tortuoso, con soste a Baku, Teheran, Il Cairo, Algeri (lì ospite del Comando alleato): infine da Algeri a Napoli a bordo di un piroscafo, il *Tuscania*, dal quale sbarcò il 27 marzo, infagottato in un abito di taglio russo, con un maglione a strisce bianche e azzurre.

«Ercole Ercoli» – questo il suo nome di battaglia – giungeva in Italia preceduto da un prestigio indiscusso e da una consacrazione sovietica che, allora, era per l'universo comunista determinante. I compagni napoletani che credevano, nella loro esuberanza pre-rivoluzionaria, di incontrare un *pasionario* effervescente e cordialone, si trovarono di fronte a un gelido professore che usava di malavoglia il tu, e preferiva la stretta di mano agli abbracci. Al Partito comunista il *leader* venuto dal freddo impose quella che fu chiamata «la svolta di Salerno», ossia la rinuncia ad ogni polemica antimonarchica e antibadogliana in nome della suprema esigenza di formare una grande «unione nazionale e antifascista. Nessuna concessione agli entusiasmi resistenziali. Luigi Longo dichiarò più tardi, con ironia piuttosto scoperta: «Credo che (Togliatti) abbia capito l'importanza del movimento partigiano quando seppe che avevamo fucilato Mussolini a Dongo».

IL 12 APRILE 1944 gli italiani appresero che Vittorio Emanuele III si ritirava dalla vita pubblica e nominava Luogotenente generale del Regno il figlio Principe di Piemonte. «Questa mia decisione, che ho ferma fiducia faciliterà l'unione nazionale, è definitiva e irrevocabile». La via era sgombra per la formazione del nuovo governo, detto dell'esarchia perché includeva democristiani, comunisti, socialisti, azionisti, liberali, demolaburisti. Badoglio tenne per sé, oltre alla Presidenza, gli Esteri. Ministri senza portafoglio furono Benedetto Croce, Carlo Sforza, Giulio Rodinò (democristiano), Palmiro Togliatti, Pietro Mancini (socialista). Agli Interni andò il democristiano Aldisio. Di rilevante, nella dichiarazione programmatica, v'era l'annuncio che «la forma istituzionale dello Stato non potrà risolversi se non quando, liberato il Paese e cessata la guerra, il popolo italiano sarà stato convocato ai liberi comizi... ed eleggerà l'Assemblea costituente e legislativa».

L'offensiva di Alexander per la conquista di Roma fu scatenata il 12 maggio. La colossale macchina militare alleata soverchiava di gran lunga quella tedesca, anche se lo svolgimento delle azioni non fu certo facilitato dalla ostilità di Mark Clark, il comandante della V armata, per Alexander. Il primo sfondamento della Linea Gustav fu merito delle truppe del generale francese Juin, che aveva alle sue dipendenze anche i coraggiosi ma feroci *goumiers* marocchini dei quali la popolazione italiana conservò poi un ricordo d'orrore: «Durante le ventiquattr'ore di contatto con i marocchini soffrimmo più che negli otto mesi sotto i tedeschi. Questi si prendevano le nostre capre, le nostre pecore e il nostro cibo, ma rispettavano le nostre donne e i nostri magri risparmi. I marocchini si gettarono su di noi come diavoli scatenati. Sotto la minaccia delle mitragliatrici violarono bambini, donne, uomini, giovani, dandosi freneticamente il cambio come altrettante bestie. Si presero il nostro denaro. Ci seguirono fino al paese e portarono via ogni cosa, compresa la nostra biancheria e le nostre scarpe. Quelli dei loro ufficiali che tentarono di intervenire in nostra difesa furono anch'essi minacciati».

Kesselring si ritirava con sufficiente ordine, ma senza poter contrastare una avanzata che gli veniva sferrata con violenza da due diverse direzioni, e che puntava verso Roma. Ancora il 2 giugno, mentre la Città eterna era già in vista delle avanguardie alleate, Alexander e Clark discussero su chi dovesse entrarvi. «Quando Alexander comunicò a Clark il proprio desiderio che l'VIII armata partecipasse alla conquista di Roma, Clark prese violentemente cappello... disse ad Alexander che se gli avesse impartito un ordine del genere si sarebbe rifiutato di obbedire e se l'VIII armata avesse tentato di marciare su Roma avrebbe dato istruzioni ai suoi uomini di spararle addosso... Alexander non insisté.» Nel tardo pomeriggio del 4 giugno i primi reparti americani penetrarono nell'abitato; il 5 giugno Clark ebbe l'agognato alloro e raggiunse in jeep il Campidoglio, ma il trionfo fu oscurato, almeno nelle cronache giornalistiche, dallo sbarco in Normandia che, avvenuto a distanza di poche ore, soffocò l'eco della campagna d'Italia, e di questa sua svolta decisiva.

KESSELRING HA SCRITTO che «il movimento partigiano diventò per la prima volta molesto nell'aprile del '44, quando le bande cominciarono ad agire sull'Appennino». In primavera, questo è certo, la lotta si dilatò e divenne ancora più crudele, fino al bando del Capo di Stato Maggiore dell'Esercito di Salò Mischi – che aveva sostituito Gambara, ritenuto troppo morbido – con cui si annunciava che chi non si fosse arreso entro il 25 maggio non avrebbe avuto pietà. Ma pietà non ce n'era nemmeno prima, dall'una e dall'altra parte.

I Gap agivano nelle città. Pochi uomini, al massimo qualche decina nei centri maggiori, che prendevano di mira tedeschi e fascisti, colpivano e scatenavano le rappresaglie, rischiavano la vita e pagavano, sovente, con la vita. Avevano per comune denominatore una determinazione implacabile e una forte carica di ideologia e di fanatismo. In questa spirale di odio si inserì un episodio che divise anche l'antifascismo: l'»esecuzione» di Giovanni Gentile.

Il filosofo siciliano, uno degli ingegni più lucidi della cultura italiana, fascista fervente (tanto che Mussolini gli aveva affidato l'incarico di compilare la voce «fascismo» per la Enciclopedia Treccani salvo poi rimodellarne le parti troppo rigorosamente ideologiche), autore della riforma della scuola, discussa da molti ma da tutti rispettata per i suoi contenuti e per la sua ispirazione, aveva aderito alla Repubblica di Salò. Era stato in questo coerente con il suo passato: e Mussolini l'aveva ricompensato con la nomina – più pericolosa che onorifica, in quei frangenti – a presidente della Accademia d'Italia. Nessuna partecipazione sua, né morale né tanto meno materiale, ad atti di repressione. L'uomo – lo ha ammesso Roberto Battaglia – «era personalmente bonario e tollerante e, come risulta da molteplici testimonianze, si era dimostrato avverso alle violenze e agli orrori perpetrati in quel periodo a Firenze dalla banda Carità». Che era una delle tante polizie private che imperversavano. Nella sua propensione verso il fascismo di Salò, Gentile era stato anche incoraggiato dalla comprensione che il ministro della Istruzione, Biggini, aveva dimostrato verso il mondo accademico, tanto da confermare nella carica di rettore della Università di Padova Concetto Marchesi: l'illustre latinista e grecista aveva accettato di restare al suo posto. Ma il Partito comunista – cui Marchesi apparteneva e appartenne fino alla morte, schierandosi nelle file dei più indiscriminati esaltatori dello stalinismo – gli ingiunse di lasciare la sua poltrona, e di rinnegare l'amicizia con quel ministro per bene (che era oltretutto suo vicino di casa) con il quale aveva stabilito un patto di «inviolabilità dell'Ateneo».

Ma proprio Concetto Marchesi, una volta troncato il legame con Biggini, aveva risposto con l'intransigenza dura agli appelli – per parte di Gentile non insinceri – alla concordia. «Quanti oggi incitano alla concordia sono complici degli assassini fascisti e nazisti, quanti oggi invitano alla tregua vogliono disarmare i patrioti e rifocillare gli assassini nazisti perché indisturbati consumino i loro crimini... Per i manutengoli del tedesco invasore e dei suoi scherani nazisti, senatore Gentile, la giustizia del popolo ha emesso la sua sentenza: morte!». Sulla esatta paternità di questo testo, apparso nel foglio clandestino comunista *La nostra lotta,* vi sono fondati dubbi. È probabile che per la massima parte esso sia stato di pugno di Marchesi: ma è altrettanto probabile – per molti sicuro – che l'ultima frase, quella che parve una sentenza capitale per Gentile, fu aggiunta dai duri del Partito, insensibili a sollecitazioni e remore culturali. L'atmosfera fiorentina s'era intrisa di odio dopo che il 22 marzo 1944 cinque partigiani erano stati fucilati al Campo di Marte dai militi della Legione Muti. I gappisti deliberarono di rispondere al terrore con il terrore, si appostarono il 16 aprile, alle 13,30, nei pressi di Villa Montaldo al Salviatino, dove Gentile abitava. Gli «esecutori» della sentenza, Bruno Fanciullacci e Antonio Ignesti, si accostarono all'auto tenendo sotto braccio dei libri, come fossero studenti. Credendo volessero parlargli, Gentile abbassò il vetro, e fu colpito a bruciapelo mentre Fanciullacci gridava: «Non uccido l'uomo ma l'idea».

I soli a sostenere la legittimità morale dell'impresa furono i comunisti. L'antifascismo liberale ne fu indignato, e Benedetto Croce espresse il suo cordoglio. Ma anche gli azionisti, pur così duri e intransigenti, si dimostrarono perplessi. Alcuni, come Tristano Codignola, apertamente dissenzienti perché «non può sfuggire a nessuno l'odiosità di un simile attentato contro una personalità alla quale il paese intero avrebbe potuto e dovuto chiedere conto del suo operato nella forma più alta e solenne».

ROMA, L'ABBIAMO DETTO, faceva parte per se stessa. Non era città aperta – gli Alleati, in particolare gli inglesi, avevano rifiutato di proclamarla tale, ricordando la smania mussoliniana di participare ai bombardamenti su Londra, e i tedeschi, pur patteggiando con il Vaticano, minacciavano di difenderla «casa per casa» – ma non era neppure una città che potesse essere considerata alla stregua delle altre. E più d'ogni altra avrebbe dovuto, secondo molti, essere preservata dalla logica feroce degli attentati e delle rappresaglie. L'attentato di via Rasella, e la strage delle Fosse Ardeatine che ne fu la conseguenza, posero allora alla coscienza civile, e lo pongono tuttora allo storico, il problema d'un giudizio sulla legittimità morale dell'attentato, sulla ammissibilità della rappresaglia, sulla responsabilità personale di chi volle l'attentato e di chi volle la rappresaglia. L'attacco al reparto tedesco che ogni pomeriggio, puntualmente, percorreva via Rasella, una parallela di via del Tritone in pieno centro di Roma, era stato preparato da un Gap comunista con scrupolosa cura, e con un controllo minuzioso dei tempi. L'incarico di collocare le due bombe – l'una dodici chili di tritolo, l'altra sei chili – fu affidato a Rosario Bentivegna, studente in medicina, che sarebbe stato aiutato, al momento della fuga, da Carla Capponi. In una via laterale si sarebbero appostati altri partigiani, tra essi Franco Calamandrei, pronti a segnalare a Bentivegna il sopraggiungere della colonna di soldati e a sparare contro i tedeschi dopo lo scoppio per accrescere il panico. Bentivegna si travestì da spazzino, pose su un carretto due bidoni con l'esplosivo, e rimase in attesa.

Quel giorno i tedeschi erano in ritardo. Attesi per le 15, fecero udire il loro passo cadenzato solo verso le 15,30. Calamandrei si tolse il cappello (era il segnale convenuto), Bentivegna accese la miccia e si allontanò verso via Quattro Fontane dove lo aspettava Carla Capponi, che lo coprì con un impermeabile. Quella che stava marciando era la 11ª compagnia del terzo battaglione del Polizei Regiment Bozen, territoriali altoatesini che, troppo anziani per essere mandati al fronte, erano stati destinati al servizio d'ordine in città. L'esplosione fu apocalittica, e seguita da raffiche di mitra. Gli ordigni esplosivi fecero strage. Trentadue militari tedeschi rimasero sul terreno insieme a un bambino e a sei civili italiani, che per fatalità erano in quei pressi (il comando partigiano affermò che i civili erano stati vittime della sparatoria forsennata cui i tedeschi si erano abbandonati, nella prima reazione all'attentato). Il decesso d'un ferito portò poi il totale delle vittime tedesche a 33. Sopraggiunsero in breve il comandante militare di Roma generale Maeltzer, il colonnello Dollmann e il console Moellhausen. Congestionato per l'emozione, e anche perché veniva da un lungo e copioso pranzo all'Hotel Excelsior, Maeltzer urlava, gli occhi pieni di lacrime, e inveiva contro Moellhausen e la sua politica «morbida». Hitler, avvertito al suo quartier generale, dispose che fosse raso al suolo un intero quartiere, e che venissero passati per le armi cinquanta italiani per ogni morto tedesco. Kesselring, in ispezione al fronte, era introvabile, ma quando tornò ritenne eccessiva la misura della rappresaglia. Vi fu una sorta di patteggiamento tra

Kappler – il maggiore delle SS cui sarebbe toccato il compito di trovare gli ostaggi da sacrificare – Kesselring e il quartier generale del Führer, e la proporzione di dieci a uno fu accettata, e ritenuta da Kesselring equa, tanto che alle 7 del giorno successivo ripartì per il fronte.

Kappler si mise al lavoro, quella sera stessa, per compilare l'elenco delle vittime; e Moellhausen (l'episodio è riportato in *Roma 1944* di Raleigh Trevelyan) lo trovò che accarezzava un cane ammalato mentre allineava i nomi. Anche includendo tutti gli ebrei disponibili, all'alba Kappler aveva non più di 223 nomi (su quattro soltanto era già stata pronunciata una condanna a morte). Con molta fatica l'orribile «pieno» fu raggiunto (anzi, come si vide poi, risultò sovrabbondante). Per la legge di guerra il dubbio «onore» di sterminare gli ostaggi sarebbe toccato al battaglione Bozen, ma il maggiore che lo comandava, Dobrich, rifiutò perché «i miei uomini sono vecchi, alcuni molto religiosi, altri pieni di superstizioni». L'incarico passò alle SS di Kappler. Fu superato anche un problema di macabra logistica. Dove ammassare tanti corpi? Un ufficiale del genio suggerì delle cave di pozzolana sulla via Ardeatina, da lui visitate alla ricerca di rifugi antiaerei. Eseguita l'operazione, l'ingresso sarebbe stato fatto saltare, trasformando le cave in una fossa comune.

Cinque alla volta, i prigionieri tratti da via Tasso e da Regina Coeli – molti convinti che li si stesse avviando al lavoro forzato in Germania – furono fatti entrare e finiti con colpi alla nuca. Gli ufficiali erano tenuti a dare il buon esempio, sparando anch'essi, e Kappler rincuorò i carnefici, alcuni dei quali assaliti da nausea e disgusto, facendo fuoco personalmente e distribuendo cognac in abbondanza. Alle otto di sera – 24 marzo – tutto era finito. 335 corpi – 5 in più di quelli che la proporzione di dieci a uno avrebbe sia pure crudelmente legittimato – erano accatastati nelle cave. Caddero alle Fosse Ardeatine, con un gran numero di ebrei, alcune tra le più luminose figure della Resistenza: il colonnello Montezemolo, il generale Simoni, il generale Fenulli già vicecomandante della divisione Ariete, i comunisti Valerio Fiorentini e Gioacchino Gesmundo, gli azionisti Armando Bussi e Pilo Albertelli, il colonnello dei carabinieri Frignani, alcuni giovanissimi, quasi adolescenti. Il 25 marzo i quotidiani pubblicarono un comunicato che parlava della «vile imboscata» ordita da «comunisti badogliani» e annunciava la rappresaglia, «già eseguita».

Due fatti sono certi: il primo è che non vi fu alcun invito delle autorità tedesche perché gli autori materiali dell'attentato si costituissero. La ritorsione terribile fu ordinata a tambur battente, e attuata in segreto. Il secondo è che i gappisti non potevano pensare che la strage, progettata ed eseguita mentre si negoziava per proclamare Roma città aperta, e rivolta contro un reparto non impegnato nei combattimenti, restasse senza conseguenze per gli sventurati, ebrei e non ebrei, che erano in mani naziste e fasciste. Sul piano militare, l'azione avrebbe potuto avere un significato, sia pure simbolico – era chiaro che Roma sarebbe stata liberata entro breve termine – solo se si fosse collegata a una insurrezione cittadina. Roma non prese le armi, né allora né quando le truppe alleate furono a distanza di pochi chilometri.

Nell'imminenza della evacuazione di Roma da parte dei tedeschi anche il nuovo comando militare clandestino che s'era formato era caduto in pezzi. Arrestati cinque generali, tra i quali Angelo Oddone e Filippo Caruso, anche il comandante Roberto Bencivenga era stato individuato: e solo una paziente azione vaticana riuscì ad ottenere che rimanesse agli arresti domiciliari, con la garanzia della Santa Sede che non avrebbe fatto nulla. Gli ufficiali tedeschi cominciarono a vuotare le stanze degli alberghi e a spedire al Nord i bagagli ingombranti. La capitale stava cadendo come un frutto da tempo maturo. Ma vi fu una inutile, stupida e spietata ferocia dell'ultima ora.

Da via Tasso venne fatto uscire un autocarro con quattordici detenuti, diretti, si disse, verso Firenze; tra essi Bruno Buozzi, sindacalista socialista di grande ingegno e prestigio e il generale Pietro Dodi. In località La Storta, che al tempo delle diligenze era stata l'ultima stazione di posta prima della città, furono fatti scendere e fucilati.

PERDUTA ROMA, Kesselring dovette decidere cosa gli convenisse fare. Sull'onda del successo, i generali alleati si illudevano di costringere i tedeschi sconfitti ad una ritirata precipitosa fino alla pianura padana, e poi alle Alpi. Ma in qualche modo quella che in taluni punti aveva assunto l'aspetto di una rotta divenne una ordinata azione ritardatrice, e il feldmaresciallo tedesco fu in grado di predisporre i suoi arretramenti con sufficiente metodicità. Sapeva che non si sarebbe comunque potuto fermare per una resistenza prolungata, prima della Linea Gotica. Era così chiamata una serie di robuste posizioni che, per una lunghezza di 320 chilometri, tagliava la penisola da Viareggio sul Tirreno a Rimini sull'Adriatico. Hitler aveva preteso una resistenza a oltranza, tipo Stalingrado, ma Kesselring insistette sul suo piano, sensato e intelligente: ed ebbe il coraggio di difenderlo in un concitato colloquio col Führer, al quartier generale. L'Okw trovò del resto modo, nei tragici frangenti in cui la Germania militarmente si trovava, di distogliere quattro divisioni – dai Balcani, dalla Danimarca, perfino dalla Russia – per inviarle di rinforzo in Italia.

I tedeschi ebbero un aiuto insperato dai disegni strategici anglo-americani – nel caso specifico sarebbe più esatto dire americani – che venivano predisposti con ostinata miopia e quindi attuati senza alcuno sforzo di immaginazione militare e politica. I progressi furono lenti e la resistenza tedesca si andò consolidando. Il 18 luglio i tedeschi sgomberarono Ancona, il 19 gli americani entrarono in Livorno, e il 4 agosto le truppe di Kesselring evacuarono Firenze dopo aver fatto saltare tutti i ponti sull'Arno ad eccezione del Ponte Vecchio. Il 22 agosto il II Corpo d'armata polacco, inquadrato nell'VIII armata britannica, si attestò sulla riva meridionale del Metauro, poco a sud di Pesaro. La linea gotica era stata investita, e i comandanti alleati in Italia preparavano i piani per il suo sfondamento.

A queste operazioni partecipò, nell'VIII armata, il Corpo italiano di liberazione, o Cil, che ormai contava 13 battaglioni di fanteria, due reggimenti di artiglieria da campagna, un gruppo di artiglieria pesante e reparti del genio. Dopo essere stato aggregato al V Corpo d'armata inglese, ed avere liberato varie località (tra esse Crecchio, Orsogna, Guardiagrele, Chieti), il Cil fu trasferito alle dipendenze del generale Anders, che comandava i polacchi. In questa seconda fase ebbe particolare rilievo il combattimento dei parà della Nembo per la conquista di Filottrano, strappata a due battaglioni del 994° reggimento di fanteria tedesco.

LIBERATA ROMA, la sorte di Badoglio, come Capo del Governo, era segnata. I rappresentanti dei partiti gli avevano fatto sapere, sia pure in toni diversi, che doveva andarsene per far posto a Ivanoe Bonomi. Churchill considerò la «svolta democratica» uno smacco personale, e lo fece sapere a Roosevelt con il suo solito pittoresco linguaggio: «La sostituzione di Badoglio con questo gruppo di decrepiti e affamati politicanti è, io credo, un gran disastro. ...Noi ci troviamo ora davanti questo branco assolutamente non rappresentativo». Furono imposti al nuovo Presidente, per la formazione del ministero, garanzie e impegni a non finire: il Capo del Governo e ogni singolo ministro dovettero sottoscrivere le clausole del lungo armistizio, e impegnarsi a non allacciare relazioni con altri paesi e a non riaprire la questione istituzionale senza il consenso degli Alleati. Vennero inoltre confermati i ministri militari e quelli tecnici, e Sforza, destinato inizialmente agli Esteri, rimase senza portafogli (gli Esteri furono assunti, con gli Interni, da Bonomi, e solo Bonomi giurò nelle mani del Luogotenente). Con il loro giuramento alla nazione, non alla Monarchia, i ministri promettevano di non compiere «fino al momento in cui si possa convocare l'assemblea costituente» atti capaci di «pregiudicare la soluzione della questione istituzionale». Nel nuovo governo Bonomi, Croce, Sforza, Togliatti, Ruini, De Gasperi, Cianca e Saragat furono ministri senza portafoglio.

Il 22 giugno a Salerno, i ministri tennero il loro primo consiglio. A metà luglio il governo fu autorizzato a insediarsi a Roma, anche se con ben scarsa autonomia. Gradualmente le province liberate furono restituite alla amministrazione italiana, e la Commissione alleata di controllo perse quest'ultima qualificazione (e fu Commissione alleata *tout court*) a simboleggiare una ulteriore attenuazione dei vincoli armistiziali. Pur nelle disastrate condizioni dell'Italia liberata (nell'Italia centrale, ha scritto Franco Catalano, si calcolava che il 94 per cento degli impianti elettrici fosse stato distrutto) i problemi alimentari, finanziari e in definitiva economici erano gravi, ma con sintomi di miglioramento. L'Unrra (United Nations Relief and Rehabilitation Administration) già stava varando una vasta opera di assistenza sanitaria e alimentare, l'Italia era autorizzata a riprendere gli scambi con l'estero, e ai primi di ottobre Roosevelt dispose che le somme spese dal governo di Roma per il mantenimento delle truppe americane gli fossero integralmente rifuse, in dollari. Soleri, ministro del Tesoro, poteva guardare con qualche minor apprensione all'avvenire. Non così Bonomi, come ministro degl'Interni. Sull'onda del nuovo corso, e sotto la sferza dei disagi e della povertà, si accendevano fiammate di ribellione. Gruppi di braccianti e contadini occupavano le terre dei grandi proprietari – o magari anche dei non grandi –, la forza pubblica era sollecitata a intervenire: e se a volte restava del tutto latitante, altre volte eccedeva in durezza. Vi furono in settembre morti e feriti a

Licata – per una dimostrazione contro il capo dell'Ufficio di collocamento, cui erano imputati precedenti fascisti – un altro morto si contò ad Anagni dove erano state invase le terre dei principi Balestra del Drago e Doria, e un altro ancora in ottobre a Ortucchio nel Fucino (proprietà Torlonia). Una vera *jacquerie*, violenta e caotica, si scatenò il 18 ottobre a Palermo, sulla scia di una manifestazione contro il carovita indetta dai dipendenti del Comune e dell'Esattoria. A questo primo nucleo si aggregò ben presto una folla tumultuante, nella quale non mancavano, è certo, né i teppisti né gli eversori. La repressione dell'esercito fu brutale: si contarono novanta morti e un centinaio di feriti tra i dimostranti. Quando si diffuse a Roma, la notizia suscitò sgomento: ma la stessa stampa di sinistra parlò di provocatori infiltratisi tra i dimostranti: che c'erano davvero, anche se mai fu chiarito quale matrice ideologica avessero, se pure ne avevano una. Tutto induce a pensare che in questo scatenarsi di rabbia e di aggressività avessero una parte i separatisti, che stavano diventando un grosso problema, sociale e politico.

Il separatismo siciliano s'era fatto vivo non appena gli Alleati avevano messo piede nell'isola, rivendicando in qualche modo la primogenitura del disfattismo e del tradimento. Confluivano nel movimento indipendentista siciliano (Mis), che aveva una sua organizzazione militare clandestina (Evis), varie componenti: baroni nostalgici e ansiosi di impossibili restaurazioni, contadini che in una Sicilia sganciata dall'Italia e protetta dagli Alleati speravano di conquistare la proprietà della terra su cui lavoravano, affaristi attirati dal miraggio di buoni commerci con gli Stati Uniti, mafiosi che nello stretto collegamento politico con l'America vedevano schiudersi ampie prospettive per traffici leciti o illeciti. *Leader* del Mis era Andrea Finocchiaro Aprile, un avvocato e professore d'università che veniva da una famiglia di notabili e nell'epoca prefascista era stato deputato, e sottosegretario nel 1919 con Nitti. Convertitosi all'indipendentismo, ne difendeva e diffondeva le tesi con virulento slancio.

Al Bonomi I seguì il 7 dicembre un Bonomi II nel quale Togliatti ebbe una vicepresidenza e De Gasperi gli Esteri. Quello stesso 7 dicembre, in un salone del Grand Hotel, il generale inglese Maitland Wilson, comandante delle forze alleate nel Mediterraneo, firmò un protocollo formale con i quattro delegati che il Clnai (Comitato di liberazione nazionale Alta Italia) aveva inviato da Milano, via Lugano-Lione: erano Ferruccio Parri, Giancarlo Pajetta, Edgardo Sogno, e Alfredo Pizzoni (quest'ultimo «ministro delle Finanze» della organizzazione partigiana). Il protocollo riconobbe il Clnai e il Cvl (Corpo volontari della libertà), stabilì che a liberazione avvenuta le armi sarebbero state riconsegnate, e che la Resistenza avrebbe rinunciato a pretendere l'inserimento dei suoi uomini nell'Esercito regolare.

TORNIAMO AL DUCE smagrito dell'ultimo fascismo, che a metà luglio (1944) decise di compiere, in Germania, un'ispezione alle quattro divisioni italiane che stavano concludendo il loro addestramento. Ultimata la visita alle unità, il treno speciale del Duce si avviò verso il quartier generale hitleriano di Rastenburg nella Prussia orientale. Quando si approssimava ormai alla meta – era il 20 luglio – il treno fu improvvisamente avviato alla stazione di Gorlitz (non si trattava di una località ma del nome convenzionale dato al centro ferroviario creato a breve distanza dal quartier generale) su un binario morto. Gli italiani non sapevano cosa stesse accadendo; il barone Doernberg, capo del protocollo della Wilhelmstrasse, che li accompagnava era agitato ma ermetico. Poi il cammino riprese, ma con cautele drammatiche. I finestrini furono ermeticamente chiusi e oscurati. Infine il treno, sempre in quella sinistra blindatura, giunse a destinazione. Ad attenderlo era il solito schieramento: Hitler qualche passo avanti a Göring e dietro, allineati, Ribbentrop, Himmler, Bormann, Keitel, Doenitz e altri capi nazisti.

Avvolto in un mantello nero, apparentemente calmo anche se la mano destra tremò un poco alzandosi nel saluto nazista (e sulla mano si vedeva una leggera scalfittura), Hitler andò incontro a Mussolini e disse: «Duce, proprio adesso mi è stato scagliato un infernale ordigno». Poco prima (12,42) era esplosa nella *Wolfschanze*, la «tana del lupo», la bomba portatavi dal colonnello von Stauffenberg. Era dunque un Hitler furibondo e assetato di vendetta quello che accolse i visitatori italiani, ai quali dedicò poco tempo. Spiegò sbrigativamente le cause, a suo dire tecniche, del grave momento che la Germania attraversava, e quindi si dilungò sul suo tema preferito, perché schiudeva la porta all'ultima speranza: le armi segrete. Già le V1 avevano cominciato a piombare su Londra, e nell'autunno sarebbero entrate in azione anche le V2 delle quali il Führer illustrò le caratteristiche rivoluzionarie, assicurando che la capitale britannica sarebbe stata martellata «fino alla completa distruzione».

La V di queste armi stava per *Vergeltung* (rappresaglia). La V1 era, in parole povere, un aeroplanino a reazione senza pilota, imbottito di una tonnellata di esplosivo. La V2 era invece un razzo che, sempre con una tonnellata di esplosivo, volava a quasi seimila chilometri l'ora e toccava una quota di un centinaio di chilometri, raggiungendo poi silenziosamente l'obbiettivo perché viaggiava più rapida del suono. Londra fu colpita da 2419 V1, altri punti dell'Inghilterra da 3132, Anversa da 2448. Delle V2, ne cadde un migliaio su Londra e sul resto dell'Inghilterra, e 1265 su Anversa. Pur temibili e distruttrici, queste armi non ebbero gli effetti apocalittici su cui Hitler contava, e che Churchill temeva.

In Mussolini, al rientro in Italia, l'euforia per gli applausi delle reclute italiane in Germania, e l'acre soddisfazione per la riedizione del 25 luglio che era toccata – assai più sanguinosa e truce, come si addice a tutto ciò che è tedesco – a Hitler, svanirono presto. La sconfitta incombeva, e cresceva l'attività partigiana. Il 9 giugno era stato costituito un «Comando generale per l'Italia occupata del Corpo volontari della libertà». Al settore operazioni, ovviamente il più importante, vennero preposti Ferruccio Parri e Luigi Longo. A comandante fu designato – dopo che un aereo alleato l'aveva paracadutato sull'Italia del Nord – il generale Raffaele Cadorna, che a 55 anni s'era dovuto allenare per il pericoloso lancio.

I rapporti di Cadorna con i vicecomandanti Parri e Longo (in particolare con il secondo, sospettoso e, nonostante la linea ufficiale del suo Partito, deciso a mantenere al movimento partigiano una forte impronta di sinistra) non furono facili. Cadorna era visto insieme come un possibile restauratore dei classici princìpi gerarchici militari contro la spontaneità popolare delle bande, e come un interprete dei disegni strategici degli Alleati contro la volontà rivoluzionaria delle masse. Tra il luglio e l'agosto del 1944 la Resistenza intensificò la sua attività, e nella zona di Montefiorino, in Emilia, sostenne contro i tedeschi quella che può essere definita una battaglia campale di tipo classico. Le perdite furono pesanti da entrambe le parti, con qualche centinaio di morti. A Montefiorino era stata creata, per il tempo in cui la zona fu sgombra dai tedeschi, una mini repubblica, con ordinamenti embrionali. Di queste piccole repubbliche Luigi Longo ne elencò quindici nel suo *Un popolo alla macchia*: ma si trattò per lo più di effimeri e precari «santuari» partigiani, presto spazzati via. Tre furono – oltre quella di Montefiorino – le piccole repubbliche di qualche importanza: Ossola, Carnia e Alto Monferrato.

Non tutti i reparti tedeschi e non tutti i reparti fascisti ebbero, in questa guerra che – come tutte quelle con connotazioni di guerra civile – era sporca e feroce, eguale comportamento. Ve ne furono di sufficientemente umani, se non corretti, e ve ne furono di spietati. Nella «Villa Triste» di via Paolo Uccello a Milano spadroneggiava il bieco Koch, uno dei tanti capoccia di «polizia» illegali. Gli interrogatori che si svolgevano nella «Villa Triste» avevano una scenografia caricaturalmente giudiziaria, un lampadario '900 pendeva dal soffitto a stucchi, Koch presiedeva, domande e risposte erano interrotte da percosse e torture. Una segretaria verbalizzava l'«udienza» alla macchina da scrivere ma di tanto in tanto si alzava per sferrare calci negli stinchi ai prigionieri. Capitava che si affacciasse alla porta della sala l'attore Osvaldo Valenti, stralunato per la droga o per la commozione; e consolava le vittime, «poverini come siete conciati», e le esortava a parlare, «è per il vostro bene». Forse fingeva, forse no, i suoi sentimenti erano contorti e confusi, la separazione tra messinscena cinematografica e cruda realtà rimaneva per lui incerta. Almeno agli orrori di via Paolo Uccello l'intervento della Muti – nel ruolo molto inconsueto di riparatrice di torti – pose finalmente termine. Ma Koch fu presto liberato per intervento di Farinacci.

Se la Wehrmacht continuava a battersi con onore, e il capo delle SS in Italia generale Wolff già meditava i suoi propositi di trattativa e di resa, altri come il maggiore Reder dava sfogo a un furore insieme metodico e allucinato. Il Battaglia ha ritracciato l'itinerario di sangue dei battaglioni SS. Reder, detto il monco, cominciò la sua opera il 12 agosto a Sant'Anna di Stazzema in Lucchesia (360 vittime civili); quindi, superato l'Appennino, fece 107 vittime a Valla, poi ordinò d'impiccare a San Terenzio 53 ostaggi che dalla Lucchesia s'era trascinati dietro. Il 24 agosto, affiancato da brigatisti neri, distrusse Vinca nel comune di Fivizzano, il 13 settembre procedette alla fucilazione di 108 rastrellati, il 16 settembre devastò e uccise a Bergiola, e infine tra il 29 settembre e il 1° ottobre compì l'ultima e maggiore strage a Marzabotto.

Marzabotto è una borgata dell'Appennino emiliano, tra la strada porrettana e la strada pistoiese. Ecco un resoconto di ciò che vi avvenne: «Due reggimenti di SS Adolf Hitler, di ritorno da un rastrellamento, circondano la zona oltre il fiume Reno. Nella frazione Casaglia una folla s'è raccolta nella chiesa, in preghiera. Irrompono i tedeschi, uccidono il prete officiante: nella chiesa trucidano tre vecchi che non obbediscono in fretta all'intimazione di uscire. Gli altri, in numero di 147, tra cui 50 bambini, sono ammassati nel cimitero e mitragliati: 28 famiglie sono sterminate al completo, si salvano solo alcuni bambini. Centosette, tra cui 24 bambini, sono gli assassinati della frazione Caprata. In casolari poco discosti periscono 282 persone, a gruppi o isolate, tra loro 38 bambini e due suore. In località Cerpiano 49 infelici, tra cui 24 donne e 19 bambini, sono rinchiusi in un oratorio e mitragliati a gruppi. Si salvano una maestra e due bambini. Altre 103 vittime i nazisti disseminano poco lontano, scovandole casa per casa. Ripiglia la strage più oltre… Il comune di Marzabotto lamenta 1830 morti, tra cui 5 preti».

A Marzabotto fu praticata la strage per la strage, gratuita. Il suo unico risultato fu di suscitare odio. Ancora più odiosa, Marzabotto, delle Fosse Ardeatine, un massacro che almeno aveva la sua giustificazione nel codice di guerra: e quindi più odiosa anche dell'altro eccidio di piazzale Loreto a Milano, dove il 9 agosto i gappisti avevano fatto saltare, in viale Abruzzi, un autocarro militare germanico: cinque soldati morti sul colpo, altri quattro nei giorni successivi, a causa delle ferite. Kesselring voleva fosse applicata anche lì la regola del 10 per uno, poi l'arcivescovo Schuster riuscì, supplicandolo, a ridurre da 50 a 15 il numero degli ostaggi da sacrificare. Un plotone d'esecuzione di fascisti sterminò accanto al distributore di benzina di piazzale Loreto, all'alba del 10 agosto, i prescelti, tutti detenuti politici prelevati da San Vittore. Come macabro contrappasso a quel sacrificio di antifascisti. Mussolini e Claretta Petacci finirono poi appesi a quello stesso distributore.

Mentre la catastrofe si avvicinava, Mussolini uscì – fu l'ultima volta prima della estrema resa dei conti – dal suo limbo lacustre, e per tre giorni tornò a Milano dove il fascismo era nato e dove stava per morire. Fissò per il 16 dicembre (1944), alle 11 del mattino, un suo discorso al Teatro Lirico: pur insistendo perché il suo programma e i suoi spostamenti rimanessero segreti fino all'ultimo. Dal 1936 il Duce non parlava più in pubblico a Milano. Non improvvisò né recitò il suo discorso, lo lesse. Ritornò, come ormai faceva ossessionantemente, sul tema del «tradimento». Esaltò l'apporto della Repubblica alla guerra e promise che nel 1945 esso avrebbe avuto «maggiori sviluppi». Promise che le «armi nuove» avrebbero ridato ai tedeschi l'iniziativa e assicurò che «questo è nel limite delle umane previsioni quasi sicuro e anche non lontano». E infine, con un appello supremo: «Noi vogliamo difendere con le unghie e coi denti la valle del Po». Gli applausi furono deliranti, dentro e fuori il teatro, e si rinnovarono quando Mussolini percorse in una cupa scenografia di edifici distrutti le vie di Milano per tornare nel rifugio sul Garda. I tedeschi, che temevano una azione della guerriglia, furono stupefatti sia da questa fiammata di popolarità, sia dalla inerzia dei partigiani.

ALL'INIZIO DELL'ULTIMA PRIMAVERA di guerra la Germania era divorata dai cingoli sovietici e anglo-americani. Nel suo *Bunker* Adolf Hitler era il condottiero di una guerra virtualmente già finita, e impartiva ordini ad armate non più esistenti, o sottratte ormai al suo diretto controllo. Alcuni dei supremi gerarchi attorno a lui, e i proconsoli lontano da lui, pensavano concretamente a una sola cosa: la resa. In Italia la manovra era affidata al colonnello Dollmann come discreto e capace tessitore, a livello personale, e al generale Wolff, cui restava l'unico importante comando delle SS fuori del territorio tedesco. Basterà dire che a conclusione di un complesso negoziato alle 14 del 29 aprile due plenipotenziari tedeschi inviati da Vietinghoff, nuovo comandante delle forze tedesche in Italia, e da Wolff (quest'ultimo aveva nel frattempo trasferito a Bolzano, dopo drammatiche peripezie, il suo quartier generale) firmarono a Caserta quella che Ferruccio Lanfranchi definì «la resa degli ottocentomila». L'entrata in vigore del cessate il fuoco fu fissata al 2 maggio, ma i tedeschi del fronte italiano avevano già smesso da giorni di combattere contro gli Alleati.

Mentre trattavano i tedeschi, tentavano di trattare – con assai minore prestigio e ascolto – anche i fascisti. Mussolini – ormai un travicello trascinato dalla corrente vorticosa degli avvenimenti – oscillava senza coerenza tra propositi di resistenza a oltranza, lunghi momenti di rassegnazione passiva e incerti passi per una resa condizionata. Pur atteggiandosi a oltranzista con i tedeschi, inviò il figlio Vittorio dall'arcivescovo di Milano, cardinale Ildefonso Schuster, come latore d'una proposta di pace. Al tempo del fascismo trionfante, Schuster, il cui aspetto ascetico nascondeva una notevole volontà e capacità di manovra politica, era stato tra gli alti prelati più «collaborazionisti». Ora pensava soprattutto alla protezione della sua diocesi, e di

Milano, pur mantenendo nella corrispondenza con il Duce un tono deferente, quasi affettuoso.

Sia i tedeschi sia il cardinale Schuster speravano che Mussolini restasse quieto sul lago ad aspettare gli eventi che precipitavano, senza creare problemi. Lo sperava Wolff, per il quale la Repubblica fascista era divenuta, nel negoziato e nella progettata ritirata verso l'Alto Adige, una zavorra inutile; lo sperava Schuster che sapeva come il Duce progettasse un ritorno a Milano, la città del fascio primigenio: un ritorno alla culla nell'ora della morte. Ma Mussolini a Milano poteva significare combattimenti, distruzioni, lutti e complicazioni. Tuttavia il Capo del fascismo covava la sua idea, e l'andava concretando: perché a Milano, pensava, poteva essere raggiunto, tramite la Curia, un eventuale compromesso, e da Milano le truppe della Repubblica avrebbero potuto puntare sul ridotto valtellinese. La mattina del 16 aprile il Duce annunciò ai ministri riuniti la imminente partenza per Milano. Alle sette di sera del 18 aprile un convoglio di cinque automobili con un furgone per i bagagli, e un reparto delle SS come scorta, si mosse dal Garda diretto alla Prefettura di corso Monforte. Mussolini aveva rifiutato la Villa Reale di Monza, un po' perché vi era morto Umberto I, e gli pareva un soggiorno di malaugurio, un po' perché la Prefettura era vicina all'Arcivescovado.

Proprio mentre Mussolini arrivava a Milano gli Alleati avanzavano a ventaglio, piombando a est su Ferrara, Verona e Padova, mentre al centro le forze di Clark, disceso l'Appennino, puntavano su Modena e Bologna dove l'onore di entrare per primi sarebbe toccato agli italiani del gruppo Legnano. L'offensiva non incontrava più ostacoli seri. Tutto crollava. Il 20 aprile, Hitler aveva celebrato il suo cinquantaseiesimo compleanno. Dal *Bunker* della vecchia Cancelleria, dove viveva ormai rintanato da tre mesi, era salito fino al cortile e vi aveva passato in rivista un picchetto d'onore: duecento ragazzi della *Hitler-Jugend*, tutti fra i 14 e 16 anni. Imbacuccato in un pastrano militare, col bavero alzato, il Führer andò loro incontro con passo incerto, si fermò a parlare con alcuni e al più piccolo diede un buffetto sulla guancia. Eppure delirava d'impossibili contronffensive.

Mussolini, tentennante, mirava a un patto con il Clnai tramite la Curia. Ossia a un patto con la Resistenza che nei primi mesi del 1945 non era più un fatto militare neppure nella misura in cui lo era stata precedentemente. Era soltanto un fatto politico.

Gli esponenti dei partiti di sinistra – in particolare comunisti e azionisti – avevano un progetto preciso: travasare la struttura, gli equilibri, le finalità del Clnai nello Stato italiano, e far camminare il Paese, a totale liberazione avvenuta, sui binari tracciati al Nord. Gli Alleati avrebbero dovuto limitarsi a fiancheggiare e garantire, con la loro presenza, un'azione politica e amministrativa che, nonostante i cauti riconoscimenti formali, era contro la linea degli Alleati stessi, contro la linea del governo legale, e contro la promessa di lasciare irrisolto per il momento il problema istituzionale.

La manovra era abile, ma anche molto evidente. Ne afferrò tutte le possibili implicazioni il generale Cadorna, che constatava quotidianamente quanto poco valore avesse la sua carica di comandante militare: intanto perché c'era poco da comandare, ormai, e poi perché i vicecomandanti, sorretti dai partiti, ignoravano o ostacolavano. Il contrasto sfociò in una crisi. Cadorna si dimise con motivazioni aspre: «Non intendo assumere la responsabilità della anarchia che regna nelle formazioni perché i maneggi dei partiti distruggono il principio di autorità in tutta la gerarchia». Il dissidio fu composto laboriosamente, e Cadorna si impegnò a rispettare le direttive del Clnai «purché esse concordino con quelle degli Alleati e del governo italiano». Ma era un rattoppo. Nella Resistenza ognuno lavorava per sé, ormai. E i comunisti lavoravano per il futuro politico del partito. Con iniziativa autonoma il Pci aveva diramato il 10 aprile le «direttive per l'insurrezione» in base alle quali, riconoscendo che «l'esercito tedesco è in rotta disordinata su tutti i fronti», avvertiva che «anche noi dobbiamo scatenare l'assalto definitivo… Non si tratta più solo di intensificare la guerriglia ma di predisporre e scatenare vere e proprie azioni insurrezionali».

Nella Prefettura di Milano, attorno alla quale era stato creato un rudimentale sistema di reticolati e fortificazioni chiamato pomposamente «il quadrilatero», il Duce sprecava quei giorni preziosi in chiacchiere, con riunioni militari che non decidevano nulla, ma prendevano semplicemente atto della inarrestabile avanzata alleata e della disgregazione delle forze fasciste. Ancora il 24 aprile giunse in Prefettura un messaggio di Hitler, l'ultimo della lunga corrispondenza tra i due dittatori. «La lotta per l'essere e il non essere ha raggiunto il suo punto culminante. Impiegando grandi masse e materiali il bolscevismo e il giudaismo si sono impegnati a fondo per riunire sul territorio tedesco le loro forze distruttive al fine di precipitare nel caos il nostro continente. Tuttavia nel suo spirito di tenace sprezzo della morte il popolo tedesco e quanti altri sono animati dai medesimi sentimenti si scaglieranno alla riscossa, per quanto dura sia la lotta, e con il loro impareggiabile eroismo faranno mutare il corso della guerra».

Nelle prime ore pomeridiane del 25 aprile – le tre all'incirca – Mussolini lasciò la Prefettura su una vettura di rappresentanza, dignitosa e antiquata, inviata da Schuster, per incontrare nell'Arcivescovado di Milano una delegazione del Comitato di liberazione nazionale Alta Italia. La situazione era equivoca, perché Schuster credeva di avere nel suo studio i plenipotenziari partigiani, tedeschi e fascisti, Mussolini credeva di andare a patteggiare, il Clnai – che aveva designato a rappresentarlo Cadorna, Marazza e Lombardi – credeva di ricevere la resa incondizionata di tedeschi e fascisti. Mussolini aveva preceduto tutti all'appuntamento, e Schuster fu costretto a intrattenersi con lui in un tu per tu imbarazzante e penoso. «Vedendolo un po' depresso – rivelò poi Schuster, e non si fatica a credergli – insistei perché gradisse almeno un po' di conforto. Egli per cortesia si indusse ad accettare un bicchierino di rosolio con un biscotto.» Finalmente si passò a parlare del presente, e il Duce illustrò il suo progetto di sciogliere l'indomani l'esercito e la Guardia nazionale repubblicana, e di ritirarsi poi con tremila fedelissimi in Valtellina. «Ella ha intenzione di continuare la guerra sulle montagne?» s'informò il cardinale, e Mussolini, con una sorta di candore: «Ancora per un poco poi mi arrenderò».

Dopo che Mussolini aspettava da un'ora abbondante, arrivarono i delegati del Comitato di liberazione, che entrarono nello studio di Schuster, seduto su un divano accanto a Mussolini, e si accomodarono, senza saluti e presentazioni, a un lato del tavolo: all'altro presero posto i fascisti. Uno del Cln – non è ben chiaro se Marazza o Lombardi – avvertì che ai fascisti poteva essere concessa solo la resa incondizionata, e che i termini di essa dovevano essere accettati entro due ore. Le forze fasciste si sarebbero dovute concentrare nel triangolo Milano-Como-Lecco. Mussolini e i suoi si congedarono promettendo di dare una risposta entro un'ora. Nell'Arcivescovado i delegati della Resistenza aspettarono invano. Poco dopo le 8 di sera ci si decise a telefonare in Prefettura per sapere quale fosse la risposta del Duce. Il prefetto Bassi rispose che Mussolini era già partito.

Poco prima, d'impulso, il Duce aveva deciso: «Andiamo!». Un

saluto romano per i fedeli, qualcuno dei quali invocava «non partire, non lasciarci soli», quindi salì di scatto sull'auto. Aveva accanto a sé Bombacci, che portava soltanto una valigia molto piccola, e a Vittorio Mussolini che se ne stupiva spiegò: «E di che altro c'è bisogno? Sono esperto di queste cose, ero nell'ufficio di Lenin a Pietroburgo quando le truppe bianche di Judenič avanzavano sulla città e ci preparavamo ad abbandonarla». All'alba il palazzo della Prefettura fu occupato dalle Guardie di Finanza il cui comandante, generale Malgeri, collaborava da tempo con la Resistenza. Le prime formazioni partigiane entrarono in Milano il 28 aprile alle 17,30: erano seicento uomini provenienti dall'Oltrepò Pavese. Mezz'ora dopo sopraggiunsero, dall'Ossola, uomini dell'ottava brigata Matteotti, con l'avvocato Antonio Greppi che si era unito ad essa da poco, proveniente dal rifugio svizzero, e che divenne poi sindaco della città. In quegli stessi giorni si assistette alla moltiplicazione dei partigiani, da 70 mila divenuti centomila, e poi trecentomila. L'insurrezione generale divampò, in pratica, quando non c'era più nulla contro cui insorgere.

DA MILANO A COMO l'autocolonna con Mussolini e i gerarchi procedette senza intoppi, e alle nove di sera del 25 aprile aveva raggiunto la sua destinazione: un'altra Prefettura – l'ultima di questa vicenda – altri inconcludenti conciliaboli, altre irresolutezze fatali. Del Duce appariva straordinaria soprattutto l'abulìa, quasi un inconscio desiderio di autodistruzione. Era svuotato di passione politica, e svuotato anche, in qualche modo, di affetti personali. Si lasciò imporre il modo, lo scenario, le circostanze e i personaggi della scena finale. Con Rachele parlò per telefono (ma qualcuno asserì che la moglie si era fatta brevemente vedere in Prefettura). Rachele Mussolini era con i figli minori, Anna Maria e Romano a Villa Mantero, poco distante. Mussolini vi mandò alcuni brigatisti, con l'incarico di ritirare la sua roba, e rimase a rimuginare con i commensali impossibili uscite di sicurezza.

Da Como si trasferì d'improvviso, l'indomani prima dell'alba, a Menaggio, dove ancora vagolò incerto. Il tenente tedesco Fritz Birzer, cui Hitler aveva ordinato di non mollare mai il Duce, gli stava alle costole ostinato e implacabile. Vani erano stati i tentativi di «seminarlo». E vani anche quelli di distanziare Claretta Petacci che, insieme al fratello Marcello, alla compagna di lui

Zita Ripossa, e ai nipotini, ritrovava con patetico accanimento le fila dell'itinerario seguito da Ben. Quando la vide a Menaggio anche Mussolini, che non era un sentimentale, ne fu toccato: «Questa donna, che ha già subito il carcere e che ha perso tutto per colpa mia, ha voluto seguirmi anche adesso...».

A Menaggio un fuggiasco di primo piano, Rodolfo Graziani, si staccò dalla colonna di Mussolini e di Pavolini per rientrare al suo quartier generale di Mandello Lario: mossa furba, o fortunata, che lo salvò. Per gli altri sopravvenne un imprevisto che parve provvidenziale, e fu fatale: o almeno non cambiò quel che doveva avvenire, semmai lo accelerò. Nella notte dal 26 al 27 aveva imboccato la strada Regina, che corre lungo la sponda occidentale del lago di Como, un reparto della contraerea tedesca, al comando del tenente Fallmeyer. Si trattava di una unità ancora ordinata, con numerosi automezzi, decisa a raggiungere l'Alto Adige. Era un aiuto insperato per i fascisti e il loro capo.

Consultatosi brevemente con i suoi fidi, il Duce decise dunque che convenisse porsi – ancora – sotto lo scudo tedesco. S'avviò così una nuova più solida colonna armata, in testa, su un'autoblindo, Pavolini. Superata una curva, poco più d'un chilometro prima dell'abitato di Musso, l'automezzo di testa fu bloccato da uno sbarramento di tronchi d'albero e pietre collocato dai partigiani che erano appostati nei pressi e che spararono una raffica intimidatoria, senza uccidere fascisti o tedeschi, ma facendo secco l'operaio di una cava vicina. Gli insorti appartenevano alla 52ª brigata garibaldina, ed erano comandati da Pier Bellini delle Stelle, un giovanotto toscano che s'era trasferito sul lago per motivi familiari, e che era provvisto d'un titolo nobiliare e d'un nome di battaglia, Pedro.

Era ormai piena mattina – circa le 7,30 – e la radio aveva dato notizia della insurrezione milanese contro i fascisti (o contro il nulla). Non indugeremo sui laboriosi e diffidenti conciliaboli che gli ufficiali tedeschi intrapresero con Pedro, mentre tra i gerarchi maggiori e minori dilagava il timore, poi il panico, tanto che alcuni cercarono rifugio presso gente del posto, offrendo in ricompensa denaro e gioielli. Mussolini fu indotto dai tedeschi a indossare un pastrano da caporale e un elmetto della Wehrmacht: mascherata che doveva consentirgli di superare indenne l'ispezione cui la colonna sarebbe stata sottoposta, come s'era concordato, a Dongo. Così camuffato il Duce si issò pesantemente sull'autocarro e Claretta – ancora lì nonostante le proteste – restò a terra.

A Dongo uno dei partigiani che esaminavano l'interno dei camion, Giuseppe Negri, incuriosito dall'atteggiamento di un massiccio tedesco che se ne stava accasciato in un angolo («ubriaco, vino» dicevano gli altri tedeschi), volle vederlo meglio, e riconobbe «el testùn», il testone. Ne avvertì il vicecommissario politico della brigata, Urbano Lazzaro (Bill), che si fece consegnare da un Mussolini rassegnato il mitra che teneva tra le gambe e la pistola, una Glisenti. Fu stabilito di trasferire il prigioniero per maggior sicurezza a Germasino, nella caserma della Guardia di Finanza. A tarda sera lo si prelevò di là per riportarlo a Como, e fu concesso a Claretta di riunirsi a lui. Ma durante il tragitto la scorta partigiana cambiò idea: correva voce, nei vari posti di blocco in cui via via il gruppo incappava – a Mussolini era stata fasciata la testa per evitare che venisse riconosciuto – che gli Alleati fossero già a Como: i loro messaggi chiedevano insistentemente «l'esatta situazione di Mussolini» come premessa alla sua «consegna».

Fu pertanto deliberato dai catturatori e carcerieri di Mussolini – Bellini delle Stelle, Luigi Canali (Neri), Moretti, Giuseppina Tuissi (Gianna) – di far marcia indietro, e ricoverare il prigioniero, insieme alla Petacci, nella cascina dei contadini De Maria, che ai partigiani avevano dato rifugio in passato: un fabbricato rustico a mezza costa, in località Giulino di Mezzegra. In quel modesto casolare, nello stesso letto, l'ex-dittatore e l'ex-favorita, trascorsero prigionieri l'ultima notte (e anche la prima insieme) della loro vita.

Mentre Mussolini peregrinava sotto sorveglianza da un paese all'altro, da una prigione provvisoria all'altra, la notizia della sua cattura giungeva – era il tardo pomeriggio del 27 aprile – a Milano, nel comando del Corpo volontari della libertà. I capi della Resistenza, in particolare comunisti, socialisti e azionisti, avevano un assillo: impedire che il Duce cadesse nelle mani degli Alleati. Ha detto Valiani al suo intervistatore Massimo Pini (*Sessant'anni di avventure e battaglie*): «Noi quattro del comitato insurrezionale ci consultammo, senza neppure riunirci, per telefono. Pertini, Sereni, Longo e io prendemmo nella notte la decisione di fucilare Mussolini senza processo, data l'urgenza della cosa. Gli americani infatti chiedevano, per radio, che Mussolini fosse consegnato a loro. Longo chiese a Cadorna di dare il lasciapassare a due suoi ufficiali, Lampredi e Audisio, perché si recassero a prelevarlo. Cadorna racconta lealmente nelle sue memorie di avere subito capito che andavano per fucilarlo, ma di aver ugualmente firmato il foglio. Cadorna non era un cospiratore antifascista come noi, ma pensava che era più giusto che Mussolini morisse per mano di italiani che per mano di stranieri: perciò firmò il lasciapassare».

Con un pugno di tipi risoluti, Walter Audisio (Valerio) e Aldo Lampredi (Guido) viaggiavano, all'alba del 28, verso Como. La scelta di Lampredi era stata ragionata, era il braccio destro di Longo, un uomo dell'apparato. Walter Audisio, *alias* colonnello Valerio, un ragioniere trentaseienne di Alessandria, era anche lui un compagno di provatissima fede, ma di assai minore equilibrio. Un tipo, ha osservato Valiani, «un po' prepotente», «un po' matto»; il che, secondo Pietro Secchia, non guastava. Il comportamento del colonnello Valerio fu contrassegnato – una volta raggiunta Dongo – da una volontà fanatica, isterica e feroce di far presto, anticipare i possibili salvatori. Condannare, fucilare, vendicare. Con Bellini delle Stelle, che tentava di muovere obbiezioni e di opporsi a quelle sommarie e sanguinarie procedure, Walter Audisio si comportò, più che da superiore, da bravaccio intimidatore. Volle l'elenco dei gerarchi catturati, e con furia appose accanto a ciascun nome la crocetta che significava morte. Accertò con rapidità – grazie alla sua conoscenza dello spagnolo – che Marcello Petacci, il quale s'era spacciato per diplomatico di Franco, era un bugiardo e lo scambiò per il figlio del Duce, Vittorio. A ogni buon conto, morte anche per lui. Morte naturalmente per Mussolini, morte per Claretta Petacci, e quando Bellini delle Stelle protestò: «Non ha nessuna colpa», Valerio ribatté spietatamente: «E stata consigliera di Mussolini e ha ispirato la sua politica per tutti questi anni. È responsabile quanto lui». E poi aggiunse: «Non la condanno io. È già stata condannata».

Della fine di Mussolini e della Petacci, Walter Audisio diede almeno quattro versioni, concordanti nell'essenza, discordanti in alcuni particolari non trascurabili. L'ultima volta, in un memoriale pubblicato postumo – era morto l'11 ottobre '73 – nel 1975. Ha raccontato che, accompagnato da Lampredi e da Moretti (quest'ultimo essendo del posto sapeva come raggiungere Giulino di Mezzegra), arrivò alla cascina, e indusse Mussolini e la Petacci ad accompagnarlo dicendo d'essere venuto per liberarli. All'andata, aveva già adocchiato il luogo adatto per l'esecuzione: «Una curva, un cancello chiuso su un frutteto, la casa sul fondo palesemente deserta (si chiamava Villa Belmonte – *N.d.A.*)». Così si avviarono, Mussolini in un soprabito color nocciola, la Petacci impacciata dai tacchi alti delle scarpe nere scamosciate. Trascriviamo, a questo punto, l'ultima e, per quanto riguarda il Pci, definitiva versione del colonnello Valerio. «Con il mitra in mano scaricai cinque colpi su quel corpo tremante. Il criminale di guerra si afflosciò sulle ginocchia, appoggiato al muro, con la testa reclinata sul petto. La Petacci, fuori di sé, stordita, si era mossa confusamente, fu colpita anche lei e cadde di quarto a terra. Erano le 16,10 del 28 aprile 1945.»

Gianfranco Bianchi e Fernando Mezzetti, che all'epilogo fascista hanno dedicato un libro molto documentato, portano testimonianze secondo le quali esecutore materiale sarebbe stato il Moretti. Altri ha indicato in Longo il giustiziere, altri ancora ha accennato alla intromissione di un inglese, incaricato di recuperare i documenti che Mussolini aveva con sé e che infastidivano Churchill. Il mistero resta: c'è un mistero importante per la ricostruzione cronistica degli avvenimenti, non per il loro profilo storico e politico. Il Clnai, e il Cvl, e nel Cvl i comunisti in primo luogo, poi i socialisti e gli azionisti, vollero, fortissimamente vollero che Mussolini fosse sottratto agli Alleati e consegnato al mitra. Il resto è dettaglio.

Fosse stato o no l'uccisore di Mussolini e della Petacci, il colonnello Valerio tornò a Dongo, subito dopo l'incursione a Giulino di Mezzegra, con l'aria di chi alla giustizia sommaria avesse preso gusto, e volesse insistere. Nella sala d'oro del municipio i gerarchi bloccati con Mussolini erano sempre guardati a vista dagli uomini di «Pedro»: un gruppo eterogeneo che comprendeva l'indomabile Pavolini, ministri, federali, lo strano compagno di strada Bombacci, la medaglia d'oro Barracu, quindici in tutto i fucilandi, per pareggiare simbolicamente le vittime di piazzale Loreto. Furono ammassati sulla piazza, tre minuti e un prete per l'assoluzione a chi la voleva, poi la scarica. Walter Audisio s'era accorto poco prima che mancava quel falso spagnolo che aveva creduto fosse Vittorio Mussolini, e che, identificato per Marcello Petacci, era stato separato dagli altri. In fin dei conti era al più un profittatore, non uno dei capi del fascismo, e infatti i morituri non lo avevano nemmeno voluto insieme a loro. Restò isolato, e morì isolato. Ma Audisio non rinunciò a lui. Il Petacci, robusto, giovane, si divincolò e tentò la fuga, riuscì a tuffarsi nel lago e fu finito in acqua. In quella operazione di rastrellamento, prima della strage, e dopo di essa, vi fu certamente passaggio, e poi dispersione e trafugamento di denaro, bagagli con valori, gioielli, sterline d'oro e marenghi a migliaia. Del «tesoro di Dongo», che prese le più disparate destinazioni, di partito o personali, si cercò successivamente di ricostruire la fine con un classico «processo fiume» all'italiana, poi insabbiato e finito in nulla.

Chiuso questo conto di sangue, Audisio non era ancora appagato. Voleva un supplemento spettacolare (proprio sua fu l'iniziativa della esposizione in piazzale Loreto). Buttò i cadaveri di Dongo su un camion, a Giulino di Mezzegra prelevò gli altri di Mussolini e della Petacci che erano stati sorvegliati da due partigiani, con quel mucchio nel cassone si diresse verso Milano dove entrò in piena notte, e depositò il carico sotto la tettoia del distributore di piazzale Loreto. Altri quattro corpi furono poi aggiunti, e la messinscena completata più tardi issando alcuni morti a testa in giù, come nel negozio del beccaio. Turpe scena da *revolución* centroamericana o da colpo di Stato irakeno, che ha disonorato chi la volle, chi la consentì, e la folla eccitata che indecentemente si accanì contro i poveri resti, li insultò, li sputacchiò, li insudiciò in modo ancor peggiore. Infieriva esultante, il «popolo», su colui che aveva acclamato fino a non molti mesi prima. Cadorna parlò di «sconcio», Parri di «macelleria messicana».

In questi che furono i giorni di una mattanza spietata e insieme volubile, la sorte dei fascisti maggiori o minori dipese da circostanze fortuite. Quanti furono i giustiziati o gli assassinati? (Assassinati perché nel conto vanno messe anche vittime di vendette personali, cui fu sovrapposta una motivazione politica, e innocenti indicati da delazioni ignobili, o scambiati per altre persone.) Il computo è reso difficile dal prolungarsi nel tempo di questi regolamenti di conti; basta pensare al cosiddetto «triangolo della morte» in Emilia e alle «volanti rosse» che vi imperversavano, o alla irruzione nelle carceri di Schio con lo sterminio dei detenuti politici che vi erano rinchiusi. Scelba, come ministro dell'Interno, parlò di 1732 uccisi o scomparsi dal 25 aprile al 5 maggio 1945. Cifra non convincente, perché calcolata burocraticamente, e ristretta a un periodo troppo breve, nel quale avvenne la maggior parte delle uccisioni ma non si ebbe la maggior parte degli accertamenti. Qualcuno ha buttato là il numero di 300 mila morti, «a fantastic exaggeration», come ha rilevato un documento dell'Amministrazione alleata in Italia. Si è parlato, in inchieste dovute a nostalgici, di 50-70 mila uccisi. Probabilmente troppi. Ma poi Giorgio Bocca, che fa giustizia di questi bilanci a suo avviso inattendibili, e ingiuriosi per la

Resistenza, ammette che i «giustiziati» poterono essere «3000 in Milano e 12.000-15.000 in tutta l'Italia del Nord».

A LIBERAZIONE AVVENUTA, gli Alleati mantennero in vita per qualche tempo la Linea Gotica come «cordone sanitario» ed elemento di distinzione tra le due Italie: ossia tra due società, due economie, e due ambienti politici che avevano vissuto, per molti mesi, esperienze diverse, in qualche modo opposte. La miscela delle due realtà rischiava di essere esplosiva. Proprio per graduarla, gli anglo-americani stabilirono che i politici romani non potessero recarsi subito in missione nell'Italia appena liberata: suscitando con ciò ire e lamenti soprattutto nella sinistra, i cui esponenti avevano una gran voglia di scambiarsi opinioni e di contare le loro forze, per arrivare al nuovo corso e alla prefigurazione, in maniera irreversibile, di uno Stato repubblicano.

Umberto di Savoia, che era nell'ingrata situazione di stare teoricamente al di sopra delle parti ma di dover anche combattere una battaglia disperata a difesa della Monarchia, sapeva che il Clnai non lo voleva né a Milano né altrove, al di sopra della Linea Gotica: ma sapeva egualmente che una sua inerzia in quei giorni sarebbe equivalsa alla rinuncia a far valere la sua presenza e la sua autorità di Capo dello Stato nei feudi della Resistenza. Ai primi di maggio, con il beneplacito alleato, era perciò a Milano. L'indomani, avutane licenza dai «padroni» anglo-americani, una delegazione politica del Nord sarebbe andata a Roma, per portarvi un soffio vigoroso del suo vento. Alla vigilia della partenza Pertini, che della delegazione faceva parte, volle dare, alla sua maniera impulsiva e guerrigliera, un avvertimento al Luogotenente. Ha scritto Nenni nel suo diario, rievocando l'arrivo dei «milanesi» a Ciampino: «Sandro racconta l'ultima sua prodezza. Ieri sera ha preso una squadra Matteotti, si è recato alla villa che ospita il Principe di Piemonte in visita a Milano: ha fatto scaricare i mitra contro le finestre illuminate, "a titolo dimostrativo", dice ridendo».

Il 17 giugno fu varato il primo governo italiano post-liberazione, con Ferruccio Parri alla Presidenza e agli Interni, Nenni e Brosio alle due vicepresidenze, De Gasperi agli Esteri, Togliatti alla Giustizia, Marcello Soleri (un economista liberale) al Tesoro, Scoccimarro alle Finanze. Degli altri mette conto di citare Gronchi che ebbe il Lavoro e la Previdenza sociale, e Ugo La Malfa (Trasporti).

Se mai un Presidente del Consiglio italiano meritò la qualifica di galantuomo, questi fu Parri. Era timido nella vita quotidiana, sapeva essere intrepido nei frangenti pericolosi. Aveva sofferto il carcere e il confino. Vicecomandante del Corpo volontari della libertà, arrestato dai tedeschi e poi liberato, in pegno di buona volontà verso gli anglo-americani, era assente quando fu decisa l'esecuzione di Mussolini, e in altri casi si distinse per interventi moderatori. «Triste, modesto, onesto, personalmente mite, cortesissimo, alieno da violenza, molto miope, paziente» – così lo ha descritto assai bene Giovanni Artieri – avrebbe certamente voluto essere un Capo del governo saggio ed equilibrato.

Purtroppo rappresentava un partito, quello d'Azione, che nell'antifascismo portava un rovello e un accanimento intellettuale ed elitario; rappresentava inoltre un movimento, la Resistenza, che era stato intessuto anche di fatti memorabili, ma che ora, usucapito dai partiti di sinistra e rivendicato da un esercito di militanti dei quali non s'era vista traccia nella lotta vera, stava diventando la solita oceanica sceneggiata italiana: in definitiva divenne un simbolo fazioso del vento del Nord, visto come premessa della bufera rivoluzionaria.

Strano a dirsi, con il governo Parri l'Italia si ritrovò in guerra: una guerra che l'interessava assai poco, contro il Giappone. La richiesta dell'intervento italiano – che era scontato rimanesse platonico – era venuta dal Dipartimento di Stato americano: il quale s'era affrettato ad aggiungere che non ci sarebbero stati forniti, per affrontare il nuovo nemico, né mezzi di trasporto né altro (ma vi furono dei giovani che chiesero d'arruolarsi per combattere in Estremo Oriente). Quando De Gasperi pose la questione sul tappeto, il 3 luglio, Nenni fu contrario così come Togliatti: Parri invece favorevole, Lussu anche. Il 14 luglio la fievole sfida d'un Paese, il cui governo aveva effettiva giurisdizione su 36 province soltanto, fu lanciata al remoto agonizzante Giappone: mancava un mese giusto alla resa di Tokio, dopo le atomiche di Hiroshima e Nagasaki.

Le prime elezioni amministrative stabilirono una concreta e attendibile gerarchia dei partiti, spazzando via azionisti e demolaburisti, dando ai democristiani poco meno del 35 per cento dei voti (e il 42 per cento alle sinistre). Fu confermato che da un'assemblea politica e partitica la Corona sarebbe stata bocciata di sicuro. Il che preoccupava i liberali, dichiaratamente monarchici, che volevano rimpiazzare Parri con un «arbitro» meno parziale. Il 22 novembre i ministri liberali annunciarono le loro dimissioni, il 24 Parri diede le sue. Lo fece male, con un gesto stizzoso. Spiegò d'essere vittima d'una azione proditoria (pronunciò anche le parole «colpo di Stato»). Il succo delle dichiarazioni di Parri fu questo: avrebbe presentato le dimissioni al Cln e non al Luogotenente.

Aveva fatto i conti senza De Gasperi che gli rispose bene – come sapeva nelle repliche, non nelle lunghe esposizioni – per ribadire che non v'era stato alcun colpo di Stato, e che il governo cadeva in quanto gli mancava la fiducia di una delle sue componenti. De Gasperi «parlava agitando una sottile matita» e Parri, ascoltandolo a testa bassa, prendeva nota. Quando l'altro ebbe finito, si alzò per scusarsi, e per dire che la parola aveva tradito il pensiero. Quindi andò al Quirinale per rassegnare formalmente le dimissioni, Umberto di Savoia gli conferì, come voleva la consuetudine, il cavalierato di Gran Croce dell'Ordine mauriziano, cui aggiunse il brevetto di medaglia d'argento per il valore dimostrato durante la Resistenza. Parri rifiutò cortesemente, dicendo in particolare, per quanto riguardava la medaglia d'argento, che sarebbe stato «improprio» per lui accettarla mentre c'erano tanti morti sconosciuti.

Della crisi vale la pena di ricordare soltanto che, accantonate una candidatura Orlando e una candidatura Sforza, emerse, per la Presidenza del Consiglio, il nome di De Gasperi: che il 10 dicembre giurò nelle mani di Umberto di Savoia. Il *leader* democristiano tenne per sé anche gli Esteri, Nenni ebbe la vicepresidenza e il ministero per la Costituente, Togliatti e Scoccimarro furono confermati alla Giustizia e alle Finanze. L'impronta ciellennistica restava solennemente confermata, l'esigenza di maggiore competenza affacciata dai liberali disattesa.

DALLA PENOMBRA L'ITALIA della guerra perduta vide emergere Alcide De Gasperi, questo personaggio inconsueto, e che proprio per questo forse la rassicurò assai più dei santoni prefascisti o dei tonitruanti tribuni alla Nenni. De Gasperi era anomalo: e questa fu la ragione prima della sua sostanziale solitudine, nel partito, nella classe politica, nel paese. Una zona d'aria fredda sembrava circondarlo perennemente. Era un uomo in grigio, dalla grigia e asciutta oratoria senza pennacchi, dagli occhi grigi così poco cesarei, dal volto di pietra, grigia anch'essa. Era calmo, paziente, refrattario alla retorica e alla ostentazione. Non era un uomo d'ideologia, era un uomo d'ideali, che sono cosa assai diversa. Era un borghese rimasto irriducibilmente tale, anche nelle ristrettezze d'un bilancio familiare quasi di fame, perché fedele a determinati valori di decoro e a determinati princìpi di moralità. Era un conservatore, se con questo termine s'intende chi non crede alle riforme messianiche, e, avendo visto crollare mondi cui era affezionato, se li è anche visti sostituire da altri mondi peggiori. Ma conosceva le ansie, le aspirazioni e le sofferenze delle «masse» benché la loro immagine fosse per lui, anche a Roma, anche in anni di governo d'un paese caotico e improvvisatore, quella dei contadini e degli operai trentini, non quella delle *jacqueries* meridionali o dei picchettaggi violenti nelle varie Stalingrado d'Italia.

«Era un uomo dotato di senso dello Stato» ha detto Valiani di De Gasperi. Potremmo aggiungere, con una battuta che non vuol essere spregiativa, che lo fu indipendentemente dallo Stato in cui agiva. Lo fu a Vienna (in qualità di deputato al Parlamento austriaco), e lo fu a Roma. Ebbe fortemente quel senso dello Stato che mancò ai cattolici subito dopo l'Unità, che mancò a molti tra loro anche cent'anni dopo. Alla luce della forte consapevolezza che De Gasperi aveva dell'interesse nazionale deve essere valutato anche il suo atteggiamento verso la Monarchia. «De Gasperi – ha affermato Valiani – non era repubblicano, era di tradizioni monarchiche... Accettò tuttavia la Repubblica.»

Mancò a De Gasperi, dicono i suoi critici, la volontà o la capacità di cambiare, profittando delle contingenze eccezionali, alcune cose che, specialmente nella burocrazia e nei meccanismi amministrativi, avrebbero potuto e magari dovuto essere cambiate. Ebbe un limite: fu un grande «normalizzatore», non un innovatore.

CAPITOLO 7

La Repubblica

L'ABDICAZIONE DI VITTORIO EMANUELE III (9 maggio 1946), e la sua immediata partenza per l'esilio egiziano furono definiti da Palmiro Togliatti «l'ultima fellonia di una casa regnante di fedifraghi». L'enfasi di questo linguaggio, così poco nello stile della «svolta di Salerno», dimostra che il congedo del vecchio Re, pur atteso e scontato, e la successione al trono di Umberto II, sortirono nel mondo politico italiano l'effetto di un elettrochoc. Togliatti («una volta tanto intransigente» annotò Nenni) sostenne che la Monarchia aveva violato la tregua istituzionale, concordata quando era stata creata la Luogotenenza, e che per legittima ritorsione De Gasperi, nella sua qualità di Presidente del Consiglio, avrebbe dovuto assumere le funzioni di Capo provvisorio dello Stato.

Tuttavia nel Consiglio dei ministri che si riunì il 10 maggio Togliatti accettò, sia pure rinnovando le sue accuse alla Corona, la tattica minimizzatrice di De Gasperi e, tutto sommato, anche dei socialisti. Fu deciso di considerare l'accaduto «un atto interno di Casa Savoia». Uno schema di decreto approvato a tambur battente stabilì che i documenti dello Stato avrebbero avuto d'allora in poi l'intestazione «In nome di Umberto II, Re d'Italia», ma senza la formula tradizionale «per grazia di Dio e volontà della Nazione».

Gli anglo-americani erano risoluti a ostentare, per il dilemma istituzionale, una posizione di rigorosa neutralità. L'ammiraglio americano Ellery Stone, capo della Commissione alleata per l'Italia aveva, personalmente, simpatie monarchiche. Ma nelle capitali alleate l'atmosfera era cambiata: soprattutto a Londra, dove i laburisti, vinte le elezioni, erano andati al governo, e si mostravano molto più freddi di Churchill verso la Monarchia. Inoltre i risultati delle elezioni amministrative di marzo, e la condotta di De Gasperi, rendevano assai meno inquietante, per Londra e per Washington, l'ipotesi di una vittoria della Repubblica. Tuttavia l'indifferenza dei vincitori per l'ascesa al

trono di Umberto II fu un elemento rassicurante per i monarchici. Se gli anglo-americani, supervisori della legalità democratica, non obbiettavano, perdevano forza le proteste e le indigna-
zioni dei partiti.

Ciò che alla fine indusse i *leaders* politici – compreso, dopo
una pausa di riflessione, l'infuriato Togliatti – alla rassegnazione fu la conferma della data del 2 giugno per il *referendum*. I
monarchici avevano chiesto ripetutamente che la duplice
prova – *referendum* istituzionale ed elezione dell'Assemblea
costituente – fosse rinviata a epoca più opportuna. Sottolineavano che avrebbero forzatamente disertato le urne centinaia di migliaia di prigionieri tuttora in attesa del rimpatrio,
nonché i cittadini della Venezia Giulia e dell'Alto Adige. Meglio
aspettare. Ma la richiesta di rinvio aveva, al di là di queste spiegazioni patriottiche, una molla strumentale. Gli ambienti della
Corte sentivano che via via che si placava il vento del Nord, si
sviluppava nel Paese una rimonta monarchica. Ventiquattro
giorni erano pochi perché Umberto, finalmente Re a tutti gli
effetti, liberato dall'ingombrante presenza del padre, riuscisse
a ricostruire la sua immagine e a rinnovare quella della
Monarchia.

Il suo compito era quasi proibitivo. L'uomo che nei mesi della
Luogotenenza s'era distinto per la scrupolosa osservanza degli
obblighi costituzionali e per la signorilità sorridente e autorevole del tratto, doveva, come Re, essere al di sopra delle parti, e
nello stesso tempo fare propaganda elettorale. Non esisteva un
vero partito monarchico, i consiglieri di Umberto avevano scartato questa soluzione. Difficile dire, oggi, se avessero visto giusto. A De Gasperi premeva di togliersi la spina del *referendum*,
senza troppe ambasce per il suo esito: era consapevole della
forza sua e del suo partito.

LIBERATO DALL'INCUBO di un rinvio del *referendum*, il
governo rimase tuttavia con quello dell'ordine pubblico. L'assillo di evitare l'incidente grave, e forse fatale, poneva in sottor-
dine ogni altra considerazione. E questo fece sì che venissero
approvate con noncuranza, e con negligenza, misure delle quali
il Paese subisce tuttora le conseguenze. Venne ad esempio varato in fretta un progetto – mandato ai ministri della Consulta
siciliana – che concedeva alla Sicilia una autonomia inconcepi-
bilmente ampia, ritagliata sulle esigenze, le ambizioni, gli appe-

titi di una classe politica locale avida, spensierata e prodiga, non certo sull'interesse del Paese.

L'ordine pubblico, considerato la vera misura della efficienza governativa, era affidato a due uomini, entrambi di sinistra, entrambi repubblicani dichiarati: Togliatti, ministro di Grazia e Giustizia, e Giuseppe Romita, socialista, ministro dell'Interno. Togliatti non dimenticava mai l'ideologia, e gli obbiettivi politici comunisti. La cautela di cui diede prova, come guardasigilli, era in sintonia con la sua tattica morbida, compromissoria, tesa a una conquista indolore del potere (sia pure, inizialmente, a mezzadria). Ma era anche in sintonia con la sua personale ripugnanza per gli eccessi e per gli sfoghi rivoluzionari incomposti. Professorale, intellettualmente e caratterialmente altero, non aveva certo imparato, nei molti anni di soggiorno moscovita, ad apprezzare le esplosioni e le convulsioni barricadiere. Ai magistrati inviò una circolare in cui rilevava che in molte province si erano verificate «manifestazioni di protesta da parte di disoccupati culminanti in gravissimi episodi di devastazione e di saccheggio a danno di uffici pubblici nonché di violenze contro i funzionari. Pertanto questo ministero... si rivolge alle Signorie Loro invitandole a voler impartire ai dipendenti ufficiali opportune direttive affinché contro le persone denunciate si proceda con la massima sollecitudine e con estremo rigore. Le istruttorie e i relativi giudizi dovranno essere espletati con assoluta urgenza onde assicurare una pronta ed esemplare repressione». Egualmente duro era stato il suo intervento contro Riccardo Lombardi, prefetto politico socialista e resistenziale di Milano, che aveva destituito il direttore del carcere di San Vittore dopo una delle ricorrenti rivolte di detenuti, rimpiazzandolo con un ex-partigiano comunista: «Apprendo arbitraria destituzione direttore carcere e sua sostituzione con funzionario non competente. Invitola immediatamente a revocare provvedimento». Togliatti aveva anche riconosciuto la necessità di un'amnistia che cancellasse almeno in parte i troppi conti politici e giudiziari in sospeso: ma volle che, decisa a fine maggio, fosse promulgata dopo il *referendum* perché il Re non se ne potesse attribuire il merito.

Romita era un ingegnere sulla sessantina. Tortonese di nascita, si era formato, come militante socialista, a Torino. Molto piccolo di statura, con una faccia brutta e simpatica da gnomo, Romita aveva modi bonariamente bruschi. I giornalisti che lo interrogavano sapevano che, se la domanda era appena impertinente, avrebbero avuto per risposta un ceffone semipaterno o un pugno.

Nell'Italia disastrata di quel primo dopoguerra, con gli strascichi della mattanza di fascisti al Nord, con i fenomeni di banditismo un po' dovunque – in Sicilia, ma anche a Milano o sul passo del Bracco in Liguria, dove i rapinatori erano in sistematico agguato – la poltrona di ministro dell'Interno era forse la più scomoda del governo. Nel Sud divampavano frequenti *jacqueries* sanguinose – proprio quelle che avevano provocato la citata circolare di Togliatti – nelle quali i moventi veri della fame e della disoccupazione si intrecciavano all'azione di sobillatori. L'Arma dei Carabinieri aveva mantenuto, nonostante tutto, una apprezzabile disciplina e una discreta efficienza. Alto era inoltre il suo prestigio, e intatto il rispetto della popolazione nei suoi confronti. Non era lo stesso per la Polizia, che dovette subire il reclutamento di ufficiali e agenti ausiliari – quindicimila – tratti dalle file partigiane. La Polizia era insomma un organismo ambiguo, troppo vecchio e troppo nuovo insieme, politico per residui fascisti e politico per inquinamenti rivoluzionari ed eversivi di sinistra.

Romita – lo ricordiamo a suo merito – ebbe una parte decisiva nel ripristino dei prefetti di carriera, dopo le tante nomine azzardatamente politiche. Restava, con tutto questo, il fatto inoppugnabile che il referendum sarebbe stato preparato e sorvegliato da un ministro accesamente repubblicano. Dal punto di vista politico la lagnanza è ineccepibile. Non solo la nomina di Romita, ma l'intera impostazione governativa privilegiava la Repubblica, e la dava per ineluttabile (il motto di Nenni non era forse «la Repubblica o il caos»?). Tutt'altro discorso va invece fatto per l'apparato amministrativo e per la magistratura: come si vide quando sembrò che le sorti del *referendum* dipendessero da una pronuncia della Cassazione. I due più stretti collaboratori di Romita, il comandante dei carabinieri generale Brunetto Brunetti, e il capo della Polizia Ferrari erano entrambi monarchici ferventi. E – specialmente il primo – non si curavano di nasconderlo.

Non appena divenuto Re, Umberto rivolse al Paese un proclama che, pur pacato nel tono e nobile nei propositi, contribuì ad allarmare i repubblicani. Il Re promise di rispettare «le libere determinazioni dell'imminente suffragio» ma si riferì anche a una «rinnovata monarchia costituzionale», e formulò l'auspicio che tutti si stringessero «intorno alla bandiera, sotto la quale si è unificata la patria e quattro generazioni di italiani hanno saputo laboriosamente vivere ed eroicamente morire».

Gli entusiasmi monarchici ripresero lena non solo nel Sud,

ma anche nella apatica Roma: e il 10 maggio – Umberto aveva iniziato la giornata assistendo con la famiglia alla Messa nella cappella dell'Annunziata, attigua ai suoi appartamenti nel Quirinale – fu organizzata una manifestazione di fedeli della Corona. La folla monarchica, con musiche e bandiere, si riunì davanti al Quirinale e applaudì a lungo Umberto, Maria Josè, i figli. Romita aveva ordinato che non vi dovessero essere cortei, ma una parte dei dimostranti si inoltrò verso il Viminale. Dal Ministero mossero reparti di polizia su *jeeps* e a cavallo che agirono rudemente, perfino «con le mitragliere pesanti puntate» per disperdere quella che Romita, qui esplicitamente fazioso, bollò come «ignobile gazzarra». Si lamentarono molti contusi e qualche ferito. Per ritorsione, il giorno successivo a Roma fu sospeso il lavoro nelle fabbriche e negli uffici e, dopo un appello dei maggiori partiti – tranne il liberale – e della Camera del Lavoro, i sostenitori della Repubblica gremirono piazza del Popolo. Con poca convinzione, ma con il senso del dovere che sempre l'aveva caratterizzato, Umberto fu, nelle settimane che seguirono, il propagandista di se stesso. Fu a Genova, a Milano, a Torino, a Venezia, a Napoli, in Sicilia, in Calabria, in Sardegna. Ebbe molti applausi e segni di affetto a volte delirante nel Sud, accoglienze fredde con sporadici fischi e grida ostili al Nord. Il suo peregrinare nelle metropoli del «triangolo industriale» fu comunque meno tempestoso di quanto si potesse temere, nell'infuriare delle accuse che le sinistre muovevano alla Monarchia. Non avvennero incidenti di rilievo. La città più ostica fu Genova: da dove, a conclusione di questo «patetico ma poco dignitoso trasferirsi da un palazzo reale all'altro, da un santuario all'altro, da una tomba all'altra» (citiamo da *La fine della monarchia* di Domenico Bartoli), il Re lanciò, a campagna elettorale chiusa, cosicché i partiti non furono in grado di replicare, un proclama a sorpresa. Osservò, in esso, che gli italiani erano «costretti ad assumere, per sé e per i propri figli, una scelta così grave». Costretti, quasi per imposizione straniera o politica. Annunciò poi che se l'esito di questo primo *referendum* fosse stato favorevole alla Monarchia, egli ne avrebbe comunque indetto un altro, alla fine dei lavori della Costituente. Era una mossa abile, che agli incerti prospettava la scappatoia d'un giudizio d'appello.

La Regina Maria Josè collaborò di malavoglia, e avaramente. Era apparsa al balcone del Quirinale, con il marito, il Principe Ereditario, le principesse, per offrire ai monarchici festanti l'immagine d'una famiglia unita e serena. Ma poi limitò la sua azione propagandistica alle consuete iniziative benefiche tramite la Croce Rossa e a qualche viaggio. Un giorno che, a una cerimonia della Croce Rossa, era stata presa a male parole da donne repubblicane, telefonò a Umberto Zanotti Bianco, promotore dell'iniziativa: «Io non ce la faccio, e tutto sommato non c'entro». Era pessimista. «Che figura se avremo soltanto il dieci o il quindici per cento» fu udita mormorare. La pubblicistica ostile a Umberto abbondò nella riproduzione di fotografie sue (gli archivi ne ridondavano) con il braccio levato nel saluto romano, o accanto a Mussolini e a Hitler in cerimonie ufficiali. Ci si poteva aspettare di peggio, dopo la prima impetuosa raffica del vento del Nord. Ma il duello non fu ad armi pari.

La Chiesa si dichiarò, nello scontro, neutrale. Nella forma lo fu. Nella sostanza assai meno. Degli otto milioni di voti democristiani, sei andarono alla Monarchia, benché il partito avesse scelto la Repubblica; e questa ripartizione non fu frutto del caso. Molti appartenenti al basso clero e la stragrande maggioranza dei vertici ecclesiastici preferivano la scelta monarchica perché era quella che presentava minori incognite. Pio XII era un conservatore, ma senza le aperture e l'elasticità di De Gasperi, che lo era anche lui, ma in modo diverso. Si disse che Umberto gli piaceva perché era un buon cattolico, assai lontano in questo dall'agnosticismo paterno. La spiegazione ci pare riduttiva. Più probabilmente, Pio XII non si fidava della politica e delle prospettive di De Gasperi. Non se ne fidò mai.

COSÌ VENNE IL 2 GIUGNO, e gli italiani scelsero. Anche il Re votò già rassegnato alla sconfitta. La mattina stessa incaricò infatti il generale Infante di concordare con De Gasperi le modalità della partenza per l'esilio. Gli premeva inoltre sapere se – stando ai precedenti – fosse opportuno o no che si recasse a votare: uno dei più vecchi maggiordomi della Casa Reale rammentò d'avere accompagnato al seggio elettorale – almeno un quarto di secolo prima – Vittorio Emanuele III, e il figlio si regolò allo stesso modo. Raggiunse, accompagnato dall'aiutante di campo generale Infante, la sezione di via Lovanio, non lontana da Villa Savoia. Verso sera, nella sezione di largo Brazza, votò Maria Josè. Si vuole che, infilata una scheda bianca per il *referendum*, per la Costituente avesse invece scelto il socialismo, e dato la preferenza a Saragat.

A Nenni che gli chiedeva, il 1° giugno, per chi avrebbe votato, De Gasperi aveva risposto: «Il voto è segreto. Ma sono pronto a scommettere con te che il mio Trentino nero darà più voti alla Repubblica della tua rossa Romagna» (l'azzeccò). La figlia Maria Romana attestò poi che sia il padre, sia lei avevano votato Repubblica. Il Paese si mantenne, nella prova, calmo, la partecipazione alle urne fu alta, l'89 per cento.

NELLA NOTTE FRA IL 3 E IL 4 GIUGNO, quando i dati elettorali che affluivano al Viminale prendevano già consistenza, Romita temette che la Repubblica fosse stata sconfitta. «Il guaio - ricordò poi - fu che anziché dal Nord i primi dati arrivarono dal Sud. Una vera beffa della sorte. A conoscenza di quanto accadeva, in quelle prime ore, fummo soltanto De Gasperi, Nenni e io.» Il ministro s'illudeva, per quanto concerneva la segretezza. De Gasperi stesso, attento a non compromettere le *chances* sue e del suo partito in caso di successo monarchico, aveva informato il ministro della Real Casa Falcone Lucifero della tendenza iniziale. «Signor ministro - gli scrisse il 4 giugno - le invio i dati pervenuti al Ministero dell'Interno fino alle 8 di stamane. Come vedrà si tratta di risultati assai parziali che non permettono nessuna conclusione. Il ministro Romita considera ancora possibile la vittoria repubblicana. Io personalmente non credo che si possa - *rebus sic stantibus* - giungere a tale conclusione.»

Anche i giornalisti avevano avuto sentore della iniziale prevalenza monarchica, ma, cedendo alla dietrologia nazionale, rifiutarono la spiegazione più semplice e ne elaborarono una sofisticata. Il socialista Romita aveva di proposito lasciato trapelare, supposero, notizie favorevoli alla Monarchia, per poi tirar fuori dal cassetto un milione di voti repubblicani che vi aveva accantonato, e godersi il colpo di scena. Secondo la versione di Romita, che nella sostanza è stata confermata da testimonianze autorevoli e insospettabili, l'altalena dei risultati dipese unicamente dal modo in cui pervennero al centro. Non appena divenne massiccio il peso del Settentrione, la Repubblica passò in vantaggio, tanto che il computo finale le diede 12.182.000 voti contro i 10.362.000 della Monarchia. Un milione e mezzo, ma lo si seppe dopo, le schede bianche o nulle (che nella successiva contestazione tra il Re e il governo acquisteranno importanza decisiva).

Il *referendum* aveva tuttavia dimostrato, caso mai ce ne fosse bisogno, che esistevano due Italie, e che il periodo dopo 1'8 settembre 1943 – con il Regno del Sud e la Repubblica di Salò – aveva accentuato le loro dissomiglianze. In tutte le province a nord di Roma, tranne due, aveva prevalso la Repubblica, in tutte quelle a sud di Roma, tranne due, aveva prevalso la Monarchia. Le eccezioni furono Cuneo e Padova a nord, Latina e Trapani a sud. All'85 per cento che la Repubblica ebbe a Trento, al 77 per cento che ebbe in Emilia Romagna, si contrapposero il 77 per cento che la Monarchia ebbe in province come Napoli e Messina (ma la sua punta massima fu a Lecce, 85 per cento).

LA PUBBLICISTICA MONARCHICA continua ad alimentare, dopo mezzo secolo, i dubbi sulla correttezza del conteggio. Il recupero repubblicano fu preceduto – osserva l'Artieri – da un lungo silenzio, e da minacce di sciopero generale se la Monarchia avesse prevalso. Era logico, con questi precedenti, che la successiva valanga repubblicana suscitasse qualche sospetto. Ma al di là di questa sensazione di sconcerto e al di là di qualche minore episodio locale, la tesi monarchica della manipolazione delle schede o dei numeri non ha validi sostegni.

La mattina del 5 la vittoria repubblicana era data già per certa, anche se con qualche residua cautela. Alle 10,30 De Gasperi, che aveva chiesto l'appuntamento alcune ore prima, fu introdotto al Quirinale nello studio di Umberto: lo accompagnavano il suo capo di gabinetto Bartolotta e Giulio Andreotti. Professandosi «dolorosamente sorpreso», De Gasperi informò il Re della «considerevole maggioranza per la Repubblica», leggendo le cifre che Romita gli aveva fornito. Tra breve, disse, il governo avrebbe fatto una dichiarazione ufficiale: la proclamazione spettava comunque alla Corte di Cassazione. Il Presidente del Consiglio illustrò anche la procedura che a suo avviso doveva essere seguita per il trapasso dei poteri. Avutosi il responso dalla Corte, De Gasperi, il primo presidente Giuseppe Pagano e il procuratore generale Pilotti ne avrebbero solennemente riferito al Re (o ex-Re) al Quirinale. De Gasperi avrebbe quindi scortato Umberto alla partenza. Umberto espresse il desiderio di rivolgere un messaggio d'addio al Paese, e De Gasperi acconsentì. A sua volta aveva in animo di pronunciare due brevi discorsi, l'uno a suggello della cerimonia con cui la Cassazione doveva avallare l'esito del *referendum*, l'altro per esprimere a Umberto in partenza per l'esilio il riconoscimento, da parte del governo, della sua correttezza costituzionale e democratica.

Questo progetto protocollare pareva non solo realizzabile, ma certo, a contrassegno di una unanime volontà distensiva. Alla Corte premeva soprattutto di ridurre al minimo la durata della «situazione penosa» in cui era il Re. Nel tardo pomeriggio, al Viminale, i rappresentanti dei partiti che avevano presentato liste nazionali e una folla di giornalisti ascoltarono Romita – dopo un perfetto *uppercut* a George Brian dell'Associated Press, perché gli stava troppo addosso – che dava lettura dei risultati. Quando i partiti di sinistra proposero che il 2 giugno fosse dichiarato festa nazionale, perfino Enzo Selvaggi, segretario generale del Partito democratico italiano, che era stato uno dei più battaglieri fra gli intimi di Umberto, si associò

La famiglia reale si affrettò a fare le valigie. Umberto volle che Maria Josè e i figli partissero immediatamente per Napoli, e si imbarcassero sull'incrociatore *Duca degli Abruzzi* che era stato messo a loro disposizione. I principi di Casa Savoia ebbero analogo ordine dal Re, che la sera del 6 giugno, mentre il *Duca degli Abruzzi* già navigava verso il Portogallo, cenò al Quirinale con i suoi più stretti collaboratori (la cosiddetta Corte nobile), avendo accanto a sé il Conte di Torino e il duca Aimone d'Aosta. Il Conte di Torino pregò Umberto di dispensarlo dalla partenza («sono vecchio, quasi cieco, che fastidio posso dare a questa benedetta Repubblica? Non si potrebbe fare un'eccezione per me?»), ma la parola del Re, e la legge, non potevano essere trasgredite.

La bomba che mandò in pezzi l'intesa deflagrò la mattina del 7 giugno. Giovanni Cassandro, che era segretario del Pli, informò Cattani, anche lui liberale, monarchico, e ministro dei Lavori pubblici, che un gruppo di docenti di diritto dell'Ateneo padovano aveva presentato alla magistratura un ricorso contro i risultati del *referendum*: o piuttosto contro l'interpretazione che ad essi era stata data. I professori osservavano che il decreto luogotenenziale del 16 marzo precedente con il quale era stato indetto il *referendum* si riferiva a «maggioranza degli elettori votanti», non dei voti validi. E la cifra degli elettori votanti mancava tra quelle rese note da Romita, che s'era limitato a indicare i voti per la Repubblica e i voti per la Monarchia. Occorreva una maggioranza qualificata, da calcolare tenendo conto anche delle schede bianche e nulle: occorreva cioè, come si dice in gergo elettorale, un *quorum*. Un successivo decreto (23 aprile) aveva una dizione assai diversa, perché disponeva che nelle singole circoscrizioni si procedesse «alla somma dei voti attribuiti alla Repubblica e di quelli attribuiti alla Monarchia», ed è probabile che la formulazione del primo decreto fosse derivata soltanto da quella scarsa diligenza legislativa che rende l'Italia il terreno di coltura ideale dei cavilli. I successivi accertamenti dimostrarono tra l'altro false le voci secondo le quali le schede bianche o nulle erano state assai più numerose nel *referendum* che nelle elezioni per la Costituente (furono invece quasi mezzo milione in meno, un milione e mezzo contro 1.930.000, e questo si spiega con la maggior complessità della votazione per la Costituente). Restava il fatto che il calcolo ufficiale del Ministero dell'Interno dava alla Repubblica il 54,26 per cento dei voti, e alla Monarchia il 45,74, mentre il calcolo dei docenti padovani, che Selvaggi e poi anche Cassandro e Cattani adottarono, riduceva la maggioranza repubblicana al 51,01 per cento. Così esigua che uno spostamento causato dalla scoperta di errori e illegalità – a questo i ricorrenti intendevano arrivare – poteva vanificarla completamente.

Ancora il 7 giugno, nonostante quel che bolliva in pentola, Umberto si attenne al programma del congedo, e andò dal Papa. Ma l'8 giugno l'iniziativa dei docenti padovani divenne crisi politica perché Selvaggi se ne appropriò, mettendo in causa il *referendum* nella sua globalità, e opponendosi alle conseguenze che se ne dovevano trarre. Il governo sperava che la Cassazione desse il suo responso il 9 giugno, così che ne risultasse abbreviato un pericoloso tempo di incertezza. Ma il presidente Giuseppe Pagano decise per il pomeriggio del 10 giugno, alle 18. Come sede della cerimonia fu prescelta la Sala della Lupa, a Montecitorio, chiamata a quel modo per una lupa romana di bronzo che vi era collocata. La Cassazione – e della Cassazione i due massimi esponenti, il primo presidente Giuseppe Pagano e il procuratore generale Pilotti – assumeva, imprevedibilmente, un ruolo di primo piano nella vertenza istituzionale. La faccenda del *quorum* dava al loro intervento un contenuto non più formale, e celebrativo, ma sostanziale.

Pagano e Pilotti erano magistrati scrupolosi, di vecchia scuola, ma sicuramente mal disposti verso la Repubblica. Pagano, palermitano, prossimo alla pensione, apparteneva a una dinastia di uomini di toga. Conservatore, era stato tuttavia tra i pochi magistrati che avevano rifiutato l'iscrizione al Partito fascista. Egualmente conservatore – e con maggiore animosità antirepubblicano – era Massimo Pilotti, ancora in carica all'inaugurazione dell'anno giudiziario del 1947, quando ad Enrico De

Nicola, Capo provvisorio dello Stato, egli non rivolse neppure una parola di saluto o di omaggio, suscitando scandalo e riprovazione.

Alle 18, dunque, magistrati, governo, giornalisti erano nella Sala della Lupa. Venti i giudici della Cassazione (oltre al primo presidente e al procuratore generale, sei presidenti di sezione, e dodici consiglieri). Scelti e di alto rango gli invitati, tra i quali gli ex-Presidenti del Consiglio Orlando, Bonomi e Parri. A un tavolo avevano preso posto, davanti a due addizionatrici con manovella del tipo usato un tempo nelle botteghe, due «computisti» dei quali ci sono stati tramandati i nomi: il ragionier Ciccarelli (che avrebbe sommato i voti per la Repubblica nelle 31 circoscrizioni, man mano che il presidente Pagano ne desse lettura), e il ragionier Fracassi, che avrebbe proceduto alla stessa operazione per la Monarchia.

Nella solennità di quella cornice, solo un po' compromessa dalle macchine contabili, cessato lo sventolio di giornali con cui i presenti tentavano di difendersi dalla sciroccosa calura pomeridiana, Pagano prese a leggere con voce a malapena udibile i verbali. Tirate le somme, i computisti posero due foglietti di carta davanti al Presidente che annunciò i totali, ma – citiamo dall'Artieri – commise una svista e attribuì alla Repubblica dodicimila voti, corretti subito in dodici milioni. A conclusione Pagano disse: «La Corte, a norma dell'articolo 19 del decreto luogotenenziale 23 aprile 1946 numero 1219, emetterà in altra adunanza il giudizio definitivo sulle contestazioni, proteste, reclami presentati agli uffici delle singole sezioni, a quelle centrali e circoscrizionali e alla Corte stessa concernenti le operazioni relative al *referendum*: integrerà il risultato con i dati delle sezioni ancora mancanti (erano pochissime, 118, e in ogni caso ininfluenti – *N.d.A.*) e indicherà il numero complessivo degli elettori votanti, dei voti nulli e dei voti attribuiti». Nessuna proclamazione. Pilotti, che avrebbe dovuto alzarsi e dire: «Proclamo che il popolo italiano nel referendum del 2 giugno sulla forma istituzionale dello Stato ha scelto la Repubblica», non si mosse. L'Italia non era più Monarchia e non era ancora Repubblica, tanto che non si poté, rispondendo all'invocazione di una piccola folla, esporre a Montecitorio la bandiera, perché non si sapeva quale fosse.

Naufragata la sua intenzione di andare subito al Quirinale con Pagano e Pilotti, e chiudere il capitolo istituzionale, De Gasperi vi si avviò ugualmente in compagnia del liberale

Arpesani, monarchico. Umberto sapeva già cosa era avvenuto, e assunse una posizione rigida. «La Corte ha rinviato a un secondo tempo la proclamazione dei risultati definitivi... La proclamazione di un governo provvisorio repubblicano è un'illegalità. Preferirei, se un trapasso dovesse esserci, nominarla io stesso reggente civile. Non è possibile aderire alla sua richiesta di un trapasso di poteri e la mia conseguente partenza: in simili condizioni essa assomiglierebbe ad una fuga.» La tesi Selvaggi era ormai la tesi del Re, disposto a delegare poteri che rimanevano formalmente suoi.

Dal Quirinale – erano le otto di sera – De Gasperi si precipitò al Viminale per consultarsi con gli altri ministri: i quali lo convinsero a tornare immediatamente al Quirinale. Lo fece, dopo una telefonata di preavviso, accompagnato non più da Arpesani, ma dal ministro Mario Bracci, azionista, e ardente repubblicano. Era il sintomo d'una diversa disposizione del Presidente. De Gasperi e Bracci discussero con due consiglieri del Re, Falcone Lucifero e Carlo Scialoja, il testo d'una dichiarazione soddisfacente per tutti. Il governo era disposto ad accettarne una in base alla quale, poiché i dati comunicati dalla Cassazione erano «suscettibili di modificazioni e di integrazioni», il Re consentiva che «fino alla proclamazione dei risultati definitivi il Presidente del Consiglio eserciti i poteri di Capo dello Stato, a partire dalle ore zero dell'11 giugno 1946, ai sensi dell'articolo 2 del decreto luogotenenziale del 16 marzo 1946». A prima vista questo consenso reale non era molto diverso dalla delega già proposta da Umberto. La differenza, ha osservato Antonio Gambino nella sua *Storia del dopoguerra*, era invece sostanziale. «Nel testo studiato da Bracci e De Gasperi, nonostante si parli di un consenso da parte di Umberto II, i poteri che vengono assunti dal Presidente del Consiglio non derivano dal Sovrano ma dal decreto legge del marzo precedente.» Alle dieci di sera la nuova formula fu sottoposta al Re, che era febbricitante, e ricevette De Gasperi e Bracci, contro il suo solito, con gelida correttezza, e senza amabilità alcuna. Fu un incontro breve, che non smosse il Re.

Tra Quirinale e Viminale il solco si approfondiva, in De Gasperi cresceva una fredda collera trentina, e Falcone Lucifero si lasciava trascinare, secondo la testimonianza di Bracci, da una collera calda, calabrese. Raccontò il ministro azionista che Lucifero, affrontato De Gasperi che non si risolveva a lasciare la reggia senza disinnescare la mina istituzionale, «era iroso, addirittura violento... Ci disse che era un assurdo parlare di trasferimento di poteri prima della decisione dei ricorsi e che erano state indegne le nostre pressioni sulla Cassazione, e sbatteva gli occhiali sul petto di De Gasperi che se ne stava tutto assorto e che sembrava straordinariamente più alto di questo inquieto signore». I particolari di questa scena sono stati, secondo Lucifero, «inventati di sana pianta.

Resta fermo che, durante il tempestoso colloquio, De Gasperi pronunciò una frase grave: «E sta bene: domattina o verrà lei a trovare me a Regina Coeli o verrò io a trovare lei». Fu uno scatto. Dopo il quale l'instancabile mediatore chiese di rivedere il Re, che fu duro: «Io scompaio, vi affido l'Esercito e la Marina, mi astengo da qualsiasi gesto che possa scatenare la guerra civile. Non potete chiedermi di più... Lei senta il Consiglio dei Ministri e domattina ci si rivedrà. Raccomandi al Consiglio di avere pazienza. Non casca il mondo se passa qualche giorno».

Il Consiglio dei Ministri sedeva, in pratica, ininterrottamente. Dall'una di notte in avanti ascoltò una ennesima «informativa» di De Gasperi, e un'altra ne ebbe a mezzogiorno dell'11 giugno, dopo che il Presidente del Consiglio aveva incontrato l'ammiraglio Stone e l'ambasciatore inglese, sir Noel Charles. Per entrambi la pronuncia della Cassazione non era sufficientemente chiara. Poiché il Quirinale scartava via via le opzioni governative, Orlando ne architettò una che per la sua semplicità venne battezzata «l'uovo di Colombo». Non facciamo nulla, suggeriva (in fondo con sensatezza) il vegliardo statista, lasciamo trascorrere nell'inazione i pochi giorni che mancano al responso definitivo della Cassazione (la nuova seduta era stata fissata per il 18 giugno), e poi agiremo in base a un verdetto inoppugnabile. Ma l'uovo di Colombo arrivava sulla tavola delle trattative quando gli animi erano troppo accesi. Pressato da Togliatti, da Nenni, dagli azionisti, De Gasperi obbiettò al Re (che accettava la soluzione Orlando) che il governo riteneva d'aver già ricevuto, per effetto dei risultati, i poteri.

Questo avveniva nel primo pomeriggio dell'11 giugno. Per le 16 fu stabilito un nuovo appuntamento al Quirinale, ma il Re – segno di straordinaria tensione, in un uomo così compito – ricevette De Gasperi, che spazientito aveva più volte minacciato di andarsene, con quasi un'ora e mezza di ritardo. Gli disse che s'era consultato con Orlando, ma che aveva bisogno di sentire altri giuristi. Chiedeva insomma di poter riflettere ancora. De Gasperi si fece a quel punto solenne: «Senta, le parlo come in

Sacramento. A me non importa nulla, posso sparire domani stesso dalla scena politica. Ho due sole cose a cuore, che ho sempre difeso: l'unità morale e l'unità territoriale dell'Italia. Sono entrambe in pericolo. Non faccia un passo falso. Danneggerebbe oltre tutto la dinastia che sinora si è comportata in modo tale da potere in un eventuale domani aspirare a ritornare. Non rovini la sua reputazione».

L'indomani, 12 giugno, la situazione precipitò, per ciò che accadeva a Roma e per ciò che accadeva lontano da Roma. Napoli, almeno la Napoli monarchica dei bassi, era in rivolta. Già si erano lamentati due morti in incidenti politici prima del 10 giugno; il 12 i morti furono 11, e si rischiò una carneficina. Sui muri della città erano apparse scritte «Viva Masaniello! Abbasso la Repubblica!», e un «Movimento di liberazione del Mezzogiorno» aveva fatto affiggere un manifesto farneticante: «Ci proponiamo, seppure col cuore straziato di fronte agli eventi che infrangono l'Unità d'Italia, di ridare alle nostre regioni del Mezzogiorno quella libertà e quell'indipendenza politica ed economica che già le resero tranquille e prospere». L'appello separatista era opera di pochi esaltati. Ma un sentimento di frustrazione, una gran voglia di *ammuina* serpeggiavano in città, e i giovani agenti di un battaglione allievi di Ps mandati da Roma, e visti come braccio armato del Nord prevaricatore, venivano coperti d'insulti, quando non attaccati. All'una del pomeriggio, il 12 giugno, fu presa d'assalto la sede della Federazione comunista (s'era insediata in via Medina, negli uffici della Federazione fascista). In un tumulto proprio alla Masaniello furono rovesciate vetture tranviarie, erette barricate agli sbocchi di Piazza Municipio, e parecchi scalmanati, dopo aver preteso invano che le bandiere fossero ammainate, presero a scalare la facciata della sede comunista, i cui occupanti sbarravano porte e finestre. Intervennero carabinieri e polizia, anche con autoblindo, vi furono scontri e scaramucce che si prolungarono per ore, mentre veniva buttata benzina su improvvisate cataste, date poi alle fiamme. Si sparò, con pistole, fucili, mitra, furono anche lanciate bombe a mano. Tristissimo il bilancio: due carabinieri e nove giovani o addirittura ragazzi (tra essi una studentessa ventenne di Milano) uccisi, una settantina di feriti alcuni dei quali gravi.

Mentre Napoli si dava alle barricate, Falcone Lucifero consegnava a De Gasperi – ore tredici del 12 giugno – una grande busta bianca con una breve lettera del Re: così breve, secca e perentoria che Bracci la definì «regio viglietto». «Signor Presidente – scriveva Umberto – ritengo opportuno confermarle ancora una volta la mia decisa volontà di rispettare il responso del popolo italiano espresso dagli elettori votanti, quale risulterà dagli accertamenti e dal giudizio definitivo della Suprema Corte di Cassazione, chiamata per legge a consacrarlo.»

Turbato da una presa di posizione che lasciava ben poco margine, ormai, ai compromessi, De Gasperi attese fino alle nove di sera, tenendo in tasca la lettera, per indire un ennesimo Consiglio dei Ministri. A conclusione di esso fu stilato un documento nel quale ogni parola era pesata. «Il Consiglio dei ministri riafferma che la proclamazione dei risultati del referendum... ha portato automaticamente all'instaurazione di un regime transitorio durante il quale... l'esercizio delle funzioni del Capo dello Stato spetta *ope legis* al Presidente del Consiglio in carica.» La rottura non voleva essere totale. Regime transitorio, non repubblicano, ed esercizio delle «funzioni», non dei poteri di Capo dello Stato. A un giornalista straniero che voleva veder chiaro in questa selva oscura giuridico-costituzionale, De Gasperi spiegò ch'egli si considerava ormai, «praticamente», il Capo dello Stato, ed esemplificò: «Se vi fosse necessità di emanare una legge urgente, non potrei che firmarla io».

DE GASPERI, AVUTO LA MATTINA il «regio viglietto», aveva insistito con Falcone Lucifero che il Re lasciasse il Quirinale, trasferendosi magari a Castelporziano. Quella sera fatale Umberto uscì, in effetti, dalla reggia e vi rientrò soltanto l'indomani. Con il generale Graziani raggiunse Villa Feltrinelli, che apparteneva alla moglie di Luigi Barzini *jr*. Insieme ai padroni di casa, era a cena il senatore Bergamini. Giannalisa Barzini Feltrinelli si era fratturata una gamba, il giorno precedente, in un incidente automobilistico, e accolse gli ospiti sdraiata a letto. Nella tarda serata Barzini lasciò gli altri per un impegno di lavoro, al *Tempo*. Là apprese della comunicazione governativa che sanciva la decadenza della Monarchia e telefonò alla moglie che informò immediatamente il Re. Questi, congedatosi dalla Barzini, trascorse la notte – l'ultima in terra italiana – nella casa di un altro conoscente, l'ingegner Corrado Lignana, in via Verona 3. Molti personaggi insigni della politica italiana disertarono del resto il loro domicilio e il loro letto, in una notte percorsa da sussurri di *golpe*. Togliatti chiese asilo all'ambasciatore sovietico, Scoccimarro a un amico monarchico. Da casa Lignana, Umberto si tenne in contatto con Falcone Lucifero, rimasto al Quirinale: e due volte lo ricevette in via Verona, la mattina del 13 giugno.

Nella notte i consiglieri del Re avevano formulato alcune ipotesi di comportamento, che gli sottoposero. La prima era quella dello scontro aperto. Umberto avrebbe dichiarato decaduto il governo per nominarne un altro presieduto da un alto funzionario, da un personaggio politico, o da Falcone Lucifero. Seconda ipotesi era che il Re, ignorando il «colpo di Stato» con cui il governo l'aveva esautorato, si limitasse ad aspettare la riunione della Cassazione, il 18 giugno, attenendosi alla formula di Orlando. Il disagio e i problemi per lui sarebbero stati seri: ma per il governo lo sarebbero stati ancora di più. Terza ipotesi (in qualche modo una subordinata della precedente) era che Umberto aspettasse, ma non passivamente: e con un proclama al Paese denunciasse «l'arbitrio e l'usurpazione del governo» (Artieri). Quarta ipotesi (poi avveratasi). Partenza del Re, senza abdicazione e senza passaggio di poteri, proclama al Paese, come nella terza ipotesi, e rifiuto di considerare legittimamente e genuinamente risolta la questione istituzionale. La decisione di Umberto, presa in casa Lignana, fu la meno traumatica che il viluppo degli avvenimenti ormai consentisse: e aderiva al temperamento di questo Savoia: che solo a metà della giornata ricomparve al Quirinale, per una breve estrema sosta. Passeggiando nei giardini elaborò con Falcone Lucifero il contenuto d'un proclama agli italiani che, abbozzato soltanto nelle grandi linee, fu completato dallo stesso Lucifero, dal senatore Bergamini e da altri.

In un abito grigio alquanto stazzonato, un cappello a cencio, la barba lunga, Umberto salutò il personale del Quirinale, quindi passò in rivista – erano ormai le quindici – i corazzieri e la cosiddetta «piccola guardia d'onore» dei granatieri: il corpo cui egli stesso apparteneva. I corazzieri erano in uniforme blu al comando del colonnello duca Giovanni Riario Sforza, che consegnò al Re un piatto d'argento con incise le firme di tutti. Cinque automobili – tra cui quella di Umberto, con la drappella di Casa Savoia e la bandiera azzurra con i gradi di maresciallo ai lati del cofano – si avviarono verso Ciampino, dov'era in attesa un quadrimotore Savoia Marchetti 95 lì trasferito pochi momenti prima da Centocelle, ovviamente con autorizzazione degli Alleati cui spettava il controllo degli aeroporti. L'aereo avrebbe fatto tappa a Madrid, e s'era pensato di imbarcarvi anche il nuovo ambasciatore d'Italia in Spagna, duca Gallarati Scotti. Ma i consiglieri della Corona rifiutarono, per la preoccupazione che il viaggio insieme a un diplomatico con le credenziali della Repubblica ne implicasse il riconoscimento: i bagagli dell'ambasciatore furono scaricati. Alcune decine di fedeli erano attorno all'apparecchio quando il Re si affacciò al portello salutando, con un sorriso impeccabile, un po' forzato. Dalla torre del Quirinale un graduato aveva sorvegliato con il binocolo la zona dell'aeroporto, per togliere la bandiera con lo scudo sabaudo nel momento in cui il quadrimotore si levasse in volo. Nell'imminenza dell'addio all'Italia Umberto aveva fatto, a chi gli era stato vicino in quei frangenti, distribuzione di decorazioni e titoli nobiliari. Questi aristocratici dell'ultima ora furono comunemente chiamati «conti di Ciampino».

Nel proclama d'addio di Umberto, trasmesso all'Ansa quand'egli era già in volo sul Mediterraneo, era detto che «improvvisamente, questa notte, in spregio alle leggi e al potere indipendente e sovrano della magistratura, il Governo ha compiuto un gesto rivoluzionario, assumendo con atto unilaterale e arbitrario poteri che non gli spettano, e mi ha posto nell'alternativa di provocare spargimento di sangue o di subire la violenza». Umberto spiegava di voler compiere questo sacrificio (la partenza) «nel supremo interesse della patria», ma di dover egualmente elevare la sua protesta contro il sopruso subìto.

L'IMPORTANZA E LA PASSIONALITÀ del *referendum* avevano messo in ombra la contemporanea elezione della Costituente, specchio assai più sfaccettato degli orientamenti politici italiani. La Democrazia cristiana ottenne 8.080.000 voti, il 35,2 per cento del totale, contro i 4.758.000 voti dei socialisti (20,7 per cento) e i 4.360.000 voti (19 per cento) dei comunisti. Solo di poco dunque i due partiti di sinistra risultavano insieme più forti della Dc, che confermava il suo diritto ad assumere la guida del governo.

Il Partito comunista era stato sconfitto alle urne, e una risoluzione della Direzione lo ammetteva senza mezzi termini. Gran parte del voto schiettamente moderato e tepidamente monarchico si era riversato sulla Dc, che era stata repubblicana nel suo congresso, ma agnostica nel comportamento di molti suoi esponenti: e il voto monarchico ruggente si era orientato in buona misura verso il Movimento dell'Uomo Qualunque, al quale andarono infatti un milione 211 mila voti, e trenta seggi.

L'*Uomo Qualunque* fu dapprima la testata di un giornale nato sotto il segno della protesta. L'aveva fondato Guglielmo Giannini che, da buon teatrante, autore di commedie senza troppe pretese, ma di grande mestiere, aveva vivissimo il senso del pubblico e sapeva coglierne a volo gli umori. Questi umori erano soprattutto dei malumori provocati, specialmente nel Sud, non soltanto dalle frustrazioni e dai disagi della sconfitta, quanto dalla diversa temperie in cui erano immersi i due tronconi del Paese. Occupato subito dagli Alleati, il Sud non aveva avuto la Resistenza, e quindi non ne condivideva le passioni. Subiva il vento del Nord come un sopruso, che gli risvegliava nel sangue nostalgie borboniche, e rifiutava tutto ciò che puzzasse di Cln.

Giannini intuì questo stato d'animo, e lo interpretò alla perfezione, soprattutto in due rubriche del suo giornale, le «vespe» e le «parolacce». Sebbene di madre inglese, era un napoletano verace, alla Scarfoglio, portava il monocolo, la sua eleganza era un po' da guappo, e se nei rapporti umani non mancava di finezze, nel suo linguaggio di giornalista sapeva adeguarsi a quello del loggione e della taverna. Ma fu proprio questa voluta rozzezza a renderlo efficace. Senza rifuggire dal turpiloquio, ostentato anzi come antitesi della nuova oratoria e pubblicistica, egli prese a smontarne i miti, l'enfasi esistenzialista e il virtuismo democratico. Ebbe il compito facilitato dai suoi avversari, specialmente da quelli di sinistra, che con le loro pretese di palingenesi e le loro smanie epuratrici stavano provocando nel Paese una crisi di rigetto. In pochi mesi l'*Uomo Qualunque* raggiunse quasi il milione di copie. E probabilmente fu proprio questo successo la sua disgrazia. Giannini se ne sentì indotto a creare addirittura un partito.

Alla politica, che voleva impadronirsi di tutto – ed erano i primi segni di quella partitocrazia che tuttora avvelena l'Italia – Giannini oppose una vaga alternativa di «Stato amministrativo». Era una reazione di pelle, povera d'idee, su cui non si poteva costruire nulla di duraturo. Ma ciò non toglie che Giannini un servigio lo rese: sgonfiò, ridicolizzandoli, molti miti, smascherò molte bugie. Ci sono voluti decenni perché alcune delle verità sbandierate da Giannini, come ad esempio il fatto che il fascismo aveva goduto un imponente consenso popolare, venissero riconosciute e, sia pure a denti stretti, accettate.

Dei 556 Costituenti, ci furono 207 democristiani, 115 socialisti, 104 comunisti, 41 dell'Unione democratica nazionale (la formazione capeggiata dai «quattro vecchi» Croce, Bonomi, Nitti e Orlando), 30 qualunquisti, 23 repubblicani, poi liste minori. Loro compito non era di legiferare – le sinistre l'avrebbero voluto, scontrandosi con la recisa opposizione democristiana e liberale – ma di elaborare la nuova Costituzione. Inoltre la Costituente diede maggioranze parlamentari al governo.

Tre erano le scadenze immediate che si ponevano ai partiti maggiori, e ai loro capi: l'elezione del presidente della Costituente, la nomina del Capo dello Stato – provvisorio, in attesa che la Repubblica avesse il suo primo Presidente designato con tutte le formalità volute dalla Costituzione ancora *in fieri* – e la formazione di un altro governo, essendo previsto dalla legge sul *referendum* che quello in carica desse le dimissioni. Presidente della Costituente fu Giuseppe Saragat. Quanto al primo Capo dello Stato repubblicano De Gasperi aveva in mente un *identikit* ben definito. Doveva essere filomonarchico, e doveva essere meridionale. Emerse così il nome di Enrico De Nicola, che era napoletano, che era stato consigliere della Corona (suo l'espediente della Luogotenenza per Umberto) e che infine, come sperimentato parlamentare e come giurista insigne, avrebbe saputo meglio di chiunque altro ideare un protocollo e una procedura tutte da inventare per una carica «anomala». Ma se la carica era anomala, ancor più lo era l'uomo designato a ricoprirla. Grande avvocato napoletano, si era affermato non con l'eloquenza focosa e alluvionale che caratterizzava la scuola forense meridionale, ma col suo ferrato puntiglio giuridico, e soprattutto procedurale. In un ambiente non sempre cristallino, ammorbato dalla spregiudicatezza, dalla venalità e anche da compromissioni camorristiche, aveva portato un suo personale, severissimo costume. Non incassava i vaglia dei clienti se non dopo aver deciso di occuparsi del loro caso, e non prendeva un soldo se, esaminato semplicemente il fascicolo, decideva per il no. Scapolo, ritroso, solitario, suscettibilissimo, perse quasi tutto il patrimonio accumulato in una lunga e fortunata vita professionale perché, da patriota imprevidente, aveva avuto fiducia nei titoli di Stato. Allo scoppio della guerra investì in buoni del tesoro, all'interesse del 3,50 per cento, dieci milioni (di allora, ovviamente), che furono polverizzati dall'inflazione. La sua eleganza accurata e antiquata, la sua rettitudine, il suo stile, l'avevano reso popolare in una città che vedeva in lui ciò che avrebbe voluto essere, e che non era.

Sulla scia dei brillanti successi forensi, De Nicola era approdato alla politica, ed era stato eletto deputato di Afragola sconfiggendo il candidato giolittiano. Il che non gli impedì di essere fatto dallo stesso Giolitti sottosegretario alle Colonie, nel 1913. Era allora trentaseienne. Praticò la vita pubblica con gli stessi scrupoli di correttezza esasperata cui s'era ispirata la sua vita professionale. Manifestò prestissimo la sua vocazione al rifiuto. L'assunzione di una carica pubblica era preceduta sistematicamente da una fase durante la quale De Nicola si faceva pregare, e accettava, se accettava, di malavoglia. Altrettanto sistematicamente sopravveniva una seconda fase durante la quale De Nicola si dimetteva, e veniva indotto a recedere dalla sua decisione – quando recedeva – con insistenze non minori di quelle che erano state necessarie per indurlo ad accettare. Gli estenuanti negoziati si svolgevano sovente a lunga distanza, perché De Nicola, alla minima contrarietà, si rifugiava nella sua villa di Torre del Greco, e di là era difficilissimo stanarlo. Questo cerimoniale contrassegnò il *cursus honorum* di De Nicola che era Presidente della Camera quando il fascismo si impadronì del potere.

Occupava la sua poltrona a Montecitorio il giorno che Mussolini – nel novembre del 1922 – minacciò di fare dell'aula «sorda e grigia» un bivacco di manipoli. Durante il ventennio, rassegnato ogni incarico, si appartò dignitosamente, sospendendo la serie delle offerte, dei rifiuti, delle rinunce alle rinunce. Accettò tuttavia, nel 1929, la nomina a senatore che Mussolini – il cui consenso era indispensabile – forse non propose, ma che certo non avversò. Proprio perché così riluttante ad occupare poltrone, in un Paese dove per conquistarle i politici si scannavano, De Nicola finiva per essere subissato di proposte.

Avendo a che fare con un personaggio di questa fatta, la Costituente deliberò la sua nomina a Capo provvisorio dello Stato senza chiedergli se era d'accordo. Il 27 giugno – mentre già sul suo nome convergevano tutti – ribadiva di non volerne sapere, e quando Saragat, nell'imminenza del voto, lo chiamò per vincerne la ritrosia, staccò il telefono. Solo a elezione avvenuta pronunciò il sospirato sì.

Capo dello Stato per ventidue mesi – cessò di essere provvisorio e assunse la qualifica di Presidente della Repubblica solo il 1° gennaio 1948, con l'entrata in vigore della Costituzione – De Nicola rifiutò il fasto del Quirinale, e preferì il Palazzo Giustiniani, noto come sede di una delle massonerie italiane, che è accanto a Palazzo Madama. Pazientemente, ingegnosamente, da procedurista raffinato, elaborò il protocollo sul quale la Repubblica avrebbe poi largamente campato di rendita, senza tuttavia perseverare nello stile sobrio e sparagnino di questo suo primo Presidente.

LE TRATTATIVE PER IL SECONDO GOVERNO De Gasperi, cui De Nicola aveva dato l'avvio il 1° luglio, si trascinarono per dodici giorni. Cinque furono le novità di rilievo nel nuovo ministero: la designazione di Nenni agli Esteri (e la perdita degli Interni per i socialisti); la rinuncia di Togliatti; l'ingresso dei repubblicani; l'uscita dei liberali; l'assegnazione del Ministero della Pubblica istruzione a un democristiano, Guido Gonella.

Il Paese riprese fiato. Le razioni alimentari erano state migliorate, 250 grammi al giorno il pane, tre chilogrammi al mese *pro capite* i generi da minestra; la lira recuperava valore rispetto alle valute «forti» (dall'inizio del '46 al maggio il franco svizzero era sceso da 120 a 90 lire, e il dollaro da 350 a 280); la produzione industriale era in ripresa così come le esportazioni, quadruplicate tra l'aprile e il settembre di quello stesso anno. Anche la implacabile erosione del potere d'acquisto di salari e stipendi era stata bloccata. Il risanamento era una restaurazione, e delle restaurazioni aveva i pregi e i difetti. I «padroni» furono reimmessi gradualmente nelle industrie da cui l'epurazione disordinata li aveva cacciati: vi furono riammessi anche perché i «commissari» politici incaricati di gestirle, di solito incapaci e comunque condizionati, avevano dato prova disastrosa. Alla Fiat aveva ripreso il timone Vittorio Valletta, rientrato dalla Svizzera dove s'era messo al riparo insieme ad altri grossi esponenti del mondo imprenditoriale (Marinotti, Cini, Donegani).

Vanno messi nel conto della ripresa gli aiuti alleati (e in prevalenza americani): entro la fine del '46 l'Italia ricevette 507 milioni di dollari in soccorsi di emergenza, 520 milioni di dollari in assistenza anch'essa gratuita tramite l'Unrra (l'Agenzia delle Nazioni Unite per la ricostruzione dei Paesi colpiti dalla guerra), 134 milioni di dollari in aiuti diretti del governo di Washington e 250 milioni di dollari per il mantenimento delle Forze armate anglo-americane. La spesa per questa voce era stata, ha osservato Antonio Gambino nella sua *Storia del dopoguerra*, tre o quattro volte superiore: ma non è accaduto sovente nella storia che i vincitori risarcissero sia pure in parte i vinti per le spese dell'occupazione.

La miseria era ancora grande in Italia, e grandissima la strumentalizzazione della miseria. Gli artefici stessi della ricostruzione e della ripresa non sospettavano neppure l'impeto delle sue successive fasi. Ma a due uomini – oltre che al tessitore De Gasperi – va riconosciuto un ruolo e, ciascuno a suo modo, un merito particolare in questi difficili e torbidi inizi del «miracolo»: Angelo Costa, presidente della Confindustria, e Giuseppe Di Vittorio, massimo dirigente della Confederazione generale del lavoro. Costa era un industriale e un grande borghese ligure, onesto e rigoroso, ispirato in economia dalla saggezza einaudiana, fermo nelle sue idee, ma pragmatico nella loro applicazione: un cattolico liberale – un vero credente – che difendeva la concezione classica del capitalismo. «Questo industriale in senso antico – è un'osservazione di Giovanni Spadolini – pilotò negli anni degasperiani un indiretto ma efficace ed operoso patto sociale.»

Questo poté avvenire perché l'interlocutore di Angelo Costa era Giuseppe Di Vittorio, figlio di contadini pugliesi: il padre, «curatolo» (così si chiamavano i braccianti specializzati) a Cerignola, morì, pare di polmonite dopo un temporale, quando il figlio Peppino aveva sette anni. Il ragazzetto fu anche lui bracciante, con una istintiva curiosità per i libri e per la politica, e con una gran voglia di ribellarsi alla ingrata condizione della «cafoneria» meridionale. Alla vigilia della prima guerra mondiale s'era già fatta una fama consolidata di agitatore: ma al fronte si portò bene, e venne gravemente ferito. Riprese la sua attività sindacal-politica subito dopo il congedo, e seppe d'essere stato eletto deputato nelle liste socialiste (era il 1921) mentre era in carcere a Lucera. Passò nel 1924 al Pci, poi fu esule in Francia, e commissario politico nel battaglione Garibaldi delle Brigate internazionali, comandato da Randolfo Pacciardi, durante il conflitto civile spagnolo. Pur così intriso di ideologia marxista, non fu mai un cremlinizzato alla Togliatti.

Quest'uomo singolare – uno dei pochi dirigenti comunisti espressi dal mondo contadino – divenne il maggior *leader* sindacale italiano. Non rinunciò, nei comizi, alle tesi massimaliste e agli *slogans* tonitruanti. Ma aveva profondo il senso del possibile. Un fondo di concretezza e di patriottismo senza ostentazione accomunava l'armatore Costa all'ex-bracciante Di Vittorio. Ha raccontato un collaboratore del sindacalista: «Quando c'era una vertenza importante o un rinnovo di contratto, Costa e Di Vittorio si davano appuntamento alla stazione di Bologna. Salivano su un vagone-letto, e passavano la notte a discutere. Quando il treno arrivava a Roma l'accordo era fatto».

IL TRATTATO DI PACE tra l'Italia e le potenze vincitrici ha avuto ed ha un nome improprio. L'Italia non trattò: subì le condizioni che le vennero imposte e poté soltanto esporre – senza gran frutto – le sue ragioni. A De Gasperi, italiano inconsueto, severo nell'aspetto e asciutto nell'eloquio, toccò il compito amaro di farsi difensore d'una causa persa in partenza.

Alcuni sacrifici erano scontati. Non potevamo realisticamente opporci alla cessione delle isole del Dodecanneso, rivendicate dalla Grecia e abitate da greci. E neppure potevamo pensare di mantenere, in una qualsiasi forma, la «unione dinastica» tra Italia e Albania, vanificata anche sul piano formale dalla proclamazione della Repubblica. Era parimenti scontata una mutilazione territoriale nella Venezia Giulia: ma si sperava di contenerla entro limiti, se non di equità, almeno di accettabilità. Quanto alle colonie, era perduta l'Etiopia, frutto di una conquista che portava il marchio fascista. Senonché Hailé Selassié pretendeva anche l'Eritrea. Sulla Libia gravava una ipoteca del Senusso, che si rifaceva a una promessa inglese degli anni di guerra.

La Francia aveva in un primo momento garantito di non voler avanzare pretese territoriali ma i buoni propositi erano andati scolorendo nell'ambiguità. Perfino la Valle d'Aosta pareva insidiata. L'Austria rivendicava l'Alto Adige, atteggiandosi a vittima dell'austriaco Hitler, e v'era il rischio che il criterio etnico, rinnegato in Venezia Giulia, venisse invece applicato a sud del Brennero. In questa corona di spine, la spina che più pungeva era quella giuliana. Tito aveva voluto creare il fatto compiuto, e alla fine di aprile del '45, occupata Fiume, si era buttato verso Trieste e Gorizia in gara di velocità con le truppe alleate del generale Freyberg, che si insediò a Trieste, ma non poté tenerne fuori gli jugoslavi. Solo il 9 giugno (sempre del '45) gli Alleati avevano ottenuto che le truppe di Tito si ritirassero da Trieste, ad eccezione di un modesto contingente. La zona alleata e la zona jugoslava vennero divise dalla Linea Morgan, così chiamata dal nome del generale che comandava le truppe alleate: era una linea che, concepita in funzione di esigenze militari, aveva pregiudicato irreparabilmente i diritti italiani. Correva infatti lungo l'Isonzo sfiorando Gorizia, e descriveva attorno a Trieste un arco che delimitava pressappoco (ma alquanto più favorevolmente) l'attuale confine. Tra gli interlocutori di De Gasperi il meglio disposto nei riguardi dell'Italia era il segretario di Stato americano Byrnes. Ma, politicante di vecchio stampo, era anche un uomo di compromessi, cui a volte furono strappate per stanchezza concessioni per noi deleterie. Oltretutto non capiva l'accanimento con cui era difeso un «fazzoletto di terra».

Nell'attesa che la «Conferenza dei 21», convocata a Parigi dal 29 luglio al 15 ottobre 1946, preparasse le decisioni ultime riunendo i «vincitori» (oltre a Stati Uniti, Urss, Gran Bretagna, Francia e Cina anche Australia, Belgio, Brasile, Canada, Cecoslovacchia, Etiopia, Grecia, India, Jugoslavia, Norvegia, Nuova Zelanda, Olanda, Polonia, Bielorussia, Ucraina, Unione Sudafricana), De Gasperi firmò con il ministro degli Esteri austriaco Gruber un accordo che garantiva agli altoatesini di lingua tedesca ampi diritti e larghissima autonomia, ma sanciva l'intangibilità della frontiera al Brennero.

Dalle discussioni parigine eravamo esclusi. De Gasperi avrebbe parlato all'Assemblea generale, gli altri componenti la delegazione italiana, in particolare Giuseppe Saragat e Ivanoe Bonomi, peroravano le nostre ragioni, su punti specifici, nelle commissioni formate all'uopo. Si erano recati a Parigi anche i capi delle grandi correnti del sindacalismo italiano per portare ai delegati, in sede privata, la voce delle «masse lavoratrici antifasciste e democratiche». Byrnes aveva profuso, per loro, molte cortesi parole. Ma il laburista e sindacalista Bevin fu aspro, quasi sprezzante. Accolse i rappresentanti dei lavoratori italiani senza alzarsi in piedi, senza nemmeno tendere la mano. E ascoltate freddamente le loro parole, ribatté ricordando le colpe del fascismo, e astenendosi da ogni distinzione tra il Regime e il popolo italiano. Nella preparazione del discorso che avrebbe pronunciato il 10 agosto De Gasperi, ha annotato il suo segretario particolare Paolo Canali, «distillava testi già preparati, memoriali, verbali, pareri di colleghi», riceveva delegati istriani, e alti ufficiali delle Forze armate che si disperavano per le proposte limitazioni militari. Via via gli abbozzi erano tradotti e scartati. Anche questa volta si pose, come in occasioni precedenti, il problema della lingua da usare. Fu di nuovo preferito l'italiano, e fu saggia decisione. I componenti l'assemblea avrebbero seguito il discorso attraverso le traduzioni: era giusto che De

Gasperi potesse mettere, in ogni sua parola, il calore che solo l'uso della lingua materna gli consentiva. Ancora a mezzogiorno del 10 agosto il discorso subì qualche ultimo ritocco. Alle quindici furono pronte le traduzioni. Un'ora più tardi i delegati italiani vennero ammessi, ad un cenno di Bidault che presiedeva, nell'aula delle riunioni, dove millecinquecento rappresentanti di ventun nazioni aspettavano. De Gasperi salì alla tribuna.

Cominciò un po' in sordina, ma senza nervosismo. Confidò poi che si sentiva calmo, che non avvertiva soggezione. L'esordio fu di alto livello drammatico: «Prendendo la parola in questo consesso mondiale sento che tutto, tranne la vostra personale cortesia, è contro di me: e soprattutto la mia qualifica di ex-nemico, che mi fa considerare imputato, e l'essere citato qui dopo che i più influenti di voi hanno già formulato le loro conclusioni, in una lunga e faticosa elaborazione». Con sobrietà di gesti, ma anche con voce sempre più calda e crescente vigore, De Gasperi disse che il trattato aveva un'impostazione punitiva, e affrontò la questione giuliana. «La linea francese – osservò – era una linea politica di comodo, non già una linea etnica nel senso delle decisioni di Londra, perché rimanevano nel territorio slavo 180 mila italiani, e in quello italiano 59 mila slavi: soprattutto essa escludeva dall'Italia Pola e le città minori della costa istriana occidentale ed implicava per noi una perdita insopportabile. Ma, per quanto inaccettabile, essa era almeno una frontiera italo-jugoslava che aggiudicava Trieste all'Italia. Ebbene, che cosa è accaduto sul tavolo del compromesso durante il giugno, perché il 3 luglio il Consiglio dei quattro rovesciasse le decisioni di Londra e facesse della linea francese non più la frontiera fra Italia e Jugoslavia, ma quella di un cosiddetto territorio libero di Trieste?» E proseguì: «Per correre il rischio di tale espediente, voi avete dovuto aggiudicare l'81 per cento del territorio della Venezia Giulia alla Jugoslavia, avete dovuto far torto all'Italia rinnegando la linea etnica, avete abbandonato alla Jugoslavia la zona di Parenzo-Pola senza ricordare la Carta Atlantica che riconosce alle popolazioni il diritto di consultazione sui cambiamenti territoriali».

Fu un buon discorso, fermo e pieno di dignità. Venne accolto in silenzio. Per gli italiani, la cui voce doveva purtroppo risuonare nel deserto degli egoismi altrui, era già venuto il momento di andarsene. Prima, però, stettero ad aspettare che fossero lette le traduzioni (non funzionavano ancora in queste occasioni i moderni sofisticati impianti di traduzione simultanea). Poiché

De Gasperi risaliva l'emiciclo per sedersi, Byrnes gli si fece incontro, alzandosi dal suo scanno, gli strinse la mano con calore e gli sussurrò qualcosa all'orecchio (voleva vederlo in privato dopo la seduta).

De Gasperi aveva fatto ottima impressione. Il *New York Times* notò che era toccato a una nazione sconfitta di rialzare il tono della verbosa conferenza. «Voi parlaste – scrisse un autorevole pubblicista inglese in una "lettera aperta al signor De Gasperi" – non a una conferenza di pace ma a una conferenza di guerra. Voi sì, signore, avete il diritto di presentarvi come antifascista e democratico, perché non abbracciaste il signor Ribbentrop sotto il segno della croce uncinata. Ma voi, nonostante tutto, foste ascoltato dai milioni che anelano alla pace che voi prospettate.»

Il 4 novembre 1946 a New York, al trentasettesimo piano di un grattacielo, Byrnes, Bevin, Molotov e Couve de Murville (quest'ultimo in sostituzione di Bidault impegnato nelle elezioni francesi) ripresero in mano la materia dei trattati per «rifinirla».

Ma una bomba politica scoppiò il giorno successivo in Italia, per un'intervista di Togliatti all'*Unità*, nella quale era proposta una inedita soluzione del problema giuliano (Togliatti aveva intervistato se stesso, è ovvio). Reduce da un incontro a Belgrado con il maresciallo Tito, Togliatti, che aveva raggiunto la capitale jugoslava in automobile il 3 novembre, rivelava: «Il maresciallo Tito mi ha dichiarato di essere disposto a consentire che Trieste appartenga all'Italia, cioè sia sotto la sovranità della Repubblica italiana, qualora l'Italia consenta a lasciare alla Jugoslavia Gorizia, città che anche secondo i dati del nostro Ministero degli Esteri è in prevalenza slava». Il baratto parve eccellente alla segreteria del Pci che espresse «la riconoscenza del popolo italiano al maresciallo Tito».

Ma negli altri settori politici vi fu una vera sollevazione. Il Ministero degli Esteri negò d'avere mai ammesso la non italianità di Gorizia, anche se il ministro Nenni, affascinato e dominato intellettualmente da Togliatti, era assai meno risoluto dei funzionari. Nenni non capiva che Togliatti tentava con la sua «trovata» di cogliere due piccioni con una fava: ossia di scrollarsi di dosso l'accusa di rinunciare, per solidarietà ideologica, alla Venezia Giulia in favore degli jugoslavi, e nello stesso tempo di rendere un servizio a Tito, barattando una città italiana con un'altra città italiana. È facile constatare oggi che Togliatti era avvocato della Jugoslavia. Trieste è tornata all'Italia, Gorizia è rimasta italiana.

Il 4 dicembre i ministri degli Esteri dei «grandi» conclusero a New York l'ultima fase del loro lavoro. I trattati avevano ricevuto la stesura definitiva, e il nostro rimaneva durissimo. A questo punto si pose il dilemma: firmarlo o non firmarlo? Firma e ratifica erano due atti distinti. La prima spettava al governo, la seconda all'Assemblea Costituente, con una controfirma del Capo dello Stato. Il «cuore» del Paese era contro l'accettazione, anche soltanto formale, del *diktat*; la ragione suggeriva l'atteggiamento opposto. L'economia era ancora assillata da angosciose incertezze: e la precaria situazione giuridica e internazionale non era fatta per dissiparle. Si profilava in particolare il rischio che, mancando l'accettazione del trattato gli Stati Uniti, cui De Gasperi aveva dovuto fare drammaticamente appello per le «saldature» alimentari e per i rifornimenti, sospendessero ogni aiuto. E sarebbe stato il disastro. E così l'ambasciatore Meli Lupi di Soragna firmò il 10 febbraio 1947. Lo stesso giorno della firma a Parigi l'italiana Maria Pasquinelli uccise a Pola, per sanguinosa protesta contro l'ingiustizia del *diktat*, il generale inglese De Winton.

Per effetto del trattato, l'Italia perdette Zara, la quasi totalità della Venezia Giulia, l'isola di Saseno, l'Etiopia, l'Eritrea, la Libia, il Dodecanneso, Briga e Tenda, la concessione cinese di TienTsin. Sulla Somalia ottenemmo nel 1949 l'amministrazione fiduciaria per mandato dell'Onu, durata fino al 1960. Trieste e la zona A del Territorio libero tornarono all'Italia nel 1954. Ci fu imposto di pagare cento milioni di dollari all'Urss, 125 alla Jugoslavia, 105 alla Grecia, 25 all'Etiopia, 5 all'Albania. Se-condo le clausole militari l'Esercito italiano doveva essere limitato a 250 mila uomini (compresi 65 mila carabinieri) con non più di 200 carri armati; la Marina a 2 corazzate, 4 incrociatori, 4 caccia, 16 torpediniere, 20 corvette (e 22.500 uomini al massimo); l'Aviazione a 200 caccia e ricognitori, 150 aerei da trasporto, nessun bombardiere, al massimo 25 mila uomini. L'Italia s'impegnava infine a smantellare le fortificazioni ai confini francese e jugoslavo, a smilitarizzare Pantelleria, Lampedusa e Pianosa, e a non acquistare missili guidati, cannoni con gittata oltre i 30 chilometri, corazzate, sommergibili e portaerei.

MOLTE COSE CAMBIARONO, tra l'autunno del 1946 e l'autunno del 1947. Washington, pressata dalle esigenze della guer-

ra fredda, vedeva con ottica diversa l'Italia e anche la Germania.
Mosca procedeva nel consolidamento del suo impero, e già in
Ungheria la minoranza comunista si era impadronita con la vio-
lenza del potere. In Grecia divampava la guerra civile, e gli Stati
Uniti avevano surrogato la Gran Bretagna nel compito di soste-
nere quel bastione occidentale contro l'espansionismo di
Mosca.

Nel campo socialista, in Italia, si approfondivano i contrasti
tra chi voleva che l'alleanza con il Pci durasse, e chi voleva interromperla. Su posizioni autonomiste erano i riformisti di *Critica
sociale*, legati alla tradizione turatiana, e i massimalisti anticomunisti di *Iniziativa socialista*, capeggiati da Mario Zagari. La
coalizione saragatiana voleva un Partito socialista che «da
retroguardia del bolscevismo diventasse avanguardia della
democrazia». A sinistra stava Lelio Basso, risoluto a seguire in
tutto e per tutto – anche nel doppio giuoco – i comunisti. Nenni,
che era per l'unità d'azione con i comunisti pur senza aderire
totalmente alle tesi di Basso, non credeva che la scissione potesse avere conseguenze devastanti. Un giorno Sandro Pertini
l'andò a trovare, presenti Ignazio Silone e Fernando Santi, e fu
colpito dall'abulia di Nenni. «Il nostro colloquio quasi subito
assunse un tono molto violento. Ai miei tentativi di scuoterlo,
Nenni rispondeva stancamente, con frasi quasi ironiche, dicendo che dal partito se ne sarebbero andati via quattro gatti: e
infatti qualche giorno dopo, in un discorso pubblico, pronunciò
la famosa frase dei rami secchi. Gli risposi allora bruscamente
che si ingannava in modo grossolano... La discussione assunse
un tono così concitato, e tutti e due gesticolavamo a tal punto,
che più tardi gli uscieri andarono a riferire, erroneamente, che
Nenni e io eravano venuti alle mani.»

Sicuro di sé, Nenni indisse un congresso anticipato del partito, dal 9 al 13 gennaio (1947). Era preparato – senza molto turbamento, forse con una punta di soddisfazione – al distacco
degli autonomisti. «Dietro – malignò nel suo diario – ci sono
Vaticano e America, con i quali non credo si faccia un partito
socialista, ma si fa però una scissione.» Quando, nell'Aula
magna dell'Università di Roma, si aprirono i lavori, vari esponenti di *Critica sociale* sedevano tra i delegati. Mentre
Iniziativa socialista aveva deliberato di ignorare il Congresso, i
riformisti erano invece, al proposito, molto divisi. Nel pomeriggio stesso del 9 gennaio Matteo Matteotti lesse, a nome degli
oppositori, una dichiarazione che invalidava il Congresso. In

quelle ore a Palazzo Barberini si radunavano Saragat e i suoi. Il giorno successivo – mentre nel Congresso il fusionista Tolloy proclamava spavaldamente «per cinquantamila borghesi che se ne vanno, cinquecentomila nuovi aderenti operai», e Angelica Balabanoff era subissata di fischi per aver attaccato Lenin e Stalin – veniva tentata *in extremis* una mediazione.

Ne fu protagonista Sandro Pertini, direttore dell'*Avanti!*, che andò a Palazzo Barberini (lo accolsero, quando arrivò, con applausi fragorosi e grida di «Sandro, Sandro», perché credevano volesse unirsi ai dissidenti). Pertini, che ostentava disperazione per le lacerazioni, e minacciava addirittura il suicidio se alla scissione si fosse arrivati, propose un compromesso, respinto dapprima dall'assemblea, poi anche da Saragat, in un lungo faccia a faccia tra i due dirigenti socialisti. La mattina dell'11 gennaio, Saragat annunciò di persona, al Congresso socialista, la decisione del suo gruppo. L'Italia aveva ormai due partiti socialisti: il Psi (Nenni e i suoi avevano riesumato questa storica sigla, nel timore d'esserne defraudati dai secessionisti) e il Psli, Partito socialista dei lavoratori italiani. I quattro gatti cui aveva accennato Nenni furono invece, sul piano parlamentare, quasi la metà del partito. Su 115 deputati del Psiup alla Costituente, 52 si schierarono con il Psli: tre di essi erano nel governo (il ministro del Lavoro e della Previdenza sociale Ludovico D'Aragona e i sottosegretari all'Interno e all'Industria e Commercio, Angelo Corsi e Roberto Tremelloni).

RIENTRATO A ROMA da un fruttuoso viaggio negli Stati Uniti, De Gasperi trovò questa situazione nuova: e ne trasse le conclusioni con una spicciatività per lui inusitata, rassegnando le dimissioni del governo il 20 gennaio, senza neppure aver convocato il Consiglio dei ministri. La crisi approdò sostanzialmente a una riedizione del tripartito – democristiani, socialisti, comunisti – con in più il repubblicano indipendente Sforza (dopo 25 anni d'intervallo) agli Esteri, Scelba all'Interno, tre dicasteri ai socialisti e tre ai comunisti. Il numero delle poltrone era stato ridotto da 21 a 16, e le sinistre, la cui presenza era numericamente rispettata (da 8 i loro ministri si erano ridotti a 6, il che era adeguato al totale dei Ministeri) avevano tuttavia perduto gli Esteri e le Finanze. I saragatiani passarono all'opposizione. Una tempesta in un bicchier d'acqua, stando alle apparenze. De Gasperi, partito per licenziare i comunisti, aveva ottenuto alla fin fine il risultato opposto, ossia quello di licenziare i saragatiani. Ma si trattava soltanto d'una scaramuccia d'avanguardie, in attesa della vera battaglia.

Si ha la sensazione che De Gasperi si rendesse pienamente conto di questa realtà, e che invece Togliatti, ingannato forse dalla sua stessa sottigliezza, e abituato a risolvere i problemi con accordi di vertice, si facesse delle illusioni. La sua condotta in quei mesi obbedì alla convinzione che, mancando in Italia le condizioni che avevano dato il monopolio del potere all'Est, ai «blocchi del popolo», la collaborazione tra cattolici e comunisti dovesse durare indefinitamente. Solo così si spiega il voto comunista in favore dell'inserimento dei Patti Lateranensi del 1929 nella Carta costituzionale.

Furono insomma in pochi, fra gli stessi protagonisti, a capire che, nonostante la spregiudicatezza e le furberie di Togliatti, il tripartito formato da Dc, Pci e Psi viveva in Italia la sua ultima stagione, così come sull'orizzonte internazionale viveva la sua ultima stagione l'altro tripartito formato da Stati Uniti, Urss e Gran Bretagna (la Francia figurava tra i «grandi», ma la sua era una presenza onoraria). L'insediamento di Truman alla Casa Bianca non vi aveva portato solo un cambio di persona: vi aveva portato un cambio di mentalità. Alla arrendevolezza rooseveltiana alle mosse e ai disegni di Stalin, era succeduta una diffidenza profonda, e ampiamente legittimata dai fatti. Il 12 marzo 1947, Truman pronunciò davanti al Congresso (Senato e Camera dei rappresentanti riuniti in seduta straordinaria) il discorso che dichiarava la guerra fredda. L'occasione per questa storica presa di posizione gli era stata offerta dagli avvenimenti greci. In quel Paese la guerriglia comunista, alimentata dalla Jugoslavia ancora fedele a Mosca (a ridosso del confine greco-jugoslavo esistevano campi di addestramento e «santuari» per gli *andartes*, i ribelli greci), metteva a dura prova il governo di Atene, che reagiva con durezza, in un seguito di botte e risposte sanguinose.

Truman enunciò allora un programma che assunse il nome di «dottrina Truman» e che, razionalizzato e ideologizzato da George Kennan qualche mese dopo, diede luogo alla teoria del *containment*, il «contenimento». Dovunque l'Urss manifestasse propositi espansionistici, gli Stati Uniti si sarebbero opposti. Truman chiese al Congresso di stanziare 400 milioni di dollari per la Grecia e 100 per la Turchia, la millesima parte di quanto la guerra era costata agli Stati Uniti, «un investimento per la libertà e la pace» perché «i semi dei regimi totalitari prosperano nella miseria e nel bisogno». Con ciò gli Usa diventavano di fatto una potenza anche mediterranea.

LE CONDIZIONI PER IL LICENZIAMENTO dei comunisti c'erano tutte. De Gasperi ruppe gli indugi il 28 aprile (1947) con un discorso radiodiffuso che si prestava a varie letture, ma nel quale era inequivocabile un messaggio: la composizione del governo doveva esser cambiata, se possibile con un allargamento che coinvolgesse tutte le categorie produttive nella gestione del Paese.

Un insperato incoraggiamento gli venne poi da quanto stava accadendo in Francia. Il 30 aprile il governo presieduto da Ramadier (socialista), e che includeva cinque ministri comunisti, dovette decidere se accettare o no le richieste salariali dei 20 mila operai della Renault, scesi in sciopero. Ramadier era per il rifiuto, e la «delegazione» comunista abbandonò, in segno di protesta, un Consiglio dei ministri. Quando due giorni più tardi i comunisti votarono contro il governo all'Assemblea nazionale, la frattura delle sinistre ebbe la sua definitiva sanzione. Il Presidente Auriol reincaricò Ramadier che il 9 maggio formò un governo senza i comunisti.

In Italia l'attenzione dell'opinione pubblica – e dei politici – si era intanto spostata da Roma alla Sicilia, per l'eccidio di Portella delle Ginestre. In quella località vicina a Piana dei Greci si erano radunati il 1° maggio operai e contadini che celebravano la festa del lavoro. «È un luogo – scrisse Nenni nel suo diario – circondato quasi da venerazione perché lì parlò Nicola Barbato, nel 1894, per festeggiare il Primo Maggio. Cominciava a parlare il vecchio compagno Schirò quando dai monti si è aperto il fuoco sulla pacifica folla contadina. Dapprima i manifestanti hanno creduto a fuochi di gioia, i mortaretti tanto in uso nell'isola. Poi sono caduti i primi muli e i primi cristiani.» Si contarono dieci morti e decine di feriti. Le sinistre individuarono subito nel massacro una «risposta degli agrari ai risultati elettorali del 20 aprile», Scelba negò poco convincentemente la matrice politica dell'episodio; solo con un ritardo di anni si poté accertare che della sparatoria era stata responsabile la banda Giuliano, e che i mandanti andavano cercati nei vertici mafiosi e reazionari. Il 2 maggio alla Costituente che discuteva dell'eccidio vi furono scontri e pugilati tra le sinistre da una parte, i qualunquisti e i monarchici dall'altra.

La tragedia siciliana rallentò di poco, senza interromperla, l'evoluzione politica. In Consiglio dei ministri, il 7 maggio, De Gasperi ebbe accenti drammatici: «Il volto del governo è straziato – ammonì – uomini e partiti non hanno ancora la sensazione di come sia gravissima la realtà, quasi tragica, sia per il presente che per l'avvenire». Era un altro sasso nello stagno, la conferma che De Gasperi aveva deciso. Gli diedero una mano, per decidere nel senso da lui voluto, i soliti imprudenti socialisti. Nitti aveva chiesto che la Costituente discutesse, nella seduta del 13 maggio, la situazione economica e finanziaria. De Gasperi non voleva quel dibattito, ma nemmeno poteva rifiutarlo. Senonché i socialisti avvertirono che al dibattito non si doveva arrivare senza un chiarimento della situazione ministeriale, e che comunque il Psi non avrebbe accettato uno spostamento a destra dell'equilibrio politico del Paese. Era quanto occorreva a De Gasperi per convocare, la sera del 12 maggio, la Direzione democristiana, ottenerne l'assenso per l'apertura della crisi, e poi darne notizia a De Nicola che si era dichiarato nettamente ostile a una crisi extraparlamentare. Dopo le consultazioni di rito De Nicola, contrario a un reincarico a De Gasperi, affidò a Nitti il tentativo di formare un nuovo governo.

Molti videro in questo passaggio di mano l'avvio al tramonto della Dc come partito cardine della politica italiana, o almeno al tramonto di De Gasperi. Una diagnosi sballata. Nitti rinunciò, e De Gasperi, ripreso in mano il bandolo della matassa, pervenne alla formazione di un ministero monocolore democristiano integrato da due liberali, Einaudi (vicepresidente) per il Bilancio e Grassi per la Giustizia, e quattro indipendenti: Sforza rimasto agli Esteri, Merzagora al Commercio estero, Corbellini ai Trasporti, Del Vecchio al Tesoro. Un ministero, essenzialmente, di democristiani e di tecnici; fuori tutti gli altri. Ma tra i tutti, quelli che contavano erano i socialisti e più ancora i comunisti. Il 21 giugno, alla Costituente, il governo «passò» con 274 voti favorevoli, 231 contrari.

CARATTERIZZATO SUL TERRENO POLITICO dal licenziamento delle sinistre, il monocolore allargato di De Gasperi lo fu, sul terreno economico, dalla «dittatura» di Luigi Einaudi. Al professore piemontese che s'era appartato dall'insegnamento e dalla vita pubblica durante il ventennio littorio, De Gasperi aveva delegato la supervisione dell'economia: una materia nella quale egli s'addentrava malvolentieri, e svogliatamente, disposto sovente – come tutti i politici «puri» – a forzarne le regole per esigenze di grande o anche di piccola cucina governativa e parlamentare. Einaudi era invece uno dei più grandi economisti europei, «liberista» di sicuri convincimenti, espressi, quando gli capitava di scriverne, in articoli e saggi dal linguaggio un po' antiquato ma dalla chiarezza cristallina. Avversava i programmi dirigisti delle sinistre – che sognavano di coniugare l'espansione produttiva con una selva di vincoli politici e assistenziali – ma non era disposto ad agevolare il ruggente *boom* nel quale era facile avvertire un che di malsano. Il presidente della Confindustria, Angelo Costa, era schierato senza esitazioni al lato di Einaudi, e della sua severità. Ma a moltissimi imprenditori il degrado della lira – con i salari impegnati nella consueta vana rincorsa dei prezzi – non era dispiaciuto: più d'uno lo considerava la molla della ripresa. Proprio nei mesi di massima inflazione – tra il giugno del '46 e il giugno del '47 – le fabbriche, ripristinate in buona parte la loro attrezzatura e la loro efficienza, lavorarono a ritmo intenso. Nel volgere di un anno la produzione automobilistica triplicò, quella del cotone e della lana superò i livelli d'anteguerra. Le quotazioni azionarie salivano quasi di pari passo, tutti compravano e vendevano in Borsa. «Se nessun avvenimento e nessun provvedimento verranno a guastare l'attività delle Borse – scrisse la *Rivista Bancaria* – l'anno 1947 segnerà una data di cospicuo rilievo nella nostra economia industriale e produttiva.» Questa spinta impetuosa era però inquinata dalla febbre speculativa. Infatti, lo ha rilevato Franco Catalano, «ad un aumento della circolazione di 20 volte rispetto al 1938 corrispondeva un aumento dei prezzi di 50 volte, il che stava ad indicare che la svalutazione della moneta derivava non tanto dall'aumento del circolante, quanto piuttosto da quella che gli economisti dicevano velocità di circolazione, e le sinistre speculazione». Einaudi non intendeva certo porre ostacoli alla ripresa: ma intendeva correggerne le degenerazioni, quel surriscaldamento che si traduceva in inflazione. Gli ambienti finanziari avevano ben valutato, fin dall'inizio, le implicazioni negative della linea Einaudi: tanto che la Borsa ne accolse l'avvento non con un rialzo, ma con una flessione.

I provvedimenti che abolivano il prezzo politico del pane e aumentavano vari prezzi pubblici – gas, poste, ferrovie, elettricità – erano impopolari, ma non potevano essere evitati se si voleva che il deficit di bilancio – mille miliardi di uscite, cinquecento di entrate – fosse un po' attenuato. Inoltre il cambio ufficiale del dollaro fu portato da 225 a 350 lire: ben lontano dal cambio «libero» che, toccata una punta di 972 lire quando la sfiducia nella lira era massima e l'inflazione galoppante, si era assestato sulle 600 lire. A fine anno ogni controllo sul cambio venne comunque abolito. Ciò favorì le esportazioni – le nostre merci risultarono più convenienti per i compratori – ma fece lievitare i prezzi dei prodotti importati.

Tutto questo andava ottimamente per gli imprenditori. Andava molto male invece la stretta creditizia che Einaudi deliberò. Portò il tasso di sconto dal 4 al 5,5 per cento, prescrisse che le banche investissero importanti aliquote dei depositi bancari in titoli di Stato o in conti speciali fruttiferi presso la Banca d'Italia, inaridì insomma il flusso di denaro che fino a quel momento aveva finanziato l'industria. I titoli crollarono, tra il settembre e l'ottobre del 1947 si ebbero perdite di oltre la metà del loro valore di mercato, con il massimo del 91 per cento per la Breda, del 74 per cento per l'Isotta Fraschini, del 75 per cento per Pirelli e Fiat. All'inflazione seguirono sintomi di deflazione, con un calo dei prezzi all'ingrosso, tra il settembre e il dicembre del 1947, dell'8 per cento circa, e un analogo decremento del costo della vita. La produzione industriale si contrasse, la disoccupazione salì da meno di due milioni d'unità a oltre due milioni e mezzo. La terapia Einaudi era dura, amara, inflessibile; scontentò i settori più audaci o più avventurosi del mondo imprenditoriale, provocò proteste di massa, con vaste agitazioni dei metallurgici e dei tessili, e uno sciopero contadino in Val Padana che trovava paragoni per la sua ampiezza e compattezza solo negli scioperi agricoli del precedente dopoguerra.

LA LINEA EINAUDI non si sarebbe imposta, quali che fossero le qualità e l'autorità del suo assertore, se non avesse obbedito a esigenze interne e a esigenze internazionali, politiche ed economiche, che non possiamo fare a meno, a questo punto, di riassumere. Il mondo si stava dividendo in due blocchi, e in quello occidentale il «la» ad ogni iniziativa era dato dagli Stati Uniti che reggevano i cordoni della borsa. La loro potenza economica, che era immensa, s'era moltiplicata nel raffronto con l'impoverimento dell'Europa. Era nell'interesse di Washington che gli amici europei si rialzassero dalla rovina: per costituire un fronte contro il comunismo, ma anche per offrire un mercato ai prodotti americani. Gli Usa erano perciò disposti ad aiutare largamente gli europei, ma a certe condizioni, che furono precisate il 5 giugno. Quel giorno il generale Marshall, che come segretario di Stato americano aveva sostituito Byrnes, annunciò, in un discorso al Circolo dei laureati dell'Università di Harvard, che gli Stati Uniti si proponevano di sostituire un progetto organico ai loro frammentari aiuti. «È evidente – disse – che prima che il governo degli Stati Uniti possa ulteriormente proseguire i suoi sforzi per alleviare la situazione e avviare il mondo europeo verso la rinascita, si dovrà raggiungere un accordo tra i Paesi europei in merito alle necessità della situazione e alla parte che questi Paesi stessi dovranno svolgere... Il programma dovrebbe essere unico e costituire il risultato dell'accordo fra parecchie, se non fra tutte, le nazioni europee.» L'invito era dunque esteso all'intera Europa dall'Atlantico agli Urali: e nel momento in cui, con la «dottrina Truman», si consolidavano i fronti contrapposti dell'Est e dell'Ovest, il «piano Marshall» pareva, nella formulazione se non nelle intenzioni, un estremo tentativo di collaborazione e di intesa mondiale. Bevin per la Gran Bretagna e Bidault per la Francia aderirono prontamente e invitarono il loro collega sovietico, Molotov, a una conferenza che definisse l'atteggiamento dell'Est nell'ambito europeo. Molotov accettò. Non è dato sapere se l'abbia fatto solo per la vetrina, o con il serio proponimento di valutare i pro e i contro. Se recitò, non lesinò nella messinscena. Portò con sé a Parigi, per la Conferenza che s'aprì il 27 giugno, 4 ministri plenipotenziari, 18 consiglieri ed esperti, 17 segretari e traduttori, 56 ausiliari. Tutto questo solo per arrivare a un *niet*.

Con prevedibile docilità, anche se con molto segreto rammarico, quelli che già erano i satelliti del Cremlino si adattarono alla decisione della quale si deve riconoscere la logica politica. Il 3 luglio Bevin e Bidault diramarono un nuovo invito a 22 Paesi, ridotti a 16 per la forzata defezione di Polonia, Ungheria, Romania, Jugoslavia, Bulgaria e Cecoslovacchia. Il 3 aprile del '48 fu autorizzata da Truman la concessione di sei miliardi di dollari per il primo anno. L'America aveva finalmente e per sempre capito quale fosse l'interpretazione che Stalin voleva dare agli accordi di Yalta. Al riparo dell'Armata Rossa, nei Paesi da questa occupati, i dirigenti comunisti s'impadronivano di tutte le leve del potere, mantenendo in funzione dei governi di fittizia «unità nazionale», ma cancellando ogni opposizione, e anche ogni timida dissidenza. Si celebravano riti elettorali che non erano ancora le farse totalitarie del 99 per cento dei voti ai comunisti, ma già rovesciavano, con pressioni e intimidazioni d'ogni genere, i veri rapporti di forza. Il 31 agosto del 1947, quando s'era votato in Ungheria, la coalizione socialcomunista aveva raccolto il 37 per cento dei suffragi, e il Partito dei piccoli proprietari – esule dal maggio Ferenc Nagy – era precipitato dal 57 al 14 per cento. Quasi negli stessi giorni il Partito nazionale contadino era stato messo fuori legge in Romania, e il Partito agrario fuori legge in Bulgaria dopo la condanna a morte di Petkov. In settembre fu deliberato in Cecoslovacchia il patto d'unità d'azione tra Partito comunista e Partito socialista, e infine il 17 febbraio 1948 il *leader* comunista Gottwald prese le redini del governo in Cecoslovacchia. Il ministro degli Esteri di quel Paese, Jan Masaryk, che pure si era «allineato» al nuovo corso, ma era tormentato dai più cupi pentimenti e presentimenti, morì misteriosamente il 10 marzo successivo «cadendo» da una finestra del Palazzo Czernin, dove aveva l'ufficio. Secondo la versione ufficiale, tutt'altro che persuasiva, si era tolto la vita per un grave collasso nervoso. Questo rosario di colpi di mano e di usurpazioni ebbe una cornice politica: il Cominform, risorto dalle ceneri del defunto Cominterm nel quale Palmiro Togliatti aveva avuto un ruolo di primo piano. Il Cominform raggruppò solo una parte dei Partiti comunisti che erano affiliati al Cominterm (o Terza internazionale), sciolto da Stalin nel maggio del 1943. Oltre ai Partiti comunisti dell'Europa orientale furono invitati a parteciparvi – unici rappresentanti dell'Occidente – gli italiani e i francesi. Tramontava, con la nascita del Cominform, il disegno delle vie nazionali al socialismo. L'azione e la polemica del Pci fu, dopo la creazione del Cominform, un riverbero preciso del «nuovo corso» dettato da Stalin.

IN PARALLELO CON IL «GELO», si deteriorava in Italia la situazione sociale. Sempre più frequenti erano le manifestazioni violente, gli scontri, gli spargimenti di sangue. Più che De Gasperi, per le sinistre il nemico era Scelba, ministro dell'Interno, anzi, secondo la locuzione che esse preferivano, «ministro di polizia».

Questo avvocato non ancora cinquantenne, siciliano come don Sturzo, del quale era stato fedele seguace e affettuoso discepolo, antifascista senza tentennamenti, repubblicano, fermo nelle sue idee – non voleva la firma del trattato di pace e lo disse chiaramente – non aveva paura d'aver coraggio. Il che ne faceva un democristiano anomalo, un muro tra tanti materassi di gommapiuma. Di statura un po' inferiore alla media, ma quadrato di spalle e dal gestire risentito, quasi completamente calvo anche in età giovanile, gli occhi piccoli, neri e mobilissimi, il volto pallido rotondetto e dalla pelle lucida e tirata sul quale si inseguivano continuamente espressioni fugacissime di divertimento, stupore, irritazione, Scelba replicava agli attacchi che in un Parlamento tumultuante gli venivano rivolti, con forte accento siciliano, ma anche con un linguaggio scarno, aderente alle cose: ciò che Nenni scambiava per cinismo. Affermava, quasi ostentava il diritto dello Stato a difendersi. Per la ragion di Stato era pronto anche a mentire – lo si vide nel caso Giuliano –, mai però a tradire il suo dovere. Con la sua polizia ancora «infiltrata» da elementi partigiani che erano elementi comunisti, con la sua Celere raccogliticcia, Scelba aveva l'immane compito di fronteggiare non soltanto i pericoli presenti, ma quelli potenziali. Ci voleva del fegato. Togliatti non voleva fare la rivoluzione, ma alcuni dei suoi – Pietro Secchia in particolare, lo vedremo – sì. Togliatti lasciava comunque che i militanti «duri» credessero alla possibilità d'una risolutiva lotta armata. Il partito parallelo, e l'«esercito popolare» parallelo, avevano inquadramento e armi. Soffitte, scantinati, fienili erano zeppi di fucili, mitra, pistole, bombe a mano. Poteva bastare una scintilla per appiccare l'incendio e trasformare l'Italia, se non in una Polonia o in una Cecoslovacchia, almeno in una Grecia. Scelba calamitò l'odio delle sinistre, e in un certo modo si compiacque di farlo, lasciando agli «amici» della Dc, che di amicizia gliene mostrarono sempre pochissima, il lusso dei «dialoghi». Incappò, proprio per questo suo carattere spigoloso, in errori e grossolanità: mai in slealtà. Non aveva la stoffa dello statista, e lo si vide quando, scomparso De Gasperi, resse il governo: ma in abbinata con De Gasperi, fu uno dei pilastri della Democrazia cristiana e anche della democrazia *tout court*. La rivolta armata non ci fu, ma le sue «prove generali» sarebbero bastate per sprofondare nel panico un uomo meno forte. Lo si vide durante la cosiddetta «guerra di Troilo»: nelle ore in cui i militanti comunisti – incluse le frange armate – furono mobilitati contro la sostituzione, a Milano, del prefetto Ettore Troilo, nominato a quel posto per benemerenze resistenziali e politiche. Era ormai, Troilo, l'unico prefetto non di carriera. Tra il 28 e il 29 novembre 1947 colonne di dimostranti affluirono a Milano da Sesto San Giovanni, che era ancora la Stalingrado d'Italia, la Prefettura venne occupata con il tacito assenso di Troilo, e Giancarlo Pajetta ne comunicò la conquista a Togliatti che gelido commentò: «Bravi, e cosa intendete farne?». Tutto si concluse con un compromesso che era in sostanza una vittoria del governo: Troilo doveva andarsene.

Nel Pci il «partito parallelo» aveva mostrato la sua faccia violenta durante l'occupazione della Prefettura di Milano. Togliatti fingeva d'ignorare questo inquietante e segreto volto del suo partito. Se ne compiaceva invece Pietro Secchia, potente e irruente capo dell'organizzazione, un posto che gli consentiva di far le pulci a tutti, perfino a Togliatti: il quale dovette infatti piatire da lui un nuovo alloggio quando, separatosi dalla moglie, decise di metter su casa con Nilde Jotti. Pietro Secchia, detto Botte, era di Occhieppo Superiore, nel Biellese. Figlio di povera gente (padre contadino, madre operaia tessile), aveva compiuto tuttavia gli studi ginnasiali, integrati successivamente dalla cultura ideologizzata dei rivoluzionari autodidatti. Ventenne al tempo della Marcia su Roma, s'era buttato senza esitazioni alla lotta clandestina, nelle file comuniste. Gli erano state presto affidate missioni delicate – tra l'altro nel 1924 era stato delegato al Congresso dell'internazionale giovanile comunista a Mosca – poi aveva vissuto in Francia, era rientrato nascostamente in Italia, aveva subito i primi arresti. Prima che Mussolini cadesse, Secchia aveva trascorso tredici anni della sua vita (e ne aveva solo quaranta) tra carcere e confino. Era stato tra i capi della Resistenza, coraggioso e spietato. Delle strutture di partito Secchia aveva una concezione rigida, ereditata sia dalla lotta clandestina sia dall'inquadramento militare della Resistenza. Nel rivoluzionario si sentiva il piemontese. Al militante era concesso di ubbidire, e anche di pensare con juicio, mai di dubitare.

Nessuno meglio di Secchia poteva gestire insieme il Pci affiorante e quello sotterraneo: e incoraggiare o coprire sottobanco le azioni dei militanti facinorosi, qualche volta sanguinari, lasciando ai Togliatti e agli Amendola il compito di deplorarli, ufficialmente. Un giorno (Togliatti era ministro della Giustizia) si presentarono a Roma, chiedendo di vederlo, i «compagni» che nelle carceri di Schio avevano operato una mattanza di ex-militanti della Repubblica di Salò, imprigionati. Questi «giustizieri» erano tecnicamente dei latitanti. Quando Massimo Caprara – allora segretario di Togliatti – gliene annunciò la visita, la risposta fu sferzante: «Ma sono pazzi, digli che non posso assolutamente occuparmi di loro». Ma altri si occupava, nel Pci, di questi comunisti macchiati di sangue, e li avviava oltre frontiera, verso i «santuari» dell'Est. Così Praga divenne un covo di imputati e di condannati in contumacia e, ha ricordato Miriam Mafai, «attorno alla Radio in lingua italiana hanno vissuto e lavorato per anni molti di coloro che, dopo il 25 aprile, non avevano rinunciato all'azione armata e agli atti di terrorismo, e lì costituirono una piccola comunità che aveva rapporti regolari con il Pci».

Analogamente, il Partito comunista non sponsorizzava formalmente, ma neppure rinnegava interamente, nel fondo, i fatti e misfatti di quei gruppi – con il linguaggio latino-americano potremmo chiamarli squadroni della morte – che praticarono la giustizia sommaria nei giorni della Liberazione, ma seguitarono a praticarla – almeno gli irriducibili – anche dopo. Gli sterminatori agivano anche all'ombra di associazioni innocue, e insospettabili. Ad esempio i componenti la famigerata Volante Rossa erano, per la facciata, membri d'un circolo ricreativo con sede presso la Casa del Popolo di Lambrate (un quartiere della periferia di Milano). In mezzo ai tanti che veramente si ricreavano, v'era un nucleo ristretto di *killer* professionali. Lo guidava «Alvaro», un giovane operaio reduce dalla guerra partigiana, nella quale aveva comandato la 118ª brigata Garibaldi. La Volante – scuola e modello delle future Brigate rosse – si esibì a volte in azioni clamorose e rivendicate – le uccisioni di Franco de Agazio fondatore e direttore del «nostalgico» *Meridiano d'Italia*, e del generale Ferruccio Gatti – altre volte in ammazzamenti spiccioli e oscuri. «Andavamo a prendere l'individuo – rivelò uno che sapeva – lo portavamo dalle parti del campo Giuriati, perché allora lì era tutto prato e la mattina passava l'obitorio a ritirarlo.» A volte era il Lago Maggiore a far da obitorio, grazie a una pietra legata al collo della vittima, condotto a fare una gita in barca senza ritorno. Non mancava, nelle iniziative della Volante, un pizzico di truce goliardia. Un dirigente della Falck, l'ingegnere Italo Toffanello, fu sequestrato in casa nottetempo e lasciato in mutande – era pieno inverno – a poca distanza dal Duomo. L'impresa fu firmata «un gruppo di bravi ragazzi». La Volante si mostrò spavaldamente alla ribalta, credendo fosse giunta l'ora X, durante la «guerra di Troilo». Quindi risprofondò nell'ombra, fino a quando la cattura d'un giovane appartenente alla organizzazione portò alla sua scoperta, e alla identificazione dei capi.

Questa fase della politica comunista ebbe in Italia il suo

imprimatur dal VI Congresso del Pci, aperto il 4 gennaio 1948 a Milano. Il partito di Togliatti era numericamente imponente – quasi due milioni e trecentomila iscritti – ed era ancora un partito operaista (il 45 per cento di operai, il 17 per cento di salariati agricoli). Fu il Congresso «dell'obbedienza al Cominform», secondo la definizione di Bocca. «Tutti i lavori del Congresso dovranno svolgersi alla luce della situazione nazionale e internazionale così come è stata definita dalla Conferenza dei nove partiti (Cominform) e dal recente Comitato centrale del nostro partito.»

IL 1947 SI CHIUSE con un rimpasto del governo De Gasperi – allargato ai socialdemocratici e ai repubblicani – e con l'approvazione della Carta Costituzionale. Pochi giorni separarono i due avvenimenti (il 16 dicembre il rimpasto, il 22 il sì alla Costituzione): e la successione cronologica ne contraddisse il significato.

Il varo della Costituzione rappresentò infatti l'epilogo della collaborazione ciellennistica e dell'unanimismo antifascista. La Costituzione passò con 453 voti a favore e solo 62 contrari, di destra: una maggioranza cui anche quarant'anni dopo, ad esempio per l'elezione del Presidente Cossiga, sarebbe stato dato il nome di «arco costituzionale». La nuova struttura del governo ampliò e consolidò invece il blocco anticomunista, mentre prendeva definitivamente forma il Fronte popolare di Togliatti e Nenni: e insieme delineò la formula di maggioranza politica sulla quale la democrazia italiana si sarebbe retta, sia pure con tentennamenti e lacerazioni, nel decenni successivi.

La Magna Charta della Repubblica italiana fu concepita sotto l'ossessione di un ritorno della dittatura, ossessione che ne condizionò e spesso viziò gli istituti: e venne tenuta a battesimo, nella sostanza, da due forze politiche – la cattolica e la marxista – che erano state estranee al Risorgimento, quando non ostili, e che erano per tradizione, e per i personali convincimenti di alcuni loro uomini, scarsamente sensibili ai grandi ideali liberali. Tortuosa e farraginosa fu inoltre la procedura attraverso la quale si arrivò alla formulazione di questa legge fondamentale. Dai 600 costituenti fu espressa una commissione più ristretta, detta dei Settantacinque, che a sua volta si divise in sottocommissioni per la redazione di questa o quella parte, di questo o quell'articolo. I testi che dai gruppi settoriali risalivano ai

Settantacinque, e dai Settantacinque all'assemblea plenaria, erano sganciati l'uno dall'altro e scaturivano a volte da ispirazioni diverse. Con la conseguenza, rilevata da Piero Calamandrei, che «quando si arriverà a montare questi pezzi usciti da diverse officine potrà accadere che ci si accorga che gli ingranaggi non combaciano e che le giunture del motore non coincidono: e potrà occorrere qualche ritocco per metterlo in moto». La Costituzione ebbe una impronta unitaria e omogenea, proprio in quella che si rivelerà una delle sue caratteristiche più negative: la voluta debolezza del potere esecutivo, cioè del governo, nel nome di un parlamentarismo esasperato che il tempo trasformerà in partitocrazia e lottizzazione.

Nessuno dei freni che in altri Paesi già esistevano o furono adottati per scongiurare l'instabilità dei governi – e in definitiva del sistema – e la frammentazione del quadro politico fu accolto dai costituenti. Niente collegio uninominale, niente soglia del cinque per cento (come nella Germania federale) per l'ammissione di un partito in Parlamento, niente premio di maggioranza, niente obbligo di presentare una maggioranza di ricambio già pronta prima di far cadere la maggioranza sulla quale si regge il governo. Tutto il potere al Parlamento, non soltanto l'esame delle leggi importanti ma anche quello delle famigerate «leggine», una giungla nella quale il lavoro di deputati e senatori dovrà aprirsi il varco con stento, e in tempi lunghi. Il sistema bicamerale, sicuramente utile per correggere taluni errori d'una Camera, finiva per diventare, in quel trionfo della lentezza, un ulteriore motivo di ritardo all'*iter* dei disegni di legge. Nel documento erano contenuti, *in nuce*, la girandola dei governi, la perennità delle crisi, l'esigenza che il Presidente del Consiglio e i suoi ministri s'impegnino quotidianamente più a sopravvivere che ad amministrare. Paradossalmente, la Dc e il Pci, l'una e l'altro per niente tranquilli sull'esito delle elezioni politiche prossime venture, erano in egual misura interessati a castrare l'esecutivo. Il Pci perché una democrazia debole è una democrazia facilmente infiltrabile e rovesciabile, la Dc perché un Fronte popolare trionfante avrebbe trovato, proprio in quella Costituzione, più d'una remora all'instaurazione d'un potere autoritario.

Da questo ibrido, o da questa confusione, derivò un certo tono messianico e verboso della Costituzione (la stessa solenne affermazione secondo la quale la Repubblica italiana è fondata sul lavoro appartiene più alla retorica politica che alla legislazione).

Sempre Calamandrei, non sospettabile di tentazioni reazionarie ma acuto, sottolineava che nel suo complesso la Magna Charta «rischia di riuscire piuttosto che un documento giuridico, uno strumento politico: piuttosto che la attestazione di una raggiunta stabilità legale, la promessa di una stabilità sociale che è appena agli inizi». A queste aspirazioni vagamente progressiste si intrecciava, proprio per la difficoltà di concretarle, lo «spirito di rinvio», ossia la rinuncia al compito di fissare vere norme, demandandole a future leggi di attuazione. Le quali sono ancora in qualche caso di là da venire: come la regolamentazione del diritto di sciopero.

IL CONGRESSO DELLA DC a Napoli, nel novembre 1947, fu tranquillo. De Gasperi lasciò la segreteria per assumere la presidenza, e Attilio Piccioni prese il suo posto. Ai congressisti De Gasperi aveva lasciato intendere che un rimpasto era auspicabile. Fu attuato, come s'è detto, a metà dicembre. Saragat e Pacciardi si affiancarono, quali vicepresidenti del Consiglio, a Luigi Einaudi, i socialdemocratici Tremelloni e D'Aragona ebbero rispettivamente l'Industria e le Poste, il repubblicano Facchinetti la Difesa. Infine fu inserito, come ministro senza portafoglio per il coordinamento delle attività economiche del governo – incarico che prefigurava quello dei futuri ministri per le Partecipazioni statali – il democristiano Togni.

Comunisti e socialisti marciavano ormai insieme, ignari di procedere a ranghi serrati verso una catastrofe. Nenni, non Togliatti, aveva voluto stringere i legami tra i due partiti. A fine novembre del '47 andò a Praga, su invito dei sovietici, e a Karlovy Vary dialogò a lungo con Malenkov, il vice-Stalin, «grasso, un po' flemmatico, perfettamente orientale». Il povero Nenni chiese a Malenkov, tra l'altro, cosa l'Unione Sovietica potesse fare per l'economia italiana, e il sovietico, lontano le mille miglia dal sospettare quale fosse la vitalità rinascente dell'economia occidentale, e ancorato ai moduli dirigistici di casa sua, rispose seriamente: «Se le sinistre vincono le elezioni e tornano al governo, nel 1948 l'Unione Sovietica potrà far fronte al fabbisogno di grano. Per il carbone non può far nulla per ancora tre anni». Era archeologia economica, e nessuno dei due interlocutori se ne rendeva conto.

Nella lunga vigilia elettorale l'esistenza del Fronte, e l'intimo legame con i comunisti, furono per il Psi una pesante catena.

Lombardi aveva visto giusto, subordinando il patto socialcomunista a una emancipazione del Pci dall'obbedienza cieca al Cremlino. Il Fronte divenne invece realtà, per sfortuna dei socialisti (ma se l'erano cercata), proprio nei mesi in cui l'Urss, impegnata nella guerra fredda, e decisa a trasformare in proconsolati o semicolonie tutti i Paesi occupati dall'Armata Rossa, pretendeva che i Partiti comunisti occidentali non solo tollerassero, ma acclamassero. Puntualmente, era obbedita. A braccetto con il Pci, il Psi si trovò costretto ad applaudire – tra mugugni nelle sue file – le peggiori infamie. Il colpo di Stato di Praga precedette di due mesi scarsi le elezioni politiche del 18 aprile 1948. A Stalin, che attuava un disegno brutale e coerente, questa consultazione in un Paese che Yalta poneva al di fuori della sua sfera di influenza interessava molto meno della *mainmise* all'Est.

Ma la tragedia cecoslovacca, con gli arresti, le persecuzioni, le epurazioni attuate da Gottwald con la collaborazione dello spietato ministro dell'Interno Nocek fu una tragedia anche per i socialisti. La reazione pavloviana del Pci e dell'*Unità* a quei fattacci era scontata anche se abbietta: le centrali spionistiche e reazionarie americane avevano ordito un complotto sventato dal sano popolo lavoratore. Ma i socialisti, cui giungevano via via gli echi delle martellate con cui si crocifiggeva la democrazia cecoslovacca, dei penosi cedimenti di Benes, del sacrificio di Masaryk, dovevano associarsi all'ostentato tripudio dei compagni comunisti. E cianciarono anch'essi di «vittoria di popolo» a Praga e di «smarrimento dei circoli reazionari».

Il fronte democratico popolare di Togliatti e Nenni non comprendeva soltanto i comunisti e i socialisti. Vi erano incluse formazioni minori, come la Democrazia del lavoro, il Partito cristiano sociale – flebile contraltare trasformista della Democrazia cristiana – e anche elementi socialdemocratici e repubblicani. Questa tecnica d'un blocco – antifascista, resistenziale e laico – che si opponesse alle bieche forze dell'oscurantismo, riecheggiava – ed era, alla luce di ciò che andava accadendo, un'eco per più motivi sinistra – altre coalizioni «democratiche» attuate e imposte nei Paesi dell'Est. Nelle liste uniche «popolari» a più voci, contavano solo le voci comuniste e socialiste. Si sarebbe poi visto anche in Italia alla luce dei risultati che il Pci aveva tutto organizzato per farsi la parte del leone: nella vittoria, se ad essa si fosse arrivati, ma anche nella disfatta che invece si avverò. Sulla trincea opposta stava essenzialmente la Dc, cui in caso d'esito incerto si sarebbero affiancati i socialdemocratici, i repubblicani, e i conservatori dell'alleanza stretta tra i liberali e l'Uomo Qualunque.

Le elezioni del 18 aprile 1948 furono un avvenimento decisivo, quale che fosse l'angolazione da cui lo si considerava. La Chiesa si batté in prima linea ammettendo e addirittura ostentando questo suo interventismo che in taluni momenti dovette parere eccessivo anche allo stesso De Gasperi. Pio XII aveva già detto che la scelta era «con Cristo o contro Cristo». I vescovi di grandi diocesi – Ildefonso Schuster a Milano, Giuseppe Siri a Genova, ma anche altri – precisarono che costituiva peccato mortale sia il non votare sia il votare «per le liste e per i candidati che non danno sufficiente affidamento di rispettare i diritti di Dio, della Chiesa e degli uomini». La distinzione, che sarebbe venuta con Giovanni XXIII, tra l'errore e l'errante, era sconosciuta a questa dura impostazione. I presuli presero cura di precisare che il comunismo era contrario alla fede – a coloro che ne condividevano l'ideologia doveva essere negata l'assoluzione – «anche quando si presenta, come attualmente accade, sotto spoglie che non sono sue».

In apparenza il legame tra la Democrazia cristiana e la Chiesa – che era operativamente un legame tra la Democrazia cristiana e le parrocchie – assicurava una penetrazione capillare nell'universo dei credenti al messaggio politico democristiano. Esisteva inoltre l'Azione cattolica, che il fascismo aveva compresso e condizionato ma mai soppresso, ed esisteva la Spes, il Servizio propaganda e studi della Dc sorto a metà del 1947 proprio per rendere più efficace l'azione del partito. In questa struttura Pio XII e il suo prosegretario di Stato, mons. Montini, dovettero tuttavia avvertire lacune e debolezza. Si affidarono allora a Luigi Gedda, presidente degli uomini di Azione cattolica, per la creazione, nel febbraio del 1948, dei Comitati civici.

Luigi Gedda, uno studioso che era stato allievo del famoso endocrinologo Pende, e che si era specializzato in ricerche sui gemelli, era l'esponente di un integralismo cattolico esasperato. Dal '34 al '46 aveva diretto, con indubbio talento organizzativo e slanci mistici, il settore giovanile dell'Azione cattolica, per essere poi preposto agli uomini di Ac. Era ambizioso, e probabilmente riteneva che le sue qualità meritassero più alti riconoscimenti.

Quest'uomo impastato di fede e di arrivismo era però riuscito a radunare in piazza San Pietro, davanti al Papa, nel settembre del 1947, settantamila «baschi blu» (il colore, spiegò, gli era stato ispirato dal gran mazzo di fiordalisi offerto alla Madonna di Lourdes, durante un pellegrinaggio) e in altre occasioni masse imponenti di baschi verdi, creati poco dopo. Pio XII fu conquistato dalla sua sicurezza e dalla sua fermezza. De Gasperi ne era più impensierito che affascinato. Pensava in particolare agli interessi della Dc, al pericolo d'un secondo partito cattolico, alla concorrenza dei Comitati civici nella raccolta di fondi elettorali.

Gedda, forte del *placet* Vaticano, si diede a tessere una rete di trecentomila volontari affiancati alle 22 mila parrocchie italiane. E ritenne sempre d'aver avuto un ruolo determinante nel successivo trionfo. «Il 18 aprile – dichiarò – è stata una bella pagina scritta dall'Italia cattolica, un'Italia che per quasi un secolo era rimasta in stato di clandestinità. La vittoria fu della Dc, ma questa fu la veste di circostanza della protagonista, l'Italia cattolica che si era andata preparando da almeno tre generazioni a questo grande momento... Dovevamo svegliare il gigante addormentato, chiarirgli le idee, spingerlo a raccogliere l'indimenticabile appello del Vicario di Cristo.»

Le sinistre, e i radical-chic che hanno in odio il 18 aprile, insistono sui risvolti superstiziosi e pittoreschi di quella mobilitazione e ricordano «le Madonne che piangevano e muovevano gli occhi». Ma c'era ben altro. C'era anzitutto il netto miglioramento della situazione economica, dovuto insieme alla politica di risanamento einaudiana e al consistente appoggio americano. Ormai la crescita dei salari aveva sopravanzato quella del costo della vita (rispetto al 1939 il rapporto nella primavera del 1948 era di 1 a 49 per il costo della vita, di 1 a 51 per i salari). Non mancavano gli elementi negativi, come la crescita dei disoccupati di mezzo milione d'unità, ma la gente avvertiva che l'Italia stava economicamente risorgendo. E avvertiva inoltre che questo slancio avrebbe perso ogni vigore qualora l'Italia avesse votato per il Fronte.

Nel periodo tra la metà del '47 e la metà del '48 – che richiedeva una saldatura tra gli aiuti dell'Unrra, finiti, e gli aiuti del piano Marshall, ancora da iniziare – Washington destinò all'Italia un contributo di emergenza di trecento milioni di dollari, essenzialmente in alimentari e medicinali. Fu stabilito che l'arrivo in un porto italiano di ogni centesima nave di aiuti fosse celebrato con una cerimonia cui intervenisse il dinamico ambasciatore Dunn. I comunisti ne trassero spunto per accusare l'ambasciatore di essersi trasformato in propagandista della

Dc: e sostennero che l'Italia vendeva agli americani la sua indipendenza in cambio di cibo. Ma gli italiani, che non sono sciocchi, sapevano che l'Urss non avrebbe mai voluto né potuto fare alcunché di simile: e che se, per pura ipotesi, l'avesse fatto, la gratitudine comunista per il generoso gesto del Paese del socialismo avrebbe di gran lunga superato, in servilismo e piaggeria, ogni manifestazione filoamericana.

La strategia occidentale per influire sulle elezioni non poteva ignorare né la ferita giuliana, tuttora sanguinante, né in generale le dure condizioni del Trattato di pace. Agli americani si associò volonterosamente, su questo terreno, il ministro degli Esteri francese Bidault. Il perno delle iniziative restava comunque Trieste, dove il Territorio libero tardava a prendere forma, e non si era ancora arrivati alla designazione di un governatore. Gli occidentali temevano tra l'altro – in base a rapporti probabilmente infondati dei loro diplomatici – che l'Urss potesse giuocare d'anticipo, e pronunciarsi per un ritorno della Zona A all'Italia. Il 20 marzo (1948) Bidault s'incontrò a Torino con Sforza e gli comunicò, anche a nome degli americani e degli inglesi, una nota in cui si proponeva che il Territorio libero tornasse sotto la sovranità italiana. Poiché era fuori discussione che gli jugoslavi cedessero la Zona B, il passo riguardava in sostanza la Zona A. L'Urss, cui la nota era anche diretta, esitò a rispondere, e quando lo fece il suo fu un *niet* appena camuffato da formule giuridiche. Nenni commentò che «i tre regalano ciò che non hanno (la sorte di Trieste dipende dalla Jugoslavia) e si tengono quello che hanno (Briga, Tenda, le Colonie)». *L'Unità* si scagliò contro il «volgare tentativo di trascinare l'Italia in un'atmosfera di guerra».

«IL FRONTE VINCE – VOTA FRONTE.» Questo era lo *slogan* primario dell'alleanza socialcomunista, corredato da altre parole d'ordine accessorie che insistevano sulla soggezione del governo a forze estranee e reazionarie (gli Stati Uniti, il Vaticano) e sulla dubbia italianità dello stesso De Gasperi il cui cognome veniva distorto in Von Gasper. L'affluenza ai comizi di sinistra era immensa, e i *leaders* più emotivi ne erano ubriacati.

Gli intellettuali s'erano schierati largamente con le sinistre; un appello lanciato dall'Alleanza per la cultura aveva raccolto quattromila firme. Molte erano di opportunisti e conformisti i quali sapevano che se la Dc avesse vinto, la loro adesione allo schieramento opposto non li avrebbe pregiudicati, mentre se avesse vinto il Fronte l'averlo subito preferito sarebbe stato di enorme vantaggio. Ma si contarono tra i firmatari anche uomini eminenti che in nome del laicismo e della tradizione risorgimentale e anticlericale finivano per identificare la libertà di pensiero con le sinistre, e l'oscurantismo con De Gasperi e i suoi alleati. Così figurarono nelle liste Arturo Carlo Jemolo, Giacomo De Benedetti, Guido Calogero, Giacomo Devoto.

Tale era la fiducia in un successo che Togliatti e Nenni si posero il problema della Presidenza del Consiglio. Secondo Nenni il posto toccava senza dubbio ai socialisti, mentre Togliatti, cauto e insinuante, obbiettava che in teoria un socialista sembrava più indicato d'un comunista per occupare quella poltrona senza allarmare i ceti medi, ma che, essendosi Nenni «qualificato come un estremista», forse la moderazione da lui stesso (Togliatti) dimostrata «lo rende ormai accettabile a larghi strati della borghesia». Da altre fonti fu invece riferito che i socialcomunisti pensavano a un Presidente del Consiglio indipendente, o alla designazione d'un democristiano di sinistra come Gronchi.

Le ultime illusioni il Fronte le ebbe dai comizi di chiusura della campagna elettorale. Per ascoltare Togliatti in Piazza San Giovanni, la sera di venerdì 16 aprile affluì a Roma una folla oceanica. Poiché De Gasperi gli aveva rinfacciato d'aver «come il diavolo, il piede forcuto», Togliatti replicò che, tentato per un momento di mostrare che i suoi piedi erano normali, aveva poi cambiato idea: «Mi tengo le scarpe ai piedi, anzi ho fatto mettere ad esse due file di chiodi e ho deciso di applicarle a De Gasperi dopo il 18 aprile in una parte del corpo che non voglio nominare». I militanti erano in delirio. Ma durò poco.

Nell'affresco elettorale democristiano spiccavano le tonache dei preti, i bigotti, le pinzòchere, i baschi blu, i baschi verdi, le Madonne pellegrine. Ma dietro quelle figure appariscenti, la vera forza stava sullo sfondo. Era la forza di chi voterà Dc – svuotando gli altri partiti moderati o centristi – per salvaguardarsi da una sorte, politica ed economica, tipo repubblica popolare dell'Est. Il Fronte, che attribuì poi la sconfitta ai voti delle beghine analfabete, ebbe invece il torto di fidare troppo sulla ignoranza e sprovvedutezza dell'elettorato. Il Fronte si sforzava di spiegare che, dandogli il voto, il popolo italiano avrebbe avuto un avvenire più democratico, ma poi portava come modello politico e sociale l'Unione Sovietica. Questo non era abbellimento propagandistico della realtà. Era menzogna. Mentivano gli oratori del Fronte, mentivano più di ogni altro i notabili del Pci quando, di ritorno dai loro frequenti viaggi in Urss o nei Paesi ad essa assoggettati, descrivevano le meravigliose conquiste di quei popoli, e le condizioni di vita ideali ad essi assicurate, in contrapposto alla miseria e alle sofferenze degli operai e dei contadini italiani.

La faziosità è ammessa, tra avversari: ma la falsità di questi confronti superava i limiti della decenza. Già si sapeva abbastanza di Stalin e dei suoi sistemi, anche se non tutto. La Dc utilizzò quelle verità per screditare la campagna delle sinistre. La conseguenza fu che la propaganda socialcomunista, smantellata nel suo cuore ideologico, divenne poco credibile anche là dove era sorretta da buone ragioni. Fu una tragedia soprattutto per i socialisti. Almeno i comunisti recitavano il loro copione. Ma il Psi dovette adattarsi a una complicità da molti sofferta.

L'Italia votò compatta. L'aveva già fatto il 2 giugno 1946, quando era andato alle urne l'89,1 per cento degli aventi diritto. Questa volta la percentuale fu addirittura del 92 per cento. La sera del 19 aprile l'orientamento dell'elettorato era ormai inequivocabile. De Gasperi che, secondo il suo uomo di fiducia Giulio Andreotti, aveva atteso l'esito «in grande tranquillità, senza tradire emozione e preoccupazione», commentò asciuttamente: «Credevo che piovesse, non che grandinasse». Manipolando i dati ancora parziali, l'*Unità* tentò la mattina del 20 di capovolgere la verità, scrivendo che si delineava «una potente affermazione del Fronte in tutto il paese» e che il blocco delle sinistre superava, secondo le prime informazioni, la Democrazia cristiana. Ma Nenni riconosceva, in quelle stesse ore: «Nessun dubbio, siamo battuti».

I risultati definitivi diedero la misura della vittoria democristiana e della sconfitta socialcomunista. Al partito di De Gasperi era andato il 48,5 per cento, contro il 35,2 del voto per la Costituente; al Fronte il 31 per cento contro il 39,7 di due anni prima. I socialdemocratici (7,1 per cento) avevano ottenuto, in condizioni difficili, un'affermazione notevole. Tutte perdenti le altre formazioni. Quasi dimezzati i repubblicani (dal 4,4 al 2,5 per cento), sostanzialmente distrutta la coalizione liberal-qualunquista. L'Unione democratica (ossia il partito liberale con la benedizione dei «grandi vecchi» del prefascismo) aveva conquistato il 2 giugno il 6,8 per cento dei suffragi, l'Uomo Qualunque il 5,3: totale 12,1. Questa volta dovettero accontentarsi, insieme, del 3,8 per cento. La Dc aveva assunto a pieno titolo la rappresentanza politica dei moderati, decretando il declino liberale e la rapida marcia verso l'estinzione del qualunquismo.

La Camera (574 deputati) risultò composta da trecento democristiani, centoventisei comunisti, cinquantatré socialisti, trentacinque socialdemocratici, tredici liberal-qualunquisti, tredici monarchici, dieci repubblicani storici, ventitré del gruppo misto (tra essi cinque missini). Non ci fossero stati i senatori di diritto (politici prefascisti e antifascisti) la Dc avrebbe conseguito la maggioranza assoluta anche in Senato dove si contarono, su 334 senatori, centoquarantanove democristiani, sessantasei comunisti, trentanove socialisti, ventuno socialdemocratici, undici liberal-qualunquisti, nove repubblicani storici, otto democratici di sinistra, trentuno del gruppo misto. Anche per le preferenze De Gasperi stravinse: a Roma ne ebbe 285 mila contro le 97 mila di Togliatti e le 57 mila di Nenni.

Ufficialmente il Fronte sfoderò due alibi per giustificare la disfatta: l'interferenza straniera e i brogli. Già il 22 aprile Togliatti disse: «Affermo che quella del 18 aprile non è stata una libera consultazione. Vi è stato, in modo brutale, l'intervento straniero per coartare la volontà degli elettori». In meno scoperto tono propagandistico *Rinascita* sostenne che le elezioni per il Parlamento si erano trasformate in un *referendum* anticomunista: e ne dedusse che era motivo d'orgoglio, per il Fronte, che un elettore su tre avesse rifiutato di prestarsi al giuoco.

Secondo alcune testimonianze Togliatti, impassibile di fronte alla delusione dei militanti, era contento d'aver perso. A Franco Rodano avrebbe confidato: «Erano i risultati migliori che potevamo ottenere, va bene così». È sicuro che della strategia togliattiana faceva parte il ridimensionamento del Partito socialista, cui toccò di portare il maggior peso della sconfitta. Il diario di Nenni è zeppo, nei giorni successivi al 18 aprile, di patetici lamenti per l'egoismo comunista. «24 aprile... Il colpo di grazia ci è dato dal gioco delle preferenze che manderà alla Camera meno di cinquanta socialisti (furono cinquantatré – *N.d.A.*) e più di centoventi comunisti. Così nella sconfitta del Fronte c'è la sconfitta del partito. Ho detto a Sandro (Pertini) che vedo in lui l'uomo che può prendere nelle sue mani la direzione per un riesame generale della situazione quale si impone.»

In pochi giorni, senza troppi problemi, De Gasperi portò a conclusione il rimpasto del suo governo, più che mai convinto –

secondo l'espressione della figlia Maria Romana – di «ricollega-
re il primo al secondo Risorgimento». In famiglia egli ammise
che la vittoria del 18 aprile diventava, per la Democrazia cristiana, un impegno fin troppo pesante. Paragonato ad essa, ogni
futuro risultato sarebbe sembrato insoddisfacente. Nel nuovo
ministero entrò, come vicepresidente, il segretario della Dc
Attilio Piccioni, e come ministro della Difesa Pacciardi a spese di
Facchinetti. Il socialdemocratico Tremelloni fu incaricato di
concertare il Cir (Comitato interministeriale per la ricostruzione) con l'Erp (Piano Marshall).

Al nuovo Parlamento che aveva eletto i suoi presidenti –
Ivanoe Bonomi per i senatori, Giovanni Gronchi per i deputati
(quest'ultimo votato soltanto dai democristiani e solo da loro
applaudito benché avesse pronunciato un discorso grondante
aperture sociali) – spettava il compito di eleggere il Presidente
della Repubblica. Giulio Andreotti, che alla manovra conclusa
con la nomina di Einaudi partecipò attivamente, e in prima persona, ne ha dato una versione edulcorata, o almeno semplifica-
ta: i suoi ricordi sono sovente avvolti da cellophane diplomatico.
«L'onorevole De Nicola – ha scritto Andreotti – aveva più volte
manifestato il fermo proposito di non cedere alle pressioni perché mantenesse il massimo ufficio. Si era dovuto anzi far fatica
per indurlo a non abbandonare il suo posto prima delle elezioni
politiche. Ho potuto successivamente accertare, in una conversazione proprio nel giorno dei funerali dell'onorevole De
Gasperi, che sulla decisione dell'onorevole De Nicola pesò notevolmente la convinzione che il Presidente De Gasperi preferisse
altro candidato. Non so da che cosa fosse nata questa sensazione, ma è certissimo che ad altra scelta De Gasperi pensò soltanto quando ebbe dalla viva voce di De Nicola il reiterato annuncio
della volontà contraria alla rielezione... I rapporti tra De Nicola
e De Gasperi erano sempre stati i migliori...»

Tutto questo è vero, ma può anche essere falso. Nel senso che
De Nicola e De Gasperi, cortesi entrambi, sia pure con diverso
stile, non erano uomini che si abbandonassero ai litigi; e anche
nel senso che l'avere dalla «viva voce di De Nicola il reiterato
annuncio» d'un rifiuto alla rielezione era la cosa più facile del
mondo. De Nicola rifiutava sempre: e ci voleva un fine psicologo,
se non uno psicanalista, per cogliere nelle umbratili profondità
di quel temperamento la sottile linea che divideva il rifiuto dal
rifiuto semplice. Si può seriamente mettere in dubbio che De
Gasperi spasimasse per riavere insieme a sé, e sopra di sé, quel

personaggio intelligente e onestissimo, ma umorale, imprevedibile, tentennante. De Nicola lo tolse comunque d'impaccio, formalmente, dicendo che non ne voleva sapere d'una conferma, e rifugiandosi nel solito *buen retiro* di Torre del Greco.

De Gasperi aveva in mente un suo candidato, il ministro degli Esteri Carlo Sforza. Sotto una vernice di vanità egocentrica, aggravata dall'altezzosità del portamento e da quella barbetta da *pochade*, Sforza possedeva solide qualità di statista, e di galantuomo. A Sforza nocque, e inabissò la sua candidatura – o almeno vi aprì una falla rovinosa – la fama di donnaiolo. Non solo quella, naturalmente. Si intrecciarono nell'infortunio di De Gasperi – il primo d'una lunga serie d'infortuni dei *leaders* democristiani nelle designazioni presidenziali – anche motivazioni politiche. Ma la «questione morale» (o questione sessuale) ebbe un peso notevole. Sta di fatto che nelle prime votazioni Sforza non ebbe i consensi necessari. A tarda sera del 10 maggio 1948, una ristretta delegazione di democristiani (Piccioni, Cingolani, Andreotti) raggiunse Sforza nella sua villetta di via Linneo. Furono fatti attendere in un salottino: e videro sulla scrivania un manoscritto che cominciava con le parole «Onorevoli senatori, onorevoli deputati». Con immenso imbarazzo i tre esposero la situazione a Sforza, che li mise subito a loro agio, da quel gran signore che era. «De Gasperi mi aveva offerto la candidatura e io mi rimetto completamente al suo giudizio. Non mi perdonerei mai se arrecassi a lui fastidio o disturbo. Mi ritiro senz'altro dalla competizione e sono a disposizione per continuare o no la mia opera nel Ministero secondo quello che si riterrà più conveniente agli interessi del Paese. Ci mancherebbe altro che i personalismi pesassero in momenti come questi.»

Tramontato Sforza, l'alternativa era Einaudi, il cui nome sarebbe stato presentato ai gruppi parlamentari della Dc alle otto del mattino successivo (11 maggio) prima del terzo scrutinio. De Gasperi delegò seduta stante Andreotti a comunicare a Einaudi la proposta democristiana. Il vicepresidente del Consiglio viveva ancora nella residenza che gli era stata assegnata come governatore della Banca d'Italia, in via Tuscolana. Ricevette l'ambasciatore di De Gasperi alle sei e mezzo, con le prime luci del giorno: si disse lieto d'accettare anche se confessò che la sua zoppia gli causava qualche perplessità. Temeva gli mancasse «la prestanza necessaria nelle pubbliche cerimonie, e particolarmente nelle riviste militari». «Sono claudicante e in piedi ho bisogno di appoggiarmi al bastone con la mano destra. La sinistra sarà occupata a tenere il cappello. Come farò a salutare bandiere e a stringere la mano a generali e ammiragli?». Rassicurato, riaffermò la sua disponibilità. Einaudi, marito modello, non trovò obbiettori tra i deputati e senatori della Dc. La Repubblica italiana aveva la sua Costituzione, il suo primo vero Parlamento, il suo primo vero Presidente: aveva soprattutto un protagonista, Alcide De Gasperi.

CAPITOLO 8

Il «miracolo»

Palmiro Togliatti pronunziò alla Camera, il 10 luglio 1948, un discorso duro contro l'adesione italiana al «piano Marshall». Disse che «il capitalismo europeo, nel suo sistema, quale era esistito nel periodo tra le due guerre mondiali, è stato profondamente scosso: si può anzi affermare che per gran parte è crollato». Si erano salvati dal disastro i Paesi dell'Europa orientale. «Essi... hanno modificato profondamente la propria struttura economica e sociale, si sono staccati dalla vecchia tradizionale economia agraria arretrata, hanno realizzato nelle campagne profonde riforme...; e in pari tempo si sono posti sulla strada di una rapida industrializzazione preceduta e condizionata dalla espropriazione dei vecchi gruppi monopolistici e realizzata attraverso piani di rapido sviluppo industriale che oggi sono tutti in corso di ottima attuazione. Una sola parte d'Europa... ha dimostrato... nonostante un'atroce guerra di quattro anni, di avere una struttura organica capace di resistere a quella prova cui non hanno resistito le strutture dell'Europa capitalistica.»

Insistendo, Togliatti spiegò che il risultato elettorale del 18 aprile «ottenuto con quegli indegni mezzi che voi sapete» aveva posto un ostacolo, in Italia, al progresso ormai inevitabile, e condannava «a maggiori dolori la collettività nazionale». Il piano Marshall, proseguì Togliatti, avrebbe asservito l'Europa occidentale all'imperialismo politico ed economico statunitense, e non avrebbe raggiunto nessuno degli scopi che gli venivano attribuiti: nemmeno lo scopo di riportare l'economia e i consumi dei Paesi ad esso associati, entro il 1951, ai livelli del 1938.

Alla fine del discorso Togliatti, che non improvvisava se non molto raramente, e che quindi doveva aver meditato anche questa frase, ebbe un'uscita minacciosa: «Desidererei dirvi però anche un'altra cosa: ed è che se il nostro Paese dovesse essere trascinato davvero per la strada che lo portasse a una guerra, anche in questo caso noi conosciamo qual è il nostro dovere.

Alla guerra imperialista si risponde oggi con la rivolta, con la insurrezione per la difesa della pace, dell'indipendenza, dell'avvenire del proprio Paese! Sono convinto che nella classe operaia, nei contadini, nei lavoratori di tutte le categorie, negli intellettuali italiani, vi sono uomini che saprebbero comprendere, nel momento opportuno, anche questo dovere».

Carlo Andreoni, direttore del quotidiano socialdemocratico *Umanità*, non lasciò passare sotto silenzio l'esplicito accenno di Togliatti ad una possibile esplosione rivoluzionaria. «Per quanto ci riguarda – aveva scritto Andreoni il 13 luglio – dinanzi a queste prospettive ed alla jattanza con la quale il russo Togliatti parla di rivolta, ci limitiamo ad esprimere l'augurio, e più che l'augurio, la certezza che se quelle ore tragiche dovessero suonare per il nostro popolo, prima che i comunisti possano consumare per intiero il loro tradimento, prima che armate straniere possano giungere sul nostro suolo per conferire ad essi il miserabile potere di Quisling al quale aspirano, il governo della Repubblica e la maggioranza degli italiani avranno il coraggio, l'energia, la decisione sufficiente per inchiodare al muro del loro tradimento Togliatti e i suoi complici. E per inchiodarveli non solo metaforicamente.» La lapidaria frase finale di Andreoni apparteneva al repertorio, non di prima scelta, della polemica tra comunisti e «saragattiani»: questi ultimi apostrofati con monotona insolenza come «socialtraditori». Per sfortuna di Andreoni quella sua chiusa retoricamente truculenta precedette di poche ore l'attentato a Togliatti: e fu presentata nelle settimane successive come un'istigazione a commetterlo. All'indomani dell'articolo, il 14 luglio, uno sconosciuto studente siciliano, Antonio Pallante, ferì gravemente il segretario del Pci con tre colpi di rivoltella, e l'Italia si trovò veramente a un passo dall'insurrezione armata.

Quel 14 luglio 1948 era una giornata afosa. La Camera dei Deputati si dedicava, piuttosto distrattamente, alla discussione di provvedimenti che non gremivano né accendevano l'emiciclo. Quale che fosse il tema del momento «era più che naturale – citiamo l'Andreotti di *De Gasperi visto da vicino* – che Togliatti scegliesse un modo migliore per impiegare il suo tempo; e decise di andare a prendere un gelato da quel Giolitti, a due passi da Montecitorio, che è ormai divenuto più noto dello statista di Dronero». Nonostante il linguaggio volta a volta intimidatorio e sferzante dei suoi discorsi, e nonostante la disfatta elettorale del 18 aprile, il *leader* comunista viveva una stagione umana radiosa. L'esistenza di Togliatti era divenuta per taluni aspetti più difficile, ma per molti altri meno grigia e intrisa di ideologia, da quando era cominciata la sua relazione con Nilde Jotti. Il gelido cospiratore, il funzionario del Comintern refrattario alle emozioni e ossessionato unicamente dalla ragione di partito, si concedeva parentesi affettive, e di svago, che mai aveva conosciuto. Ufficialmente Togliatti non era separato dalla moglie Rita Montagnana, anche se la fine della loro unione appariva ormai irrevocabile.

Quel giorno, insieme a Nilde Jotti, Togliatti aveva lasciato Montecitorio dalla porta secondaria di via della Missione, anziché dal portone principale, con l'intenzione appunto di prendersi in pace un gelato da Giolitti, in via Uffici del Vicario. L'aveva detto a Ugo La Malfa, incrociandolo, e La Malfa aveva ribattuto che lui invece andava a Mosca per trattare la questione delle riparazioni di guerra. «Hai il *billet de confession* dell'ambasciatore americano?» scherzò un po' pesantemente Togliatti. Quindi sboccò in via della Missione. In quel momento un giovane magro e bruno esplose contro di lui, da brevissima distanza, quattro colpi di pistola. Tre arrivarono a segno. Ha raccontato Caprara: «Colpito alla nuca e al torace, Togliatti cadde senza un grido, in ginocchio: prima si appoggiò al cofano dell'auto, una 1100 nera dell'onorevole Randolfo Pacciardi, ministro della Difesa, poi, raggiunto da un proiettile accanto al cuore, scivolò all'indietro, gli occhi sbarrati. L'urlo di Nilde Jotti che si chinò con le mani tese, sporcandole vistosamente di sangue, chiamando per nome Togliatti, fece accorrere i due carabinieri di servizio, altri poliziotti, alcuni giornalisti e deputati. Più giù, all'angolo dei magazzini Zincone, lo sparatore consegna la pistola scarica, una Smith and Wesson, a un ufficiale di polizia in borghese che lo sospinge alle spalle».

Il ferito fu trasportato in autoambulanza al Policlinico dove il professor Valdoni stava operando, e fu subito introdotto in camera operatoria. Era assopito, debole, ma non incosciente. Il professor Valdoni s'era rivolto all'anestesista professor Mazzoni, prima di incidere, rilevando con stupore che Togliatti aveva, sotto *choc*, una frequenza di trentadue respiri al minuto e sessanta battiti cardiaci. Togliatti, che aveva sentito, mormorò: «Sono un brachicardico: ho quarantotto battute al minuto». Valdoni operò, e intanto sopravvenne, a dargli assistenza, il professor Cesare Frugoni. Nella sventura, Togliatti era stato due volte fortunato: perché il proiettile nel torace aveva sfiorato ma non raggiunto il cuore, e perché un altro proiettile, schiacciatosi alla nuca, non era penetrato in profondità. Il paziente aveva retto bene, e si riprese con rapidità confortante.

La prima informazione che volle dal segretario e dal figlio riguardava il Giro di Francia, nel quale Bartali si batteva per la vittoria. Togliatti seguiva con molto interesse la corsa, e aveva dato disposizioni perché *l'Unità* sostenesse Bartali. Solo alcuni mesi dopo, il campione, che aveva fatto dono al Papa della prima bicicletta uscita dalla sua fabbrica, ricevette dalla stessa *Unità* il rude consiglio di darsi all'ippica. È abbastanza paradossale che proprio Bartali e il Tour, cui si rivolse subito il pensiero di Togliatti scampato alla morte, siano stati indicati come l'elemento decisivo per scongiurare, dopo l'attentato, la rivoluzione. In effetti il 14 luglio Gino Bartali trionfò in un tappone di montagna. «È una leggenda dura a morire – ha scritto Andreotti – quella secondo cui, senza il successo di Bartali, vi sarebbe stata, a Montecitorio e fuori, una vera strage.» Ma la leggenda «è l'esagerazione amplificata di un momento nel quale la tensione effettivamente si allentò: quando il deputato contadino Matteo Tonengo, entrato in aula tutto concitato, dette a gran voce l'annuncio dello strepitoso successo nelle tappe alpine del Tour del nostro supercampione». Questo si allaccia comunque al sussulto politico e sociale – quasi un terremoto – che l'attentato provocò. Ne percorreremo le fasi dopo aver completato la cronaca della convalescenza di Togliatti.

La quale ebbe alti e bassi, con qualche allarme per il manifestarsi d'una broncopolmonite, e accenni di febbre, ma fu tutto sommato regolare, e abbastanza rapida. Palmiro Togliatti era un cinquantacinquenne senza vizi, e gli esami non gli avevano riscontrato menomazioni fisiche serie, tranne le tracce di una forma tubercolare giovanile. La mattina del 31 luglio una Zis nera, antiquata e blindata, dell'ambasciata sovietica andò a prelevare Togliatti – accolto dal primo consigliere Kiril Bogomolovskij – e lo depositò nella villa dov'era la scuola centrale del Partito, alle Frattocchie, sulla strada che da Roma porta ad Albano. La discrezione, e l'opportunità, avrebbero sconsigliato il gesto sovietico, che sottolineava un legame stretto, e una dipendenza. Ma Togliatti e il suo *entourage* non avvertivano, allora, disagi di questo tipo. Il *leader* comunista completò il periodo di ripresa e di riposo sul lago d'Orta, prima nella villa Rothschild, poi in albergo. In settembre era pronto a nuovi cimenti politici.

Si dice che Valdoni gli avesse fatto recapitare una parcella molto salata per le sue prestazioni. Quando la ricevette, Togliatti accompagnò il pagamento con queste parole: «Eccole il saldo, ma è denaro rubato». Valdoni rispose: «Grazie per l'assegno. La provenienza non mi interessa».

Torniamo al 14 luglio. Mentre Togliatti era sotto i ferri, il presidente della Camera Gronchi esprimeva «profonda e indignata deplorazione» per l'atto sciagurato, e dava quindi la parola a De Gasperi: che tentò di iniziare il suo discorso dicendo che «l'attentato esecrando non è rivolto solo contro la persona dell'onorevole Togliatti, ma finisce con il colpire anche il metodo democratico». Senonché l'interruppero subito urli ed invettive: «Ne siete voi i responsabili. Vergognatevi. Assassini! Siete coperti di sangue. Andatevene...» gridò Giorgio Amendola. E Giancarlo Pajetta: «Lei onorevole Saragat, anzi tu traditore del socialismo, tu traditore, hai affidato il giornale d'un partito che si chiama socialista a quel delinquente professionale che si chiama Carlo Andreoni...». Walter Audisio, l'uomo cui è stata ufficialmente accreditata dal Pci l'»esecuzione» di Benito Mussolini e di Claretta Petacci, indicò in De Gasperi l'istigatore dell'assassinio di Togliatti così come Mussolini lo era stato di quello di Matteotti. Nel tumulto che ne seguì De Gasperi seppe rispondere che il confronto «ripugna a me, aventiniano convinto, come non tutti voi che m'insultate».

Era un inferno a Montecitorio, ed era un inferno nel Paese. *L'Unità* preparava un titolo a tutta pagina in cui veniva intimato: «Dimissioni del governo della discordia e della fame, del governo della guerra civile»; fabbriche, strade, piazze, ferrovie, centrali telefoniche, anche caserme di polizia o addirittura città intere cadevano nelle mani di masse di scioperanti e dimostranti. La marea della ribellione crebbe spontaneamente, tanto che Luigi Longo, capo del Partito in quei frangenti, disse al vecchio militante Barontini: «Se l'onda cresce, lasciala montare; se cala, soffocala del tutto». Ma alcune iniziative obbedivano senza dubbio a un disegno vasto: così i blocchi delle strade; così il sequestro dei dirigenti di una trentina di fabbriche a Torino – incluso il professor Valletta –, l'interruzione ad Abbadia San Salvatore del cavo telefonico che collega il settentrione della penisola con le altre regioni, i chiodi a tre punte buttati un po' dappertutto per impedire il transito di automezzi della polizia, le lastre blindate fissate ai binari del tram a Genova, e dovunque violenze, minacce, spari, disarmo di carabinieri e poliziotti, sangue e morti.

Il Pci fu colto di sorpresa dall'ampiezza della sollevazione: lo fu anche la Cgil che finalmente – assente Giuseppe Di Vittorio in quel momento a San Francisco, a una riunione dell'Ilo, l'organizzazione internazionale del lavoro, e rientrato precipitosamente – proclamò lo sciopero generale. Una decisione che i rappresentanti cattolici Pastore, Rapelli e Cuzzaniti, il repubblicano Enrico Parri e il socialdemocratico Giovanni Canini non approvarono: disposti anch'essi – i dissenzienti – a una dichiarazione di condanna dell'attentato e a fermate facoltative del lavoro, non alla grande paralisi che avallava e legittimava un moto insurrezionale Ma tutto questo avveniva, in campo comunista, in mezzo a molte incertezze: il Partito veniva trascinato, era alla retroguardia, non all'avanguardia. Lo era perché lo stesso Togliatti, che nel suo letto d'ospedale non poteva conoscere la situazione, ma la intuiva, aveva sussurrato parole incitanti alla calma: e lo era perché Matteo Secchia, fratello di Pietro, era corso all'ambasciata sovietica a chiedere lumi: «Si può fare l'insurrezione?». Gli era stato risposto: «No, oggi non si può». Eppure, come telegrafavano e telefonavano i prefetti, alcuni dei quali assolutamente impari alla prova, «...colonna di cinque autoblinde della polizia assalita da forze soverchianti et catturata piazza De Ferrari. Sono altresì piazzate armi automatiche sul ponte monumentale et su diversi caseggiati via XX Settembre» (Genova); «...primi automezzi usciti per pattugliamento fatti segno reiterato colpi di arma da fuoco cui agenti hanno risposto... due negozi di armi svaligiati...» (Livorno).

Scelba, anche in ore di caos e di disorganizzazione, s'era mostrato degno della sua fama di «ministro di polizia». Non perdette la calma, e chiese l'aiuto del ministro della Difesa, Pacciardi. Nel suo bilancio dello sciopero – che s'era andato esaurendo com'era inevitabile: perché a quelle temperature da calor bianco uno sciopero o diventa rivoluzione, o si spegne – Scelba fornì queste cifre: 9 morti e 120 feriti tra le forze dell'ordine, 7 morti e 86 feriti tra i civili. Il ministro rievocò anche qualche episodio di estrema ferocia: «A Monte Amiata un gruppo di facinorosi si è impadronito del maresciallo dei carabinieri. Questi è stato trovato stamane ucciso: il corpo era completamente denudato. È risultato che egli era stato dapprima strozzato e poi finito con un colpo alla nuca. A Civita Castellana un carabiniere ha avuto la testa fracassata. A Taranto alcuni carabinieri sono stati aggrediti e calpestati dalla folla». Si ebbero poi incriminazioni e processi in gran numero, contro i responsabili

– o presunti tali – degli eccessi: processi cui il Pci attribuì le caratteristiche deteriori d'una caccia alle streghe.

Antonio Pallante, lo studente di venticinque anni il cui gesto aveva portato l'Italia sull'orlo della guerra civile, era nato in provincia di Avellino ma risiedeva a Bronte, la località siciliana che in una certa riscrittura banalizzata – sia pure in senso anti-tradizionale – della storia patria è diventata celebre per la dura repressione dei moti contadini compiutavi da Nino Bixio duran-te la campagna dei Mille. Figlio di un ex-milite forestale, Pallante aveva ultimato gli studi medi superiori e si era iscritto al primo anno della facoltà di legge. Dopo d'allora aveva fatto credere alla famiglia che la sua frequentazione universitaria fosse regolare: invece covava torbide ideologie e ambizioni poli-tiche, degenerate in fanatismo. Le ultime 3500 lire inviategli dalla famiglia per il pagamento delle tasse universitarie erano state destinate all'acquisto della vecchia pistola con cui sparò a Togliatti. A Roma era senza un soldo. La valigetta rinvenuta nella pensione in cui aveva preso alloggio conteneva un paio di slip e una copia dell'hitleriano *Mein Kampf*. In tasca aveva cin-quanta lire.

Durante l'istruttoria a suo carico polizia e magistratura non accertarono l'esistenza di mandanti e di complicità. Un biglietto d'ingresso alla Camera per la seduta del 14 luglio gli era stato dato a richiesta dall'onorevole Turnaturi, che garantì di non conoscere Pallante, e probabilmente diceva la verità. Aveva voluto, con il favore, assicurarsi un voto, e si assicurò un guaio. Pallante confessò senza esitazioni – come poteva negare, del resto? – e affermò d'avere agito, da solo, perché Togliatti era «l'elemento più pericoloso della politica italiana che con la sua attività di agente di potenza straniera impedisce il risorgere della Patria». La sinistra non si ritenne soddisfatta – per taluni elementi del comportamento di Pallante e per esigenze politiche – di queste spiegazioni ufficiali. Ma i processi cui l'attentatore fu sottoposto non trovarono nulla. La prima condanna (13 anni e otto mesi) non fu troppo pesante, e l'appello la ridusse a 9 anni. Gli avvocati comunisti di parte civile non insistettero, nemmeno loro, sulla tesi del complotto.

L'ATTENTATO LASCIÒ SEGNI profondi non solo sul corpo di Togliatti ma anche sulla vita politica italiana. Rese infatti ine-vitabile, ed ufficiale, la scissione sindacale. De Gasperi aveva diramato un comunicato in cui si affermava che lo sciopero insurrezionale voleva capovolgere, nelle piazze, i risultati che il 18 aprile s'erano avuti nelle urne. Gli undici «cristiani» che erano nel direttivo della Cgil fecero recapitare ai segretari generali Di Vittorio, Santi e Bitossi, il 15 luglio, una lettera in cui affermavano che «la decisione (di sciopero generale) presa ieri sera in esecutivo ha contribuito e contribuisce ad aggravare la situazione»: era quindi inderogabile «la fine dello sciopero entro oggi». La Cgil – senza democristiani – ordinò il ritorno al lavoro per l'indomani, 16 luglio, a mezzogiorno. In altre condizioni questo ritardo sulla scadenza ultimativa dei «cristiani» non sarebbe stato giudicato grave: in quelle condizioni, fu una conferma dell'insanabilità del dissidio. Quello stesso 16 luglio Pastore e gli altri annunciarono che, d'intesa con le Acli, era stata promossa una convocazione straordinaria della corrente cristiana per sottolineare «la necessità di un sindacato autonomo e democratico che, in clima di rinnovata fraternità, sia veramente libero da ogni e qualsiasi influenza di partito».

La Conferenza sindacale cristiana preannunciata il 16 luglio si tenne una settimana dopo. «La corrente cristiana – fu deliberato – non può rompere l'unità, perché non si può rompere quello che è già stato distrutto, ma deve solo prendere atto, non senza amarezza, che una simile formula è stata ormai definitivamente compromessa.» Fu garantito che mai più il sindacalismo cattolico avrebbe fatto ricorso allo sciopero generale «che costituisce, anche se proclamato per solidarietà in seguito a vertenze di carattere economico, un atto eversivo, in quanto paralizza la vita del Paese».

Per il momento solo i cristiani – «magari fossero cristiani, democristiani!» aveva commentato sarcasticamente Di Vittorio – abbandonarono la Cgil. Vi rimasero, ed era scontato, i socialisti che pure avvertivano profondo disagio – Fernando Santi, il loro *leader*, se ne fece eco – perché la preponderanza comunista era diventata, con l'emorragia, ancora più vistosa: e vi rimasero, tra mille perplessità, socialdemocratici e repubblicani, allarmati dall'impronta confessionale che il «patronato» delle Acli aveva dato all'operazione di Pastore, e dissuasi perciò dal condividerla. Domandarono peraltro – con una insistenza resa patetica dalla loro infima forza contrattuale – che la Cgil accentuasse «la sua autonomia dai partiti e dai governi». Alla corrente «cristiana» fu attribuita una quota del patrimonio confederale: 23 milioni che non erano trascurabile cosa ove si pensi che il salario di un operaio si aggirava sulle 25 mila lire al mese. La corrente sindacale cristiana adottò l'impronunziabile sigla Lcgil, Libera confederazione generale italiana dei lavoratori.

Nella Cgil il più accentuato dominio comunista comportava anche una più sfacciata adesione alle tesi politiche del Pci. Venivano indetti, se possibile con maggiore frequenza, scioperi troppo palesemente antigovernativi e antiamericani, si lottava contro l'«Europa marshallizzata». Un episodio di intolleranza facilitò il salto ai «laici», che nella Cgil mordevano il freno. A Molinella, dov'era la radice storica del sindacalismo prampoliniano e massarentiano, nel maggio del 1949 i socialdemocratici avevano avuto la maggioranza in una votazione per la Camera del lavoro. Incapaci, per acquisita mentalità di detentori del potere sindacale, d'accettare il responso delle urne, i comunisti si sfogarono in disordini, e occuparono la sede. Si contarono una quarantina di feriti, tra essi una donna spirata successivamente, e dovettero intervenire le forze dell'ordine. E fu la goccia che ci voleva per far traboccare il vaso.

Il 4 giugno del 1949 fu fondata la Federazioni italiana del lavoro (Fil) presto fusa con i «cristiani». Dalla saldatura nacque la Cisl, Confederazione italiana sindacati lavoratori, dove i «laici» erano senza dubbio in posizione di sudditanza, così come lo erano i socialisti nella Cgil. Infine – completiamo questo *excursus* cronologicamente anticipatore delle vicende e delle sigle sindacali – i sindacalisti socialisti che con Romita erano usciti dal Partito, e si erano poi aggregati alle file saragattiane – e che di conseguenza erano stati espulsi dalla Cgil, con tanti saluti alla pretesa di apoliticità del sindacato di sinistra – crearono l'Unione italiana del lavoro (Uil), a capo della quale fu posto Italo Viglianesi.

L'Italia aveva certamente bisogno – dopo il velleitario corporativismo fascista che aveva fatto da copertura a un capitalismo pasticcione con qualche apertura sociale – di un sindacato forte, intelligente, combattivo ma non asservito alla politica. In quel momento ebbe, nella Cgil, un sindacato forte (nelle piazze e nelle fabbriche) che tuttavia era irrimediabilmente inquinato e impastoiato dall'obbedienza alla politica e alla mitologia della sinistra comunista: e che non esitava – lo si vide nel 1951 quando fu proclamato uno sciopero contro una visita in Italia del generale Eisenhower, comandante supremo della Nato – a sacrificare concreti interessi dei lavoratori agl'interessi politici del Pci o addirittura dell'Unione Sovietica. Ebbe nella Cisl un sindacato meno forte, ma egualmente vincolato dal cordone ombelicale con le Acli, dal rapporto preferenziale con il governo, dall'obbedienza alle direttive della Santa Sede. Infine la Uil, la meno condizionata politicamente, era anche la più debole.

I sindacalisti, che avrebbero dovuto essere, più d'altri, a diretto contatto con la realtà, rimasero schiavi del colore politico, e dell'immediato. Andavano negli Stati Uniti, e ne tornavano senza avere nulla appreso e nulla dimenticato. Andavano in Unione Sovietica, tornavano (soprattutto i sindacalisti comunisti) senza aver capito nulla, o fingendo di non aver capito nulla. L'Italia incubava il «miracolo», e il sindacato la credeva votata alla povertà e al passaporto rosso. Le diagnosi economiche del Congresso della Cgil che si tenne a Genova nell'ottobre del 1949 furono scoraggianti per la loro superficialità e la loro faziosità. L'Italia, fu detto, va alla rovina, importa troppo dagli Stati Uniti ed esporta troppo poco nei Paesi dell'Est, meravigliosi clienti potenziali. L'avvenire era buio, i salari non bastavano al mantenimento d'una famiglia. Sull'ultimo punto la Cgil aveva perfettamente ragione. Era sbagliato tutto il resto, ogni pronostico un'eresia. La svolta che veramente venne – le immense migrazioni interne, la fuga di braccia dalla terra, il proliferare di decine di migliaia di piccole industrie sulle quali, non sui colossi pubblici tanto cari a politici e sindacalisti, si sarebbe basata la impetuosa ripresa – non era prevista. Furono accettati i suoi effetti benefici, poco fu fatto per attenuarne gli effetti dirompenti.

L'ADESIONE ITALIANA AL PATTO ATLANTICO fu sofferta e più contrastata di quanto abbiano detto, poi, i risultati di un voto parlamentare scontato. Lo stesso De Gasperi, il cui «occidentalismo» non era in discussione, ebbe molte perplessità: per l'ambigua situazione dell'Italia vincolata dalle norme del Trattato di pace, per la forte opposizione socialcomunista nelle piazze e in Parlamento, per la resistenza di settori non trascurabili della Democrazia cristiana – in particolare dei dossettiani, che si riconoscevano nella rivista *Cronache sociali* –, per l'avversione di personaggi influenti in Vaticano. L'8 marzo 1949, dopo lunghe esitazioni di De Gasperi, il Consiglio dei Ministri deliberò di accettare l'invito ad entrare nel Patto dell'Atlantico del Nord conosciuto con la sigla Nato corrispondente alla dizione inglese di *North Atlantic Treaty Organisation*.

La discussione parlamentare fu accesa, con momenti tumultuosi. Tanto che a un certo punto De Gasperi dovette dire: «Se l'opposizione vuole privarmi del diritto di replicare a 27 oratori, posso anche convenire». Poi riuscì a pronunciare, tra continue interruzioni, il suo discorso, nel quale negò che esistessero clausole segrete di cui il Parlamento non era informato, e aggiunse: «Poiché nei Paesi democratici l'intervento in un conflitto armato è vincolato alla previa decisione del Parlamento, il Patto non prevede che l'obbligo dell'intervento abbia effetto automatico immediato». Tuttavia la pazienza di De Gasperi, messa a dura prova, non resse quando un deputato dell'opposizione gli gridò: «Tu non capisci cos'è la pace!». «Giovanotto, mi dia del lei» lo fulminò De Gasperi.

I *leaders* di altri partiti della coalizione sostennero posizioni che, per voler conciliare l'inconciliabile, risultavano piuttosto confuse, o capziose. Così Ugo La Malfa che volle a tutti i costi collegare il Patto all'idea europea, e al concetto di terza forza. La Dc stessa, lo s'è già accennato, era tutt'altro che unanime.

Togliatti fu duro. Sviluppò due tesi. La prima era una risposta a quanti sostenevano che l'Occidente, rinsaldando i suoi legami, non faceva altro che replicare all'azione politica e militare con cui l'Unione Sovietica aveva creato, nel nome dell'ideologia se non nel nome della ragion di Stato, altre e ben più vincolanti alleanze; la seconda si riassumeva nella domanda: «Cosa fareste, voi comunisti, se l'Italia fosse costretta a combattere contro l'Unione Sovietica?». Per il primo punto Togliatti fu più causidico che convincente. «Voi sollevate, a questo punto, la questione del Cominform. Desidero oggi dare una risposta precisa su questo tema, perché il tema in questo momento è molto serio. La classe operaia, nelle sue formazioni di avanguardia, ha sempre rivendicato il diritto di stabilire legami di solidarietà internazionale, e anche di organizzazione e di azione comune, con i proletari di tutti gli altri Paesi. Nel nome di questo ideale, al grido di "proletari di tutto il mondo unitevi!" è sorto il socialismo. Per rivendicare questo diritto noi abbiamo combattuto e decine o centinaia di assertori del socialismo hanno rischiato o sacrificato la libertà o la vita!» *Mondolfo* (socialdemocratico): «ma non al servizio di uno Stato». *Togliatti*: «Onorevole Mondolfo, perché la solidarietà dei lavoratori dovrebbe cessare quando la classe operaia diventa, in un Paese, classe dirigente? Sarebbe un assurdo se noi rompessimo la nostra solidarietà con i proletari dell'Unione Sovietica solo perché essi non sono più oppressi e sfruttati come da noi ma sono alla testa dello Stato». Quanto al secondo punto, Togliatti fu perentorio. «Contro l'Unione Sovietica la guerra non si farà, perché il popolo vi impedirà di farla. Questo è nella tradizione della classe operaia e dei lavoratori dell'Italia, della Francia, dell'Inghilterra, degli Stati Uniti, di tutto il mondo capitalistico... Non fatevi, a questo proposito, alcuna illusione: la guerra contro l'Unione Sovietica non si può fare e non si farà.»

Il 18 marzo 1949, dopo una seduta durata ininterrottamente tre giorni e tre notti – l'orologio di Montecitorio era stato fermato, per una finzione procedurale più volte usata prima e dopo d'allora – l'adesione al Patto Atlantico fu approvata con 342 sì, 170 no e 19 astensioni. Tra gli astenuti 11 socialdemocratici. Il sottosegretario agli Esteri Aldo Moro era assente: cinque giorni dopo, in sede di processo verbale, dichiarò che era stato costretto a disertare la seduta per ragioni di famiglia, ma che, se presente, si sarebbe associato al voto della maggioranza. In Senato alle astensioni di alcuni socialdemocratici e del missino Franza si aggiunsero quelle dei notabili prefascisti Vittorio Emanuele Orlando, Francesco Saverio Nitti e Alberto Bergamini. Mentre il Parlamento discuteva, l'Italia intera era teatro di violente manifestazioni, proteste, cortei contro il Patto Atlantico: spesso sfociati in scontri tra dimostranti e polizia. A Terni ci fu un morto, addebitato a Scelba, e al grilletto facile dei suoi celerini. Ma il 4 aprile il Patto fu solennemente firmato a Washington.

LA SINISTRA DEMOCRISTIANA stava assumendo una fisionomia precisa, sotto l'impulso di Giuseppe Dossetti: alla cui scuderia erano iscritti, con diversa partecipazione, Fanfani e Moro. Professorini, entrambi. E risoluti a fare della Dc qualcosa di assai diverso dal grande aggregato interclassista che De Gasperi aveva saputo creare.

Nel governo uscito dal trionfo del 18 aprile Fanfani era ministro del Lavoro, Moro sottosegretario agli Esteri, con l'incarico di sovrintendere ai problemi dell'emigrazione sotto l'esperta e altezzosa guida del ministro Carlo Sforza. Fanfani aveva compiuto da poco i quarant'anni: era nato il 6 febbraio 1908 a Pieve Santo Stefano, fra i monti dell'Alto Tevere, a nord di Arezzo. Il padre era avvocato, e l'aveva battezzato con il nome piuttosto inconsueto d'un amico, autore d'un inno socialista: Amintore. La famiglia era numerosa e non ricca, il ragazzo non cresceva molto, ma in compenso era parecchio sveglio, generoso, ciarliero, prepotente. Fattosi giovanotto, atticciato e bassino, Fanfani studiò alla Cattolica di Milano dove si laureò in scienze economiche nel 1930. Due anni dopo era libero docente, sei anni dopo andava in cattedra, non ancora trentenne, per insegnare storia dell'economia. Nel 1939 prese moglie: Bianca Rosa Pravasoli, figlia d'un costruttore lombardo. Tra queste date sta racchiusa la frenetica attività d'un professorino saldamente inserito nell'ambiente cattolico che ruotava attorno a padre Gemelli, fondatore e rettore della Cattolica; un professorino prolifico di libri, articoli, recensioni, partecipazioni a simposi e corsi estivi di lezioni. Qualcuno, riecheggiando una frase del repertorio fascista, lo definirà «il motorino del secolo».

I saggi economici di Fanfani (*Storia delle dottrine economiche* e *Protestantesimo e cattolicesimo nella formazione del capitalismo* in particolare) erano il riflesso dell'ambiente culturale nel quale si muoveva. Rifiuto del liberismo puro, rifiuto del concetto protestante secondo il quale la ricchezza – e i modi in cui viene conseguita – non sono in contrasto con l'insegnamento cristiano, rifiuto del marxismo. E il riconoscimento d'un nesso doveroso – per il cristiano – tra princìpi economici e princìpi morali. Ebbe qualche simpatia per il corporativismo fascista, che pretendeva d'affondare le sue radici nel Medio Evo, prediletto dai cattolici per l'afflato religioso che vi spirava. L'antifascismo intransigente gli rimproverò talune concessioni apologetiche verso il fascismo. A Santander – prima che scoppiasse la guerra civile spagnola – disse durante una lezione che «lo Stato corporativo ha per meta la più alta giustizia sociale e il massimo di benessere e di potenza morale e materiale della Nazione italiana». Dopo la campagna d'Etiopia rese merito a Benito Mussolini per la «preveggente preparazione di forze nuove» e per aver dato «all'interno pace politica, sociale, religiosa»; all'estero «più forte amor di Patria e in ogni straniero ammirazione e rispetto per l'Italia nuova, conquistatrice di ogni primato nella lotta per la civiltà». Peccati veniali di gioventù e d'ambizione.

Richiamato alle armi e assegnato, nel 1943 a Milano, ad una mansione stupida e comica – il controllo retrospettivo delle forniture belliche per la guerra d'Etiopia –, Fanfani si rifugiò, dopo l'armistizio, in Svizzera. Quando rimpatriò non sapeva bene cosa il destino gli riservasse, ma sapeva che ciò che gli riservava, lui lo voleva fortissimamente. Ebbe fortuna. Dossetti fu nominato vicesegretario della Dc, e si circondò di persone, anzi di personalità, che conosceva e in cui aveva fiducia. Fanfani era del numero. Si formò così a Roma la comunità detta «del porcellino», in cui la sinistra cristiana, che in Dossetti aveva un capo carismatico, cominciò ad avere anche uno stato maggiore. Quanto al porcellino, viene riferito che il nome fu adottato perché una professoressa Bianchini di Brescia che era del gruppo – e che anzi ne aveva scovato la sede – si lasciava scappare qualche «porco qui» e «porco là». Accadde poi, nel 1947, che Fanfani fosse ministro, e Giorgio La Pira gli facesse da sottosegretario. Quando l'Italia fu messa a soqquadro dall'attentato a Togliatti, e De Gasperi – che per i dossettiani non aveva gran simpatia – era in cerca di diversivi pacificatori, Fanfani avviò a tambur battente un suo piano per la costruzione di alloggi popolari.

Se Fanfani fu prezioso a De Gasperi in un momento critico, Aldo Moro, in un altro momento critico, lo mise in collera. Durante la discussione sul Patto Atlantico, Giuseppe Dossetti aveva pronunciato un discorso che prendeva le distanze dalla linea governativa; e che era fitto di dati i quali – secondo De Gasperi – potevano provenire soltanto dal Ministero degli Esteri. Chi li aveva passati a Dossetti? Non certo Sforza che era, umanamente e culturalmente, l'antitesi del casto e mistico Dossetti. *Ergo* Aldo Moro, il sottosegretario dossettiano. Cui De Gasperi tenne il broncio: e quando Moro uscì dal governo non ve lo fece mai più rientrare.

Aldo Moro, classe 1916 – sottosegretario, dunque, a soli trentadue anni – era nato a Maglie, in provincia di Lecce, da genitori entrambi insegnanti. La famiglia si trasferì prima a Taranto e quindi a Bari dove il ragazzo ebbe la sua formazione culturale e morale. Due qualità dimostrò subito in modo spiccato: la religiosità – spinta fino al bigottismo – e una capacità straordinaria di applicazione allo studio. A tutti i livelli scolastici ebbe splendidi voti. I suoi compagni lo ricordano come un ragazzo gentile, distaccato, scettico, che non rifiutava mai ai compagni somari il suo aiuto, dato senza farlo pesare. Sottile, un po' molle, malinconico, apparentemente timido, tenace e ambizioso, si fece notare presto. Entrato in università (facoltà di legge) si affiliò al Guf, l'organizzazione universitaria fascista, e alla Fuci, l'organizzazione universitaria dei cattolici: Moro «cresceva» nel suo Guf che rappresentò più volte ai Littoriali, e «cresceva» nella Fuci barese, della quale assunse la presidenza nel 1937, in attesa di diventarne – il che accadde presto – il presidente nazionale.

Difensori d'ufficio di Moro affermarono, quando i missini nel

1960 lo presero di petto come voltagabbana, che l'iscrizione al Guf e la partecipazione ai Littoriali erano obbligatorie. Non è vero. Ma è vero che lo diventavano, in qualche modo, per chi come Moro sentisse, sotto quella sua superficie d'acqua cheta, una gran smania d'arrivare. Le pubblicazioni giuridiche di Moro – che, presa la laurea nel 1938, ebbe in piena guerra la libera docenza di diritto penale e poi l'incarico di filosofia del diritto – sono migliori, secondo gli esperti, delle pubblicazioni economiche di Fanfani. Meno caduche, meno frettolose, meno legate al momento. I cavalli di razza democristiani correvano a tutto galoppo verso le glorie della Roma ministeriale, non verso le glorie del fronte. Così Moro fu – sempre a due passi da casa – prima sergente presso il Tribunale Militare, poi ufficiale – col grado di capitano, che carriera anche lì! – del commissariato aeronautico dove fu destinato all'ufficio disciplina. Il matrimonio fu coerente con il suo stile di vita. Noretta Chiavarelli, la prescelta, aveva il merito d'essere «seria e fortemente caratterizzata dalla fede» e di frequentare anche lei gli ambienti dell'Azione cattolica.

Professore e deputato della Costituente, Moro era d'una onestà personale rimasta leggendaria. Antonio Rossano, un giornalista pugliese che ne L'altro Moro ha dato un'immagine non convenzionale, e ricavata da esperienze personali, del leader ucciso dai brigatisti, rievoca questo episodio. Trasferitosi a Roma, il professor Aldo Moro andò al Commissariato per le requisizioni degli alloggi di Bari e disse che l'abitazione a suo tempo concessagli non gli serviva più. «L'impiegato non fiata. S'alza di scatto e corre negli uffici della direzione dal commissario, generale Ferraro: "Generale, venga fuori lei. C'è un provocatore, dice che vuole lasciare la casa che gli avevamo assegnato"». Nelle elezioni del 18 aprile 1948 Moro ottenne quasi 70 mila voti di preferenza.

IL 1950 – proclamato anno santo da Pio XII – si avviò piuttosto male per Alcide De Gasperi: con una crisi di governo aperta, e con un grave scontro a Modena tra polizia e dimostranti: sul terreno, sei morti. L'episodio non fu che il più grave della febbre agitatoria che percorreva l'Italia, nelle campagne e nelle fabbriche. Esso aveva fondati movventi economici, anche se tra l'inizio e la fine del 1949 il prezzo del pane passò, a Milano, da 150 a 115 lire, e a Roma, da 140 a 120. L'emergenza delle «saldature» di grano era finita, per sempre. Non per questo s'era placato il malessere sociale al quale si sommavano, nel provocare agitazioni e tumulti, una effervescenza e una turbolenza politica che la Cgil, ormai cinghia di trasmissione del Pci, tollerava o favoriva, e che l'ansia di rivincita di molti militanti di sinistra alimentava.

Un primo serio incidente era avvenuto, il 18 febbraio del 1949, a Isola del Liri, qualche decina di chilometri lontano da Frosinone, dove funzionavano – anzi non funzionavano – alcune grandi cartiere prive di ordinazioni. S'era parlato di licenziamenti massicci, poi ridotti. Come accade in molti di questi drammi – a testimonianza della volontà di scontro che da qualche parte covava – si era vicini a un accordo. D'improvviso gli operai proclamarono lo sciopero e occuparono alcuni stabilimenti. La polizia intervenne e – secondo i suoi verbali – fu fatta segno «dall'interno dello stabilimento occupato ad una fitta sassaiola, al lancio di pezzi di ferro, di un petardo, e di alcuni colpi di arma da fuoco». Gli agenti risposero al fuoco e si contarono tra gli operai 35 feriti e un morto, quest'ultimo travolto da un automezzo dei carabinieri. Il 7 maggio fu uccisa a Molinella una mondina. Altro sangue a Mediglia nei dintorni di Milano (un morto) durante una dimostrazione di braccianti, altro ancora a Forlì (anche lì un morto) in una manifestazione operaia. Il 29 ottobre, a Melissa, borgo calabrese nei pressi di Crotone, la protesta bracciantile assunse le connotazioni d'una *jacquerie* d'altro secolo, e la repressione della polizia non fu meno antiquata e dura. Quel pomeriggio trecento uomini avevano fatto irruzione nel fondo Fragalà, di proprietà del barone Berlingieri. Quel che poi accadde è difficilmente ricostruibile in maniera obbiettiva. La formula guareschiana del «visto da destra, visto da sinistra» si attaglia perfettamente a questo tipo di avvenimenti. Scrisse il *Corriere della Sera* che il commissario di Ps dottor Rossi si era precipitato con un gruppo di agenti nel feudo, quando lo avevano avvertito dell'invasione: «Dopo quasi mezz'ora alle intimazioni del dott. Rossi i braccianti rispondevano con il lancio di bombe. Gli agenti reagivano immediatamente: nasceva così un conflitto a fuoco durato parecchi minuti nel corso del quale rimanevano freddati...». Bilancio: due morti sul posto, una ragazza spirata all'ospedale, una ventina di feriti. Per *l'Unità* i fatti si erano svolti alquanto diversamente: «Risulta che i celerini sono giunti a Melissa in camion. Scesi a terra, prima di recarsi sul fondo Berlingieri occupato dai contadini, sostavano nell'osteria di un certo Filosa dove mangiarono e bevvero abbondantemente. Mezzo ubriachi, s'avviarono poi verso il fondo Fragalà. I contadini appena li videro li accolsero al grido: «Viva la polizia della Repubblica». In risposta i poliziotti ingiunsero loro di posare gli attrezzi; poi, senza preavviso alcuno, cominciarono a lanciare dapprima bombe lacrimogene, poi bombe a mano e infine scariche di mitra». Scelba ripeté inflessibilmente che la polizia non era dotata di bombe a mano, di cui erano invece muniti i braccianti.

Altro stillicidio di morti nelle settimane successive, sempre nel Sud e sempre per moti contadini: una ragazza a Nardò, due dimostranti nel Foggiano, altri due a Montescaglioso. In tutto quindici morti nel 1949. All'inizio del 1950 l'episodio più grave, sul fronte dell'industria. A Modena le fonderie Orsi erano in crisi. La tensione era forte, in fabbrica e fuori. Nella zona, il Pci e la Cgil spadroneggiavano. In *De Gasperi e il suo tempo* il pur cauto Giulio Andreotti ha così presentato l'antefatto della tragedia: «Qualche sintomo di anormalità si era avuto nella città emiliana specie dopo il trasferimento a Palermo (per la repressione del banditismo) del questore Marzano. La polizia aveva rinvenuto armi in quantità eccezionale, e proprio nel giorno di Capodanno, presso due comunisti, erano state trovate ottantaquattro casse di armi in ottima tenuta di lubrificazione.

Il 9 gennaio era stato proclamato a Modena uno sciopero generale, dalle 10 alle 18. Diecimila dimostranti eccitati si riunirono davanti ai cancelli delle fonderie. Secondo la Cgil (ancora una volta il visto da destra e visto da sinistra) gli agenti spararono freddamente contro operai «inermi, fermi a gruppi davanti ai cancelli o presso un passaggio a livello a un centinaio di metri». Secondo la polizia ci fu una vera e propria battaglia. Andreotti afferma che «il magistrato recatosi subito sul posto reperì: cinque bombe a mano, una mazza ferrata, centosessantasei bulloni per rotaie ferroviarie del peso di quattrocento grammi ciascuno, otto bastoni di ferro, ventisette randelli. Insieme a questo arsenale proprio o improprio purtroppo giacevano sul terreno anche sei morti». La figlia di uno di loro, Marisa Malagoli, fu adottata da Palmiro Togliatti che in piazza Sant'Agostino, a Modena, disse rivolgendosi retoricamente ai caduti: «Chi vi ha condannati a morte? Chi vi ha ucciso? Un prefetto, un questore, irresponsabili scellerati. Un cinico ministro degli Interni. Un Presidente del Consiglio cui spetta solo il tristissimo vanto di aver deliberatamente voluto spezzare quella unità della Nazione che si era temprata nella lotta gloriosa contro l'invasore straniero; di aver scritto sulle sue bandiere quelle parole di odio contro i lavoratori e di scissione della vita nazionale che ieri furono del fascismo e oggi sono le sue».

ALL'INIZIO DEL 1950 DE GASPERI diede vita, dopo una breve crisi, al suo sesto ministero. L'instancabile mediatore dovette registrare due defezioni importanti, una esterna e l'altra interna. Restarono fuori dal governo i liberali, che non imboccarono la strada d'una totale opposizione, ma si defilarono; e non rientrarono i dossettiani che avevano chiesto due ministeri, il Lavoro per La Pira e l'Industria per Fanfani. De Gasperi non voleva o non poteva soddisfare questi appetiti, per sua personale decisione e anche per le ostilità di altri settori della Dc.

A quel punto De Gasperi volle dar prova della sua volontà riformatrice con due provvedimenti che, in varia misura e con varia – e comunque mediocre – fortuna decollarono nei primi mesi del 1950: l'istituzione della Cassa per il Mezzogiorno e la riforma agraria. Erano due provvedimenti legati tra loro, e creati per fronteggiare due questioni nazionali, una delle quali – una più equa distribuzione delle terre – andò perdendo con il trascorrere degli anni i suoi caratteri acuti, e fu in sostanza risolta dalle mutazioni sociali; mentre l'altra, la questione meridionale, prese via via connotati diversi, ma ha continuato a condizionare e anche a intossicare la vita del Paese. Il ministro Campilli e l'economista Pasquale Saraceno non avrebbero voluto che l'ente cui era affidato il compito immane di redimere il Mezzogiorno si chiamasse Cassa: perché, dissero profeticamente, quel nome faceva pensare «alla speculazione e al clientelismo».

Ma il male non era di carattere nominalistico. De Gasperi insistette comunque su Cassa. Ma il governatore della Banca d'Italia, Donato Menichella, che era un meridionale e un uomo che di soldi se ne intendeva, commentò: «Che Dio ci salvi. E preghiamo che questi soldi arrivino davvero nel Sud senza perdersi per strada».

Il progetto d'industrializzazione del Meridione fallì in gran parte, anche se una quota delle immense somme ad esso dedicate lasciò benefica traccia. Forse l'effetto più positivo della Cassa fu proprio nel settore che i progetti ambiziosi mettevano in secondo piano, l'agricoltura, dove in vent'anni la superficie irrigabile passò da 250 mila a un milione di ettari, e la produzione ne fu moltiplicata. Ma se scopo della Cassa era di colmare il divario tra Nord e Sud, quello scopo non è stato raggiunto. Se lo scopo era di far pervenire i fondi a chi ne aveva veramente bisogno, senza che si disperdessero in rivoli mafiosi, camorristici, o di corruzione, o di lentezze burocratiche, anche questo scopo fu mancato. Tuttavia il Meridione è cambiato. Impossibile dire quanto e come sarebbe cambiato con altri strumenti, o senza alcuno strumento speciale.

NELL'ITALIA DEL 1950 s'era già affacciato prepotentemente un personaggio che riusciva difficile inquadrare negli schemi del momento: Enrico Mattei. Difficile da inquadrare perché era «bianco», con venature populiste e progressiste che si riallacciavano al filone dossettiano, ma senza slanci mistici e senza un'autentica aspirazione alla politica in senso tradizionale. Era, per scelta di campo, atlantista, ma con forti connotazioni di orgoglio nazionale e d'insofferenza per la filosofia economica americana. Era un protetto e un eletto della Democrazia cristiana che si era battuta allo spasimo per il mercato e per l'iniziativa privata contro le velleità «socialiste» del Fronte popolare, ma voleva che la «mano pubblica» avesse, nel mondo della produzione, un ruolo decisivo. Era un moralista spregiudicato, un incorruttibile corruttore, un integerrimo distributore di tangenti, un *manager* che non voleva essere al servizio del Palazzo, ma porre il Palazzo al suo servizio. Un imprenditore di Stato con un tocco di peronismo all'europea, o di gollismo alla sudamericana.

Enrico Mattei era nato il 29 aprile del 1906 ad Acqualagna nel Pesarese, figlio d'un brigadiere dei carabinieri cui alcuni biografi del re del metano accreditarono la cattura nel 1901 – nella stessa Acqualagna – del famigerato brigante calabrese Giuseppe Musolino. In realtà gli autori materiali dell'arresto furono due carabinieri agli ordini del brigadiere Antonio Mattei che agguantarono il bandito perché, scappando, era inciampato in un filo di ferro che l'aveva fatto cadere. Mattei padre si congedò nel '19 col grado e la pensione di maresciallo e con cinque figli a carico. Per farli studiare voleva stabilirsi a Camerino, sede d'università. Ma la vita lì era troppo cara, e decise per la vicina Matelica, dove trovò un posto di guardacaccia.

Matelica, a metà strada tra Fabriano e Camerino, divenne per Enrico la vera patria del cuore, il campanile dell'infanzia.

Alto già negli anni della prima adolescenza, magrissimo, con un imperioso naso aquilino, taciturno, Enrico Mattei fu un cattivo, riottoso scolaro, troppo smanioso di arrivare presto, e dunque insofferente di un normale corso di studi. Per di più in casa i soldi non abbondavano, un salario in più, e sia pure il modesto salario d'un ragazzo apprendista, faceva comodo. A quindici anni Enrico fu verniciatore in una fabbrica di mobili, da cui emigrò in un'industria conciaria, come fattorino: e in tre anni, con annibalico piglio, fu promosso contabile, capocontabile, vicedirettore. Così, prima di aver raggiunto la maggiore età, si trovò alla testa di un'azienda con 150 fra operai e impiegati.

Il giovane aveva presto scoperto di saper comandare e realizzare: di saper soprattutto convincere. Perse il posto perché, nella morsa della crisi economica, la conceria chiuse i battenti. Perciò a ventitré anni dovette trasferirsi a Milano, e ricominciare daccapo, in un ambiente a lui sconosciuto. Dapprima si procurò la rappresentanza d'una ditta tedesca di vernici, quindi si mise a fare il piazzista d'impianti industriali, e forse fu questo il mestiere in cui trovò la misura di se stesso. I clienti non resistevano alle seduzioni di questo loro fornitore non per la sua abilità e facondia (Mattei era scarso e scarno parlatore, non irraggiava molta simpatia, non sprigionava calore umano), ma perché era convinto egli stesso. C'era nelle sue parole e nel suo sguardo una carica di onestà e di sincerità che disarmava qualunque sospetto. Anche i direttori di banca ebbero la stessa impressione quando Mattei chiese loro un prestito per impiantare una fabbrica di prodotti chimici. Non aveva nulla da offrire in garanzia, tranne la sua esperienza. Per metter su la sua prima fabbrica di emulsioni per fonderia aveva cercato in affitto un capannone, comprato una caldaia di seconda mano e poche attrezzature di laboratorio, assoldato due operai. Ma chi poteva dubitare, ascoltandolo, e guardandolo, che la sua merce avrebbe battuto qualunque concorrenza come qualità e prezzo? I capitali si trovarono, e la fiducia si dimostrò fondata. A trent'anni Mattei era un industriale di modesta levatura, ma solido.

Qualcuno tra i suoi biografi ha descritto Mattei come una sorta di missionario del petrolio italiano, insensibile ai piaceri della vita. Fu sempre molto indaffarato. E sempre puntualmente dedito al lavoro. Ma la vita sapeva godersela. Gli piaceva il teatro leggero. E quando trionfò a Milano l'operetta *Al Cavallino Bianco* della compagnia austriaca dei fratelli Schwarz, fu tra i più assidui ammiratori delle belle ballerine, le celebri schwarzine. Una lo portò all'altare: si chiamava Margherita Maria Paulas, bionda, bella, vistosa, ventenne. Il matrimonio fu celebrato a Vienna, forse per le perplessità della famiglia, tradizionalista, e resse fino alla tragica morte di Mattei. Non fu allietato da figli.

Mattei fu fascista? I dati anagrafici non solo non lo escludono, ma sembrano renderlo probabile: l'ambizione di questo *self-made-man* lo portava senza scampo ad alcune compromissioni con il regime al potere. Ci furono in effetti accenni e insinuazioni provenienti dai due estremi dell'arco giornalistico, *Il merlo giallo* e *La voce comunista*. Ma niente di molto serio e di sicuramente documentato, anche se il nazionalismo matteiano poteva facilmente entrare in sintonia con l'arcipatriottismo fascista. Fu invece, lo sappiamo, un attivissimo partigiano e poi un attivissimo democristiano *sui generis*. Era entrato nella Resistenza con un corredo ideale rinnovato, grazie alla lunga consuetudine, durante la guerra, con Marcello Boldrini. Cinquantenne, anche lui di Matelica, professore alla Cattolica di Milano, credente e progressista, Boldrini era della pasta ideologica dei Dossetti e dei La Pira: ma con una pacatezza, una compostezza e una vanità da «barone» universitario vecchio stile. A Mattei insegnò a pensare in termini politici e sociali, oltre che in termini pratici. La traduzione che Mattei diede a quei precetti nell'azione partigiana fu tipica della sua mentalità. Si dimostrò coraggioso, eccellente organizzatore, abile amministratore.

I suoi meriti gli valsero la medaglia d'oro della Resistenza e la *bronze star* americana appuntatagli sul petto dal generale Clark. Ci si aspettava che, oltre alle medaglie, la Dc lo compensasse con qualche redditizia prebenda. Gli concesse invece, in tutto e per tutto, un incarico minore e secondo ogni possibile pronostico a brevissimo termine come quello di commissario per l'Agip: sigla che significava Azienda generale italiana petroli. L'Agip era stata un'invenzione del Regime fascista che l'aveva creata con lo scopo istituzionale di «cercare, acquistare, trattare e commerciare petrolio». Aveva vivacchiato male perché il petrolio non era mai riuscita a trovarlo, ed aveva anche mollato qualche concessione irakena che, se apprezzata per quel che valeva, avrebbe potuto dare grandi soddisfazioni.

Di questo rottame alla deriva Mattei era stato designato liquidatore. Ma Mattei disobbedì. Avuto il giocattolo, voleva guardarci dentro molto bene prima di distruggerlo. Lo aiutò a guardarci dentro l'ingegner Carlo Zanmatti, che era stato, quando l'Italia era divisa in due, il dirigente dell'Agip repubblichino. Diversamente dai funzionari che avevano amministrato l'Agip «liberata», ossia niente, Zanmatti non era un burocrate, ma un tecnico capace. Per la prima volta egli spiegò a Mattei che le ricerche fino a quel momento svolte non avevano dato esito promettente per quanto riguardava il petrolio: l'avevano invece dato per il metano. E a Mattei, che non ne sapeva nulla, chiarì come il metano potesse essere impiegato in grandi quantità non per l'autotrazione, ma per uso industriale. Il che esigeva una rete di metanodotti costosi e tecnicamente impegnativi; ma poteva valerne la pena.

Ce n'era, e avanzava, per sollecitare la fantasia di Mattei, che continuò a parlare di petrolio – perché se avesse parlato di metano non avrebbe impressionato nessuno – ma probabilmente cominciava a intuire le possibilità del gas racchiuso nel sottosuolo padano. Giuocò quella carta e vinse in cinque memorabili anni. Già nel 1950 cinquecento chilometri di condutture portavano mezzo miliardo di metri cubi di gas alle industrie centro-settentrionali, che grazie ad esso ripresero l'aire. Mattei travolse opposizioni e resistenze in una meravigliosa «corsa alla frontiera» degna del miglior pionierismo americano. Si vantò – e a ragione – di aver violato ottomila fra leggi, regolamenti e ordinanze locali. Ci furono paesi che una mattina si svegliarono spaccati in due da una trincea in cui gli operai di Mattei collocavano i loro tubi senza che neanche il sindaco ne fosse stato informato. Ci furono dei proprietari che nottetempo videro il loro podere violentato e ridotto a un colabrodo dalle sonde di Mattei.

Nessuno può negargli onestamente il merito di aver capito e intuito, prima e meglio degli altri, di avere agito mentre tutti dormivano, né gli si può disconoscere il piglio, il coraggio, la forza irruente del grande costruttore. Lo fece bluffando anche senza ritegno, e pronunciando il più delle volte a sproposito l'evocatrice e incantatrice parola petrolio, mentre avrebbe dovuto limitarsi a parlare di metano. Fu il metano, non il petrolio, a fare di Mattei uno degli uomini più potenti d'Italia e del mondo, l'antagonista delle «Sette Sorelle», le multinazionali del petrolio. Il forziere del sottosuolo padano gli fornì quella rendita metanifera, che fu un prodotto magico e perverso della genialità matteiana e che fece del grande costruttore un grande corruttore.

Il problema era questo. All'Agip il metano costava poco. Ma, ragionò Mattei, il suo prezzo doveva essere «equiparato alle altre fonti energetiche per il semplice fatto che il metano, per ragioni geografiche e per limiti di disponibilità, non poteva essere venduto a tutte le industrie, e sarebbe stato ingiusto mettere quelle industrie che lo ricevevano in condizioni di favore rispetto a quelle cui non era possibile fornirlo» (Piero Ottone in *Il gioco dei potenti*). Ma a chi doveva spettare la plusvalenza? Allo Stato o all'Agip, poi Eni? Spetta a noi, dissero Mattei e il suo gruppo di esperti. Così Mattei, il *manager* statale, ebbe disponibilità di denaro che nemmeno gli Agnelli potevano concedersi. Alla prodiga vacca metanifera munsero tutti coloro che ne favorivano il monopolio e l'onnipotenza.

IL 3 APRILE DEL 1951 DE GASPERI compì settant'anni. Per l'occasione la Dc gli fece dono d'una villetta sul lago di Castelgandolfo, accanto ai giardini della residenza papale. Erano alle viste le elezioni comunali, che si svolgevano in due turni (27 maggio e 10 giugno) con la regola dell'apparentamento, che consentiva aggregazioni di forze: ed erano pure alle viste le regionali siciliane (3 giugno). La Dc e i suoi alleati andavano verso l'appuntamento, riguardante 10 milioni di elettori, in un ribollire di polemiche. Fu interessata alla consultazione soprattutto l'Italia settentrionale, con le sue grandi città, ed apparve evidente che la valanga del 18 aprile 1948 era, per la Dc e i suoi alleati, davvero irripetibile. Alla Dc toccò circa il 40 per cento dei voti, contro il 37 delle sinistre collegate. Nell'ambito della coalizione socialcomunista restò consolidato un rapporto di forze che, da allora in poi, non sarebbe più cambiato, o sarebbe cambiato solo a danno del Psi. I comunisti ebbero peso doppio, o quasi, rispetto ai socialisti.

Il governo aveva bisogno di essere rimaneggiato, e la Dc aveva bisogno d'una sorsata di tonico. Ma ai suoi vertici si scontravano i fautori d'un monetarismo austero, capeggiati da Pella, ministro del Tesoro, che era a sua volta l'interprete della linea di rigore voluta dal Presidente della Repubblica Einaudi, e i keynesiani, se vogliamo usare un termine venuto in voga successivamente, alla Vanoni e alla Gronchi. Il 16 luglio De Gasperi aprì la crisi, risolvendola in pochi giorni con tocchi e ritocchi da maestro degli equilibri. I quali equilibri, per l'occasione, riguardarono soprattutto la Dc, anche se i socialdemocratici furono lasciati per strada. Cosicché il precedente tripartito divenne un bipartito Dc-Pri. De Gasperi tenne per sé, oltre alla Presidenza del Consiglio, anche gli Esteri, destinando Sforza all'onorifico ma non fondamentale ruolo di ministro incaricato per gli Affari europei. Attilio Piccioni, che era alla Giustizia, fu promosso vicepresidente del Consiglio (alla Giustizia andò Adone Zoli). Pella lasciò il Tesoro, ma per occuparsi del Bilancio, un ministero del quale erano state ampliate le competenze. Vanoni rimase alle Finanze, e per di più si prese l'*interim* del Tesoro. Segni fu trasferito all'Istruzione pubblica, e l'Agricoltura fu affidata a Fanfani. Con due dicasteri in pugno, Vanoni, il protettore di Mattei, l'amico dei dossettiani, era uno dei pilastri della politica economica di De Gasperi: l'altro rimaneva Pella. Ma la popolarità – o impopolarità – di Vanoni gli derivò soprattutto dalla riforma fiscale che varò nell'autunno del 1951 e che prese il suo nome.

A metà novembre del 1951 il Po reso gonfio da piogge insistenti travolse e infranse gli argini, nel Delta, e sommerse centocinquantamila ettari di buona terra, investendo Adria e lambendo Rovigo. Antichi errori e imprevidenze apparvero di colpo in tutta la loro gravità. La catastrofe non causò la perdita di molte vite; i morti, una quarantina, erano passeggeri d'una corriera sorpresa dalla prima ondata di piena. Ma le conseguenze economiche e i disagi materiali furono, per le popolazioni, terribili. Ci si consolò affermando che l'evento era stato eccezionale, e che la piena di 12 mila metri cubi d'acqua al secondo registrata nell'ultimo tratto del grande fiume era praticamente senza precedenti. Si corse, in ritardo, ai ripari. Vi furono altri allarmi. Ma il Po venne dopo d'allora domato.

IL MSI CHE SCELBA PERSEGUIVA – ne aveva vietato il terzo Congresso a Bari –, che De Gasperi disprezzava, e che la sinistra copriva di contumelie e peggio (ma tenendoselo caro perché i suoi voti non rifluissero alla Dc), assurse al ruolo di protagonista, o se preferite di mancato *deus ex machina*, nella seconda tornata delle elezioni amministrative, fissata per fine maggio del 1952. Questa volta la consultazione riguardava prevalentemente l'Italia centromeridionale, con Roma e Napoli. Le sinistre avevano, per le elezioni nella capitale, un asso nella manica: era un asso vecchio e logoro, ma autorevole, che portava il nome di Francesco Saverio Nitti. Lo statista lucano accettò di capeggiare una lista cittadina, da contrapporre al blocco moderato, che non impensierì eccessivamente De Gasperi: ma deflagrò al di là del portone di bronzo ancor più paurosamente di quanto avessero fatto le bombe degli Alleati su Roma, nel

1943. Pio XII era imperioso e ieratico, con una punta di nevrosi. Sentiva fortemente la sua responsabilità e la sua autorità di Papa e di vescovo di Roma. Inconfessata, era prepotente in lui la propensione a considerarsi – mandato in esilio il Re – il nuovo sovrano d'Italia, con la missione di preservarla dalla minaccia comunista. Per i suoi gusti, Alcide De Gasperi era troppo morbido, troppo aperto, e anche troppo riluttante ad obbedire, in quanto capo d'un partito cattolico, alla volontà del Sommo Pontefice.

Per qualche anno gli era sempre riuscito di convincere Pio XII della bontà delle sue scelte. In quella primavera del 1952 il Vaticano ritenne che, essendo in giuoco l'amministrazione di Roma, ogni cautela dovesse essere abbandonata. Alla lista cittadina di Nitti, paravento dei comunisti, doveva essere opposto uno schieramento altrettanto unitario, che includesse anche la destra missina e monarchica (una destra che era in pieno rigoglio, e di questo il Papa era perfettamente conscio). Gedda si assunse senza esitazioni il compito di preparare le forze d'urto per l'imminente battaglia. Ma la proposta di un «listone» unitario non poteva partire da un uomo, come Gedda, che era esecutore della volontà di Pio XII e che non s'era mai distinto né per antifascismo né per aneliti democratici. Ci voleva un portabandiera insospettabile: e il Papa pensò di ripescare don Luigi Sturzo, il «resistente» di sempre, il prete che aveva preferito essere rinnegato o ignorato dal Vaticano della Conciliazione piuttosto che rinnegare il suo antifascismo. Andreotti ha scritto che De Gasperi vide «tale iniziativa unitaria con grande preoccupazione e tristezza» ma che non fece nulla per impedirla «nonostante si sia detto più tardi il contrario». Tra coloro che hanno detto il contrario è una testimone attendibile la figlia di De Gasperi, Maria Romana, che della vicenda ha lasciato un racconto vivace e amaro.

«La mattina del 19 aprile – ricordò Maria Romana De Gasperi – il gesuita padre Lombardi era venuto a Castelgandolfo a parlare a mia madre. In un'ora e mezza di colloquio egli seppe passare dalle lusinghe alle minacce insistendo perché la Democrazia cristiana allargasse il fronte mediante una lista unica fino all'estrema destra. Ebbe frasi come questa: "Il Papa preferirebbe, alla conquista elettorale del Campidoglio da parte dei comunisti, Stalin e i suoi cosacchi in piazza San Pietro". Molto meglio cioè il martirio. "Badi – continuò alludendo a mio padre – che se le elezioni dovessero andar male lo faremo dimettere."... Mio padre non voleva arrivare ad una lista unica con il Msi sia perché contrastava con la linea politica di tutta la sua vita, sia per le conseguenze immediate nel partito della Democrazia cristiana e per quelle future nel Paese.»

Poiché don Sturzo rifiutava di rendere pubblico il suo «appello» elettorale finché non gli fossero pervenute le adesioni scritte di monarchici e missini, l'Azione cattolica ruppe gl'indugi annunciando una propria lista alle municipali, e nel contempo ritirando quindici suoi esponenti dalla lista democristiana. De Gasperi (era il 21 aprile, e ci atteniamo sempre alla rievocazione della figlia Maria Romana) cedette, commentando stancamente «consummatum est». La Dc si rimetteva all'iniziativa di don Sturzo. Senonché sopravvenne, per chi non voleva il listone, una schiarita provvidenziale. L'esitante Sturzo voleva ritirarsi per le resistenze incontrate all'interno della sua stessa coalizione in fieri. La grande alleanza vaticana, che doveva aggregare alla Dc missini e monarchici, stava allontanando i repubblicani e i socialdemocratici, inviperiti.

Ci furono altri alti e bassi, con don Sturzo sempre intimamente tormentato e soggetto a pressioni d'ogni genere, con monsignor Tardini che tempestava perché l'appello fosse pubblicato, con monsignor Montini che nell'ombra frenava, con Gedda gelidamente risoluto, con Scelba e Gonella oscillanti tra adesione e riluttanza. Finalmente il tentativo vaticano abortì, e della rinuncia di don Sturzo fu data notizia alla radio. La mattina del 23 aprile Pio XII, furente ma rassegnato, fece sapere che «a parte l'impressione sul modo come erano state interrotte le trattative era d'avviso che ormai non ci fosse altro da fare che concentrare gli sforzi dei cattolici sulla Democrazia cristiana». Gedda era stato sconfitto.

Pio XII accettò lo smacco ma covò a lungo il suo livore contro De Gasperi. Nel giugno successivo, celebrandosi insieme i trent'anni di matrimonio del Presidente del Consiglio e i voti perpetui della figlia Lucia, i De Gasperi chiesero, tramite l'ambasciata italiana in Vaticano, un'udienza pontificia. Dai palazzi apostolici fu loro risposto un secco no. All'ambasciatore Mameli che gli riferì il responso della Santa Sede, De Gasperi espresse – e volle farlo per iscritto – il suo dolore: «Come cristiano accetto l'umiliazione benché non sappia come giustificarla; come Presidente del Consiglio e ministro degli Esteri, la dignità e l'autorità che rappresento, e della quale non mi posso spogliare anche nei rapporti privati, m'impone di esprimere lo stupore per un rifiuto così eccezionale e di riservarmi di provocare dalla Segreteria di Stato un chiarimento».

L'ESITO DI QUESTA SECONDA *tranche* di elezioni amministrative «non fu entusiasmante» – come ha scritto Andreotti nell'ottica democristiana – perché «Roma rimase alle formazioni di centro ma in molte zone dell'Italia meridionale, a cominciare da Napoli e Bari, la maggioranza relativa fu conquistata dalle destre», perché «in altri centri ancora l'autonomia dell'elettorato di destra fece conquistare le elezioni a socialisti e comunisti» e infine perché «l'indebolimento dei partiti costituzionati s'era accentuato e anche la Democrazia cristiana aveva visto diminuire i consensi verso le proprie liste... Le prospettive per le politiche non erano davvero liete».

Le destre si affacciavano in forze sull'orizzonte politico: e con le destre emergeva un personaggio che a Napoli era riuscito a rastrellare 157 mila voti e la maggioranza relativa: Achille Lauro, il Comandante. A lui erano andate 117 mila preferenze, una valanga. Quanto bastava per garantirgli l'elezione a sindaco della città. L'Italia meridionale si ribellava ancora una volta – e fu l'ultima, in quelle proporzioni – al vento del Nord e ad alleanze politiche che si rifacessero in qualche modo ai Cln e all'antifascismo. Però Lauro, diversamente da Giannini, non fu solo un raccoglitore della protesta: alla ribellione coniugò, come sindaco di Napoli, l'azione. Che fu lo specchio della sua personalità.

Achille Lauro, armatore, nato a Piano di Sorrento il 16 giugno del 1887, era figlio d'arte. Era quinto di sei figli, tre maschi e tre femmine (i due fratelli maggiori periranno in mare), e il padre Gioacchino era padroncino di velieri. I risultati scolastici di Achille ragazzino furono pessimi, ma in qualche modo riuscì a diplomarsi capitano di lungo corso. Fino alla prima guerra mondiale Lauro, ormai armatore in proprio, si arrabattò in iniziative a volte fortunate e a volte no, ma sempre spregiudicate, e notevoli per la volontà e l'ambizione feroci di questo bucaniere sorrentino. Nel primo dopoguerra iniziò la sua vera ascesa imprenditoriale, adottando – anche quando i noli erano stagnanti, e altri armatori sprofondavano nella bancarotta – espedienti straordinariamente ingegnosi. Basterà dire che intorno al 1934 possedeva 29 navi per oltre 200 mila tonnellate, e poi ordinò ai cantieri due unità nuove (si chiamarono, come volevano i tempi, *Fede* e *Lavoro*). I trasporti di tutti i materiali per la guerra d'Etiopia gli diedero profitti ingenti. Tuttavia Lauro non fu un fascistone.

Durante la guerra, la sua flotta fu requisita e quasi totalmente affondata. Quando presero Napoli, gli anglo-americanı misero Lauro, come profittatore del Regime, in un campo di concentramento. Dove il Comandante, cedendo a un suo consolidato esibizionismo culturalistico-maschilista, amava passeggiare in costume adamitico. L'armatore aveva sessant'anni, e pareva destinato a una vecchiaia incolore, quasi povera. Ma quel vecchio aveva idee giovani, e capacità di recupero incredibili. La svendita delle vecchie Liberty americane che avevano sostenuto il peso dei trasporti bellici, e una politica governativa che favoriva l'armamento per favorire, nello stesso tempo, l'emigrazione, furono i punti di forza della rinascita laurina. Tra l'altro due delle Liberty passate a Lauro furono poi incluse da Washington in una «lista nera» di navi che trafficavano con i Paesi dell'Est.

In pochi anni la flotta Lauro ridivenne un potentato economico nazionale e internazionale. E nella primavera del 1952 il Comandante fu sindaco della sua città. Un sindaco padrone e padrino, efficiente e clientelare, prodigo e bizzarro, ignorante e geniale, inviso all'intelligenza e adorato dalla plebe.

L'*intellighenzia* trovò ın Lauro, negli anni Cinquanta, un bersaglio ideale. Quest'accanimento era giustificato dal personaggio: ma fu fazioso perché i salotti progressisti dimenticarono che su altre barricate la classe dirigente napoletana non era molto migliore, e che in fatto di clientelismo gli altri *clan* di partito avevano poco da invidiare a Lauro: non possedendone tuttavia l'intraprendenza, la capacità di fare, il disinteresse personale. Questo miliardario non volle certo far quattrini come sindaco di Napoli, anzi ne spese di tasca sua. Era un guappo orgoglioso. Lauro è morto, la sua flotta è andata all'incanto così come i suoi beni, ma negli anni Ottanta, quand'egli era già sotto terra, non si può dire che il malcostume amministrativo sia finito solo perché Lauro non c'è più e le sorti del potere locale sono state affidate ai partiti «dell'arco costituzionale».

NEGLI ULTIMI MESI DEL 1952 De Gasperi, provato e allarmato dall'andamento delle «amministrative», aveva la sensazione che la Dc fosse minacciata d'assedio, e d'isolamento. Le destre erano cresciute impetuosamente, le sinistre tenevano e un po' risalivano la china, gli alleati della Democrazia cristiana denunciavano in più d'una occasione turbamenti e velleità di sganciamento. Il momento magico dello scudo crociato era passato, e passato per sempre.

Nacque così l'idea d'una nuova legge elettorale che concedesse un premio di maggioranza a quel partito, o a quella coalizione di partiti, cui andasse anche un solo voto in più del 50 per cento. La coalizione che fosse riuscita a superare il traguardo della metà più uno dei voti si sarebbe aggiudicata i due terzi dei seggi in Parlamento, il resto sarebbe andato alle opposizioni. L'approvazione della legge sembrava certa: la Dc disponeva della maggioranza assoluta alla Camera, e inoltre poteva contare sull'apporto degli alleati. Ma pur in condizioni di apparente debolezza, l'opposizione dimostrò combattività, inventiva, capacità propagandistica. La sua strenua lotta contro la legge che concedeva il premio di maggioranza si avvalse di tre armi: l'ostruzionismo parlamentare, strumento tecnico e alla lunga sterile; la coniazione d'uno *slogan* di tremenda efficacia, quello di «legge-truffa»; l'asserita analogia tra la legge di De Gasperi e la legge Acerbo del tempo fascista. Il disegno di legge che dava 380 seggi, nella futura Camera, agli apparentati vincenti – ossia arrivati oltre la soglia del 50 per cento – fu approvato dal Consiglio dei Ministri il 18 ottobre 1952.

Seguì, fino alle vacanze natalizie, un dibattito parlamentare tumultuoso e interminabile. Per concluderlo, il governo si risolse (14 gennaio 1953) a porre la questione di fiducia. Dal giorno in cui la proposta fu presentata, fino al giorno (21 gennaio) in cui fu approvata, De Gasperi non lasciò praticamente Montecitorio. Il governo aveva vinto la prima battaglia. Ne restava una seconda, non meno importante, in Senato (anch'essa vinta tra i tumulti). E poi la terza, quella delle urne, che avrebbe deciso la guerra.

L'asprezza e il clamore della lotta sulla legge-truffa avevano posto in ombra altri avvenimenti che pure sembravano suscettibili di esercitare un qualche peso (non era forse accaduto nel 1948, con il colpo di Stato comunista in Cecoslovacchia?) sulla prova elettorale. Il generale Eisenhower, trionfatore alle elezioni presidenziali di novembre negli Stati Uniti, aveva preso le redini del potere a Washington. L'ingresso di Eisenhower alla Casa Bianca non ebbe riflessi importanti sugli umori degl'italiani. Non ne ebbero nemmeno altri avvenimenti che si svolgevano al di là di quella che ancora veniva definita la «cortina di ferro», nella Cecoslovacchia del cupo Gottwald che, gravemente malato e prossimo alla fine, si prendeva le sue ultime vendette, e procedeva alle ultime epurazioni. La febbre autodistruttrice della rivoluzione telecomandata da Mosca aveva dapprima coinvolto la minutaglia del Partito, poi si estese ai notabili. Il grande accusatore nella fase d'avvio della purga fu Rudolf Slanski, dirigente di stretta ortodossia moscovita, che si accanì contro i «deviazionisti di destra», i «titoisti», i «nazionalisti». Cadde nella rete il ministro degli Esteri Clementis. Poi, per un colpo di scena paradossalmente crudele toccò allo stesso Slanski, caduto in disgrazia, d'affrontare l'inquisizione. Alla fine del 1951 anch'egli fu arrestato, per delitto d'antisovietismo. Non si mancò di rammentare che aveva sangue ebreo, fu riesumato il suo vero nome, Salzman, si constatò che tra i «congiurati» v'era una maggioranza di ebrei. Per una sorta di abbietto divertimento, i «giudici» di Gottwald vollero che Clementis e Slanski fossero processati insieme, e insieme salissero (il 3 dicembre 1952, mentre in Italia ci si accapigliava per la legge-truffa) sulla forca, con altri nove condannati. Nenni sentì crescere i dubbi sui metodi di questa «giustizia».

Chi invece si vantava di capire, e approvava con entusiasmo, era Palmiro Togliatti, che su *Rinascita* inveiva contro chi metteva in dubbio la giustizia cecoslovacca. «Slanski e i suoi... non hanno peccato in astratto: il loro non fu un delitto di opinione... E difatti, ci vuol altro che un'opinione per distruggere uno Stato che si avvia al socialismo! Slanski e i suoi sono stati sorpresi mentre operavano sul terreno della congiura politico-militare, per tentare il colpo di Stato controrivoluzionario.»

Anche in Unione Sovietica la macchina delle purghe staliniane stava macinando le sue ultime vittime. Sulla scia d'una ondata di antisemitismo di cui s'erano visti i segni in Cecoslovacchia contro Slanski, fu inscenato l'«affare» dei medici. Il 3 gennaio 1953 venne annunziato in forma ufficiale (citiamo da Isaac Deutscher) che «nove professori in medicina, che esercitavano la professione al Cremlino come medici personali dei più importanti uomini di governo, erano stati smascherati come agenti dei servizi segreti inglese e americano, per ordine dei quali avevano assassinato due capi del partito, Ždanov e Scerbakov, e tentato di assassinare i marescialli Vasilevskij, Govorov, Koniev, Shtemenko e altri per indebolire le difese del Paese». Molti di quegli assassini in camice bianco erano ebrei, e accusati di avere agito per istigazione del Joint, un'organizzazione internazionale ebraica che aveva il quartiere generale negli Stati Uniti. Kruscev raccontò poi che Stalin aveva diretto personalmente gli interrogatori dei medici e ordinato che fossero incatenati e picchiati. «Se non riuscite a farli confessare – disse a Ignatiev, ministro per la Sicurezza dello Stato – ti accorceremo di tutta la testa.»

Il bagno di sangue stava tuttavia per finire, almeno in quelle proporzioni e con quella arbitrarietà, perché Stalin morì il 5 marzo 1953, all'età di 73 anni. La sinistra – con trasporto mistico i comunisti, con qualche moderata riserva i socialisti – pianse in lui il saggio padre del suo popolo, l'apostolo della pace, l'intrepido condottiero della guerra contro il nazismo, il promotore d'una nuova società più giusta. In un discorso alla Camera Togliatti lo definì «un gigante del pensiero, un gigante dell'azione». E concluse: «Trionfò di tutti i nemici, quelli di fuori e quelli di dentro. Il suo Paese, il primo Paese socialista, fu da lui portato al rinnovamento economico, al benessere, alla compatta unità interna, alla potenza. Oggi è il primo del mondo... Ogni volta che viene pronunciata una parola di pace, ogni volta che si compie un atto che può assicurare la pace, ivi troviamo Stalin, la sua mente saggia, il suo animo sollecito... Scompare l'uomo. Si spegne la mente del pensatore intrepido. Ha un termine la vita eroica del combattente vittorioso. La sua causa trionfa. La sua causa trionferà in tutto il mondo».

FISSATE LE ELEZIONI per il 7 giugno (1953) la campagna elettorale fu senza esclusione di colpi. De Gasperi s'era buttato nel vortice dei comizi con entusiasmo, anche se il suo fisico dava segni di cedimento. Accadeva che, dopo aver parlato, dovesse restarsene immobile su un divano, per riprendere forze.

Il 7 giugno fu una giornata meteorologicamente inclemente («acqua, umidità, aria pesante» – Andreotti) e per gli apparentati di centro inclemente anche politicamente. La Dc e i suoi alleati s'illusero, dapprima: i risultati del Senato attribuivano alla coalizione più del 50 per cento. Ma quando cominciarono ad affluire i dati riguardanti la Camera, si ebbe la sensazione netta che il traguardo sperato fosse irraggiungibile, o raggiungibile con un margine così esiguo e controverso che le dispute e le contestazioni ne avrebbero ricevuto nuovo impulso. Alle 10 del lunedì sera i giornalisti erano sempre in attesa di un comunicato del Viminale. Enrico Mattei (il giornalista, non il «petroliere») subodorò le incertezze e il disorientamento del governo: ricorrendo a un espediente, uno di quelli che in Lombardia chiamano «saltafossi», telefonò a Campilli, ministro per il Mezzogiorno, dicendogli che «Scelba sbagliava a temere manifestazioni di giubilo delle sinistre e a rinviare l'annuncio del mancato scatto della legge maggioritaria» (Corrado Pizzinelli, nella biografia di Scelba). «Campilli cadeva nel tranello e gli dava ragione spiegando che Scelba proprio per quello stava mettendo in preallarme le questure, ma che comunque non era detta l'ultima parola poiché, a quanto sapeva, si stavano facendo ancora controllare alcuni conteggi... Dopodiché Mattei scriveva un articolo per i suoi giornali (*Il Resto del Carlino* e *La Nazione*) i quali l'indomani, unici in Italia, annunciavano il mancato scatto della legge.»

Mancato per un soffio. I quattro partiti apparentati avevano ottenuto il 49,85 per cento dei voti, ne sarebbero bastati altri 50 mila o poco più per il raggiungimento dell'obbiettivo. Scelba si affrettò, ansioso com'era di evitare disordini, a dare notizia del fatto compiuto. De Gasperi non mosse obbiezioni. Il risultato era stato una mazzata per la Dc, e ancor più per i laici. Alla Democrazia cristiana erano andati 10 milioni e 834 mila voti, due milioni in meno rispetto al '48. In percentuale era passata dal 48 al 40, e i seggi alla Camera da 305 a 261. Socialdemocratici, liberali e repubblicani s'erano dovuti accontentare, insieme, di due milioni e mezzo di voti; in particolare i seggi socialdemocratici erano scesi da 33 a 19, quelli liberali da 19 a 14, quelli repubblicani da 9 a 5. I socialcomunisti per converso erano progrediti da otto milioni a nove milioni e mezzo: con il Pci che aveva fatto nuovamente la parte del leone, prendendosi oltre sei milioni di voti e lasciandone poco più di tre a Nenni.

Se ai laici le ferite maggiori erano state inferte da liste effimere, ma capaci di raccogliere qualche centinaio di migliaia di voti, alla Dc la botta grossa l'aveva data la destra, soprattutto il Partito nazionale monarchico. Ai missini erano andati circa un milione e 600 mila voti, ai «laurini» un milione e 854 mila. Il Comandante aveva quasi triplicato il gruppo monarchico a Montecitorio, da 14 a 40 deputati.

De Gasperi avrebbe voluto tenersi dietro le quinte. Non lo fece perché sapeva che v'erano delfini scalpitanti, e ansiosi di fare della Dc uno strumento politico assai diverso da quello ch'egli aveva tentato di forgiare; e perché Luigi Einaudi insisteva nel rivolerlo a capo del governo. Si mise all'opera, tra defezioni interne ed esterne. Compiuto il giro d'orizzonte, s'accorse d'avere in pugno solo consigli o considerazioni ma nessuna possibile maggioranza. Einaudi insistette perché lo statista trentino proseguisse i suoi sforzi. Si può supporre che avesse in mente lo scioglimento delle Camere e nuove elezioni. Mosso dall'ansia di concludere, De Gasperi pose finalmente mano alla formazione d'un monocolore democristiano. Le divisioni e le ambizioni dei suoi lo fecero sudare non meno delle precedenti infruttuose trattative. Nell'ottavo e ultimo ministero De Gasperi, Fanfani ascese all'incarico di ministro dell'Interno (Scelba aveva preferito defilarsi), per il resto si videro o rividero nomi autorevoli ma non tali da dare una forte impronta a questa *équipe* mandata al massacro: Bettiol, Gonella, Spataro, Taviani, Tupini e così via. Il 21 luglio 1953 il governo e il suo programma furono presentati a Montecitorio. Durante il dibattito De Gasperi ebbe, rivolgendosi ai monarchici, espressioni forse benintenzionate, ma certo infelici. «Noi non ci conosciamo – disse -: ci siamo scontrati nella battaglia elettorale, e io confesso che non sono in grado di valutare le vostre energie, come pure non conoscete me... Non sarebbe meglio prendere tempo per fare la vostra conoscenza?» Ugo La Malfa l'interruppe: «Tu li conosci, li conosci bene...». Il passaggio era stato in effetti piuttosto goffo. Aveva dato l'impressione che De Gasperi volesse, nello stesso tempo, sottolineare la sua estraneità alle impostazioni dei monarchici e sollecitarne l'astensione (che avrebbe salvato il governo). L'ottavo gabinetto De Gasperi era spacciato.

Il momento era malinconicamente solenne, per De Gasperi e per l'Italia. Gremite le tribune del pubblico, straripanti quelle dei diplomatici e dei giornalisti. La moglie di De Gasperi assisteva, commossa, a questo infortunio che molti ritennero fosse un intermezzo, e che invece era un epilogo. Assenti soltanto sette deputati su cinquecentonovanta, l'esito fu questo: 263 sì, 282 no. Dal suo posto nel banco dei sottosegretari l'onorevole Lucifredi sussurrò a De Gasperi (lo ha riferito Giulio Cesare Re): «Popolo italiano, dove sei? Qui dentro contano solo i partiti!». Giusta l'osservazione, stupefacente lo stupore d'un uomo di partito qual era Lucifredi. «Stanco ma sereno» secondo la definizione di Andreotti, De Gasperi comunicò nel pomeriggio a Einaudi, nella residenza estiva del Capo dello Stato a Caprarola, il fallimento del suo tentativo.

Nella cartella di pelle nera che Luigi Einaudi aveva sempre sul suo scrittoio, e che conteneva alcuni appunti riservati, v'era anche un elenco dei possibili candidati alla Presidenza del Consiglio. Il secondo nome – essendo stato depennato De Gasperi – era quello di Attilio Piccioni: un veterano che aveva militato nel Partito popolare, e partecipato all'Aventino e che dovette dichiarare *forfait*.

Einaudi trasse perciò dalla sua cartella il terzo nome, che era quello d'un *outsider*, Giuseppe Pella. Cinquantenne, «biondo, alto, un po' pesante e massiccio, sempre cortese e amabile» secondo la descrizione che di lui diede Domenico Bartoli, Pella segnava un netto distacco dalla dirigenza democristiana che l'Italia aveva fino allora conosciuta: si trattasse dei notabili prefascisti e antifascisti alla De Gasperi e alla Piccioni, oppure dei giovani rampanti, alla Fanfani e alla Moro, che magari avevano avuto qualche condiscendenza verso il Regime mussoliniano, ma si erano poi fortemente ideologizzati e politicizzati.

Pella non era certo stato un resistente. Vercellese di nascita ma ambientato a Biella (e dalla città adottato), vi aveva fatto una brillante carriera di commercialista. Laureato in economia e commercio, poi professore di contabilità nazionale presso le Università di Roma e di Torino, era considerato uno degli esperti più qualificati nello studio dei problemi economici e monetari. L'attività professionale e quella dell'insegnamento non gli avevano impedito, anche durante il ventennio, di rivestire incarichi pubblici; che erano sempre stati locali, e di carattere amministrativo, ma che gli valsero, durante il dibattito sulla fiducia, qualche interruzione polemica. Era freddo, compito, preparato. Il che gli aveva valso la stima di Einaudi, esaminatore difficile. Era entrato in politica subito dopo la Liberazione, schierandosi nell'ala conservatrice della Democrazia cristiana: sottosegretario alle Finanze già nell'ottobre del 1946, era stato poi titolare, volta a volta, dei tre dicasteri economici: Finanze, Bilancio, Tesoro.

La candidatura di Pella – e questo spiegherà tanti atteggiamenti successivi – non era approdata al Quirinale tramite i due gruppi parlamentari democristiani: vi era approdata per iniziativa dei monarchici, i quali avevano fatto sapere che il loro voto era disponibile a sostegno dell'economista piemontese. A questa designazione trasversale – seppure rafforzata dalla personale stima di Einaudi per Pella – fu subito dato un avallo importante. De Gasperi fece a sua volta sapere dal rifugio montano che Pella doveva essere appoggiato. Aiutò Pella anche il terrore che i neodeputati avevano d'un nuovo ricorso alle urne, che li rimettesse alla stanga per brigare l'elezione, senza alcuna sicurezza (per molti di loro) d'ottenerla.

In quattro e quattr'otto il monocolore di Pella vide la luce. Poiché fu firmato il 15 agosto del 1953, venne battezzato «governo dell'Assunta». Gli fu anche dato un bel motto: «novità nella continuità». Per sé tenne, oltre alla Presidenza, due *interim* vistosi, gli Esteri e il Bilancio. Fanfani rimase all'Interno, Silvio Gava ebbe il Tesoro, Taviani la Difesa, Antonio Segni la Pubblica istruzione, Tambroni la Marina mercantile. Andreotti restò, indispensabile, sulla sua poltrona di sottosegretario alla Presidenza del Consiglio. I dibattiti parlamentari scivolarono via lisci. Dal punto di vista dell'aritmetica parlamentare, quello di Pella fu un trionfo. A Montecitorio ebbe una maggioranza di 100 voti (315 favorevoli, 215 contrari, 44 astenuti, che erano i socialisti: un distacco clamoroso del Psi – o di molti del Psi – dalle posizioni frontiste). A Palazzo Madama i favorevoli furono 140, i contrari 86, 10 gli astenuti.

Partito avendo in poppa il vento parlamentare, Pella ebbe ben presto anche quello della pubblica opinione, conquistata dal suo atteggiamento durante un improvviso riacutizzarsi della questione giuliana. La sorte volle che questo biellese abituato a vedersela con i numeri dovesse prestare il suo linguaggio forbito e il suo stile da *grand commis* ad una ondata di passione irredentista, la prima di quell'impeto da quando Trieste era stata sottoposta all'amministrazione alleata. Gli anglo-americani erano ansiosi di liberarsi d'un onere che era per loro pesante sia dal punto di vista politico-militare sia da quello amministrativo-finanziario: si dichiaravano pronti ad affidare integralmente all'amministrazione italiana la Zona A del cosiddetto Territorio libero; ma non potevano garantire che, avvenuto questo passaggio, Tito non procedesse a sua volta ad un'annessione anche formale della Zona B, già nei fatti totalmente incamerata nel territorio jugoslavo, e assimilata ad esso sia per quanto riguardava gli ordinamenti amministrativi sia per il clima politico: che era di asservimento ideologico, di culto della personalità e di sradicamento di quanto restava dell'italianità. De Gasperi, cui questo baratto era stato proposto, l'aveva sempre rifiutato.

Su questa tesa e prolungata fase interlocutoria si abbatté il 28 agosto 1953 una nota dell'agenzia ufficiale di stampa jugoslava, la *Jugopress*, che nel suo passo più significativo affermava: «La Jugoslavia ha perduto la pazienza con l'Italia per quanto concerne la questione di Trieste e sta pensando ad un cambiamento del suo moderato e tollerante atteggiamento probabilmente annettendosi la Zona B in risposta alla fredda annessione della Zona A da parte dell'Italia».

Il riferimento della *Jugopress*, nell'ultima frase, era ad alcune misure adottate dalle autorità anglo-americane di Trieste nel maggio del 1952, dopo che, in marzo (per l'anniversario della Dichiarazione tripartita), s'erano avuti in piazza dell'Unità gravi incidenti tra i dimostranti e la polizia alleata che fecero un morto e alcuni feriti. Due mesi dopo, come s'è accennato, gli Alleati decisero di liberarsi d'una parte delle responsabilità per Trieste. Al consigliere politico britannico e a quello americano si aggiunse, con pari poteri, un consigliere italiano. L'amministrazione fu assunta da un «direttore superiore italiano» che dipendeva dal comandante della zona e aveva come collaboratori diretti due direttori (per l'Interno e per l'Economia) anch'essi italiani, come la totalità del personale subalterno. La gestione alleata si era insomma ridotta a un guscio vuoto.

La nota provocò a Roma un'emozione e un'agitazione spropositate. In concitate riunioni Pella e i suoi collaboratori presero in esame un'azione italiana verso la Zona A, qualora Tito si fosse annessa la Zona B. Se si fosse arrivati a questo, le conseguenze sarebbero state serie, per i rapporti tra l'Italia e gli Alleati: i quali erano disposti a cedere la Zona A, ma non a farsela prendere.

Vennero ventilate misure militari italiane che trovavano giustificazione, oltre che nel linguaggio aggressivo della *Tanjug* e della *Borba*, anche nel raduno oceanico previsto a Okroglica (San Basso), a sei chilometri dal confine, per un discorso che Tito avrebbe pronunciato il 6 settembre (1953). Settantadue treni speciali e altri mezzi di trasporto avrebbero portato sul posto 250 mila ex-partigiani, e migliaia di altri antiitaliani esagitati: tra essi una rappresentanza degli sloveni abitanti in Italia.

Quel gesto di fierezza e d'intraprendenza di Pella fu puramente simbolico sotto il profilo militare (con diecimila soldati alleati a Trieste, uno scontro diretto italo-jugoslavo era da relegare nel novero delle possibilità remote). Ma il significato politico dell'iniziativa fu profondo. Lo fu per l'opinione pubblica italiana, presto infiammata con recrudescenze di antichi, sopiti ma non spenti rancori antiinglesi. E lo fu in senso sostanziale. Là dove De Gasperi, per non rinnegare le promesse elettorali del '48, rifiutava d'incamerare la Zona A, considerando questa mossa il preludio ad una mossa analoga jugoslava, Pella e molti esponenti di rilievo della diplomazia italiana pensavano che l'acquisizione della Zona A fosse un passo necessario. Sottintendendo che il problema di diritto internazionale sarebbe rimasto impregiudicato.

Quando si rivolse, il 6 settembre 1953, alla folla immensa dei suoi partigiani, Tito fu duro, spesso ironico, a tratti sprezzante. Alle accuse per gli orrendi massacri nelle foibe replicò elencando con puntiglio – e certamente ingigantendoli – i crimini e soprusi commessi dagli occupanti italiani. Parlò di 67 mila sloveni rinchiusi in campo di concentramento, undicimila dei quali morti. Rievocò i rastrellamenti, fece ascendere a 438 mila persone gli uccisi dall'esercito italiano in Jugoslavia, disse che erano state distrutte 142 mila case, valutò a 10 miliardi di dollari i danni subiti dal suo Paese. Posta questa premessa che trovò nell'uditorio rispondenza indignata e solidarietà osannante, si occupò del Territorio libero. La Jugoslavia, sottolineò sarcasticamente, non aveva nessuna intenzione di annettersi qualcosa, come la Zona B, che aveva già in mano. La questione dunque riguardava unicamente il resto del Territorio libero: e la Jugoslavia lo pretendeva. Definì «aggressione» il rafforzamento dei presìdi confinari italiani, e volgendo l'occhio al di là della frontiera, che era a due passi, aggiunse: «No, la Zona A non l'occuperete. Perciò sarebbe meglio far rientrare le divisioni nelle caserme, dov'erano, e cominciare una conversazione, e vedere se esistono punti di contatto, se possiamo metterci d'accordo, in questa situazione, se non su tutto almeno su qualcosa».

Il 13 settembre Pella rispose a Tito. Lo fece in Campidoglio, dove si celebrava, nella sala degli Orazi e Curiazi, l'anniversario della Resistenza romana e il sacrificio dei suoi caduti. «Domenica scorsa – disse Pella – è stato pronunciato un discorso su cui mi consentirete di intrattenermi brevemente...» Avvertì che si sarebbe astenuto da violenze di linguaggio, affermò con pacatezza che il problema triestino doveva trovare una soluzione «aderente alle attese dell'anima nazionale», definì «strumento valido e non rinunciabile» la Dichiarazione tripartita, rilevò l'arroganza di Tito. Infine Pella riaffacciò una proposta che già in passato era stata indicata come democratica e risolutrice, ma che Tito non gradiva: un plebiscito in tutto il Territorio libero. In Campidoglio Pella fu osannato. Tra tanti consensi, mancò tuttavia quello che, forse, più gli premeva. A De Gasperi il discorso non piacque.

Il 4 novembre Pella parlò a Venezia dopo aver reso omaggio, nell'anniversario della Vittoria, ai caduti di Redipuglia. Centomila persone gremivano la piazza San Marco. Il Presidente del Consiglio promise «per Trieste buona guardia. Sì, amici, siatene certi. Per l'Italia, per la sua dignità, per i suoi vitali interessi, questa è la consegna a cui questo governo – ogni governo italiano – ubbidirà: buona guardia!». Mentre Pella concionava con periodare rotondo, cominciarono ad arrivare notizie di disordini gravi a Trieste, dove la passione della folla italiana era incandescente, e si scontrava con un servizio d'ordine cui il generale Winterton aveva dato disposizioni rigorose. Quello stesso 4 novembre la polizia del Gma (Governo militare alleato) aveva caricato la folla; alcuni arresti, feriti e contusi. Il giorno dopo davanti alla chiesa di Sant'Antonio Nuovo (sempre a Trieste) la polizia sparò sulla folla inerme, in mezzo a cui si erano rifugiati gruppi di giovani inseguiti dalle forze dell'ordine: due morti e una cinquantina di feriti. Il 6 novembre i disordini continuarono. Alla fine della giornata si registrarono altri quattro morti e ancora una cinquantina di feriti. Dovette trascorrere quasi un altro anno prima che il nodo triestino avesse un suo scioglimento teoricamente provvisorio, ma destinato a durare e a consolidarsi nel Trattato di Osimo che gli diede veste definitiva. Nel frattempo Pella era caduto, era caduto anche un meteorico governo Fanfani, e la Presidenza del Consiglio era finita nelle mani di Scelba, rientrato alla grande nella politica. Ma Einaudi aveva in qualche modo avocato a sé – tra questi rivolgimenti di ministeri e di coalizioni – la questione triestina.

Così si continuò a negoziare: e finalmente il 5 ottobre 1954, a Londra, l'ambasciatore Brosio, il rappresentante degli Stati Uniti Llewellyn Thompson, il sottosegretario aggiunto al Foreign Office Geoffrey Harrison e l'ambasciatore jugoslavo Vladimir Velebit siglarono un *memorandum d'intesa* il cui articolo 2 (quello fondamentale) prescriveva: «Non appena il presente *Memorandum d'intesa* sarà stato parafato e le rettifiche alla linea di demarcazione da esso previste saranno state eseguite, i governi del Regno Unito, degli Stati Uniti e di Jugoslavia porranno termine al governo militare nelle Zone A e B del Territorio. I governi del Regno Unito e degli Stati Uniti ritireranno le loro forze armate dalla zona a nord della nuova linea di demarcazione (Zona A – *N.d.A.*) e cederanno l'amministrazione di tale zona al governo italiano. I governi italiano e jugoslavo estenderanno immediatamente la loro amministrazione civile sulla zona per la quale avranno responsabilità». Il governo italiano, diventato «amministratore» a tutti gli effetti della Zona A, s'impegnava a mantenere a Trieste il porto franco. Entro un anno coloro che già risiedevano nelle Zone A e B e che se ne erano allontanati potevano farvi ritorno, con gli stessi diritti degli altri residenti: coloro che non volessero far ritorno, o che intendessero nel frattempo andarsene, erano autorizzati a trasferire i loro fondi.

La mattina del 26 ottobre, in un tripudio di bandiere tricolori e in una immensa commozione di folla, i soldati italiani entrarono in Trieste restituita per la seconda volta all'Italia. Alle celebrazioni del 4 novembre 1954 intervenne, acclamatissimo, Luigi Einaudi.

NELLA CONVULSA FASE POLITICA che portò alla formazione e alla dissoluzione del governo Pella e del governo Fanfani s'inserì un episodio di cronaca nera che assunse ben presto i connotati e le dimensioni d'uno scandalo, anzi d'un «affare»: torbido rigurgito di accuse, insinuazioni, calunnie, pettegolezzi, polemiche che investì in pieno uno degli uomini di primo piano della Democrazia cristiana, Attilio Piccioni. Su di lui si abbatté il liquame giornalistico e giudiziario d'un «caso» che tenne le prime pagine dei quotidiani per tre anni: e che fu il prodotto d'un insieme di circostanze delle quali possiamo, *a posteriori*, ricostruire le grandi linee.

Il Paese si divise in innocentisti e colpevolisti, i secondi di gran lunga più numerosi: perché l'affare Montesi, così come era ricostruito dall'accusa, aderiva perfettamente all'immagine che molti italiani si facevano di certo mondo in cui si muovevano i politici astuti, i gaudenti figli di papà, i *grands commis* dello Stato pronti a servire il potente, gli affaristi che s'arricchivano rapidamente, le mantenute scaltre e vendicative. L'«affare Montesi» divampò con facilità perché quella d'allora era l'Italia delle crisi ministeriali, dei *boom* industriali, delle nuove ricchezze e dei vecchi malesseri. Per di più la storia aveva tutti i migliori ingredienti del romanzo d'appendice. La morte equivoca, per mano di viziati signorini, d'una ingenua ragazza del popolo (e la droga a far da condimento), le pressioni della *Nomenklatura* affinché sull'episodio fosse fatto silenzio, i lunghi coltelli delle faide di partito.

L'avvio della vicenda era stato insignificante. Un *fait divers* che sarebbe piaciuto a Simenon giovane, cronista di nera. Nel pomeriggio del 9 aprile 1953 Wilma Montesi, vent'anni, figlia di un falegname, bruna prosperosa e belloccia, era uscita dalla sua modesta casa di via Tagliamento a Roma ed era salita sul treno per Ostia. Fu vista, verso le 18, mentre vi prendeva posto. Non tornò né quella sera né la successiva, e il suo cadavere venne rinvenuto la mattina dell'11 aprile sulla spiaggia di Tor Vaianica, allora disabitata e quasi selvaggia, circa 35 chilometri a sud di Ostia. Il corpo era ricoperto dalla sottoveste, logora e rattoppata. Mancavano le scarpe, le calze, il reggicalze, il vestito. Nessuna traccia di violenza e, per quanto si poté successivamente accertare, nessuna traccia nemmeno di droga o di altre sostanze tossiche.

Nelle ore in cui i Montesi, disperati per la scomparsa di Wilma, s'erano dati a febbrili ricerche, furono formulate ipotesi plausibili: che fosse scappata di casa, o che avesse raggiunto un suo antico spasimante a Rocca di Papa. I genitori erano stati accompagnati, nella loro affannosa indagine, dal fidanzato della ragazza, l'agente di polizia Angelo Giuliani, che prestava servizio a Potenza, e da Giuseppe Montesi, fratello del padre di lei, Rodolfo: lo «zio Giuseppe» sul quale si sarebbero a un certo punto addensati pesanti sospetti. Quando Wilma fu ritrovata, i familiari spiegarono che era andata a Ostia per immergere in acqua salata i piedi, doloranti per un paio di scarpe nuove: la tesi, poi ridicolizzata, del pediluvio seguito da annegamento. La polizia archiviò l'episodio che, nonostante le sue stranezze, poteva essere considerato di *routine*.

Non lo fu più quando, il 4 maggio successivo, il quotidiano napoletano *Roma* scrisse che Wilma aveva frequentato a Tor Vaianica «il figlio di una nota personalità politica governativa» e il settimanale satirico *Il merlo giallo* pubblicò una vignetta in cui un piccione viaggiatore portava nel becco un reggicalze, vignetta corredata da un'allusiva dicitura che inseriva nella trama il musicista Piero Piccioni (in arte Piero Morgan) figlio del ministro Attilio.

L'estate, che come sappiamo fu politicamente tempestosa, con la bocciatura della «legge-truffa» e con la caduta dell'ottavo e ultimo governo De Gasperi, trascorse senza che la vicenda di Tor Vaianica riaffiorasse nelle cronache. Si dovette attendere l'autunno perché un settimanale sconosciuto, dal titolo *Attualità*, diretto da un pubblicista altrettanto sconosciuto, Silvano Muto, divulgasse la sua «verità sulla morte di Wilma

Montesi», dando la versione che la magistratura avrebbe più tardi avallato e che coinvolgeva Piero Piccioni. La ragazza – questa la tesi di *Attualità* – era stata colta da malore per eccesso di droga durante una riunione – «orgia» fu il termine in voga – nella riserva di caccia della Capocotta di proprietà di Ugo Montagna: un faccendiere di 45 anni, amico di molte persone in vista, che si fregiava d'un altisonante e dubbio titolo nobiliare, Marchese di San Bartolomeo. Wilma sarebbe stata portata in riva al mare, per timore di scandalo e di inchieste, e lì lasciata.

Lo scandalo era ormai incontenibile, e la stampa, anche quella seria, «ci inzuppò il pane» come dicono a Roma. Con particolare accanimento lo fece la stampa di sinistra, che dello scandalo si serviva per colpire, con Piero, Attilio Piccioni, e con lui la Dc. Muto fu querelato per la diffusione di notizie false e, difendendosi, citò a sostegno delle sue affermazioni due giovani donne: Adriana Concetta Bisaccia, una avellinese di burrascosi trascorsi e abbastanza mitomane, e Anna Maria Moneta Caglio, di ben diversa pasta. Ottima famiglia milanese, figlia di un notaio, intelligente e di lingua prontissima, la Caglio aveva avuto con Montagna una «affettuosa amicizia» che proprio in quel tempo si stava guastando. Per i suoi abiti e per il suo lungo collo, che sarebbe piaciuto a Modigliani, fu presto battezzata «il cigno nero», la Caglio narrò d'aver captato una telefonata tra Montagna e Piero Piccioni nella quale il musicista chiedeva all'amico di accompagnarlo dal capo della polizia, Tommaso Pavone, perché gli stavano addossando la responsabilità della morte di Wilma.

A questo punto il quadro era completo. Ugo Montagna, padrone di casa alla Capocotta dove, secondo la Caglio, il bel mondo si abbandonava a festini dissoluti, e padrino di loschi traffici, era il complice, anzi il favoreggiatore. Piero Piccioni, amico di Alida Valli, compositore e jazzista di talento, ridotto al panico dall'incidente con la Montesi, era il principale colpevole; Saverio Polito, questore di Roma, vecchio e spregiudicato arnese di Ps (dopo il 25 luglio 1943 aveva scortato Mussolini a Ponza, e poi accompagnato le moglie del Duce, Rachele, alla Rocca delle Caminate facendole, si racconta, *avances* lascive), era il funzionario di moralità elastica che s'era prestato a insabbiare la verità per compiacere il suo diretto superiore, il prefetto Pavone, nonché il ministro e il figlio del ministro.

Allorché il fascicolo approdò sulla scrivania di Fanfani, in quel momento ministro dell'Interno di Pella, maneggiarlo era già rischiosissimo, tanto più che la stampa ribolliva di rivelazioni a getto continuo, e i testimoni o accusatori volontari erano ormai folla. Fanfani non era in alcun modo legato ai fatti e ai personaggi dell'affare Montesi. Inoltre era *leader* della corrente democristiana di «Iniziativa democratica» che sgomitava per impadronirsi delle redini del Partito, e che si scontrava, nella manovra, con la dirigenza «storica», di cui Piccioni era cospicua parte. Da qui al supporre che Fanfani avesse dato una mano a gonfiare lo scandalo, il passo fu breve. Ma d'un suo comportamento fazioso non si ebbe mai prova. Egli affidò un'inchiesta collaterale al colonnello dei carabinieri Umberto Pompei, comandante della legione del Lazio, e fu un'iniziativa ragionevole: la polizia non poteva indagare su se stessa. Parve tuttavia che lo zelo inquisitorio avesse preso la mano a Pompei.

La magistratura entrò in scena con il passo pesante del presidente della sezione istruttoria presso la Corte d'Appello di Roma, Raffaele Sepe, un napoletano cinquantaseienne corpulento (era impressionante vederlo a tavola, «beveva» le bistecche) che si sentì investito d'una Alta Missione Redentrice: colpire le degenerazioni del bel mondo e della classe politica. Nel luglio 1954 Piero Piccioni e Ugo Montagna furono arrestati (ottennero la libertà provvisoria dopo qualche mese). L'Italia sembrò non pensare ad altro, nemmeno la morte di De Gasperi riuscì a distrarla a lungo dal fumettone che procedeva di capitolo in capitolo, tra accertamenti ufficiali e mirabolanti scoperte di veggenti, radioestesisti, *medium*, barboni, ciarlatani, squilibrati.

La sentenza di rinvio a giudizio che Sepe aveva elaborato era monumentale per dimensioni (circa cinquecento pagine) ed era anche un monumento all'illazione elevata a prova. Nel 1957 il dibattimento davanti al Tribunale di Venezia fu a senso unico. I difensori – tra i quali si contavano alcuni tra i maggiori nomi del Foro italiano – ebbero un compito di tutto riposo. Assoluzione piena per gl'imputati, come da richiesta dello stesso P.M. Palminteri.

AGLI INIZI DI QUELLO STESSO 1954, che fu un anno di smarrimento politico e – coincidenza non casuale – di malsano scandalismo, anche De Gasperi ebbe il suo processo. L'ebbe perché lo volle, a riparazione d'una informazione calunniosa pubblicata su *Candido*, l'aggressivo settimanale di Giovannino Guareschi. L'autore di *Don Camillo* era stato per il passato, alla sua maniera sanguigna, irruente e innocente, un animoso sostenitore della Democrazia cristiana in momenti decisivi: in particolare nella campagna per le elezioni politiche del 1948. Ma poi gli era accaduto d'avvicinarsi agli atteggiamenti dei missini, che vedevano in De Gasperi «il trentino prestato all'Italia», l'italiano a metà, il negoziatore dell'iniquo Trattato di pace, il resistente che anteponeva la sconfitta del fascismo al bene dell'Italia. Un'intera pagina del *Candido* riprodusse, il 24 gennaio 1954, una lettera dattiloscritta recante la firma di De Gasperi che aveva la data di dieci anni prima, 12 gennaio 1944, e che in sostanza invocava bombardamenti alleati su Roma. Era un falso, e un falso clamoroso, ma Guareschi s'intestardì, con la sua aria da contadino diffidente, a rivendicarne l'autenticità. Forse fu in buona fede fino all'ultimo. Certo pagò di persona. Condannato a un anno di reclusione – il processo si svolse a Milano dal 13 al 15 aprile 1954 – rifiutò la condizionale, e volle scontare la pena nel carcere di Parma.

IL QUINTO CONGRESSO DELLA DC, da tenersi a Napoli, era stato indetto per il 27 giugno (1954). «Dalla metà di maggio – ha scritto Andreotti – (De Gasperi) risparmiò coscientemente tutte le sue forze allo scopo di *arrivare al Congresso* ed era diventato docilissimo nell'obbedire alle prescrizioni di riposarsi… Scrisse tutto il discorso per il Congresso stando a letto perché l'azotemia aveva raggiunto una punta paurosa… e la debolezza fisica era così accentuata che anche l'attraversare una stanza rappresentava per lui una vera impresa.» Quando si alzò e salì sul podio degli oratori, i suoi intimi trattennero il fiato. Per mezz'ora procedette senza inciampi, ma si vedeva che era stremato. Per sua buona fortuna, la partenza di un delegato della Democrazia cristiana francese che doveva porgere il suo saluto gli offrì una pausa d'una ventina di minuti. Spiegò puntigliosamente come fosse composto l'elettorato democristiano: per far capire che ogni politica non interclassista era destinata a danneggiare la Dc. Fece appello all'unità del Partito, senza ottenerla. A fine luglio partì per Sella di Valsugana.

Fino all'annuncio della morte, il 19 agosto del 1954, nessuno – tranne pochi familiari e intimi – aveva sospettato che Alcide De Gasperi fosse affetto da una malattia incurabile e irreversibile: tanto che si parlò e si scrisse di «fine improvvisa». Ma il verdetto infausto era stato pronunciato dai medici già nei primi mesi del 1953. I disturbi che De Gasperi accusava non erano, di per se stessi, molto allarmanti: crampi ai polpacci, attacchi d'asma, pressione alta. Acciacchi e disfunzioni che sembravano comuni, e che l'attività stressante dell'ultrasettantenne statista in larga parte giustificava.

Ma la visita cui lo sottopose il 4 febbraio 1953 il professor Giovanni Borromeo, primario ospedaliero e assessore comunale democristiano a Roma, diede motivo di seria preoccupazione. La pressione massima era di 230, la minima di 130: per di più De Gasperi accusava una sete costante. Sorse il sospetto d'una sclerosi renale, confermato da un'analisi del sangue: il tasso di azotemia era dell'1,60, altissimo. Questo malato grave sperava di rimettesi in forze con il soggiorno estivo a Sella: l'aria della montagna gli era sempre stata di giovamento. Non poté esserlo, questa volta.

La fine di De Gasperi è stata raccontata con accenti toccanti, ma senza sdolcinature, dalla figlia Maria Romana: «Il 18 (agosto) mattina, in seguito a un attacco di cuore, restò a letto tutto il giorno, e a turno gli tenemmo compagnia. A me toccò dopo cena verso le 21. Tutti gli altri erano nel soggiorno al piano di sotto. Improvvisamente ebbe un attacco, lo feci alzare e non ebbi il tempo di chiamare la mamma: volle mettersi in poltrona. In pochi minuti tutto passò. Si riprendeva così bene e così presto che non mi resi conto quale grave pericolo avesse superato. Mia sorella e mio marito andarono con la macchina fino al paese a cercare il dottore... Dissi lentamente: "Le montagne questa sera erano tutte rosa". Alzò gli occhi pieni di tenerezza e mi rispose: "Non sapevo che mi volessi così bene". La mia voce mi aveva tradito. Quando il dottor Toller arrivò gli fece un'iniezione e restò a riposare con noi dicendo che avrebbe cominciato una nuova cura il mattino dopo. Andammo tutti a dormire. Alle 2,30 il grido della mamma. "Ragazzi, papà muore."... La mamma in ginocchio gli teneva una mano: "Ma Alcide, non dici niente!". Fece ancora per lei lo sforzo di un sorriso mentre la voce chiara di Lia leggeva le preghiere dei moribondi dove lui stesso aveva messo un segno: "...ti venga incontro la splendente schiera degli angeli...". "Gesù" disse con l'ultimo respiro e finalmente tolsi il mio braccio irrigidito dal peso delle sue spalle e me ne andai a cercare un po' di buio per il mio pianto».

La notizia piombò come una folgore sull'Italia in ferie, e sulle redazioni turgide di affare Montesi. Suscitò commozione, suscitò una sensazione diffusa e impalpabile di rimorso: per come il Paese, la classe politica, il Partito avevano compensato, sconfiggendolo alle elezioni e giubilandolo dopo le elezioni, il grande ricostruttore e il grande moderatore.

Dopo i funerali privati a Sella, il feretro fu trasportato a Roma per la sepoltura nella basilica di San Lorenzo al Verano, gravemente danneggiata dai bombardamenti del 1943. Così era stato deciso dal governo, e la famiglia consentì. Durante il tragitto in treno, che durò molte ore, si vide quanto De Gasperi, questo scarno italiano così poco «tipico», fosse amato. Folla ovunque, e soste impreviste del treno perché la gente, la gente comune, voleva rendere omaggio all'uomo che se n'era andato con tanta discrezione.

La Democrazia cristiana si appropriò della memoria di De Gasperi. Un'appropriazione politicamente e umanamente ineccepibile. Ma l'Italia sentì – anche se presto altri avvenimenti la distrassero – che quel democristiano era d'una specie particolare: un gradino al di sopra e al di fuori degli schemi di partito. Non per caso, ai funerali di Sella, mentre la bara veniva portata a spalle da una calca di volontari in lagrime, «un uomo con i capelli già bianchi, un avversario di parte laica» volle unirsi agli altri, anzi quasi si insinuò a forza sotto la pesante cassa gridando: "De Gasperi è nostro" e lo accompagnò fino alla chiesa dimentico di asciugarsi le lacrime» (nei ricordi di Maria Romana).

CAPITOLO 9

Gli anni di gomma

A MOLTI ERA PARSO SENSATO, dopo la scomparsa di De Gasperi, che si volesse affermare la continuità delle istituzioni rieleggendo Einaudi alla Presidenza della Repubblica. La conferma aveva però una controindicazione nell'anagrafe: della quale si facevano forti gli oppositori della conferma per i loro disegni politici. Eletto a settantaquattro anni, Einaudi ne contava ottantuno dopo il primo settennato, ne avrebbe avuto ottantotto alla fine del secondo. È vero che la carica di Capo dello Stato equivale in Italia – unica eccezione finora Antonio Segni – a un elisir di lunga vita. Ma il rischio non tanto della fine del Presidente, quanto d'un obnubilamento che sarebbe stato difficile denunciare e imbarazzante da superare con i meccanismi costituzionali, era senza dubbio grave.

Per di più non voleva Einaudi Amintore Fanfani, che reggeva, con la sua corrente di «Iniziativa democratica», la segreteria della Dc, e s'illudeva a torto di reggere anche il Partito; non lo voleva Pietro Nenni; non lo voleva «Concentrazione» – un cospicuo gruppo di parlamentari della Dc provenienti dalla destra del Partito, dalla dirigenza sindacale, ma anche dalla sinistra – che aveva il suo unico comune denominatore nell'avversione a Fanfani.

Si delineava così la manovra che avrebbe portato Giovanni Gronchi al Quirinale, contro il Presidente del Senato Cesare Merzagora, ideologicamente liberale ma compagno di viaggio dei democristiani.

Sul nome di Gronchi, portabandiera d'un populismo cattolico spregiudicato, convergevano favori della destra democristiana delusa e della sinistra rampante. I notabili della Dc volevano Gronchi per dare uno schiaffo a Fanfani, che li emarginava, e al Presidente del Consiglio Scelba, che pur essendo dei loro li aveva «traditi». Merzagora era il candidato della Segreteria Dc, Gronchi era il candidato d'una coalizione, e d'una cospirazione, che coagulava la protesta, e la nobilitava con l'»afflato» sociale.

Per questo ruolo il Presidente della Camera, bell'uomo, oratore trascinante e lucido anche quando sotto le parole la sostanza latitava, era l'interprete ideale.

Giovanni Gronchi era nato a Pontedera in provincia di Pisa – la cittadina poi divenuta famosa anche perché vi ha sede la Piaggio – il 10 settembre 1887. Il padre, contabile e rappresentante, non poteva dare alla famiglia più d'una decorosa povertà. A sei anni Gronchi rimase orfano della madre. Descrisse se stesso come un «ragazzo male in arnese, non per cattiva volontà della famiglia, ma per assoluta insufficienza di mezzi determinata e dalla salute di mio padre e da molte sfortunate coincidenze».

Fu uno studente brillante tanto che era in grado di dar lezioni private ai suoi compagni. Ammesso alla prestigiosa Scuola Normale di Pisa, vi conseguì nel 1909 la laurea in lettere con una tesi su Daniello Bartoli, e poi insegnò nelle scuole secondarie. Rimasto vedovo nel 1925 della prima moglie, Cecilia Comparini, sposò nel 1941 Carla Bissatini che gli diede due figli, Mario e Maria Cecilia. Il lungo intervallo tra i due matrimoni non deve far pensare a un Gronchi macerato nella solitudine.

Vedovo o sposato, egli ebbe una attività galante che – soprattutto, e si spiega, dopo l'elezione a Presidente – suscitò pettegolezzi e alimentò un'abbondante e piccante aneddotica. Questo *tombeur de femmes* (non si sa quanto precoce) fu molto precocemente un cattolico impegnato e praticante (la coesistenza pacifica tra fede religiosa e erotismo non è inconsueta, molti Re cattolicissimi ne diedero insigne esempio). Militò presto nelle organizzazioni giovanili cattoliche, assumendovi incarichi direttivi. Espresse simpatia per le tesi moderniste di Romolo Murri, alle quali si sentì sempre vicino anche se evitò la sconfessione della Chiesa, dalla quale Murri fu invece colpito.

Alla vigilia della prima guerra mondiale Gronchi fu risolutamente interventista: uno dei non molti cattolici di spicco che vollero la guerra contro l'Austria, e che si arruolarono volontari. Come ufficiale di fanteria meritò tre ricompense al valore militare: ambizioso, ma anche coraggioso. Il primo dopoguerra consacrò la sua ascesa nelle file del Partito popolare: Pisa lo elesse due volte deputato, nel 1919 e nel 1921. Segretario della Confederazione italiana del lavoro, il sindacato cattolico, si collocò alla sinistra del suo Partito senza tuttavia sconfinare nel «comunismo bianco».

Quando Mussolini costituì, dopo la Marcia su Roma, il suo primo Governo, il Partito popolare accettò che vi fossero inseriti alcuni suoi rappresentanti: nell'illusione – di breve durata – di poter imbrigliare e parlamentarizzare il movimento vittorioso delle camicie nere, e il suo capo, non ancora Duce. Vincenzo Tangorra e Stefano Cavazzoni ebbero rispettivamente i Ministeri del Tesoro e del Lavoro, quattro furono i sottosegretari cattolici, Gronchi (per l'Industria e il Commercio), Merlin, Milani e Vassallo.

Ben presto, tuttavia, tra il fascismo e il Partito popolare fu dissidio, e poi rottura. A Gronchi non poterono essere rimproverati, sotto questo aspetto, cedimenti. Pronunciò discorsi di critica dura a Mussolini; rivolse un saluto commosso a Sturzo il giorno in cui il Vaticano, compromissorio quasi fino alla resa, lo costrinse ad abbandonare la Segreteria del Partito popolare (gli succedette un triumvirato composto appunto da Gronchi, Rodinò e Spataro); tentò di opporsi alla repressione sindacale fascista riassumendo la guida della Confederazione del lavoro.

Nel 1926, proclamata e già affermata la dittatura, la carriera politica di Gronchi era spezzata. Riemerse dalla penombra dell'opposizione silenziosa al fascismo dopo la sconfitta, ed ebbe – com'era giusto – una posizione di primo piano nella Democrazia cristiana. Subito si riagganciò alla tematica sociale che gli era congeniale. Dopo il trionfo democristiano del 1948 avvertì che quel 18 aprile era stato «il più grosso equivoco dei ceti conservatori industriali ed agrari»: i quali votando Dc avevano creduto di proteggere i loro interessi, e si sbagliavano. Erano, le sue, tesi nobili e magari in più d'un punto tesi giuste. Ma asservite a una volontà di fronda, di protagonismo e di potere che mal si conciliava con l'altezza dei concetti.

Gronchi era ostile a De Gasperi, che a sua volta l'aveva in uggia fiutando nelle enunciazioni populiste e nelle ostentazioni religiose dell'uomo molto opportunismo, se non molta doppiezza. Come ministro dell'Industria Gronchi aveva appoggiato il «petroliere» Enrico Mattei, che non dimenticava i favori, e sapeva come retribuirli. Nella Dc era un notabile di grande prestigio, privo tuttavia d'una solida base parlamentare e «correntizia», tranne che nel suo collegio. Poiché nel Governo gli dava ombra, e gli creava fastidi, De Gasperi credette di neutralizzarlo issandolo, l'8 maggio 1948, alla carica altamente onorifica e scarsamente operativa di Presidente della Camera.

Fu in quel posto di comando che maturò la strategia antifanfaniana e antiscelbiana dell'elezione presidenziale. Il 29 aprile 1955 Gronchi fu Presidente della Repubblica con una maggioranza eccezionale: 658 schede a favore, contro 70 andate ad Einaudi, 92 rimaste bianche e 13 disperse. Ad Einaudi erano rimasti fedeli, fino all'ultimo, i liberali e Saragat. «Sono contento – disse Gronchi – del modo in cui questa investitura mi è venuta, ossia della quasi unanimità che mi rende indipendente da ogni partito e fazione». Indipendente, forse. Invadente, di sicuro. Gronchi non perse occasione, da allora in poi, per esprimere le sue opinioni e le sue intenzioni che non sempre collimavano con quelle del governo: il che determinava una situazione ambigua, perché alla politica dell'esecutivo, che è responsabile di fronte al Parlamento, si contrapponeva una politica del Capo dello Stato, per Costituzione irresponsabile. Tanto che proprio il vecchio fondatore del Partito popolare, don Luigi Sturzo, senatore a vita, il 24 novembre 1955 presentò a Palazzo Madama un'interrogazione per sapere se e in qual modo il governo intendesse richiamare il Capo dello Stato al rispetto dei limiti che le sue prerogative avevano. Gronchi reagì tra lo stizzito e lo stupito: «Possibile che un Capo dello Stato non abbia il diritto di parlare? Non è possibile che la Costituzione preveda un Presidente della Repubblica impagliato. Ma io non mi faccio imbalsamare in questa gabbia, io son chi sono».

Gronchi aveva ereditato Scelba come Presidente del Consiglio, e aveva fretta di sostituirlo. Con lui aveva un conto aperto. Pochi mesi prima, quando Piccioni s'era dimesso da ministro degli Esteri, il Presidente della Camera aveva lasciato capire con chiarezza che gli sarebbe piaciuto succedergli.

Adesso Gronchi era in posizione di vantaggio, pronto a rendere la pariglia. Aspettava Scelba al varco delle dimissioni – che avrebbe dovuto dare, non foss'altro che per un gesto di doveroso ossequio al nuovo Capo dello Stato – e meditava di rimpiazzarlo subito. Un successore, Pella, era già alle viste. Ma Scelba era di tutt'altro parere. Corrado Pizzinelli ha così ricostruito il dialogo che tra i due si svolse al Quirinale.

Scelba: Sono venuto a rassegnare le dimissioni come atto formale d'ossequio al nuovo Capo dello Stato.

Gronchi: Cosa vuol dire atto formale d'ossequio?

Scelba: Vuol dire atto formale d'ossequio.

Gronchi: Ma allora ti dimetti o no?

Scelba: Dove sta scritto nella Costituzione che il Presidente del Consiglio si deve dimettere?

Gronchi: Ma questa è la prassi!

Scelba: Di quale prassi parli? Questa è la prima Repubblica. Quali precedenti ci sono? Nello Statuto albertino per caso?

Gronchi: Ma tu ti devi dimettere come hanno fatto gli altri.

Scelba (traendo di tasca un libretto): E dove sta scritto nella Costituzione? Prego... (glielo porge).

Gronchi: Ma proprio lì...

Scelba: Niente affatto. Leggi l'articolo 94. Il Governo deve avere la fiducia delle due Camere. Ciascuna Camera accorda o revoca la fiducia mediante mozione motivata e votata per appello nominale. Quindi è chiaro: la fiducia me l'hanno data le Camere e le Camere me la debbono revocare. È venuta per caso meno? Solo loro, caro Presidente, possono costringermi a dare le dimissioni e non tu. Quindi il mio è un atto formale d'ossequio e niente più.

Scelba restò, ma lo scontro era soltanto rinviato di poche settimane. Ossia fino alla crisi che sfociò in un governo di Antonio Segni.

Fu, quel governo, uno dei più longevi del dopoguerra. Durò 679 giorni, dal luglio del '55 al maggio del '57. Ebbe una connotazione centrista, Saragat ebbe la vicepresidenza del Consiglio, agli Esteri andò il liberale Gaetano Martino, alle Finanze l'immancabile Andreotti, alla Giustizia Aldo Moro.

Pochi giorni dopo il suo insediamento Segni presentò un disegno di legge per l'istituzione del Ministero delle Partecipazioni statali. Mancava, nel provvedimento, la disposizione più fortemente voluta dalle sinistre, e più decisamente avversata dalla Confindustria (la cui *leadership* stava passando dal prudente e morbido Angelo Costa al duro Alighiero De Micheli), ossia l'autonomia sindacale «pubblica». In pratica, si trattava di sottrarre le aziende di Stato alla disciplina confindustriale, e di assoggettarle a un regime proprio. Questo, si asseriva, per impedire lo strapotere del capitale.

Si vide in seguito che le aziende pubbliche, sciolte dai legami con l'industria privata, s'andarono sempre più politicizzando, e diventarono facile preda dello strapotere sindacale e di quello partitico. Il disegno di Segni, ripetiamo, non disponeva nulla in proposito. Ma i parlamentari socialisti e comunisti, e anche i sindacalisti democristiani, provvidero a proporre emendamenti che mettessero riparo alla lacuna. Fu accolto un emendamento di Giulio Pastore, democristiano e sindacalista: esso disponeva che entro un anno dalla creazione del nuovo Ministero sarebbero cessati «i rapporti associativi delle aziende a prevalente partecipazione statale con le organizzazioni sindacali degli altri datori di lavoro». Le resistenze al progetto furono via via vinte, e finalmente nel novembre del 1957 il ministro delle Partecipazioni statali Giorgio Bo, legato a Gronchi e a Enrico Mattei, dispose con una circolare perentoria che «è necessario che tutte le aziende e società interessate provvedano immediatamente, ciascuna nella propria competenza, in obbedienza al comando legislativo».

Era una vittoria sonante per il *boss* dell'Eni che in quei mesi – precisamente il 16 febbraio 1956 – aveva perduto uno dei suoi più fidati amici e il suo più autorevole sostenitore politico. Sempre ansioso d'avere solidi appigli, e solide armi per assicurarseli, Enrico Mattei si fece editore, tra la primavera e l'estate del 1956. A Milano era sopravvenuto, nell'editoria quotidiana, un avvenimento rivoluzionario: dopo alcuni tentativi fiacchi e abortiti dell'immediato dopoguerra, una nuova testata s'era alzata a contrastare il virtuale monopolio del *Corriere della Sera*, affidato alle curatissime e morbide mani di Mario Missiroli. *Il Giorno* – questo il nome del quotidiano anticonformista che vide la luce il 21 aprile del 1956 – fu il frutto di una combinazione alla quale Mattei parve all'inizio formalmente estraneo. Demiurghi noti dell'operazione furono Gaetano Baldacci, inviato speciale del *Corriere della Sera*, siciliano di non scorrevole prosa ma d'intelligenza viva, di piglio arrogante, di grande spregiudicatezza manovriera; e Cino Del Duca. Era quest'ultimo un marchigiano – come Mattei – di famiglia e di convinzioni socialiste e antifasciste che, emigrato in Francia, vi aveva fatto fortuna con la *presse du cœur*, la stampa popolare e dolciastra che anche in Italia stava ottenendo successo. *Nous deux* tirava due milioni di copie, un milione *Intimité*, quattrocentomila *Bolero*.

Il Giorno, dalla testata pariniana e puritana – benché poggiasse sui miliardi di Del Duca e sul petrolio di Mattei –, volle essere l'anti-*Corriere*. «Fondi» brevi e secchi – uscito di scena Baldacci questa norma, che era buona, andò perduta –, fotografie in abbondanza, niente terza pagina, poca letteratura, tanta cronaca, vistose concessioni al gusto popolare, inserti, supplementi. Una formula che senza dubbio anticipò alcune strategie dei quotidiani nei decenni successivi, e che ebbe un discreto successo di vendita, riuscendo ad aprire brecce nel fortilizio un po' sguarnito del colosso di via Solferino.

Ma alla riuscita diffusionale corrispose un disastro gestionale. *Il Giorno* divorava milioni con un appetito che neppure il ricchissimo Del Duca sarebbe stato in grado di saziare a lungo. In pochi mesi se n'era andato in fumo mezzo miliardo (nel 1956!). Del

Duca lasciò senza rimpianti, e la sua Società editrice lombarda fu incamerata da un'entità finanziaria innominata e introvabile. Le voci secondo le quali la Sel aveva in dote 134 ettari di terreno a San Donato Milanese – che con l'espansione edilizia promettevano di diventare una fortuna immensa – la diceva lunga sul potentato che stava nell'ombra alle spalle del quotidiano. Ma ufficialmente il Governo stesso non sapeva quasi nulla, e il pochissimo che sapeva smentiva ogni ipotesi che attribuisse la proprietà all'Eni. Ancora nel 1958 Adone Zoli – Presidente del Consiglio – dichiarava a Montecitorio: «Si può escludere che l'Eni e le società da esso dipendenti posseggano partecipazioni azionarie nella Sel, né risulta che ne possegga l'ingegner Mattei in proprio». Zoli era un'eccellente persona, e un galantuomo, ma fu costretto a dire le bugie. Un anno dopo Ferrari Aggradi, Ministro dell'Industria del momento, ammise – era ora – che *Il Giorno* era stato acquistato dalla società Sofid del gruppo Eni.

IL 1956 FU PER PALMIRO TOGLIATTI un anno di tormenti. Morto Stalin era andato perduto, per lui come per gli altri dirigenti comunisti occidentali, un punto di riferimento dispotico e ingombrante: ma almeno sicuro, stabile, carismatico. La personalità dell'uomo emergente che in Urss imponeva la sua politica, e le sue iniziative sismiche, mettevano a disagio il gelido veterano del Comintern. Kruscev era tanto rozzo, esuberante, aggressivo e imprevedibile quanto Togliatti era cauto e freddo. Con le sue azioni di rottura, intraprese il più delle volte lasciandone trapelare in anticipo, per i mandarini del comunismo, solo qualche segno premonitore, Kruscev mandava in pezzi vecchi schemi, di politica interna come di politica internazionale. I Partiti fratelli e vassalli erano costretti ad adeguare precipitosamente le loro formulazioni programmatiche a colpi di scena che sembravano capricciosi, e che erano comunque traumatici.

Già il processo di riconciliazione, o almeno di rappacificazione tra Mosca e Belgrado, aveva creato al Pci non pochi imbarazzi. Per Togliatti la conversione dal filotitoismo all'antititoismo, anche se imposta da Stalin, era stata abbastanza agevole, e tutto sommato conveniente. Gli aveva consentito di riacquistare, sulla questione giuliana, un'autonomia e una dignità nazionali alle quali aveva dovuto in precedenza rinunciare in modo anche abbietto.

Se questo giro di valzer era stato un fastidio, i guai veri, e grossi, cominciarono poco tempo dopo. Al XX Congresso del Partito comunista sovietico, aperto a Mosca il 16 febbraio 1956, assistette una delegazione italiana comprendente Togliatti, Salvatore Cacciapuoti, Mauro Scoccimarro e Paolo Bufalini. Togliatti fu chiamato a far parte della presidenza; era del tutto all'oscuro del «rapporto segreto» che Kruscev aveva in animo di leggere a porte chiuse, e che denunciò i crimini di Stalin. Credeva – per lunga esperienza moscovita, e non ancora ammaestrato a sufficienza dai comportamenti di Kruscev – che il segretario si sarebbe limitato a pronunciare una delle chilometriche e reticenti relazioni cui le assemblee congressuali erano allenate: esaltazione dei mirabili successi ottenuti dal «socialismo», annuncio di nuovi e ambiziosi obbiettivi, ammissione di carenze e lentezze, promesse di riorganizzazioni e cambiamenti di rotta in determinati settori.

Il discorso ufficiale di Kruscev fu, secondo tradizione, interminabile: ma le delegazioni straniere notarono una omissione sconvolgente. Stalin, che al XIX Congresso era stato citato quasi in ogni periodo, tra acclamazioni, non venne mai nominato. I delegati sovietici, preoccupati solo d'applaudire quando la *claque* ne desse il segnale, non se ne accorsero, o così parve. Ma gli stranieri ne furono stravolti.

Il rituale del Congresso si dipanò secondo schemi abbastanza consueti. Il corrispondente dell'*Unità* Giuseppe Boffa, ogni riga del quale era controllata da Togliatti, ne fornì ai lettori comunisti italiani una cronaca edulcorata e scialba, nella quale era impossibile trovare un sussulto d'emozione per ciò che stava avvenendo: nientemeno che la demolizione del mito cui il comunismo mondiale era rimasto ancorato per decenni. Dopo la relazione di Kruscev, Boffa sentenziò che il suo più importante passo era stato quello «che concerne la riduzione della giornata lavorativa». E dopo un discorso di Mikoian scrisse che «erano stati analizzati, con grande audacia critica, problemi molto diversi, ma tutti di eguale valore, che vanno dalla direzione collettiva alla possibilità di evitare guerre atomiche, dal commercio interno e internazionale allo sviluppo della scienza».

Togliatti seppe del rapporto segreto (pronunciato il 25) la sera del 17 febbraio: e lo seppe, secondo Giorgio Bocca, in maniera romanzesca: «Salgono nella sua stanza d'albergo due ufficiali sovietici, posano sul tavolo un cofano di metallo, lo aprono. Dentro c'è il rapporto: Togliatti può leggere, ma i due ufficiali stanno di guardia alla porta. L'ordine per ora è di tacere. Ad

Amadesi, che anche a nome degli altri gli chiede notizie sulla misteriosa ambasceria, risponde: «Niente, sciocchezze, tu li conosci con la loro mania della segretezza».

Tornato in Italia, Togliatti tenne la bocca chiusa o si barcamenò con mezze frasi ambigue fino a quando, il 4 giugno, il *New York Times* pubblicò integralmente il «rapporto segreto», il cui testo gli era stato fatto pervenire, sembra ormai assodato, da emissari sovietici. La storiella, diffusa per smentire le indiscrezioni, del rapporto artefatto e fabbricato dai biechi capitalisti non reggeva più. Tra i compagni, anche i più fedeli, si diffuse lo sconcerto, una sensazione di parricidio e insieme di perdita della stella polare del Partito.

A quel punto Togliatti decise di uscire dal riserbo. Non lo fece affrontando le domande di giornalisti indipendenti. La sua intervista a *Nuovi Argomenti* aveva piuttosto le caratteristiche d'un saggio politico, o d'una memoria curialesca. La difesa condizionata di Stalin non bastava. Ci voleva qualcosa di più.

Togliatti avviò l'intervista con una dichiarazione: era sbagliato ritenere che i dirigenti sovietici avessero «buttato a mare, o si accingano a buttare a mare tutte le loro posizioni di principio e pratiche, tutto il loro passato, tutto ciò che hanno affermato, sostenuto, difeso, attuato in tanti decenni del loro lavoro». Altrettanto sbagliato era «condannare le critiche a Stalin» e ridurne l'origine a una «lotta di potere». Dopodiché Togliatti rivendicò la superiorità del sistema sovietico «molto più democratico e progredito di qualsiasi sistema democratico tradizionale», spiegò che la riunione del potere nelle mani di un solo uomo era stato frutto della necessità, addebitò a Stalin l'errore d'avere insistito in questo regime dispotico anche quando lo stato di necessità era finito.

Ma l'avallo cieco del Pci alle versioni di Mosca sui processi e sulle cospirazioni, con le condanne che ne derivarono, come si spiegava? «I comunisti di tutto il mondo ebbero sempre una fiducia senza limiti nel Partito comunista sovietico e nei suoi dirigenti. Onde sgorgasse questa fiducia è più che evidente... Oggi sono tutti d'accordo, fatta eccezione per i reazionari più chiusi, nel riconoscere che la creazione dell'Unione Sovietica è il fatto più grande della storia contemporanea... Di questo rapporto di fiducia e solidarietà non vi è quindi nessuno di noi che abbia a pentirsi.»

Ma i triboli non erano finiti. Ne dovevano arrivare, per Togliatti, altri e peggiori. Il 28 giugno divampò a Poznan, in

Polonia, una rivolta operaia che innescò convulsioni e fermenti incontenibili: il cui epilogo fu, in autunno, l'avvento al potere di Wladislaw Gomulka, imprigionato e torturato durante il terrore staliniano, e ora acclamato come riformatore. Il Pci aderì servilmente alla versione moscovita: «una provocazione».

La rivolta di Budapest, e l'intervento militare sovietico, tra fine ottobre e i primi di novembre del 1956, resero incandescenti le passioni che percorrevano l'universo comunista italiano, al di sotto del suo olimpico e remoto Nume. Per *l'Unità* la chiave dei fatti di Budapest stava, una volta di più, nella «provocazione». «Verso le ventuno (del 23 ottobre – *N.d.A.*) i tentativi di provocazione che si erano già avuti alla fine della manifestazione popolare si ripetevano in forma più grave. Gruppi di teppisti i quali lanciavano *slogans* che incitavano apertamente ad una azione controrivoluzionaria, a bordo di camion e di motociclette e a piedi si dirigevano verso il Parlamento, verso la sede della radio e verso piazza Stalin... I teppisti, approfittando anche del fatto che la polizia non intendeva usare le armi tornavano alla carica... sparando per la prima volta alcuni colpi di arma da fuoco. Gli agenti erano allora costretti a rispondere, stroncando il tentativo dei teppisti di infiltrarsi negli uffici. Era così che si avevano le prime vittime. L'atteggiamento responsabile della polizia limitava le perdite umane.»

Il 25 ottobre, in un articolo sull'*Unità* dal titolo «Da una parte della barricata a difesa del socialismo», il Migliore s'era prodotto in prima persona nei suoi tortuosi e cinici sofismi. «I ribelli controrivoluzionari hanno fatto ricorso alle armi. La rivoluzione socialista ha difeso con le armi se stessa, le sue conquiste, il potere popolare come è suo diritto e dovere sacrosanto. Noi siamo vivamente addolorati che si sia dovuti giungere a questo punto.»

Addolorato ma irremovibile nella sua sudditanza a Mosca, Togliatti tornò sull'argomento il 30 ottobre. Ammise «l'incomprensibile ritardo dei dirigenti del Partito e del Paese» nel capire le esigenze popolari, ma concluse come cinque giorni prima. «Alla sommossa armata, che mette a ferro e fuoco la città, non si può rispondere se non con le armi, perché è evidente che se ad essa non viene posto fine, è tutta la nuova Ungheria che crolla. Per questo è un assurdo politico, giunti a questo punto, volersi porre al di sopra della mischia, imprecare o limitarsi a versare lagrime. La confusione era tale che hanno aderito alla sommossa lavoratori non controrivoluzionari. L'invito rivolto alle truppe sovietiche, segno della debolezza dei dirigenti del Paese, ha complicato le cose. Tutto questo è molto doloroso, tutto questo doveva e forse poteva evitarsi, ma quando il combattimento è aperto, e chi ha preso le armi non cede, bisogna batterlo.»

Il dovere dell'obbedienza, anche se sofferta, aveva messo a tacere in qualche modo il dissenso di alcuni dirigenti comunisti, fossero pure della levatura d'un Di Vittorio. Ma gli intellettuali, soprattutto quelli più genuinamente idealisti, disinteressati, giovani, e indifferenti alle lusinghe delle conventicole, dei posti e dei premi procacciati dal Partito, non potevano essere domati altrettanto facilmente. Il direttore della rivista *Società*, Carlo Muscetta, tracciò la bozza d'un documento che, discusso turbolentemente per un'intera notte nella sezione comunista romana del quartiere Italia, raccolse 101 firme. Figuravano tra i sottoscrittori (ne citiamo alcuni), oltre al Muscetta, Natalino Sapegno, Lucio Colletti, Elio Petri, Enzo Siciliano, Antonio Maccanico, Renzo De Felice, Lorenzo Vespignani, Alberto Asor Rosa, Giorgio Candeloro, Piero Melograni, Paolo Spriano, Vezio Crisafulli. Antonio Giolitti, che concordava, non firmò perché era deputato del Pci.

Il Manifesto dei 101, come fu chiamato, aveva un avvio conciliante e riconducibile alle posizioni togliattiane: ma poi se ne distaccava rudemente. «La condanna dello stalinismo – vi si precisava – è irrevocabile.» E poi: «Il nostro Partito non ha formulato finora una condanna aperta e conseguente dello stalinismo. Da mesi si tende a minimizzare il significato del crollo del culto e del mito di Stalin, si cerca di nascondere al Partito i crimini commessi da e sotto questo dirigente definendoli errori o addirittura esagerazioni».

Più avanti, per quanto riguardava l'Ungheria: «Occorre riconoscere con coraggio che in Ungheria non si tratta di un *putsch* o di un movimento organizzato dalla reazione (la quale tra l'altro non potrebbe trascinare con sé tanta parte della classe operaia) ma di un'ondata di collera che deriva dal disagio economico, da amore per la libertà e dal desiderio di costruire il socialismo secondo una propria via nazionale, nonostante la presenza di elementi reazionari». Il Manifesto dei 101 chiedeva, concludendo, «un rinnovamento profondo nel gruppo dirigente del Partito» e la integrale e immediata pubblicazione del documento sull'*Unità*.

Il Manifesto fu pronto il 29 ottobre. Un paio di giorni dopo – Lucio Colletti ha ricostruito questa vicenda sull'*Espresso* – Colletti stesso e Alberto Caracciolo lo recapitarono alle Botteghe

Oscure. Li ricevette Giancarlo Pajetta – che in quei frangenti s'era distinto alla Camera con il grido «Viva l'Armata Rossa» – e subito obbiettò che i firmatari mancavano di realismo. «Il mondo è diviso in due blocchi... forse non sapevate che l'Estonia, la Lituania e la Lettonia sono occupate dai russi?»

L'Ansa fu in grado di diffondere, grazie a una «fuga», il testo integrale del Manifesto mentre Alicata, Ingrao, Pajetta, Bufalini tentavano con la suasione e con moniti bruschi di ottenere dei pentimenti e delle abiure, e alcuni ne ottennero. Già l'indomani *l'Unità* poté annunciare che quattordici sottoscrittori si erano dissociati, sostenendo d'aver ritenuto che il Manifesto servisse solo al dibattito interno. Vistolo pubblicato, s'erano convinti che fosse stata carpita la loro buona fede. Tra i «disertori» figurarono Elio Petri, Paolo Spriano, Lorenzo Vespignani.

A dare man forte agli intellettuali che approvavano i carri armati a Budapest sopravvenne Concetto Marchesi, che qualcuno aveva incautamente creduto di poter collocare tra gli inquieti: «Sull'insurrezione ungherese penso che un popolo non si rivendica in libertà tra gli applausi della borghesia capitalistica e le celebrazioni delle messe propiziatorie. Quanto all'onorevole Togliatti, io mi trovo anche in questo momento al suo fianco».

E così venne l'ora del Congresso, l'ottavo del Pci, che si aprì nel pomeriggio dell'8 dicembre 1956, all'Eur, nel Palazzo dei Congressi. Secondo Bruno Corbi «l'aria era greve» perché «la grande famiglia monolitica mostrava le prime crepe». Ma un rituale scrosciante applauso, e il canto di *Bandiera rossa*, accolsero Palmiro Togliatti, che non lasciava trapelare alcun segno di agitazione. La sua relazione fu, come voleva la consuetudine, prolissa (tre ore buone): non evitò i punti scabrosi ma li aggirò con tecnica che sarebbe stata di sicuro effetto nel chiuso ambiente delle «democrazie popolari» ma che lì, in una città e in un Paese che ribollivano d'informazioni e di polemiche, risultò meno convincente. Riconobbe, come aveva fatto nei mesi precedenti, che i capi comunisti dell'Est avevano peccato per «chiusura ideologica, imprevidenza e testarda resistenza». Che fare, allora? «Queste cose si debbono superare e si superano facendo opera di persuasione e concentrando il fuoco contro il nemico che specula per portare acqua al suo mulino, contro le forze della reazione che spera invano di aver trovato la strada che le consenta di rialzare il capo.» Il sistema, insistette Togliatti, è valido, è anzi (come lui stesso) il migliore. La maggioranza degli interventi portò mattoni all'edificio togliattiano. Lo fece, da *ultra*, Concetto Marchesi, che scagliò in quella sede la sua celebre frecciata contro Kruscev, dopo aver celebrato l'uomo (Stalin) «che parve compendiare in sé, durante lunghi e terribili anni, l'anima e la forza dell'Urss». «Tiberio – disse a questo punto Marchesi –, uno dei più grandi e infamati imperatori di Roma, trovò il suo implacabile accusatore in Cornelio Tacito, il massimo storico del principato. A Stalin, meno fortunato, è toccato Nikita Kruscev.» Con minore spavalderia, con il grigiore d'un chierico che mai contraddice i suoi vescovi e il suo Papa, Enrico Berlinguer fu togliattiano come più non si sarebbe potuto.

La replica finale di Togliatti fu scontata e burocratica. Sì alla critica costruttiva, no alla critica distruttiva, avanti verso le immancabili future conquiste ecc. ecc. Su 1064 delegati Togliatti ebbe il sì di 1022. Ciò significava che il «centralismo democratico», con la manipolazione precongressuale, con i lavaggi del cervello ai dissidenti, con la forza della consuetudine unanimista, aveva ridotto l'eresia a frange infime di militanti.

Vi fu nel Pci una perdita notevole di iscritti, mancarono per qualche tempo le vocazioni ad essere funzionari del Partito, ma elettoralmente la «macchina» continuò a tenere egregiamente. Togliatti poteva dirsi soddisfatto del lavoro compiuto. Nel 1958, quando gli sarà data notizia della fucilazione di Imre Nagy, commenterà con freddo distacco: «Ho visto che deputati di tutte le correnti, a cominciare dai fascisti, naturalmente, hanno fatto rumorose dichiarazioni a proposito del processo e della condanna dei capi della rivolta ungherese del 1956. Per conto mio, non ho nulla di particolare da dichiarare... La lotta in Ungheria fu... una esasperata lotta politica e di classe fra la reazione ed un regime popolare che dovette alla fine difendersi con tutti i mezzi».

IN APPARENZA il governo Segni si logorò fino al collasso, nella primavera del 1957, per le polemiche provocate da un progetto di legge sui patti agrari: progetto che, lamentavano sia la sinistra democristiana, sia i repubblicani, sia i socialdemocratici, aumentava il numero delle «giuste cause» che consentivano lo sfratto degli affittuari o dei mezzadri. Dietro questo scontro di facciata stava una lotta intestina aspra nella Dc: e gli altri Partiti della coalizione di governo avvertivano lo sgretolarsi delle fondamenta su cui la maggioranza poggiava. Il 28 febbraio il Pri disertò la maggioranza, che sopravvisse un paio di mesi per i sostegni sporadici di neofascisti e monarchici. Il

Trattato di Roma, che gettava le fondamenta della Comunità europea, fu sottoscritto da un Segni il cui governo era in stato preagonico. Nel maggio Saragat ebbe una delle sue sortite stizzose, e la sorte del ministero Segni fu (è il caso di dirlo) segnata. Gronchi accettò le dimissioni del governo, e affrontò l'ardua impresa di costituirne un altro avendo bene in mente le questioni che in quel momento assillavano la Democrazia cristiana, nei suoi rapporti con alleati voluti o temuti.

La prima, e la più importante, riguardava i socialisti, e il loro eventuale passaggio dall'opposizione – che era stata automatica finché aveva funzionato il patto d'unità d'azione con il Pci – all'astensione e magari al voto favorevole. Per questo fu seguito con molta attenzione il trentaduesimo Congresso del Psi, che si tenne al teatro La Fenice di Venezia dal 6 al 10 febbraio 1957. Venezia era più animata di quanto lo sia consuetamente d'inverno, in quelle settimane, perché nel suo Palazzo di Giustizia si stava celebrando il processo Montesi: e per quattro giorni la settimana (negli altri tre non si teneva udienza) alberghi e ristoranti avevano una clientela di avvocati, giornalisti, testimoni, curiosi. Il Patriarca di Venezia, cardinale Angelo Giuseppe Roncalli, non esitò ad inviare, per l'apertura del Congresso, un messaggio che parve (regnando Pio XII) sorprendente e quasi spregiudicato. Roncalli accreditò ai delegati socialisti «lo sforzo di riuscire ad un sistema di mutua comprensione di ciò che più vale» nonché «buone volontà sincere, intenzioni rette e generose».

Nenni aveva suggerito lo *slogan* congressuale «L'unità di tutti i socialisti nell'unità di tutti i lavoratori», alquanto enfatico, come piaceva a lui. Sui rapporti con i comunisti fu esplicito: «Il nostro Partito è passato dall'unità alla libertà di azione e di iniziativa, senza più patti di unità d'azione o di consultazione». Nenni era convinto d'avere dietro di sé il Partito, alla base come al vertice, e di poter concludere trionfalmente la cinque giorni che lo aveva visto protagonista.

Ma la sinistra, con i suoi uomini d'apparato astuti e manovrieri, era in grado d'influenzare i delegati – anche se minoritaria – elargendo suggerimenti apparentemente disinteressati ed innocui in verità sottilmente strumentali. «È bastato – ha scritto Maria Grazia d'Angelo Bigelli, biografa di Nenni – sussurrare all'orecchio di qualche delegato di non votare Nenni perché tanto di voti ne avrebbe avuti abbastanza, e di dare invece il voto compattamente a favore di Santi, Mazzali, Foa o altri bisognosi di sostegno per un maggior equilibrio interno.» Accadde così che Pietro Nenni figurasse al secondo posto nei risultati finali. Lo sopravanzò Vittorio Foa (575.323 preferenze contro le 557.020 di Nenni), e nella graduatoria seguirono proprio gli avversari del *leader* socialista, Gatto, Basso, Valori, Mazzali, Santi. La buona signora Carmen era affranta: «ma che gli avete fatto a mio marito?»; Nenni che dentro di sé schiumava affettò *fair play*, sottolineò davanti ai giornalisti che la mozione approvata dal Congresso convalidava le sue posizioni affermando che «la via è aperta per l'unificazione socialista» e che «la politica frontista non è né possibile né utile nella nuova prospettiva».

A loro volta monarchici e missini cercavano uno spazio politico meno asfittico di quello in cui erano abitualmente confinati, e lo intravidero quando, caduto il governo Segni, Gronchi affidò l'incarico di formarne uno nuovo al presidente della Dc, Adone Zoli. Era questi un settantenne veterano della politica, approdato alla Democrazia cristiana dalle file prefasciste del Partito popolare. Aveva amici dovunque, per la bonarietà romagnola del carattere (era nato a Cesena, anche se aveva vissuto a lungo in Toscana), e per l'onestà. Il 7 giugno 1957, alla vigilia del voto delle Camere, Nenni scrisse a Zoli una lettera *ultimatum* che fissava il prezzo dell'astensione socialista. Zoli avrebbe dovuto fare dichiarazioni il cui tono spianasse la strada alla conversione del Psi; rompere con i monarchici e con i missini dicendo che «un ministero democratico e repubblicano come il suo non starà un'ora al Governo se la fiducia sarà condizionata dalla destra»; riprendere la discussione della legge sui patti agrari con l'impegno a non porre la questione di fiducia sugli emendamenti socialisti. Infine Zoli doveva facilitare l'istituzione delle Regioni.

Il prezzo era troppo alto per Zoli che non poteva perdere a destra ciò che avrebbe guadagnato a sinistra. Nel suo discorso il Presidente del Consiglio disse che non avrebbe tenuto conto dei voti missini: e al gruppo missino volse sdegnosamente le spalle, parlando. Tuttavia il Psi votò no e i missini votarono sì. Era importante, a quel punto, stabilire se i voti missini fossero stati determinanti. Compiuti i calcoli, si diede per certo che, sottratti i voti missini, al governo ne restassero due di maggioranza. Zoli tirò un sospiro di sollievo, che si tramutò, in breve tempo, in un gemito di sconforto. Eseguito un controllo più accurato, si scoprì che, per un errore grossolano, erano stati posti tra gli astenuti sia il missino Anfuso, che aveva votato a favore, sia il comunista Amiconi, che aveva votato no. Almeno un voto missino diventava pertanto determinante. Zoli presentò immediatamente le dimissioni.

Fatti i suoi conti, Gronchi decise che restavano due soluzioni soltanto: o il rinvio del governo Zoli alle Camere, o il loro scioglimento, e le elezioni anticipate. Optò per il rinvio. Il governo Zoli, ridotto a governicchio, si trascinò così per un altro anno, stancamente, mentre nella Dc crescevano le insofferenze contro la gestione fanfaniana del Partito, e contro le sue accentuazioni stataliste.

Alle elezioni del 25 maggio 1958 Fanfani arrivò con il piglio e il cipiglio del condottiero che è sicuro di sgominare i nemici. Aveva ottenuto che la Conferenza episcopale italiana gli desse un appoggio esplicito con una lettera, affissa alle porte delle chiese e letta pubblicamente in tutta Italia, che esortava a «votare uniti» per lo scudo crociato. Il dinamismo fanfaniano diede ottimi frutti elettorali. La Democrazia cristiana conseguì il 42,4 per cento dei voti: restò ancora ben lontana dalle vette irraggiungibili del 18 aprile 1948, ma migliorò nettamente rispetto a cinque anni prima. Nel suo appello agli elettori la Dc aveva fatto riferimento – *pro domo sua* – anche agli avvenimenti francesi. Due settimane prima del voto, la Quarta Repubblica francese aveva chiuso la sua travagliata esistenza a causa della crisi algerina. De Gaulle era stato issato al governo con poteri d'emergenza. Fanfani aveva sottolineato che il marasma partitico francese era stato una delle ragioni profonde del collasso, e che ci voleva, perché la democrazia parlamentare reggesse, una formazione forte e salda, guidata da un uomo energico, che fosse il perno del Paese. Quella formazione era la Dc, quell'uomo era lui, Amintore Fanfani.

AI PRIMI D'OTTOBRE DEL 1958 Pio XII, la cui salute declinava da tempo, entrò in agonia. Era nella villa di Castelgandolfo, come al solito circondato da una piccola corte di personaggi da lui considerati fidatissimi, alcuni dei quali si rivelarono invece inaffidabili. Eugenio Pacelli si era sempre più ritirato, negli ultimi anni, in una altera solitudine, tanto più evidente quanto più affollate e apparentemente animate erano le udienze collettive ch'egli concedeva con piacere. Aveva pietrificato gli organigrammi vaticani: non nominava più cardinali, non aveva un Segretario di Stato, l'accesso al suo ufficio era estremamente difficile anche per collaboratori investiti di incarichi importanti. Attorno all'asceta malato si moltiplicavano i pettegolezzi su scandali e imbrogli finanziari in Vaticano.

Il Papa aveva una visione lucida – anche se contestata – della missione che alla Chiesa era affidata, e del ruolo che il Supremo Pastore doveva svolgere. Era intelligente e intransigente, tradizionalista eppure per certi aspetti moderno, diplomatico ma all'occorrenza aspro. La sua immagine pubblica restò coerente fino all'ultimo: l'immagine d'un Papa che aveva dovuto reggere il timone della cattolicità durante la tempesta nazista e quella comunista.

Ma la fine di questo Papa d'eccezione ebbe – lui inconsapevole, e vittima – risvolti miserevoli. L'archiatra pontificio consentì che fosse divulgata una fotografia di Papa Pacelli in coma, con il volto sfigurato dagli spasimi delle ultime ore: e comunicò ai quotidiani informazioni riservate sul decorso del male. La notizia della morte fu data da quattro quotidiani romani in anticipo, a causa d'un curioso equivoco. Sembra che un prelato di Castelgandolfo si fosse accordato con alcuni cronisti per comunicare loro, immediatamente, che il Papa era morto, mediante un ingegnoso espediente: avrebbe spalancato, non appena sopravvenuta la fine, una certa finestra. Si dice che la finestra sia stata invece aperta, casualmente, da un domestico che faceva le pulizie, e che i cronisti siano stati indotti in errore. Accadde così che *Il Messaggero*, *Il Tempo*, il *Momento sera* e il *Giornale d'Italia* pubblicassero edizioni straordinarie annuncianti la morte del Papa: e aggiungessero particolari tanto toccanti quanto fantasiosi. Il *Momento sera* era in grado di trascrivere le ultime parole del Papa ancora vivo («Benedico l'umanità tutta, prego pace, pace, pace, benedico Roma»). *Il Messaggero* e il *Giornale d'Italia* spiegavano come il cardinale decano, chinatosi all'orecchio del Santo Padre e constatato che non respirava più, avesse detto: «Vere, Papa Pius mortuus est». Le copie di quei giornali che arrivarono a Castelgandolfo furono bruciate in piazza.

La notizia falsa aveva tuttavia preceduto soltanto di poche ore la notizia vera. Il cadavere di Pio XII ebbe un particolare e inefficace trattamento d'imbalsamazione escogitato dal solito archiatra pontificio: si ebbero svenimenti a Roma, dove i resti erano stati traslati, tra le guardie nobili addette alla veglia ammorbate dal processo di putrefazione. In quest'epilogo per taluni aspetti meschino d'un regno che pure era stato memorabile, qualcuno vide il segno della svolta imminente e necessaria: finiva un'epoca, era possibile avviarne una nuova, solo che fosse stato trovato l'uomo capace d'impersonarla.

Ai cinquanta cardinali che si riunirono in Conclave il 25 ottobre 1958 spettava appunto di decidere se il nuovo Papa dovesse essere di stile pacelliano – un uomo di Curia, un politico, un tradizionalista, un sovrano – o d'altro stile. In tre giorni si alzarono undici fumate nere. Finalmente, la sera del 28 ottobre, fu fumata bianca. Angelo Giuseppe Roncalli era il nuovo Papa: e aveva deciso di prendere il nome di Giovanni, evitato da cinquecento anni perché usurpato da un antipapa: tanto che v'erano dubbi sulla numerazione che al nome dovesse essere data. Il Papa decise per ventitreesimo. Il Patriarca di Venezia aveva settantasette anni. E fu subito diagnosticato che sarebbe stato, per l'età e per i suoi atteggiamenti da buon parroco, un Papa interlocutorio, scelto perché non avrebbe avuto né il tempo né la voglia di far qualcosa, e tantomeno qualcosa di rilevante e di traumatico.

Era nato il 25 novembre 1881 a Sotto il Monte nel Bergamasco. Una famiglia numerosa, com'erano usualmente quelle dei contadini poveri d'allora: e una famiglia nella quale la vita era stenta, da *Albero degli zoccoli*. Il ragazzo fu avviato al sacerdozio. Aveva intelligenza pronta e vivace, e una fede sincera. Concluse i suoi studi in Sant'Apollinare a Roma con il conseguimento della laurea in teologia. Il suo colpo di fortuna l'ebbe quando fu mandato nella sua Bergamo, come segretario del vescovo Radini Tedeschi. Questi era un personaggio di spicco. Discendente d'una nobile famiglia piacentina che si tramandava il titolo di Conte, era entrato nella diplomazia pontificia: ma poi, appassionatosi alla questione sociale, dibattuta largamente tra i cattolici, era divenuto uno degli esponenti più in vista dell'Opera dei Congressi, l'organizzazione sociale sciolta da Pio X. Lo stesso Pio X comunque gli attestò la sua stima destinandolo appunto a Bergamo. Con questo vescovo d'alto livello religioso e culturale il giovane Roncalli non cambiò soltanto ambiente. Penetrò in un mondo di discussioni e di comportamenti più elevato, imparò le esigenze della diplomazia e del potere, si sgrezzò. Viveva anche lui nell'Episcopato dividendo di monsignor Radini Tedeschi la mensa, e godendone di riverbero il prestigio.

Durante la prima guerra mondiale Angelo Roncalli prestò dapprima servizio in sanità, come sergente, nella III armata di Emanuele Filiberto di Savoia, Duca d'Aosta; poi, promosso tenente, divenne cappellano militare. Nel 1920, scomparso da qualche anno il generoso protettore Radini Tedeschi, fu chiamato a Roma a presiedere il consiglio centrale per l'Italia della Pontificia opera per la propagazione della fede e chiamò a sé, in un dignitoso appartamento all'ombra del Vaticano, le sorelle

Ancilla e Maria. Più tardi vennero le missioni diplomatiche: in Bulgaria, in Turchia e Grecia, infine – in un momento delicatissimo, per la sostituzione di monsignor Valeri allontanato dalla sede parigina a causa dei pretesi coinvolgimenti nella politica del governo di Vichy – fu dal 1944 nunzio apostolico a Parigi.

Non passarono tre mesi dall'elezione, e fu chiaro anche ai più distratti che Giovanni XXIII, il figlio dei contadini di Sotto il Monte, non sarebbe stato un Papa di transizione. La mattina del 25 gennaio 1959, celebrando nella basilica di San Paolo la conversione dell'apostolo, il Papa annunciò la convocazione d'un Concilio ecumenico. Era trascorso quasi un secolo da quando il Concilio Vaticano I si era chiuso, nel 1870, proclamando il dogma del Primato e dell'infallibilità papale. Un dogma che secondo molti, affermando la qualità di monarca assoluto e di pastore infallibile del Papa, aveva chiuso per sempre l'era dei Concilî. La mattina del 25 gennaio dunque era riunita una gran folla in San Paolo fuori le mura. Erano stati invitati a partecipare alla cerimonia anche i cardinali presenti a Roma, senza che fosse spiegato il perché della convocazione. Fu soltanto anticipato che il Papa intendeva metterli al corrente d'una sua importante decisione. Finita la funzione, i cardinali passarono in un parlatorio annesso al monastero. Giovanni XXIII prese a parlare, e disse: «Venerabili fratelli e diletti figli, pronunciamo dinanzi a voi, certo tremando un poco di commozione, ma insieme con umile risolutezza di proposito, il nome e la proposta della duplice celebrazione di un sinodo diocesano per l'Urbe e di un Concilio ecumenico per la Chiesa universale. Da tutti imploriamo un buon inizio, continuazione e felice successo di questi propositi di forte lavoro a lume, ad edificazione ed a letizia di tutto il popolo cristiano, a rinnovato invito ai fedeli delle comunità separate a seguirci anch'essi amabilmente in questa ricerca di unità e di grazia, a cui tante anime anelano da tutti i punti della terra».

La Curia fu, con rare eccezioni, costernata: Concilio significava il sopravvento della Chiesa periferica sui suoi organismi centrali, il pluralismo delle nazionalità e delle tendenze, il riconoscimento di spinte inquietanti se non eretiche. I Concilî, commentò qualcuno, sono una «malattia ricorrente» della Chiesa. Ma Angelo Roncalli, mite e ostinato, portava avanti il suo progetto. Lo portava avanti mentre il suo pontificato assumeva una sempre più precisa e controversa identità. Alla crociata di Pio XII contro il comunismo ateo si sostituiva la distinzione di Giovanni XXIII tra l'errore e l'errante, inescusabile il primo, scusabile il secondo. Vi fu un minor impegno della Chiesa nelle vicende politiche italiane. Il 25 novembre 1961, ricorrendo l'ottantesimo anniversario del Papa, l'ambasciatore sovietico a Roma Kozyrev gli trasmise un messaggio augurale di Kruscev. Il 7 marzo 1963 fu ricevuto dal Papa, in Vaticano, Alexei Agiubei che era direttore delle *Izvestia* ma, soprattutto, era il genero dello stesso Kruscev.

Il Concilio Vaticano II, ventunesimo nella storia della Chiesa, fu inaugurato la mattina dell'11 ottobre 1962, presenti 2500 cardinali e vescovi, e inoltre gli osservatori delle «Chiese separate»: ortodossi, anglicani, metodisti, luterani. Questi intervennero anche se dai loro pulpiti – soprattutto da quelli ortodossi – erano state lanciate soprattutto ripulse ad ogni forma d'unità che implicasse il riconoscimento del Primato papale. La presenza di questi «estranei» turbò seriamente il cardinale Ottaviani, che si definiva «il carabiniere del dogma» e che secondo Vittorio Gorresio disse ad alta voce «horresco» (inorridisco).

Giovanni XXIII non vide la conclusione del Concilio ch'egli aveva voluto, e che durò fino al 1965. Nella primavera del 1963 Angelo Roncalli, colpito da un male incurabile, si aggravò rapidamente. Il 23 maggio, festa dell'Ascensione, il Papa si affacciò per l'ultima volta alla finestra del suo appartamento e salutò la folla in piazza San Pietro. La sera del 31 maggio entrò in agonia: spirò alle 19,49 del 3 giugno 1963. Aveva ottantadue anni.

SULL'ONDA DEL SUCCESSO OTTENUTO nelle elezioni politiche del 25 maggio 1958, Amintore Fanfani riunì nelle sue mani un potere che nessun altro *leader* democristiano aveva avuto, dopo De Gasperi. Costituì un governo che venne definito di centrosinistra, e che includeva, oltre alla Democrazia cristiana, i socialdemocratici. Era un governo minoritario, cui nemmeno l'appoggio esterno del Pri, che la prova delle urne aveva ridotto ai minimi termini, dava un buon margine di sicurezza. Qualche franco tiratore bastava per mandarlo in minoranza. Era la prima vera prova di Fanfani come Presidente del Consiglio. Lo era già stato nel gennaio del 1954, ma per qualche settimana, e in una situazione parlamentare senza speranza. Oltre alla guida del governo, Fanfani tenne per sé il Ministero degli Esteri e la segreteria della Dc. Poteva sembrare il padrone del Paese e del Partito e fu invece, dell'uno e dell'altro, un precettore presto rifiutato e contestato. Da molte parti, e con severità senza dubbio eccessiva, Fanfani e il suo governo furono presentati come i promotori d'una sorta di rivoluzione sociale. Ogni progetto fanfaniano si colorava d'intenzioni ambigue: il centro-sinistra autentico, con l'immissione dei socialisti nel Governo, pareva alle porte.

La situazione s'era fatta insostenibile per Fanfani, cui non aveva portato fortuna un messaggio del ministro Giorgio La Pira per il Capodanno: «Invioti fraterni auguri per il nuovo anno. Sia un anno di totale, effettivo disgelo in tutti i fiumi e in tutti i mari dei cinque continenti. E la tua barca, posta a Lourdes sotto la protezione della Regina e Stella Maris, e che si staccò dagli ormeggi il 2 luglio festa della Visitazione, e prese il largo il 19 luglio, festa di San Vincenzo de' Paoli, mentre si chiudeva la prima udienza invisibile di tutti i monasteri di clausura del mondo, possa continuare nonostante le avversità palesi e nascoste la sua navigazione destinata a portare lavoro unità e pace in tutti i porti d'Italia, del Mediterraneo e del mondo. Possa questa barca attraversare tutti i fiumi e tutti i mari, ed efficacemente contribuire alla pace e alla fraternità fra tutte le nazioni». La barca naufragò invece il 26 gennaio 1959, con le dimissioni del governo. L'ultimo giorno di gennaio Fanfani lasciò anche la segreteria del Partito. Era tornato alla condizione di semplice parlamentare. Un'abdicazione totale.

A capo della Dc si pose provvisoriamente un quadrumvirato di saggi (Zoli, Rumor, Piccioni e Gui), che approvò un governo Segni appoggiato a destra: gli diedero i loro voti, oltre ai democristiani, i liberali, i monarchici e i missini, tutti gli altri contro. Poiché i voti missini non erano necessari, si decise che fossero ininfluenti. Mentre il governo Segni vivacchiava senza infamia e senza lode, lasciando che l'Italia facesse da sé – e faceva benissimo, con una crescita economica che suscitava l'ammirazione del mondo – la Democrazia cristiana si preparava a una resa dei conti nel Congresso indetto a Firenze dal 23 al 28 ottobre 1959.

Al Congresso Fanfani si presentò come portabandiera della Dc progressista e «sociale». Aldo Moro, che a Fanfani si contrapponeva – benché venissero, come sappiamo, dallo stesso filone dossettiano –, ribadiva che il Psi non era ancora maturo per essere accettato quale alleato dalla Dc: «La posizione del Partito socialista resta allo stato delle cose tutt'altro che chiara, ed è ancora ben lontana dall'offrire quella piena disponibilità, senza riserve, né ombre, né possibilità nell'equivoco di conturbanti interventi di terzi, che la democrazia italiana attende da anni». Fanfani mancò la vittoria, ma di misura. Sembrò addirittura, alla vigilia della conclusione, che ce la facesse, per un migliaio di voti.

A fine febbraio del 1960 Segni presentò le dimissioni del suo governo. La causa apparente della crisi fu un voto del Consiglio nazionale liberale che, insospettito dai velati accenni di Moro a un'apertura a sinistra, s'era dissociato – ma non in Parlamento – dalla maggioranza. Insieme al pronunciamento liberale influì sulla fine del governo l'inquietudine d'una parte della Dc che era ansiosa di troncare ogni legame con i monarchici e i missini. Tutto si era svolto al di fuori dell'intervento e della volontà della Camera e del Senato, secondo una tradizione che era già collaudata, e che si sarebbe consolidata nei decenni successivi. A quel punto Gronchi ritenne di poter profittare della confusione e delle incertezze per dare la Presidenza del Consiglio a un uomo di secondo piano, che considerava sicuramente «suo»: Fernando Tambroni. Questi accettò e il 25 marzo 1960, un mese e mezzo dopo le dimissioni di Segni, il nuovo ministero giurò nelle mani di Gronchi.

Tambroni era, a cinquantanove anni, un anziano della politica e del potere democristiano. Una nota del suo ufficio stampa ne tracciava – senz'ombra d'ironia – questo lusinghiero ritratto, che certamente aveva avuto l'approvazione del ritrattato: «L'onorevole Tambroni appartiene a quella borghesia maschia e virile che si affaccia sui problemi sociali e politici senza infingimenti, ma soprattutto senza paure. È un lavoratore efficiente e metodico in un mondo di pigri, un solutore di problemi legislativi, un difensore strenuo e implacabile di quella invalicabile linea che distingue la nostra etica politica dal marxismo della estrema sinistra».

Di statura media, di eleganza provinciale, lo sguardo furbo in un volto tutto sommato simpatico, Tambroni era marchigiano, di Ascoli Piceno. Fin da ragazzo aveva militato nelle file del Partito popolare, presto ricoprendo incarichi di rilievo nelle organizzazioni giovanili. Fu vicepresidente della Fuci (universitari cattolici) quando ne era presidente Giuseppe Spataro. Poi a ventiquattro anni, laureato in legge, divenne segretario provinciale per Ancona del Partito popolare.

La democrazia prefascista era agonizzante, e quella nomina pose Tambroni in rotta di collisione con le autorità locali del Regime, che dopo il discorso mussoliniano del 3 gennaio 1925 spazzavano via, con i mezzi più spicciativi, ogni residuo d'opposizione. Tambroni subì un «fermo di polizia», che gli fu accreditato a lungo come titolo resistenziale: ma che cessò di esserlo nello stesso momento in cui i fatti di Genova facevano di lui il bersaglio obbligato delle sinistre. A quel punto il «fermo» si tramutò – forse con maggiore aderenza alla realtà – in una semplice convocazione davanti a un gerarca fascista di Ancona, tale ragionier Avenanti, che gl'ingiunse di sottoscrivere un atto di sottomissione piuttosto umiliante.

Tambroni dichiarò di «abiurare la sua fede politica» e di riconoscere in Benito Mussolini «l'uomo designato dalla Provvidenza di Dio a forgiare la grandezza di un popolo». Si trattasse di farina del sacco di Tambroni, o di farina del sacco di Avenanti, certo è che questa formula precorse, in termini assai simili, l'altra assai più famosa di Pio XI dopo la Conciliazione. Così riabilitato agli occhi del Regime, poté esercitare con successo la professione di avvocato. Allorché ne ebbe modo chiese, e prontamente ottenne, l'iscrizione al Partito fascista. Arruolato nel 1939 nella milizia contraerea, combatté la guerra in divisa di centurione della Milizia fascista ad Ancona, alternando le incombenze marziali all'attività professionale.

Un *curriculum* come tanti altri, non particolarmente lodevole ma nemmeno particolarmente deplorevole: che non fu di ostacolo, comunque, al suo lesto ritorno, dopo la caduta del fascismo, nelle file cattoliche, e alla sua rapida ascesa. In breve tempo fu segretario provinciale della Dc di Ancona, sotto la protezione del notabile di casa, Umberto Tupini: e nel 1946 si conquistò un seggio di deputato alla Costituente. Da quel momento in poi – dapprima con l'appoggio di Tupini, poi nonostante la diffidenza di Tupini impensierito dal dinamismo arrampicatore del suo discepolo – Tambroni scalò i gradini che portavano ai piani nobili del Palazzo romano. Fu sottosegretario, quindi ministro della Marina mercantile, beneficando largamente i cantieri navali della sua e di altre città. Nel 1955 si aggiudicò nel governo Segni uno dei dicasteri chiave, quello dell'Interno. Dimostrò al Viminale capacità organizzativa, grinta, spregiudicatezza. Quando la sua leggenda nera andò assumendo connotati sempre più foschi e magari fantasiosi, si parlò di intercettazioni telefoniche in danno anche – o soprattutto – di «amici» democristiani. Nel Congresso democristiano di Firenze s'era proclamato aperto a sinistra e disponibile per l'apertura al Psi.

Quest'ambizioso fu designato, per volontà di Gronchi, a guidare un ministero che ambizioni non poteva e non doveva averne: segnato da scadenze di morte ravvicinata già all'atto della sua nascita. Era tendenzialmente un ministero monocolore «pendolare», disposto ad accettare voti da sinistra e da destra pur di reggersi qualche mese: fino alla conclusione delle Olimpiadi (che si sarebbero tenute a Roma nell'autunno) o fino all'approvazione dei bilanci dello Stato.

La scelta dei ministri risultò, come al solito, laboriosa, perché si trattava se non di saziare – impresa impossibile – almeno di smorzare gli appetiti delle correnti democristiane, e di offrire all'esterno la sensazione che il Partito dello scudo crociato avesse riacquistato, dopo tante burrasche, un'accettabile unità. Gli Esteri furono dati a Segni, gli Interni a Spataro, la Giustizia a Gonella, il Tesoro a Taviani, la Difesa ad Andreotti, i Trasporti (e questa fu la sola vera novità) a Sullo che rappresentava la Base. Tupini finì alle dipendenze del suo ex-allievo, nel settore frivolo del Turismo e dello Spettacolo.

Il 4 aprile, nel discorso con cui chiedeva la fiducia della Camera, Tambroni fece professione d'umiltà, dichiarò d'aver accettato l'amaro calice benché la sua vita non gli avesse mai «offerto tanta amarezza quanta ne ho sofferto dal 21 marzo a oggi». Chiese un voto di attesa, appellandosi al patriottismo del Parlamento. Il governo passò (300 sì e 293 no) grazie alla boccata d'ossigeno – peraltro avvelenato – di 24 missini e di 4 «indipendenti di destra». Fu contraria anche la Südtiroler Volkspartei con i suoi tre deputati.

Avuta la fiducia della Camera, Tambroni perse immediatamente quella di settori influenti della Dc. Fioccarono sul suo tavolo le lettere di dimissioni dei ministri Bo, Pastore e Sullo. Segni lasciò capire che, avendo rifiutato di presiedere un governo sorretto in forma determinante dai neofascisti, non poteva restare in un altro che senza i neofascisti sarebbe caduto subito. La frana era rovinosa, e Tambroni, dopo qualche disperato sforzo per puntellare l'edificio che andava in pezzi (s'era affannato ad assicurare l'*interim* dei ministri dimissionari), ammise la sconfitta: l'11 aprile rassegnò le dimissioni, ma una dozzina di giorni dopo riebbe l'incarico.

Le avventurose vicende attraverso le quali il governo era passato, resuscitando per volontà di Gronchi, avevano lasciato strascichi di animosità e di malcontento, e ansie di vendetta, in molti esponenti politici, inclusi quelli della Dc. Si aspettava solo un'occasione per scatenare l'offensiva contro «l'alleato dei fascisti», ormai esecrato quanto Scelba, e meno stimato.

Nella prima quindicina di maggio una notizia pubblicata con modesto rilievo dai quotidiani annunciava che «la direzione del Msi ha deciso di convocare il VI Congresso nazionale del proprio partito a Genova per il 2, 3 e 4 luglio». Nessuno si mosse e nessuno si commosse. In fin dei conti già cinque Congressi missini s'erano svolti e tutti sapevano, nell'ambiente romano, che quello indetto da Arturo Michelini sarebbe stato più d'ogni altro in precedenza, moderato, e sganciato dai miti tonitruanti e dalle suggestioni del fascismo duro, squadrista, intransigente, erede di Salò. È possibile che Tambroni avesse avuto affidamenti in proposito e che contasse sulla «democratizzazione» del Msi per rendere più accettabile la maggioranza di cui era costretto a servirsi. Anche quando si seppe che il Congresso missino sarebbe stato tenuto nel genovese teatro Margherita di via XX Settembre, a poche decine di metri dalle lapidi che ricordano gli eccidi nazisti e la resa delle forze tedesche, nessuno fiatò.

Solo il 5 giugno la pagina di cronaca genovese dell'*Unità* pubblicò la lettera di un operaio ex-partigiano, in cui si chiedeva che Genova rifiutasse d'ospitare il Congresso del Msi. La lettera scritta in un politichese elaborato anche là dove faceva appello alle mozioni degli affetti e dei ricordi fu la scintilla che fece divampare l'incendio. Il 6 giugno, con reattività questa volta fulminea, i rappresentanti genovesi di cinque partiti (comunista, socialista, socialdemocratico, repubblicano, radicale) lanciarono un manifesto in cui denunciavano il Congresso missino come una «grave provocazione» ed esprimevano «il disprezzo del popolo genovese nei confronti degli eredi del fascismo». Il movente politico dell'agitazione – senza dubbio alcuno ispirata e guidata dal Pci – era tenuto un po' in sordina per lasciar posto all'indignazione e al pianto su Genova profanata dalla presenza «nera», e sui morti della Resistenza oltraggiati.

Scrisse Domenico Riccardo Peretti Griva, presidente onorario della Cassazione (un insigne magistrato a riposo che s'era lasciato «abbracciare» dal Pci), per un volumetto commemorante le giornate di Genova: «La Resistenza aveva pazientato, permettendo al Msi di tenere ben cinque Congressi. Ma quando vide che i neofascisti erano riusciti addirittura a condizionare la maggioranza parlamentare e ad affacciarsi quindi, col beneplacito del governo, alla vita costituzionale dell'Italia... e che essi con oltraggiosa sfida avevano voluto imporre il Congresso a Genova, Genova disse, questa volta con assoluta risolutezza "ora basta"». La tesi era, insomma, che il Msi potesse tenere i suoi Congressi solo per la indulgente tolleranza degli antifascisti e che potesse sempre scattare – non in base alle norme costituzionali e legislative, ma in base alla valutazione dei movimenti antifascisti – un divieto.

Il 25 giugno, durante un corteo di protesta, si ebbero i primi incidenti. Ma tutto lasciava ancora supporre, a quel punto, che il Congresso potesse svolgersi. Il no venne da Sandro Pertini, trascinato dalla sua irruenza generosa e sprovveduta. Il 28 giugno, nel proclamare il suo veto al Congresso, egli tuonò: «La polizia sta cercando i sobillatori di queste manifestazioni unitarie e non abbiamo nessuna difficoltà a indicarglieli. Sono i fucilati del Turchino, di Crovasco, della Benedicta, i torturati della casa dello studente...». La Camera del lavoro di Genova indisse uno sciopero generale dalle 14 alle 20 del 30 giugno, e il questore Lutri – che aveva proprio in quei giorni assunto il suo incarico, e che fu subito messo sotto accusa come persecutore dei partigiani a Torino e come «noto simpatizzante dei Partiti di destra» – fece affluire in città massicci rinforzi di polizia.

La manifestazione che era stata prevista in coincidenza con lo sciopero ebbe, nella sua prima fase, uno svolgimento tranquillo. Imponente la partecipazione, accesi i discorsi, ma nessun incidente. Alle 17,30, dopo che un lungo corteo era sfociato in piazza della Vittoria, la massa si andò disperdendo, secondo programma. Nel descrivere le circostanze in cui divampò in piazza De Ferrari – che non aveva ragione d'essere coinvolta – una vera e propria battaglia, la pubblicistica di sinistra è insieme enfatica e reticente. Ha scritto Anton Gaetano Parodi, nel volumetto che ebbe la citata prefazione di Peretti Griva, e che fu pubblicato dagli Editori Riuniti: «Centomila persone cominciano a disperdersi, migliaia risalgono via XX Settembre per portarsi in piazza De Ferrari e di lì a Caricamento, ai capolinea tranviari. Piazza De Ferrari è di nuovo gremita. All'improvviso si scatena l'inferno. Le camionette della Celere aggrediscono i manifestanti con violenza mentre gli idranti cominciano a vomitare acqua... Una prima camionetta (della polizia – N.d.A.) viene rovesciata e incendiata davanti alla sede della società Italia, una seconda nel centro di piazza De Ferrari, una terza all'imbocco di via Roma. Nove automobili private colpite dalle bombe lacrimogene vengono avvolte dalle fiamme. Le vie laterali a piazza De Ferrari e i vicoli di porta Soprana sono disselciati. I dimostranti rispondono con la violenza alla violenza...».

Ed ecco infine come gli avvenimenti furono raccontati dal

Corriere della Sera, che è anche uno degli autori di questo libro: «La testa del corteo – o piuttosto di quel che rimaneva del lungo serpente di folla – era sboccata in piazza De Ferrari. Là sostavano cinque camionette della Celere, accostate al marciapiede davanti al palazzo della società di navigazione Italia. Furono presto circondate da una schiera di persone vocianti che si sedettero e, sedute, insultavano gli agenti. La massa cominciò a stringersi attorno alle camionette, serrandole sempre più da presso. Qualcuno aveva lanciato un sasso o un altro oggetto contro gli uomini delle camionette, stanchi di essere svillaneggiati. Le camionette cominciarono a volteggiare, caddero i primi candelotti, la piazza fu ben presto avvolta da una caligine che attossicava i polmoni e arrossava gli occhi. In alcuni momenti gli agenti hanno sparato colpi in aria per intimorire la folla che li premeva da vicino. I tavolini, le sedie, i vasi di fiori dei bar della piazza furono gettati in mezzo alla via XX Settembre a formare un embrione di barricata. Giovanotti muscolosi si applicavano a divellere cassette di immondizie, a staccare dalle pareti di un portico riquadri con i programmi dei cinematografi, a spaccare i cavalletti che recingevano un piccolo cantiere di lavori in piazza De Ferrari. Nelle mani dei manifestanti comparvero, stranamente, bombe lacrimogene... La sassaiola contro la polizia era incessante. Un agente fu buttato nella vasca della fontana di piazza De Ferrari, altri vennero colpiti dalle pietre e andarono sanguinanti a medicarsi. Alcuni dimostranti, catturati, venivano issati rudemente, tra una gragnuola di ceffoni, sulle jeep...».

Protagonista dell'attacco alla polizia era stata una minoranza che dava l'impressione d'essere ben preparata, psicologicamente e anche tecnicamente, alla guerriglia stradale: pronta a trovare, nella strada, un arsenale d'armi estemporanee, ma per quello scopo efficaci. I portuali, dalle cui file il Pci attingeva le sue truppe scelte, erano muniti dei temibili ganci di cui si servono per scaricare le navi. Altri seri incidenti erano avvenuti a Torino, mentre pullulavano in ogni parte d'Italia le iniziative di protesta. Michelini schiumava di rabbia per il «tradimento» del governo che non aveva saputo dar protezione al suo Congresso e ai suoi camerati.

I gestori del teatro Margherita fecero in gran fretta sapere che la sala non era più disponibile per il Congresso. Il comitato della Resistenza resistette, e il Msi deliberò d'annullare il Congresso. I delegati ripartirono sotto forte scorta di polizia mentre la Direzione missina annunciava che alla Camera, sul bilancio, i suoi deputati avrebbero votato contro. I comunisti presero pretesto dai tumulti – e dalla sostanziale resa del governo – per chiedere che d'allora in poi la lotta politica fosse condotta «in comune, attraverso un patto di lealtà reciproca». Peretti Griva reclamò l'immediata liberazione dei dimostranti che erano stati arrestati: «Hanno agito – sentenziò – per legittima difesa e in stato di necessità, contro i soprusi dell'altra parte. Guai se il popolo non fosse insorto. Si sarebbero preparate al Paese nuove ore tragiche».

In effetti altre ore tragiche vennero presto, proprio sulla scia dei tumulti di Genova. Il Consiglio federativo della Resistenza aveva indetto un comizio a porta San Paolo a Roma – là dove si era avuto, il 10 settembre 1943, un conato di eroica e vana lotta contro i tedeschi dilaganti dopo l'armistizio di Badoglio – per le 19 di mercoledì 6 luglio. La Questura di Roma vietò la manifestazione che – spiegò – «avrebbe acuito l'esasperazione dell'opinione pubblica» e recato «grave pericolo di turbamento dell'ordine pubblico». I promotori del comizio si ribellarono all'*ukase*: il corteo e la manifestazione si sarebbero svolti egualmente.

La folla che si avviò verso porta San Paolo era preceduta da molti parlamentari che gli agenti caricarono – perché non li avevano identificati come tali, o magari perché li avevano identificati – senza alcun riguardo. Alcuni deputati furono percossi. In risposta alla «aggressione» delle forze dell'ordine la Cgil proclamò uno sciopero generale nazionale cui non si associarono né la Cisl né la Uil.

L'indomani a Reggio Emilia i disordini lasciarono sul terreno non contusi, ma cinque morti. Nel teatro Verdi della città emiliana era stata convocata una manifestazione social-comunista. La sala indicata dalla Questura – che non voleva comizi all'aperto – era palesemente inidonea ad accogliere le molte migliaia di convenuti. Polizia e carabinieri tentarono prima d'arginare, quindi di disperdere la folla nella quale erano molti i turbolenti. Attorno agli uomini dei reparti d'ordine era sempre più incalzante la pressione delle avanguardie eccitate. La spirale della violenza fu avviata nel modo consueto: gli insulti ai poliziotti, qualche pietra, la reazione con i candelotti lagrimogeni, i caroselli.

Nel suo volume dedicato ai fatti di luglio, Piergiuseppe Murgia ha scritto che «gli agenti di Cafari (vicequestore, assolto con formula piena da ogni addebito nel processo che seguì – *N.d.A.*) devono ritirarsi, respinti da una fitta sassaiola. Ritornano ai camion, ma ne trovano uno solo, l'altro appare, poco distante, fermo contro il porticato del palazzo delle poste tra le fitte nubi di gas (di questo secondo camion i dimostranti si erano impossessati – *N.d.A.*). Gli agenti vanno a recuperarlo. I manifestanti avanzano tra le jeep che girano impazzite. Ragazzi, operai, si buttano con coraggio e con furia. Gli agenti si ritirano sempre più, incalzati dall'avanzare dei cittadini». In quei frangenti drammatici alcuni agenti e carabinieri persero, secondo ogni evidenza, la testa: e spararono non a scopo intimidatorio, ma nel mucchio, contro coloro da cui si sentivano minacciati. S'è accennato che cinque furono i morti, parecchi i feriti.

La notizia dell'eccidio giunse a Roma mentre la Camera era in seduta. Nenni passò a Lizzadri, perché lo leggesse, un foglietto con queste frasi: «La tragedia di Reggio Emilia colpisce il Governo, la sua maggioranza e la sua politica. Il solo dibattito possibile è politico, e non può avere che un obbiettivo: che il Governo, questo Governo, se ne vada. È il solo modo di evitare altre, più gravi sciagure». Tambroni si aggrappava alla sua poltrona, ma la Dc faceva poco o nulla per rendergliela più comoda: come sempre, in casa democristiana c'erano molti amici del nemico e nemici dell'amico. Si dovette aspettare fino al 19 luglio, un martedì, perché il Consiglio dei Ministri prendesse atto dell'esistenza di «una nuova maggioranza parlamentare per la formazione di un nuovo governo». Tambroni era congedato con tanti ringraziamenti. Fanfani ebbe l'incarico di formare il governo; e ne formò uno che, dopo tanta bufera, ripeteva i connotati del precedente. Tambroniano senza Tambroni.

NEL QUINQUENNIO 1959-1963 il «miracolo» italiano, che già s'era sviluppato con vigore nei primi anni Cinquanta e che poi aveva sofferto una breve flessione, riprese con slancio moltiplicato. La mutazione del Paese, ch'era stata ininterrotta dopo il periodo della ricostruzione, ebbe connotazioni impressionanti. Era un'altra Italia quella che si andava definendo sotto gli occhi d'una classe politica troppo impegnata nelle sue piccole o grandi manovre, e nei suoi disegni bizantini, per avvertire la rivoluzione in atto: che era economica, sociale, e culturale in senso lato.

Una spinta determinante ai cambiamenti fu data dall'entrata in vigore, il 1° gennaio del 1958, delle norme Cee che riducevano gradualmente i dazi tra i sei Paesi allora membri della Comunità. Gli industriali italiani, molti dei quali avevano atteso questa scadenza con angoscia, lanciando gridi d'allarme, videro aprirsi nuovi sbocchi per i loro prodotti. Infatti, tra il 1959 e il 1962, le esportazioni verso la Cee crebbero in percentuale dal 28 al 35 per cento del totale. Le statistiche facevano registrare primati italiani a catena. La produzione industriale – fissato a 100 il livello del 1958 – era a quota 142 nel '61, a quota 156 nel '62, a quota 170 nel '63: tutto il resto della Cee era rimasto distanziato. Gli investimenti lordi aumentavano del dieci e più per cento ogni anno, il volume del commercio estero si espandeva gagliardamente (nel 1961 era pari a 181 rispetto a 100 nel 1957).

I salari furono molto migliorati (in valore reale, depurato dell'inflazione): secondo dati Cee avevano avuto un incremento dell'80 per cento in un quinquennio. «In talune categorie specializzate – ha scritto Norman Kogan, che a questi temi ha dedicato pagine esaurienti – i salari offerti erano talmente alti che superavano quelli corrisposti in Germania, e questo incoraggiò in certa misura il ritorno degli emigrati.» Si assistette in quel periodo allo spettacolo paradossale degli imprenditori italiani che inviavano i loro incaricati alle stazioni ferroviarie, perché accogliessero e ingaggiassero gli operai rientranti, necessari alle loro fabbriche. Il numero delle automobili in circolazione si moltiplicava, e di pari passo si moltiplicava il numero degl'italiani che prendevano la patente di guida: 358 mila nel 1958, un milione 250 mila nel 1962.

Questo flusso motorizzato ingolfava strade troppo anguste, anche se fu allora completata l'autostrada del Sole, da Milano a Napoli (e già erano stati avviati i lavori per il prolungamento fino a Reggio Calabria). Fu poi affermato che gli investimenti autostradali, decisi in ossequio alle esigenze e alle direttive della Fiat, avevano pregiudicato gli investimenti nel settore ferroviario, rimasto vecchio e inadeguato. Si può convenire sulle carenze del sistema ferroviario italiano. Ma forte è il sospetto che, se anche non si fosse posta mano alle autostrade (con la formula Iri, o di società autonome, che si rivelò ottima) l'Italia si sarebbe egualmente tenuto le sue inefficienti e parassitarie ferrovie, e non avrebbe avuto le sue eccellenti autostrade.

L'ABBANDONO DELL'AGRICOLTURA come unica attività divenne, negli anni di cui ci occupiamo, fuga massiccia: il che era un segno d'adeguamento e di razionalizzazione delle attività produttive: ma era anche la causa di gravi scompensi e disadattamenti. Il fenomeno si sarebbe determinato comunque. Fu tuttavia agevolato dal fallimento della riforma agraria d'impronta democristiana, che si arenò o naufragò dovunque. L'esempio più drammatico d'insuccesso fu quello siciliano. La formula dei villaggi agricoli modello, che avrebbe dovuto creare molti nuovi proprietari, e redimerli dalla condizione bracciantile, fu rifiutata da chi doveva esserne beneficato. Nel 1964 ben 50 dei 54 villaggi modello che erano stati con grande dispendio realizzati risultavano abbandonati quasi del tutto. Paradossalmente, i contadini meridionali che riuscirono a proseguire nella loro attività, ricavandone alti guadagni, furono quelli che si trasferirono in talune zone del Nord, in particolare i floricoltori insediatisi nel retroterra di Sanremo o di Imperia. Con i culturi dei fiori arrivarono in Liguria – come in Lombardia e in Piemonte – i culturi di altre meno encomiabili attività, i cascami di ambienti dominati dalla mafia, dalla 'ndrangheta, dalla camorra, dal padrinismo: esponenti della criminalità spicciola ed esponenti della criminalità organizzata. La Corte d'Assise d'Imperia che sonnecchiava senza lavoro divenne rapidamente una delle più attive d'Italia.

GRONCHI SI AVVIAVA ALLA SCADENZA del suo mandato, e ci si avviava male. Nelle piccole come nelle grandi cose, il Quirinale era diventato, con lui, un centro di potere ambiguo e chiacchierato, solenne nei formalismi, prepotente nei privilegi, invadente nella politica nazionale, meschino nelle ingerenze e sopraffazioni finanziarie. Benché tanti sospetti e sussurri avessero appannato la Presidenza Gronchi, un gruppo di democristiani ne voleva la conferma per un altro settennato. Non era numeroso quel gruppo, ma era potente perché godeva dell'appoggio politico e finanziario di Enrico Mattei.

Il segretario della Dc, Moro, aveva un suo candidato, il settantenne Antonio Segni, sardo di Sassari, professore universitario di diritto. Ben sapendo quanti e quali veleni corressero nella Dc, Moro decise di chiedere ai gruppi parlamentari del Partito una votazione sulla candidatura: e ne fissò la data al 30 aprile 1962, un lunedì, festa di Santa Caterina da Siena patrona d'Italia. Segni ebbe il consenso dei deputati e senatori Dc: ma non aveva aspettato quel momento per accertare o sollecitare gli appoggi che gli erano necessari. Voleva il Quirinale: e lo voleva con la tenacia e la durezza nascoste sotto un'apparenza fragile. «Un uomo esile più che magro, un volto esangue, i capelli bianchi e soffici come la seta, una sciarpa bianca al collo quasi tutto l'anno, e due mani lunghe, affusolate, sempre sollecite a salutare la folla. In più due occhi melanconici, un sorriso benigno.» Così lo ha ricordato Nicola Adelfi. Era di salute cagionevole, e indossava un leggero soprabito anche nelle serate della Roma estiva. Vestiva senza ricercatezza, anzi con la naturale eleganza degli aristocratici. Il 2 maggio cominciarono le votazioni.

Liquidati i primi tre scrutini, che esigevano una maggioranza di due terzi delle assemblee riunite, Segni salì a quota 396 grazie agli apporti dei monarchici e dei missini. La soglia dell'elezione era a 428 voti. Ma quest'aiuto da destra, che risolse alla lunga la situazione, fu di grande imbarazzo per Moro che, consultatosi con i presidenti dei gruppi parlamentari democristiani, stilò un comunicato dagli intenti chiarificatori. Vi si spiegava che «la piattaforma politica sulla quale l'elezione è stata proposta è di un deciso orientamento democratico popolare, anticomunista e antifascista». Il segretario del Msi Michelini ribatté che la messa a punto non l'interessava. «Noi abbiamo votato per Segni e non per Moro. Per Moro non avremmo certo votato.»

Nell'ottavo scrutinio (chiuso alle sette di sera di domenica 6 maggio) Segni toccò i 424 voti, a un soffio dall'elezione. Fu frettolosamente indetta la nona votazione che rischiò di naufragare per un curioso incidente. Quando cominciò la chiamata in ordine alfabetico dei votanti non tutti i senatori e deputati avevano ricevuto le schede. Fu subito il turno di Antonio Azara, democristiano, un magistrato ch'era stato primo presidente della Cassazione e ministro della Giustizia, e che era senza scheda. Con improvvida sollecitudine un altro democristiano, Angiolo Cemmi, che nella vita privata era notaio, gli porse la scheda di cui era in possesso, e che recava a grandi lettere il nome di Segni. Azara la prese e l'imbucò senza esitazioni nell'urna. Ma due deputati comunisti avevano visto, e insorsero urlando «camorra!» mentre Leone e Merzagora, i presidenti dei due rami del Parlamento, cercavano di capire la ragione del trambusto. Finalmente Leone fu informato, sospese la seduta e ammonì Cemmi.

Alle dieci di sera la votazione nona-bis diede a Segni 449 voti. Era il quarto Presidente, eletto con i voti determinanti di monarchici e missini, mentre il governo si reggeva sui voti socialisti. Saragat e Segni, che la successione alfabetica voleva vicini nella votazione, non si strinsero la mano passando l'uno accanto all'altro. Avvenuta la proclamazione, «Segni subito lasciò

Montecitorio – ha ricordato Gorresio – ed io lo vidi affilato, bianchissimo, tirati tutti i lineamenti in una maschera d'indifferenza. I suoi fidati amici gli fecero gli auguri sulla soglia del portone e lui risposte laconico con voce senza accento: "Buonasera"». Mattei era furioso per l'umiliazione subita del «suo» Gronchi. E corse in automobile verso una riserva per la pesca delle trote.

LO SCHIANTO CON CUI IL BIREATTORE Morane Saulnier dell'Eni s'infranse al suolo, alle 19 del 27 ottobre 1962, nelle vicinanze di Bescapé, scosse il Palazzo italiano. Diverse ma tutte intense furono le reazioni alla catastrofe che aveva tolto di scena Enrico Mattei. Ci fu chi, costernato, vide svanire i suoi progetti e chi, sollevato, seppe che finalmente potevano avverarsi. Nessuno, tra gli appartenenti al mondo politico, parapolitico, economico restò indifferente. L'Italia perdeva un protagonista. A cinquantasei anni il grande e discusso demiurgo che aveva esercitato la sua influenza sulla nascita d'ogni governo e sulla fortuna d'ogni ministro, e che era stato amato e odiato con eguale passionalità finiva, in senso letterale e in senso metaforico, il suo volo.

L'aereo di Mattei era decollato da Catania alle 16,57, portando a bordo, oltre al «petroliere», anche il pilota, Irnerio Bertuzzi e il giornalista americano William McHale. Tempo pessimo in Lombardia, con pioggia, nubi basse, foschie. Bertuzzi aveva tenuto la quota massima consentita dalla pressurizzazione, 3500 metri, e si era presentato al radiofaro di Linate in posizione anomala, 4000 piedi al di sopra della quota che avrebbe consentito l'imbocco diretto del sentiero di discesa. Alle 18,57 l'ultima comunicazione dall'aereo: «Raggiunto duemila piedi». Poi silenzio.

Il bireattore s'era disintegrato a Bescapé, tra Milano e Pavia: un paesaggio piatto di campi e marcite, a breve distanza dalla cascina Albaredo. Fu subito affacciata l'ipotesi del sabotaggio, che una prima inchiesta, decisa dal ministro della Difesa Andreotti e affidata al generale di brigata aerea Ercole Salvi, dichiarò inconsistente. La sciagura fu attribuita «a perdita di controllo per spirale a destra», ossia, in parole povere, a un errore del pilota. Il fratello di Mattei, Italo, non fu appagato da quelle conclusioni e nel '63 presentò una denuncia contro ignoti «per avere cagionato, sabotandolo con mezzi fraudolenti nei congegni meccanici, la caduta e la distruzione al suolo dell'aeromobile Morane Saulnier». La magistratura entrò in azione, e ordinò una perizia che approdò ai medesimi risultati della precedente. In base ad essa, cinque punti – diligentemente elencati da Italo Pietra nella sua biografia di Mattei – erano pacifici e incontrovertibili: «I due reattori erano perfettamente funzionanti allorché l'aereo cadde in stallo; l'incidente si verificò repentinamente a seguito di una improvvisa spirale a destra del velivolo sfuggito al controllo del pilota; l'aereo giunse a terra integro in tutte le sue strutture; non si verificò alcuno scoppio in volo; gli aerofreni e il carrello di atterraggio erano ancora retratti». Per i tecnici e per la legge il problema era stato provvisoriamente risolto. Provvisoriamente perché la Procura di Pavia ordinò negli anni Novanta una ennesima inchiesta e una perizia che sembrò avallare la tesi dell'attentato. Per il quale Mattei sembrava essere la vittima designata e perfetta.

Mattei faceva incetta di nemici con la stessa assidua efficacia con cui faceva incetta d'amici. Ogni sua iniziativa era, per qualcuno, una dichiarazione di guerra. Dava fastidio alla Cia, alla mafia, anche a qualcuno nell'Eni. Pareva che perfino i rapporti con il fedelissimo vice Eugenio Cefis, che prenderà il suo posto, non fossero del tutto sereni negli ultimi mesi. L'espansionismo forsennato di Mattei, quel suo incessante spendere, investire, foraggiare e attaccare inquietavano il più cauto Cefis. Due giorni prima della sciagura di Bescapé il *Financial Times* s'era chiesto: «Will signor Mattei have to go?», il signor Mattei dovrà andarsene? Impossibile dire cosa Mattei, cosa l'Eni, e cosa l'Italia sarebbero diventati se il Morane Saulnier fosse felicemente atterrato a Linate, quella sera fatale. Si può tuttavia fondatamente supporre che le vicende del Palazzo sarebbero state, con un inquilino come lui, diverse.

PER IL CENTROSINISTRA che muoveva faticosamente i primi passi le elezioni politiche del 28 aprile 1963 furono una prova del fuoco: che venne superata alla meno peggio lasciando in vita la coalizione, ma con ustioni serie per la Dc. Democristiani e socialisti avevano avuto un compito propagandistico arduo. Dovevano dimostrare di non avere abdicato, con la nuova alleanza, alle rispettive identità. Era necessario convincere l'elettorato moderato che la Dc era ancora la «diga» contro il comunismo, il grande bacino di raccolta dei prudenti e dei benpensanti; e l'elettorato socialista che il Psi non si era «socialdemocratizzato», restava un partito di sinistra entrato nella maggioranza per far trionfare il suo programma. Dal che derivava la conseguenza paradossale che i due partiti protagonisti della «svolta» erano costretti a dare alla svolta stessa significati opposti.

La Dc uscì dalla prova se non con le ossa rotte certo con dei lividi. Le frange conservatrici del suo elettorato s'erano spaventate, ed avevano trasmigrato nelle file liberali. La Dc scese infatti dal 42,4 per cento del '58 al 38,2: parallelamente il Pli raddoppiò, portandosi dal 3,5 al 7 per cento. Il Psi tenne meglio, ma dovette anch'esso cedere qualcosa (dal 14,2 al 13,8). Progredirono i socialdemocratici (dal 4,5 al 6,3) e crollarono i monarchici dissanguati dall'avanzata liberale (dal 4,8 all'1,7). Fermi al loro modestissimo 1,4 i repubblicani e quasi fermi (dal 4,8 al 5,1) i missini.

Ma il dato più significativo fu, parallelamente a quello della flessione democristiana, l'altro della ripresa del Pci, che per la prima volta superò la soglia del 25 per cento (dal 22,7 al 25,3). L'attacco concentrico aveva prodotto i suoi frutti. I comunisti si ritrovarono con 166 seggi alla Camera (contro 140 del '58) e i liberali con 39 seggi contro i precedenti 17. Dopo cinque anni d'una prosperità economica quale l'Italia non aveva mai avuto nella sua storia, vinse la protesta comunista, vinsero le sirene d'allarme dei liberali, e vinse anche la tattica socialdemocratica che univa la volontà d'essere nella maggioranza alla capacità di farsi interprete del malcontento. «Si ha – commentava amaramente Nenni – questa balorda situazione: che il centrosinistra procura voti ai socialdemocratici per ciò che ha fatto, e profitta ai comunisti per ciò che non ha fatto.»

Finirono sul banco degli imputati Fanfani e Nenni. Il primo dovette dare le dimissioni da Presidente del Consiglio, a conferma dell'alternanza d'altare e di polvere che contrassegnò tutta la sua vita politica. È abbastanza strano, a prima vista, che la pessima prova del Partito fosse addebitata non a chi aveva la responsabilità del Partito stesso, ossia a Moro, ma a chi aveva la guida del governo. La spiegazione dell'anomalia va cercata nella personalità di Fanfani: tanto dinamico, esibizionista, presenzialista e loquace quanto Moro era reticente. Non che Moro fosse poco loquace, anzi; i suoi discorsi fiume sono rimasti memorabili per la lunghezza, ma anche per la difficoltà d'estrarne una presa di posizione esplicita.

Il centrosinistra neonato aveva avuto in Fanfani il suo Napoleoncino, e in Moro il suo piccolo Talleyrand. Così accadde che Fanfani fosse sacrificato per la Waterloo elettorale, così come nel '58, dopo un'Austerlitz elettorale, era stato in breve tempo liquidato. Vincesse o perdesse, non riusciva a convincere. Le dimissioni del governo furono formalmente presentate il 16 maggio (1963). Segni, che era angosciato dai progressi del Pci, rifletté qualche giorno e il 24 maggio (la coincidenza con l'anniversario della Vittoria fu puramente casuale) affidò l'incarico ad Aldo Moro. A rallentare i negoziati per la soluzione della crisi era intervenuto un avvenimento doloroso benché non imprevisto (si sapeva che Giovanni XXIII era agonizzante): la morte del Papa (3 giugno).

IL 21 GIUGNO 1963 l'Arcivescovo di Milano Giovanni Battista Montini fu eletto Papa dopo un Conclave breve e senza contrasti. Sul nome di Montini si aggregò rapidamente una schiacciante maggioranza di cardinali. I votanti erano stati 80, tra loro 29 italiani. Il nuovo Papa volle chiamarsi Paolo VI rinverdendo le fortune d'un nome che era da molto caduto in disuso. Anche lui, come Angelo Roncalli, s'era voluto distaccare dalla più recente tradizione della Chiesa, e dall'affollamento dei Pii. Particolarmente devoto a San Paolo, l'apostolo delle genti, l'aveva con la sua scelta onorato.

Era, Montini, il terzo d'una successione di Papi venuti dalla Curia e dalla diplomazia, non da un impegno prevalentemente pastorale. Nato il 26 settembre 1897 a Concesio, in provincia di Brescia, veniva da una famiglia di cattolici devoti. Il padre, Giorgio, era avvocato e giornalista: aveva aderito al Partito popolare di don Sturzo, divenendone uno dei dirigenti più in vista del Bresciano, e per due legislature aveva occupato un seggio a Montecitorio. I due fratelli del futuro Papa saranno l'uno avvocato (ed esponente della Democrazia cristiana) l'altro medico. Il ragazzo Giovanni Battista, nel quale il fisico esile fino alla gracilità s'accoppiava a un'intelligenza viva e a un'attività intensa, studiò dai Gesuiti e a vent'anni entrò in seminario. A ventitré ne uscì ordinato sacerdote, a ventisei fu mandato, come segretario, nella Nunziatura apostolica di Varsavia, a ventisette entrò, con la qualifica di «minutante», nella Segreteria di Stato. Lì rimase per quasi trent'anni, discreto, infaticabile, onnipresente, e presto ammesso alla ristretta cerchia dei prelati che avevano accesso al segretario di Stato o al Papa. Morto nel '44 il segretario di Stato cardinale Maglione, Pio XII non lo rimpiazzò, ripartendone invece le incombenze tra monsignor Tardini (affari straordinari) e monsignor Montini (affari ordinari). Finita la guerra, nata la prima Repubblica italiana, monsignor Montini si trovò ad esercitare – per le origini familiari e per la posizione curiale – anche una crescente influenza politica. Lo si sapeva più «progressista» del collega Tardini. Ma questo non spiaceva, o così parve, a Papa Pacelli, che poteva servirsi dell'uno o dell'altro secondo la convenienza del momento. Risoluto ad esercitare i suoi poteri tramite docili esecutori, senza delegarli, il Papa lasciò vuota fino alla morte la poltrona del Segretario di Stato anche se, nel 1952, nominò due Prosegretari, i soliti Tardini e Montini. Ai quali, si disse, era stata offerta la porpora cardinalizia, rifiutata. Questa fu almeno la versione del Papa. Questo *cursus honorum* montiniano, così stabile e prevedibile, ebbe una brusca svolta nel 1954, quando il Prosegretario fu dirottato a Milano come Arcivescovo: e lo fu senza che all'investitura s'accompagnasse la porpora, com'era nella tradizione. Parve a tutti evidente che il rapporto fiduciario tra Pio XII e Montini si fosse andato incrinando fino alla rottura. Qualcuno per la verità negò che Pio XII avesse promosso Montini per punirlo. Si affacciò l'ipotesi benevola che il Papa, ritenendo Montini il più degno a succedergli, avesse voluto inserire un periodo d'attività pastorale in una «carriera» troppo curiale. Perché allora non gli diede la porpora? Perché, dopo i due Concistori del '46 e del '53 (in quest'ultimo divennero cardinali Siri e Lercaro), Papa Pacelli non celebrò il terzo (e si vociferò che non lo avesse celebrato perché, secondo una credenza superstiziosa, al terzo Concistoro sarebbe seguita la sua morte)? L'opinione corrente e malevola – o realistica – è che Pio XII avesse allontanato di proposito un Montini troppo «deviante» e troppo influente. In Vaticano – e anche nel Palazzo politico italiano – s'era in effetti andato formando un «partito» montiniano. Esisteva un filo diretto tra Alcide De Gasperi e Montini.

Giovanni XXIII riparò con significativa prontezza allo sgarbo ch'era stato fatto a Montini nominandolo cardinale già nel suo primo Concistoro (novembre 1958). Il fedele esecutore di Pio XII fu un fervido collaboratore di Papa Roncalli, anche se nella prima fase del Concilio tenne un atteggiamento piuttosto prudente. Certo ammirato ma nello stesso tempo impaurito per questa iniziativa che squassava l'universo della Chiesa, e faceva affiorare, e anche deflagrare, problemi che la sottile ma ferrea mano di Pacelli aveva compressi. Paolo VI affrontò la sua missione, che sarebbe durata quindici travagliati anni, sentendo gravare su di sé il peso del passato e il peso del futuro. Del passato, perché riceveva in eredità da Pio XII e da Giovanni XXIII due modi diversi d'essere Papa e d'essere credente.

Questo Papa istintivamente schivo, amante delle letture, dello studio, del raccoglimento, scelse di viaggiare come nessun altro aveva fatto prima di lui. Questo grande borghese si accanì contro la pompa vaticana, sopprimendo la guardia nobile e la guardia palatina, i camerieri segreti di cappa e spada, i sediari e così via: unica eccezione la guardia svizzera. Questo progressista disse no alla pillola, all'abolizione del celibato obbligatorio per i preti, al divorzio, all'aborto. Questo Pontefice cauto decretò tuttavia la fine della messa in latino e l'introduzione del nuovo messale nelle lingue nazionali. Con lui cardinali e vescovi ebbero un limite di età, dopo il quale andavano in pensione. Gli strascichi dei cardinali furono ridotti da sette a tre metri, e poi aboliti. Ma ancora con lui il dogma dell'infallibilità papale fu difeso, e preservato.

Ebbe, all'inizio del suo Pontificato, un impegno che lo assorbì: la conclusione del Concilio, che finì con il 1965. Il 7 dicembre nelle cattedrali di San Pietro a Roma e del Fanàr a Costantinopoli Paolo VI e il Patriarca ortodosso Atenagora I lessero simultaneamente una dichiarazione comune con la quale erano revocate le reciproche scomuniche tra cristiani d'Oriente e d'Occidente: così sanandosi, o almeno rimarginandosi, una ferita aperta novecento anni prima. La Chiesa volle solennemente rappacificarsi anche con il popolo ebraico, e cancellare l'accusa di deicidio con cui era stato bollato.

SI ERA DUNQUE, nella prima quindicina di giugno del 1963, alle trattative per la formazione d'un governo di centrosinistra guidato da Aldo Moro che contasse sulla partecipazione diretta della Dc, del Psdi e del Pri, e sull'appoggio esterno dei socialisti. Nenni avvertiva sintomi di rivolta nel suo partito, ma era certo di poterlo trascinare con sé a patto che reggesse la sua maggioranza autonomista, alcuni elementi della quale, in particolare l'irrequieto Riccardo Lombardi, davano palesi segni d'insofferenza. La notte di San Gregorio – dal 16 al 17 giugno – fu per il Psi anche una notte dei lunghi coltelli, durante la quale il governo Moro fu, sia pure con le più sofisticate motivazioni politiche, pugnalato. Lombardi, che in generale era meglio avere come avversario che come alleato, abbandonò Nenni. Il Comitato centrale del Partito prese atto della nuova situazione con quella che Nenni definì una «constatazione notarile» di rottura.

Non appena seppe del rifiuto socialista Moro rinunciò all'incarico. Segni, che s'illudeva d'aver risolto la crisi, fu così al punto di partenza. Chiese consiglio a Nenni, che forse in quel momento aveva più bisogno di riceverne che di darne. E Nenni fece i nomi di Saragat e di Fanfani. Ma Segni – che aveva pronta la designazione, e fingeva soltanto di consultarsi – tagliò corto: «A Saragat non avevo pensato, ma non c'è da sperare che riesca. Fanfani è impossibile, la Dc non lo accetta. La preclusione della Dc verso i liberali, la decisione di Saragat che non ci sarà governo senza l'appoggio socialista, l'impossibilità per la Dc di tentare con altri uomini ciò che non è riuscito al suo segretario, rendono impossibile il governo di centrosinistra. Non c'è quindi altro da fare che un governo di attesa». Per questo ministero «balneare» s'imponeva, secondo Segni, la scelta del bonario Presidente della Camera, Leone. Al designato, Segni assicurava che, se avesse fallito, sarebbe stato pronto il decreto di scioglimento del Parlamento, con la convocazione di nuove elezioni.

Si assistette allora, nel Psi, all'imbarazzato voltafaccia di coloro che avevano rotto la maggioranza nenniana e che affermavano – Lombardi in testa – d'essere stati fraintesi e d'essere vittime d'un «linciaggio morale». Il 21 giugno 1963 – lo stesso giorno dell'elezione di Papa Montini – Leone era Presidente del Consiglio. I socialisti gli concessero l'astensione che lo pose al riparo dall'insidia di voti determinanti dalla destra.

Il Congresso del Psi cui spettava di decidere se il Partito dovesse o no avere responsabilità di governo fu celebrato in una Italia ancora sotto *choc* per la catastrofe del Vajont, nel Bellunese: tanto terrificante nel bilancio dei morti quanto fulminea nel suo svolgimento. Alle 22,40 del 9 ottobre 1963 dal monte Toc, che dominava un invaso in cui era raccolta l'acqua per l'alimentazione d'una centrale elettrica, si staccò una frana di proporzioni colossali. Un maglio liquido aveva schiacciato il paese: con i suoi abitanti, le sue case, le sue botteghe, tutto. La divisione tra ciò che era stato distrutto e ciò che era stato risparmiato appariva netta, il taglio d'un bisturi. Furono contati quasi duemila morti a Longarone, circa duecento a Erto e Casso, due paesini issati sul monte Toc e investiti dall'ondata di riflusso. L'Italia pianse i morti e, come sempre in queste luttuose circostanze, si abbandonò all'acre piacere delle polemiche che si trascinarono per anni: prima per le responsabilità della catastrofe e per l'omissione di misure di sicurezza dopo ch'erano stati segnalati smottamenti (sarebbe stato prudente procedere al graduale svuotamento del lago); poi per le speculazioni che, com'è ormai regola, sulla ricostruzione s'innestarono. Ci furono molti vivi che s'arricchirono sui morti. Quindici giorni giusti dopo la strage di Longarone, il 24 ottobre si aprì il Congresso socialista che durò fino al 30 ottobre e si concluse con la vittoria di Nenni. La dirigenza del Psi ebbe l'autorizzazione a partecipare, direttamente e impegnativamente, a un governo «borghese».

Dimessosi Leone ai primi di novembre, Moro riebbe l'incarico cui era stato costretto a rinunciare per lasciar posto al governo balneare. Il negoziato fu laborioso, per l'insistenza dei socialisti nell'esigere – sulle regioni, sulle leggi urbanistiche e su altro ancora – un impegno ad accelerare i tempi, e per le resistenze della Dc, che non poteva sfidare né il desiderio di stabilità della potente corrente dorotea né i segnali che con molta chiarezza le erano giunti dal suo elettorato. L'assassinio a Dallas del Presidente Kennedy, con i suoi riverberi politici e psicologici, diede forse un impulso al raggiungimento dell'accordo: che fu sancito l'indomani, 23 novembre. Fatta l'alleanza, ci volle un'altra decina di giorni perché si riuscisse a compilare la lista dei ministri; e vi fu il rischio che tutto andasse all'aria perché le correnti Dc avanzavano pretese irrealizzabili sulla spartizione dei sottosegretariati (che dovevano essere 38 e furono 42, ancora pochi rispetto alle infornate degli anni successivi). Nenni fu vicepresidente del Consiglio, Saragat ministro degli Esteri, il repubblicano Reale ministro della Giustizia. Andreotti occupò, anzi rioccupò la Difesa, Taviani fu agli Interni, Emilio Colombo al Tesoro. Venne imbarcato in segno di rispetto l'anziano Attilio Piccioni, Ministro senza portafoglio per i Rapporti con il Parlamento. Nel voto sulla fiducia Lelio Basso annunciò, a nome della sinistra socialista, che venticinque deputati si sarebbero sottratti alla disciplina di partito e, uscendo dall'aula, avrebbero attestato la diversità della loro posizione. Era la premessa della nascita d'un terzo partito socialista, il Psiup (Partito socialista italiano di unità proletaria).

Moro e Nenni, rispettivamente Presidente e vicepresidente del Consiglio, si vedevano poco – tranne che nelle riunioni prefissate – non per cattiva volontà o per reciproco malanimo, ma per la diversa organizzazione della loro giornata. Di buon mattino Nenni era già a Palazzo Chigi e ne usciva poco dopo mezzogiorno, per la colazione. Moro arrivava press'a poco a quell'ora, restava fino alle tre o alle quattro del pomeriggio, poi usciva per concedersi una pausa (sovente dedicata al cinematografo). Nel frattempo Nenni tornava. Alle otto di sera se ne andava, e allora riappariva Moro. Con questi due nocchieri non comunicanti il governo si trascinò, tra fermenti sociali e inquietudini interne dei partiti, fino al 25 giugno 1964, quando fu messo in minoranza alla Camera su una questione minore: l'approvazione del paragrafo 88 che, nel bilancio della Pubblica istruzione, assegnava maggiori fondi alla scuola privata.

Era un'occasione per resuscitare antiche polemiche sulla laicità dello Stato e sugli espedienti con cui la Dc, partito confessionale, cercava di privilegiare gli istituti religiosi. Nel voto decisivo – Moro, stranamente, non pose la questione di fiducia – la Dc restò sola: 228 voti contrari e 221 a favore. L'indomani Moro si dimise, e fu subito reincaricato di formare il governo.

TUTTO COME DA COPIONE. Ma il Capo dello Stato covava incertezze e inquietudini. Si diceva che avesse perduto il sonno e l'appetito. «Mangia poco, dorme poco, pensa sempre da solo» aveva confidato il figlio Celestino. Era convinto, Segni, che l'Italia si avviasse verso lo sfascio per gli scandali, riguardanti l'amministrazione, che affioravano nelle cronache giudiziarie. Il fatto è che a Segni il centrosinistra non andava a genio. Vedeva in esso la causa dell'improvviso appannarsi del «miracolo» italiano. Nenni, ricevuto dal Capo dello Stato proprio quel 3 luglio, s'era sentito apostrofare con queste parole: «È necessario che lo comprendiate: il Paese non tollera la vostra presenza al governo. Avete contro di voi tutte le forze economiche italiane. Non vi ostinate. L'unico contributo che potreste dare alla soluzione di questa crisi è il rifiuto di costituire una nuova edizione del centrosinistra». Nenni aveva replicato che un Partito come il Psi non poteva rinunciare a una politica che gli era costata la scissione, solo perché il Presidente della Repubblica non era d'accordo.

Per Moro, il problema era quello di mettere la sordina ai propositi socialisti di riforme incisive e traumatiche, e insieme quello d'evitare che il filo ancora sottile con cui il Psi era stato agganciato alle responsabilità del potere, e sottratto alle sirene comuniste, fosse d'un tratto vanificato. Riuscì ad assemblare un nuovo governo con i socialisti e rivolse, presentandolo alla Camera (31 luglio), ampi elogi a Segni per la «saggezza», l'«imparzialità» e l'«assoluta correttezza costituzionale». Giudizio che assume particolare rilievo in rapporto alle voci d'un conato autoritario ispirato dal Presidente.

Antonio Segni non ebbe modo di convalidare con i fatti, nei successivi anni del suo settennato, gli apprezzamenti che da Moro – ma anche da tanti altri – gli erano venuti per il modo in cui aveva amministrato la crisi estiva. Il 7 agosto, nel tardo pomeriggio, fu colpito da una trombosi cerebrale. Era nel suo ufficio al Quirinale, e si apprestava a congedare Moro e Saragat, che avevano discusso con lui alcune importanti nomine diplomatiche. La conversazione, a quanto risulta, non era stata serena. Saragat aveva un caratterino non facile, per non dire un caratteraccio: e Segni, ostinato, s'era andato incupendo negli ultimi mesi. Le dicerie di corridoio, mai confermate dai protagonisti dei fatti, riferirono di una discussione animata fino ai limiti dell'alterco tra il Capo dello Stato e il ministro degli Esteri. La collera di Segni poté contribuire all'incidente circolatorio che comunque covava, secondo le testimonianze, da qualche tempo. A più d'un visitatore il Presidente della Repubblica era sembrato confuso, impressionabile, a volte farneticante. «La verità – disse un giorno Saragat a Gorresio – è che per alcuni mesi noi abbiamo avuto un Capo dello Stato non nel pieno possesso delle sue facoltà.» Fatto sta che, mentre parlava con Saragat e Moro, Segni a un certo punto aveva avuto difficoltà ad esprimersi «come se avesse una caramella in bocca». S'accasciò sul suo scrittoio, mentre i suoi due interlocutori si precipitavano a sorreggerlo, e alcuni valletti, allarmati da grida invocanti soccorso, spalancavano la porta e accorrevano. Gli stessi valletti, interrogati più tardi da Gorresio, dichiararono d'avere udito, dall'anticamera, «parole e accenti concitati». Quanto a Saragat, quella sera stessa, in Consiglio dei Ministri, ebbe anche lui un collasso, per fortuna passeggero.

La Costituzione italiana stabilisce che in caso d'impedimento del Presidente della Repubblica si provvede, ove l'impedimento sia temporaneo, ad una supplenza esercitata dal Presidente del Senato. Se l'impedimento è permanente, si elegge un nuovo Presidente. Merzagora, che era a Barcellona, rientrò d'urgenza per esercitare i poteri di Capo dello Stato interinale, nell'attesa d'un responso definitivo sulle condizioni di Segni. Che diedero origine, per impietoso che fosse, ad uno scontro politico. Le sinistre, che di Segni avevano sperimentato l'ostilità, esigevano che lo si dichiarasse decaduto dalla carica. Le destre reagivano con qualche goffaggine, pretendendo che Segni era migliorato a tal punto da lasciar presagire un recupero quasi totale.

Moro pose termine all'incertezza facendosi ricevere dall'infermo il 2 dicembre 1964, e subito dopo sollecitando un parere dei medici curanti, i professori Vittorio Challiol, Mario Fontana e Giuseppe Giunchi: i quali non consentirono tuttavia a dare un responso categorico. Si rimisero ai loro precedenti bollettini. Quella era la situazione. Di più non potevano dire. Il che fu ritenuto sufficiente perché il governo, d'intesa con Merzagora e con il Presidente della Camera Bucciarelli Ducci, sottoponesse alla firma di Segni – che usò, è ovvio, la mano sinistra – il documento di rinuncia. L'inabilità del Capo dello Stato era durata quattro mesi. Fu stabilito che il 16 dicembre si procedesse all'elezione del Presidente della Repubblica, il quinto.

TRA LE CRISI DI GOVERNO che avevano punteggiato l'inizio dell'estate (1964) e le dimissioni di Segni ad autunno inoltrato vi fu nella vita pubblica italiana un momento convulso e carico d'ombre che ebbe a protagonista il generale Giovanni De Lorenzo, al tempo comandante dell'Arma dei Carabinieri. L'ipotesi d'un colpo di Stato che poteva essere e non fu, e che sarebbe stato tramato con la protezione del Quirinale, emerse con grande clamore due anni e mezzo dopo i fatti, con una serie d'interrogazioni parlamentari riguardanti le «deviazioni» del Sifar, ossia dei servizi di sicurezza italiani: e acquistò concretezza – almeno giornalistica – con una inchiesta del settimanale *L'Espresso*, diretto da Eugenio Scalfari, il cui primo articolo, dovuto a Lino Jannuzzi (14 maggio 1967), aveva un titolo perentorio: «Segni e De Lorenzo. Complotto al Quirinale».

Abbiamo visto che Segni era preoccupato fino all'ossessione, in luglio, per gli sviluppi della crisi politica. Alle consultazioni protocollari egli aveva alternato, in quello che fu poi definito «il bimestre nero», colloqui con i capi militari. Il 14 luglio aveva interpellato il capo di Stato Maggiore della Difesa, generale Aldo Rossi: «Rossi, lei ha il suo Sifar: che sensazione avete, voi, sulla situazione interna e sull'ordine pubblico? C'è qualcosa in giro che lei sappia?». Rossi aveva risposto rassicurando il Capo dello Stato: e aggiungendo che comunque il comandante dell'Arma dei Carabinieri poteva essere più preciso. Il 15 luglio fu appunto il turno di De Lorenzo che del resto al Quirinale «andava spessissimo». Inconsuetamente, di quel colloquio fu data notizia in un comunicato che venne diffuso dalla stampa e dalla Rai.

Inoltre Segni telefonò al capo di Stato Maggiore dell'Esercito, generale Aloia, che gli disse di non avere motivi d'inquietudine: e si affrettò a ragguagliare Andreotti, ministro della Difesa, sulla curiosa iniziativa del Quirinale. Andreotti chiese ad Aloia se sapesse chi allarmava il Capo dello Stato, e il generale rispose sibillino: «Lei se lo può immaginare». A sua volta De Lorenzo telefonò ad Andreotti. Spiegò che Segni «lo aveva convocato per conoscere se in caso di elezioni anticipate si sarebbe avuta tranquillità e se non sarebbero stati possibili colpi di mano di qualsiasi genere». Questi, ridotti all'essenziale, i fatti evidenti e certi. Che debbono essere ricondotti, perché risultino comprensibili i loro sviluppi, alla personalità e alla figura di De Lorenzo, e ai veleni di rivalità, invidie, maldicenze che anche allora – come in ogni momento cruciale della vita italiana – inquinavano le Forze Armate.

Nato nel 1907 a Vizzini in Sicilia, De Lorenzo era figlio d'un ufficiale di carriera che per motivi di servizio si trasferì a Genova quando Giovanni era bambino. A Genova De Lorenzo compì i suoi studi, e si laureò con votazione lusinghiera in ingegneria navale. Anche se il suo monocolo, le sue uniformi troppo curate e un po' fuori ordinanza, i baffetti, il labbro borbonico gli davano un'aria spagnolesca se non sudamericana, De Lorenzo era per cultura e ambiente un ligure. Durante la seconda guerra mondiale era stato mandato in Russia, con l'Armir. Sopravvenuta la catastrofe dell'8 settembre 1943 si fece partigiano: prima in montagna, poi a Roma nella clandestinità. «Non sbagliava una mossa» osservò qualcuno. Sei mesi dopo l'elezione di Gronchi al Quirinale ebbe il comando del Sifar e ne fece, con l'assenso del Capo dello Stato, un importante strumento di potere. Era intelligente, autoritario, spregiudicato, vendicativo. «Io voglio intorno a me non dei Soloni, ma dei piantoni» disse una volta a un subalterno.

Nel «regime» gronchiano De Lorenzo si trovò completamente a suo agio. Assecondava le pretese del Presidente, intratteneva ottimi rapporti con tutti i partiti e con Enrico Mattei, era onnipresente, suadente, mondano, ma all'occorrenza spietato. Il suo *hobby* erano i *dossiers*: ne voleva su tutto e su tutti, compreso il Papa. S'era cominciato con duemila fascicoli personali, divenuti 17 mila nel 1960 e 117 mila due anni dopo. Politici, sindacalisti, uomini di cultura, giornalisti, militari, perfino 4500 ecclesiastici avevano il loro posto o posticino negli scaffali del Sifar.

Promosso generale di divisione, De Lorenzo avrebbe dovuto, a norma di regolamenti, lasciare il Sifar. Fu tuttavia inventata per lui una di quelle leggine *ad personam* che s'adattano a un solo cittadino, come un vestito su misura, e che servono a turlupinare le vere leggi. In base ad essa non solo De Lorenzo poteva restare al Sifar, ma quel comando gli sarebbe stato accreditato, ai fini della carriera, come il comando d'una grande unità. All'ambizioso con monocolo veniva così evitata la noia d'un servizio decentrato e poco politico. Grazie a quest'inghippo De Lorenzo poté tranquillamente passare, nel 1962, al comando dell'Arma dei Carabinieri, senza peraltro rinunciare al suo patronato sul Sifar, dove aveva collocato un uomo di fiducia. Continuava a disporre dei *dossiers*, e in più aveva uomini, armi, e una possibilità capillare di intervento.

Segni non era Gronchi. Rifuggiva dagli intrighi del suo predecessore. La sua vulnerabilità alle suggestioni di De Lorenzo era d'altro genere. Segni temeva insidie per l'Italia e per la sua democrazia. Le apprensioni di Segni furono utili a De Lorenzo quanto le disinvolture di Gronchi. L'affare Sifar, che provocò la caduta di De Lorenzo, e che sfociò in inchieste giudiziarie, militari e parlamentari di migliaia di pagine, divenne di pubblico dominio, come s'è accennato, nel gennaio del 1967, quando il ministro della Difesa – che era il socialdemocratico Tremelloni, non più Andreotti – dovette rispondere a una serie di interrogazioni sui fascicoli personali raccolti dai servizi di sicurezza. Tremelloni ammise che i fascicoli esistevano e che s'erano verificate «deviazioni» dei servizi segreti, presto ricondotti sulla giusta via. Tra le misure prese per correggere il malfatto vi fu il collocamento a riposo del generale De Lorenzo, deliberato dal Consiglio dei Ministri il 15 aprile 1967.

Cosa si proponeva De Lorenzo? Cosa si proponeva Segni? E cosa si proponevano insieme? La risposta dell'*Espresso* – che si accaniva contro il generale per indebolire, nel Psi, Nenni e la sua politica di collaborazione con la Dc – fu sicura. De Lorenzo aveva organizzato un apparato militar-spionistico capace, venuta l'ora X, di neutralizzare gli elementi infidi «enucleandoli», e magari trasferendoli in Sardegna o altrove sotto buona scorta; di ordinare l'occupazione della Rai, delle Prefetture, delle sedi dei partiti e di altri punti nevralgici; e di spianare infine la strada a un governo «forte». Questi torbidi propositi sarebbero stati agevolati dalle paure di Segni. Il 14 luglio 1964 il Presidente gli avrebbe parlato d'un governo di emergenza, e il generale avrebbe insistito perché gli fossero comunicati il nome del nuovo Presidente del Consiglio e la composizione del ministero.

Reagendo alle accuse di Scalfari e Jannuzzi, il generale presentò una querela che sfociò in un processo memorabile non tanto per le verità accertate quanto per il sottofondo di lotte feroci tra generali che vi emerse: i favorevoli e i contrari a De Lorenzo si diedero battaglia con uno slancio che raramente aveva avuto l'eguale sui campi di battaglia. I due giornalisti furono condannati in primo grado a diciassette mesi di reclusione per diffamazione. Poi la condanna sfumò per remissione di querela. Una commissione d'inchiesta del ministero della Difesa arrivò parallelamente alla conclusione che lo studio di piani d'emergenza appartenesse ai diritti e ai doveri del comandante dell'Arma del Carabinieri, a patto che i piani stessi venissero concordati con le autorità politiche e con i responsabili della polizia. Il piano Solo, che affidava unicamente all'Arma dei Carabinieri ogni intervento, esorbitava da queste regole: era un piano irrealizzabile, fantasticante, ma «deviante». Nessun tentativo di colpo di Stato, da parte di De Lorenzo, però gravi infrazioni alle «procedure» e alle regole di comportamento personale.

IL 9 AGOSTO 1964 Palmiro Togliatti partì per l'Urss insieme a Nilde Jotti e alla figlia adottiva Marisa Malagoli. Vien fatto di chiedersi se, alla partenza dall'Italia, egli sapesse che il potere di Kruscev vacillava; e se, sapendolo, volesse con la sua presenza in Urss dare una mano al pericolante perché rimanesse in sella, o dargli uno strattone per renderne più certa la caduta. Tutto lascia supporre che Togliatti fosse informato delle difficoltà dello *zar*, che aveva portato all'incandescenza la polemica con la Cina di Mao: e che si proponesse d'insistere perché Kruscev arrivasse, abbandonando la strategia dello scontro frontale, a un accomodamento con i cinesi.

Sistemato nella dacia che era d'obbligo per i visitatori d'alto lignaggio, Togliatti ebbe una riunione con Ponomariov e l'ambasciatore a Roma Kozyrev. Lì, per suggerimento della moglie di Kozyrev, fu deciso che per Togliatti e i suoi fosse conveniente il soggiorno in una località più amena. Si optò per Yalta, e per la ex-villa di Alessandro III. Prima a Mosca, poi a Yalta Togliatti cominciò a stendere di getto il documento che doveva fissare nero su bianco le sue idee. Non si trattava d'uno scritto destinato alla pubblicazione, ma nemmeno, come ha osservato Bocca, d'un documento segreto. Era indirizzato a Kruscev ma era sicuramente previsto che circolasse tra i dirigenti del Pcus e anche tra i massimi dirigenti del Pci. Reso all'inizio il rituale – anche se più contenuto che in altre occasioni – omaggio ai luoghi comuni marxisti, Togliatti passava alla situazione dei Paesi comunisti, con ammissioni piuttosto spregiudicate. «Non è giusto parlare dei Paesi socialisti – e anche dell'Unione Sovietica – come se in essi tutte le cose andassero sempre bene.» E ancora: «La cosa più grave è una certa dose di scetticismo con la quale anche elementi vicini a noi accolgono le notizie di nuovi successi economici e politici». Buttata in faccia a Kruscev, non era una sberla da poco. Nel memoriale la situazione italiana era trattata nel contesto generale, tanto più che Togliatti ne riservava l'esame alle successive «spiegazioni e informazioni verbali».

Non poté mai darle. Per il 13 agosto era stato invitato a visitare un campo di pionieri. «Si sentiva affaticato – ha raccontato Nilde Jotti. – Ci andammo a piedi camminando per la pineta. Notai che era pallido, ma non mi parve in condizioni preoccupanti. Si sentì male durante lo spettacolo dei pionieri.» Una emorragia cerebrale aveva folgorato Togliatti che agonizzò per otto giorni. Il 20 agosto fu tentato, *in extremis*, un intervento chirurgico che si rivelò inutile. Alle 13,30 del 21 Togliatti spirò. Luigi Longo, da vent'anni il vice, divenne segretario del Pci.

La nuova dirigenza del Partito fu presto messa alla prova – per quanto riguardava i rapporti con l'Urss – dal terremoto che squassò il Cremlino a metà ottobre del 1964. Il giorno 16 la *Pravda* pubblicò in quattro ipocrite righe, quasi si trattasse di *routine* politica, la notizia che l'impetuoso Nikita s'era dimesso «per motivi di salute».

L'elezione presidenziale del dicembre 1964 s'annunciò come ancora più controversa e incerta delle precedenti. La Democrazia cristiana era, secondo tradizione, rissosa: e mandò al massacro il suo candidato ufficiale Giovanni Leone. La serie delle votazioni sterili fu avvilente: solo il 28 dicembre, dopo un Natale ai ferri corti, Giuseppe Saragat venne eletto Capo dello Stato.

CAPITOLO 10

Gli anni di piombo

GLI ANNI CHE PRECEDETTERO quelli di piombo furono piuttosto anni di gomma. Moro era nella primavera del 1965 Presidente del Consiglio: e guidava un governo di centrosinistra, il suo secondo, che sarebbe stato di durata inversamente proporzionale a quella dei suoi discorsi. A fianco di Moro come vicepresidente era Nenni. Ministro degli Esteri Amintore Fanfani, recuperato dopo burrascosi incidenti. Se Moro, professionista insuperabile della divagazione e del rinvio, aveva la responsabilità dell'esecutivo, Mariano Rumor reggeva la Segreteria della Dc con il suo stile emolliente. L'unico decisionista, Fanfani, era di regola fuori porta, alla Farnesina o in viaggio, a covare propositi di rivincita: per il governo, per il Partito, per il Quirinale, per tutto.

Sulla sponda socialista, il settantaquattrenne Nenni era disincantato e stanco, anche per travagli familiari (in particolare la malattia dell'amatissima moglie Carmen). Nel Partito comunista Luigi Longo reggeva la Segreteria per successione burocratica, senza suscitare entusiasmi o contrasti.

Questa dirigenza a bassa caratura enunciava progetti magniloquenti, come il piano quinquennale che nel marzo del 1965 fu presentato dal ministro del Bilancio, il socialista Giovanni Pieraccini. Nel giugno dello stesso anno Luigi Preti, ministro senza portafoglio per la Riforma burocratica, annunciò che il personale direttivo della pubblica amministrazione sarebbe stato ridotto del venti per cento in breve volgere di anni. Com'era inevitabile, non se ne fece niente. La pletora dei laureati in legge sfornati dalle università meridionali premeva perché i posti pubblici fossero aumentati, non ridotti. Lo Stato continuò ad ingaggiare futuri inutili dirigenti generici, mentre già trovava difficoltà a reperire ingegneri o ricercatori scientifici, ben altrimenti utili. L'amministrazione accentuava le caratteristiche corporative per le quali ogni provvedimento – deliberato dalla debole classe politica ma sollecitato dalla potente burocrazia – soddisfaceva le esigenze degli addetti all'amministrazione stessa, non quelle dei cittadini.

Nella fioritura di scandali che contrassegnò quel periodo – e ogni altro del dopoguerra italiano in un inquietante crescendo – ve ne furono alcuni che colpirono *grands commis* dello Stato in vena d'efficientismo e di sganciamento da eccessive sudditanze partitiche; come il professor Felice Ippolito del Cnen (Comitato nazionale per l'energia nucleare) o come il professor Domenico Marotta dell'Istituto superiore di Sanità. Entrambi avevano vagheggiato di far procedere gli enti in cui agivano con una certa snellezza, svincolandoli in qualche modo – ed erano modi illegali, secondo l'accusa – da complesse, dilatorie e a volte demenziali pastoie regolamentari.

Altri scandali furono più consueti: maggiore tra tutti, perché comprometteva un ex-ministro delle Finanze democristiano, lo scandalo dei tabacchi. Esso investì Giuseppe Trabucchi, notabile Dc, presidente della Banca cattolica del Veneto, senatore. Nel maggio del 1965 egli fu rinviato a giudizio dalla Corte d'Appello di Roma per abuso di potere: ossia per aver consentito traffici e speculazioni sospetti nell'importazione di certi tabacchi messicani, che erano coltivati laggiù da società italiane, e che erano stati importati con autorizzazione speciale del ministro, nonostante l'opposto parere dei suoi consiglieri tecnici.

La vicenda fu portata davanti ai due rami congiunti del Parlamento: al voto conclusivo, il 20 luglio 1965, 461 deputati si pronunciarono per la messa in stato d'accusa di Trabucchi, 440 per la sua assoluzione. Fu scagionato, per un motivo meramente tecnico. Il *quorum* richiesto era della metà più uno dei componenti le due assemblee, 476. Di sì la mozione ne aveva raccolti, a causa delle assenze, quindici in meno. Anche se la maggioranza del Parlamento era contro di lui, Trabucchi usciva dunque indenne dal «processo». La scena che seguì non fu edificante. Attorno a Trabucchi si strinsero gli amici di partito, prorompendo in gridi di «viva» al suo indirizzo, al che Giancarlo Pajetta sbottò: «Dategli una medaglia». Poi i comunisti scandirono «ladri-ladri-ladri», e i democristiani replicarono «assassini-assassini-assassini».

La verità vera è che in quei remoti scandali finanziari, come negli altri che sarebbero seguiti, la classe politica non è mai stata in grado di giuocare a carte scoperte. Ogni casa partitica aveva nei suoi ripostigli, se non innumerevoli scheletri, certo innumerevoli code di paglia. Taciuta ma incombente era la convinzione dei partiti di governo, a cominciare dal partito che più d'ogni altro meritava questa qualifica, la Dc, che malversare o incassare tangenti per il partito non fosse un reato, ma una buona azione. Posto così il problema, la discriminante non era più tra gestione onesta e gestione disonesta del denaro pubblico, ma tra gestione disonesta a fini di partito e gestione disonesta a fini privati. Il grande equivoco spiegava gli indecenti applausi a chi – pur graziato da un marchingegno tecnico – era stato bollato dalla maggioranza del Parlamento; così come avrebbe spiegato altre appassionate difese. Non solo di democristiani a sostegno di democristiani, sia chiaro. Allo stesso modo i comunisti avevano tranquillamente incassato quattrini provenienti da Mosca, e lucravano percentuali sull'*export-import* con i Paesi dell'Est. Che poi nell'arraffa arraffa pubblico potessero trovar posto anche colpi di mano lesta privati era immaginabile, e inevitabile. Impinguato e ammorbato dal metano, inquinato dal tabacco, o dalle banane, o dagli aerei, il Palazzo non era e non fu mai di vetro, né allora né dopo.

IL SECONDO GOVERNO MORO inciampò, come già il primo del giugno 1964, su un provvedimento per la scuola: tema per la Dc estremamente delicato, perché metteva in discussione i suoi rapporti con il Vaticano. Nel '64 era stato d'ostacolo un disegno di legge che prevedeva finanziamenti per le scuole private e che spiaceva ai laici. Questa volta – gennaio 1966 – i franchi tiratori democristiani si mobilitarono perché doveva essere varato un disegno di legge per l'istituzione della scuola materna pubblica. I ruoli erano invertiti, l'effetto fu lo stesso. Forse – nel '66 come nel '64 – la scuola era stata, almeno in parte, un falso scopo. Le inquietudini cattoliche per ogni riforma che sottraesse spazio alla scuola privata, e quindi agli istituti religiosi, erano una realtà: ma offrivano ottimi pretesti a quegli esponenti democristiani che avevano conti da regolare, pretese da avanzare, avvicendamenti da proporre. E che occultavano le loro manovre dietro l'invalicabile cortina del voto segreto.

Il 20 gennaio 1966 venne la bocciatura del governo per la legge sulle scuole materne. Moro ebbe, per designazione unanime, il reincarico. I mutamenti apportati a nomi e incarichi non modificarono la struttura della coalizione. Il trasferimento di maggior rilievo, almeno nell'ottica di oggi, fu quello di Andreotti dalla Difesa all'Industria. Entrarono – vincendo l'opposizione socialista – gli scelbiani Restivo e Scalfaro. L'arrembaggio ai posti di sottosegretario fu, secondo tradizione, indecoroso, e per dare la maggior possibile soddisfazione agli appetiti si decise di portare il numero delle eccellenze di serie B da 43 a 46. Tra esse era, come sottosegretario alla Difesa, un giovane giurista sardo, Francesco Cossiga.

Dopo di che i riflettori del Palazzo si appuntarono sulle fatiche della riunificazione socialista, voluta da Nenni e da Saragat. Mancavano, perché fosse cosa fatta, le ratifiche degli organi istituzionali, cioè degli apparati dei due partiti. La Costituente per l'unificazione, ossia la affollata *kermesse* che il 30 ottobre 1966 sancì, al Palazzo dello Sport di Roma, il ricongiungimento dei due tronconi e delle due anime del socialismo, ebbe carattere più celebrativo che politico. Ventimila i partecipanti, una selva di bandiere e drappi rossi, mezzo milione di volantini lanciati sulla platea, discorsi col cuore in mano (il primo, applauditissimo, fu di Pertini), lacrime di commozione e applausi interminabili. Nenni fu acclamato presidente del Partito unificato che ebbe, come cosegretari, De Martino e Tanassi. Riccardo Lombardi, che a quel passo s'era rassegnato per disciplina di partito, non rinunciò a pretendere, quando gli fu data la parola, una vigorosa «strategia delle riforme». La festosa ottobrata romana aveva tutta l'aria di preludere a un rilancio del socialismo, che il Pci aveva largamente distanziato, ormai, nei risultati elettorali, e che surclassava in capacità propagandistica.

IL 1967 FU UN ANNO INTERLOCUTORIO. A conclusione del quale il governo e i partiti puntarono tutta la loro attenzione sulle elezioni politiche, fissate per il 19 maggio 1968.

Mentre gli italiani si apprestavano a deporre la loro scheda nelle urne, a Praga era in pieno sviluppo la primavera di Dubcek. Luigi Longo era corso nella capitale cecoslovacca per cercar di capire cosa stesse accadendo: e anche, aveva dichiarato, per atto di solidarietà con il nuovo corso. Secondo Smirkowsky, presidente dell'Assemblea nazionale cecoslovacca, il segretario del Pci aveva invece espresso *in loco* «preoccupazioni analoghe a quelle sovietiche». I partiti di governo si auguravano che gli avvenimenti cecoslovacchi contribuissero alla punizione elettorale del Pci.

Invece proprio il Pci uscì trionfante dalla prova del 19 maggio 1968 mentre i socialisti unificati ebbero il 14,5 per cento dei voti, un quarto in meno di quanti ne avevano in passato raccolti presentandosi separatamente. Naufragarono candidati di spicco come Santi, Vittorelli, Greppi, Paolo Rossi, Garosci. Mezzo milione di elettori socialisti aveva preso la fuga, optando per il Psiup – l'ala scissionista del Psi che rifiutava la riunificazione –, che infatti ottenne il 4,5 per cento. I «laici» non fecero faville, e la Dc – salita dal 38,3 al 39,1 per cento – non si sentiva più incalzata dai liberali, ormai in fase calante. Al Pci né la scomparsa di Togliatti né il dramma di Praga né le prime convulsioni sessantottine avevano nociuto: era passato dal 25,3 al 26,9 per cento accrescendo di undici seggi la sua «dote» alla Camera.

Nenni era affranto, ma risoluto a proseguire l'esperimento di centrosinistra. Non così Saragat, che aveva visto nello smacco una sorta di affronto personale e chiedeva vendetta: ossia l'abbandono della coalizione governativa (il che, per un Capo dello Stato in teoria al di sopra delle parti, era cosa piuttosto incongrua). Del suo stesso parere erano, seppure senza le pittoresche escandescenze presidenziali, De Martino e Tanassi. Si arrivò, il 29 maggio, a una pronuncia della Direzione socialista per il disimpegno. Saragat ne fu soddisfatto: «Una volta tanto il partito si è tirato su i calzoni» disse. Moro presentò le sue dimissioni, che per l'occasione non furono formali.

Si trattava ora di mettere insieme un nuovo governo, e la responsabilità vera toccava, dopo l'Aventino socialista, alla Dc, che aveva escluso dalla rosa dei papabili, intanto, un cavallo di razza: Amintore Fanfani. Questi aveva accettato la carica di Presidente del Senato, alla Presidenza della Camera era stato nominato Pertini. Mentre a Parigi infuriavano le manifestazioni studentesche, e Bob Kennedy veniva assassinato in California, i soliti noti del Palazzo avviarono un'ennesima volta il rituale delle consultazioni, con il loro contorno di manovrette d'anticamera o di corridoio. Essendo impensabile una riesumazione del centrosinistra, ed essendo altrettanto impensabile una coalizione d'altro tipo, si pensò in casa Dc alla soluzione che il Partito aveva in serbo per queste del resto frequenti evenienze: un monocolore «balneare», da affidare a un Presidente del Consiglio che del bagnante avesse la vocazione, ossia Giovanni Leone.

IL 12 DICEMBRE 1968, scaricato Leone, il centrosinistra risorse, affidato alle morbide mani di Mariano Rumor, che costituì così il suo primo governo. De Martino fu vicepresidente,

Nenni ministro degli Esteri. Inusitatamente Andreotti, che con Leone aveva conservato il suo posto di ministro dell'Industria, restò fuori dal Rumor I, e divenne presidente del gruppo parlamentare democristiano alla Camera, mentre Flaminio Piccoli veniva, con voto molto risicato, designato alla Segreteria.

Mariano Rumor, Presidente del Consiglio a metà dicembre 1968, sembrava, tra tutti i protagonisti della politica italiana, il più inadatto ad occupare quell'incarico in quel momento. La contestazione studentesca, le agitazioni sindacali, la violenza crescente, richiedevano un uomo che le sapesse capire e interpretare: ma che le sapesse anche affrontare con piglio risoluto, per impedire che il Paese entrasse nel *tunnel* in cui effettivamente entrò, e dal quale uscì, dopo prove tragiche, solo negli anni Ottanta. Nessuno – men che meno altri esponenti della Dc che pure venivano ritenuti cavalli di razza, e non *outsiders* – sarebbe, probabilmente, riuscito ad evitare il peggio. Ma certo la designazione di questo professore di liceo dai modi felpati e dall'eloquio rotondo, fu una delle mosse tipiche con cui la Dc «rimuoveva» talvolta i problemi, affidandosi ai suoi giuocatori di panchina, anziché ai titolari. I presidenti di transizione consentivano alla Dc di guadagnar tempo, rimettere un po' d'ordine nelle sue correnti, sistemare i rapporti con gli alleati, studiare le mosse del Pci. Ma guadagnar tempo, in quella emergenza, significava anche perderne.

Eppure Rumor, personaggio da commedia goldoniana più che da tragedia contemporanea, fu da allora in poi uno dei democristiani di più assidua frequenza a Palazzo Chigi. La sua biografia era uno spaccato dell'Italia «bianca», il Veneto operoso, zuccheroso, pio, all'occorrenza anche gaudente. Per gli italiani Rumor fu, fino al giorno in cui divenne Presidente del Consiglio (e forse anche dopo), uno sconosciuto, tranne che nel diletto ambito vicentino. Oggi, è un dimenticato.

Abbiamo incontrato, nelle pagine precedenti, un Cossiga sottosegretario alla Difesa: e questo offre lo spunto per parlare di Gladio. Nel 1951, ossia nel colmo della «guerra fredda», la Nato, o meglio i suoi servizi segreti, ritennero che fosse utile approntare nei Paesi dell'Alleanza una rete segreta di cittadini fidati disposti, in caso d'invasione da parte dell'Armata Rossa o da altre truppe dell'Est, a svolgere un'azione di resistenza «attraverso la raccolta delle informazioni, il sabotaggio, la propaganda, la guerriglia». L'idea prevedeva che nuclei di quel tipo si formassero, così come in Italia, anche in Francia, in Olanda, in

Belgio, in Danimarca, in Norvegia. Per quanto riguardava specificamente l'Italia il progetto cominciò a prender corpo, il 26 novembre 1956, con un accordo tra il Sifar, ossia i servizi segreti italiani, e la Cia, ossia i servizi segreti statunitensi. La rete clandestina post-occupazione fu battezzata ufficialmente *stay behind*, stare indietro, e nel gergo corrente di chi della rete si occupava, Gladio.

Il nome non era molto indovinato: proprio il gladio era stato adottato dalla Repubblica di Salò per sostituire le stellette. Chi lo riesumò aveva la memoria troppo corta. O troppo lunga. Nel '59 l'Italia fu chiamata a partecipare, accanto a Usa, Gran Bretagna e Francia, ai lavori del Comitato clandestino di pianificazione che, in ambito Nato, studiava le contromosse per il dopo-invasione. Sotto la guida del generale De Lorenzo il Sifar procedette dunque all'arruolamento dei gladiatori: tutta gente che «per età, sesso ed occupazione avesse buone possibilità di sfuggire ad eventuali deportazioni ed internamenti». Si è discusso se i gladiatori siano stati soltanto 622, come risulta ufficialmente, o se il loro numero fosse maggiore. L'allargamento dell'organico stava particolarmente a cuore a chi, dovendo dimostrare che tra i gladiatori v'era molta gentaglia, e non trovandone tra i 622, ipotizzava una substruttura criminal-politica coperta dalla segreta ma legale struttura di Gladio, a sua volta posta sotto l'egida della normale struttura dei servizi segreti. In coerenza con gli scopi di Gladio – la resistenza contro il nemico invasore, che poteva allora essere soltanto l'Armata Rossa, o chi per essa – il grosso delle reclute di Gladio fu cercato e trovato nelle regioni nordorientali: dove fu anche collocato, tra il '59 e il '63, il maggior numero di depositi nascosti e interrati di armi.

Queste erano custodite in contenitori a chiusura ermetica che ne assicurassero il buon funzionamento in ogni circostanza. Si trattava di fucili automatici, esplosivi, munizioni, bombe a mano, pugnali, mortai da 60 millimetri, cannoncini da 57 millimetri, radio riceventi e trasmittenti. Qualora l'eventualità dell'occupazione si fosse avverata, Gladio avrebbe dovuto operare in sei branche: informazioni, sabotaggio, propaganda e resistenza generale, radiocomunicazioni, cifra, sgombero di persone e materiali. Una «base esterna di ripiegamento» era stata approntata in Sardegna. Il Sifar procedette all'istituzione d'un centro di addestramento per la formazione dei quadri della rete clandestina. Quando a Gladio venivano dati gli ultimi tocchi, il sottosegretario Cossiga se ne occupò (e coraggiosamente rivendicherà molti anni più tardi, durante un viaggio a Londra come Presidente della Repubblica, la legittimità dell'organizzazione nonché l'onorabilità e il patriottismo di chi aveva accettato d'entrarvi).

Gladio provocò qualche tragicomico equivoco. In due piccole grotte dell'altopiano del Carso, nei pressi di Aurisina (a un tiro di schioppo da Trieste) i carabinieri rinvennero nel 1972 un piccolo arsenale: venti chili di dinamite ed esplosivo al plastico, detonatori, micce, pistole, granate, bombe. Tutto di fabbricazione straniera. Incombeva sull'Italia l'insidia del terrorismo, e fu ovvio sospettare che quella roba fosse stata occultata da eversori d'estrema destra o d'estrema sinistra. Si trattava invece d'uno dei 139 Nasco – questo il nome convenzionale dei depositi di armi – che erano stati disseminati prevalentemente nell'Italia nordorientale, ma anche altrove. A quel punto il Sid, succeduto al Sifar, decise di smantellare la rete dei Nasco. Ne furono recuperati, tra il 1972 e il 1973, 127 (su 139). I mancanti erano in massima parte finiti sotto le fondamenta di nuovi edifici, chiese, cappelle. Ve ne furono di irrecuperabili perché il terreno in cui si trovavano era stato aggregato a un camposanto. La dispersione degli esplosivi e delle armi doveva insomma essere attribuita, secondo la versione ufficiale, agli imprevisti che il seppellimento, e il trascorrere degli anni, fatalmente comportavano. La tesi opposta è che una parte almeno del materiale bellico non ritrovato sia stata utilizzata per attentati e stragi, addebitati alla destra: e che, se collegati a Gladio, dimostrerebbero l'esistenza d'un nesso tra il «patriottismo» dei gladiatori e il «golpismo» dei generali o dei neofascisti.

Mentre Gladio era in fase di smantellamento l'Italia fu funestata – 31 maggio 1972 – da una delle sue tante stragi: l'unica che abbia un colpevole confesso, e condannato all'ergastolo, e che possa essere senza dubbio alcuno attribuita al terrorismo neofascista. Una telefonata anonima avvertì i carabinieri, quel giorno di fine maggio, che nelle campagne attorno a Peteano di Sagrado, nel Goriziano, era stata abbandonata una Fiat cinquecento con due buchi da proiettile sul parabrezza. Accorse una pattuglia; l'auto era imbottita di esplosivo che deflagrò uccidendo tre carabinieri, e mutilandone un quarto. Le indagini furono tortuose. Seguirono dapprima una pista rossa, poi puntarono contro alcuni delinquenti di mezza tacca della zona, arrestati, e più tardi scagionati, finalmente s'indirizzarono verso gli ambienti dell'eversione di estrema destra. Nel 1982 Vincenzo Vinciguerra, affiliato a una organizzazinoe chiamata «Ordine nuovo», confessò d'essere l'autore del criminale attentato, rivendicandone per intero la responsabilità, ed escludendo l'esistenza di mandanti o complici. La Corte d'Assise di Venezia, che gli inflisse l'ergastolo nel 1987, condannò come correo un latitante, Carlo Cicuttini. L'inchiesta non si esaurì tuttavia con questa sentenza. Dall'istruttoria erano emersi indizi seri di deliberato inquinamento delle prove per opera di due ufficiali e d'un sottufficiale dei carabinieri, incriminati per falso, calunnia e peculato. Proprio questi strascichi della strage di Peteano finirono sullo scrittoio del giovane giudice veneziano Felice Casson: il quale chiederà ad un certo punto d'avere accesso agli archivi dei servizi segreti. Con l'autorizzazione di Andreotti a Casson perché frugasse tra i fascicoli di Palazzo Braschi, dove l'*intelligence* italiana tiene i suoi documenti, vennero anche – agosto 1990 – le ammissioni ufficiali sull'esistenza di Gladio.

Un altro giudice di Venezia, Carlo Mastelloni, era a sua volta sulle tracce della struttura segreta. Ce l'aveva portato un fascicolo press'a poco coetaneo degli altri maneggiati da Casson. Mastelloni s'era trovato ad indagare su certi residuati giudiziari d'una tragedia avvenuta il 23 novembre 1973 nel cielo di Marghera. Un vecchio bimotore Dakota messo a disposizione del Sid s'era quel giorno schiantato al suolo causando la morte di quattro militari – due ufficiali e due sottufficiali – che erano a bordo. La sciagura dell'aereo, conosciuto in codice come Argo 16, fu minimizzata dal Ministero della Difesa: un incidente. In realtà Argo 16 era stato utilizzato per trasportare alla chetichella in Libia alcuni terroristi arabi venuti in Italia ad organizzare attentati: e lasciati espatriare, nonostante le prove schiaccianti a loro carico, ad evitare ulteriori guai per il nostro Paese. Si sospettò pertanto che il Dakota fosse stato sabotato dal Mossad, il servizio segreto israeliano. Si sa con sicurezza che, a bordo di Argo 16, gruppi di gladiatori erano portati in Sardegna per addestramento, e che i morti di Marghera erano tutti gladiatori.

Quando l'esistenza di Gladio è diventata di dominio pubblico Cossiga e Andreotti hanno ripetuto che l'organizzazione aveva, in tempi di guerra fredda, scopi pienamente conformi all'interesse nazionale. La sorpresa ostentata da molte parti politiche per la scoperta di Gladio è del resto poco credibile. Se n'era parlato molto – pur senza specificare il nome dell'organizzazione – negli anni precedenti. Ma a quel punto – estate del 1990 – Gladio divenne un'arma preziosa per distogliere l'attenzione dell'opinione pubblica dallo sfascio della ideologia e dei partiti comunisti, e per avvalorare la tesi che l'Italia fosse vissuta in una falsa democrazia, viziata da presenze poliziesche, autoritarie e golpiste.

L'UNIVERSITÀ ITALIANA degli anni Sessanta aveva gran bisogno d'una ventata rinnovatrice. Nel 1956-57 gli iscritti ai corsi erano 212 mila, dieci anni dopo il loro numero s'era raddoppiato, 425 mila, con una crescita imponente delle immatricolazioni. L'Università d'*élite* diventava dunque Università di massa, senza che il fenomeno fosse stato debitamente previsto e affrontato. L'insegnamento era in mano ai «baroni», per una parte dei quali la cattedra universitaria rappresentava un accessorio ornamentale dal quale riceveva prestigio la lucrosa attività professionale. Il docente, almeno per quanto riguardava i corsi importanti, si rivolgeva a una calca di allievi che a stento ne percepivano la voce. Era sottovalutata, o ignorata, l'esigenza di laboratori o seminari che preparassero gli studenti all'attività professionale, e molti professori erano «ferroviari», comparivano cioè (quando comparivano) per la loro lezione, ma vivevano altrove e non avevano con i ragazzi nessun rapporto umano. Per la soluzione di questi problemi gli studenti avrebbero potuto e dovuto battersi, e il governo muoversi.

Senonché il governo scelse, come sempre accade in Italia, la strada più facile e meno utile: quella del «facilismo». Mentre l'esame di maturità veniva svuotato di contenuti a tal punto che la quasi totalità dei candidati era promossa, tutte le Università aprivano i battenti, per l'iscrizione, a tutti i diplomati delle scuole medie superiori: il che – in mancanza d'altre misure – lungi dall'eliminare le disfunzioni, le aggravava. Chi a Roma s'era forse illuso di conquistare la quiete universitaria – e di non dover toccare né privilegi né abusi – con la politica della manica larga, fu presto smentito. Lo fu perché gli studenti che promuovevano la contestazione, non avevano a cuore l'Università e tanto meno riforme efficientistiche. Volevano il trionfo dell'ideologia e della demagogia sullo studio. Era il Gran Rifiuto di Marcuse.

Nel '67 furono volta a volta occupate, sgomberate, rioccupate la Sapienza di Pisa, Palazzo Campana a Torino, la Cattolica di Milano, e poi Architettura a Milano, Roma, Napoli. Nella facoltà di sociologia di Trento praticamente non si riuscì a tenere nessun corso, perché i suoi locali erano permanentemente occupati o in vari modi bloccati. Questo di Trento era un caso singolare. Con la mancanza di fiuto culturale che li distingue, i democristiani avevano chiesto e ottenuto la creazione di questo ateneo, illudendosi che, nella pace appartata d'una città estranea ai grandi sconvolgimenti sociali, potessero essere formati dei tecnocrati: una fabbrica di *managers*. Nata nel 1962, l'Università di Trento divenne, come sappiamo, qualcosa di assai lontano dai propositi dei suoi sprovveduti promotori. I professori erano di livello: ma erano anche disponibili alle utopie d'un giovanilismo sconsiderato e d'un rivoluzionarismo salottiero. Quanto agli studenti, ha scritto Giorgio Bocca, capitarono lassù, «come se fosse suonato un misterioso tam-tam, tutti gli avventurosi, gli utopisti, gli spostati, gli irrequieti della penisola». Tra loro, Marco Boato, Mauro Rostagno, Renato Curcio, Margherita Cagol (presto la storia della contestazione s'intreccerà con quella del terrorismo: cercheremo, per maggior chiarezza della narrazione, di tenere distinti i due filoni, sempre che sia possibile). I vecchi organismi rappresentativi studenteschi furono rinnegati e spazzati via, sovrana era l'assemblea: che avrebbe dovuto essere emancipatoria, e divenne presto repressiva.

Il rettore Francesco Alberoni, che pure aveva tentato disperatamente d'adeguarsi, si sentiva smarrito di fronte a questa «orgia distruttivo-radicale». L'estremismo diventava delirio. A Palazzo Campana, a Torino, «la commissione delle facoltà scientifiche compiva l'estremo atto liberatorio nei confronti del Dio libro: lo squartamento dei libri in lettura per distribuirne un quinterno a ognuno dei membri» (Guido Viale). Montava la colossale sbornia provocata da un *cocktail* ideologico nel quale Marx e Marcuse, Ho Ci Min e il Che Guevara, Rudi Dutschke, Freud, Mao, e un operaismo fumoso si mescolavano disordinatamente.

Per i professori erano tempi d'umiliazione e d'abdicazione, o di rischio. Pochi docenti di nessun peso, portati in cattedra da chissà quali misteriose congiure d'interessi, concordavano con la protesta nichilista, molti si piegavano, a volte simulando letizia, per meritare la medaglia di «progressisti» e per evitare guai, alcuni altri tentavano di resistere con manovre elastiche, pochissimi fronteggiavano risolutamente l'esplosione.

Il 1° marzo 1968, a Roma, il Movimento studentesco, che fino ad allora s'era proclamato non violento, mostrò l'altra sua faccia: quella degli scontri duri con la polizia, delle spranghe e delle bottiglie Molotov. A Valle Giulia, presso Villa Borghese, dov'era la sede di Architettura, studenti e agenti s'impegnarono in una mischia furibonda, con lancio di sassi e di bottiglie incendiarie da una parte, manganellate e idranti dall'altra. Si contarono a centinaia i feriti e i contusi, vi furono parecchi fermi o arresti. Anche una classe politica in sopore perenne come quella italiana fu impressionata dall'aggressività con cui i militanti del Movimento studentesco s'erano avventati contro la polizia.

In opposizione a chi aveva visto nella «battaglia di Valle Giulia» un episodio della lotta perenne tra lo Stato oppressore e il popolo oppresso, Pier Paolo Pasolini rovesciò, in uno scritto rimasto famoso per il suo carattere provocatorio, i ruoli. Popolo erano i poliziotti, poveri, umili e umiliati: e bersagliati da figli di papà che cercavano, nella guerriglia di piazza, anche una rivalsa contro quei papà che, non contenti di pagare, pretendevano di esercitare qualche influenza sull'educazione dei figli.

E poi fu il maggio francese, un incendio di dimensioni colossali. Al quale la «maggioranza silenziosa» – che lassù aveva il diritto di chiamarsi tale senza per questo essere confusa con il fascismo – reagì con una manifestazione imponente e con un plebiscito elettorale in favore di Charles De Gaulle. In Italia i microrivoluzionari del Movimento studentesco s'esercitarono per anni nel punzecchiare un potere debole, e sfuggente come gelatina, disposto ad incassare tutto senza che nulla riuscisse veramente a superarne la gommosa resistenza. Le università erano allo sbando per le intimidazioni studentesche – di sinistra e, là dove le circostanze lo consentivano, di destra – e per le abdicazioni o la codardia di molti professori. Si distinguevano, in questa resa al caos, le facoltà di architettura. Al Politecnico di Milano il preside di architettura Paolo Portoghesi si poneva ostentatamente al fianco dei contestatori approvandone o subendone tutte le richieste, comprese le più stravaganti.

S'era diffuso nell'intelligenza il terrore dell'isolamento, di una emarginazione in retroguardia, fuori del grande flusso degli avvenimenti, e del potere culturale. Prima ancora del maggio '68 – quando tuttavia s'era già verificato un assedio studentesco, in Germania, alle tipografie di Springer, e a Milano un attacco al *Corriere della Sera* diretto da Giovanni Spadolini – Eugenio Scalfari prese posizione sull'*Espresso*: «Questi giovani insegnano qualcosa anche in termini operativi. L'assedio alle tipografie di Springer per bloccare l'uscita dei suoi giornali è un mezzo nuovo di lotta, molto più sofisticato ed efficace delle barricate ottocentesche o degli scioperi generali.» Ad un sistema «raffinato» si risponde con rappresaglie «raffinate». L'esempio è contagioso. Venerdì sera a Milano (la data dell'articolo è il 21 aprile 1968 – *N.d.A.*) un corteo di studenti in marcia per dimostrare sotto il consolato tedesco si fermò a lungo e tumultuando sotto il palazzo del *Corriere della Sera*.

Alla violenza conformista e massiccia delle sinistre – studentesca e operaia – si contrapponeva la violenza di minoranze fasciste, tanto più parossisticamente esaltate quanto più avvertivano la loro inferiorità numerica e il loro isolamento. Poche erano le facoltà in cui l'estrema destra riusciva a farsi viva. Nella maggioranza delle altre – in particolare a Milano – il dominio del Movimento studentesco era incontrastato: anche perché proprio a Milano esso aveva un *leader*. Era costui Mario Capanna, un ragazzo orfano di padre, d'origine umbra, ch'era potuto entrare nell'Università Cattolica di Milano grazie a una lettera di raccomandazione del suo vescovo; e che dalla matrice cattolica s'era presto distaccato per veleggiare verso il marxismo. Espulso dalla Cattolica – dove studiava lettere e filosofia, senza troppa fretta di laurearsi – passò alla Statale. Lì il Movimento instaurò una autentica dittatura, esercitata tramite pretoriani del cosiddetto «servizio d'ordine» – che nella terminologia corrente furono chiamati «katanghesi», e che avevano come ferro del mestiere la chiave inglese – e basata sull'altrui paura.

INTANTO SI MUOVEVA IL MONDO OPERAIO. Al maggio studentesco, diventato contestazione permanente, si sommava l'«autunno caldo». «Tra il settembre e il dicembre del 1969 – ha scritto Sergio Zavoli in *La notte della Repubblica* – la questione operaia esplode con una forza che né imprenditori né operai avevano previsto. Era in giuoco il rinnovo contemporaneo di 32 contratti collettivi di lavoro. Oltre cinque milioni di lavoratori dell'industria, dell'agricoltura, dei trasporti e di altri settori sono decisi a fare sentire il peso delle loro rivendicazioni... La combattività dei lavoratori si accentua con l'emergere di una figura nuova: il cosiddetto operaio-massa, generalmente giovane, meridionale, non specializzato, addetto alla catena di montaggio, più combattivo del tradizionale operaio di mestiere.»

Sorgevano i Cub, Comitati unitari di base, largheggiavano in «piattaforme» ambiziose e in scioperi generali: per le pensioni, per la casa. In parallelo con le incertezze d'un sindacalismo scavalcato, che rincorreva le avanguardie, v'erano i cedimenti di governi che non sapevano discriminare tra richieste ragionevoli e richieste demagogiche. I Cub esigevano salari uguali per tutti in base al profondo principio che «tutti gli stomachi sono uguali». Era, questa, una concezione grossolanamente mutuata dal maoismo: che indicava nel profitto una colpa, nella produttività un servaggio, nell'efficienza un complotto. La negligenza diventava così un merito, il sabotaggio un giusto colpo inferto alla logica capitalistica. Nel numero del luglio 1969 dei *Quaderni Piacentini* compariva un lungo documento che affermava: «Cosa vogliamo? Tutto». E proseguiva: «Oggi in Italia è in moto un processo rivoluzionario aperto che va al di là dello stesso grande significato del maggio francese... Per questo la battaglia contrattuale è una battaglia tutta politica».

Gli imprenditori italiani, che negli anni grassi avevano peccato spesso e volentieri di miopia, di insensibilità, di avidità, a volte di durezza, furono colti da un sentimento di paura che confinava con il panico. A Valdagno, durante una dimostrazione operaia, fu abbattuto il monumento a Gaetano Marzotto, il creatore del complesso industriale. Nelle fabbriche l'atmosfera diventava invivibile per i dirigenti e per i «capi» e «capetti» intimiditi quando non minacciati. Era un pullulare di scioperi, indetti all'insaputa dei sindacati se non contro i sindacati.

In fabbrica gruppi di operai praticavano l'autoriduzione, rallentando di loro iniziativa ritmi e produzione. Cresceva l'assenteismo. Quando le aziende tentavano di punire i facinorosi – lo fece la Fiat, denunciando alla Procura della Repubblica 122 operai – si aveva una sollevazione sindacale e politica insieme: e il ministro del Lavoro – nel caso specifico il democristiano della sinistra di *Forze nuove* Carlo Donat Cattin – interveniva per costringere l'azienda temeraria alla resa.

Disse molto tempo dopo Gianni Agnelli (e la dichiarazione è stata raccolta da Sergio Zavoli): «L'allora ministro del Lavoro non concluse la trattativa con i metalmeccanici fino a quando io non consentii, dopo parecchie ore di resistenza, a riassumere in fabbrica un centinaio di operai che si erano resi responsabili di violenze. Ricordo che, ricattato in queste condizioni, accettai la riassunzione. E l'umiliazione non fu accettare, o subire, questa forma di ricatto, ma, tornato a Torino e presentatomi ai dirigenti della produzione delle fabbriche, comunicare loro che avevo ceduto e che dovevano riassumere questo centinaio di operai violenti. Quello fu l'inizio di dieci anni disastrosi di brutalità e di violenze in fabbrica che fu corretto solo dopo più di tremila giorni».

La discussione dei contratti si svolgeva in un ambiente di ruggente tensione ed eccitazione. In questo clima essi furono firmati. L'anno successivo – il 20 maggio 1970 – il Parlamento approvò lo Statuto dei lavoratori, che si proponeva d'essere una legge di libertà e di progresso. Al testo che fu inviato alle Camere, e che portava la firma dell'allora ministro del Lavoro Giacomo Brodolini, diede la sua impronta il professor Gino Giugni. Bisogna dire che gli emendamenti parlamentari furono in gran parte peggiorativi. Le parti più equilibrate furono stravolte da uno slancio populista che ebbe conseguenze pesanti: non tanto perché valorizzò – forse al di là del dovuto – l'influenza e l'importanza del sindacato proprio nel momento in cui veniva contestato dallo spontaneismo dei gruppuscoli, quanto perché offrì il modo di penalizzare i buoni lavoratori, a vantaggio dei cattivi.

NEL FEBBRAIO DEL 1969 il dodicesimo Congresso del Pci nominò Enrico Berlinguer vicesegretario del Partito. Era un uomo nuovo, oltre che per l'arido dato anagrafico – era nato a Sassari il 25 maggio 1922 – anche per estrazione familiare e per formazione politica. A Luigi Longo era toccato, prima di cedere la guida del Partito, di prendere posizione su un avvenimento che, per i comunisti di tutto il mondo, era stato lacerante: l'invasione sovietica della Cecoslovacchia, il tragico punto finale posto alla primavera di Praga. Longo era fuori d'Italia in quel momento, trascorreva una vacanza nei dintorni di Mosca, ospite, ovviamente, del Pcus, il partito «fratello». Giorgio Napolitano, il dirigente di maggior livello rimasto a Roma, riuscì a racimolare, nel deserto d'agosto (1968), alcuni componenti dell'ufficio politico, in particolare Alessandro Natta e Umberto Terracini. Fu stilato, dopo breve discussione, un comunicato che condannava l'intervento dell'Armata Rossa e, riaffermando fiducia nel nuovo corso di Dubcek, chiedeva il ritiro delle truppe d'invasione. Ma era necessario, prima che il comunicato fosse reso pubblico, l'assenso di Longo. Lo raggiunsero per telefono, gli lessero due volte il testo. «Va benissimo» rispose.

Enrico Berlinguer era anche lui in ferie con la famiglia, e anche lui in un Paese «fratello», la Romania. Alloggiava, con la moglie Letizia e i tre bambini, in un villino vicino al mare, a Efolie. Lo accompagnava Paolo Bufalini, poco lontano soggiornava il *leader* comunista francese Georges Marchais. Nonostante tutto, l'Est rimaneva la «casa» dei comunisti italiani. La comitiva di Efolie rientrò in Italia in gran fretta, raggiungendo Vienna in automobile per imbarcarsi sul primo aereo disponibile.

Dopo pochi giorni Berlinguer dovette rifare le valigie, e raggiungere Mosca – insieme a Bufalini, Galluzzi, Cossutta e Arturo Colombi – per ascoltare le spiegazioni dei sovietici: i quali volevano persuadere i loro interlocutori dell'ortodossia del loro comportamento. Chiedevano ai «compagni» italiani una dichiarazione in cui si ammettesse che i carri armati del Patto di Varsavia erano piombati a Praga su richiesta dello stesso Partito comunista cecoslovacco per sventare un *golpe* di destra, e che la reazione emotiva dell'Occidente era ingiustificata. Berlinguer aveva avuto da Longo direttive precise: ed era, come esecutore, inflessibile. I sovietici parlavano, parlavano, e lui taceva: ribadendo, per tutta risposta, che non poteva firmare nulla di simile.

Due mesi dopo quelle drammatiche giornate, Luigi Longo era stato colpito da un *ictus* cerebrale che l'aveva lasciato semiparalizzato, e quasi incapace di parlare. Si trattava dunque di occupare la carica che Longo lasciava vuota, anche se per altri tre anni continuerà formalmente ad occuparla.

Non mancavano, nel Pci, le figure di spicco: Giancarlo Pajetta, Giorgio Amendola, Pietro Ingrao, Natta, Napolitano. Le preferenze di Longo andavano, e lo si sapeva, a Berlinguer, che non godeva invece delle simpatie di Pajetta: dal quale era stato bollato con la celebre battuta «s'iscrisse giovanissimo alla direzione del Pci». Uno dopo l'altro, i possibili candidati a una vicesegreteria che in realtà era una Segreteria si fecero da parte. Rimase un solo nome, quello appunto di Berlinguer che, si racconta, esitò a lungo. La sua riluttanza era con tutta probabilità sincera. In effetti, per l'opinione pubblica italiana, anche la più consapevole, colui che prendeva la guida del secondo partito del Paese era un ignoto nemmeno illustre.

A Sassari i Berlinguer, d'origine spagnola, erano una delle tre o quattro famiglie che contavano: come i Segni, come i Delitala, come i Siglienti, come i Satta Branca. Il nonno del segretario comunista, Enrico come lui, era un mazziniano acceso e uno di quei penalisti celebri, un po' tonitruanti che richiamavano nelle aule di Corte d'Assise un pubblico avido di sensazioni forti. Avvocato, e bravo, era anche il padre Mario, progressista in *frac*, sempre elegante con una punta di snobismo. Lui pure politicamente impegnato, tanto da essere eletto deputato nell'alleanza liberal-democratica di Giovanni Amendola, e da essere aggredito, durante un comizio, dai fascisti. Quello dei Berlinguer, che avevano diritto a fregiarsi del *don* nobiliare, era, ha osservato Chiara Valentini nella sua biografia del segretario del Pci, «un ambiente di anticlericali che però fanno battezzare e cresimare i figli (e anche Enrico lo fu regolarmente alla parrocchia San Giuseppe), di benestanti che detestano gli sprechi e la volgarità, di contestatori che si sposano sempre e solo all'interno del loro ambito sociale».

Come studente, Enrico non valeva gran che. Nel liceo Domenico Alberto Azuni, dove Togliatti aveva studiato durante un soggiorno sardo della sua famiglia, meritandovi tutti nove, il giovanissimo Enrico faceva collezione di insufficienze. Può darsi che a questo sbandamento scolastico abbia contribuito la tragedia che aveva colpito lui e il fratello, con la malattia e l'agonia straziante della madre Mariuccia. Non si applicava sui libri, ma giuocava bene a poker, discretamente a biliardo. Non frequentò mai, neppure quando ne ebbe l'età, le case di tolleranza; una *pruderie* istintiva, e un'altrettanto istintiva ripugnanza per le conversazioni grassocce e sguaiate della provincia, furono tra le sue caratteristiche costanti. Si vuole che risalisse a quegli anni adolescenziali anche la sua iniziazione comunista, nell'estrema periferia sarda. S'era sottratto alla chiamata alle armi per una lieve malformazione ai piedi.

Iscritto all'Università (facoltà di giurisprudenza) rinunciò al proposito di laurearsi quando la politica divenne per lui assorbente come l'ingresso in un ordine religioso. Mentre molti futuri «quadri» comunisti facevano il loro apprendistato nella Resistenza, Berlinguer poteva iscrivere nel suo *carnet* di benemerenze antifasciste solo un episodio di modico rilievo. Il 13 gennaio del 1944 erano scoppiati a Sassari «liberata» tumulti popolari per la mancanza, sul mercato legale, di generi di prima necessità come l'olio, il carbone, il sapone, e per la scarsità di pane. Nella *jacquerie*, che ebbe connotati violenti, Berlinguer era in prima fila. La polizia fu sottoposta a una gragnuola di pietre (ma furono sequestrate anche bombe a mano), vennero devastati e saccheggiati alcuni forni. In questa atmosfera da carestia manzoniana dovette intervenire, per riportare la calma, l'esercito. Enrico Berlinguer fu additato come il maggior responsabile e istigatore della rivolta. Si voleva perfino che avesse progettato d'uccidere il prefetto buttandolo dalla finestra. Intervenne, in soccorso di Enrico, il padre, che aveva buone conoscenze e influenze dovunque: e che lo fece liberare, dopo tre mesi di galera.

Per cambiare aria, Enrico Berlinguer si trasferì a Roma; e lì si radicò, con qualche breve parentesi. A Roma conobbe la futura moglie, Letizia Laurenti: il matrimonio fu celebrato nel 1957. Tutta la parabola berlingueriana, da quel momento in poi, può essere riassunta in una definizione: togliattiano di ferro.

Lo sganciamento di Berlinguer dai vincoli d'una ortodossia di partito spesso burocratica venne con la morte di Togliatti, che era stato il suo maestro e – sia pure con doveroso rispetto delle distanze – il suo alto protettore. Il Berlinguer che andò a Mosca, nell'ottobre del 1964, per chiedere ai sovietici qualche delucidazione sul subitaneo allontanamento di Kruscev (guidava una delegazione della quale facevano parte Paolo Bufalini ed Emilio Sereni) era insieme più indipendente e più coraggioso che in passato. La sua fiducia nel modello sovietico s'andava sgretolando, e i contatti con i bonzi di Mosca non contribuivano a restituirgliela. A colloquio con Suslov, Podgorni, Ponomariov, che si sforzavano di spiegare come qualmente la cacciata di Kruscev fosse stata un evento normale, provocato dai meccanismi d'una democrazia impeccabile, Berlinguer disse freddo: «Non capite che con questi metodi compromettete il vostro prestigio?». I tre italiani furono quindi ricevuti da Breznev, conciliante, che tuttavia pretese e ottenne una garanzia: nel comunicato conclusivo sarebbe mancato ogni accenno a dissensi tra i due partiti. Berlinguer dovette accontentarsi d'una frasetta inserita, dopo il ritorno in Italia, in un chilometrico documento del Pci: «Si è constatata (per la sostituzione di Kruscev – *N.d.A.*) l'esistenza di punti di vista diversi tra il Pcus e il Pci».

A disagio, sotto sotto, nei rari contatti con gli studenti contestatori, Berlinguer lo era anche nei suoi contatti con gli operai. Non era uno di loro. E tuttavia si sbracciò, durante l'autunno caldo, in proclami di stampo vetero-populista additanti al proletariato l'avvenire luminoso che il comunismo avrebbe realizzato. «Ma non hanno dunque ancora capito i padroni, il governo, che le imponenti lotte in cui gli operai sono protagonisti ormai da mesi e mesi significano che proprio il sistema va trasformato, che un nuovo sistema ci vuole, e che quello attuale si può, si deve cambiare?» Sì, bisognava trasformare il sistema. E sarebbe stato trasformato. Ma non quello in cui viveva Berlinguer. L'altro.

LA RIUNIFICAZIONE SOCIALISTA tenne meno di tre anni. Deliberata il 30 ottobre 1966, finì il 4 luglio 1969. Alla frattura tra il troncone socialista e il troncone socialdemocratico avevano contribuito grandemente, lo sappiamo, le elezioni politiche del 1968, una bocciatura – che non avrebbe avuto esami di riparazione – per il nuovo partito nel quale il vecchio Nenni aveva riposto tante speranze. La sconfitta alimentò le recriminazioni, favorì i personalismi, incattivì la disputa tra le correnti, insomma riportò il socialismo alle sue peggiori abitudini.

Il 4 luglio 1969, durante una ennesima riunione del Comitato centrale, Nenni presentò un documento che venne affondato da 67 no contro 52 sì: mentre un ordine del giorno De Martino-Mancini-Viglianesi-Giolitti raccolse 58 voti a favore, 16 contrari, 11 astensioni, 36 assenti (i socialdemocratici avevano abbandonato, dopo la sconfitta di Nenni, l'aula dell'Eur in cui si teneva la seduta). Saragat, che qualcuno invocava come mediatore, rifiutò sdegnoso: «Prima hanno emarginato Giuseppe Saragat, adesso hanno emarginato Pietro Nenni. Basta!». Rinacque subito il Partito socialdemocratico, che provvisoriamente si chiamò Partito socialista unitario (Psu), e che ebbe Mauro Ferri come segretario. Il Psi designò De Martino alla Segreteria, con un vice nella persona di Giacomo Mancini.

Dalla frattura socialista erano derivate ineluttabilmente le dimissioni del primo governo Rumor. Le consultazioni di Saragat furono laboriose soprattutto per la difficoltà di trovare una formula che consentisse ai socialisti separati, e l'un contro l'altro armati, di convivere nella stessa *équipe* governativa. Il 5 agosto nacque il Rumor bis: un monocolore democristiano con Moro agli Esteri, Restivo all'Interno, Colombo al Tesoro, Forlani ai Rapporti con l'Onu, Donat Cattin al Lavoro. La maggior novità del ministero, in cui avevano trovato rappresentanza tutte le correnti democristiane, era il ritorno di Moro nella prestigiosa poltrona della Farnesina.

IL 12 DICEMBRE 1969 segnò uno spartiacque nella vita italiana degli ultimi quattro decenni. Per tanti aspetti si può parlare d'un *prima* di piazza Fontana e d'un *dopo* piazza Fontana. La strage della Banca dell'Agricoltura, con i suoi sedici morti e i suoi molti feriti, non fu la più atroce tra quelle che insanguinarono il Paese. Ma fu – perché diede l'avvio a questi gesti di cieca ferocia, e perché le indagini ebbero un andamento zigzagante, e grossolanamente contraddittorio – una sorta di freccia avvelenata nel corpo della società italiana. Dei tossici che entrarono in circolo il Paese non riuscì più a liberarsi. Essi attizzarono tutte le polemiche e alimentarono la mala pianta del terrorismo.

I morti di piazza Fontana furono inizialmente imputati agli anarchici: ma quando questa pista venne abbandonata, e imboccata l'altra dell'attentato fascista, si volle che quegli stessi morti avallassero le teorie della «strategia della tensione», ossia d'un disegno razionale, perseguito dall'estrema destra per creare instabilità e paura nelle istituzioni e nei cittadini; e della «strage di Stato», ordita da settori del mondo politico, dai servizi segreti, da consorterie criminal-economiche per creare un'atmosfera di panico, rendere necessarie misure d'emergenza, e con ciò garantire il potere ai reazionari nemici del popolo.

Vi furono errori o leggerezze della polizia che giustificarono le diffidenze di chi chiedeva soltanto di conoscere la verità, e di conoscerla per bocca delle autorità legittime: ma vi fu anche, soprattutto da un certo momento in poi, una forsennata volontà di strumentalizzazione. Piazza Fontana resta, giudiziariamente, un enigma. Quasi trent'anni non sono bastati per arrivare al fondo di quel pozzo tenebroso: ed è inutile sperare di arrivarci mai.

Nella Banca dell'Agricoltura di Milano l'ordigno, posto sotto un tavolo attorno al quale si assiepavano i clienti per compilare i loro moduli, deflagrò alle 16,37 di venerdì 12 dicembre 1969. Era un fine settimana, e benché l'orario di chiusura fosse passato da oltre mezz'ora, le operazioni continuavano, ad esaurimento. Si poté supporre, sulla base di questi elementi, che l'attentatore o gli attentatori si fossero proposti un gesto dimostrativo, regolando il *timer* della bomba su un'ora in cui presumibilmente il salone della banca sarebbe stato vuoto; e che dunque la carneficina non fosse stata voluta. Ma questo processo alle intenzioni è ormai futile: sia perché la carneficina ci fu, sia perché restano ignoti il nome o i nomi di chi la volle. Quello stesso pomeriggio tre bombe scoppiarono nel sottopassaggio della Banca Nazionale del Lavoro di via San Basilio a Roma, e due sull'Altare della Patria. Vi furono alcuni feriti. Lo Stato era attaccato nella capitale ufficiale e in quella che si vantava d'essere la capitale morale, e che era comunque la capitale economica e produttiva.

La polizia compì i primi accertamenti ed eseguì i primi «fermi» negli ambienti anarchici. A Milano furono portati in Questura ottantaquattro militanti anarchici e della sinistra, due della destra: tra gli ottantaquattro Giuseppe Pinelli, un frenatore delle ferrovie che lavorava alla stazione di Porta Garibaldi, e che era un anarchico convinto: ma anche un galantuomo, un idealista sicuramente incapace di spargere sangue, e ancor più di spargerlo a quel modo.

Negli uffici della Questura Pinelli fu interrogato a lungo, senza brutalità. Luigi Calabresi, il commissario che guidava l'inchiesta, conosceva Pinelli: che poté, mentre era trattenuto, comunicare con la moglie. Proprio a lei, Licia Pinelli, telefonò alle nove e mezza della sera di lunedì – dunque tre giorni dopo la strage – un collaboratore di Calabresi: chiedeva che fosse portato in Questura il libretto ferroviario del marito, dove ne erano annotati i viaggi. Alle undici di sera si presentò infatti un brigadiere per avere il libretto. Poco dopo Licia Pinelli seppe che il marito era morto, caduto dal quarto piano della Questura. Nel momento in cui era precipitato nel cortile del palazzo di via Fatebenefratelli erano presenti nella stanza dell'interrogatorio un ufficiale dei carabinieri e quattro sottufficiali di polizia. Calabresi non vi si trovava.

Fu detto che Calabresi e gli altri avevano fatto credere a Pinelli che i suoi compagni di fede si fossero confessati autori dell'attentato, e che il ferroviere, disperato, s'era buttato dalla finestra. Fu insinuato che il suicidio fosse derivato dalle violenze e intimidazioni cui Pinelli era stato sottoposto. Fu prospettata l'ipotesi d'una caduta accidentale, per malore o altro. Ma nessuna di queste tesi, anche le più avverse alla polizia, soddisfaceva le sinistre, per le quali una sola ricostruzione dei fatti era logica e provata: Pinelli era stato buttato dalla finestra. Un assassinio mai avallato dalla magistratura.

La polizia aveva messo le mani, nella sua caccia ai dinamitardi, su Pietro Valpreda, ballerino di fila in una compagnia di avanspettacolo, conoscente di Pinelli, e come lui anarchico, ma in stile assai diverso. Valpreda non si limitava a teorizzare: era un fautore dell'azione. La motivazione della sentenza di secondo grado (1981) che a Catanzaro lo assolse, come quella di primo grado, per insufficienza di prove, ne illustrava duramente la personalità. Un estremista che aveva fondato il circolo anarchico XXII Marzo, staccandosi dal circolo Bakunin che gli pareva ancorato a metodi di lotta moderati e superati: da rimpiazzare con metodi basati sulla violenza. Il suo motto era «bombe sangue ed anarchia». Il sospettare che questo sbandato avesse potuto essere il «postino» della bomba non era del tutto campato in aria. E ancor meno lo sembrò quando si fece vivo un tassista, Cornelio Rolandi, iscritto al Pci, che dichiarò d'aver portato in piazza Fontana, quel 12 dicembre, un passeggero che aveva con sé una borsa e che, come Valpreda, zoppicava. Il Rolandi riconobbe Valpreda come l'uomo in questione durante un «confronto all'americana»: viziato tuttavia dal fatto che al tassista fosse stata in precedenza mostrata una fotografia dell'indiziato. Per quella testimonianza il tassista – del quale poteva esser dubbio il riconoscimento, ma era certa la buona fede – fu perseguitato come mentitore e servo del potere dalla pubblicistica di sinistra. Gli ultimi mesi della sua vita furono amari e dolorosi.

L'alibi di Valpreda («sono andato a casa di mia zia Rachele Torri verso l'una del pomeriggio e ho dormito fino al giorno successivo anche perché avevo l'influenza») fu ritenuto fragile nonostante le conferme dei familiari. Su questi fondamenti che non erano privi di valore, ma che nemmeno erano di calcestruzzo, Valpreda fu, come vuole un vecchio vizio dell'opinione pubblica e della pubblicistica italiana, indicato come sicuro colpevole. L'indiziato divenne il «mostro». Dal che trassero argomenti, più tardi, coloro che vedevano nella sua incriminazione un infame disegno mirante a depistare l'indagine.

Dopo l'«ipotesi» anarchica vi fu l'«ipotesi» neofascista a furor di popolo spacciata per certezza. Un'inchiesta parallela a quella milanese portò alla ribalta due «nostalgici» padovani: Franco Freda, un procuratore legale d'origine avellinese che aveva militato nella gioventù missina, ma che l'aveva trovata troppo legalitaria per i suoi gusti d'ammiratore di Himmler e d'editore dell'hitleriano *Mein Kampf*; e Giovanni Ventura, trevigiano, insegnante di ginnastica, libraio, amico di Freda.

Questo guazzabuglio criminal-politico-giudiziario generò una serie di processi tanto imponenti quanto inconcludenti. Nel febbraio del 1972 il sipario si aprì su un primo processo che vedeva alla sbarra Valpreda e un altro fondatore del circolo XXII Marzo, Mario Merlino. La Corte d'Assise della capitale dichiarò la sua incompetenza territoriale, e il fascicolo fu trasferito, anziché a Milano, a Catanzaro per motivi di ordine pubblico. Il 18 marzo il secondo atto, a Catanzaro, fu interrotto per l'entrata in scena di altri protagonisti, Freda e Ventura. Nel 1975, sempre a Catanzaro, terzo atto, con anarchici e neonazisti affiancati. Ma lo si dovette sospendere per l'ingresso in scena di Guido Giannettini. Quarto atto nel 1977, sempre a Catanzaro. Questa volta si arrivò alla sentenza: che fu d'ergastolo per Freda, Ventura e Giannettini, d'assoluzione – insufficienza di prove, come s'è accennato – per Valpreda e Merlino, cui furono inflitti 4 anni e 6 mesi per associazione sovversiva e altri reati minori.

Quinto atto – Catanzaro nei primi mesi del 1981 – con il processo di appello. Assoluzione per insufficienza di prove per tutti dall'imputazione di strage, 15 anni a Freda e Ventura per associazione sovversiva e altro, confermati i 4 anni e 6 mesi a Valpreda e Merlino. La sentenza di secondo grado non piacque alla Cassazione che – sesto atto l'ottobre 1982 – ordinò la ripetizione del giudizio alle Assise d'appello di Bari. Il settimo atto (estate 1985) fu, a Bari, una replica del quinto: tutti prosciolti dall'accusa più grave, con formula dubitativa. Ma alle soglie del 2000 altre inchieste su piazza Fontana sono «attive» e, temiamo, sterili.

Il clima sociale del Paese stava degenerando. Già prima della strage di piazza Fontana un poliziotto ventiduenne, Antonio Annarumma, era stato ucciso in scontri di piazza. Nel primo anniversario della strage morì colpito da un candelotto lacrimogeno della polizia lo studente in legge Saverio Salvatorelli e queste furono le prime vittime di una serie ininterrotta di violenze. Il sabato pomeriggio il centro di Milano era infrequentabile per le dimostrazioni e le intemperanze degli estremisti.

Il prefetto di Milano Libero Mazza, posto nell'occhio del ciclone, decise di mettere nero su bianco le sue preoccupazioni e i suoi consigli in un rapporto di quattro cartelle dattilografate, nel quale, prendendo lo spunto dai disordini del 12 dicembre 1970, presagiva «eventi gravi e deprecabili» per il rafforzarsi e proliferare di formazioni estremiste extraparlamentari di destra e di sinistra. Gli appartenenti a questi gruppi, il cui numero ascendeva secondo lui a circa ventimila, coglievano ogni occasione per «turbare profondamente la vita della città, compiere atti vandalici con gravi danni a proprietà pubbliche e private, limitare la libertà dei cittadini, usare loro violenza, vilipendere e dileggiare i pubblici poteri centrali e locali con ingiurie volgari ed accuse cervellotiche». I gruppi extraparlamentari erano muniti, avvertiva Mazza, di armi improprie, e disponevano di una notevole organizzazione. Inoltre stampa e opinione pubblica offrivano loro indebite coperture. «Anche un comportamento di cauta e prudente fermezza non è sopportato e viene qualificato dalla dilagante demagogia come repressione, provocazione e sopraffazione poliziesca, attentato alle libertà costituzionali, fascismo, mentre i fermati per reati commessi durante le manifestazioni sediziose vengono scarcerati e le denunce rimangono accantonate in attesa della immancabile amnistia.» Restò accantonato anche il rapporto Mazza, che al ministro dell'Interno Restivo dovette dare, per la sua sola esistenza, un grosso fastidio. Che divenne sconcerto quando, il 16 aprile 1971, quelle paginette furono sfilate dal fascicolo in cui giacevano e passate, per iniziativa d'un alto esponente della Dc, a un quotidiano romano.

Il furore che ne seguì attestò quanto il colpo alle tesi di sinistra – in sostanza il rapporto legittimava l'esecrata teoria degli opposti estremismi – fosse stato risentito. *L'Unità* bollò il documento come «uno pseudo rapporto nel quale si farneticava di fantomatiche organizzazioni paramilitari di sinistra». Nella sua qualità di parlamentare socialista Eugenio Scalfari dichiarò: «Il prefetto o è uno sciocco, che non capisce quanto accade, o un fazioso che non vuole capire. Milano merita un prefetto della Repubblica, non un portavoce della cosiddetta maggioranza silenziosa che poi non è altro che una querula minoranza». Il sindaco Aldo Aniasi, che amava porsi in testa a cortei per il disarmo della polizia, deplorò le tesi di Mazza, a suo avviso inutilmente allarmistiche e politicamente pericolose.

In questo coro avverso o reticente, fece onorevolmente spicco la presa di posizione di Carlo Casalegno che sulla *Stampa* ebbe il coraggio di scrivere «a caldo» (la data è del 20 aprile 1971) un articolo dal titolo «W il prefetto». Scriveva Casalegno: «Vedere nelle pagine di un'ormai vecchia relazione confidenziale una manovra reazionaria è costruire un falso propagandistico. Si rimprovera al prefetto di rivelarsi sollecito dell'ordine pubblico, cioè di far bene il suo mestiere...». Nei cortei tuttavia si gridava «Mazza, ti impiccheremo in piazza». E Casalegno sarà assassinato da terroristi di sinistra. Libero Mazza lasciò volontariamente e dignitosamente la carica, e Milano fu più che mai martoriata dai cortei del sabato, dalle intimidazioni, dagli espropri proletari, dallo spadroneggiare dei katanghesi in *eskimo* alla Statale e dei neofascisti in *loden* a San Babila. Ancora il sabato 11 marzo 1972 fu tumultuoso, con le forze dell'ordine impegnate a domare il solito pomeriggio di guerriglia scatenato dagli extraparlamentari di sinistra.

Quattro giorni dopo quelle ore di tumulti, il 15 marzo 1972, Luigi Stringhetti, affittuario della Cascina Nuova, in comune di Segrate, nei dintorni di Milano, rinvenne sotto un traliccio dell'alta tensione il corpo dilaniato di un uomo sui trentacinque-quarant'anni. I documenti (falsi) trovati addosso al morto erano intestati a Vincenzo Maggioni nato a Novi Ligure il 19 giugno 1926 e residente a Milano in via Savona 12. Ma non occorse molto perché si accertasse che non d'un qualsiasi Maggioni si trattava, ma di Giangiacomo Feltrinelli, per gli amici Giangi: miliardario, editore di successo, durante alcuni anni iscritto al Pci, poi militante e finanziatore della sinistra eversiva, aspirante guerrigliero. Agli inquirenti il caso apparve chiaro. Smanioso di agire, oltre che di scrivere e di pubblicare testi incendiari, Feltrinelli s'era inerpicato su quel sostegno dei fili ad alta tensione, eretto nel mezzo d'un campo di grano – di cui Feltrinelli, per colmo di ironia, era proprietario – per collocarvi delle cariche, ed era stato straziato, mentre maneggiava il pericoloso materiale, da uno scoppio causato da inesperienza o da un difetto di funzionamento. Ma la spiegazione era troppo semplice per gli ambienti che attribuivano tutti i nefasti dell'Italia di allora a una strategia della tensione orchestrata nel Palazzo. Quello stesso 15 marzo un gruppo di intellettuali diramò un comunicato per sostenere che Giangiacomo Feltrinelli era stato assassinato.

Finché venne il giorno in cui gli assertori dell'assassinio furono sistemati, una volta per tutte, dai brigatisti rossi. Bisognò attendere il 1979, quando fu celebrato a Milano, tra febbraio e marzo, un processo per terrorismo. Prima che i giudici entrassero in camera di consiglio per la sentenza gli imputati lessero un «comunicato numero quattro» firmato, tra gli altri, da Renato Curcio, Giorgio Semeria, Augusto Viel. «Osvaldo (il nome di copertura di Feltrinelli – *N.d.A.*) non è una vittima – diceva il comunicato – ma un rivoluzionario caduto combattendo. Egli era impegnato in un'operazione di sabotaggio di tralicci dell'alta tensione che doveva provocare un *black-out* in una vasta zona di Milano al fine di garantire una migliore operatività a nuclei impegnati nell'attacco a diversi obbiettivi. Fu un errore tecnico da lui stesso commesso, e cioè la scelta e utilizzo di orologi di bassa affidabilità trasformati in *timers*.»

RUMOR GALLEGGIAVA, Arnaldo Forlani aveva sostituito Piccoli come segretario della Dc, la legge sul divorzio che portava i nomi del socialista Loris Fortuna e del liberale Antonio Baslini aveva posto la Dc di fronte a un dilemma spinoso: subirla o ingaggiare battaglia? Rumor, affranto, passò la mano a Emilio Colombo. Ma già dal luglio 1970, mentre ancora durava la crisi di governo, a Reggio Calabria rumoreggiava la rivolta. A darle esca era stata la scelta di Catanzaro come capoluogo regionale: scelta derivante dal fatto che la legge stabiliva un collegamento tra la sede della Regione e la sede della Corte d'Appello. Reggio si era sollevata contro questa che considerava un'umiliazione. Delle sommosse s'era fatto istigatore, dando ad esse un'impronta neofascista, «Ciccio» Franco, studente in legge mai arrivato alla laurea, sindacalista della Cisnal, militante a fasi alterne del Msi dal quale era stato espulso cinque volte, altrettante essendovi riammesso. Tribuno volgare ma efficace, nella peggiore tradizione dei capipopolo alla Masaniello o alla Ciceruacchio, Franco era stato il condottiero vociante d'una azione di guerriglia cittadina con barricate e spargimento di sangue (il 18 settembre erano rimasti uccisi un cittadino e un brigadiere di Pubblica sicurezza. Il 4 febbraio del 1971 a Catanzaro una bomba lanciata sulla folla dopo un corteo antifascista uccise una persona, e altre quattordici ne ferì). La parola d'ordine nostalgica con cui Ciccio Franco concludeva i suoi roventi comizi era «boia chi molla!». Per placare lo scontento l'Assemblea regionale elaborò un progetto che distribuiva favori a tutti, la sede della Giunta regionale a Catanzaro, la sede dell'Assemblea a Reggio, a Cosenza l'Università calabrese, a Gioia Tauro un centro siderurgico.

Più patetico che allarmante fu il cosiddetto colpo di Stato del principe Junio Valerio Borghese, medaglia d'oro della Marina, già comandante della X Mas di Salò, capo d'un Fronte nazionale che enunciava propositi d'estremismo patriottico. La notte dal 7 all'8 dicembre 1970 un gruppo di ex-paracadutisti guidati dal futuro deputato missino Sandro Saccucci e un reparto appartenente alla Guardia forestale erano penetrati nel Viminale. Questa presa di possesso, attuata con forze raccogliticce e quasi ridicole, non voleva, questo è sicuro, essere definitiva, né preludere a una conquista del potere. Si trattava d'un atto dimostrativo (pare che fosse in programma anche l'occupazione della Rai, per la diffusione d'un proclama). L'episodio, di cui quasi nessuno si accorse, fu taciuto fino a quando non lo rivelò, nel marzo successivo, *Paese Sera*. Borghese fuggì all'estero, alcuni suoi collaboratori furono arrestati.

L'ELEZIONE PRESIDENZIALE del dicembre 1971 fu, come da copione, pasticciata fino al grottesco. Amintore Fanfani, Presidente del Senato, non troppo vecchio – aveva sessantaquattro anni – e sorprendentemente vitale, s'illudeva d'avere questa volta la nomina in tasca: e fu bocciato. La mattina della vigilia di Natale Giovanni Leone divenne Capo dello Stato.

Ascese così al colle più ambito tra i sette di Roma un bonario professore napoletano di diritto; noto per la lucidità dei suoi trattati di procedura penale, per l'efficacia delle sue arringhe – anche se l'eloquio era irrimediabilmente caratterizzato, come accade ai napoletani anche del miglior livello culturale, da inflessioni dialettali –, per le sue capacità mediatorie: eccezionali anche in un partito che della mediazione e del compromesso ha fatto la sua ragione di vita. Saragat, vedovo, era stato al Quirinale un inquilino difficile. Aveva un alto e in gran parte fondato concetto della sua intelligenza, e un concetto modesto dell'intelligenza altrui. Per questo aveva largamente usato e magari abusato – senza la levità improvvisatrice e la simpatia di cui avrebbe dato prova Pertini – della sua facoltà di «esternazione». S'era comportato da politico coerente e da galantuomo. Era, come spesso gli orgogliosi, un solitario: non influenzato dai suoi familiari (la figlia Giuseppina, il figlio Giovanni) anche quando ne era attorniato.

Con Leone entrò al Quirinale «la famiglia». Era, a prima vista, una bella famiglia. Intanto perché bella era la moglie del Presidente, Vittoria, di vent'anni più giovane di lui, sessantatreenne allorché fu eletto Presidente. Nella casa del padre di Vittoria, era capitato a fine 1945, per una festicciola, Giovanni Leone: amico di un fratello della ragazza, Luigi Michitto, già sottotenente nei ruoli della magistratura militare. Proprio durante il servizio militare (si fa per dire) aveva conosciuto Giovanni Leone, che portava, come professore ordinario, i gradi di tenente colonnello. Il trentasettenne professorino «vivace vivido e arruffato come certi piccoli animali, i tassi per esempio» fu colpito dalla bruna signorina di provincia: pochi mesi dopo, il 15 luglio 1946, si unirono in matrimonio. Lui era già deputato alla Costituente, e votato ad alti destini politici. Il matrimonio ebbe, assicurano tutti coloro che conobbero la coppia, una buona riuscita. Non mancarono i dolori: la morte a cinque anni d'un figlioletto, Giulio, colpito dalla difterite, la poliomielite del primogenito Mauro, semiparalizzato per anni. Ma Mauro guarì quasi perfettamente, i fratelli Paolo e Giancarlo crescevano bene: in onore dei figli Leone battezzò una sua villa di Roccaraso «I tre monelli». Che qualche monelleria cominciarono davvero a permettersela, non appena il padre fu insediato al Quirinale. Mauro, morso dall'ambizione, forse a rivalsa d'una infanzia infelice, voleva avere tutto e subito, cattedre, poltrone, privilegi, e il padre lo accontentava nei limiti delle sue possibilità, che non erano sempre i limiti della decenza. In tono minore, i minori facevano anch'essi del loro meglio, o del loro peggio. Ma la famiglia si estendeva ad agnati, cognati, affini consanguinei, amici, domestici e così i viaggi presidenziali diventarono talvolta una pittoresca Piedigrotta. Non mette conto di insistere ulteriormente sull'argomento, né su altre malignità da ballatoio.

SE PIAZZA FONTANA aveva aperto il capitolo delle stragi, l'assassinio del commissario Luigi Calabresi aprì, il 17 maggio 1972, il capitolo delle «esecuzioni» decise ed eseguite dai gruppi armati dell'estrema sinistra. Mai crimine fu più voluto, più annunciato, più auspicato. Calabresi, lo si è già visto, era stato sottoposto a un linciaggio morale e politico di inaudita violenza, che aveva assunto le caratteristiche dell'istigazione a farlo fuori. Era diventato «il Commissario finestra» e «il Commissario cavalcioni» – ossia il responsabile della morte di Pinelli – e il suo *curriculum* poliziesco veniva infiorettato di particolari suggestivi, anche se completamente inventati. Pur sconsigliato dalla moglie, Calabresi aveva chiesto ai suoi superiori, ottenendone l'assenso dopo molte esitazioni, di poter querelare per diffamazione *Lotta continua*, che conduceva contro di lui una forsennata campagna: e il processo al foglio calunniatore s'era presto trasformato in un processo al calunniato. «È chiaro a tutti – scriveva tracotante *Lotta continua*, irridendo alla querela – che sarà Luigi Calabresi a dover rispondere pubblicamente del suo delitto contro il proletariato. E il proletariato ha già emesso la sua sentenza: Calabresi è responsabile dell'assassinio di Pinelli e Calabresi dovrà pagarla cara.» Il 17 maggio 1972 Luigi Calabresi fu abbattuto a colpi di pistola all'uscita della sua casa di via Cherubini, a Milano. Nell'epicedio *Lotta continua* non fu più contenuta di quanto fosse stata nell'istigazione. «Calabresi – scrisse – era un assassino, e ogni discorso sulla spirale di violenza, da qualunque parte provenga, è un discorso ignobile e vigliacco, utile solo a sostenere la violenza criminale di chi vive sfruttando e opprimendo... L'uccisione di Calabresi è un atto in cui gli sfruttati riconoscono la propria volontà di giustizia.»

La maledizione di piazza Fontana non finì con l'esecuzione di Calabresi. Un anno dopo, durante lo scoprimento nella Questura di Milano d'un busto del commissario (erano presenti il ministro dell'interno Rumor, il prefetto Libero Mazza e il sindaco Aniasi) un esaltato sanguinario, Gianfranco Bertoli, lanciò una bomba che lasciò sul terreno quattro morti, e ferì altre quarantacinque persone. «Morirete tutti come Calabresi e ora uccidetemi come Pinelli» aveva urlato l'attentatore, che risultò essere anarchico – o almeno si professava tale – e che aveva torbidi precedenti. Un mistero, da aggiungere a quello della Banca dell'Agricoltura, da aggiungere a quello Calabresi. Nessun raggio di luce in queste tenebre, fino al 1988.

A fine luglio di quell'anno i carabinieri arrestarono Adriano Sofri, Giorgio Pietrostefani, Ovidio Bompressi, un tempo militanti di Lotta continua. Un loro compagno, Leonardo Marino, era da giorni nelle mani della giustizia: aveva volontariamente confessato d'aver partecipato all'agguato contro il commissario, indicando in Sofri e Pietrostefani i mandanti dell'azione, in Bompressi l'esecutore materiale, in se stesso l'autista del *commando*. Dei quattro, il solo Marino era rimasto un poveraccio, un venditore di frittelle. Sofri navigava nei cieli della politica e dell'intellettualità, Pietrostefani era dirigente di una azienda di Stato – di quello Stato che voleva abbattere –, Bompressi era impiegato in una libreria. Marino, che accusando s'era anche autoaccusato, fu dagli altri imputati e dai loro avvocati tacciato di mitomania. Sofri, Pietrostefani e Bompressi furono condannati a ventidue anni di carcere, Marino a undici: sentenza confermata definitivamente dalla Cassazione. Di recente, la richiesta di revisione del processo, dichiarata inammissibile dalla Corte d'Appello di Milano, è stata invece ritenuta ammissibile dalla Corte di Cassazione.

Qui bisogna aprire la pagina del terrorismo di sinistra che, a voler schematizzare, ebbe tre focolai originari: l'Università di Trento, la fabbrica Sit-Siemens (e poi la Pirelli) a Milano, la dissidenza comunista di Reggio Emilia. Del ruolo che ebbe l'Università di Trento s'è già accennato. Renato Curcio, che fu la personificazione di quel fenomeno che è stato definito cattocomunismo, aveva una storia personale molto curiosa: nella quale i dilettanti di psicologia e di psicanalisi si sono ingegnati a trovare le cause profonde della sua ribellione. Era figlio di Renato Zampa, fratello del regista Luigi, e di una domestica. Lo Zampa non aveva mai fatto mancare aiuti alla donna e a Renato, ma con distacco. «Questo padre sempre lontano – il ritratto di famiglia è di Liano Fanti in *S'avanza uno strano soldato* – automobili lussuose, grandi alberghi, moglie americana ricchissima, e questa madre invece donna di fatica... Renato Curcio non riesce a parlare con Renato Zampa perché gli è estraneo, non lo conosce... Quando il padre insiste perché si avvii agli studi cominciando dalla scuola media egli si ribella, esprime il proprio odio e la propria protesta non studiando e facendosi bocciare per ben due anni... Dietro interessamento del padre, Renato Curcio finisce, a un certo punto, al Grand Hotel Cavalieri di Milano, a fare il *lift*. Fra i clienti dell'albergo c'è anche suo padre.» Se Curcio ha queste radici contorte, Margherita Cagol è di estrazione borghese: e di questa sua estrazione perbenista le rimarrà dentro qualcosa, fino alla morte. Così, quando Curcio si convince a sposarla, manda alla madre una lettera esultante: «Ce l'ho fatta».

Quello di fabbrica fu un terrorismo che discendeva dall'esasperazione delle lotte sindacali, dalla conflittualità permanente, da un rifiuto totale dell'economia di mercato cui solo con la violenza e la rivoluzione avrebbe potuto essere sostituita una società – e un'organizzazione del lavoro – giusta. Anche a costo di spargere molto sangue. I capi del partito armato usciti dalla Sit-Siemens si chiamavano Mario Moretti, un perito industriale, Corrado Alunni, romano di nascita, che lascerà le Brigate rosse per fondare un'altra organizzazione «combattente», Alfredo Buonavita, operaio.

Infine Reggio Emilia: fucina d'un terrorismo i cui esponenti discendevano direttamente e inequivocabilmente dal Partito comunista, e in particolare dalla sua Federazione giovanile. Erano studenti e operai che avevano cercato nel Pci l'esercito della Rivoluzione. Avevano una nostalgia cocente per quella che è stata più tardi battezzata la «Gladio rossa», ossia un esercito clandestino pronto ad assoggettare l'Italia al dominio comunista. Non è un caso che, tra tanti pentiti, Reggio Emilia non ne abbia dati: l'»intellettuale» Franceschini, studente in ingegneria (non volle prendere la laurea per ragioni di principio), sarà irriducibile come l'operaio Gallinari, o come Roberto Ognibene. Dapprima si ebbe la «propaganda armata», con sequestri politici e azioni dimostrative. Poi venne la lotta armata: le cui avvisaglie furono di proposito sottovalutate o fraintese.

Esistevano le condizioni tecniche per un colpo di grazia al nascente terrorismo: mancavano invece le condizioni politiche. Tutta la sinistra «legale» si strappava le vesti non per l'apparire alla ribalta del Partito Armato, ma per le già avvenute o possibili prevaricazioni della polizia contro inoffensivi e benintenzionati, anche se turbolenti, apostoli della rivoluzione. Non il Partito Armato faceva paura, ma la Polizia Armata; della quale infatti si chiedeva a gran voce, in cortei e manifestazioni, il disarmo. Tutti i firmatari di manifesti, tutti i politici timorosi di rimanere in retroguardia (e ve n'erano anche nello schieramento di governo, e nella Dc) minimizzavano la minaccia delle «fantomatiche» Brigate rosse, ed enfatizzavano invece quella dei gruppi neofascisti o neonazisti. Questo schema obbligato tracciò una linea d'azione altrettanto obbligata per le forze dell'ordine e per la magistratura (all'interno della quale gli amici delle Brigate rosse erano, se non numerosi, certo capillarmente disseminati un po' dovunque e molto attivi). Dello schema obbligato era in qualche modo prigioniero anche il governo che non osava – guai se l'avesse fatto – dire, eppure gli risultava, che i brigatisti non erano provocatori ma militanti di un operaismo estremista e violento, e che l'eversione di sinistra era assai più pericolosa di quella di destra. Così il momento magico fu lasciato passare senza che fosse sferrata l'offensiva finale contro i vari brigatismi.

Tra queste storie di occasioni mancate, di infiltrati, di spavalderie e di negligenze merita un posto a parte quella di Renato Curcio e di Mara Cagol. Nella primavera del 1974 Renato Curcio fu messo in contatto con un personaggio singolare, che piacque al rivoluzionario. Si chiamava Silvano Girotto, detto anche padre Leone o frate Mitra. Girotto chiese a fine luglio d'essere affiliato alle Br, ma Curcio dovette rimandare l'iniziazione al settembre: «prima è impossibile, molti compagni sono lontani o in ferie». Fu fissato un appuntamento a Torino per l'8 settembre – data fatidica – ma Curcio e Franceschini, che viaggiavano insieme in auto, furono intercettati dai carabinieri e catturati. Mara Cagol diramò allora tramite l'Ansa un comunicato in cui addebitava l'imboscata a «Silvano Girotto, più noto come padre Leone, il quale sfruttando la fama di rivoluzionario costruita ad arte in America Latina presta l'infame opera di provocazione al soldo dei servizi antiguerriglia dell'imperialismo».

L'imperialismo era forse rapace, ma non capace. Infatti mandò Curcio nel carcere di Casale Monferrato, dove godeva d'una insensata libertà di movimenti. La moglie, con altri militanti delle Brigate rosse, ne preparava intanto l'evasione, preannunciata addirittura con un telegramma – «pacco arriva domani», e domani era il 18 febbraio 1975 – che non suscitò alcun sospetto nel candido direttore. Infatti Mara arrivò con un pacco di cartaccia all'interno della quale era un mitra: che Curcio puntò contro le guardie.

Con la loro formazione allo sbando, i loro compagni individuati o braccati, Curcio, Mara e altri si rifugiarono in una cascina del Monferrato: lì, bisognosi com'erano di soldi, prepararono il sequestro del famoso produttore di spumanti Vittorio Vallarino Gancia, a Canelli. Riuscirono a trascinarlo nel loro «covo», dove tuttavia piombarono i carabinieri. Nello scontro a fuoco che ne seguì Mara Cagol fu colpita mortalmente. Perse la vita anche l'appuntato Giovanni d'Alfonso, mentre il tenente Umberto Rocca ebbe una gamba spappolata. Era il 5 giugno 1975.

Curcio, che nella cascina Spiotta – così si chiamava questa del Monferrato – non c'era al momento dello scontro a fuoco, si rintanò a Milano in un appartamento di via Carlo Maderno, dove fu riagguantato – e questa volta definitivamente – nel gennaio del 1976.

DUE SOLE NOVITÀ politiche e sociali di rilievo interruppero, nei primi anni Settanta, la sussultoria *routine* dei governi democristiani. Enrico Berlinguer – e fu la prima novità – lanciò nell'autunno del 1973 la proposta del «Compromesso storico». Scrisse su *Rinascita* che «sarebbe del tutto illusorio pensare che, anche se i partiti e le forze di sinistra riuscissero a raggiungere il 51 per cento dei voti, questo fatto garantirebbe la sopravvivenza o l'opera di un governo che fosse l'espressione di tale 51 per cento... Per aprire finalmente alla nazione una via sicura di sviluppo economico, di rinnovamento sociale e di progresso democratico – concludeva Berlinguer – è necessario che la componente comunista e quella socialista si incontrino con quella cattolica, di cui è perno la Dc, dando vita a un nuovo grande compromesso storico».

La seconda novità fu che nel *referendum* del maggio 1974 la cattolicissima Italia si dichiarò favorevole al divorzio (scelta che sarebbe stata confermata nel successivo referendum sull'aborto). Al fronte del no – ossia allo schieramento che voleva il mantenimento del divorzio – andò il 59,1 per cento dei voti. Per il sì (il sì alla revoca del divorzio) si pronunciò una parte del Paese che corrispondeva numericamente all'elettorato democristiano, o di poco lo superava. Due milioni e mezzo di voti che – conteggiando i consensi attribuibili, sulla carta, alla Dc e al Msi – avrebbero dovuto essere dalla parte del sì, s'erano spostati al no (cioè alla conferma del divorzio). Per Fanfani, che era in quel momento segretario della Dc e che nello scontro s'era impegnato a fondo, il colpo fu duro. Fu duro anche per la Chiesa, che aveva sospeso *a divinis* l'abate Dom Giovanni Franzoni, favorevole al no.

Il terrorismo continuava a spargere sangue. Il 28 maggio (1974) a Brescia, in piazza della Loggia, era esplosa una bomba durante una manifestazione antifascista indetta per protestare contro veri o supposti rigurgiti di violenza neofascista. Otto i morti, centotré i feriti, mai definitivamente accertata l'identità degli attentatori. Il 17 giugno due iscritti al Msi erano stati assassinati nella Federazione del Partito, a Padova. Una classica «esecuzione»: gli sventurati erano stati legati, stesi a terra, colpiti alla nuca. A cadaveri caldi si parlò – era d'obbligo – d'un regolamento di conti tra gruppi neofascisti: adducendo a prova di questa tesi il fatto che il crimine fosse avvenuto nella città di Freda. Un comunicato delle Br parve tagliar corto a queste ipotesi. «Un nucleo armato – diceva – ha occupato la sede del Msi a Padova. Due fascisti presenti, avendo violentemente reagito, sono stati giustiziati.»

Poi un'altra strage. Nella notte fra il 3 e il 4 agosto 1974 una bomba esplosa sul treno *Italicus* a San Benedetto Val di Sambro, presso Bologna, uccise dodici passeggeri, e alcune decine ne ferì. Anche per questa strage le vicende giudiziarie incerte, contraddittorie e poco convincenti non hanno portato ad alcun sicuro risultato, benché la sinistra abbia dato per certa la responsabilità degli eversori di destra: che era verosimile, o addirittura probabile. Ma che non venne dimostrata.

MENTRE AFFRONTAVA IL TERRORISMO l'Italia dovette subire – insieme a tutto l'Occidente sviluppato – la crisi petrolifera. Prima della sua deflagrazione un barile di greggio – ce ne sono circa sette in una tonnellata – costava alla produzione, in Arabia Saudita, 35 centesimi di dollaro: e veniva venduto a poco meno d'un dollaro e mezzo. Il prezzo era basso, e i profitti delle compagnie petrolifere immensi. Il primo segno di rivolta dei Paesi produttori lo si ebbe nel febbraio del 1971, quando a Teheran i cinque Paesi che nel 1960 avevano fondato l'Opec – Venezuela, Iran, Arabia Saudita, Irak, Kuwait – e i Paesi associati firmarono un accordo con cui rivendicavano il diritto di determinare il prezzo di vendita del greggio alle compagnie internazionali. Il patto parve per qualche tempo solo teorico. Ma nel 1973 la guerra del Kippur – un altro scontro arabo-israeliano – sconvolse gli equilibri politici ed economici: i Paesi del Golfo ribadirono, e questa volta mantennero la parola, che avrebbero fissato unilateralmente il prezzo del petrolio.

Dall'ottobre del '73 al gennaio dell'anno successivo il costo di un barile salì da meno di 3 dollari a quasi 12 dollari. «Il quadruplicarsi dei prezzi del greggio – ha scritto Paolo Glisenti – nel volgere di sei mesi sequestrò poco più del 4 per cento del reddito prodotto dai Paesi consumatori, ma soprattutto invertì di colpo il senso di marcia di un enorme flusso di ricchezza che per decenni aveva seguito il corso del sole, da Oriente verso Occidente. Nel 1960 gli introiti dei Paesi produttori avevano sfiorato appena i due miliardi di dollari: tra l'inverno '73 e l'estate '74 ben 98 miliardi di dollari si trasferirono dagli importatori agli esportatori di greggio.

Nel Texas si fece festa perché il petrolio americano, che aveva i costi d'estrazione più alti del mondo, ridiventava competitivo. Ma l'Europa piombò nel lutto, e l'Italia, dipendente dal petrolio per oltre il 90 per cento delle importazioni energetiche, si sentì perduta. Il governo decise che nelle domeniche invernali la circolazione automobilistica fosse completamente bloccata, per risparmiare benzina. I cittadini s'adattarono di buon grado al temporaneo divieto, che tuttavia era solo un palliativo.

Il colpo assestato all'Italia dalla crisi petrolifera s'era sommato a precedenti dissennatezze e imprevidenze nella gestione economica. Il declino produttivo, e il degrado della lira, erano implacabili, e l'inflazione avrebbe presto raggiunto il tasso del 20 e più per cento annuo. All'erosione del potere d'acquisto corrispondeva un diffuso disagio sociale, che si traduceva in conflitti di lavoro: che avevano motivazioni serie e ragionevoli, ma che venivano interpretati dalla sinistra, e dai sindacati, in chiave ideologica. La richiesta, da parte di Luciano Lama – capo della Cgil – d'un «nuovo modello di sviluppo», fu vista come una guerra al profitto. La «difesa dell'occupazione», che era difesa della sopravvivenza d'ogni azienda, anche se decotta e agonizzante, fu uno dei maggiori ostacoli alla creazione di nuovi posti di lavoro. Gli imprenditori preferivano rinunciare alle commesse piuttosto che espandere la loro attività con nuove assunzioni. Un carico parassitario immane gravava sulle aziende private, e ancor più sulle aziende di Stato. Il *deficit* pubblico diventò voragine: esso rappresentava nel 1969 il 3,1 per cento del prodotto interno lordo (Pil), nel 1973 rappresentava il 7,1 per cento. Analogamente il debito pubblico assumeva dimensioni immani (e le ha mantenute, progredendo anzi in questo processo d'elefantiasi perniciosa). Mentre ancora nel 1973 su cento lire di entrate pubbliche 7 erano destinate a pagare gli interessi del debito, nel 1980 – ossia a conclusione degli anni di follia – le lire destinate a pagare gli interessi saranno 16. L'Italia avrebbe avuto bisogno d'una guida salda e coerente: ed era invece affidata a governi di breve corso e di lieve peso.

Il 20 giugno 1976 la Dc – Moro Presidente del Consiglio, Benigno Zaccagnini segretario – affrontò le elezioni politiche anticipate con l'incubo del «sorpasso» comunista. La chiamata alle urne era stata preceduta (6 maggio) dal terremoto che aveva devastato il Friuli, causando circa ottocento morti: e che, con i suoi lutti e le sue rovine, mise in ombra la politica, e i temi della campagna propagandistica dei partiti.

Zaccagnini aveva molte apprensioni. Invece la Dc, tra i cui candidati era Umberto Agnelli, andò bene. Ripeté la percentuale delle politiche di quattro anni prima (38,7 per cento) e rastrellò consensi sia in campo liberale, sia in campo missino e socialdemocratico. Il Pci si confermò in ascesa, con il 34,4 per cento, ma senza alcuna possibilità d'insidiare il primato democristiano. Va tuttavia rilevato che Democrazia proletaria ebbe l'1,5 per cento e portò alla Camera sei deputati: e che altri quattro li portò il Partito radicale. Netta fu la sconfitta del Psi, rimasto al di sotto del 10 per cento, di socialdemocratici e liberali, del Msi calato. Arnaldo Forlani, che aveva interesse a sminuire il successo di Zaccagnini, espresse un giudizio amaro ma acuto: la Dc s'era salvata divorando i suoi figli, ossia sottraendo voti a quei partiti di centro che fungevano da cuscinetto tra il partito di maggioranza relativa e la sinistra. Berlinguer fu prudente: non gli interessava tanto l'eccellente risultato conseguito, quanto le possibilità che esso schiudeva per una collaborazione con la Dc, forte ma prigioniera: o dei socialisti o dei comunisti. Nella Dc molti preferivano Berlinguer a De Martino, segretario socialista: perché più affidabile, più coerente, più sicuro, in grado d'allentare le tensioni sociali e di togliere al terrorismo gran parte dell'appoggio d'una sinistra ancorata al passato, e ai suoi sogni rivoluzionari.

Ma l'interlocutore socialista fu presto ben diverso dal professor De Martino: il Comitato centrale socialista, che si svolse a metà luglio (1976) all'Hotel Midas di Roma, portò ai vertici l'infornata dei quarantenni. Bettino Craxi segretario, Claudio Signorile (della sinistra) vicesegretario, Enrico Manca a rappresentare il defenestrato De Martino e poi Gianni De Michelis, in attesa che emergesse Claudio Martelli. La vecchia guardia era relegata nella galleria dei ricordi, alla ribalta c'era posto ormai solo per il tipo umano del socialista rampante.

All'anagrafe Bettino Craxi risultava chiamarsi Benedetto, che è, osserverà malignamente qualcuno, l'equivalente italiano di Benito. Milanese di nascita, siciliano per parte di padre, Craxi aveva fatto l'apprendistato di dirigente socialista prima nella sua città, e poi, a livello nazionale, come vicesegretario del Partito. Un *apparatchik* cui tutti riconoscevano doti d'efficienza e di pragmatismo, e a cui pochissimi erano invece disposti a riconoscere le qualità che fanno d'un funzionario un buon politico. Il giovane dirigente non era mai stato di quelli che ispirano simpatia a prima vista. Intanto perché con il suo metro e novanta di statura era sconsideratamente alto in un universo politico folto di bassotti. Oltre che alto, era massiccio, un po' goffo, con una calvizie precoce e una faccia paffuta dove il piccolo naso era sormontato dagli occhiali dalla montatura spessa, e la mascella era forte (Forattini tradurrà quel forte, con tratti implacabili, in mussoliniana).

Non erano mancate nel suo passato le sbandate populiste con cui ogni socialista paga pedaggio alla storia del Partito. ma negli anni del declino nenniano era stato molto vicino al patriarca del Psi, e aveva capeggiato la corrente autonomista, minoritaria. Lo si ritenne all'inizio un uomo di ripiego, che non impensieriva i «grandi» proprio per la carriera in qualche modo burocratica, e per l'assenza di un retroterra umano e ideologico.

Era costretto a muovere i suoi primi passi di segretario con una zavorra d'antipatia: in parte legata al suo modo di essere e di comportarsi, in altra parte abilmente costruita dagli *opinion makers*. Cui si contrapponevano, è ovvio, i *fans* di Bettino, spesso troppo zelanti e invadenti. Così Craxi fu volta a volta il signor Nihil, ossia il signor Nulla (Fortebraccio) per la sua presunta – molto a torto – evanescenza: e poi, strada facendo, fu il Mitterrand della Bovisa, cioè, come ha scritto Gianfranco Piazzesi «un milanesone un po' stordito, un provincialotto colpevole di voler guardare all'alternativa francese anche quando Berlinguer aveva spiegato così bene che in Italia la democrazia può crescere solo attraverso il compromesso storico». Per i suoi modi autoritari e la statura torreggiante fu anche paragonato all'allora dittatore dell'Uganda, lo si chiamò l'«Idid Amin bianco». Mai tante frecciate, e così avvelenate, erano state lanciate dai progressisti contro un capo socialista.

È che quel capo aveva un disegno. L'avrebbe perseguito, con tenacia e spregiudicatezza, attraverso evoluzioni tattiche, salti della quaglia, strizzate d'occhio ora a destra ora a sinistra, pugni sul tavolo e sommesse esortazioni alla calma. Senza però dimenticarsene mai. Il suo disegno si articolava in due linee fondamentali: una collaborazione con la Dc che fosse meno subalterna e nel contempo meno sofferta di quella dei Nenni e dei De Martino; e una costante guerriglia di logoramento contro il Pci, per impedirgli di realizzare stabilmente il compromesso storico.

ERA SEMPRE TEMPO DI SCANDALI. Un tempo che non ha pause, nella politica italiana. Ma gli scandali di questi anni s'innestarono su una situazione già così deteriorata – dal punto di vista dell'ordine pubblico, dal punto di vista economico, dal punto di vista delle alleanze politiche – che il loro impatto ne fu moltiplicato. In tutte le *affaires* di questa stagione furono coinvolti, in varia misura, gli Stati Uniti: il che valse ad alimentare la già veemente campagna antiamericana delle sinistre, parlamentari o extraparlamentari.

L'*affaire* numero uno ebbe origine a Washington, dove l'*establishment*, ma ancor più la stampa, hanno sempre provato un gusto acre nel mettere nei guai, assai più dei nemici, gli amici. Un deputato del Congresso, Otis Pike, rivelò che il governo Usa aveva in vario modo foraggiato, tramite la Cia, i partiti italiani: in particolare la Dc. La bomba era di carta. Che gli Stati Uniti, negli anni della guerra fredda o comunque negli anni in cui i due blocchi dell'Ovest e dell'Est erano l'un contro l'altro armati e la pace veniva garantita dall'equilibrio del terrore, aiutassero dovunque i partiti anticomunisti, era ovvio. Che tra questi partiti fosse privilegiata in Italia la Dc, perno dello schieramento moderato, era altrettanto ovvio. Nulla di lodevole, e poco di giuridicamente ineccepibile, in queste sovvenzioni: che nell'ottica internazionale avevano peraltro una loro solida logica. L'avevano in particolare per il flusso di denaro che dal versante opposto veniva diretto verso le casse del Pci: tanto importante, quel flusso, che quando nel 1954 Nino Seniga, braccio destro di Pietro Secchia, si portò via il «tesoro» del Pci, Togliatti si guardò bene dal presentare denuncia: perché, facendolo, avrebbe dovuto spiegare da dove provenissero quelle centinaia di milioni, equivalenti a diversi e svariati miliardi di oggi.

Anche l'*affaire* numero due ebbe origine a Washington, dove un senatore del Partito democratico, Frank Church, s'era vista affidata la presidenza d'una commissione incaricata di far luce sui comportamenti disinvolti di talune industrie statunitensi, e in particolare della potente Lockheed. Mosso da sdegno moralistico, e probabilmente anche dal desiderio di causare imbarazzi alla presidenza repubblicana di Nixon, Church aveva condotto con estrema decisione la sua indagine, accertando che le multinazionali interessate alla vendita di armamenti all'estero avevano profuso denaro – per assicurarsi le commesse – in Germania, in Giappone, in Olanda, in Svezia, in Turchia, e naturalmente anche in Italia. Le somme pagate in Italia erano servite per procacciare alla Lockheed la fornitura di quattordici aerei da trasporto C 130 Hercules da impiegare nell'Aeronautica militare italiana. L'apparecchio era ottimo: anzi, senza alcun dubbio, il migliore in quel settore operativo. Ma era necessario per le esigenze nazionali? Ed era stato pagato il giusto prezzo, o un prezzo artatamente maggiorato?

L'inchiesta italiana non tardò a raggiungere il cuore della vicenda, ossia l'ufficio affaristico dei fratelli Antonio e Ovidio Lefebvre. Erano loro gli ambasciatori in Italia della Lockheed. A loro si doveva la costituzione della *lobby* che aveva «promosso» – come usa dire nel gergo italinglese d'oggi – l'acquisto degli Hercules. Antonio Lefebvre, amico fin dagli studi universitari del Presidente della Repubblica Giovanni Leone, era cattedratico di diritto della navigazione. Molto attivi in campo finanziario, i Lefebvre erano insuperabili nel formare società che s'incastravano l'una nell'altra come scatole cinesi. Antonio Lefebvre sapeva minimizzare, quando era il caso. La sua prestigiosa villa sulla via Cassia, con cinquantanove stanze, parco e piscina risultava al catasto come «abitazione di sei camere e servizi».

Dai Lefebvre la macchia d'olio si estese a Camillo Crociani, altro *boss* di spicco del retropotere miliardario, e quindi al generale d'aviazione Duilio Fanali. Furono fatti i nomi dell'ex-ministro della Difesa, Luigi Gui, del democristiano Mariano Rumor, per fatti avvenuti mentre era Presidente del Consiglio, e del socialdemocratico Mario Tanassi, per fatti avvenuti mentre era ministro della Difesa. Sullo sfondo, per i legami con i Lefebvre, rimaneva Giovanni Leone: non incriminato ma chiacchierato. Si volle che Leone fosse l'Antelope Cobbler, il calzolaio o ciabattino dell'antilope, citato in una lettera di Roger Bixby Smith, consigliere legale europeo della Lockheed, al direttore dei contratti della società, Charles Valentina.

Una commissione inquirente del Parlamento – sostituitasi alla magistratura ordinaria a norma di Costituzione – fu chiamata a pronunciarsi sul rinvio a giudizio di Rumor e dei due ex-

ministri. Rumor evitò l'incriminazione con un voto risicato –
dieci commissari contro dieci –, Gui e Tanassi dovettero affrontare il processo: che poi scagionò Gui e condannò Tanassi a due
anni e quattro mesi di reclusione. Con lui furono condannati il
generale Fanali, i fratelli Lefebvre e Camillo Crociani. Leone,
non imputato eppure sempre sovrastato dall'ombra dello scandalo, concluse anticipatamente il suo settennato.

L'*affaire* numero tre ebbe il nome di Michele Sindona, nato
nel 1920 a Patti in provincia di Messina, avvocato con il bernoc-
colo degli affari che, ritenendo troppo angusta per le sue ambizioni e le sue capacità la scena siciliana, decise d'emigrare a
Milano: dove fece molta strada, e si assicurò il controllo d'imprese solide e di buona reputazione come la Pacchetti e la
Rossari e Varzi. Poi diventò banchiere impadronendosi della
Banca Unione e della Banca privata finanziaria, fuse nella
Banca privata italiana. S'era acquistata fama d'infallibile, in
campo economico. Aveva l'ammirazione di Andreotti, l'appoggio di molti notabili della politica, legami stretti con la finanza
vaticana, conoscenze nell'ambiente mafioso. Era uno squalo
che non restava mai fermo, doveva agire e divorare: anche la
scena milanese e italiana gli sembrò col tempo asfittica, perciò
creò una testa di ponte negli Usa con l'acquisizione della
Franklin National Bank. All'inizio degli anni Settanta il suo
impero incuteva rispetto, timore, molte invidie. Nel 1974 era già
andato in pezzi, con la dichiarazione di fallimento della Banca
privata italiana. Lo portarono alla rovina sia una sfavorevole
congiuntura monetaria – con un veloce degrado del dollaro, sul
cui apprezzamento aveva puntato – sia l'opposizione ai suoi
disegni da parte di Guido Carli, governatore della Banca d'Italia,
e di due personaggi come lui siciliani e come lui milanesizzati:
Ugo La Malfa, ministro del Tesoro, e Enrico Cuccia, il timoniere
di Mediobanca. Quando anche la Franklin precipitò nella bancarotta, e il rigoroso e onesto avvocato Giorgio Ambrosoli si
dedicò, come liquidatore, a un esame spietato dei bilanci della
Banca privata italiana, la vicenda umana e professionale di
Sindona traslocò dall'ambito economico a quello criminale: con
l'assassinio dell'avvocato Ambrosoli – 12 luglio 1979 – per
mano d'un sicario ingaggiato dal finanziere; con un finto rapi-
mento e ferimento e quindi con un suicidio tentato nel carcere di
Nuova York dallo stesso Sindona: infine con il suicidio da lui
questa volta realizzato – se suicidio fu – nel carcere di Voghera.
Un caffè al cianuro come per Pisciotta, il «picciotto» che aveva

«tradito» Salvatore Giuliano. Negli anni a cavallo tra il 1975 e il 1976, Sindona annaspava ancora convulsamente per salvare il salvabile, alternando allettamenti e minacce – per Cuccia, per Calvi, per La Malfa, per Ambrosoli – e facendo appello ai suoi protettori in Vaticano e nel Palazzo italiano. Ma era finito.

IL 20 GIUGNO 1976 gli italiani avevano votato ancora massicciamente per la Dc, sia pure «turandosi il naso», e avevano votato massicciamente anche per il Pci. Il compito di ricostituire, dopo il responso popolare, il governo fu affidato ad Andreotti, che in uno dei suoi tanti trasformismi era diventato – lui la bestia nera delle sinistre per tanti anni – l'interprete d'una sterzata di prima grandezza. La sterzata che, per la prima volta dopo il 1947, avrebbe riportato il Pci nell'area della maggioranza. Per raggiungere lo scopo suscitando il minor allarme possibile Andreotti escogitò un inedito: la non sfiducia. Espediente politico e terminologico degno di stare alla pari con le «convergenze parallele». I comunisti non avrebbero votato a favore, si sarebbero astenuti, con ciò stesso consentendo la vita del monocolore che fu messo insieme alla meglio.

A compenso della loro non sfiducia, dove la doppia negazione valeva un'approvazione, i comunisti ebbero la Presidenza della Camera, dove s'insediò Pietro Ingrao, mentre Fanfani aveva la Presidenza del Senato. Pertini dovette lasciare la sua poltrona di Montecitorio, non perché avesse demeritato (anzi) ma perché il patto tra Dc e Pci ridava a un comunista – e bisognava riandare a Umberto Terracini, presidente della Costituente, per trovare un precedente – una delle massime cariche dello Stato. Così ottenne via libera il governo che da Andreotti fu immaginosamente qualificato «programmatico di servizio».

L'intera operazione, premessa alla «solidarietà nazionale» che avrebbe anche formalmente inserito il Pci nella maggioranza, ebbe un sicuro perdente, il Psi: privato della sua indispensabilità, ridotto a un ruolo accessorio. E questo, paradossalmente, proprio in un periodo storico nel quale – nonostante le mattane o le mattanze estremiste – la posizione socialista o addirittura socialdemocratica risultava chiaramente vincente, per risultati e coerenza, rispetto alla concezione comunista. Vi fu anche una sicura vincente, la Dc che aveva catturato il Pci senza subire nessuno di quei traumi, interni o internazionali, che da quella cattura potevano derivare. Un'attrazione fatale, o una congiunzione fatale tra i due maggiori partiti, discendeva dai fatti. Senza di essa era – per usare il linguaggio di Nenni – il caos.

Se non del caos, certo d'un disordine crescente, che poteva diventare straziante e avvilente paralisi, s'erano avuti e si avevano segni sempre più evidenti, soprattutto nell'ordine pubblico. La primavera del 1975 era stata a Milano, capitale dell'eversione, tremenda. Il 13 marzo 1975 un *commando* di Avanguardia operaia aveva massacrato a colpi di chiave inglese lo studente diciassettenne Sergio Ramelli, aggredito sotto casa sua all'Ortica (un quartiere periferico milanese) mentre parcheggiava il ciclomotore. Ramelli era un simpatizzante dell'estrema destra: per questo nell'istituto tecnico industriale Molinari, dove studiava, l'avevano sottoposto a un «processo» assembleare, e costretto a cambiare scuola. I fanatici che lo perseguitavano non ne furono appagati. Radunatisi nei locali della facoltà di Medicina dell'Università Statale – dove la facevano da padroni – decisero di «dare una lezione» al ragazzo. La «lezione» gli costò la vita. Dieci anni dopo l'agguato a Ramelli i suoi uccisori furono individuati e arrestati: alcuni resero piena confessione. Erano quasi tutti exstudenti di Medicina che, approdati alla laurea, avevano per lo più trovato posto in strutture sanitarie pubbliche. Professionisti rispettati, con famiglia, anche se uno di loro era rimasto in politica come dirigente di Democrazia proletaria. Le condanne furono abbastanza severe: dagli undici anni per i «capi» della squadraccia a sei anni per i gregari.

Il 16 aprile successivo (1975) un neofascista noto, Antonio Braggion, uccise con un colpo di pistola uno studente – anche lui, come Ramelli, diciassettenne – Claudio Varalli. Quasi tutta la stampa invocò una pena durissima, e quando fu pronunciata la sentenza la sinistra protestò rumorosamente perché era stata – sostenne – troppo mite. I fatti furono così ricostruiti: un gruppo di studenti reduci da una manifestazione contestataria aveva avvistato, in piazza Cavour a Milano, tre neofascisti: due erano scappati, il terzo, appunto il Braggion, oltretutto impedito nei movimenti perché zoppicava, s'era rifugiato nella sua auto, parcheggiata lì vicino. Il gruppo gli era piombato addosso, ed aveva cominciato a tempestare con le aste delle bandiere o con altro la vettura, infrangendone il lunotto posteriore. Allora il terrorizzato Braggion, che teneva una pistola nell'auto, l'aveva impugnata e aveva sparato centrando uno degli assalitori, appunto Claudio Varalli. Fu invece inequivocabilmente volontario e «nero» l'assassinio di Alberto Brasili, il 25 maggio 1975, in piazza San Babila, che era a Milano l'area privilegiata del peggior neofascismo. Brasili, uno studente che militava alla sinistra estrema, fu circondato da una pattuglia di forsennati *ultras* di destra. Uno di loro l'accoltellò, a morte.

Sangue, sangue anche se le Br parevano allo stremo, e il giudice torinese Gian Carlo Caselli le considerava liquidate. In agonia erano i Nap, o Nuclei armati proletari, nei quali s'era realizzata una singolare simbiosi tra studenti di famiglia borghese ed emarginati dei «bassi» del profondo Sud. Però nasceva Prima linea, e il Movimento studentesco, in una sua recrudescenza fanatica e spietata, prendeva i connotati particolarmente truci di Autonomia. I cortei erano ormai reparti di armati, che reagivano agli interventi della polizia sparando e uccidendo. Questa trasformazione del Movimento fu realizzata nella primavera del 1977: gli eversori presero di mira anche il Pci, che da incendiario s'era fatto pompiere.

Il partito armato, falcidiato nei ranghi, feriva, gambizzava, assassinava. Il 29 aprile 1976, a Milano, militanti di Autonomia operaia che stavano creando le strutture di Prima linea ammazzarono il consigliere provinciale missino Enrico Pedenovi. L'8 giugno 1976, dodici giorni prima delle elezioni politiche dalle quali l'estrema sinistra s'attendeva grandi affermazioni, non ottenendone invece niente, furono abbattuti nel centro di Genova il procuratore generale della Corte d'Appello Francesco Coco e i due carabinieri della sua scorta.

I Nap, nel loro ultimo conato di vitalità, attentarono il 14 dicembre a Roma a Alfonso Noce, un dirigente dei servizi di sicurezza, che se la cavò con qualche ferita. Morirono invece l'agente Prisco Palumbo e il nappista Martino Zichitella. L'indomani a Sesto San Giovanni si ebbe uno scontro a fuoco tra brigatisti e polizia. Walter Alasia rimase ucciso dopo aver freddato il vicequestore Antonio Padovani e il maresciallo Sergio Bazzega.

Non possiamo citare tutti gli episodi tragici di quel periodo, sintetizzato in una terribile istantanea. A Milano (14 maggio) fu ucciso il brigadiere Antonino Custrà. Scopo specifico della dimostrazione milanese era di protestare contro l'arresto di due avvocati di Soccorso rosso. I gruppi di guerriglieri s'erano trasferiti, dalla zona del carcere di San Vittore, alla via De Amicis, e lì un fotografo dilettante aveva fissato l'immagine d'uno dei terroristi – il passamontagna sul volto, la pistola impugnata con entrambe le mani – che sparava, mirando accuratamente, contro la polizia. Le pagine di cronaca del *Corriere della Sera* rifiutarono quello straordinario documento, senza dubbio perché ritenuto diffamatorio nei riguardi dei bravi ragazzi esuberanti e intemperanti che si permettevano qualche libertà con la polizia. Più tardi risultò che lo sparatore, identificato, non poteva essere l'assassino di Custrà, e ciò bastò a farne, per alcuni, un martire.

Converrà dare qualche ragguaglio su Prima linea, nuova formazione del partito armato presto diventata, con le Br, la più pericolosa e spietata. I suoi ideologi s'erano formati in fabbrica – in particolare alla Magneti Marelli e alla Telettra di Crescenzago – oppure provenivano dalle esperienze di Lotta continua e di Autonomia. Riconoscevano insomma come maestri di pensiero e di azione politica Adriano Sofri, Toni Negri, Oreste Scalzone, Franco Piperno. Nell'autunno del 1976 alcuni militanti di secondo rango avevano scalzato i capi e deciso il salto al terrorismo, incluso l'assassinio. Tra questi «sergenti» ribelli che avevano preso il comando erano a Torino Marco Donat Cattin, figlio del ministro democristiano, e Roberto Sandalo.

Le forze dell'ordine, che non erano state capaci – o a cui era stato impedito – di stroncare i primi conati terroristici nel 1972, che non avevano dato il colpo di grazia alle sconfitte Brigate rosse nel 1976, agirono senza risolutezza anche contro Prima linea, cui venivano accreditati, o che si accreditava, duemila militanti variamente armati.

ALLA FINE DEL 1977 il governo della non sfiducia denunciava irreversibili sintomi di deterioramento. Dimissioni, dunque, e reincarico ad Andreotti. Il voto di fiducia della Camera al quarto governo Andreotti era stato fissato per il 16 marzo (1978). Aldo Moro, presidente della Dc, era convinto d'aver fatto tutto il necessario perché la maggioranza cattocomunista reggesse. Uscì di casa, pochi minuti prima delle nove del 16 marzo, per andare alla Messa nella vicina chiesa di Santa Chiara e poi raggiungere Montecitorio in tempo per la votazione.

Alla Camera non arrivò mai: l'attendeva l'agguato di via Fani che fu «un lavoro militare di altissima specializzazione». Moro aveva una scorta di cinque persone: due – l'autista appuntato Domenico Ricci e il maresciallo dei carabinieri Oreste Leonardi – sulla sua Fiat 130 blu, non blindata, altri tre, i vicebrigadieri di Ps Raffaele Jozzino e Francesco Zizzi e la guardia Giulio Rivera, su un'Alfetta che seguiva. Quando le Brigate rosse avevano deciso di compiere un'azione spettacolare, un «attacco al cuore dello Stato», Aldo Moro non era stato il primo bersaglio cui avevano pensato. Avrebbero preferito Andreotti, che meglio impersonava le caratteristiche e i vizi da loro imputati alla classe dirigente democristiana. Ma poi, la scelta della vittima cambiò. Toccò a Moro, e l'operazione che sarebbe stata compiuta in via Fani ebbe un nome, operazione «Fritz», che pare derivasse, per una curiosa contaminazione linguistica, dalla frezza bianca del *leader* democristiano. La scorta del presidente Dc non pareva temere molto un attacco. Le armi erano riposte nel borsello e uno dei due borselli, addirittura, era in una foderina di plastica.

Dopo una lunga preparazione, i brigatisti erano appostati in via Fani. La coincidenza del loro *blitz* feroce con la fiducia al primo governo, dopo il 1947, che avesse l'appoggio esplicito del Pci, fu casuale. La prigione di via Montalcini 8 era pronta fin dal 1977, la vittima poteva essere Andreotti, o Fanfani, o appunto Moro. «La decisione – ha detto Franco Bonisoli – fu presa una settimana prima, fu fissato un giorno, poteva essere il 15, poteva essere il 17.»

Un attacco da manuale. «Alcuni brigatisti in divisa dell'aviazione civile – così lo ha descritto Bocca – stanno dietro la siepe di un bar, altri ancora sulle due automobili rubate, bianca la prima, nera la seconda. Tutto è stato previsto: hanno tagliato le gomme al furgoncino di un fioraio perché non si muova e non intralci, hanno tranciato la catena che limita le possibilità di manovra, hanno sabotato una cabina telefonica... L'azione è rapida, sincronica: l'automobile bianca dei brigatisti taglia la strada all'auto di Moro, si ferma di colpo, si fa tamponare. Un tiratore scelto con un solo colpo al centro della fronte uccide l'autista, il maresciallo è colpito da una raffica di mitra come i due poliziotti che stanno sui sedili anteriori dell'auto di scorta. Quello seduto dietro riesce a scendere dall'auto e a impugnare la rivoltella, ma c'è anche per lui il colpo preciso in mezzo alla fronte. Moro, appena graffiato da un proiettile, viene spinto sull'altra automobile in attesa. Se ne vanno indisturbati trasbordando il prigioniero su un furgoncino pitturato in azzurro e bianco come quelli della polizia.»

Cinque morti, e un prigioniero. Quei cinque cadaveri saranno cinque macigni che peseranno, durante i cinquantacinque giorni della prigionia di Moro, sulle polemiche tra i sostenitori della fermezza e i sostenitori della trattativa Perché la trattativa poteva avere come interlocutori solo gli esecutori e i mandanti della strage: ed equivaleva al riconoscimento d'una sorta di legittimità guerriera, o guerrigliera, per chi non aveva esitato a decidere lo sterminio.

Sotto l'impatto del crimine, il governo Andreotti ebbe nel volgere di poche ore la fiducia, tra un coro d'esecrazioni per la spietata sfida delle Br, che avevano subito rivendicato l'attentato: «Questa mattina abbiamo sequestrato il presidente della Democrazia cristiana ed eliminato le sue guardie del corpo, teste di cuoio di Cossiga». Il Viminale si pose al lavoro per individuare gli uomini del *commando*, e compilò un primo elenco di sospetti nel quale erano inclusi i nomi di sei che saranno condannati per la strage: Azzolini, Bonisoli, Micaletto, Savasta, Gallinari, Moretti. Insieme a loro, la lista, compilata non solo con fretta, ma con scoraggiante negligenza, includeva i nomi di due detenuti, di un informatore dei servizi di sicurezza, di uno (Antonio Bellavita) che da otto anni risiedeva a Parigi.

Quarantott'ore dopo via Fani fu lasciato in un sottopassaggio di largo Argentina (a Roma ovviamente) un plico con il comunicato numero 1 delle Brigate rosse, e la prima fotografia polaroid di Moro nella sua prigione. Il linguaggio – che non muterà nei comunicati successivi – rivestiva di apparente logica politica lo sproloquio fanatico. I brigatisti invocavano per il loro crimine moventi di comodo, intrisi di mal digerita e rozza ideologia. Quanto poco Moro fosse servo di direttive delle centrali imperialiste, e quanto invece del suo disegno politico personale e delle sue altrettanto personali paure, lo si vide quando cominciarono ad arrivare al Palazzo e alla stampa le sue lettere. Sulla loro autenticità, o almeno sull'autonomia che Moro ebbe quando le scriveva, si è molto discusso. Alcuni amici politici di Moro diffusero una dichiarazione nella quale si sosteneva che l'uomo chiuso nel «carcere del popolo» era uno strumento passivo nelle mani dei sequestratori, e che per sua mano era espressa la volontà dei sequestratori stessi, non la sua. Di tutto questo Eleonora Moro ha fatto giustizia: «Tutto in quelle lettere – ha detto ai giudici che processavano gli assassini di Moro – apparteneva a mio marito. Il contenuto, il pensiero, il modo di parlare e di esprimersi, la sua logica. Una autenticità assoluta. Quelle lettere erano scritte da lui, pensate da lui, esprimevano il suo modo di vedere le cose, di valutarle». Con il che la signora Moro ha sicuramente reso un servizio alla verità, ma non alla memoria del marito. Concesso tutto ciò che dev'essere concesso – ed è moltissimo – alla angosciosa situazione in cui il presidente della

Dc si trovava, aggiunto che nessuno può lanciare la prima pietra, e che molti, quasi tutti, in analoghe circostanze si sarebbero – o ci saremmo – probabilmente comportati come lui, va detto con chiarezza che quelle furono le lettere d'un uomo terrorizzato, non d'uno statista consapevole delle sue responsabilità e pensoso di qualcosa che andasse al di là della sua individuale salvezza. Una lettera a Cossiga – 29 marzo – delineava già la tesi dello scambio di prigionieri: la libertà di Moro in cambio della libertà d'un certo numero di terroristi arrestati (ne furono poi precisati il numero, tredici, e i nomi).

Rivolgendosi a Cossiga, che gli era amico e lo ammirava, Moro affacciava anche l'ipotesi che, costretto a parlare dai suoi carcerieri, egli potesse rivelare segreti compromettenti. Non un cenno alla scorta, tranne che per lamentarne l'inadeguatezza. Puntuali erano invece i riferimenti ad altri baratti di prigionieri: «ricorderò gli scambi tra Breznev e Pinochet, i molteplici scambi di spie, l'espulsione dei dissenzienti dal territorio sovietico... queste sono le alterne vicende di una guerriglia che bisogna valutare con freddezza bloccando l'emotività e riflettendo sui fatti politici». Una successiva lettera, questa a Zaccagnini (cui erano peraltro associati Piccoli, Bartolomei, Galloni, Gaspari, Fanfani, Andreotti e Cossiga), era indirettamente rivolta al Pci. «I comunisti non dovevano dimenticare – scriveva Moro – che il mio drammatico prelevamento è avvenuto mentre si andava alla Camera per la consacrazione del governo che mi ero tanto adoprato a costruire.»

L'Italia politica si stava spaccando, di fronte alla tragedia: da una parte i fautori della «fermezza», la Dc, il Psdi, il Pli, e con particolare insistenza il Partito repubblicano il cui *leader*, Ugo La Malfa, propugnava addirittura il ripristino della pena di morte per i terroristi. Dall'altra Craxi, i radicali, la sinistra non comunista, i cattolici contestatori come Raniero La Valle, uomini di cultura come Leonardo Sciascia. I due schieramenti non erano compatti. Pertini, socialista, dichiarò di non voler seguire il funerale di Moro ma neppure quello della Repubblica. Alcuni esponenti della Dc vicini alla famiglia Moro erano per la trattativa, altri erano – come Zaccagnini – tormentati e incerti. Il Presidente della Repubblica Leone disse: «Ho l'anima pronta e la penna a disposizione», ossia era incline a firmare la grazia per chiunque.

Il 18 aprile 1978, trentesimo anniversario del trionfo elettorale democristiano sul Fronte popolare socialcomunista, una telefonata al centralino del *Messaggero* avvertì che in un bar di piazza Indipendenza, a Roma, poteva essere trovato un comunicato delle Brigate rosse. Lo si rinvenne, infatti. Annunciava l'avvenuta esecuzione di Moro «mediante suicidio», e aggiungeva che il suo corpo poteva essere recuperato nel Lago della Duchessa, sulle montagne al confine tra Lazio e Abruzzo. Insorsero subito molti dubbi, per il linguaggio inconsueto del volantino e per le modalità della sua diffusione. Comunque il Lago della Duchessa fu raggiunto da squadre di carabinieri e poliziotti, i quali ne videro la superficie ricoperta da uno spesso strato di ghiaccio, intatto.

A confermare definitivamente lo scetticismo sopraggiunse, due giorni dopo, un vero comunicato delle Brigate rosse, con cui si poneva al governo un *ultimatum* di quarantotto ore. O le richieste brigatiste venivano accolte, oppure Moro sarebbe stato giustiziato. (Solo anni dopo si accertò che il comunicato apocrifo era stato compilato da un falsario, legato ad ambienti torbidi, Toni Chicchiarelli, «assassinato nel settembre dell'84 – ha scritto Zavoli – in circostanze rimaste misteriose. Tutto ciò contribuirà a rendere attendibile un'ipotesi sempre ventilata, qualche volta testimoniata, ma mai provata: quella del collegamento fra Chicchiarelli e uomini dei servizi segreti, o di potenti associazioni sovversive che lo guidano, lo condizionano, e infine lo uccidono».

Lo stesso giorno dell'allarme infondato per il Lago della Duchessa, in una palazzina di via Gradoli a Roma fu scoperto casualmente (un'inquilina della palazzina aveva notato strane infiltrazioni d'acqua da un alloggio sovrastante) un covo brigatista ancora «caldo» ma ormai deserto. Vi fu rinvenuta tra l'altro la targa originale della 128 bianca usata per il tamponamento di via Fani.

Moro, cui i sequestratori avevano annunciato che la sua condanna a morte era stata pronunciata, e che in mancanza di riscontri sarebbe stata eseguita, disconosceva la sua appartenenza al Partito di cui era presidente: «Non mi resta che constatare la mia completa incompatibilità con il Partito della Democrazia cristiana. Rinuncio a tutte le cariche, mi dimetto dalla Democrazia cristiana. Chiedo al Presidente della Camera di trasferirmi dal gruppo della Dc al gruppo misto».

Il calvario stava per concludersi con il sacrificio. Il 9 maggio, mentre la direzione della Dc era riunita e Fanfani si apprestava a prendere la parola, il professor Franco Tritto, collaboratore di

Moro e frequentatore della famiglia, ricevette una telefonata di cui esiste la registrazione. «Adempiamo alle ultime volontà del Presidente comunicando alla famiglia dove potrà trovare il corpo dell'on. Aldo Moro. Mi sente?» «Che devo fare? Se può ripetere.» «Non posso ripetere, guardi. Allora, lei deve comunicare alla famiglia che troveranno il corpo dell'on. Aldo Moro in via Caetani. Lì c'è una Renault 4 rossa. Il primo numero di targa è il 5.» Via Caetani si trova a brevissima distanza da piazza del Gesù e dalle Botteghe Oscure. Un'ennesima sfida e un ennesimo sberleffo brigatista alle forze dell'ordine che pattugliavano freneticamente Roma. Il cadavere giaceva nel bagagliaio della vettura. Fu accertato dai medici legali che l'uccisione era avvenuta la mattina stessa di quel 9 maggio. Cossiga si dimise da ministro dell'Interno, la famiglia Moro ripudiò ogni celebrazione ufficiale.

Se il mondo politico italiano s'era diviso tra fermezza e trattativa, anche al vertice delle Brigate rosse la tesi umanitaria (liberazione di Moro) e la tesi sanguinaria (condanna a morte) erano state dibattute. L'ha ammesso Mario Moretti, che di Moro fu l'inquisitore durante il lungo sequestro. Mario Moretti ha detto: «Credo che non ci fu mai scelta più dura nelle Brigate rosse, ma non ce ne fu nemmeno un'altra credo così quasi unanime. C'erano dei compagni che non erano d'accordo, ma non si può parlare neanche di maggioranza o minoranza perché praticamente quasi l'intera organizzazione si pronunciò a quel modo perché, politicamente, era una scelta che a quel punto diventava obbligata». Valerio Morucci e Adriana Faranda erano contro l'assassinio, e lo ripeterono a Moretti ancora il 3 maggio. Ma non convinsero i «compagni».

Così fu decisa la morte. La mattina del giorno fatale Prospero Gallinari e Anna Laura Braghetti svegliarono Moro e gli annunciarono che sarebbe stato liberato, inducendolo a distendersi nel bagagliaio della Renault. Lo fulminò invece la raffica d'una mitraglietta cecoslovacca Skorpion.

A distanza di pochi giorni dall'epilogo della tragedia si ebbero i primi arresti di brigatisti coinvolti nell'agguato a Moro. Prima un tipografo, Enrico Triaca, che s'era messo a disposizione di Mario Moretti, poi Valerio Morucci e Adriana Faranda. Le crepe nel muro dell'omertà sarebbero presto diventate una breccia imponente. I componenti del *commando* di via Fani e del gruppo di carcerieri – compreso il carnefice Gallinari – furono via via catturati, e condannati.

L'*IMPEACHMENT* DI Giovanni Leone prese avvio proprio durante i due terribili mesi – o poco meno – del sequestro di Aldo Moro. Era uscito il libro di Camilla Cederna *Giovanni Leone: la carriera di un presidente* che non risparmiava nulla né ai comportamenti del Capo dello Stato, né a veri o presunti abusi dei suoi familiari. La Cederna aveva in larga parte riprodotto ciò che su Leone era stato affermato da varie fonti, molte delle quali tutt'altro che limpide, come l'agenzia *Op* di quel Mino Pecorelli che fu poi ucciso in circostanze mai chiarite. *L'Espresso* aveva rincarato la dose, con una serie di articoli.

Restavano su Leone le ombre dello scandalo Lockheed e della sua stretta amicizia con i fratelli Lefebvre, soprattutto con uno di loro, il professor Antonio, benché nulla di certo, e nemmeno di seriamente documentato, fosse emerso su una connessione tra il Presidente e le vicende dell'*affaire* italo-americana. Sembrava che, nel marasma della vita pubblica, fosse stato cercato un capro espiatorio, e trovato nella persona gioviale (*troppo* accondiscendente, *troppo* affezionata al parentado, *troppo* di tutto) di quest'uomo dal vulnerabile macchiettismo. Leone aveva intelligenza e cultura, ma difettava rovinosamente di stile. Incupito dalle P 38, il Paese non lo sopportava più.

Quando capì che, tacendo, avallava, o così pareva, tutto ciò che si stava dicendo di lui e della sua famiglia, Leone si risolse alla controffensiva. Preparò, insieme al fido Valentino, capo dell'ufficio stampa, un testo di duecentocinquanta righe in cui ogni addebito che gli era stato mosso veniva, punto per punto, confutato. Per quanto riguardava in particolare la Lockheed, Leone insisteva sul fatto che la commissione d'inchiesta sullo scandalo avesse giudicato «corretto» il suo comportamento.

Questa autodifesa avrebbe dovuto essere trasmessa dall'Ansa la mattina del 15 giugno 1978, in tempo per venire annunciata e letta nei passi essenziali durante il Tgl delle 13.30. Andreotti e Zaccagnini furono messi al corrente dell'iniziativa: e poterono leggere le cartelle che Leone aveva preparato. Furono entrambi perplessi, anche se non opposero alcun veto alla diffusione. Sembra peraltro che una copia del testo fosse pervenuta tra il 14 sera e la mattina del 15 giugno, attraverso chissà quali canali, a Berlinguer che sul «caso» Leone aveva tenuto un atteggiamento cauto. Gli ripugnava, per temperamento e per linea politica, di provocare una crisi del Quirinale innestata sulla crisi del Paese. Ma era anche tentato dal desiderio di dare ai suoi un segno tangibile di presenza politica.

La Direzione del Pci, convocata per il mattino del 15 giugno, non aveva nulla, all'ordine del giorno, che riguardasse Leone. Ma l'ordine del giorno fu ribaltato, e Leone passò al primo punto. Quando Berlinguer prese la parola, si capì che la sorte di Leone era segnata; i comunisti si associavano a chi ne voleva la caduta. Il senatore Bufalini fu da Berlinguer incaricato di preavvertire Leone dell'imminenza d'un comunicato comunista, che era una condanna «per ragioni di opportunità che prescindono dalle accuse». Bufalini s'intrattenne con Valentino; quindi col segretario generale della Presidenza, Franco Bezzi. Entrambi ritennero che non fosse necessario né conveniente un incontro, del resto non richiesto, tra l'emissario delle Botteghe Oscure e il Presidente: che comunque sapeva, ormai, e che rinunciò all'autodifesa giornalistica e televisiva. Gli restava una fiammella di speranza, rappresentata dalla Dc. Ma durò poco. Il partito di maggioranza relativa non fece quadrato attorno al Presidente «mollato» dai comunisti, e «mollato», per vischiosità, anche dai socialisti.

Alle 20.30 un funzionario della Presidenza recapitò a Palazzo Chigi la lettera ufficiale di dimissioni: «Onorevole Presidente, le comunico che in data odierna ho rassegnato le dimissioni dalla carica di Presidente della Repubblica. Mi pregio pertanto inviarle l'Atto di dimissioni da me sottoscritto». La sera stessa Giovanni e Vittoria Leone lasciarono il Quirinale. La Dc lodò «l'esemplare decisione», Fanfani assunse la supplenza.

L'ELEZIONE A Presidente della Repubblica di Sandro Pertini, sabato 9 luglio del 1978, diede all'Italia un'illusoria sensazione di rinnovamento e di risanamento morale. Forse Pertini non era in tutto e per tutto il Presidente che gli italiani avrebbero voluto: perché ne avrebbero voluto uno al di fuori della classe politica. Ma di tutti gli appartenenti alla classe politica, era quello che le apparteneva di meno. Anche se in vita sua non aveva fatto che politica; anche se per politica aveva sofferto miseria, confino, galera, esilio; anche se era stato a lungo Presidente della Camera dei Deputati, non era bastato, tutto questo, a farne un vero «professionista» della politica. Il giorno della sua elezione esprimemmo questi concetti, aggiungendo: «Ciò non toglie nulla al fervore, che non ha mai avuto cedimenti, della sua milizia socialista. Ma in Pertini il carattere conta più delle idee: e il carattere di Pertini non lo dispone al compromesso, che della politica è un ingrediente insostituibile. Ha lo sdegno incontenibile, l'invettiva pronta, il perdono facile... Aveva ragione quando, a chi gli rinfacciava l'età, rispose che era nato giovane, come altri nasce vecchio. Effettivamente Pertini è uno dei pochissimi che, partito Don Chisciotte a vent'anni, a ottanta non sia diventato Sancho Panza».

Né le qualità né i difetti di Pertini lo abilitavano ad essere uomo di governo. Infatti assurse alla Presidenza della Repubblica senza mai aver occupato, nello Stato, una carica veramente operativa. Ad esse il Partito socialista lo riteneva inadatto: per la riluttanza ai baratti della bottega politica, ma anche per le improvvisazioni, gli sfoghi, il confusionismo rivestito d'enfasi. Nenni gli portava affetto, aveva incondizionata ammirazione per il suo coraggio, ma nessuna per il suo cervello. Chi gli era vicino sapeva che la colloquialità alla mano di Pertini non significava autentico interesse per le persone. Come ogni buon demagogo – e lo era – capiva al volo l'opinione pubblica e s'intonava agli umori di un'assemblea senza troppo badare alla sostanza. Amava colloquiare con la gente più che con gli individui. Non era mai stato sfiorato da sospetti sul maneggio del denaro pubblico e privato. La sua onestà era a prova di bomba.

Gli italiani seppero che con Pertini – il quale del resto utilizzò la reggia dei Papi come un ufficio, continuando a vivere nella sua casa di piazza della Fontana di Trevi – sarebbe entrato al Quirinale un uomo, non una famiglia, e tantomeno un *clan*. La moglie Carla Voltolina, di molti anni più giovane, sposata nel 1946 dopo due anni di lotta partigiana in comune, era una donna piuttosto eccentrica, ma d'esemplare riservatezza. La Repubblica non avrebbe avuto – e non l'avrà con Cossiga – una *first lady*, e tantomeno dei «monelli», essendo il Presidente, per fortuna del Paese, se non sua, senza figli.

CAPITOLO 11

Gli anni di fango

L A SERA del 6 agosto 1978, una domenica, Paolo VI spirava a Castel Gandolfo, la residenza estiva dei Pontefici. Da alcuni mesi aveva compiuto gli ottant'anni, e per un quindicennio era stato Papa. Un trapasso sereno dopo una breve agonia. Da tempo la salute di Giovanni Battista Montini era malferma. Lo tormentava una forma acuta di artrosi, e il cuore era affaticato. Il segno certo d'una malattia del Papa lo si ebbe il mattino della domenica, quando egli dovette rinunciare al consueto incontro con i fedeli per l'*Angelus* di mezzogiorno. Era costretto a letto, e assistette nella sua stanza alla Messa celebrata dal segretario monsignor Macchi. Poche ore dopo sopravvenne la fine, attribuita dai medici a «crisi ipertensiva con insufficienza ventricolare sinistra».

Gli annunci, le informazioni e i rituali che seguirono ebbero il segno della serietà e della dignità. Fotografi e cineoperatori poterono ritrarre la salma solo dopo che era stata composta nella camera ardente, sul volto le tracce delle ultime sofferenze mitigate tuttavia dall'espressione distesa, addolcita da un accenno di sorriso. Giovanni XXIII aveva dato disposizioni severe perché mai più si ripetesse l'ignominia delle immagini scattate a Pio XII dall'archiatra Galeazzi Lisi. Con il testamento Paolo VI aveva chiesto sepoltura «nella vera terra, con umile segno, che indichi il luogo e inviti a cristiana pietà. Niente monumento per me».

Aveva così lasciato la scena terrena un grande protagonista: grande, anche nella sua complessità e problematicità. Un Amleto della Chiesa, penetrante ed esitante, intellettualmente aristocratico e smanioso di popolarità, molto attento alle vicende italiane, ma risoluto ad accrescere la sensibilità e presenza internazionale della Santa Sede. Fu il primo Pontefice assiduamente volante e itinerante: aprendo così la strada – e i cieli – a quel *globetrotter* in veste candida che è Karol Wojtyla. Fu un uomo dilaniato dai dubbi e profondamente colpito dalle tragedie e dalle dissidenze che punteggiarono il suo papato. Ultima, fra le tragedie, la strage di via Fani, e poi l'assassinio di Aldo Moro, un politico che gli era particolarmente vicino.

Il Conclave si ridusse a un breve duello tra Siri, l'arcivescovo di Genova famoso (e in taluni ambienti famigerato) per le sue dure prese di posizione conservatrici, e il mite patriarca di Venezia, Albino Luciani, uno sconosciuto al di fuori della Laguna, o comunque del natio Veneto. Alle 18.24 di sabato 27 agosto, mentre una sorta di caligine afosa gravava su Roma (i cardinali apparivano spossati dopo la «clausura»), si ebbe la fumata bianca. Non poté dapprima essere interpretata esattamente, perché era grigiastra, e dunque si sospettò potesse essere nera. Finché i dubbi furono dissolti. Si seppe poi che i consensi riversatisi sul nome di Luciani erano stati quasi plebiscitari. Al camerlengo Villot, che gli aveva chiesto quale nome intendesse assumere, Papa Luciani, tratto di tasca un foglietto di carta, lesse: «Mi chiamerò Giovanni Paolo».

L'ascesa al soglio pontificio di Giovanni Paolo I parve obbedire a una legge d'alternanza: non quella tra papi corpulenti e papi smilzi che qualcuno aveva individuato – l'alto e magro Pacelli dopo il massiccio Ratti, il sottile Montini dopo il pingue Roncalli – perché Luciani era paffuto nel volto e minuto nella persona. Ma quella tra papi di origine borghese e papi di origine «proletaria». Pacelli apparteneva a una famiglia del «generone» romano, Roncalli era di famiglia contadina. Montini veniva dall'alta borghesia cattolica bresciana, Luciani era figlio d'un soffiatore di vetro, militante socialista. Per le sue convinzioni «rivoluzionarie» e pacifiste il padre di Albino Luciani, dopo la nascita del bambino a Forno di Canale nel Bellunese, era stato costretto ad emigrare, cercando riparo, alla vigilia della prima guerra mondiale, in quella stessa Svizzera dove un altro massimalista e ultrapacifista, Benito Mussolini, s'era per qualche tempo rifugiato: ed erano rientrati in Italia quando Albino già frequentava le elementari e il capofamiglia aveva trovato lavoro, appunto come soffiatore di vetro, in una delle tante fabbrichette di Murano.

Confinato nell'affollata solitudine del Vaticano, Papa Luciani fu visto da molti come un prigioniero della Curia, che avrebbe voluto Siri, ma lo considerava un buon Papa di ripiego. Confermò dapprima integralmente l'organigramma montiniano delle cariche, il che allarmò il suo grande elettore, il cardinale Benelli, che l'avrebbe preferito meno ossequioso verso il pontificato precedente. Ma come a Venezia, anche a Roma fece di testa sua per il cerimoniale e gli atteggiamenti. Durante la Messa per l'insediamento, il 3 settembre 1978, rifiutò la tiara e l'incoronazione. Pronunciava discorsi «a braccio» (anche le sue prime parole ai fedeli erano state improvvisate) e al Sacro Collegio disse: «Spero che anche voi cardinali aiuterete questo povero Cristo, il vicario di Cristo, a portare la croce».

Il linguaggio di Albino Luciani era senza dubbio – per un Papa – sorprendente: e per i monsignori del protocollo, che gli preparavano inutilmente discorsi densi di richiami teologici, sconcertante. Le citazioni predilette da Giovanni Paolo I erano di ben altro genere: nelle udienze pubbliche faceva riferimenti a Goldoni, Verne, Trilussa, e soprattutto a Pinocchio, ricorreva ad apologhi, rievocava fatterelli della sua vita. I visitatori lo vedevano sorridente e amabile. Ma era sovrastato dalla immensità dei suoi impegni.

L'ombra della morte – che in Vaticano è ammessa solo se si tratta della morte d'un Papa – entrò nei sacri palazzi, in maniera imprevista, il 5 settembre, quando il Patriarca ortodosso di Mosca Nikodim fu folgorato da un attacco cardiaco. Nikodim era il numero due della Chiesa russa, e aveva tenuto i contatti con quella cattolica. Mentre si tratteneva nella biblioteca del Papa l'infarto lo aveva stroncato. Il Vaticano, osservò un frequentatore, non è attrezzato per la morte. Vi manca un obitorio, vi manca un cimitero. Il povero Nikodim ebbe una tomba provvisoria nella chiesetta di Sant'Anna, in attesa che qualcuno venisse a prenderselo.

Intanto, di là dal portone di bronzo era tutto un ronzare di pettegolezzi e illazioni sul comportamento del Papa. Si cercava ancora di capire se questo Papa anomalo fosse un restauratore, dopo gli scossoni conciliari, e si riallacciasse al filone tradizionale d'una storia millenaria, o fosse invece un pastore candido che diceva ciò che l'animo gli suggeriva, e senza chiedersi se fosse vecchio o nuovo. Prima che arrivasse la risposta a questo interrogativo Papa Luciani tolse quietamente l'incomodo. Era il 28 settembre 1978, e il suo pontificato era durato 33 giorni. Come Nikodim, anche Giovanni Paolo I era stato vittima, a sera inoltrata, d'un infarto miocardico.

Scrittori di accesa e incontrollata fantasia costruirono attorno alla vicenda trame «gialle». Si insinuò che i soliti biechi conservatori della Curia avessero voluto liberarsi d'un Papa che li stava deludendo. Con buonsenso l'arcivescovo di Vienna cardinale

Koenig disse che il veleno dal quale Giovanni Paolo I era stato mandato all'altro mondo non stava in una tazzina di caffè, ma nella somma di funzioni – pastorali, politiche, finanziarie, diplomatiche – che incombono sui successori di Pietro: e consigliava una maggior delega di poteri.

Il trono del più assoluto tra i re rimasti su questa terra era di nuovo vuoto: e i cardinali furono in fretta e furia richiamati a Roma. 111 – come per Luciani – i porporati che entrarono in Conclave, e che decisero dopo una cinquantina d'ore: suppergiù il doppio di quelle occorse per eleggere il Patriarca di Venezia. I pronostici degli esperti, suffragati da una tradizione di quattro secoli e mezzo, erano, una volta di più, per un Papa italiano. Erano stati fatti, a sede vacante, diversi nomi. Ma forti erano – soprattutto da parte dei cardinali del Terzo Mondo – le resistenze a una candidatura espressa dalla Curia.

Accadde così che i cardinali italiani fossero divisi nella scelta del 264° Papa e che, mancando la compattezza di quello ch'era comunque il gruppo nazionale più consistente del Sacro Collegio, emergesse in breve tempo il nome non solo d'uno straniero, ma d'un uomo di frontiera, o d'oltre frontiera, l'arcivescovo d'una città polacca, Cracovia, che era immersa, così come tutta la cattolicissima Polonia, nell'Impero comunista. Pochi minuti dopo le 6 pomeridiane del 16 ottobre si ebbe la fumata bianca, inequivocabile, acclamata da centomila fedeli assiepati in piazza San Pietro, e alle 18.42 il cardinale protodiacono Pericle Felici, affacciato alla loggia centrale della Basilica, annunciò il *gaudium magnum*: e quindi sillabò il nome dell'eletto, Carolus Wojtyla. Fu una sorpresa per tutti, anche per l'*Osservatore Romano* che aveva preparato un'edizione straordinaria, e che faticava a reperire fotografie e dati anagrafici dell'arcivescovo di Cracovia. «Sono andate in fumo anche le previsioni» commentò il cardinale argentino Pironio.

Meno di un'ora più tardi la folla, e l'Italia, e il mondo, videro il Papa, che aveva deciso di chiamarsi Giovanni Paolo II, affacciato alla loggia. Non alto, massiccio, un'espressione seria, quasi preoccupata, sul volto. Il Papa parlò, nel suo italiano più che discreto ma dalla dura cadenza straniera. Disse d'essere stato chiamato «da un Paese lontano». Aggiunse d'avere avuto paura nel ricevere la nomina, ma d'avere accettato per spirito d'obbedienza (si dice che l'elezione fosse in realtà avvenuta il mattino, all'ottava votazione, ma che Karol Wojtyla avesse chiesto qualche ora di riflessione). Invocò indulgenza per il suo italiano non perfetto. «Se mi sbaglio mi corrigerete.» E quell'errore latineggiante, insieme con la richiesta d'aiuto, umanizzò il nuovo Pontefice già nella sua prima apparizione. Karol Wojtyla, cinquantottenne, dunque poco più che un giovanotto per la Chiesa, non immaginava certo, arrivando a Roma, di non doverne più ripartire verso la sua diocesi. I fotografi in attesa a Fiumicino l'avevano bersagliato d'istantanee, quand'era sceso dall'aereo: ma non erano destinate a lui. Wojtyla era insieme con il primate di Polonia Wyszynski, e stava un passo dietro di lui, in segno di rispetto. L'interesse era per il Primate, protagonista di drammatici duelli con il regime di Varsavia, non per quel suo irrilevante «secondo».

Uno straniero, dunque, e questo rappresentava già una mezza rivoluzione. L'ultimo Papa straniero era stato l'olandese Adriano Florensz, arcivescovo di Utrecht, che come Adriano VI aveva regnato per meno di un anno, fino al 14 settembre 1523. Dopo, s'erano susseguiti 45 papi italiani. Oltre che straniero, polacco. E questo faceva una rivoluzione tutta intera. La Chiesa piegata alla Ostpolitik di Papa Montini e di Casaroli osava innalzare sul trono di San Pietro un esponente del più battagliero episcopato d'oltre cortina: e con ciò stesso offriva alle masse cattoliche polacche uno straordinario punto di riferimento e d'appoggio: e questo avveniva dopo che, con i Patti di Helsinki (agosto 1975) Breznev aveva in qualche modo accettato che la comunità internazionale s'occupasse del rispetto dei diritti umani nei Paesi comunisti. Edward Gierek, dal dicembre del 1970 segretario generale del Partito comunista polacco, ossia detentore del potere, era più un paternalista godereccio che un repressore. Wiszynski aveva trovato con lui un accettabile *modus vivendi*. Ma tra il Paese legale e il Paese reale la frattura era insanabile: e quel Papa venuto da Cracovia non era certo fatto per comporla.

Karol Wojtyla era nato il 18 maggio 1920 a Wadowice, una cittadina della Polonia meridionale, a una trentina di chilometri da Cracovia. Era rimasto orfano di madre a nove anni (forse il suo culto devotissimo per la Madonna discende anche dalla mancanza, per gran parte dell'infanzia e per tutta l'adolescenza, d'una presenza materna). Il padre era operaio, ma riuscì a farlo studiare, fino all'iscrizione nella facoltà di lettere dell'Università di Cracovia. Allo scoppio della guerra, che fece della Polonia la prima vittima di Hitler, il padre fu richiamato alle armi come sottufficiale, e pochi mesi più tardi morì. Rimasto solo, negli anni tragici dell'occupazione tedesca, il giovane Karol proseguì gli studi, ma per campare lavorò come operaio in una fabbrica di prodotti chimici.

Ebbe qualche velleità d'attore dilettante (il che può essere utile a un personaggio pubblico, e nessuno lo è quanto il Papa) e anche d'autore di teatro: viene ricordata la sua partecipazione alle rappresentazioni d'un Teatro rapsodico, organizzato a Cracovia da giovani entusiasti, che era timorato ed edificante. In fabbrica si dedicava, oltre che alle sue mansioni d'operaio, alla propaganda religiosa: che era insieme (un intreccio strettissimo nella Polonia oppressa dai tedeschi o dal comunismo) propaganda religiosa e patriottica. Non appena gli fu possibile entrò in seminario: e nel novembre del 1946, in una Polonia liberata dagli stivali della Wehrmacht ma schiacciata dal tallone di ferro staliniano, fu ordinato sacerdote. C'era stato il rischio che la vita di Karol fosse troncata da un banale incidente. Travolto da un'automobile, era rimasto per alcuni giorni tra la vita e la morte. Si salvò.

Poiché era intelligente e ambizioso, fu mandato a Roma, dove nel 1948 si addottorò all'Angelicum. Gli si schiudeva la possibilità d'una comoda carriera curiale: tanto più allettante per chi sapeva che, tornando a casa, si sarebbe trovato in trincea. Karol Wojtyla tornò, e fu dapprima coadiutore in diverse parrocchie dell'arcidiocesi di Cracovia, poi professore all'Università cattolica di Lublino. Come avviene sovente, lui uomo d'azione voleva soprattutto accreditarsi come teologo profondo, e sfornava una quantità impressionante di saggi sul cui valore non osiamo pronunciarci. Nominato vescovo nel 1958, fu messo nel 1964 a capo della diocesi in cui era nato e in cui aveva percorso le tappe del suo *cursus honorum* sacerdotale. La porpora arrivò – quand'era quarantasettenne appena – nel 1967.

Chi commentò, a caldo, l'avvento del Papa slavo, indugiò sul suo anticomunismo, che era evidente e in qualche modo obbligato: non percepì subito, invece, la connotazione terzomondista che questo pontificato avrebbe assunto. Al figlio dell'operaio di Wadowice non piaceva il sistema che opprimeva la Polonia, ma non piaceva nemmeno la società occidentale, forte, consumista, scettica, appagata. La fede si tempra nella sofferenza, e, forse, per certi aspetti la Polonia in cui s'è instaurata la democrazia e con essa l'economia di mercato va meno a genio, a questo Papa sorridente e severo, della Polonia in cui le chiese erano il luogo di riunione dei credenti, contro il nemico che da fuori poteva dare ordini ai carri armati, non alle coscienze.

IL GOVERNO andreottiano della «solidarietà nazionale», che l'uccisione di Aldo Moro (9 maggio 1978) e l'elezione di Sandro Pertini al Quirinale due mesi dopo avevano provvisoriamente compattato, era entrato presto in apnea. I comunisti, che avevano fatto parte della maggioranza senza tuttavia occupare poltrone ministeriali, si dicevano stanchi d'essere «donatori di sangue»; i democristiani non erano disposti a concedere loro più di quanto avessero già concesso; i socialisti vagheggiavano a parole spinte a sinistra mentre in concreto sopportavano malvolentieri l'alleanza tra Dc e Pci. Forse l'unico sincero difensore del monocolore di Andreotti era Andreotti, incline a minimizzare le difficoltà.

Andreotti si dimise ed ebbe il reincarico, e il 20 marzo 1979 costituì il suo quinto governo con il compito di preparare le elezioni politiche del 3 giugno successivo, dopo le quali sarebbero venute (1° giugno) le elezioni europee.

Alla *politique politicienne* (la politica per la politica, cioè per il potere, e basta) s'accompagnavano incessantemente le gesta dei terroristi: che erano a questo punto – ma lo si capì solo *a posteriori* – colpi di coda lunghi, pericolosi, impressionanti, ma senza prospettive. La sensazione diffusa era che le Brigate rosse e gli altri gruppi stessero dilagando. In effetti – sono dati di *La notte della repubblica* di Sergio Zavoli – le formazioni armate attive erano passate da 2 nel 1969 a 91 nel 1977 e a 269 nel 1979: e sempre nel 1979 fu toccato il record di 659 attentati. Eppure il declino era alle viste. Il generale Carlo Alberto Dalla Chiesa, capace, autoritario, coraggioso, eccellente organizzatore, già supercarceriere – ossia incaricato di dare alle prigioni italiane caratteristiche che non fossero quelle del colabrodo – era stato investito delle più ampie responsabilità per la lotta al terrorismo e mise presto a segno qualche colpo di grande efficacia. E tuttavia lo stillicidio degli ammazzamenti era implacabile e a molti appariva inarrestabile. Il 1979 s'era aperto con due attentati crudeli come tanti altri, ma anomali. Nel volgere di pochi giorni, in gennaio, erano stati uccisi a Milano il giudice Emilio Alessandrini, a Genova l'operaio e sindacalista comunista Guido Rossa: né l'uno né l'altro sospettabili di connivenze con le bieche forze della reazione. Alessandrini aveva particolarmente approfondito l'ipotesi «nera» della strage di piazza Fontana, e Guido Rossa era, all'Italsider, un comunista di stretta osservanza (e come tale convertito senza remore all'antiterrorismo, sull'esempio del partito). Anche rilette con la maggior buona volontà di capire, se non di giustificare, le spiegazioni che i *killer* del *commando* guidato da Marco Donat Cattin diedero per l'assassinio di Alessandrini rimangono tortuose, al limite del delirio.

Ci fu chi si provò a interpretare in maniera intelligibile i concetti ispiratori dei terroristi. E disse che essi obbedivano a una regola che l'estremismo di sinistra ha sempre osservato: quella di considerare i riformisti più pericolosi dei conservatori, i nemici «aperti» più insidiosi dei «chiusi», Moro peggio di Scalfaro, Alessandrini peggio di Sossi. Questo stesso ragionamento fu applicato poi alla «esecuzione» di Walter Tobagi, giornalista del *Corriere della Sera*: che aveva studiato a fondo, con spirito di comprensione, i fenomeni della contestazione e del terrorismo: ai primordi della contestazione avendo dato egli stesso, quand'era studente, la sua personale adesione.

All'operaio Rossa fu addebitata una «delazione»: ossia l'aver denunciato un suo compagno di lavoro, Francesco Berardi, che in fabbrica distribuiva volantini delle Br (Berardi, arrestato, si tolse poi la vita, e la colonna genovese del terrorismo prese il suo nome). I brigatisti cui era stata affidata questa truce missione avrebbero dovuto, sembra, gambizzarlo, non ucciderlo: ma uno di loro passò oltre perché «le spie vanno uccise». Quattro dei proiettili sparati contro Rossa lo raggiunsero alle gambe, uno al cuore. Ma prima d'essere messo a morte dai sicari Rossa era stato isolato all'Italsider, nel suo atteggiamento di totale rifiuto del terrorismo. La «base» era incerta, e nel migliore dei casi faceva suo il comodo *slogan* «né con le Br né con lo Stato». Quando a Torino il Pci prese l'iniziativa di distribuire oltre centomila questionari in cui la domanda cruciale era «avete da segnalare fatti concreti che possano aiutare gli organi della magistratura e le forze dell'ordine a individuare coloro che commettono attentati, delitti, aggressioni?» le risposte furono meno di tredicimila. Ma alla quinta domanda, appunto quella che abbiamo trascritto, vennero date 35 risposte in tutto e per tutto.

Così, in una alternanza drammatica e luttuosa di attentati, retate, arresti, si arrivò al 7 aprile 1979: ossia al giorno in cui un magistrato di Padova, Pietro Calogero, mandò in prigione Toni Negri e molti altri dirigenti e affiliati di Autonomia operaia (Vesce, Scalzone, Ferrari Bravo, Dalmaviva, Magnaghi, Sbrogio e più tardi Piperno). Calogero, come Alessandrini e più di Alessandrini, era un magistrato gradito alla sinistra legalitaria.

Aveva inquisito, per piazza Fontana, Freda e Ventura, frequentava gli ambienti del Pci. Figlio d'un siciliano e d'una vietnamita, sposato con una friulana, minuto e apparentemente fragile, Calogero divenne celebre per un teorema, a torto o a ragione attribuitogli, che intrecciava le responsabilità dei «professorini» predicanti l'eversione a quelle della manovalanza terrorista. Il suo cognome fu da allora in poi esecrato, nel partito armato e nell'ampia cerchia dei suoi simpatizzanti, e scritto con la K, Kalogero (come s'era fatto per Kossiga). Calogero indicava nei suoi ordini di cattura reati come la «formazione e partecipazione di banda armata», «l'insurrezione armata contro i poteri dello Stato»: e inoltre attentati, omicidi, ferimenti, sequestri. A suo avviso dalle pubblicazioni di Autonomia operaia e da altri documenti, oltre che da testimonianze, erano affiorati «sufficienti indizi di colpevolezza».

Il via alla clamorosa operazione fu dato dopo che proprio l'Università di Padova – allo sbando come la maggioranza degli atenei italiani – s'era affacciata a più riprese alla ribalta della cronaca per le aggressioni subite da alcuni suoi docenti e per gli incitamenti all'eversione che da altri suoi docenti – o da istituzioni ad essi vicine – erano stati ossessivamente ripetuti. Vi trasmetteva una Radio Sherwood, diretta da Emilio Vesce, che, come già Radio Alice a Bologna durante i tumulti del 1977, era la voce della lotta armata, se non del partito armato.

Antonio Negri, quarantacinquenne, un volto magro e occhialuto in tutto e per tutto adatto alla sua personalità di professorino invasato ed ermetico, era figlio d'un medico. Un fratello maggiore, bersagliere nel battaglione Mussolini della Repubblica sociale italiana, era morto in uno scontro sull'Isonzo nel novembre del 1943, primo caduto padovano delle forze di Salò. Toni prese tutt'altro indirizzo ideologico: come molti eversori di estrema sinistra – si pensi a Curcio – era entrato dapprima nelle organizzazioni cattoliche: dove anzi dava prova di integralismo pacelliano, opponendosi ai riformatori. Militò nella Dc e, secondo chi gli era vicino a quel tempo, aspirava alla segreteria provinciale del partito. Ma con il partito entrò presto in collisione. Migrò nelle file socialiste, infine passò a Potere operaio. Nel frattempo si era laureato con il massimo dei voti: e personalità eminenti della cultura sponsorizzarono la sua designazione a ordinario di dottrina dello Stato nella facoltà di scienze politiche dell'Università di Padova. Il clericale s'era definitivamente fatto rivoluzionario: e ben presto la polizia e la magistratura ebbero occasione di puntargli gli occhi addosso tanto che, dopo i disordini di Bologna del 1977, riparò in Francia ospite di qualche simpatizzante. Da Parigi rientrò con l'aureola del perseguitato.

I giudici si sforzarono di accertare elementi più precisi di connessione tra Toni Negri e le Brigate rosse: e ritennero di averli individuati. Ma l'astuzia di Negri, come quella di altri «maestri» della stagione di piombo, stava proprio nel sostenere che – essendo la libera espressione del proprio pensiero sacra e intoccabile – la loro istigazione all'odio, alla violenza, all'uso della P38 e la loro contiguità ideale, quando non arrivava ben oltre, alla sanguinaria cerchia degli assassini, non erano perseguibili. Se per i terroristi le cose si mettevano male, sul banco degli imputati dovevano finire i giovani drogati da questi insegnamenti, e divenuti sicari implacabili: se si mettevano bene, i professorini rivendicavano i loro meriti. Il giudice Calogero ritenne d'aver dimostrato il legame non unicamente ideologico, ma operativo, che esisteva tra Autonomia e le Brigate rosse. Con Calogero furono i comunisti; contro, molti esponenti di quella *intellighenzia* (di «nuova sinistra» o socialista), che non ammetteva si potesse criminalizzare Autonomia, e che definiva «teorema» la costruzione d'accusa: a sottolinearne l'astrattezza. «Non riesco a capire – protestava Toni Negri – in che modo si possa innestare il terrorismo successivo su quelle prese di posizione.»

Invece Calogero innestava. Le vicende giudiziarie di Toni Negri e d'altri capi di Autonomia sono state, come d'obbligo, lente, contraddittorie e tortuose: al punto che quando la Cassazione pronunciò l'ultima parola sul 7 aprile – a dieci anni di distanza – poco rimaneva del clima – politico e di criminalità politica – di cui l'accusa di Calogero era intrisa. Nel 1983 la Corte d'Assise di primo grado inflisse trent'anni a Toni Negri, venti a Oreste Scalzone per reati generici (associazione sovversiva e banda armata) prosciogliendoli tuttavia dall'accusa più grave di insurrezione armata e da addebiti specifici (attentati dinamitardi, omicidi, rapine, furti). Ma altri esponenti di Autonomia furono riconosciuti colpevoli dell'uccisione di un loro compagno, Carlo Saronio; che s'era fatto rapire per estorcere alla famiglia un riscatto e che era morto per una dose eccessiva di narcotico. Prima che si arrivasse al processo d'appello, nel 1987, Toni Negri riacquistò la libertà e quindi fuggì a Parigi. Pannella gli aveva infatti dato modo di presentarsi come candidato radicale alle «politiche» dell'83, di riuscire eletto e di essere poi scarcerato grazie all'immunità parlamentare. In appello Toni Negri si beccò dodici anni (ma aveva preso il volo, poco prima che la Camera concedesse l'autorizzazione a procedere contro di lui) e Scalzone, anche lui in Francia, otto. Il 4 ottobre 1988 la Cassazione suggellò la vicenda confermando le sentenze d'appello.

Nell'imminenza delle elezioni politiche (3 giugno 1979) ed europee (10 giugno) le Brigate rosse vollero ancora una volta, con un'azione sanguinaria e spettacolare, presentarsi come contropotere: la lotta armata come ripudio omicida della «truffa elettorale». Il 3 maggio un *commando* brigatista fece irruzione nella sede del Comitato regionale della Dc in piazza Nicosia a Roma. L'azione ebbe caratteristiche di guerriglia urbana, non d'isolata azione terroristica. Erano una quindicina i partecipanti all'attacco, che irruppero negli uffici e s'impadronirono di documenti e schedari. Poteva essere un atto semplicemente dimostrativo: ma una pattuglia della polizia intercettò i brigatisti che fecero fuoco colpendo a morte gli agenti Antonio Mea e Piero Ollanu, e ferendone un altro.

QUELLO CHE VENIVA chiamato alle urne era un Paese messo dal terrorismo in stato di perenne fibrillazione. Sia Andreotti sia Berlinguer sia Craxi attendevano con ansia il responso popolare dopo i più drammatici anni del dopoguerra italiano.

Le politiche del 3 giugno 1979 confermarono che il Pci era in netto regresso, senza peraltro che la Dc se ne avvantaggiasse. In confronto al 20 giugno 1976 il Pci perse quattro punti in percentuale (dal 34,4 al 30,4), la Dc ebbe una flessione che era in se stessa insignificante (dal 38,7 al 38,3) ma che deludeva le attese d'un consistente passo in avanti, il Psi non andò oltre un 9,8 per cento, sicuramente molto inferiore alle ambizioni di Craxi. Stazionario anche il Pri, un incremento di mezzo punto ciascuno per liberali e socialdemocratici. Il vero trionfatore, *toute proportion gardée*, fu Marco Pannella che con i suoi radicali incamerò il 3,4 per cento dei consensi, e portò la sua rappresentanza alla Camera da 4 a 18 seggi: avendo probabilmente tolto al Pci, con la sua campagna garantista contro le leggi eccezionali, le frange cui non erano piaciuti né la fermezza contro il terrorismo, né il «teorema» Calogero. Tra gli eletti nelle liste radicali era Leonardo Sciascia.

Il 10 giugno le «europee» convalidarono, con qualche aggiustamento, il responso d'una settimana prima. Ancora più giù sia la Dc (36,5 per cento) sia il Pci (29,6), bene i socialisti con l'11 per cento, bissato e migliorato il successo di Pannella, un eccellente 3,6 per cento in favore dei liberali. Nessun terremoto, in sostanza. Ma Andreotti sapeva di doversene andare, anche se assolveva puntigliosamente, prima del congedo, i suoi ultimi doveri di presidente del Consiglio. Tra questi fu il viaggio a Tokio per uno dei periodici vertici tenuti dai capi di Stato e di governo dei sette Paesi più «sviluppati» dell'Occidente. Ogni capo delegazione era seguito, come di consueto, da uno stuolo di esperti economici, che dissentirono su molti punti, nelle loro diagnosi, ma su uno furono unanimi (e Andreotti l'ha impietosamente registrato, nelle sue memorie): il mondo, pronosticarono dottamente, sarebbe stato afflitto a lungo da una grave e cronica scarsità di petrolio, e di conseguenza da un costante rincaro del «greggio», il cui costo proibitivo avrebbe messo in ginocchio le economie forti. Da quel momento il petrolio non fece che calare di prezzo.

Il reincarico di cui Pertini investì Andreotti fu un gesto formale, compiuto senza entusiasmo, e avendo in mente ben altri obbiettivi: che divennero chiari quando, ai primi di luglio, Bettino Craxi fu convocato al Quirinale ed ebbe il mandato di tentare la formazione d'un governo a guida non democristiana: che sarebbe stato il primo con quella caratteristica dopo oltre trent'anni. Ma non era ancora scoccata l'ora di Craxi che dovette dare *forfait*.

Allora venne buttato allo sbaraglio un *reaparecido*: quel Francesco Cossiga che, ministro dell'Interno al tempo del sequestro di Moro e del suo assassinio, s'era volontariamente dimesso; in segno d'espiazione per la tragedia della quale era solo limitatamente responsabile, ma che aveva vissuta e sofferta con terribile angoscia. Il suo governo – quarantesimo della Repubblica – fu un tripartito Dc-Psdi-Pli. I repubblicani garantirono l'appoggio esterno. Le solite tempeste in un bicchier d'acqua, o al più in uno stagno, finirono per far crollare il Cossiga I d'agosto, riproposto come Cossiga II nell'aprile del 1980. Tra il Cossiga I e i primi mesi del Cossiga II vi furono, in Italia e fuori d'Italia, avvenimenti che non possono essere ignorati: anche se assai diversi per importanza, per le caratteristiche, per i riflessi che ebbero.

Due giorni dopo il Natale (1979) le truppe sovietiche invadevano l'Afghanistan portando al loro seguito un Quisling, Babrak Karmal, che si insediava alla testa del Paese dopo che il suo predecessore Amin (anche lui asservito a Mosca, che tuttavia non lo gradiva più) era stato spicciativamente ammazzato. Sorte toccata del resto anche al predecessore del predecessore, ossia Taraki. Il mondo libero insorse, il Consiglio di sicurezza dell'Onu non poté votare una risoluzione di condanna solo perché l'Urss oppose il suo veto, il presidente degli Stati Uniti Carter deliberò una serie di sanzioni contro l'Urss, la più clamorosa delle quali fu il boicottaggio delle Olimpiadi di Mosca dell'estate successiva. Anche in Italia la deplorazione fu sostanzialmente unanime. Ad essa si associò il Pci, ricorrendo tuttavia all'espediente che, in circostanze come questa, gli consentiva di non rinnegare totalmente le sue amicizie e il suo passato. Berlinguer si fece apostolo di pace, fustigò tutti gli imperialismi (l'Afghanistan come il Vietnam, i Pershing e i Cruise come gli SS 20, la Nato che era in Germania o in Italia come l'Armata Rossa che era in Polonia o nella Germania Est).

IL TERRORISMO faceva altre vittime, in un delirio sanguinario ormai privo d'ogni senso, anche nella stralunata ottica delle Brigate rosse o di Prima linea. Impossibile ricordarle tutte, in un libro che al terrorismo stesso non sia espressamente dedicato. Furono assassinati politici come il vicepresidente del Consiglio superiore della magistratura Vittorio Bachelet; i giudici Girolamo Minervini e Guido Galli (un altro giudice, Mario Amato, che indagava sulle trame «nere», morì invece per mano dei Nar neofascisti); il giornalista Walter Tobagi che abbiamo già ricordato; *managers* dell'industria, professionisti, imprenditori, addetti alle carceri, perfino un povero cuoco socialista, Luigi Allegretti, freddato per errore: i membri del gruppuscolo «Compagni organizzati per il comunismo» l'avevano scambiato, a Roma, con il segretario d'una sezione missina. E poi agenti e carabinieri. Suscitò particolare eco, per la popolarità del personaggio, l'uccisione del tenente colonnello dei carabinieri Antonio Varisco, che al Palazzaccio romano era comandante del «nucleo traduzioni». Era caduto in un agguato al ponte Matteotti, mentre raggiungeva il suo ufficio. A lui s'era ispirato Carlo Cassola per tratteggiare, nel romanzo *Monte Mario*, la figura d'un ufficiale di destra.

Polizia e carabinieri restituivano però colpo su colpo. Si susseguivano gli arresti. Il 28 marzo 1980 i carabinieri irruppero in un covo di via Fracchia a Genova e abbatterono i quattro brigatisti che vi erano rintanati, due operai, un marittimo, e una donna, insegnante. Dalla Chiesa otteneva risultati, seppure con metodi che non sempre erano perfettamente ortodossi, ma dei quali era innegabile l'efficacia. Veniva inoltre messa a punto la nuova normativa sui pentiti che avrebbe suscitato molte polemiche, ma che, inducendo alla delazione, fu decisiva per la vittoria sul terrorismo.

Dobbiamo qui fare un passo indietro – ma siamo costretti a farne continuamente di passi indietro e di passi avanti – per motivi che lo sviluppo della narrazione renderà evidenti. Il 28 febbraio del 1979 un *commando* di Prima linea capeggiato da Fabrizio Giai era stato intercettato dalle forze dell'ordine mentre preparava un'azione in un bar di Torino: nello scontro a fuoco persero la vita due terroristi, Barbara Azzaroni e Matteo Gaggeggi. I compagni degli uccisi volevano vendetta e decisero d'attuarla contro Carmine Civitate, il proprietario del bar in cui la Azzaroni e il Gaggeggi erano stati abbattuti, sospettato d'essere una «spia» della questura. Il 18 luglio 1979 cinque «giustizieri», Marco Donat Cattin (comandante Alberto), Maurice Bignami, Michele Viscardi, Roberto Sandalo e lo stesso Giai portarono a compimento la feroce missione.

Subito dopo Marco Donat Cattin raggiunse tranquillo la Francia. E vi si trovava allorché, nell'aprile del 1980, Roberto Sandalo fu catturato e dimostrò d'avere ben capito quanto fosse conveniente, per i terroristi finiti nelle mani della giustizia, collaborare. Sandalo disse molte cose, alcune delle quali dirompenti: disse, in particolare, d'aver avuto dei colloqui con il senatore Carlo Donat Cattin, vicesegretario della Dc e padre del latitante Marco, e d'aver saputo che allo stesso Donat Cattin il Presidente del Consiglio Cossiga aveva confidato che il figlio Marco era attivamente ricercato, e che conveniva si rifugiasse oltre confine. Il notabile democristiano smentì le rivelazioni, aggiungendo che del figlio non sapeva nulla da un paio d'anni. Ammise tuttavia d'aver chiesto a Cossiga se si sapesse qualcosa di Marco, e d'averne ricevuto una risposta negativa. Ammise egualmente d'avere contattato il Sandalo, ma esclusivamente per riferirgli che non c'erano notizie di Marco: sul quale del resto non pendeva, ufficialmente, nessuna imputazione. Comunque Carlo Donat Cattin si dimise dalla vicesegreteria unica della Dc. Smentì, con indignazione, anche Cossiga.

Ha osservato Andreotti che «accusare Francesco Cossiga di favoreggiamento del terrorismo sarebbe come insinuare che don Luigi Sturzo trafficasse in droga o si accompagnasse con le lucciole di lusso che, nella notte, custodiscono gli alberi di via Veneto». Il che valeva, a maggior ragione, per l'acceso anticomunista Carlo Donat Cattin: ma qui si trattava del rapporto tra padre e figlio e tra due «amici» di partito e d'un possibile prevalere dei vincoli di famiglia o politici sui princìpi e sui doveri di governante e di cittadino. Per questo i magistrati trasmisero gli atti con le dichiarazioni di Sandalo alla Commissione inquirente che decise, a maggioranza, l'archiviazione. Il governo sopravvisse a quella tempesta. Ma per poco.

Il 2 agosto 1980 l'Italia fu atterrita da una nuova, orrenda strage politica. Un ordigno esplosivo collocato nella stazione ferroviaria di Bologna, affollata di viaggiatori in attesa dei treni delle vacanze, provocò un'ottantina di morti. Come autori materiali dell'orrendo attentato furono condannati all'ergastolo, anni dopo, i terroristi di destra «Giusva» Fioravanti e Francesca Mambro, già riconosciuti colpevoli di altri assassinî. Entrambi continuano a protestare la loro estraneità alla strage.

Mai s'è invece saputo con certezza – nemmeno una certezza giudiziaria – per quali cause sia avvenuta la catastrofe di Ustica (27 giugno 1980), e quali Stati esteri vi fossero coinvolti. La sciagura – 81 passeggeri e componenti dell'equipaggio di un volo Bologna-Palermo, inabissatisi in mare con i resti dilaniati del Dc9 di proprietà d'una compagnia minore, l'Itavia – fu dapprima ritenuta accidentale: *un fait divers*, sia pure di impressionante gravità, dovuto, si suppose, a un guasto meccanico o a errori di pilotaggio o a negligenze di manutenzione. Su questa strada parvero avviate le inchieste, svogliate e monche. Solo a stento, in tempi lunghissimi, presero corpo altre spiegazioni dell'accaduto: una bomba, o un missile indirizzato per errore contro il bireattore civile. Tra reticenze, mezze ammissioni o totali bugie, il *feuilleton* di Ustica ha continuato a dipanarsi durante molti interminabili anni, e dura tutt'oggi. A quindici anni dal disastro alcuni generali dell'aeronautica militare sono stati incriminati per aver depistato le indagini.

IL 1980 CHIUSE IN LUTTO. Il 23 novembre del 1980 un terremoto devastatore provocò in 649 comuni dell'Irpinia, della valle del Sele e della parte settentrionale della provincia di Potenza, la morte di seimila persone, il ferimento di altre diecimila e 300 mila ne lasciò senza tetto. A somiglianza di quanto era avvenuto nel Belice, e diversamente da quanto era avvenuto in Friuli, dove s'erano dimostrati provvidenziali la presenza capillare di reparti delle Forze armate e lo spirito d'iniziativa delle popolazioni, i soccorsi furono lenti e caotici. Le critiche che, in sede giornalistica e in sede politica, ne derivarono, erano più che giustificate. Ma ci si mise con troppo zelo polemico l'immancabile Pertini, che tuonò contro l'inadeguatezza delle misure adottate, e chiese la testa dei colpevoli. La presa di posizione del Capo dello Stato fu politicamente dirompente: e Rognoni, ministro dell'Interno nel governo Forlani – che era succeduto a Cossiga – presentò le sue dimissioni, poi respinte.

Purtroppo il peggio – se la sciacallaggine è peggio della morte – doveva ancora venire. Il disastro divenne scandalo, e divenne mistero, con la grande abbuffata dei partiti e dei capoccia di partito nonché dei loro vassalli, vassallini e valvassori, tutti accorsi alla tavola imbandita degli aiuti ai terremotati e all'Irpinia. Sessantamila miliardi furono stanziati nel corso degli anni, quanti ne sarebbero bastati per far ricco ogni danneggiato.

LA LOGGIA MASSONICA coperta Propaganda 2 – divenuta poi nel linguaggio corrente la P2 – assurse agli onori delle prime pagine e dei notiziari televisivi poco dopo la metà di marzo del 1981. Il 17 di quel mese la Guardia di finanza aveva eseguito una serie di perquisizioni a tappeto nella villa Wanda di Arezzo, proprietà di Licio Gelli, e nelle sedi delle società Giole e Socam di Castiglion Fibocchi, alle cui attività il Venerabile era largamente interessato. I finanzieri avevano agito per disposizione dei magistrati milanesi Giuliano Turone e Gherardo Colombo – il secondo apparterrà, negli anni Novanta, al *pool* di «Mani pulite» – che intendevano far luce sulla bancarotta di Michele Sindona, con i suoi strascichi granghignoleschi e criminali. Risultava ai magistrati, infatti, che Sindona aveva avuto frequenti rapporti con Gelli.

La Finanza non immaginava certo di qual calibro sarebbero state le scoperte che a Castiglion Fibocchi l'attendevano: vi fu rinvenuta infatti tutta la documentazione della P2, con i registri degli iscritti, attestanti la posizione che ciascuno di loro occupava in seno all'organizzazione, e con altro materiale non meno sconvolgente, ben ordinato in buste e cartelle. 962 erano i nomi elencati, incluso un gruppetto di aspiranti all'iniziazione che avrebbero dovuto conseguirla il successivo 26 marzo. Fu subito chiaro che quella non era una loggia qualsiasi: per la sua segretezza, ma anche per la qualità o gli incarichi di gran parte degli affiliati.

In sé, l'appartenenza a una loggia massonica non era né illegale, né immorale, né sospetta. Ma la P2 era, e lo si sapeva da tempo – seppure in una cerchia ristretta d'attenti lettori di settimanali o d'addetti ai misteri del potere – una entità speciale, cui si addiceva la fama di tenebrosità che la leggenda nera attribuisce alla massoneria. Basterà citare *L'Espresso* del 29 maggio 1977 che scriveva: «Loggia P2... È il nucleo più compatto e poderoso della massoneria di Palazzo Giustiniani: ha 2400 iscritti, la crema della finanza, della burocrazia, delle Forze armate, dei boiardi di Stato, schedati in un archivio in codice... Gelli, interlocutore abituale delle più alte cariche dello Stato (si vede spesso con Andreotti ed è ricevuto al Quirinale), è ascoltato consigliere dei vertici delle Forze armate, con amici fidati e devoti nella magistratura».

Ha spiegato Massimo Teodori in *P2: la controstoria*: «La loggia Propaganda 2 era un'antica struttura che accoglieva gli elementi più importanti e prestigiosi fin da quando, nel secolo decimonono, la massoneria aveva giuocato un ruolo centrale nelle vicende della storia nazionale. Dopo la seconda guerra mondiale, nel momento della ricostituzione della massoneria italiana incoraggiata e sostenuta dalla massoneria americana, era stata riorganizzata anche quella loggia speciale – la P2 – nelle cui liste venivano trasferiti gli elementi più in vista e coloro che dovevano restare particolarmente coperti e riservati, cioè non esposti al contatto con il popolo massonico». Un'istituzione, insomma, che per molti era discutibile – come la massoneria stessa, del resto – ma che rimaneva nell'ambito dell'ortodossia: quella dei codici italiani e quella dei codici di Palazzo Giustiniani.

Senonché nelle vicende della P2 s'inserì, per traviarla, il seduttore Licio Gelli: che ne fece il centro e il motore d'una serie di intrighi e di attività su cui la magistratura e il Parlamento italiano, nonché i mezzi d'informazione, si sono arrovellati per oltre un decennio, senza venirne soddisfacentemente a capo. Classe 1919 (21 aprile, Pistoia), Licio Gelli è figlio d'un mugnaio. Fu sempre un pessimo scolaro – un quattro perfino in cultura fascista, le sue pagelle confermano che si può essere perdenti a scuola e vincitori nella vita – e una testa calda. Sedicenne, aveva preso a schiaffi un professore: poiché Capanna e i sociologi permissivisti erano di là da venire, lo si espulse da tutte le scuole del

Regno. Il reprobo, che aveva una gran voglia di menar di nuovo le mani, ma non aveva più professori su cui sfogarsi, decise d'arruolarsi come legionario di Mussolini per la guerra di Spagna. Non aveva – diciassettenne appena – l'età: ma contraffece i documenti d'identità e fu destinato al 735mo battaglione Camicie nere. Nei combattimenti di Malaga, il fratello Raffaello gli morì al fianco. Tornò a Pistoia nel 1939, reduce ventenne, e narrò a puntate la sua esperienza guerriera sul *Ferruccio*, il settimanale della locale Federazione fascista: puntate che poi raccolse in un volume (dodici lire il prezzo di copertina, cinquecento copie in tutto) dal titolo emblematico, *Fuoco*. Diventò quindi impiegato del Guf (l'organizzazione degli universitari fascisti) ma all'università non approdò mai. Il tentativo di strappare almeno un diploma in ragioneria, presentandosi come privatista agli esami, franò sotto una valanga di insufficienze. La scuola fascista aveva evidentemente un suo rigore: e non cedette alla suggestione dei nastrini iberici.

Richiamato alle armi dopo l'intervento italiano nel secondo conflitto mondiale Gelli «trascorse qualche mese a Torino nel 127mo fanteria – ha raccontato Renzo Trionfera – facendosi più che altro ricordare per la familiarità con una gazza addomesticata, naturalmente ladra, *mascotte* del reggimento». Al giovanotto mancava una laurea, ma non il fegato, e la voglia di aggiungere altro fuoco di combattimento a quello già sperimentato, e a quello libresco. Chiese di entrare nei paracadutisti e fu accontentato: ma alla scuola di Viterbo si fratturò un braccio durante un'esercitazione. Addio alle armi: venne messo in congedo illimitato.

Non restò in ozio. L'ex-federale di Pistoia, nominato prefetto di Cattaro, lo volle con sé, e lo nominò segretario del Fascio locale. Per sua fortuna, Gelli era in Italia quando fu annunciato, l'8 settembre 1943, l'armistizio. Lo si vide presto in giro dalle sue parti, al seguito dei tedeschi, imbaldanzito da una uniforme molto fuori ordinanza: camicia bruna, *foulard* al collo, pantaloni alla cavallerizza, stivaloni neri. Si spacciava per interprete dei tedeschi, con i cui comandi aveva indubbia familiarità: ma riesce difficile immaginare che cosa potesse interpretare, visto che di tedesco non sapeva una parola. Dava l'impressione d'essere un «repubblichino» dei più fervidi e accaniti, e in parecchi gli pronosticavano guai grossi, per il giorno in cui l'ultimo fascismo fosse definitivamente crollato, insieme al padrone nazista. Ma non avevano fatto i conti con la versatilità opportunistica

– unita peraltro a un notevole coraggio – di cui il giovanotto era già capace. Mentre si pavoneggiava al fianco dei tedeschi, Gelli faceva il doppio o triplo giuoco, aiutando i partigiani, e distribuendo loro i lasciapassare rossi della Kommandantur. Si avvaleva della sua autorità per bloccare interventi contro ebrei ed antifascisti, e forniva alle formazioni di Salò che rastrellavano la montagna indicazioni fuorvianti. S'era legato d'amicizia a Silvano Fedi, libertario e anarchico, intrepido comandante d'una formazione partigiana. Insieme liberarono dal carcere pistoiese di Villa Sbertoli una cinquantina di prigionieri politici, oltre ad alcuni ebrei.

Finita la guerra cominciò per Gelli una nuova vita, inevitabilmente anch'essa, come la precedente, all'insegna dei doppi tripli e quadrupli giuochi. Gelli fu autista-segretario del deputato democristiano Romolo Diecidue e gestì, senza troppa fortuna, una libreria. Ma nel contempo veniva sospettato dal Sifar d'essere un attivo collaboratore del Pci e di svolgere attività di spionaggio in favore dei Paesi dell'Est.

L'esistenza di questo affarista non molto fortunato e di questo avventuriero non affermato ebbe, nei primi anni Sessanta, una duplice importante svolta: Licio Gelli approdò, su raccomandazione d'un ex-compagno d'armi, alla Permaflex, la ditta di materassi a molle dove avrebbe costruito, per sé e per le sue iniziative, una solida base economica; ed entrò nella massoneria di Palazzo Giustiniani – uno dei due maggiori rami in cui era divisa – guadagnandosi, con una rapidità sorprendente, la stima e la fiducia del Gran Maestro del momento, Giordano Gamberini, e del Gran Maestro aggiunto, l'avvocato Roberto Ascarelli. I quali gli affidarono, con la carica di segretario organizzativo, la loggia «coperta» che era il gioiello dell'organizzazione. Quando fu evidente che il materassaio toscano era diventato ingombrante, i vertici della massoneria di Palazzo Giustiniani (Lino Salvini aveva rimpiazzato Giordano Gamberini) non furono più in grado di sbarazzarsi di lui.

Licio Gelli e la sua loggia sono stati associati a tutti i misteri d'Italia, dal progetto di *golpe* del generale De Lorenzo del 1964, fino all'inchiesta siciliana del 1993 sui rapporti tra mafia e politica, e sul preteso coinvolgimento in essi di Giulio Andreotti. Ma il mistero dei misteri rimane l'ascesa e la crescita d'influenza di Gelli: nessuno, nemmeno un osservatore acuto come Gianfranco Piazzesi, ha potuto compiutamente e convincentemente spiegare come mai questo provinciale astuto, spregiudicato e intrigante (ma questa è merce umana che in Italia abbonda), intelligente senza esagerare, di mediocre cultura, di ricchezza modesta se raffrontata a quella dei veri ricchi italiani, sia diventato così influente da poter condizionare le Forze armate, i partiti politici, l'alta finanza, la stampa; e così leggendario da meritare, a torto o a ragione, che gli fosse attribuita una serie infinita di crimini, stragi e omicidi inclusi. Tutto questo senza che potesse contare sull'avallo e sull'aiuto d'una carica importante, o sul consenso popolare, o sul prestigio d'un nome impostosi per una qualsiasi ragione.

Un punto importante va stabilito fin dall'inizio. Quello della P2 non fu un potere millantato, Gelli non fu l'inventore d'un colossale *bluff*: la sua loggia ebbe un potere reale, e vasto. Era infiltrata nei vertici politici, burocratici, finanziari e giornalistici del Paese. Negli elenchi di Castiglion Fibocchi furono trovati i nomi di 119 alti ufficiali (50 dell'Esercito, 37 della Guardia di finanza, 32 dei Carabinieri); e inoltre 22 di dirigenti della Polizia, 14 di magistrati, 59 di parlamentari, 3 di ministri. E ancora: un giudice costituzionale, 8 direttori di giornali, 4 editori, 22 giornalisti, 128 dirigenti di aziende pubbliche, diplomatici, imprenditori. L'inserzione in quegli elenchi non era di per se stessa infamante. Molti protestarono d'esservi finiti a loro insaputa, altri di non avere mai immaginato quali reconditi obbiettivi Gelli si proponesse. Alla pubblicazione degli elenchi seguì infatti una serie interminabile di negazioni, rettifiche, precisazioni, ridimensionamenti. Ma una circostanza apparve impressionante di primo acchito: i vertici dei servizi segreti e della Guardia di finanza, ossia di due organismi cui spettavano delicatissimi compiti di controllo, erano quasi al completo piduisti. Fino al punto che, nei servizi segreti, ufficiali che si detestavano – come Miceli e Maletti – erano tuttavia accomunati dall'appartenenza alla loggia.

La strategia con cui Gelli penetrò nel cuore dello Stato non ebbe nulla di casuale. Nel Venerabile convivevano un mestatore con la vocazione dell'eminenza grigia, un rozzo ideologo, e un affarista. L'ideologo aveva in mente – come molti altri italiani del resto – istituzioni più stabili e più autorevoli: abbinando questa impostazione ad un risoluto anticomunismo. *A posteriori*, Gelli è stato associato a tutti i conati golpisti – più esattamente bisognerebbe definirli conati di conati – che in Italia sono stati denunciati e registrati – senza che mai vi fosse un principio di realizzazione – negli ultimi decenni. Certo è che Gelli tenne riunioni di alti ufficiali e di alti magistrati a Villa Wanda: e secondo alcune testimonianze, nel 1973 avrebbe ipotizzato un governo di centro presieduto dal procuratore generale di Roma Carmelo Spagnuolo e appoggiato dall'Arma dei Carabinieri. Quanto vi fosse di serio, in queste trame, e quanto invece di teatrale, per convalidare la propria fama di occulta possanza, è difficile dire. Gelli, che da bambino sognava di fare il burattinaio, s'è sempre compiaciuto di rappresentazioni ed esibizioni nelle quali i burattini – e potevano benissimo essere generali e magistrati – si muovessero ai suoi ordini, con l'aria di voler disfare tutto, e senza far nulla.

Il nome di Gelli, massimo mestatore della Repubblica, figura obbligatoriamente in quasi tutti i peggiori misfatti a sfondo politico, dalle stragi all'assassinio del giornalista Mino Pecorelli. Era costui il direttore d'una agenzia di stampa, *Osservatorio politico*, *Op*, che viveva sul filo d'uno scandalismo non di rado ricattatorio. Pecorelli, iscritto alla P2, pubblicava notizie riservate, attingendo agli ambienti dei servizi segreti. Fu ucciso la sera del 20 marzo 1979, davanti allo stabile dov'erano i suoi uffici. Nell'aprile del 1993 i «pentiti» di mafia Tommaso Buscetta e Francesco Marino Mannoia, chiamati a testimoniare contro Andreotti, l'indicheranno come ispiratore del delitto Pecorelli: l'ex-Presidente del Consiglio (che ha respinto con sdegno le accuse) avrebbe voluto evitare, chiudendo per sempre la bocca al giornalista di *Op*, la pubblicazione di documenti e inchieste compromettenti.

È doveroso precisare che della montagna d'imputazioni ammassatasi su Gelli poco è rimasto di politico ed eversivo. Ne sono rimaste altre per le sue attività e «deviazioni» finanziarie. La più rilevante delle quali si riferisce al *crac* del Banco Ambrosiano: episodio ultimo d'una catena d'interventi gelliani che risale al caso Sindona, e che s'è sviluppata attraverso un'interferenza economica che divenne massiccia interferenza editoriale. Gelli riuscì ad essere il padrino e in qualche modo il padrone del *Corriere della Sera*, prima testata italiana per diffusione, per tradizione e per riconosciuta autorevolezza: e mentre consolidava questa incredibile posizione di forza nella società italiana, Gelli realizzava ramificazioni estese e importanti della sua attività nel Sud America, in particolare in Uruguay, giovandosi della collaborazione di uomini d'affari – affari insieme giganteschi e tortuosi – come Ortolani e Francesco Pazienza. Il *Corriere della Sera* era in difficoltà finanziarie. A quel punto entrò in scena un altro «potente» della Milano economica, Roberto Calvi, coetaneo di Sindona ma a prima vista l'opposto del siciliano: per origine – era milanese di nascita – per temperamento – era timido e scostante fino all'arroganza laddove Sindona affettava cordialità – per la serietà tradizionale del suo Banco Ambrosiano. Sindona aveva rapporti con la mafia, Calvi li aveva con lo Ior, l'istituto delle finanze vaticane, e con monsignor Marcinkus, che nel gestirle abusava di spregiudicatezza manageriale americana. Smodatamente avventuroso e ambizioso sotto l'aspetto felpato di chierico, Calvi aveva espanso l'attività del Banco Ambrosiano – tra le lodi degli esperti – assorbendo la Banca Cattolica del Veneto e il Credito Varesino: e, sollecitato da Gelli o almeno con l'intermediazione di Gelli, era entrato massicciamente – il 40 per cento – nell'operazione per rilevare il *Corriere della Sera*. S'è affermato che il pacchetto azionario, pagato 200 miliardi, ne valesse al massimo 60.

Le vicende che seguirono furono convulse. Calvi, incalzato dalle pressioni, divorato dalle sue ansie, erratico e da un certo momento in poi quasi delirante nelle decisioni, distrusse e fu distrutto. Nel Banco Ambrosiano si ebbe anche la «toccata e fuga» di Carlo De Benedetti che, entratovi da condottiero con la carica di vicepresidente, ne uscì dopo 63 giorni ricavandone, almeno secondo la magistratura, un profitto indebito (la Cassazione poi lo liberò da ogni accusa). Nel 1980 ci fu il crollo del fino allora intemerato e rispettato Banco Ambrosiano, e Calvi dovette rispondere di truffa, illegali ripartizioni di utili, esportazione illegale di capitale. Con l'Ambrosiano precipitò nella voragine del crac anche il *Corriere della Sera*.

Calvi concluse tragicamente il suo itinerario terreno il 18 giugno 1982 sotto il ponte londinese dei Frati Neri, impiccato per mano sua o per mano d'altri: Gelli invece sopravvisse nemmeno tanto male, seppure con qualche parentesi carceraria in Svizzera e con i moderati affanni dell'estradizione in Italia (dalle autorità elvetiche concessa solo per gli addebiti finanziari, non per quelli stragistici o cospirativi). Quando nell'aprile del 1988 la Cassazione rese definitiva la condanna a 12 anni di Gelli per la bancarotta del Banco Ambrosiano il Venerabile fuggì in Francia, per evitare il carcere: ma poi, là catturato, accettò d'essere estradato in Italia.

DOPO COSSIGA, lo si è accennato, era venuto Forlani, un veterano di partito e di governo, ma un neofita sulla poltrona di

Palazzo Chigi. Nonostante la sua attiva presenza nei giuochi delle correnti democristiane, e la sua connotazione moderata, Forlani era un uomo che si può dire non avesse, almeno allora, nemici. Non li aveva per il temperamento accomodante, e per la noncuranza con cui subiva, più che chiederli, gli incarichi; e non li aveva perché le sue enunciazioni politiche erano tanto generiche ed ecumeniche quanto prive di concretezza. Le frasi che pronunciava, sintatticamente corrette e apparentemente sensate, potevano essere adattate a tutto e a tutti. Mediocre nel comandare, Forlani era sublime nel minimizzare. Tradotta da lui in politichese, anche l'Apocalisse diventava un modesto tafferuglio. Questo anestesista d'alta classe allestì in una ventina di giorni un governo che, rispetto a quello di Cossiga, aveva una maggioranza allargata. Ai democristiani, ai socialisti e ai repubblicani si unirono i socialdemocratici.

L'inizio era stato promettente, il seguito fu catastrofico. Il 20 febbraio 1981 il governo di Arnaldo Forlani fu battuto sei volte di seguito alla Camera – e una volta al Senato – per la legge finanziaria, il 25 febbraio si ebbe una nuova maretta per gli aumenti delle pensioni e la riduzione delle aliquote fiscali. I tentativi di ridurre questi infortuni alla misura di incidenti tecnici erano ovvi ma poco attendibili. Nelle votazioni importanti si registravano assenze massicce di socialisti o socialdemocratici – e passi – ma anche di democristiani. L'8 aprile 1981 Forlani riuscì a far passare la legge di bilancio, ma il 10 aprile ebbe una ennesima bocciatura per le deliberazioni in favore dei terremotati irpini. Come troppi altri nella storia della Prima Repubblica italiana, il governo Forlani passò lestamente dall'infanzia all'agonia. Né giovò alla sua saldezza la celebrazione del *referendum* sull'aborto indetto, insieme ad altri, per il 17 maggio.

Questa prova elettorale – che coinvolgeva fortemente le coscienze dei credenti – era stata preceduta di soli quattro giorni dall'attentato di Mehmet Ali Agca al Papa, in piazza San Pietro gremita di fedeli. (Al gesto dell'invasato e forse delirante turco furono attribuiti retroscena spionistici, con una «pista bulgara» dissoltasi cammin facendo.) Il mondo cattolico si strinse commosso, l'Italia in testa, attorno al Papa, che fu presto fuori pericolo, ma ebbe una convalescenza lunga. Questo non impedì che, come era già avvenuto per il divorzio, gli italiani dessero la loro adesione a leggi dalla Chiesa ritenute inammissibili e contrarie all'insegnamento evangelico, ma dalla società recepite come attuali e normali. Il 68 per cento dei votanti disse sì alla legalizzazione dell'aborto. In compenso, ad attestare che il permissivismo non era omnicomprensivo, fu dell'86 per cento la maggioranza contraria all'abolizione delle più severe misure per l'ordine pubblico volute da Cossiga. Lo stesso elettorato che sull'aborto si era pronunciato in senso «progressista» aveva per il resto ribadito la sua voglia di legge e ordine.

Il governo Forlani, che s'era ammalato di consunzione per contagio di P2, si dimise e Pertini fu investito d'una responsabilità e d'una autonomia d'azione particolari: perché la P2 era stata nella vita pubblica italiana un terremoto in qualche modo paragonabile a Tangentopoli degli anni Novanta, seppure d'un grado molto inferiore nella scala Mercalli della sismologia politica. Per antica propensione, e anche per dare un forte segnale di «rinnovamento» che si vide poi essere un segnale fievole, Pertini pensò dunque a un «laico»: ossia, per essere più precisi – De Gasperi aveva una volta ironizzato sulla distinzione tra laici e non laici rilevando di non aver mai preso, per quanto lo riguardava, gli ordini sacerdotali – a un non democristiano. Emerse il nome di Giovanni Spadolini, cui andavano non solo i consensi sicuri di cinque partiti – Dc, Psi, Pli, Pri, Psdi – ma anche quelli di settori molto ampi del mondo culturale ed economico. Lo stesso Berlinguer non aveva verso Spadolini l'ostilità che gli era andata maturando nei riguardi di Forlani.

Di storia, e dunque, in senso lato, di politica, Spadolini s'interessava fin da quando era un bambino; divenuto precoce professore, era stato poi autore di libri, articolista fecondo, direttore di quotidiani. Ma nella politica attiva era entrato solo nel 1972 dopo aver chiuso, con la direzione del *Corriere della Sera*, la sua esperienza di giornalista militante. La scelta del Partito repubblicano era stata dettata a Spadolini da circostanze contingenti, più che da una radicata fede. Studioso e tifoso del Risorgimento, pur non ignorandone né i limiti né le miserie, Spadolini tributava eguale affetto a tutti i padri della Patria: era insieme mazziniano, cavouriano e garibaldino. Dopo che ebbe optato per il Pri il suo mazzinianesimo ricevette nuova linfa. Non tuttavia a spese di Cavour, che ha continuato a campeggiare nella sua straordinaria produzione saggistica.

Questo neofita della politica ne scalò le vette con sorprendente rapidità e con una prontezza eccezionale nel penetrarne i meccanismi: come gli era accaduto, del resto, nell'università e nel giornalismo. Presto fu parlamentare, ministro, segretario del Pri. Nella fauna del Palazzo italiano egli rappresentava senza dubbio un esemplare raro: per la preparazione culturale, per la mostruosa capacità di lavoro, per la personale integrità: al che va aggiunto un talento non comune per la mediazione.

A fine giugno del 1981 lo Spadolini I era pronto e contava su un consenso parlamentare teoricamente a prova di bomba. A questo aggiunse un dinamismo e anche un piglio ottimistico che gli valsero molta popolarità. In quel professore corpulento e loquace gli italiani vedevano una immagine pulita – con una nota innocente di vanità – della politica. Il professore – lo si è accennato – aveva la comprensione, se non proprio la benevolenza, di Enrico Berlinguer: che dovette trarsi da un grosso impaccio alla fine del 1981, quando il generale polacco Jaruzelski impose al suo Paese, dopo una breve tregua di aperture politiche e sindacali, la legge marziale. La Polonia fu messa sotto il tallone di ferro militare nella notte del 13 dicembre. I carri armati dilagarono per le strade della capitale e delle altre maggiori città, l'intero stato maggiore di Solidarnosc – con Lech Walesa – e migliaia di affiliati e simpatizzanti furono internati. Dopo sedici mesi di precaria e turbolenta liberalizzazione la Polonia venne «normalizzata». L'ordine regnava a Varsavia. La reazione al sopruso fu, in tutte le nazioni democratiche, indignata: e Berlinguer si trovò in una situazione in qualche modo paragonabile a quelle che il Pci aveva affrontato dopo la repressione ungherese del 1956 e dopo la repressione cecoslovacca del 1968.

Questa volta la presa di posizione comunista non poteva essere che di distacco da Jaruzelski, ossia da Mosca: sembrando evidente che il tetro generale dagli occhiali affumicati avesse agito per evitare che agisse Breznev; e avesse affidato al suo esercito l'incombenza brutale che, altrimenti, sarebbe stata assolta dall'Armata Rossa. Il primo comunicato del Pci dopo il 13 dicembre '81 condannò Jaruzelski, benché in tono cauto e riversando una parte delle responsabilità sulle «tendenze estremistiche ed irresponsabili» degli oppositori più accaniti.

Questo parve già troppo ad Armando Cossutta: che trovò ulteriori motivi di amarezza nei contenuti d'una conferenza stampa indetta da Berlinguer, durante la quale furono pronunciate frasi che lo stesso Cossutta definì poi «pesanti come macigni». «Ciò che è avvenuto in Polonia – disse Berlinguer – ci induce a considerare che effettivamente la capacità propulsiva di rinnovamento delle società, o almeno di alcune società che si sono create all'Est europeo, è venuta esaurendosi. Parlo di una spinta propulsiva che si è manifestata per lunghi periodi, che ha la sua data d'inizio nella rivoluzione socialista d'ottobre, il più grande evento rivoluzionario della nostra epoca. Oggi siamo giunti a un punto in cui quella fase si chiude.» Cossutta replicò coniando una definizione rimasta nella storia comunista. Affermò che la reazione ai fatti polacchi «rappresenta non semplicemente una svolta, una sterzata, ma uno *strappo* con la nostra tradizione storica».

ALL'AVVICINARSI dell'estate (1982) lo Spadolini I fu colto da malore e fece posto a uno Spadolini II che decollò mentre a Palermo venivano falciati, in un agguato di strada (3 settembre 1982) il prefetto Carlo Alberto Dalla Chiesa e la giovane moglie Emanuela Setti Carraro. La mafia lanciava così allo Stato una sfida di ferocia e arroganza senza precedenti, abbattendo l'uomo che della guerra alle cosche avrebbe dovuto essere – senza averne i mezzi e l'autorità – il condottiero, e che ne era comunque la personificazione. C'era stato un tempo in cui la mafia patriarcale e contadina, surrogato perverso ma a suo modo efficiente dello Stato assente o carente, s'era astenuta dal suscitare il clamore e le reazioni violente ch'erano inevitabili quando veniva scelto, come bersaglio, un esponente di primo piano delle istituzioni.

Quel tempo era passato da un pezzo. Legata a reti criminali internazionali per il traffico di droga, fortemente collegata alla politica e all'amministrazione nella speculazione edilizia e nell'assegnazione degli appalti, pronta a negoziare il «voto di scambio» (come nelle sue stagioni remote), ma pronta anche a uccidere chi si rifiutasse di scambiare, la mafia s'era, se possibile, imbarbarita: anche quella in doppiopetto. Al fucile a canne mozze aveva associato il mitra e l'esplosivo, i pezzi da novanta alla Calogero Vizzini erano diventati *boss* alla Lucky Luciano, era esperta di omicidi, della lupara bianca ma anche di computer e di riciclaggio del denaro sporco. I carabinieri li aveva provocati spavaldamente, nel 1977, finendo il colonnello Giuseppe Russo. Dopo d'allora erano venuti tra gli altri i delitti eccellenti del presidente della Regione siciliana Piersanti Mattarella e del deputato comunista Pio La Torre. Ma la lista delle croci era lunga: Cesare Terranova, Boris Giuliano, Lenin Mancuso, Emanuele Basile, Gaetano Costa, Ciaccio Montalto, Rocco Chinnici. Carlo Alberto Dalla Chiesa era stato posto a capo della prefettura di Palermo con investiture verbali che ne facevano un successore, se non un emulo, del famoso Mori: ma erano parole. Dalla Chiesa doveva agire non con i pieni poteri d'un Mori, autorizzato a usarne e se lo riteneva abusarne con grande spregiudicatezza: ma con i poteri d'un qualsiasi prefetto della Repubblica. Ancor più evidente e importante era un'altra differenza. Mori aveva il pieno appoggio del potere politico, che nel suo caso era quello fascista. Al generale Dalla Chiesa i politici della Repubblica tributavano elogi incondizionati e incoraggiamenti calorosi: ma accompagnati da interessati e ipocriti richiami alla democraticità dello Stato e alla necessità di rispettarne i garantismi e le tutele individuali, richiami che erano in sé ineccepibili. Ma che diventavano, sul campo, limitazione e freni.

Di Mori, Carlo Alberto Dalla Chiesa aveva tutte le qualità (alcune delle quali, viste in una particolare ottica, potevano diventare difetti). Militare da capo a piedi, era però un militare molto duttile, ben consapevole di quanto fossero indispensabili gli agganci e gli appoggi politici. Era «figlio d'arte» appartenendo a una famiglia di ufficiali dell'Arma. Il padre ne era stato vicecomandante, il fratello vi raggiunse anche lui il grado di generale. Tuttavia – era nato nel 1920 a Saluzzo in Piemonte ma la famiglia era originaria del Parmense – fu dapprima ufficiale di fanteria, e come tale venne colto in Montenegro dall'armistizio dell'8 settembre 1943. Dimostrò già allora il suo coraggio: insieme ad alcuni compagni non si arrese ai tedeschi e formò una banda partigiana, riuscendo avventurosamente a rientrare in Italia. Chiese poi, e ottenne, il trasferimento nei Carabinieri, e fu mandato in Sicilia. Lì dette sterile prova delle sue capacità d'investigatore. A Corleone era stato ucciso il segretario della locale Camera del lavoro, Placido Rizzotto. Dalla Chiesa ritenne d'avere identificato gli assassini: ma la Corte d'Assise di Palermo li mandò assolti per insufficienza di prove. Si vuole che quest'episodio abbia ispirato Leonardo Sciascia per il suo *Il giorno della civetta*, dove nel capitano Bellodi è possibile intravedere un Dalla Chiesa letterariamente trasfigurato. Lasciò la Sicilia ed ebbe altre destinazioni: in particolare Milano dove inaugurò, nella lotta alla criminalità comune, il suo stile spicciativo. A Palermo tornò da colonnello comandante la legione nel 1966, e si fece valere mandando in carcere un nutrito gruppo di capi e sottocapi mafiosi, tra gli altri Gerlando Alberti e Frank Coppola.

I suoi metodi non piacevano a tutti, nemmeno all'interno dell'Arma. Non era un ufficiale da *routine*. Infatti proprio a lui ci si appellò, l'abbiamo accennato nei precedenti capitoli, al colmo dell'emergenza per il brigatismo rosso. Ma quando ci fu una rivolta nel carcere di Alessandria, e i rivoltosi – che avevano nelle loro mani 48 ostaggi – ne «giustiziarono» uno minacciando di continuare con altri, se non fossero state accolte le loro richieste Dalla Chiesa ordinò ai carabinieri di attaccare. Sul terreno rimasero sette morti, tra detenuti e sequestrati. Su Dalla Chiesa si abbatterono critiche, il governo e il Parlamento furono investiti da polemiche, interpellanze, richieste di provvedimenti contro il responsabile del massacro.

Come al solito – e senza che debbano essere esclusi errori – gli accusatori lamentavano che si fosse agito, ma con eguale veemenza avrebbero lamentato che non si fosse agito se ai detenuti fosse stato consentito di realizzare i loro feroci propositi. Per dar soddisfazione ai protestanti, Dalla Chiesa fu collocato a disposizione. Ci restò poco. Presto lo si incaricò di rendere più sicuro il sistema carcerario italiano.

Nel gennaio del 1978 Dalla Chiesa fu promosso generale di divisione, e pochi mesi dopo, in un'Italia sgomenta per l'assassinio di Aldo Moro, venne nominato coordinatore della lotta al terrorismo. Quello stesso anno, in febbraio, gli era morta per infarto la moglie Dora Fabbro, conosciuta a Bari dove entrambi frequentavano la facoltà di scienze politiche. Anche se Dalla Chiesa era spesso assente, il matrimonio fu solido e sereno. Quando il generale vedovo conobbe Emanuela Setti Carraro, una ragazza di buona famiglia milanese, di trent'anni più giovane di lui, esitò a lungo prima di proporle il matrimonio, proprio in ricordo della prima moglie morta: con la quale aveva, e continuò ad avere, mistici colloqui notturni. I tre figli del generale, Simona, Nando e Rita, erano ormai adulti e indipendenti. Vinte le perplessità, il generale ed Emanuela si sposarono: e la giovane donna fu trucidata con lui nella sparatoria di via Carini, a Palermo.

Carico di allori investigativi e d'onori ufficiali ma anche di delusioni, Dalla Chiesa ebbe il suo ultimo incarico: la Prefettura di Palermo, dove arrivò ai primi di maggio del 1982, il giorno stesso in cui venivano celebrati i funerali di Pio La Torre. Adottò uno stile di vita temerario. Non abitava a Villa Wittaker, sede della Prefettura, ma in una palazzina liberty che era la sua residenza privata, e si spostava senza auto blindata e senza scorta. È possibile che volesse così dimostrare, agli occhi dei cittadini, che la mafia era meno terribile di quanto si pretendesse: ed è anche possibile che ne sottovalutasse, nonostante i precedenti, la risolutezza nel colpire chiunque e dovunque. Prefetto impotente, piuttosto che onnipotente, Dalla Chiesa capì presto che la balena statale avrebbe reagito blandamente, anche in Sicilia, ai suoi stimoli, e che le meschine invidie e i cavillosi conflitti di competenza, opportunamente manovrati, avrebbero impedito di dare alla mafia una risposta degna della sua forza, delle sue strutture criminali, delle sue praticamente inesauribili risorse economiche. L'assassinio di Dalla Chiesa – come anni dopo l'assassinio di Giovanni Falcone – fu motivo d'una rissa politica abbastanza indecorosa per appropriarsi del morto e della sua memoria, e per colpevolizzare gli avversari. Dalla Chiesa fu pianto anche dai politici che, in Sicilia, erano conosciuti per la loro morbidezza se non per la loro simpatia verso la mafia; e il rifiuto di dargli un ambito e una possibilità d'azione adeguate alla minaccia mafiosa fu deplorato, a volte, da forze politiche che avevano tuonato contro la possibile riedizione d'una tecnica di polizia alla Mori (a suo tempo era stata rinfacciata al generale l'iscrizione nelle liste della P2: cui s'era affiliato, fu detto, per poterne carpire, dall'interno, i segreti).

LO SPADOLINI II era cominciato male, sotto il segno della ferocia mafiosa, e continuò peggio, sotto il segno dell'invadenza partitica. Lo «sfarinamento» della situazione, come piacque di definirlo con un non brillante neologismo, era progressivo e paralizzante.

Il decesso dello Spadolini II era scontato, così come scontata fu la breve vita d'un governo Fanfani, preelettorale. Si votò il 26 e il 27 giugno 1983, con un risultato che consacrò uno sconfitto e nessun vero vincitore.

Lo sconfitto fu Ciriaco De Mita, segretario della Dc. Il suo nuovo corso, i suoi discorsi e la sua pronuncia non avevano convinto gli italiani, nemmeno tutti quelli più saldamente ancorati al partito dello scudo crociato che scese al suo minimo storico (d'allora beninteso: il Martinazzoli di dieci anni dopo ci avrebbe messo con esultanza la firma): poco sotto il 33 per cento, con una perdita di oltre cinque punti, di diciotto senatori, di trentasette deputati. Il Pci tenne bene, dal 30,4 al 29,9, i socialisti mancarono il trionfo cui aspiravano, e in cui molti di loro credevano. L'11,4 per cento del Psi, che arricchì di sei senatori e undici deputati i suoi gruppi parlamentari, non mutava sensibilmente gli equilibri. Craxi aveva mancato quel 15 per cento che avrebbe potuto essere il trampolino per tentare di raggiungere i comunisti, le cui flessioni erano del resto poco rilevanti. Risultò con chiarezza che i voti perduti dalla Dc erano stati intercettati in massima parte non dai socialisti, ma dai repubblicani – loro sì baciati dalla vittoria –, dai liberali in crescita, anche dai missini. Si può dedurne che, per molti moderati, la Dc fosse meno necessaria, e il Pci meno pericoloso. Restando tuttavia, la Dc e il Pci, i protagonsti della scena politica, con il Psi a fare da terzo incomodo. Ad attestare queste posizioni vi fu la conferma di Nilde Jotti alla Presidenza della Camera; e la nomina di Francesco Cossiga, il *desaparecido* e *reaparecido* di sempre, alla Presidenza del Senato. Dopo le consultazioni perditempo un formale reincarico a Fanfani e le immancabili schermaglie ufficiali o di corridoio, vi fu il 21 luglio 1983 la scelta definitiva di Pertini: Craxi. Un socialista – ed era una prima assoluta – alla guida del governo italiano.

DUNQUE TOCCAVA A CRAXI, l'uomo nuovo, che pochi anni prima era sconosciuto alla quasi totalità degli italiani, e che era diventato – come ha scritto un suo biografo, Antonio Ghirelli – «il personaggio più stimolante, più popolare e più detestato della nostra costellazione politica». Per lui erano stati coniati dei neologismi («decisionismo», «decisionista») che Norberto Bobbio aveva criticato come «storicamente datati e legati a una teoria politica precisa», ma che il politichese adottò di slancio. Craxi pretendeva d'impersonare e in qualche modo, bisogna pur dirlo, impersonò una classe politica più giovane e più efficiente. Col senno di poi possiamo individuare il tanto – il troppo – di rampante, di aggressivo, di spregiudicato e di scostumato che di quella classe, e del suo modo d'interpretare la politica, era una componente essenziale. L'opinione pubblica gli si dimostrò largamente favorevole, molti intellettuali s'erano già accodati o si affrettarono ad accodarsi al carro di questo vincitore, negli altri partiti della maggioranza si aveva per lui un misto di diffidenza e di inconfessata ammirazione. Berlinguer non lo poteva soffrire, per allergia caratteriale oltre che per le divergenze politiche. E a nulla servì, per fargli cambiare idea, un *tête à tête* alle Frattocchie.

Il pentapartito che Craxi formò poteva essere considerato, per le gerarchie politiche italiane, un *parterre de rois*. Vi figura-

vano tre ex-Presidenti del Consiglio (Forlani alla vicepresidenza, Andreotti agli Esteri, Spadolini alla Difesa); un futuro
Presidente della Repubblica, Scalfaro, all'Interno; un futuro
Presidente del Consiglio, Giuliano Amato, nel posto chiave di
sottosegretario alla Presidenza.

La navigazione del governo – per il quale Craxi aveva chiesto
una sopravvivenza di almeno tre anni – procedette all'inizio tra
le solite burraschette, ma senza fortunali. Vi fu un successo
vistoso: il nuovo Concordato tra l'Italia e la Santa Sede, firmato
a Villa Madama, il 18 febbraio 1984, da Craxi e dal cardinale
Casaroli. Una ventina di giorni prima il documento – che sostituiva quello sottoscritto in un altro lontano febbraio (1929) da
Benito Mussolini – era stato approvato dal Parlamento, con il
voto favorevole dei comunisti: in questo Berlinguer aveva rical-
cato l'esempio di Togliatti, favorevole all'articolo 7 della
Costituzione che inseriva in essa i Patti Lateranensi, ossia il
Concordato del 1929. L'adesione del Pci al nuovo Concordato
non piacque alla sinistra indipendente: il cui gruppo alla
Camera, guidato da Stefano Rodotà, fu invece per il no. Con il
nuovo Concordato la religione cattolica perse la posizione di privilegio che ne faceva la religione ufficiale dello Stato italiano (in
precedenza le altre erano religioni «ammesse»). Tutte le religioni venivano teoricamente poste sullo stesso piano (infatti Craxi
firmò successivamente concordati con la Chiesa valdese e altre).
Fu comunque riconosciuta alla religione cattolica una speciale
rilevanza, nella società italiana, prevedendosi l'ora di religione
nelle scuole.

Rimase memorabile nel 1984 di Craxi, così poco devoto e così
poco sentimentale, il giorno di San Valentino. Proprio il 14 febbraio – consacrato al patrono degli innamorati – il governo varò
un decreto che congelava 4 punti della scala mobile: ossia rallentava, per dirla in soldoni, il processo d'adeguamento degli
stipendi e dei salari all'aumento del costo della vita. Questo
colpo di scure si ripercuoteva indubbiamente sui bilanci dei
lavoratori di reddito modesto. Craxi aveva avuto l'accortezza
d'ottenere, prima di varare il decreto, l'assenso della Cisl e della
Uil: contro le quali scese in campo la Cgil, all'unisono con il
Partito comunista, confermando un'ennesima volta che la componente socialista della Cgil era sistematicamente soccombente
nei momenti cruciali. Il dibattito per la conversione in legge del
provvedimento ebbe, alla Camera e al Senato, fasi tumultuose. Il
duello tra Pci e Psi per il decreto sulla scala mobile ebbe a distan-

za d'oltre un anno uno strascico referendario. I comunisti avevano promosso un *referendum* popolare per l'abrogazione del
provvedimento, e gli italiani votarono il 9 e 10 giugno del 1985.
Nella campagna propagandistica il pentapartito – con l'appoggio
della Cisl, della Uil, della componente socialista della Cgil e ovviamente degli ambienti industriali – fronteggiò il Pci, Democrazia
proletaria, i missini, il Partito sardo d'azione e la componente
comunista della Cgil. Le ragioni del tornaconto personale e del-
l'egoismo economico suggerivano agli italiani il sì, che secondo
calcoli confindustriali avrebbe portato un aggravio di spesa di
7500 miliardi l'anno, e un aumento dell'1,2 per cento del costo
del lavoro.

Gli italiani, che in quel momento credevano in Craxi, nel suo
governo, e nella sua sincera volontà di rimettere in sesto le
finanze dello Stato, dettero invece una straordinaria prova di
consapevolezza civica e di senso del dovere patriottico. Il 54,3
per cento dei votanti disse no all'abrogazione del provvedimento, il 45,7 per cento disse sì. Un miracolo: dovuto sicuramente,
in larga misura, al modo in cui Craxi aveva saputo drammatizzare la votazione.

NELLA TARDA PRIMAVERA del 1984 i partiti erano impegnati in grandi manovre per l'imminenza delle elezioni europee, fissate per il 17 giugno. Berlinguer si dedicò con tutta la
serietà e tutto lo sforzo di cui era capace – ed erano grandissimi
– alla campagna propagandistica. Anche se magro e tirato come
sempre, il segretario comunista sembrava in buona salute, e
d'eccellente umore. Il 30 maggio aveva assistito, insieme con i
figli e nipoti, alla finale calcistica di Coppa Campioni tra Roma e
Liverpool. Il 7 giugno arrivò a Padova per un comizio. Veniva da
Venezia, e l'indomani era atteso a Milano da Peter Nichols per
un'intervista su Canale 5. Dopo Milano, secondo programma,
Bologna e Catania.

Era un ritmo massacrante, ma abbastanza consueto tra i politici, in vigilia d'elezioni. Quella sera di giugno era piuttosto fredda
e nuvolosa, per la stagione. Alle nove e mezza Berlinguer salì sul
palco in piazza della Frutta, per il discorso che aveva preparato
insieme a Tonino Tatò, nel pomeriggio. Durante una mezz'ora
parlò senza intoppi, polemizzando, ironizzando, esortando.
«Siamo – disse a un certo punto – di fronte ad un momento pieno
di insidie per le istituzioni della Repubblica. Ma è certo che...» Su

queste parole incespicò impallidendo, mentre le telecamere lo riprendevano. Chiese dell'acqua, ne bevve un sorso, ma tossì, e sembrò che stesse per vomitare. Alle spalle aveva un maxischermo che rifletteva la sua immagine, e che ingigantì il suo tormento, e i suoi sforzi strenui per non arrendersi al malore. Chiuse, ha scritto Chiara Valentini, «pronunciando frasi ormai smozzicate sulla P2, sugli scandali, sulla democrazia malata»: e coprendosi il volto con un fazzoletto mentre «scende quasi inerte le scale del palco sorretto dai suoi compagni». Quattro giorni durò l'agonia: Berlinguer spirò l'11 giugno. Era stato folgorato da una devastante emorragia cerebrale, e a nulla valse l'intervento operatorio cui i chirurghi lo sottoposero.

L'Italia fu percorsa da un'ondata di commozione che può apparirci, retrospettivamente, eccessiva. Sandro Pertini accorse a Padova già l'indomani del collasso fatale, e da quel momento fu protagonista dell'agonia quanto e quasi più dell'agonizzante, non allontanandosi dalla scena se non a funerali avvenuti. A Padova sfilarono le massime personalità pubbliche: vi andò anche Craxi, «bestia nera» dei militanti comunisti e inviso ai familiari di Berlinguer. Il fratello dell'infermo, Giovanni, invitò a un contegno cortese coloro che aspettavano ansiosi nel cortile dell'ospedale, ma Letizia e i figli evitarono d'incontrare il presidente del Consiglio, salutato da una bordata di fischi ai funerali romani, che furono di un'imponenza senza precedenti. Tra i personaggi stranieri che li seguirono erano Gorbaciov e – la testa avvolta nell'immancabile *kefia* – Arafat.

Quelle europee furono, sotto l'effetto Berlinguer-Pertini, elezioni listate a lutto. Il Pci se ne avvantaggiò sicuramente: per la prima e l'unica volta nella storia della Prima Repubblica si ebbe il sorpasso comunista in danno della Dc, sia pure d'un soffio: il 33,3 per cento contro il 33 alla Dc. Questa sconfitta sul filo di lana valse per De Mita quanto una vittoria. Fu d'obbligo drammatizzare il sorpasso: peraltro quasi irrilevante e con tutta evidenza favorito dalle circostanze. Era invece chiaro che la Dc «teneva», e che il Psi non cresceva. Craxi dovette registrare un piccolo passo indietro (11,2 per cento), repubblicani e liberali alleati furono puniti dalla regola italiana che vuole le coalizioni sempre più deboli delle singole componenti sommate l'una all'altra (6,1), nulla di veramente notevole nelle altre formazioni, tranne l'elezione di Enzo Tortora a deputato radicale. Presentatore televisivo di eccezionale bravura e popolarità, Tortora era stato coinvolto in una vicenda di droga, in base alle accuse inverosimili di pentiti: accuse delle quali fu poi accertata la totale falsità.

Gli ultimi mesi del 1984 furono – fino alla vigilia di Natale – non tranquilli, perché la politica italiana era nevrotica, anche negli anni più quieti, ma d'ordinaria amministrazione. Nulla che, nonostante i grossi titoli dei giornali e il politichese televisivo, interessasse molto gli italiani: sconvolti invece da un'altra strage terribile per il numero delle vittime; singolarmente abbietta e sacrilega per essere stata compiuta in un Paese che si apprestava a festeggiare il Natale, e contro un treno carico in prevalenza di gente che proprio in occasione delle feste natalizie s'era messa in viaggio.

Sera del 23 dicembre 1984. Il rapido 904 Napoli-Milano era gremito di 700 persone. L'esplosione di un ordigno, mentre il convoglio percorreva la galleria tra Vernio e Benedetto Val di Sambro, sotto l'Appennino tosco-emiliano, devastò due vetture, lasciando tra i loro rottami quindici morti e 180 feriti. Un'orrenda replica all'attentato dell'Italicus di dieci anni prima (3 agosto 1974, un altro periodo di ferie e di viaggi) con dodici morti. Furono riaffacciati, e non poteva essere altrimenti, le accuse e i sospetti di sempre. «S'è voluto sporcare di sangue questo Natale» disse Craxi, ma era un commento di maniera.

Nel suo messaggio di Capodanno, ascoltato da quasi tutti gli italiani, Pertini espresse bene il sentimento del Paese: «Cinque stragi abbiamo avuto, tutte lo stesso marchio d'infamia, e i responsabili non sono stati ancora assicurati alla giustizia. I parenti delle vittime, il popolo italiano non chiedono, come qualcuno ha insinuato, vendetta, ma chiedono giustizia». Pertini aggiunse che i servizi segreti erano stati rinnovati. «Mi hanno detto che vi sono persone molto valide, oneste. Gli antichi servizi segreti erano stati inquinati dalla P2, da questa associazione a delinquere. Ebbene i nuovi servizi segreti cerchino di indagare, non si stanchino di indagare, non si fermino ad indagare soltanto in Italia, vadano anche all'estero, perché probabilmente la sede centrale di questi terroristi si trova all'estero.»

Pertini, il Presidente più amato dagli italiani, era alla scadenza del suo mandato. Non gli sarebbe spiaciuta una conferma, benché l'avversassero sia l'anagrafe sia le sue intemperanze di Capo di Stato che, quando si trattava di scegliere tra la facile popolarità e la riservatezza, non aveva esitazioni. Per il Quirinale erano considerati in corsa, tra i democristiani, Forlani – che presto fece capire di non voler competere –, il presidente della Corte costituzionale Leopoldo Elia (ma i socialisti gliel'avevano giurata perché dalla Corte era stato dichiarato ammissibile il *referendum* sulla scala mobile), Andreotti, infine il Presidente del Senato, Cossiga; tra i laici Spadolini e Bobbio. De Mita tessé a quel punto una trattativa con i comunisti, per ottenere la convergenza su un nome. Che fu appunto quello di Cossiga, cui venne assicurato il favore dei sei partiti dell'«arco costituzionale». Non si ripeté la consueta stucchevole e deplorevole melina delle votazioni a catena, e dei favoriti bocciati. Il 24 giugno 1985, al primo scrutinio, Cossiga passò con 752 voti favorevoli e 141 schede bianche. Craxi fu sveltamente confermato alla Presidenza del Consiglio, Fanfani ridivenne Presidente del Senato.

LA SERA DEL 7 OTTOBRE 1985 si seppe che la grande nave *Achille Lauro*, in crociera nel Mediterraneo, era stata «dirottata» da un *commando* palestinese. Si aprì, con quell'avvenimento, una crisi che assicurò a Bettino Craxi il momento di maggior notorietà internazionale, nei suoi anni da Presidente del Consiglio.

Pochi giorni prima che i palestinesi gli scippassero un transatlantico, il governo aveva avuto espressioni di biasimo per l'incursione di bombardieri israeliani sul quartiere generale dell'Olp a Tunisi. L'incursione, che causò una settantina di morti, era una rappresaglia per la strage di tre israeliani, ad opera di sicari palestinesi, nel porto cipriota di Larnaca. Il modo in cui Craxi e Andreotti avevano stigmatizzato il comportamento israeliano era parso eccessivo ai repubblicani, i quali sottolineavano l'arbitrarietà d'un giudizio che faceva ricadere su una sola delle parti in causa – appunto il governo di Gerusalemme – l'intera responsabilità.

Se Andreotti e Craxi – il primo per convinzione politica, il secondo anche per l'assidua frequentazione della Tunisia, dove aveva una villa per le vacanze divenuta poi il suo rifugio di latitante – ritenevano di blandire così gli arabi, evitando il coinvolgimento dell'Italia nel terrorismo, furono subito disillusi. L'*Achille Lauro* aveva sbarcato ad Alessandria gran parte dei suoi quasi ottocento passeggeri, che s'erano avviati in pullman per una visita al Cairo. Sarebbero stati ricaricati a Porto Said. Tra i 200 rimasti – italiani, svizzeri, americani, austriaci, tedeschi – erano quattro giovani, uno poco più che adolescente, arrivati a Genova all'ultimo momento, mentre la nave stava per salpare le ancore, e muniti di passaporti ungheresi e greci. Proprio questi «ragazzi» sbucarono sul ponte di comando, all'ora di pranzo di lunedì 7 ottobre, armati di mitra Kalashnikov sovietici, e intimarono al comandante Gerardo De Rosa di far rotta verso il porto di Tartus, in Siria. Fu poi sostenuto che il *commando* avesse progettato una missione suicida in Israele, dov'era previsto che la nave facesse uno scalo: e che i quattro scoperti da un cameriere mentre, in cabina, ripulivano le loro armi, fossero stati costretti ad agire. Sta di fatto che i quattro esaltati cominciarono a impartire ordini, accompagnandoli con raffiche d'avvertimento. I turisti dovettero radunarsi nella sala ristorante, impauriti e indignati: i 344 uomini di equipaggio – 78 dei quali di nazionalità portoghese, gli altri italiani – non tentarono reazioni, per evitare il peggio, o più semplicemente per paura.

A Roma le sventagliate di mitra dei fanatici che s'erano impadroniti dell'*Achille Lauro* echeggiarono con il fragore di un'esplosione atomica. Riunioni d'emergenza furono convocate a Palazzo Chigi – dove Craxi aveva in un primo momento supposto che l'impresa fosse di stampo khomeinista –, alla Farnesina dove Andreotti convocò i suoi più stretti collaboratori, a Palazzo Baracchini, sede del Ministero della Difesa: il cui titolare Spadolini, avvertito a Milano dove si trovava, s'era precipitato nella capitale. Gli Esteri e la Difesa non erano soltanto due ministeri diversi. Erano il cuore di due diverse «filosofie». Andreotti era per una trattativa, anche la più estenuante e la più umiliante.

Infatti mobilitò immediatamente i suoi amici: al Cairo il ministro degli Esteri Boutros Ghali, futuro segretario generale dell'Onu, che assicurò piena collaborazione; in Siria il presidente Assad che, da Praga dov'era in visita, si dichiarò dapprima disposto a consentire l'attracco della nave nel porto siriano. Ma dalle memorie di Andreotti si evince che l'ottusità degli americani impedì questa soluzione e che essi causarono indirettamente la morte d'un loro concittadino. «La conoscenza personale con il presidente Assad – ha scritto Andreotti – mi consentì di rintracciarlo subito e ottenere l'assenso (all'ingresso dell'*Achille Lauro* nel porto di Tartus – *N.d.A.*) nonostante che avesse preferito restar fuori dalla vicenda. Furono gli americani a bloccare l'operazione, temendo che una volta a terra i pirati potessero dileguarsi: e il ripensamento impedì che nessuna vittima insanguinasse l'operazione, perché solo dopo il rifiuto (all'attracco della nave – *N.d.A.*) venne ucciso, come si seppe poi, il passeggero americano Leon Klinghoffer.» Da Arafat, Andreotti ricevette l'assicurazione che l'Olp non aveva nulla a che vedere con il sequestro dell'*Achille Lauro*, e che anzi si sarebbe adoperata perché i dirottatori si arrendessero, e fossero debitamente giudicati. Andreotti si sentì molto incoraggiato da queste profferte. Per non essere da meno di lui Craxi contattò telefonicamente il Primo Ministro tunisino Mzali, suo grande amico.

Arafat indubbiamente si prodigava: comunicò al governo italiano, nella notte da lunedì a martedì, d'avere inviato al Cairo due suoi emissari perché aiutassero alla soluzione del «caso». Uno dei due era Hani El Hassan, collaboratore politico di Arafat, l'altro Abu Abbas: che poi la giustizia italiana condannerà all'ergastolo – in contumacia, è ovvio – come ideatore dell'attacco all'*Achille Lauro*. Craxi e Andreotti non potevano sapere, in quel momento, delle responsabilità di Abbas: ma finsero di non saperne nulla neppure quando gli americani li avvertirono che la mediazione di Arafat era una beffa, perché si dava il caso che uno dei mediatori fosse il capo dei terroristi.

L'*Achille Lauro*, cui era stato inibito lo scalo in Siria, vagabondava nel Mediterraneo, e si ripresentò in prossimità delle coste egiziane. Intanto, a Palazzo Baracchini, Spadolini faceva mettere a punto i piani d'una azione armata che consentisse a reparti speciali italiani di recuperare la nave: pur sapendosi che un'azione di forza avrebbe potuto indurre i terroristi a rivalersi sugli ostaggi. Altri piani erano elaborati dagli americani. Nelle ore che seguirono vi fu il mistero, o l'equivoco grottesco, dei messaggi attribuiti al comandante De Rosa secondo i quali nessun passeggero aveva subito violenze: mentre il povero Klinghoffer, le cui uniche colpe erano quelle d'essere un invalido, d'essere un americano, e d'essere ebreo, veniva ucciso e buttato fuori bordo con la carrozzina su cui era inchiodato. Crimine orribile – l'assassino si chiama Magled Al Molql – di cui molto opportunamente le autorità italiane non seppero, o asserirono di non aver saputo, fino a che l'*Achille Lauro* fu liberata, e i dirottatori si furono arresi agli egiziani: perché il non aver saputo consentì patteggiamenti e compromissioni che in caso contrario un minimo di decenza avrebbe impedito.

Nel pomeriggio di martedì 8 ottobre l'*Achille Lauro* tornava sotto il controllo del suo comandante. I quattro dirottatori e assassini, che trecento e passa uomini d'equipaggio non erano riusciti in alcun modo a neutralizzare, erano nelle mani degli egiziani: da Andreotti e anche da Craxi considerate a quanto pare buone mani, perché giustizia fosse fatta. Ma gli americani erano meno fiduciosi, e non avevano tutti i torti. A mezzanotte di giovedì 10 ottobre una telefonata della Casa Bianca avvertì Craxi che aerei militari americani avevano intercettato un apparecchio egiziano sul quale si presumeva viaggiassero i terroristi dell'*Achille Lauro*. Gli americani chiedevano che l'aereo, preso sotto mira dai loro caccia, atterrasse nella base Nato di Sigonella in Sicilia. L'autorizzazione fu concessa: ma secondo il resoconto degli avvenimenti che Craxi fece alla Camera dei Deputati il 17 ottobre, essa fu interpretata troppo largamente. Insieme al Boeing 737 egiziano atterrarono non già i caccia americani, ma due aerei da trasporto C 141. Il Boeing era stato circondato, alla fine del rullaggio, da una cinquantina di carabinieri, a loro volta circondati da una cinquantina di uomini della Delta Force statunitense – scesi dai C 141 – al cui comando era un generale in collegamento radio con Washington. Reagan voleva che gli assassini di Klinghoffer comparissero davanti a una giustizia come quella americana, che non avrebbe ceduto a ragioni di convenienza politica.

Ma a quel punto, al di là d'ogni mistificazione logica e d'ogni furbizia dialettica, il problema non era più tanto quello dei quattro esecutori materiali del sequestro – e dell'uccisione del povero Klinghoffer – quanto quello di Abu Abbas, che viaggiava sul Boeing insieme all'altro messaggero di Arafat. Per proteggere questo capo del terrorismo internazionale il governo italiano sembrò disposto a rischiare uno scontro armato con i grandi alleati dell'Italia, gli Stati Uniti. E proprio sul problema Abbas, le spiegazioni di Craxi in Parlamento furono un cumulo di reticenze, di ipocrisie, e all'occorrenza di bugie. Craxi disse che la giustizia italiana avrebbe, come le competeva, processato i sequestratori: e aggiunse che non era possibile indagare su persone ospiti del governo egiziano a bordo di quel Boeing, perché esso godeva del privilegio dell'extraterritorialità. Il governo italiano chiedeva peraltro all'ambasciatore egiziano lo spostamento del Boeing 737 dalla base di Sigonella all'aeroporto romano di Ciampino «allo scopo di poter esplorare la possibilità di compiere ulteriori accertamenti». «Esplorare la possibilità di compiere» è una perifrasi dietro la quale stava una gran voglia di non far nulla. Spiegava Craxi che il Boeing era trasferito a Roma per rispondere «all'impegno che io avevo assunto con Reagan di concedere il tempo necessario affinché potessimo disporre di elementi o evidenze che dimostrassero, come si assume, il coinvolgimento dei due dirigenti palestinesi nella vicenda».

Il Boeing volò da Sigonella a Ciampino controllato da un caccia americano e affiancato, subito dopo l'atterraggio, da un altro aereo militare Usa: per il che il governo di Roma consegnò immediatamente una protesta all'ambasciatore degli Usa, Rabb. A Ciampino Abu Abbas passò dall'aereo egiziano a uno jugoslavo e decollò verso altre trame e altri crimini, con sollievo del governo italiano cui faceva da contrappeso il furore del governo americano. Craxi sostenne che la magistratura non aveva adottato alcun provvedimento per bloccare Abu Abbas e il suo compare di «mediazione» mancandole elementi di prova a carico. In un Paese dove i processi durano anni s'era ritenuto che fosse impossibile ritardare di qualche decina d'ore, per ulteriori accertamenti, il fermo dei due. Nonostante le sollecitazioni americane, rozze fin che si vuole ed espresse in gesti di stile *western* (ma nella sostanza sacrosante perché tutto ciò che gli americani dissero allora di Abu Abbas fu confermato da sentenze definitive della magistratura italiana) si preferì umiliare e deludere l'alleato piuttosto che gli «amici» arabi e, amico tra gli amici, Arafat.

A Spadolini, che non sentiva la fatale attrazione degli arabi, e aveva più d'una riserva sull'attendibilità delle loro promesse, gli sviluppi e l'epilogo della faccenda Lauro non piacquero. Voleva un chiarimento che riguardasse tanto il «chi siamo?» quanto il «con chi stiamo?». Il 17 ottobre Craxi, ricostruendo a Montecitorio, nel modo che s'è detto, le fasi del sequestro, annunciò la caduta del governo. «Ieri – disse – ho ricevuto le dimissioni dei ministri Mammì, Spadolini e Visentini a seguito di una decisione della Direzione repubblicana, che ha determinato una crisi nei rapporti della coalizione.»

Erano, quelle di Craxi, dimissioni del tipo a elastico, pronte al rientro. Cossiga optò presto per una riconferma, il governo resuscitò, e Craxi, rinfrancato, ribadì nel dibattito sulla fiducia, che la causa palestinese era nobile: poiché Giorgio La Malfa l'aveva interrotto concitatamente, spiegò che «quando Giuseppe Mazzini nel suo esilio si macerava nell'ideale dell'Unità, lui così idealista e religioso, progettava gli assassini politici. Contestare la legittimità dell'uso delle armi a chi vuole liberare il proprio Paese è andare contro le leggi della Storia».

Il 27 dicembre un *commando* palestinese che con le leggi della Storia era in perfetta sintonia, almeno là dove si pretende che esse diano licenza d'uccidere, lanciò bombe, nell'aeroporto di Fiumicino, contro il banco d'accettazione dell'Etal, la compagnia di bandiera israeliana. La polizia italiana e i *vigilantes* della compagnia reagirono, si contarono 13 morti e 75 feriti. Mazzini forse avrebbe capito, gli italiani del Natale 1985 non capirono, ostinandosi a distinguere i terroristi dai patrioti.

CON CRAXI l'Italia aveva avuto un governo di lunga durata, non un governo stabile. Ben 163 erano state le sue sconfitte in Parlamento, esasperante era la tortura dei franchi tiratori. Quando ne subì un'altra, il 26 giugno 1987, si dimise. Cossiga, le cui alluvioni verbali erano di là da venire, si comportò secondo tradizione, anche se scansò l'immediato reincarico a Craxi. Un compito esplorativo a Fanfani, poi la designazione di Andreotti, che tuttavia esitava ad assumersi la Presidenza del Consiglio in una situazione di rottura aperta con i socialisti. De Mita avanzò a quel punto la proposta di un'alleanza strategica tra Dc e Psi ossia d'un patto di legislatura. Craxi governasse pure per i venti mesi che mancavano alle elezioni: ma garantisse che nella successiva legislatura il governo sarebbe stato guidato da un democristiano. I socialisti rifiutarono.

Fallito questo tentativo di «staffetta», ne fu realizzato, con le immancabili ambiguità, un altro minore. Craxi formò – era il 1° agosto 1986 – il suo governo bis, molto simile al precedente: fuori Altissimo, Lagorio, Martinazzoli e Carta, dentro Rognoni, Donat Cattin, Formica, De Lorenzo e, in sostituzione del defunto Fortuna, un altro socialista, Fabbri. Al governo era affidata l'approvazione della legge finanziaria, che non poteva andare al di là del febbraio successivo. Dopodiché si sarebbe rinegoziato per dar vita a un pentapartito alla testa del quale fosse un democristiano. La finanziaria passò per il rotto della cuffia – due voti di maggioranza –, altri provvedimenti naufragarono. Intanto De Mita rinnovava, in pubblico o nella penombra di incontri riservati, il tema della staffetta, che Craxi non gradiva, preferendone di gran lunga altri come la moralità o il risanamento delle finanze pubbliche. Per il 7 febbraio 1987 fu convocato, come voleva la bolsa liturgia del Palazzo, un conclave dei partiti di governo: e ne uscì una fumata nera. Craxi se ne andava con malagrazia, negando che i patti gl'imponessero di passare la mano.

Ci fu allora – sembra siano passati secoli – chi rimpianse Craxi, il suo modo arrogante ma convincente di comandare, il suo piglio risoluto. Tornato al partito – e al Congresso di Rimini che lo confermò, a fine marzo, segretario per la quinta volta – Craxi insistette nel presentare un bilancio brillante della sua gestione. Favorita da un periodo di vacche grasse, quella gestione era stata – come altre che l'avevano preceduta – a due facce: secondo che si considerasse prevalentemente l'una o l'altra, il giudizio diventava diverso, o addirittura opposto.

L'Italia del 1986 era un Paese moderno, sviluppato, notevolmente ricco. Ma se i conti del Paese nel suo complesso erano buoni, quelli dello Stato precipitavano in un abisso di spese e di debiti. Lo Stato sociale disordinato, assistenziale e sprecone quale era stato concepito in Italia divorava risorse restituendo ai cittadini servizi insufficienti e inefficienti. La riforma sanitaria, varata nel 1979, era divenuta un'immensa greppia per sistemazioni di «trombati» politici, per lottizzazioni, per ruberie. I Parlamenti e i governi avevano largheggiato nel concedere pensioni non dovute, mentre usavano la lesina per l'ammontare delle pensioni a chi era avanti con gli anni, e non aveva altra fonte di guadagno. Leggine elaborate dalla burocrazia avevano concesso tutto l'immaginabile, e anche l'inimmaginabile, a chi della burocrazia stessa, o dell'amministrazione nel suo complesso, facesse parte. E così si ebbero insegnanti quarantenni che, dopo meno di vent'anni di servizio, trasmigravano felicemente nell'esercito dei pensionati. Le pensioni d'invalidità erano ottenute, in particolare al Sud, con facilità irrisoria, fino ai casi estremi di «non vedenti» che avevano la patente e giravano in automobile e di gravemente menomati che partecipavano a tornei calcistici «normali», non per handicappati. Craxi non aveva inventato la formula italiana d'una spesa a pioggia – anzi ad acquazzone – che teneva buoni gli scontenti, in particolare i più riottosi e i meglio attrezzati per esercitare ricatti e pressioni. Ma – pur con la citata e lodevole eccezione controcorrente del *referendum* sulla scala mobile – i governi laici non si discostarono molto da quelli democristiani per quanto riguardava la tecnica del consenso.

La scena madre di questa tragicomica recita veniva raggiunta durante l'approvazione della legge finanziaria, Magna Charta della spesa pubblica: che il governo inviava per l'approvazione al Parlamento, e che dal Parlamento usciva sfigurata, in una gara di emendamenti spendarecci che vedeva gomito a gomito i partiti di governo e i partiti d'opposizione, Dc e Psi all'arrembaggio come il Pci, tutti disposti ad una austerità generica ma riluttanti all'austerità pratica su questioni specifiche. In questo carnevale dell'elargizione e del dissesto si levavano rituali le voci del governatore della Banca d'Italia o dei ministri finanziari in carica, il primo per ammonire sui pericoli incombenti, il secondo per promettere che, da quel momento in poi, avrebbe emulato Quintino Sella. Ma erano moniti inutili e promesse da marinai dei più malfamati angiporti.

Estromesso Craxi da Palazzo Chigi, la *routine* politica ridiventò – e questo spiega perché vi sia stata per lui, allora, qualche nostalgia – mucillagine soffocante ed esasperante. Il giuoco dell'oca ricominciò, con Cossiga che chiamava Fanfani, ma Fanfani si disse dispiaciuto di non poter accettare; e allora venne convocato Scalfaro, che combinò poco; a quel punto fu richiamato in servizio Fanfani, nella sua qualità di Presidente del Senato, per la formazione d'un monocolore democristiano di carattere istituzionale, la cui unica incombenza fosse quella di preparare le elezioni che si tennero il 14 giugno 1987.

Le urne portarono aggiustamenti anche sensibili, ma non sorprese. Bene la Dc (dal 32,9 al 34,3), bene il Psi (dall'11,4 al 14,3), male il Pci (dal 29,9 al 26,6), male i laici, i verdi per la prima volta in Parlamento con 13 deputati e un senatore. La consultazione ebbe clamorosa risonanza sulla stampa internazionale non per le oscillazioni dei partiti tradizionali, ma per l'ingresso alla Camera di Ilona Staller, in arte Cicciolina, pornostar d'origine ungherese e di passaporto italiano che il funambolo Pannella aveva candidata e che diverse migliaia di buontemponi o di repressi sessuali inclini al voyeurismo avevano impudentemente votata. Cicciolina rubò la scena, nell'approdare a Montecitorio, ad altri professionisti dello spettacolo: come i cantanti Gino Paoli e Domenico Modugno, o come Giorgio Strehler che dalla militanza socialista era trasmigrato, sempre argenteo, ispirato – e per quanto riguarda i lavori parlamentari svogliato – a quella d'indipendente di sinistra. Tra tante celebrità, nessuno fece caso ad un senatore, anzi ad un *senatur*, che la Lega lombarda era riuscita a portare a Palazzo Madama (insieme a un deputato, l'architetto Giuseppe Leoni, a Montecitorio). Si chiamava Umberto Bossi e pareva destinato, con la sua pronuncia brianzola e le sue cravatte da bar dello sport, a far magra figura tra gli incalliti marpioni.

SULL'IDENTITÀ LOMBARDA di Bossi non ci sono discussioni. È nato nel 1941 in una cascina di Soian, frazione di Cassano Magnago, in provincia di Varese. Il padre, cattolico fervente (un fratello era gesuita), lavorava in fabbrica, ma nel tempo libero coltivava i suoi campi; la madre, di estrazione operaia, si proclamava socialista. L'infanzia e l'adolescenza di Umberto furono molto serene fino ai quindici anni, quando un doloroso imprevisto cambiò – in peggio – la vita dei suoi, e sua. «Un carro senza fari dell'azienda agricola familiare – ha raccontato nel suo *I lombardi alla prima crociata* Daniele Vimercati, che di Bossi e della Lega è stato il cronista e lo storico – si scontrò poco dopo il tramonto con un motociclista che restò gravemente ferito. Per pagare i danni, bisognava vendere tutto: la terra valeva poco, la famiglia Bossi finì in miseria e dovette ritirarsi in un appartamentino d'affitto, alla periferia del paese.» A sedici anni Umberto Bossi andò in stabilimento, poi trovò un posto da impiegato all'Automobile Club di Gallarate, e intanto suonava il pianoforte in un complessino, tentava (con pessimo esito) la carriera del cantante di musica leggera, faceva il filo (con ottimi esiti) alle ragazze, e s'iscriveva a un corso di elettronica. A quel punto rimpianse di non avere avuto un'istruzione regolare, frequentò una scuola serale per conseguire la licenza liceale (che regolarmente ottenne) e addirittura cominciò ad insegnare.

Ma rimaneva inquieto e arruffone. Di politica s'interessava poco: comunque sembrava orientato a sinistra, e partecipava ai *sit-in* contro il regime di Pinochet in Cile. Era alla soglia dei trent'anni, senza arte né parte. Il che non gl'impedì di sposarsi e d'avere un figlio. (Quel matrimonio naufragò, negli anni Ottanta Bossi conobbe la sua nuova compagna, Manuela Marrone, figlia di un siciliano e di una milanese, e anche da lei ebbe un figlio.) Frustrato dalla mediocrità cui era costretto, ma non domo, il «professorino di Samarate» (così lo chiamavano dalle sue parti, a ricordo della breve esperienza in cattedra) ne pensò un'altra: s'iscrisse alla facoltà di medicina dell'Università di Pavia.

Ma era scritto che qualcosa dovesse sempre bloccarlo. A quindici anni la sciagura del carro, a trentasette l'incontro con Bruno Salvadori, capo e ideologo dell'Union Valdôtaine (il movimento autonomista della Valle d'Aosta), che per motivi privati era passato da Pavia e che, in un corridoio dell'Università, aveva sostato per leggere un manifesto del Movimento federalista, messo in bacheca. Bossi, che stava uscendo, finì quasi addosso a Salvadori, e poi lesse a sua volta il manifesto. Cominciarono a chiacchierare e simpatizzarono. In breve: la medicina fu dimenticata, Salvadori e Bossi pubblicarono un giornalino, *Nord-Ovest*, che abbozzava le tesi della futura Lega. Era il 1979. Un anno dopo Bruno Salvadori perdeva la vita sull'autostrada. Il destino perseguitava Bossi. Si trovò con una ventina di milioni di debito, che per uno squattrinato come lui erano tanti, e senza il suo Mentore. I debiti li pagò puntualmente montando antenne televisive, dando lezioni private, organizzando feste all'aperto. Diede un definitivo addio a Ippocrate e alla politica non rinunciò più.

Riuscì a radunare qualche simpatizzante per il suo credo: «La Lombardia ai lombardi». Gli mancavano, per il suo movimento, un nome e un simbolo: azzeccò sia l'uno sia l'altro. Il nome fu Lega autonomista lombarda, a ricordo della Lega che oltre otto secoli prima venti città avevano stretto contro il Barbarossa, suggellando l'alleanza con il giuramento di Pontida. Il simbolo fu il profilo della Lombardia sovrastato dal guerriero di Legnano con la spada sguainata, quell'Alberto da Giussano che forse non esistette, che se esistette aveva probabilmente un altro nome, e che nella Storia – o nella leggenda storica – è rimasto come condottiero delle forze comunali schierate, con il loro carroccio, contro l'usurpatore tedesco. Nel marzo del 1982 la Lega lanciò un suo proclama ai lombardi cui seguirono un primo programma politico e, nel 1983, il programma definitivo, in dodici punti.

I più importanti erano: autogoverno della Lombardia superando lo Stato centralizzato con un moderno Stato federale che sappia rispettare tutti i popoli che lo costituiscono; collocazione, accanto al tricolore, della bandiera storica della Nazione lombarda (croce rossa su fondo bianco); precedenza ai lombardi nella assegnazione di lavoro, abitazione, assistenza, contributi finanziari; le tasse dei lombardi controllate e gestite dai lombardi; sistema pensionistico lombardo per garantire l'intoccabilità delle pensioni, minacciata dalle numerose pensioni di invalidità distribuite nel Meridione; amministrazione pubblica e scuola gestite dai lombardi; servizio di leva dei lombardi in Lombardia.

Questa Magna Charta affastellava rivendicazioni ragionevoli ed enunciazioni demagogiche, progetti istituzionali dirompenti e remoti e proteste molto attuali. In maniera generica e grossolana, Bossi e i suoi toccavano tuttavia punti nevralgici del problema Italia. L'antimeridionalismo dei *lumbard* – che avrà in più d'un momento connotazioni d'intolleranza razzistica – era nella sua essenza una rivolta alla burocrazia, quasi infallibilmente impersonata dall'impiegato del Sud, con il suo insopprimibile accento e, spesso, anche con il suo atteggiamento sprezzante o scostante verso il cittadino, considerato un postulante indiscreto, e in definitiva uno scocciatore. È fuor di dubbio che il sistema dei concorsi pubblici nazionali scaricasse in Lombardia magistrati, funzionari, portalettere che ambivano soltanto a essere rimandati dalle loro parti, cosicché nelle Poste di Milano venivano formati appositi comitati per esigere che quel ritorno fosse sollecito, indipendentemente dalla funzionalità del servizio. E alla prima vigilia elettorale un ministro caritatevole veniva in soccorso degli insoddisfatti.

Bossi non si fa scrupoli di coerenza, nella tattica: contraddice un giorno ciò che aveva detto il giorno precedente, e se qualcuno gli fa carico di questi contorcimenti risponde che la Lega, braccata dal Palazzo, deve procedere a zig zag, come una lepre inseguita da cani e cacciatori. A Bossi diede il suo sostegno un ideologo autorevole, il professor Gianfranco Miglio, docente della Cattolica di Milano, che aveva riproposto il federalismo, su un piano squisitamente teorico, e che andava cercando nella politica italiana un «decisionista», ossia un uomo capace di dare un'impronta d'autorità, se non d'autoritarismo, alla tecnica di governo (per questo aveva avuto simpatie craxiane). Miglio, intelligente, bizzarro, provocatore, ritenne che Bossi potesse essere il decisionista che cercava e Bossi capì che Miglio – sempre tenuto un po' a distanza – dava alla Lega la copertura culturale di cui aveva gran bisogno, per ripulirsi un po' delle accuse di «barbarie» e d'ignoranza. (»I partiti non ci fregheranno perché la Lega ce l'ha duro, duroooooo!» sarà il grido di battaglia dell'Umberto, degno degli *ultras* calcistici.)

Nel 1987 i partiti – che ancora esistevano, ed avevano potere autentico – sarebbero stati probabilmente in grado di infliggere qualche colpo grave, se non irrimediabile, alla Lega di Bossi, in crisi di crescita. Non seppero farlo, per miopia e per presunzione. Sottovalutarono il *senatur* e i suoi, perché erano così presi dalle loro *querelles* che restava poco tempo, e poca attenzione, per il leghismo. Ai fendenti di Bossi il mondo politico rispondeva con scomuniche, in nome dell'unità d'Italia e delle glorie storiche. Quella ripulsa patriottica suonava falsa, e perciò non era convincente.

FATTE LE ELEZIONI del 16 giugno (1987) bisognava fare il governo. Un veto democristiano impediva a Craxi d'aspirare a un ulteriore soggiorno a Palazzo Chigi. Ma un veto di Craxi impediva, parallelamente, ogni aspirazione a entrarci del segretario democristiano Ciriaco De Mita. Per un organismo di così debole costituzione era consigliabile un Presidente del Consiglio piuttosto evanescente, e Cossiga lo trovò in Giovanni Goria, che era giovane, piemontese, accreditato d'una qualche competenza in materia economica, e fregiato d'una bella barba ottocentesca. A Goria la Dc diede appoggio flebile, il suo era un «governo amico» (come quello di Pella nel 1953) piuttosto che un autentico governo dello scudo crociato.

Proprio sull'economista Goria si abbatté, prima che passasse la mano, una *débâcle* borsistica che fu mondiale, ma che colpì anche l'Italia in misura grave. Lunedì 19 ottobre 1987 – il «lunedì nero», riecheggiante il leggendario «venerdì nero» del 28 ottobre 1929 a Wall Street – il Dow Jones, che è l'indice di riferimento più accreditato della Borsa americana, calò del 22,62 per cento. A ruota le altre maggiori borse: meno 11 per cento a Zurigo, meno 10 per cento a Londra, meno 7 per cento a Francoforte, meno 6,2 per cento a Milano che era già da alcuni giorni, per dirla con espressione di gergo, «in sofferenza». Nella seconda metà di ottobre i titoli ritenuti più sicuri del listino, i cosiddetti *blue chips*, sprofondarono a Milano: meno 13,4 per cento le Generali, meno 14,3 per cento Mediobanca, meno 21,3 le Fiat, meno 24,5 le Olivetti, meno 28,9 i titoli del gruppo Ferruzzi. Qualcuno attribuì la responsabilità del crollo – o larga parte della responsabilità – alle tecnologie telematiche adottate dalle principali borse. Con questi sistemi, le contrattazioni avvengono a mezzo di *computers* che analizzano con impersonale distacco l'andamento del mercato azionario: e, quando vi siano ribassi consecutivi, ordinano vendite automatiche. L'effetto è di vendite a cascata, o a valanga. Vera o no che fosse questa ipotesi, gli investitori soffrirono perdite consistenti, e ancor più consistente fu l'effetto dissuasivo che l'episodio ebbe sui risparmiatori. La cui parola d'ordine divenne, più che mai, Bot e sempre Bot.

Si era ormai al febbraio del 1988, e Craxi lasciò intendere che la preclusione contro De Mita era finita. S'accomodasse pure a Palazzo Chigi. Dove volevano fortemente che andasse anche i democristiani, non per rafforzarlo ma per indebolirlo in seno al partito. Avute tutte le opportune benedizioni, De Mita poté presentare in aprile (1988) il suo pentapartito (non pentacolore) con De Michelis alla vicepresidenza, Andreotti inchiavardato agli Esteri, Gava all'Interno, Fanfani declassato al Bilancio, Vassalli alla Giustizia. Retrospettivamente, possiamo sottolineare che quel governo era ricco di futuri «avvisati» (oltre a De Michelis, Andreotti e Gava, c'erano Mammì alle Poste, Zanone alla Difesa, Formica al Lavoro, Prandini alla Marina mercantile, Franco Carraro allo Spettacolo e Turismo, Vito Lattanzio alla Protezione civile, Paolo Cirino Pomicino alla Funzione pubblica, Gaspari al Mezzogiorno, Tognoli alle Aree urbane, e probabilmente ne abbiamo dimenticato qualcuno). Con un capolavoro d'antistrategia politica, i partiti avevano finalmente raggiunto il loro intento: che era quello di mandare l'uomo sbagliato al posto sbagliato. De Mita non è senza qualità. Ma gli facevano interamente difetto le doti d'un governo. Lo si era visto quand'era ministro, e concludeva poco: e quel poco, di solito, sarebbe stato meglio non fosse stato concluso.

SE LA DC NON ERA IN BUONA SALUTE, ben più malconcio sembrava in quel periodo il Partito comunista che passava elettoralmente di sconfitta in sconfitta e che vedeva sgretolarsi le sue coordinate ideologiche, e affossarsi ogni suo «modello» esterno. I comunisti italiani – all'unisono con l'*intellighenzia* – si aggrappavano all'esperimento di Gorbaciov: ma i più avvertiti sentivano quanto i traguardi che l'uomo del Cremlino aveva annunciato – la *glasnost* e la *perestroika* – fossero remoti, e quante volte egli incespicasse nella corsa per raggiungerli. Alessandro Natta era stato nel Pci un segretario di transizione: legato al passato da vocazione dogmatica, poco interessato al potere, malandato in salute. Alle sue spalle incalzava un vice, Achille Occhetto, che si distaccava per anagrafe, per orientamenti, per comportamenti dalla consolidata immagine dei *leaders* comunisti: immagine che doveva essere fatta d'austerità, di solidità, d'apparente infallibilità, intrisa insomma di certezze. Di Occhetto scriverà invece l'*Economist* che «somiglia un po' a Charlie Chaplin, occhi preoccupati, baffo attivo». I caricaturisti brindarono per l'ascesa politica di questo «baffino» che aveva un'aria da furetto bonario e astuto, indossava panciotti anche vistosi, sapeva ridere e sapeva piangere, confessava di sbagliare.

Il passaggio delle consegne tra Natta e Occhetto avvenne nel giugno del 1988, non senza opposizioni interne e sgradevoli attacchi al subentrante: che, nato nel 1936 a Torino, avrebbe dovuto chiamarsi Akel. Il padre Adolfo, dirigente editoriale politicamente vicino alla sinistra cristiana, avrebbe voluto infatti dargli il nome dell'esploratore danese che scoprì la Groenlandia. Ma lo stato civile fascista impediva queste bizzarrie, e così si ebbe non un Akel ma un Achille: il che (imperando sul Partito fascista, nel 1936, Achille Starace) poteva anche essere scambiato per un riconoscimento di regime.

Comunista borghese se mai ce ne fu uno, Occhetto scelse per professione il Partito, oscillando continuamente tra populismo e mondanità, tra la rivoluzione e Capalbio, tra gli striscioni in fabbrica e le vele della barca per le vacanze d'estate. C'erano nel *curriculum* di Occhetto le immancabili intemperanze contestatarie. Diversamente dall'austero Berlinguer Achille era, per i legami sentimentali, un farfallone. La prima moglie Ines Ravelli era figlia di Aldo, notissimo commissionario della Borsa di Milano. Una seconda moglie, Kadigia Bove, somala, cantante e attrice molto bella, gli aveva dato due figli, e questa volta, cambiati i tempi, non erano valsi i divieti posti ad Akel: il primo bimbo era stato battezzato Malcolm X (in omaggio al *leader* nero americano), il secondo Emiliano, in ricordo del rivoluzionario messicano Zapata. Fallita l'unione con la somala, nota al pubblico soprattutto per certi suoi «Caroselli» televisivi pubblicizzanti i frigoriferi, Occhetto si è riaccasato, proprio alla vigilia della sua investitura a segretario del Pci, con la senatrice comunista Aureliana Alberici.

Tra un matrimonio e l'altro, Occhetto progrediva nella *Nomenklatura* comunista. I duri del partito non lo avevano in gran simpatia: troppo disponibile e troppo malleabile. *Tango*, l'inserto satirico dell'*Unità*, lo aveva preso di mira, nelle vignette e nei testi quand'era diventato vicesegretario. Lo raffiguravano come un bambino fastidioso, gli attribuivano frasi quali «fonderemo il governo con quelle forze politiche che ci diranno chiaramente che intenzioni abbiamo». Lo descrivevano disorientato e causidico. «Quando alla base gli girano le balle, Occhetto si domanda: "Sono le balle che girano intorno alla base o è la base che gira intorno alle balle?». Dovrò andare a ripassarmi Copernico".» Allusione questa alla «rivoluzione copernicana» che Occhetto aveva vaticinato per il Pci e che fu imposta dalla storia.

Mentre in Italia De Mita passava la mano ad Andreotti per il suo VI governo, la Storia ebbe un'accelerazione brusca: e fece del declino comunista un crollo, anzi una rivoluzione. Nel volgere d'una manciata di mesi, tra il 1989 e il 1990, le strutture ideologiche, politiche, territoriali e militari d'un Impero che aveva affrontato ed intimorito l'Occidente furono prima disarticolate, quindi polverizzate. Il 9 novembre 1990 cadde il muro di Berlino. Quattro mesi dopo, nel marzo del 1990, fu riunito a Bologna l'ultimo Congresso del Pci. Il possente partito di Togliatti abbandonò la vecchia etichetta e si chiamò Partito democratico della sinistra.

I *referendum* del giugno 1990 sulla caccia e sugli anticrittogamici erano falliti per la svogliatezza degli elettori che pareva avessero in uggia, ormai, i ripetuti appelli alle urne: e che avevano fatto mancare il *quorum* necessario (i votanti dovevano essere la metà più uno degli iscritti nelle liste). Questa nausea della scheda non era ingiustificata. Tra politiche, amministrative, europee, *referendum* il cittadino non aveva requie. Puntare proprio sui *referendum* per dare uno scrollone alle istituzioni, e avviare la nascita della Seconda Repubblica, era dunque un azzardo temerario. Nel quale si cimentò un ancor giovane esponente della Dc, tollerato piuttosto che apprezzato nel suo partito, e dagli altri partiti ritenuto un utopista benintenzionato, incapace di realizzazioni concrete e durature: Mario (o Mariotto) Segni.

Il blasone politico di Segni era illustre. Il padre Antonio era stato Presidente della Repubblica. A Sassari aveva studiato nella scuola statale numero uno che aveva avuto tra i suoi alunni Palmiro Togliatti, Enrico Berlinguer e Francesco Cossiga: quando poi il padre s'era trasferito a Roma, per fare politica a tempo pieno, Mariotto era stato compagno di classe, nel famoso liceo Tasso, di Giorgio La Malfa. Per la laurea, aveva dapprima scelto la facoltà di agraria, ma poi era passato a giurisprudenza, sulle orme paterne: che ripercorse anche nel volere una cattedra universitaria, il che gli riuscì nel 1975. Forse anche per onorare il padre, Mariotto si risolse ad entrare in politica: lo fece candidandosi per la Camera nelle politiche del '76, quelle che erano sovrastate, in campo moderato, dall'incubo del «sorpasso» comunista, e che avevano indotto uno degli autori di questo libro a consigliare che gli italiani, per evitare il peggio, votassero Dc «turandosi il naso». Il sorpasso non ci fu, e in Sardegna Mario Segni, il novizio, colse un'affermazione se non sorprendente, senza dubbio notevole: 86 mila preferenze; l'aveva preceduto solo Francesco Cossiga con le sue 174 mila. Con questa dote di consensi, Segni si sforzò di rendere attive, nella Democrazia cristiana, componenti zittite o narcotizzate dal conformismo di partito. Con ostinazione sarda tentò varie strade per dare uno scrollone alla stagnazione politica.

Agli inizi del 1990 gli uomini e i gruppi che con Segni volevano una legge elettorale di tipo uninominale avevano messo a
punto i contenuti di tre *referendum*, da proporre agli italiani. Il
primo riguardava il Senato. L'elezione dei senatori avveniva,
teoricamente, con criterio uninominale. Il candidato che avesse
raggiunto una determinata percentuale era eletto immediatamente. Ma la soglia percentuale era così alta – il 65 – che in pratica quasi nessun candidato ci arrivava, e allora si tornava a una
ripartizione proporzionale nell'ambito regionale. Con il *referendum*, tolto di mezzo il tetto minimo del 65 per cento, sarebbe
diventato senatore (per i tre quarti dei seggi riservati al sistema
maggioritario) chi avesse avuto la maggioranza relativa. Punto
e basta. Il secondo *referendum* riguardava la Camera, e mirava
a consentire un'unica preferenza sulle schede, così da evitare il
sistema delle cosiddette cordate tra candidati (tu mi dai un certo
numero di tuoi elettori, e io ti ricambio con i miei) e la conseguente corruzione nella cattura dei voti. Il terzo *referendum*
riguardava i Comuni: e, abolendo la norma che limitava il sistema maggioritario ai centri con meno di cinquemila abitanti,
estendeva il sistema stesso a tutti i Comuni.

Il grosso del Palazzo reagì all'iniziativa con ostilità perfino
sprezzante. Craxi precisava che la sua Grande Riforma era ben
altra cosa, e aggiungeva che in materia elettorale «i *referendum*
sono pericolosi». Pollice verso della Segreteria democristiana, e
di Giorgio La Malfa. Ma oltre a quelli dei radicali, Segni andava
raccogliendo consensi importanti: a sorpresa, fu con lui Ciriaco
De Mita, una parte dei comunisti (ma una parte importante, che
includeva il segretario Occhetto), una parte dei liberali. Il 10
aprile 1990 ebbe avvio la raccolta delle firme con una riunione
che segnava la nascita d'un «partito trasversale» fino a qualche
tempo prima impensabile.

Entro il 2 agosto erano state raccolte seicentomila firme, con
abbondante esubero rispetto al minimo necessario. Ma il vecchio sistema dei partiti aveva in serbo qualche arma segreta,
per bloccare l'offensiva referendaria. La prima fu il ricorso del
governo alla Corte costituzionale perché stabilisse se i tre *referendum* fossero ammissibili. I giudici della Consulta ne boccia-
rono due, i più significativi. Sopravvisse, solitario, il *referendum*
sulla preferenza unica, che non avrebbe in nessun modo alterato l'essenza delle norme elettorali esistenti e che si poteva temere richiamasse alle urne, proprio per la sua scarsa valenza,
pochi elettori. Craxi intanto tuonava definendo il *referendum*

«anticostituzionale, antidemocratico, inquinante, antisociale», e fonte di spreco per i 700 miliardi che sarebbe costato. «Tutti al mare!» fu la parola d'ordine di Bettino.

Fu, per Segni, un trionfo. Votò il 62,5 per cento degli aventi diritto, e tra coloro che votarono il 95,6 per cento si pronunciò per la preferenza unica. Aggiungendo a queste cifre verificate una cifra arbitraria, che azzardiamo a lume di naso, dobbiamo dire che di quel 96 per cento schierato risolutamente per la preferenza unica, il novanta e forse più per cento non sapeva bene di cosa si trattasse, e quali conseguenze comportasse. Aveva capito una sola cosa: che i capi dei partiti tradizionali di governo, gli Andreotti, i Forlani, i Craxi, i Gava la preferenza unica non la potevano soffrire. Poiché non piaceva a loro doveva essere una cosa buona e meritava un sì entusiastico. Su questo ragionamento semplice e facile si fondò il successo di Mario Segni, che aveva saputo captare il sentimento di disprezzo e d'ostilità per i partiti e per chi li impersonava che stava ormai dilagando tra la gente. La svolta della preferenza unica fu storica, perché segnò la fine morale – venuta prima della fine istituzionale – della partitocrazia. La grandine referendaria che venne meno di due anni dopo (18 aprile 1993) e che includeva i *referendum* elettorali già bocciati dalla Consulta e successivamente ammessi, non fu che un seguito di quel folgorante 9 giugno.

IN CONFRONTO ai nomi illustri ma non onesti della politica e dei suoi dintorni che hanno conosciuto – quando gli è andata bene – gli avvisi di garanzia a raffica, e quando gli è andata male la galera, quello di Mario Chiesa era ed è un nome minore: il nome d'uno dei tanti boiardi che nella grande abbuffata del Palazzo se ne stavano avidi e furbi accanto ai potenti, per sgraffignare quanto più potevano dalla tavola imbandita. Ingegnere – anzi «ingegnere dieci per cento» l'aveva battezzato chi era addentro alle segrete cose –, Mario Chiesa era un socialista di bell'aspetto, con una vita familiare abbastanza turbolenta e una vita pubblica senza traguardi eccelsi, ma con molte soddisfazioni venali. Aveva fatto i suoi primi passi, nel Partito, come iscritto alla sezione di Quarto Oggiaro, nella periferia milanese, e nel 1980 gli era riuscito di farsi eleggere consigliere provinciale. Simpatizzava, all'inizio, per i demartiniani, gli intransigenti del socialismo, refrattari a compromessi e lusinghe di potere, poi s'era avvicinato a Carlo Tognoli, sindaco che fu dai milanesi amato.

Proprio Tognoli aveva designato Chiesa come presidente del Pio Albergo Trivulzio, che nella vulgata milanese è la Baggina, istituto dove sono ospitati gli anziani. Chi ha avuto modo di collaborare – in maniera corretta – con Chiesa, gli attribuisce buone qualità di *manager*. La Baggina funzionava, con lui: era un eccellente organizzatore. Peccato che fosse anche un ladro.

Il pomeriggio del 17 febbraio 1992 – la giornata invernale era limpida – Chiesa ricevette nel suo elegante ufficio un modesto imprenditore, Luigi Magni, la cui impresa assicurava la pulizia del Pio Albergo Trivulzio. Ecco come l'incontro è stato descritto nel libro *Le mani pulite* di Enrico Nascimbeni e Andrea Pamparana:

«Ecco i soldi ingegnere» (è Magni che parla – *N.d.A.*).

«Solo 7 milioni?»

«Sì, non ho potuto mettere insieme la cifra intera, soprattutto così, in contanti.» «L'accordo però era...» «Lo so, ingegnere, lo so. Porterò senz'altro gli altri 7.» Chiesa è in piedi, dietro la pesante scrivania in noce. Prende in mano 70 pezzi da 100 mila lire, apre un cassetto della scrivania e li butta dentro lestamente. Magni cerca di farlo parlare. Ha una valigetta con una microtelecamera e sul risvolto della giacca una potente microspia. Dopo qualche minuto la porta dell'ufficio di Mario Chiesa si spalanca. Entrano il dottor Antonio Di Pietro, uno dei sostituti alla Procura di Milano, il capitano dei carabinieri Roberto Zuliani, che comanda il gruppo di investigatori del Nucleo-operativo, e altri tre militari dell'Arma in borghese. Quando Chiesa dirà «questi sette milioni sono miei» Di Pietro risponderà «no quelli sono soldi nostri».

Sette milioni furono il sassolino che formò la valanga di «Mani pulite»: portarono alla ribalta non episodi isolati di corruzione – se n'erano visti tanti – ma un sistema efficiente e generalizzato di riscossione d'un tributo illegale – e, per i metodi e per i fini, spregevole – su ogni transazione e concessione nella quale il «pubblico» fosse parte in causa. I partiti e i loro emissari lucravano su tutto: sugli appalti, sui progetti, sui permessi che per un'opera dovevano volta a volta essere dati, sulle forniture, sull'approvazione di una determinata legge, su tutto ciò, in riassunto, che comportasse o facilitasse un flusso di denaro.

L'esistenza di questo immane ingranaggio succhiasoldi era più che sospettata, era nota. Lo si conosceva, l'ingranaggio, non nelle sue dimensioni e nella sua diabolica razionalità, ma sicuramente nelle sue caratteristiche strutturali.

Nessuno che avesse occhi per vedere poteva non essersi accorto di quanta sproporzione vi fosse tra le somme che i partiti raccoglievano con il finanziamento pubblico o con il tesseramento, e le somme che venivano profuse per campagne elettorali, sedi, funzionari; e chiunque avesse occhi per vedere si rendeva conto di quanto il tenore di vita privato dei boiardi contrastasse con le loro dichiarazioni dei redditi, e con i loro introiti palesi. Ma l'Italia era parsa a lungo un Paese di ciechi.

Antonio Di Pietro, che aveva colto Mario Chiesa con le mani nel sacco, anzi nelle mazzette, divenne in un batter d'occhio un personaggio nazionale. Aveva tutte le qualità per esserlo, in un'Italia nauseata dagli spaccacapelli in quattro e dai magistrati che s'incaponivano a discettare su questioni d'archeologia giudiziaria. Il capo del suo ufficio e i suoi colleghi restarono almeno per qualche tempo in ombra, mentre quotidiani e periodici erano alluvionati da biografie di quest'emergente epuratore. Si seppe così – anche grazie a un libro di Gigi Moncalvo – che Di Pietro aveva quarantadue anni, ed era originario di Montenero di Bisaccia, nel profondo Molise. Papà Peppino e mamma Annina avevano già due figlie, Concetta e Pierina, quando nacque loro, il 2 ottobre 1950, una coppia di gemelli, Antonio e Angelina (la bambina morirà a quattro anni di emorragia cerebrale). Una famiglia contadina non poverissima ma nemmeno facoltosa. Antonio frequentò le scuole medie al seminario di Termoli, senza tuttavia prendere i voti religiosi, e si diplomò perito elettrotecnico. Sapeva arare, seminare, accudire il bestiame, aveva nozioni da tecnico specializzato.

Ma non vedeva un avvenire, ancora. Decise d'emigrare in Germania e trovò occupazione, prima come pulitore di mestoli in una mensa, poi in una segheria. Intanto si sfogava a compilare i moduli dei più svariati concorsi, vincendoli tutti. Il primo che vinse fu per un posto nell'Aeronautica militare, come impiegato civile. Tornò in Italia, conobbe e sposò Isabella Ferrari e ne ebbe un figlio, Cristiano. Era ambizioso Di Pietro: e rubava ore al riposo per studiare giurisprudenza. Riuscì a laurearsi, in quelle condizioni, dopo quattro anni e mezzo. E insisteva nei concorsi, a raffica, con la sua infaticabile testardaggine campagnola: prima segretario comunale, quindi funzionario di pubblica sicurezza.

Un'altra porta Di Pietro riuscì a sfondare, quella per il passaggio dalla polizia in magistratura, dove debuttò nel dicembre del 1981, a Bergamo. Ebbe peraltro due sconfitte. La prima fu il fallimento del suo matrimonio (la seconda moglie, Susanna Mazzoleni, è figlia d'un avvocato di Bergamo e lei stessa avvocato). La seconda fu la valutazione negativa che i superiori, probabilmente impensieriti dalla tecnica della sbrigativa mazza ferrata, anziché del fioretto cavilloso, trasmisero al Consiglio superiore della magistratura: valutazione che peraltro il Csm rovesciò. A Bergamo Di Pietro aveva tra l'altro ordinato l'arresto del suo segretario, un maresciallo della Finanza sorpreso a intascare una bustarella.

Finalmente, dopo tanto tortuoso cammino, il massiccio molisano che aveva, insieme a quelle del contadino, le caratteristiche fisiche e psicologiche d'un grosso poliziotto americano, piuttosto che quelle d'un arzigogolante giurista meridionale, approdò a Milano. I riflettori furono appuntati su Di Pietro, e così fu trascurato a lungo il resto della squadra. Che era comandata dal procuratore capo di Milano Francesco Saverio Borrelli: asciutto, severo, sicuro. E che comprendeva altri due sostituti procuratori di spicco: Gherardo Colombo (l'abbiamo già incontrato occupandoci della scoperta degli incartamenti P2 a Castiglion Fibocchi) sempre, o quasi sempre, in maglietta, una capigliatura alla Woody Allen, occhiali con montatura di tartaruga, accanito fumatore; e Pier Camillo Davigo che i già citati Nascimbeni e Pamparana così tratteggiano: «Cammina veloce per i corridoi come un furetto. Ha la faccia del primo della classe. Capelli neri lisci con qualche traccia di bianco a sovrastare un viso da ragazzo... Intelligente, furbo, un po' khomeinista».

Di Pietro e i colleghi arpionarono dapprima politici di secondo piano e boiardi. Poi la pesca s'inoltrò in acque profonde, quella dei *leader* di partito. E Bettino Craxi, ormai braccato e consapevole delle diserzioni che già sfaldavano le sue schiere, reagì al modo che gli era congeniale: battendosi come un cinghiale stremato e furioso, e addebitando al *pool* di «Mani pulite», con interventi nei quali i toni gravi dello statista s'intrecciavano a maldicenze da ballatoio su Di Pietro, una volontà persecutoria verso i socialisti. I fatti gli davano qualche motivo, o pretesto, per sostenere questa tesi. Il prototangentocrate – proto della nuova serie – era stato Mario Chiesa, un socialista, da Craxi definito riduttivamente un «mariuolo». L'inchiesta infuriava a Milano, dove il Psi in generale, e la famiglia Craxi in particolare, avevano esercitato un potere spinto fino alla prevaricazione. I boiardi del Psi s'erano distinti per esibizionismo e strafottenza. Ma la rete si estese presto – sull'esempio milanese

– all'Italia intera, e avvolse le cupole di quasi tutti i partiti: ben
oltre quei poveri segretari amministrativi – il defunto Balzamo
per il Psi, Citaristi per la Dc – su cui si tentava di scaricare ogni
responsabilità. Tutti nel calderone, con le eccezioni dei radicali
di Pannella, dei verdi, degli ultimi venuti Lega e Rete, e con
addebiti in complesso poco rilevanti ai missini. Il che si spiega
con la estraneità o con lo scarso apporto di queste forze sia al
potere nazionale sia al potere locale. I democristiani, bollati
come «forchettoni» da tempo immemorabile, erano in prima
linea, e lo erano i socialisti, chiamati più tardi all'imbandigione,
ma ansiosi di rifarsi, e capaci di straordinaria ingordigia. Il Psdi
aveva una solida tradizione tangentizia (tre suoi segretari
Tanassi, Pietro Longo e Nicolazzi, erano finiti nei guai) e non la
smentì. I liberali resistettero, nel proclamarsi senza macchia,
per qualche mese, ma ebbero un tracollo, con avvisi di garanzia
al segretario Altissimo e, in forma diluviale, all'ex-ministro della
Sanità De Lorenzo. Giorgio La Malfa aveva tuonato con un vigore degno del padre contro l'affarismo del Palazzo, ma gli schizzi
di fango lo raggiunsero.

Non solo con vigore, ma con la pretesa di dare lezioni a tutti,
avevano tuonato sia il Pci sia i due suoi eredi, il Pds e
Rifondazione comunista. Occhetto pianse al primo annuncio
d'una irregolarità che comprometteva i suoi, ma poi si asciugò
le lacrime sostenendo che l'emozione l'aveva tradito, infine
ammise che qualcosa di losco c'era a Botteghe Oscure, ma che
riguardava elementi isolati e la periferia del partito, non la sua
struttura, inassimilabile a quelle altrui. Autodifesa che non persuase perché da più parti, e con pezze d'appoggio di solida
apparenza, era stato affermato che il Pci non solo attingeva al
pozzo tangentizio (magari tramite le Cooperative rosse), ma
s'era fatto finanziare dall'Urss con artifici che la legge italiana
può ritenere non punibili, ma che la coscienza nazionale ritiene
indegni.

Quando la rete, o la ramazza di «Mani pulite» passò dal livello dei boiardi e dei comprimari della politica a quello dei «grandi» (Craxi fu il primo d'una serie di segretari di partito) fu attribuito a Francesco Saverio Borrelli – come già al suo collega
Calogero – un «teorema» di cui egli rinnegò la paternità: ma che
nei fatti trovò conferma. Vediamo di sunteggiarlo. La responsabilità penale è individuale, non può essere presunta (benché per
i direttori di giornali lo sia). Vale a dire, in soldoni, che il semplice fatto d'occupare una certa carica non dovrebbe portare a un

riconoscimento di colpevolezza senza prove concrete riferite all'individuo, non al suo ruolo.

Ma, spiegava il teorema, c'è un limite a questa distinzione. Se un ricco signore «amico» dona a un partito importante qualche decina di milioni (e del passaggio di denaro dovrebbe comunque restare traccia nella contabilità delle due parti) si può sensatamente supporre che dell'incasso si occupi il segretario amministrativo, e che il segretario politico non ne sappia nulla. Ma quando i milioni diventano centinaia, o addirittura miliardi, e più miliardi, ossia sono una quantità di denaro che condiziona la vita del partito, assicurandogli durante un certo periodo i mezzi per far fronte alle sue spese, l'idea che il segretario politico non ne sappia niente appartiene alla favolistica, non alla realtà.

Si volle distinguere tra tangenti politiche e tangenti personali. Della «doppia morale» Craxi era stato il gran sacerdote. Non che avesse cominciato lui. L'idea che rubare per il Partito fosse non solo lecito ma addirittura doveroso era inchiavardata da decenni nelle teste dei politici. Quando all'onesto Ezio Vanoni era stato rimproverato di percepire, per la presidenza d'un certo ente pubblico, un'indennità molto alta, la giustificazione era stata pronta, ed era apparsa ai più convincente. Le mie prebende sono sontuose, aveva chiarito Vanoni, ma non vanno a me perché la maggior parte viene devoluta al Partito. Era bastato per liberarlo di ogni ombra.

Qualche notazione dov'essere dedicata, con rispetto, ai suicidi di Tangentopoli, almeno ad alcuni. Renato Amorese, ex-segretario cittadino del Psi a Lodi e consulente aziendale: non una gran carriera in politica. Era tra gli indagati, per l'uso irregolare di somme che nell'ottica successiva sono spiccioli. Si sparò alla testa nella sua auto, il 16 giugno 1992, in una stradina isolata. Aveva prima scritto una lettera a Di Pietro dicendosi fortemente prostrato e «consapevole dell'errore commesso e del disonore che è derivato alla mia famiglia». E aggiungeva: «A mia moglie, che era all'oscuro e alla quale ho rivelato i fatti confessati, ho anche detto dell'impegno a restituire quanto sarà dovuto e necessario, e stia certo (e lo potrà capire parlandole) che farà di tutto per onorare la promessa... A tal proposito sono a pregarla vivamente (lo consideri un ultimo desiderio), per lei e per i miei figli, di non attuare pignoramenti o sequestri perché possano realizzare il massimo, e potere così sperare che rimanga qualcosa per andare avanti e far studiare i miei figli. Io, con quello che è successo, non sono più in grado di farlo, ed è giusto che paghi». Amorese era una brava persona.

Così come era una brava persona, per quanto serio fosse il coinvolgimento in Tangentopoli, il deputato socialista Sergio Moroni, bresciano, che si ficcò in bocca la canna del suo fucile da caccia il 2 settembre 1992, e premette il grilletto. La lettera che Moroni inviò al presidente della Camera dei deputati, Giorgio Napolitano, non era, come quella di Amorese, una semplice ammissione di colpevolezza con postille riguardanti il «privato»: era una amara diagnosi del sistema che, invischiandolo, l'aveva portato all'estrema risoluzione del suicidio. «Mi rendo conto – scrisse – che non è facile la distinzione tra quanti hanno accettato di adeguarsi a procedure legalmente scorrette in una logica di partito e quanti invece ne hanno fatto uno strumento di interessi personali. Né mi pare giusto che una vicenda tanto importante e delicata si consumi quotidianamente sulla base di cronache giornalistiche e televisive.» Concludendo, Moroni rivendicava la sua personale probità e respingeva la qualifica di ladro: «Non lo accetto, nella serena coscienza di non avere mai personalmente approfittato di una lira. Ma quando la parola è flebile non resta che il gesto».

Ancora tre suicidi seguirono a distanza di alcuni mesi. Il 25 giugno 1993 Antonio Vittoria, preside della facoltà di farmacia di Napoli, ingerì nel suo ufficio all'università una micidiale miscela d'alcol e barbiturici. Vittoria era implicato gravemente nella malasanità dell'ex-ministro liberale Francesco De Lorenzo: e con la sua autorità aveva avallato le manovre grazie alle quali, in cambio di mazzette o favori, erano stati approvati indebiti aumenti dei farmaci o attestazioni fasulle della loro indispensabilità ed efficacia terapeutica. L'industriale farmaceutico Giampaolo Zambeletti era stato molto puntuale nel ricordare onomastici, compleanni e altre ricorrenze in casa Vittoria: circa 185 milioni in quadri, gioielli, tappeti e argenteria. (Robetta, se paragonata al bottino attribuito all'ex-direttore del servizio farmaceutico del Ministero della Sanità, Duilio Poggiolini.) Prima di togliersi la vita Vittoria così scrisse a Di Pietro: «Se lei mi avesse chiamato prima, forse non avrei fatto questo gesto. Ho avuto il tempo di pensare; ora, e per il posto che occupo nella comunità scientifica in cui lascerò il segno, per la fiducia che hanno sempre riposto in me i miei colleghi di facoltà, e soprattutto per i miei figli che ho mandato a studiare fuori perché imparassero a camminare con le loro gambe, è inevitabile che io mi riscatti».

Poche settimane dopo, il 20 luglio, era la volta di Gabriele

Cagliari, ex-presidente dell'Eni, socialista, tenuto in carcere dal 9 marzo precedente, e di cui era imminente la liberazione. Per morire Cagliari s'era chiusa la testa in un sacchetto di plastica, nella sua cella del carcere di San Vittore. Le lettere lasciate alla moglie Bruna e ad altri erano un *j'accuse!* contro i giudici.

«Non è ulteriormente tollerabile essere colpiti da questi provvedimenti, illegittimi e applicati in modo discriminato. Questo dei magistrati è un comportamento che ha come unico scopo quello di coprirci di vergogna e di rancore. Deve assolutamente cessare.» Tre giorni più tardi Raul Gardini, imprenditore e finanziere d'assalto, che aveva dato la scalata all'impero Montedison, e che s'era acquistata vasta popolarità con le imprese della sua barca *Il Moro* nella coppa America di vela, si sparava un colpo alla tempia nella sua abitazione milanese di piazza Belgioioso. Per lui era già pronto un ordine di cattura derivante – così come la detenzione di Cagliari – dall'operazione Enimont: che avrebbe dovuto portare alla creazione d'un nuovo colosso della chimica; e che era abortita in un vortice di miliardi a centinaia elargiti – secondo gli inquirenti – a partiti e ai boiardi. Una volta di più veniva confermato che ogni manovra finanziaria etichettata Eni era irrimediabilmente inquinata dalla politica e dalle mance. Ma chi, trent'anni prima di «Mani pulite», aveva osato denunciare il malaffare che l'Eni favoriva, e che sempre avrebbe favorito, era stato tacciato di reazionario, se non di fascista, da quegli stessi schieramenti politici, e magari da quegli stessi uomini, che contro l'Eni ultimo – degno figlio dell'Eni primo – si sono scagliati con toni da crociata moralistica.

IN UN'ITALIA che era abituata a elezioni fotocopia, e che gridava all'Apocalisse se uno dei grandi partiti perdeva tre punti in percentuale, e un altro li guadagnava, il risultato delle politiche celebrate il 6 aprile 1992 sembrò sconvolgente. La Dc scese al disotto del 30 per cento, dal precedente 34, il Pci, pur sommando i consensi ottenuti dai suoi eredi, il Pds e Rifondazione comunista, aveva avuto una botta del 5 per cento, meglio se l'erano cavata i socialisti, con un lieve arretramento. Stazionario il Psdi, bene i liberali e i repubblicani. La Lega aveva sfondato, al Nord: tanto da aver portato la sua dote in seggi parlamentari da un deputato a 55 e da un senatore a 25. Eccellenti anche le affermazioni – soprattutto a Palermo e a Torino – della Rete, la nuova formazione protestataria dell'ex-

democristiano Leoluca Orlando, e dei verdi. Il risultato era tale
che la maggioranza quadripartita uscente (Dc, Psi, Psdi, Pli)
era ridotta al lumicino, ma in sostanza lo era anche l'opposizione tradizionale. Si era arrivati al capolavoro di non avere
più il governo che c'era, perché la maggioranza aveva perduto,
e di non avere il governo di una nuova maggioranza, che non si
era coagulata e non esisteva.

L'impatto di «Mani pulite» era stato fino a quel momento
modesto – lo indicava chiaramente la buona tenuta dei socialisti
– e la voglia di sbaraccare tutto era prepotente al Nord, ma latitante al Sud. Tanto che nella quasi totalità delle circoscrizioni
meridionali i socialisti avevano registrato progressi, e la Dc
aveva potuto vantare incrementi in Sicilia. La batosta dei due
partiti che nel governo – e nell'inchiesta sulle tangenti – facevano la parte del leone, era stata vistosa in città come Milano (dove
la Lega si era preso il 18 per cento), Torino, Genova, Venezia.

I mutamenti avvenuti nella fisionomia del Parlamento erano
il preludio d'una mutazione che sarebbe stata strutturale, politica, istituzionale. La Camera e il Senato appena nati avrebbero
avuto un solo compito: quello di morire presto e decentemente,
così che il popolo potesse avere dei rappresentanti, e non degli
usurpatori. Quali per più d'un aspetto furono, appena insediati,
gli uomini del 6 aprile 1992.

Il Paese cominciò a disistimare e perfino a odiare all'indomani stesso dell'elezione i deputati e i senatori che aveva appena
eletti. Il gran rifiuto degli italiani alla classe politica fu captato e
sottolineato con un gesto risonante dall'uomo che, issato ai fasti-
gi del Quirinale, negli ultimi due anni del suo mandato s'era fatto
«picconatore», «esternatore», audace fino allo scandalo, spregiudicato fino alla stramberia, provocatore fino all'autolesionismo: Francesco Cossiga. Il 25 aprile 1992 Cossiga, il cui settennato si sarebbe concluso il 3 luglio, annunciò con un discorso di
tre quarti d'ora, trasmesso a reti unificate dalle televisioni italiane, le sue anticipate dimissioni. Si rifece, nel suo messaggio, alle
elezioni appena celebrate, e al loro significato. «Occorre – disse –
un Presidente forte, politicamente e istituzionalmente»: e spiegò
che lasciava qualche settimana prima del dovuto «per permette-
re al nuovo Parlamento di dare al Paese un Presidente che, forte
per la sua elezione e per l'ampiezza temporale e di contenuti del
suo mandato, possa affrontare questa grave crisi politica e istituzionale, e promuovere la formazione di quel governo che voi
avete voluto».

Se la scelta di Cossiga per la Presidenza della Repubblica era stata, sette anni prima, rapida e in pratica plebiscitaria, quella del suo successore riportò il Palazzo ad antichi e non guariti malvezzi. Dopo qualche settimana di supplenza spadoliniana, le Camere erano state convocate il 13 maggio 1992 per la nomina del nuovo Capo dello Stato. Liquidate le candidature di bandiera delle tre votazioni iniziali il quadripartito di governo impegnò nella competizione il segretario della Dc, Forlani: che per un momento parve avviato verso la vittoria. Al quinto scrutinio aveva avuto 479 voti, al sesto 496, pochissime decine meno dei 508 richiesti. Ma più in là non riuscì ad andare (intanto Nilde Jotti, sostenuta dal Pds e da Rifondazione comunista, arrancava sotto quota 250). Sulla carta gli alleati avrebbero dovuto racimolare 540 voti: un'ottantina erano stati dunque i frondisti, almeno cinquanta tra loro democristiani.

Domenica 17 maggio Forlani annunciò che si ritirava. Poteva suonare l'ora di Giulio Andreotti: che sapeva essere quella l'ultima occasione offertagli per sedere sull'unica poltrona – e la più ambita – che mancava alla sua collezione. Ma se la Dc era stata riluttante a consacrare Forlani, ancor più lo era a consacrare Andreotti. Si fecero largo le candidature istituzionali: che erano poi quelle del Presidente del Senato Spadolini e del Presidente della Camera Oscar Luigi Scalfaro. I giuochini cui i grandi (si fa per dire) partiti e i grandi (si fa ancora per dire) elettori si abbandonavano con la voluttà di chi riassapora gioie perdute, furono tragicamente interrotti, il 23 maggio, dalla strage di Capaci, nella quale persero la vita il giudice Giovanni Falcone, la moglie, e tre uomini della scorta. Quel tuono lontano ma terribile rendeva indecoroso ogni indugio, ammesso che decoroso fosse stato prima. Rimasero in lizza due soli nomi, Spadolini e Scalfaro.

I democristiani ritennero che, tutto sommato, un democristiano al Quirinale, sia pure anomalo come Scalfaro, fosse meglio di un «laico», il Pds si risolse ad accettare un cattolico conservatore perché, spiegò D'Alema, «se noi non votavamo Scalfaro, gli altri prima o poi ci ritiravano fuori Andreotti». Il 25 maggio, al sedicesimo scrutinio, Scalfaro fu eletto con 672 voti: s'erano pronunciati per lui la Dc, il Psi, il Psdi, il Pli, il Pds, i Verdi, i Radicali, la Rete. Al professor Miglio andarono 75 suffragi della Lega Nord, e a Cossiga i 63 dei missini. Cinquanta ne ebbe lo scrittore Volponi da Rifondazione comunista.

Più che dai suoi quasi settecento elettori, Scalfaro era stato issato al Quirinale dai settecento chili di tritolo su cui era saltato Falcone: che avevano imposto una soluzione decente, e a tambur battente. Novarese, settantatreenne, il nono Presidente della Repubblica italiana – nono se si conta anche De Nicola – era stato ininterrottamente parlamentare per undici legislature, senza mai assurgere ad una posizione di *leader* nel suo partito. Ancora molto giovane, era rimasto due volte vedovo: della moglie – mortagli dopo la nascita della figlia Marianna, che è ora la *first lady* della Repubblica – e della magistratura nella quale era entrato rimanendovi tuttavia per breve tempo, presto assorbito interamente dalla politica. Questo credente che da qualcuno è giudicato un bigotto, questo moralista che fu alla ribalta della cronaca, in anni lontani, per la sua sfuriata in pubblico contro una signora dal *decolleté* secondo lui provocante, quest'anticomunista, come usava dire, «viscerale», questo conservatore è stato anche un difensore a oltranza – con il suo eloquio autorevole e pomposo – della centralità del Parlamento. Nei suoi incarichi era stato sempre molto «garantista». Come Presidente della Camera, s'era fatto notare per lo *humour*, non incompatibile con quel tanto di Sant'Uffizio che aleggia intorno a lui. A un deputato turbolento disse: «Onorevole, nessuno la obbliga a ragionare, è facoltativo. Ma intanto si sieda».

LA MAFIA S'ERA RIPRESENTATA, nell'Italia di «Mani pulite» e delle avanzate leghiste, alla sua maniera: ossia con un omicidio che più eccellente non poteva essere. Il 12 marzo del 1992 Salvo Lima, notabile democristiano di vecchia militanza e di collaudata fedeltà ad Andreotti, era stato ucciso mentre ferveva la campagna elettorale per le «politiche» del 5 e 6 aprile. I più, tra i commentatori, diedero al sanguinoso episodio il significato non d'una vendetta di mafia contro un nemico della mafia, ma d'un regolamento di conti interno all'«onorata società». Da sempre Lima era chiacchierato: gli venivano attribuite amicizie torbide, si mormorava che controllasse, tramite la «cupola», grossi pacchetti di voti di cui fare omaggio, nelle scadenze elettorali, al suo referente romano (appunto Andreotti). La Commissione Antimafia se n'era occupata. Quest'alone di sospetti non aveva assunto la concretezza di addebiti penali seguiti da condanne. Sul perché dell'«esecuzione» di Lima furono avanzate molte supposizioni, che rimasero tali.

A breve distanza da quel fattaccio, vennero stragi dai connotati ben più chiari. Il 23 maggio 1992 Falcone; il 19 luglio Borsellino. Già giudice istruttore a Palermo, Falcone era in quel momento direttore degli Affari penali al Ministero della Giustizia. Era atterrato all'aeroporto di Punta Raisi, proveniente da Roma, insieme alla seconda moglie Francesca Morvillo, al pari di lui magistrato. L'attendevano una Croma blindata e due auto con la scorta. Falcone si mise al volante, la moglie al fianco, gli altri seguivano, e imboccò l'autostrada che da Punta Raisi conduce a Palermo. Allo svincolo di Capaci gli artificieri di Cosa Nostra avevano accuratamente preparato – senza che qualcuno notasse quell'affaccendarsi – quintali di esplosivo, posti in una canaletta sotto l'asfalto. Al passaggio del breve corteo i «picciotti» cui era stato affidato il telecomando dell'ordigno stabilirono il contatto, che dilaniò Falcone, la moglie e tre agenti. Due mesi erano trascorsi dall'assassinio di Lima: dopo altri due, il 19 luglio un'autobomba collocata a Palermo in via Mariano d'Amelio esplose uccidendo il giudice Paolo Borsellino, che di Falcone era considerato l'erede spirituale, e in qualche modo anche l'erede operativo, e cinque uomini di scorta. Borsellino era andato a far visita alla madre, che appunto in via D'Amelio abitava. I suoi movimenti avrebbero dovuto essere segreti, ma il Palazzo di Giustizia di Palermo era gremito di corvi, di spie, di complici della mafia mascherati da suoi intrepidi avversari.

La santificazione postuma di Falcone e Borsellino – del primo in particolare, che era personaggio di maggiore e controversa notorietà – fu per molti una riparazione verbosa ed eccessiva a precedenti attacchi e insinuazioni. Come Borsellino, Falcone era siciliano di nascita, anzi palermitano. Figlio d'un funzionario pubblico (il padre Arturo era direttore del laboratorio chimico provinciale) molto legato alla madre Luisa e alle sorelle Anna e Maria, aveva prestato servizio militare in Marina, come ufficiale, e si era quindi laureato in giurisprudenza. Frequentava – anche qui come Borsellino – l'Azione Cattolica. Vinto il concorso per entrare in magistratura, fu pretore a Lentini e sostituto procuratore a Trapani. Nel 1979 (aveva quarant'anni) il consigliere Rocco Chinnici, capo dell'Ufficio istruzione di Palermo, lo volle al suo fianco. Una carriera, come si vede, tutta «locale». La magistratura è zeppa di siciliani, e la Sicilia ha quasi esclusivamente magistrati siciliani. Il che aiuta i bravi, i forti, gli incorruttibili ad affrontare la mafia: perché dei *boss* e dei loro manutengoli capiscono la psicologia, il linguaggio, gli avvertimenti e le debolezze. Per la massa mediocre dei magistrati la sicilianità è un *handicap*. Mandati ad amministrare giustizia là dove hanno famiglia, conoscenze, terre, interessi, si piegano facilmente ad una *routine* accomodante, quando non vile.

Falcone, come Rocco Chinnici, apparteneva alla schiera scelta dei bravi e dei forti. Entrambi non s'accontentavano di mettere le manette ai quacquaracquà le cui disavventure lasciano indifferenti i *boss*. Volevano ficcare il naso nei conti in banca, negli arricchimenti inspiegabili, magari anche in talune manovre di cavalieri del lavoro dalle alte frequentazioni. Falcone non mollò nemmeno quando, il 28 luglio 1983, un'autobomba fece strazio di Rocco Chinnici, insieme a due carabinieri della sua scorta e al portinaio dello stabile in cui abitava.

Un anno dopo la fine di Chinnici, nel luglio del 1984, in Brasile fu arrestato Tommaso Buscetta, e Falcone poté finalmente confrontarsi con un pentito in grado d'offrire alla giustizia italiana uno spaccato completo del pianeta mafia. Significative sono le prime parole che Buscetta, trovatosi davanti a Falcone, gli disse: «L'avverto signor giudice. Dopo questo interrogatorio lei diventerà una celebrità. Ma cercheranno di distruggerla sia fisicamente che professionalmente. Il conto che apre con Cosa Nostra non si chiuderà mai. È sempre deciso ad interrogarmi?» Falcone era decisissimo. Con i colleghi, raccolse un materiale enorme. Il maxiprocesso della mafia – durato, a Palermo, dal 10 febbraio 1986 all'11 novembre 1987 – si fondava su 500 mila pagine di verbali e interrogatori. Cosa Nostra – e lo stuolo degli avvocati che per l'occasione erano stati mobilitati – avevano presumibilmente cullato l'illusione che, proprio per il suo gigantismo, quel rito giudiziario finisse in una bolla di sapone, o quasi; e che comunque la decorrenza dei termini di custodia cautelare ridesse a molti *killers* e ai loro mandanti la libertà. Gli imputati erano 460, di cui 163 detenuti. Vi furono manovre dilatorie capziose, per non dire vergognose. Come quella con cui si pretese che, contro ogni consuetudine, verbali e documenti non fossero «dati per letti» ma dovessero essere effettivamente letti.

La sentenza, emessa dopo 36 giorni di camera di consiglio, fu dura: 19 ergastoli e molte altre pesanti condanne (presiedeva Alfonso Giordano, al banco dell'accusa sedevano Ayala e Signorino). Fu un gran giorno, quel 16 dicembre 1987. Sarebbe imprudente sostenere che la mafia subì un rovescio decisivo. Era capace, lo sappiamo, di rivalse, e che rivalse. Ma il mito della sua impunità era stato infranto: di là sono venuti, tra incertezze, ritardi, negligenze e collusioni, anche i risultati successivi, fino all'arresto di Totò Riina. Che non sappiamo se fosse veramente, come si vuole, il successore dei Calogero Vizzini, dei Genco Russo, dei Salvatore Greco. Ma, tra gli uomini di rispetto, aveva di certo una posizione tra le più importanti.

Mentre Falcone stava assaporando la soddisfazione della sentenza al maxiprocesso, il Consiglio superiore della magistratura gli inflisse una prima delusione. Doveva essere nominato – gennaio 1988 – il nuovo capo dell'Ufficio istruzione di Palermo, e a Falcone fu preferito Antonino Meli, che era prossimo alla pensione. L'amareggiato Falcone ebbe – giugno 1988 – anche un minaccioso «avvertimento»: cinquanta candelotti di dinamite collocati sulla scogliera davanti alla villa in cui risiedeva, all'Addaura, fuori Palermo. In una intervista al *Corriere*, Falcone dichiarò allora: «La condanna nei miei confronti è stata emessa da tempo. Da parte della mafia si tratta solo di scegliere il momento più opportuno». Era – per mille e una sacrosante ragioni – impaurito e frustrato. Palermo era intossicata. Finalmente accettò – marzo del 1991 – l'invito del guardasigilli Claudio Martelli a trasferirsi al Ministero, come direttore degli Affari penali: posizione in cui avrebbe potuto con accresciuta autorità perorare il suo progetto d'una Superprocura contro il crimine organizzato. Non per questo i suoi avversari s'acquietarono, anzi gli si rivoltarono contro anche alcuni che l'avevano sostenuto. Falcone fu bollato come uno dei tanti che si «vendono» alla politica per far carriera, l'ex-sindaco di Palermo Leoluca Orlando che gli era stato solidale insinuò che proprio Falcone avesse tenuto nel cassetto, per insabbiarli, alcuni fascicoli, il Csm affondò il suo progetto di Superprocura.

A Capaci s'interruppe la lunga battaglia di Falcone. E cominciò la rissa, scomposta e rivoltante, per lo scippo del cadavere. La memoria, l'amicizia, l'eredità di Falcone furono rivendicate con furore, come «cosa loro», da molti che asserivano di voler onorare il morto, e invece se ne servivano.

A FINE MAGGIO del 1992 la Repubblica italiana aveva cambiato Presidente. Un mese dopo cambiò governo. Craxi non era riproponibile come capo dell'esecutivo. Se non di esserlo, era tuttavia ancora in grado di designare il Presidente del Consiglio: e avanzò una terna di nomi, Amato, De Michelis e Martelli. Il preferito di Craxi – che fu anche preferito di Scalfaro – era Giuliano Amato. Cinquant'anni, nato a Torino ma di famiglia siciliana (come Craxi), studi di giurisprudenza alla Normale di Pisa, Amato era detto «il dottor sottile» sia per l'abilità dialettica, sia per la competenza professorale in tema di leggi e di istituzioni. Quello di Amato fu ancora un quadripartito (Dc, Psi, Psdi, Pli) con otto ministeri in meno (tre cancellati e cinque accorpati) e sette tecnici cooptati per attenuare l'impronta politica. Nuovo governo, e nuovo segretario per la Dc: che si affidò a Mino Martinazzoli, *leader* bresciano del partito. Uomo della sinistra, Martinazzoli era però realista. Di sé aveva detto «sono un segretario eletto per disperazione» e del Partito «è un cimitero». «Sono qui – aveva anche osservato – per trasformare la paura in coraggio.»

Amato durò fino alla primavera del 1993. Poi toccò a Carlo Azeglio Ciampi. Settantaduenne, livornese, di formazione umanistica ma passato, con una carriera tutta alla Banca d'Italia, nella schiera degli economisti, governatore della Banca stessa per quattordici anni, Ciampi dava garanzie di integrità, d'imparzialità, d'intelligenza, d'equilibrio. La sua lunga gestione della Banca centrale l'aveva portato a contattare assiduamente i politici, e spesso a contrastarli. Gli erano stati rimproverati errori. Per non aver controllato talune operazioni fraudolente, per avere incenerito decine di migliaia di miliardi in un sostegno alla moneta italiana che s'era rivelato inutile. Tuttavia Ciampi apparve l'uomo migliore, più indipendente e più competente che il Paese potesse esprimere, anche se Eugenio Scalfari si vantò d'avergli suggerito un buon numero di scelte ministeriali. Volle fare un governo con la minor connotazione partitica, la migliore preparazione tecnica e il massimo sostegno dell'opinione pubblica. Riuscì ad avere nella sua *équipe* ministri di «area» pidiessina e verde da aggiungere a quelli iscritti o vicini a partiti tradizionali di governo.

Alle dieci di mattina del 29 aprile 1993 i ministri di Ciampi – che aveva dichiarato «non ho maggioranze precostituite e i voti me li cerco in Parlamento» – giurarono nelle mani di Scalfaro. Nel pomeriggio la Camera doveva discutere e votare l'autorizzazione a procedere contro Bettino Craxi chiesta dal *pool* di «Mani pulite»: corruzione, ricettazione, violazione delle norme sul finanziamento pubblico dei partiti; e inoltre doveva discutere la possibilità di sottoporre l'ex-segretario del Psi a perquisizioni personali e domiciliari. Di fronte all'assemblea di Montecitorio,

Craxi aveva perorato la sua causa con argomenti scontati: il sistema dei partiti, disse, era stato demonizzato oltre il dovuto e quanto a lui e al Psi, se erano colpevoli lo erano quanto gli altri *leaders* e gli altri partiti. Era convinzione comune che l'arringa, per quanto abbastanza abile ed efficace, non potesse capovolgere un assenso all'autorizzazione che il Paese esigeva. Invece Craxi fu «assolto», nel senso che l'autorizzazione a procedere venne negata per le accuse più gravi (ricettazione e corruzione) e per le perquisizioni, mentre veniva data la luce verde alle accuse di minor peso. La reazione politica, ma ancor più popolare, al verdetto fu di una irruenza forse da nessuno prevista. Spontanee o organizzate, si moltiplicarono le manifestazioni pubbliche, vi furono dichiarazioni – sincere o ipocrite – di esponenti di partito: i giudici di «Mani pulite» – i quali avevano nel cassetto del resto altre mitragliate d'autorizzazioni a procedere – annunciarono che avrebbero presentato ricorso alla Corte Costituzionale contro quella che consideravano un'interferenza del Parlamento nei loro poteri.

Il no della Camera si abbatté sul governo con l'inattesa violenza d'un meteorite. Occhetto fece dimettere i tre ministri che nel governo erano entrati come indipendenti, ma che qualche dipendenza dal Pds l'avevano, Mario Segni parlò d'un «avvenimento molto grave», il Pri chiese elezioni ravvicinatissime perché «la Camera oggi non è più in grado di esprimere i sentimenti degli italiani». (Ciampi tuttavia non si arrese: e sostituì alle Finanze Visco con Franco Gallo, all'Università Berlinguer con il presidente dell'Enea Umberto Colombo, ai Rapporti con il Parlamento Barbera con Paolo Barile, infine all'Ambiente Rutelli con Valdo Spini.)

Gli italiani inferociti ritennero, a tutta prima (e molti continuarono a ritenerlo), che il salvataggio di Craxi fosse dovuto esclusivamente ai voti di parlamentari della vecchia maggioranza, in particolare della Dc e del Psi nelle cui file era il grosso degli inquisiti per Tangentopoli. Una volta bloccato il processo al personaggio simbolo della «politica ladra», il futuro diventava meno nero per altri *leaders* e per la folla dei comprimari, terrorizzati dallo sviluppo degli eventi. Ma i conteggi dimostrarono che gli schieramenti del no e del sì erano stati meno semplici. In favore di Craxi avevano giuocato voti arrivatigli proprio dai settori parlamentari che con apocalittici accenti gli si avventavano contro. Fu insomma fondato il sospetto – o qualcosa di più – che deputati della Rete o della Lega o di Rifondazione comunista o di un'ala dissidente del Pds avessero silurato l'autorizzazione a procedere per provocare lo scandalo, e ottenere ciò che a loro stava a cuore. Ossia le elezioni subito, e quindi una Camera espressa ancora con il sistema proporzionale.

Le manovre di cui il caso Craxi era testimonianza fallirono. Fallì quella che mirava a insabbiare le autorizzazioni a procedere: queste, sulla spinta degli umori popolari – dei quali s'era vista la veemenza – si susseguirono poi in gran numero e senza ostacoli, per nomi noti od oscuri della *Nomenklatura*, Craxi compreso. Fallì anche quella che voleva lo scioglimento senza indugi del Parlamento: e gli italiani non seppero se compiacersene o dolersene.

Prima d'andare in vacanza, nell'agosto del 1993, il Parlamento varò la nuova legge elettorale, assolvendo così il suo compito fondamentale. L'Italia diceva definitivamente addio alla proporzionale: almeno a quella proporzionale che le aveva dato per quasi mezzo secolo un corpo legislativo frammentato e senza maggioranze certe – con l'unica eccezione di quello uscito dalle «politiche» del 1948, e dalla valanga di consensi alla Dc di De Gasperi – e governi di coalizione dalla vita solitamente breve, e sempre tormentata. Il «regime» che s'era rassegnato al *harakiri* aveva cercato, con successo, di rendere meno tagliente la lama del gesto estremo. Una quota proporzionale è stata infatti mantenuta. Secondo le norme approvate, sui 629 seggi di Montecitorio, 474, ossia i tre quarti, sarebbero stati assegnati su base uninominale, e 155 su base proporzionale.

A Palazzo Madama i seggi «uninominali» sarebbero stati 232 su 315, i proporzionali 83. La creatura istituzionale partorita dal Parlamento, nella sua veste costituente, ha avuto la qualifica di Minotauro: con riferimento al mostro – testa di toro e corpo umano – che la mitologia vuole vivesse nel labirinto di Creta, e che Teseo uccise.

CAPITOLO 12

La Destra sdoganata

N ELL'AUTUNNO del 1993, mentre il *pool* di «Mani pulite» continuava a lavorare di lena, il governo di Carlo Azeglio Ciampi esauriva la sua missione. Gli italiani volevano cambiamenti radicali. Il Capo dello Stato, Oscar Luigi Scalfaro, veniva considerato un fautore tiepido, o addirittura un supervisore riluttante della svolta. Ma, quali che fossero le residue nostalgie e resistenze, la politica italiana era ormai proiettata verso il futuro. Il Paese aveva una nuova legge elettorale, Camera e Senato continuavano a lavorare, forse lavoravano con una assiduità mai conosciuta in passato: nello sforzo disperato e vano di scrollarsi di dosso il fango della corruzione e di non essere considerati – nonostante i centocinquanta inquisiti di Montecitorio e di Palazzo Madama – delegittimati senza speranza di riscatto. Ma l'opinione pubblica aveva pronunciato il suo verdetto, e non era disposta a rinnegarlo.

A Scalfaro, l'uomo che aveva senza tregua affermato la centralità del Parlamento ma che ne aveva ora a disposizione uno svuotato di prestigio e con i mesi contati, spettava il compito di colmare il vuoto immenso apertosi nelle istituzioni: almeno di colmarlo in parte, per evitare che la magistratura, su cui gli italiani riversavano tutte le loro scarse riserve di rispetto e di civismo, lo occupasse per intero. La suprema carica della Repubblica aveva sempre avuto – non foss'altro che per la stabilità e la durata – contenuti di potere molto superiori al suo teorico ruolo di garanzia e di rappresentanza. Quei contenuti furono, con Scalfaro, enfatizzati e irrobustiti dall'emergenza. Il taglianastri della satira politica diventava arbitro.

Ma proprio mentre il Presidente della Repubblica poneva mano – in duplice funzione di becchino e d'ostetrico – alle procedure che avrebbero seppellito la Prima Repubblica e fatto nascere la Seconda, un sasso cui qualcuno volle dare le dimensioni d'un macigno s'abbatté sulle vetrate del Quirinale. Quel sasso aveva nome Sisde, la branca dei servizi segreti che si occupa della sicurezza interna. I servizi segreti hanno, non ne dubitiamo, anche dei meriti segreti: ma nella vita palese della Repubblica hanno rappresentato una zavorra, o una cancrena, rimasta tale attraverso i molti cambi di sigla e i molti avvicendamenti d'ufficiali e funzionari. La principale funzione dei servizi segreti è stata per decenni quella di legittimare, con i loro comportamenti, ogni voce di *golpe*: e di convalidare, con fughe di documenti e «rivelazioni» di testimoni o presunti tali, i sospetti sulle deviazioni dei servizi stessi, e sul loro coinvolgimento in manovre piduiste, stragi, attentati e quant'altro di destabilizzante si può immaginare. Quando venne, tra la fine del '92 e gli inizi del '93, l'ora della verità, si scoprì che alla base di questo *feuilleton* fantasioso non erano né putschisti assatanati né abili emissari della Cia né infiltrati del Kgb né *killers* spietati. Erano, in totale e perfetta sintonia con la realtà italiana, dei ladri. Il Sisde – fermo restando che una parte di coloro che vi lavoravano e vi lavorano sono immuni da colpe – era un tipico ente italiano gremito di raccomandati e di mariuoli (per usare l'espressione con cui Craxi definì Mario Chiesa). Nessuno può pretendere che i servizi segreti documentino alla lira, con precisione contabile, le loro spese: destinate – almeno dovrebbero esserlo – anche a pagare informatori. Ma le molte decine di miliardi «riservati», ossia svincolati da ogni rendiconto, di cui il Sisde poteva disporre, finivano in larga parte non nelle tasche degli informatori ma in quelle degli informati: ossia dei funzionari che al Sisde facevano il bello e il cattivo tempo. Poiché questi funzionari non erano egoisti e avevano buon cuore, erogavano miliardi per arredare – con il pretesto di provvedere alla sicurezza – gli appartamenti di personalità politiche.

Questo marciume era affiorato, abbastanza casualmente, quando un magistrato romano che indagava sulle compravendite immobiliari degli enti pubblici e sui loro risvolti tangentizi aveva scoperto conti correnti per 14 miliardi intestati a cinque funzionari del Sisde: i quali s'erano giustificati spiegando che le somme appartenevano ai servizi, e che i loro nomi rappresentavano soltanto una copertura. Questo primo magistrato s'accontentò della spiegazione, pur ordinando che i 14 miliardi rientrassero nelle casse ufficiali dei servizi: spiegazione che invece non parve convincente, qualche mese dopo, al suo collega della Procura di Roma Leonardo Frisani. Mentre indagava sul fallimento d'una agenzia di viaggi, Frisani aveva scoperto che ne erano proprietari due dei cinque funzionari già sentiti per i conti in banca. Frisani ordinò l'arresto dell'ex-direttore amministrativo del Sisde, Maurizio Broccoletti, che fu seguito in carcere da Antonio Galati, Michele Finocchi, Gerardo Di Pasquale e Rosa Maria Sorrentino.

L'*affaire* Sisde, benché molto grave, era rimasta nella sua fase iniziale in un ambito burocratico: da dove sconfinò clamorosamente nell'ambito politico quando Broccoletti – dapprima incarcerato, poi rilasciato, e in un tempo successivo latitante fino a quando fu catturato nel rifugio dorato di Montecarlo – rese «spontaneamente», a fine ottobre del 1993, una dichiarazione. Lo 007 di mano lesta ammise in sostanza che la tesi già da lui sostenuta secondo cui i miliardi rintracciati dalla magistratura appartenevano al Sisde era stata predisposta in accordi «a livello di vertice»: il direttore Malpica aveva cioè elaborato quella versione d'intesa con il ministro dell'Interno Nicola Mancino, il Presidente del Consiglio Giuliano Amato, il Capo dello Stato Oscar Luigi Scalfaro. Sarebbe stato pattuito che, restituite le somme indebitamente percepite, la vicenda dovesse essere considerata chiusa. Una classica *combine* di palazzo aggravata da una successiva rivelazione secondo cui, per antica consuetudine, il Sisde aveva per anni destinato un centinaio di milioni al mese al ministro dell'Interno in carica, Scalfaro compreso. Con la sola eccezione di Amintore Fanfani: il che coinvolgeva nelle disinvolture dei servizi anche Gava e Scotti.

Le accuse dei funzionari erano, per quanto riguardava le presunte elargizioni ai politici, tutte da verificare: anzitutto perché venivano dagli imputati, ossia da fonti interessate ad aggiustare, per scopi difensivi, la verità; poi perché non era chiaro se i milioni ai ministri fossero stati dati per fini istituzionali – bisogna pur concedere al ministro dell'Interno d'un grande Paese qualche discrezionalità, sempre che sia nell'interesse generale – o per altri, meno giustificabili fini. Ma per Scalfaro, che fondava la sua autorevolezza proprio sull'essere sempre rimasto estraneo al fango della Prima Repubblica in generale, e a quello democristiano in particolare, quelle insinuazioni furono intollerabili. Gli schieramenti e i polemisti ostili avevano senza indugio preso pretesto da queste accuse per chiedere rumorosamente che la Giustizia agisse contro di lui, o addirittura che egli desse le dimissioni. Non potevano bastargli le attestazioni di solidarietà e di fiducia che subito gli arrivarono dai Presidenti delle Camere Spadolini e Napolitano, da Ciampi, da personaggi del calibro di Leo Valiani e Norberto Bobbio. Esigeva una pronuncia della magistratura che dissipasse le ombre, e lo fece sapere il 29 ottobre 1993 con due irate note del Quirinale. Nella prima si diceva che «la Presidenza della Repubblica attende fino a tarda sera una forte precisazione della magistratura sulla vicenda». Nella seconda Scalfaro, visto che la forte precisazione era mancata, faceva sapere tramite il suo ufficio stampa d'essere vittima d'un tentativo di destabilizzazione delle istituzioni e ribadiva, con «assoluta serenità e consapevolezza», d'avere «col massimo scrupolo» applicato sempre e soltanto la legge.

Il procuratore capo di Roma, Vittorio Mele, cui Scalfaro s'era appellato con tanta enfasi, meditò quasi ventiquattr'ore prima di esprimersi: e non volle farlo senza aver ascoltato il capo del Sisde Riccardo Malpica. Dopodiché dichiarò che «le circostanze riferite da un funzionario del Sisde riguardano un periodo successivo a quello in cui il Presidente della Repubblica è stato ministro dell'Interno» e pertanto «è da escludere ogni forma di coinvolgimento del Presidente nella gestione dei fondi riservati». «Si precisa inoltre – aveva proseguito Mele che in quel momento non sapeva ancora, almeno ufficialmente, dei cento milioni mensili versati, secondo il cassiere del Sisde Antonio Galati, ai ministri dell'Interno – che l'attuale ministro dell'Interno Nicola Mancino non risulta menzionato tra coloro che avrebbero utilizzato o consentito l'uso distorto dei fondi segreti del servizio.» Ma ci sarebbe voluto un tono e un tempismo ben più risoluto da parte della Procura romana per arginare la piena di voci e indiscrezioni malevole. Galati aveva alluso all'amicizia tra l'architetto Adolfo Salabè, cui il Sisde aveva commissionato lavori d'una certa entità, e la figlia del Presidente Marianna Scalfaro: di rincalzo arrivò, proprio in quella concitata fine d'ottobre, il settimanale *Epoca* con una istantanea che riprendeva l'architetto insieme a Marianna Scalfaro, in via del Babuino a Roma. Di per sé sola la foto, riguardante un innocente *shopping* di Marianna in compagnia d'un amico, non aveva nulla di compromettente. Ma in un Paese intossicato dai sospetti e affamato di rivelazioni e di torbide connessioni le fu attribuito il valore d'un documento, e d'un indizio.

L'*establishment* della Repubblica faceva quadrato attorno al Capo dello Stato, ma i suoi avversari erano scatenati. Se Occhetto manteneva un atteggiamento riservato – anche perché sapeva che una procedura d'*impeachement* contro il Presidente avrebbe provocato un lungo rinvio della scadenza elettorale – il Msi e la Lega sparavano sul Quirinale bordate di grosso calibro.

Questo tormento era troppo anche per la sopportazione cristiana di Scalfaro, che prese dopo le otto di sera, mentre i notiziari televisivi di maggiore ascolto stavano per concludersi, la decisione di rivolgere al Paese un messaggio trasmesso a reti unificate, ossia da tutte le emittenti in contemporanea. Quest'uso del mezzo televisivo non era inconsueto: ma veniva riservato alle occasioni celebrative: come, appunto, il messaggio di fine anno del Capo dello Stato. Quegli interventi erano previsti e – per usare il linguaggio degli addetti ai lavori – inseriti nei palinsesti. Che in questa circostanza dovettero invece essere rivoluzionati.

Il discorso del Presidente fu durissimo fin dalle prime frasi: «Una constatazione: prima si è tentato con le bombe (il riferimento era agli attentati avvenuti a Roma, Firenze, Milano tra la primavera e l'autunno – *N.d.A.*), ora con il più vergognoso e ignobile degli scandali... A questo gioco al massacro io non ci sto. Io sento il dovere di non starci e di dare l'allarme. Non ci sto non per difendere la mia persona, che può uscire di scena ogni momento, ma per tutelare, con tutti gli organi dello Stato, l'istituto costituzionale della Presidenza della Repubblica... Il tempo che manca per le elezioni non può consumarsi nel cuocere a fuoco lento, con le persone che le rappresentano, le istituzioni dello Stato».

Lo scandalo si allontanò dal Quirinale ma proseguì il suo itinerario fino al processo a carico delle «barbe finte» (in realtà tra gli imputati c'erano delle donne, non barbute) durato dal 26 aprile al 21 dicembre 1994. Al di là del racconto di ruberie colossali il dibattimento fu uno spaccato impressionante e divertente insieme di malaburocrazia, di invadenza dei politici e di arroganza dei boiardi. I protagonisti sembravano assortiti per una parodia della serie filmistica di James Bond. Malpica, l'uomo che diresse il Sisde dal 1987 al 1991, e che il Ministero dell'Interno considerava una delle sue colonne, era soprannominato il «cinese» per gli occhi obliqui a fessura e il fisico afflosciato. Indivisibile da lui e onnipotente era, negli uffici dei servizi, la segretaria Matilde Martucci, una cinquantenne per nulla attraente di Ginestra degli Schiavoni, nel Beneventano, che aveva inzeppato il Sisde di sue conterranee. Quando la signora era all'estero in missione la scortava una segretaria della segretaria, con mansioni di dama di compagnia. Una volta era andata in Argentina perché le premeva di conoscere un attore di laggiù, protagonista d'una *telenovela* che l'appassionava. Scrupolosa, s'era fatto pagare dal Sisde, disse, solo il costo dei biglietti, immaginiamo non in classe turistica. Al soggiorno aveva prov-veduto lei, *noblesse oblige*. Negò tuttavia che la chiamassero «la zarina», e che al Sisde si facesse la fila per avere un suo bacetto confidenziale, segno prezioso di favore.

Il Sisde, questo pesce che puzzava dalla testa, tanto beneodo-rante non era nemmeno nel resto del suo corpaccione. Gli aspi-ranti allo spionaggio erano infatti arruolati grazie a concorsi in confronto ai quali le nomine alle cattedre universitarie sono un modello di limpidezza. Nipoti o parenti di politici, prefetti, magi-strati, generali, ambasciatori rivelavano tutti un'attitudine straordinaria per entrare in quel Paradiso dorato. A chi avesse qualcosa da ridire veniva cortesemente chiarito che buon sangue non mente, e che l'attingere le reclute da famiglie già «nel giro», o magari (questa la tecnica della zarina) dalla località d'origine di chi già fosse nella stanza dei bottoni, assicurava ottimi esiti.

PRIMA CHE IL PRESIDENTE SCALFARO sciogliesse, a metà gennaio del 1994, le Camere, e fissasse la data del 27 e 28 marzo per le elezioni politiche, un inedito protagonista si era avventato, con il suo piglio spavaldo, sulla scena pubblica italia-na. L'uomo nuovo – ché tale doveva essere considerato per la politica, essendo invece già vastissima la sua notorietà in altri campi – era Silvio Berlusconi: proprietario di un complesso d'a-ziende in cui lavoravano decine di migliaia di dipendenti, e monopolista privato della televisione – con le sue tre reti Fininvest – a fronte del monopolio di Stato della Rai, anch'essa con tre reti: e per di più presidente del Milan, una squadra di cal-cio che sotto la sua gestione aveva mietuto numerosi successi. Non è facile stabilire con precisione quando la tentazione della politica fatta in prima persona sia divenuta, per Berlusconi, irresistibile. La covava sicuramente da tempo.

A fine estate del 1993 Berlusconi, che i suoi più fidati e pacati consiglieri Letta e Confalonieri avevano supplicato di ripensarci, s'era invece rafforzato nella persuasione che la sua entrata in politica fosse necessaria. L'unico dubbio era sul ruolo che egli avrebbe avuto in questa azione. Un minimo di prudenza avrebbe dovuto indurlo ad agire per interposta persona. Il temperamento lo voleva invece alla guida del grande esercito moderato che si proponeva di creare. Perciò sondava, alternando gli incitamenti agli allettamenti, i potenziali *partners* della grande coalizione *in fieri*.

Gettava esche al segretario del Partito popolare italiano Martinazzoli, onesto sopravvissuto del regime consociativo, e al «signor Tentenna» Mario Segni. Ma aveva in serbo un alleato che era ben più affidabile e malleabile perché aveva un disperato bisogno d'uscire dal ghetto in cui lui e i suoi erano rimasti chiusi per decenni; e dunque gli premeva d'aggrapparsi a Berlusconi almeno quanto a Berlusconi premeva di cattivarselo. Quell'alleato era un quarantaduenne di bell'aspetto e d'intelligenza pronta, Gianfranco Fini, segretario del Movimento sociale italiano. Nel pomeriggio del 23 novembre 1993 Berlusconi tenne una conferenza stampa in un ipermercato di Casalecchio sul Reno. Si era nell'intermezzo tra il primo turno e il ballottaggio delle amministrative parziali d'autunno. Il Cavaliere enunciò, rivolgendosi alla cinquantina di giornalisti presenti, cose sensate e piuttosto ovvie. Ma – come di frequente gli succede – si scoperse quando, venuto il momento delle domande, fu chiesto a bruciapelo chi preferisse, tra Fini e Rutelli, come sindaco di Roma. Gli sarebbe stato agevole eludere il trabocchetto ricordando che a Roma lui non votava, e che dunque non gli toccava di pronunciarsi. Scelse invece la soluzione più rischiosa. «Io voterei Fini» dichiarò risoluto.

Si abbatté su di lui, per quell'esternazione provocatoria, un uragano polemico, che gli parve in quel momento, probabilmente, una disgrazia: e che invece, secondo la logica dei De Filippo e ragionando con il senno di poi, fu una fortuna; perché la preferenza di Berlusconi per un candidato che avrebbe ottenuto nella capitale, il 5 dicembre, poco meno della metà dei voti, fu presentata da una propaganda maldestra come l'adesione al fascismo e al nazismo, l'approvazione dell'olocausto e della strage d'ebrei alle Fosse Ardeatine, l'aspirazione alla dittatura. *L'Espresso* lo raffigurò in camicia nera e fez, *il manifesto* lo qualificò in un titolo a tutta pagina «Il Cavaliere nero». Questa scomposta campagna gli consentì di presentarsi qualche giorno dopo, nella sede romana della stampa estera, in veste di perseguitato.

Forza Italia, il movimento di Berlusconi, era già nata, e contava 800 club a novembre, 1200 a dicembre, col tempo sarebbero diventati quindicimila. Era uno strano partito, quello che il Cavaliere aveva messo in piedi, o piuttosto era un'azienda per far politica, con i suoi quadri, le sue tecniche di reclutamento – si trattasse di trovare i propagandisti o di trovare i candidati alla Camera e al Senato – i suoi sofisticati sistemi pubblicitari, il suo sfruttamento intensivo della televisione. Non esistevano, in Forza Italia, regole democratiche per la scelta dei dirigenti. Il *lider maximo* era senza discussione Silvio Berlusconi, e da lui venivano designati i responsabili dei vari settori e i collaboratori. Fin dal primo momento fu chiaro che Forza Italia, partito allo stato gassoso, esisteva in quanto Berlusconi l'aveva voluta e il suo impero economico la sponsorizzava. Per la prima volta nella storia moderna d'un Paese importante uno schieramento politico destinato ad avere grande consenso e una forte influenza sugli avvenimenti nasceva come un prodotto industriale, e veniva lanciato con una seria e metodica operazione di *marketing*. L'ideologia berlusconiana (un insieme di liberalismo economico, di efficientismo aziendale, di populismo ottimista, di anticomunismo viscerale) non era davvero innovatrice: si può dire che tutti i movimenti dell'area moderata predicassero più o meno le stesse cose. Molto diverso era invece il dinamismo con cui questo messaggio veniva diffuso.

Il primo, decisivo passo, Berlusconi l'aveva fatto: era in politica, con l'entusiasmo del neofita, la profusione di mezzi del *tycoon*, e l'arroganza di chi si ritiene – confortato dalla sua personale esperienza – pressoché infallibile. Restava a Berlusconi un secondo nodo da sciogliere: chi sarebbe stato, per Forza Italia e per gli alleati che andava raccogliendo, il candidato a Palazzo Chigi?

Scalfaro aveva già sciolto, il 16 gennaio 1994, le Camere, e due giorni dopo Mino Martinazzoli aveva dato veste ufficiale al decesso della Dc e alla nascita del Ppi. Mario Segni lavorava sodo, intanto, per formare il primo nucleo d'un Polo liberaldemocratico che, pur escludendo il Msi, si ponesse in netta antitesi allo schieramento di sinistra. L'iniziativa di Segni, cui aveva collaborato Rocco Buttiglione ebbe a metà di quel gennaio fatale il nome di Patto per l'Italia. Una sterzata di Segni verso Berlusconi esigeva preventivamente un accordo tra il suo Patto, il Ppi e la Lega: solo un'aggregazione di quelle dimensioni era in grado di accorparsi la straordinaria organizzazione di Forza Italia bilanciandone la strapotenza, e senza lasciarsene fagocitare.

A quel punto Segni si trovò – come sarebbe poi successo anche a Berlusconi – di fronte al fattore B: e qui la B sta per Bossi, non per Berlusconi. Così il 24 gennaio 1994 le delegazioni del Patto e della Lega s'incontrarono, e la loro composizione, vista nell'ottica di alcuni mesi dopo, attesta di per sé sola con quanta fretta abbiano camminato da allora in avanti gli avvenimenti politici, e quanti siano stati i giri di valzer. Con Segni erano un suo stretto collaboratore, Giuseppe Bicocchi, Buttiglione, il professor Tremonti e l'«opinionista» Saverio Vertone: con Maroni – che guidava la delegazione del Carroccio – erano l'esperto economico Vito Gnutti e il deputato torinese Giuseppe Valditara. Bossi s'era tenuto in disparte e questo avrebbe dovuto insospettire Segni, poi rimproverato, infatti, per la sua scarsa cautela. Ma il *senatur* aveva un buon argomento per giustificare l'assenza: s'era sposato da pochi giorni con la sua «compagna», e i festeggiamenti duravano ancora, in famiglia e nella tribù degli intimi. Le due parti si impegnavano in sostanza ad affrontare insieme le elezioni.

Alle tre del pomeriggio l'alleanza fu annunciata solennemente in via del Nazareno a Roma – dov'era la sede dei pattisti – ai rappresentanti dei mezzi d'informazione. Su Segni si rovesciò una valanga di consensi per la splendida operazione, insieme alle docce fredde di Martinazzoli e di Mattarella. Ai giornalisti, Segni aveva detto senza mezzi termini che, firmata quell'intesa, di Berlusconi come *leader* politico non c'era più bisogno. Ma quando il Cavaliere volle sincerarsi, telefonando a Maroni, dell'esattezza di questa diagnosi, il vice-Bossi fu prudente: «Aspetta un paio di giorni». L'attesa fu molto meno lunga. L'indomani delle solenni partecipazioni di queste nozze politiche uno dei promessi sposi era già in fuga. Così Mario Segni ha raccontato, con sobria amarezza, il colpo di scena: «Con una serie di dichiarazioni successive, Bossi mette in discussione l'accordo. A sera è diventato "carta straccia"».

Se Martinazzoli, che aveva avversato l'intesa Segni-Maroni, era contento per il suo fallimento, Berlusconi ne era addirittura estasiato: anche se gli obblighi di scena gl'imponevano di simulare la desolazione di chi, riluttante e schivo, è costretto dalla fatalità a trangugiare l'amaro calice dell'impegno politico. La sera del 26 gennaio (1994) convocò a casa sua, la Villa Belvedere di Macherio, una fidata *troupe* televisiva per la registrazione del messaggio «interventista» la cui cassetta sarebbe stata poi distribuita a tutte le reti, quelle pubbliche e quelle della Fininvest. Il discorso di Berlusconi durò nove minuti. All'inizio fece riferimento, con tono commosso, all'Italia. «È il Paese che amo. Qui ho le mie radici, le mie speranze, i miei orizzonti.» Perché scendere in campo? «Perché non voglio vivere in un Paese illiberale, governato da forze immature e da uomini legati a un passato fallimentare.» Spiegò che si sarebbe dimesso da tutti i suoi incarichi societari, e annunciò la creazione di un Polo delle libertà da opporre alla sinistra. Concluse promettendo che, se avesse vinto, sarebbe finita una politica «di chiacchiere incomprensibili, di stupide baruffe e di politicanti senza mestiere» e avrebbe preso l'avvio «un nuovo miracolo italiano». Il dado era tratto.

Chi era e da dove veniva, l'uomo che aveva scalato le vette della ricchezza, e che si apprestava a scalare quelle della politica? Di lui è stato detto e scritto tutto, e il contrario di tutto. La vita di Berlusconi – quella almeno che già ora siamo in grado di raccontare – può essere scritta in versioni opposte, e così infatti la si è scritta: con un prevalere di biografie negative. La vita di uno Stawiski di fine secolo e fine millennio – Serge Alexandre Stawiski fu il protagonista d'una memorabile *affaire* nella Francia tra le due guerre – oppure la vita dell'industriale più creativo e più versatile degli ultimi decenni. Così versatile da poter diventare d'incanto capo partito e Presidente del Consiglio.

Berlusconi nasce a Milano, quartiere di porta Garibaldi, il 29 settembre 1936 (segno zodiacale Bilancia che secondo un'astrologa significa simpatia, adattabilità, talento). Dopo di lui verranno i fratelli Maria Antonietta e Paolo. Gran brava gente i Berlusconi, timorati di Dio, onesti, proprio lombardi di stampo tradizionale. Il padre Luigi è funzionario della piccola ma solida banca Rasini, a proprietà familiare, una *boutique* del credito, come la definisce qualcuno (ma la Procura di Palermo le ha attribuito traffici sospetti): è un funzionario che si distingue per l'esemplare scrupolo d'esecutore, ma sembra negato ai grandi disegni finanziari. Forse Silvio ha ereditato il suo dinamismo audace dalla madre Rosa, che in gioventù aveva lavorato alla Pirelli come segretaria e che, messa su famiglia, s'era adattata, in tempi che non vedevano di buon occhio le donne in carriera, ad essere una casalinga fra le tante.

Mentre seguiva gli studi con ottimo profitto, Silvio dava a vedere che occorreva ben altro, per appagare la sua voglia straripante di mettersi in mostra, di emergere e di guadagnare. Era un attore nato e un cantante confidenziale, come si diceva un tempo, intonato e gradevole. Aveva animato le festicciole dei bambini e quelle dei ragazzetti. Una delle sue doti maggiori era il sapersi adattare all'ambiente, il saper piacere a coloro che frequentava. Non per niente, avendo una natura di sano gaudente, e una altrettanto sana propensione per le belle ragazze, aveva intenerito a tal punto i Salesiani (presso i quali studiava), con il suo zelo di credente, da vedersi assegnare una medaglia d'oro al valor teologico. Esiste una pubblicistica sterminata sulla bravura del Berlusconi *chansonnier* (la sua specialità era il repertorio francese, Tino Rossi, Gilbert Bécaud, Yves Montand), sulle sue esibizioni nel complesso dei Cinque diavoli (diventati *obtorto collo* i Quattro moschettieri per la defezione d'un diavolo), sui suoi ingaggi come animatore a bordo di navi da crociera. Aveva un nome d'arte che era anche un *nom de plume*, Pier Paolo Rizzoli, e se ne serviva sia per le sue parentesi crocieristiche sia per firmare qualche recensioncina teatrale sul *Corriere della Sera*. Era ferma in lui fin d'allora la convinzione di saper fare tutto (dal risotto a un saggio su Tommaso Moro), e di saperlo fare meglio di chiunque altro: convinzione non del tutto infondata. Gli era compagno di *tournées* musicali Fedele Confalonieri, ottimo pianista e amico d'infanzia: che dopo un tentativo non felice di mettersi in proprio, diventerà il suo inseparabile collaboratore, il Sancho Panza sensato e paziente d'un Don Chisciotte senza paura ma con qualche macchia.

Il Cavaliere ha avuto due matrimoni e cinque figli. Dalla prima moglie, Carla Elvira Dall'Oglio, di quattro anni più giovane di lui, gli sono nati Marina, la primogenita, che dal padre ha ereditato il gusto per gli affari, e poi Pier Silvio (Dudi in famiglia). L'unione finì, con un atto di separazione consensuale seguita dal divorzio, nel 1985: alla signora, che fu dopo d'allora d'una riservatezza esemplare, e che ha mantenuto buoni rapporti con l'ex-marito, fu assegnata una liquidazione d'alcuni miliardi in contanti, azioni, immobili. Allorché venne sancita ufficialmente la rottura di questo matrimonio Berlusconi era già legato a Veronica Lario, una bella attrice non ancora trentenne che aveva avuto qualche particina in rappresentazioni teatrali, sceneggiati televisivi, film: e che, divenuta la signora Berlusconi, mise da parte ogni aspirazione alle glorie della ribalta o dello schermo e si rincantucciò con discrezione nell'ombra del ruggente compagno. Al quale diede tre figli, Barbara, Eleonora e Luigi.

I primi, decisivi passi della marcia verso l'empireo dei potenti Silvio Berlusconi li ha compiuti nell'edilizia. Prima con dei condomini in via Alciati (a Milano, ovviamente), poi a Brugherio, nell'estrema periferia della metropoli, un quartiere che fu la prova generale di Milano 2, il suo capolavoro di costruttore: infine Milano 3, con un contorno d'acquisti e di vendite dappertutto. Preferiamo non impegolarci nel problema dei finanziamenti che l'infrenabile giovanotto andava rastrellando, sul come li ottenesse, e su quali itinerari tortuosi – anche attraverso banche straniere – essi seguissero. Va premesso che Berlusconi non era un palazzinaro qualsiasi, uno di quelli, esemplificava lui, «che improvvisa il cantiere, costruisce uno stabile, ma non pensa nemmeno al marciapiede». Aveva idee che nella palude della speculazione edilizia italiana potevano essere considerate avveniristiche.

Nel 1978 Berlusconi fece un passo che in quel momento ritenne furbo e che era invece falso: entrò nella loggia P2, con la tessera 1816 in data 26 gennaio. Su quest'ingresso nella massoneria deviata abbiamo due versioni non discordanti, una di Licio Gelli una dello stesso Berlusconi. Ha spiegato il Venerabile: «Berlusconi? Ha fatto la normale iniziazione a Roma. Credo lo abbia presentato il professor Fabrizio Trecca. C'era anche il Gran Maestro Giordano Gamberini in rappresentanza del Grande Oriente d'Italia e il direttore delle Partecipazioni statali Giovanni Fanelli. Dopo di che l'ho visto raramente, giusto un paio di volte il tempo di bere insieme un caffè all'Excelsior. Siccome aveva tanti soldi, noi della P2 pensavamo fosse in società con Agnelli e che agisse al posto suo perché l'avvocato era un pavido...». Versione Berlusconi: «Mi sono iscritto alla P2 nei primi mesi del 1978, su invito di Licio Gelli che conoscevo da circa sei mesi e che avevo visto solo due volte. Ero convinto che la Loggia fosse parte del Grande Oriente d'Italia. Non ho mai versato contributi... Fu Roberto Gervaso, mio amico, a presentarmi a Gelli... Dopo l'iscrizione mi dimenticai addirittura della massoneria».

Quando nell'estate del 1976 Bettino Craxi prese in pugno il Partito socialista Berlusconi, che sa di latino, poté dire: «Ecce homo». Craxi aveva una posizione d'assoluto rilievo a Roma, e un suo clan imperversante a Milano: così protervo, mondanamente esibizionista, cialtrone e antipatico che qualcuno paragonerà poi la sua alla satrapia dei Ceausescu in Romania. Il leader socialista, che si rivolgeva alle folle dei suoi comizi con i toni del populismo nenniano, aveva occupato a Milano, con parenti e amici, ogni possibile posto. Nell'imprenditoria i suoi amici erano Silvio Berlusconi e Salvatore Ligresti: che potevano diventare concorrenti, avendo entrambi fatto fortuna nell'edilizia. Senonché a un certo punto Berlusconi scelse, con straordinario intuito, la strada dell'etere. Ci si incamminò, dapprima, con poca convinzione. La fortezza Rai sembrava inattaccabile.

Una minuscola breccia aperta nel monopolio, nel 1974, dalla Corte costituzionale era così poco incisiva da parere piuttosto una scalfittura. La Consulta aveva stabilito che fosse lecito installare ripetitori per captare e diffondere emittenti estere (Montecarlo, Svizzera, Capodistria, la francese Antenne 2) e che il cavo fosse libero. Ma la novità rivoluzionaria sopraggiunse con la sentenza 202 del luglio '76, che riconosceva il diritto delle televisioni private a trasmettere «in ambito locale». La Rai non era più padrona assoluta dell'etere: infatti già nel 1978 le emittenti locali erano quasi cinquecento. Il significato autentico del termine «ambito locale» fu dibattuto con asprezza. C'era chi, volendo dare man forte alla Rai, lo riduceva a un raggio di alcuni chilometri, e c'era chi lo voleva assai ampio. Fu alla fine convenuto – non concordemente – che «locale» equivalesse a regionale.

Berlusconi era da tempo entrato nella proprietà d'una sonnecchiante Telemilano, che doveva trasmettere via cavo e che lo fece servendo i residenti di Milano 2. Ma quando la Consulta squarciò l'etere Berlusconi capì che quel varco apriva prospettive affascinanti. Telemilano, che procedeva a passettini stentati, prese la corsa. Nell'agosto del 1979 Berlusconi annunciò ai suoi produttori di pubblicità, e ai loro clienti, il colpo grosso: era stato arruolato Mike Bongiorno, che da allora in poi fu la calamita e il simbolo della televisione berlusconiana. Il presentatore italo-americano, *robot* ripetitivo ma infallibile del quiz e della televendita, era alla Rai un profeta d'immenso successo ma – lamentava – sottovalutato, trattato un po' con la puzza sotto il naso da chi aveva velleità intellettuali, e oltretutto sottopagato. In Berlusconi il profeta trovò il suo prodigo Allah. Non si sarebbero mai più lasciati.

Per la televisione come per il Milan il Cavaliere voleva comprare il meglio, a qualsiasi prezzo. I compensi s'impennarono: e s'impennarono i costi per la Rai. Con la sua campagna acquisti Berlusconi distrusse un sistema. Il sottobosco dello spettacolo gliene deve essere immensamente grato. Sciantosette la cui sorte sarebbe stata, in altri tempi, quella di recitare in varietà di provincia, pretesero contratti che Eleonora Duse non aveva mai osato sognare, comici d'avanspettacolo inalberarono pretese che a Salvo Randone non erano mai passate per la testa.

Telemilano era diventata Canale 5: un'emittente che ormai svettava sulle altre private ma che non per questo poteva nutrire ambizioni – o piuttosto indurre sospetti – di monopolio. Il giro di boa avvenne nei primi anni Ottanta. Edilio Rusconi, che nel settore della *presse du coeur* aveva il colosso *Gente*, rivale del rizzoliano *Oggi*, e che nel settore dei settimanali pettegoli poteva contare su *Eva Express*, aveva intuito per tempo le potenzialità della televisione. S'era mosso con prudenza e sagacia prima inserendosi nell'ambito locale, poi varando Italia 1 che divenne operativa il 3 gennaio del 1982. I risultati economici non furono disastrosi, ma Rusconi verificò presto, inoltrandosi su quel terreno, quanto impegno – organizzativo e finanziario – esso richiedesse. Aveva in mente una televisione che appoggiasse le sue pubblicazioni, e rischiava di trovarsi alle prese con un Moloch che, se l'impresa falliva, le avrebbe divorate. Sta di fatto che intavolò trattative con Rete 4, l'emittente della Mondadori che era nata quasi contemporaneamente alla sua, e che aveva propositi di grandezza proporzionati al prestigio e alla storia gloriosa della casa editrice. Com'è nello stile degli aristocratici, la Mondadori non aveva fretta. Berlusconi si fece vivo, con uno dei suoi caratteristici *blitz*, offrendo a Rusconi, sull'unghia, trentadue miliardi.

Persa Italia 1, la Mondadori stava per perdere non solo Rete 4, ma sé stessa. Il suo *network* era ormai un vaso di coccio stretto tra la Rai e Berlusconi. Qualche vistoso errore nell'acquisto di programmi contribuì senza dubbio al disastro: gli incursori del Cavaliere avevano invece buon naso, oltre che mandati senza limiti di spesa. *Dallas* era passata per un buon numero di puntate sulla Rai senza suscitare particolare interesse, e Canale 5 ne fece un successo travolgente. Per centotrentacinque miliardi Rete 4 fu conquistata dal Cavaliere: che in quei mesi s'impadronì – a completamento di quest'offensiva travolgente – del settimanale *Tv Sorrisi e Canzoni*. Dai muri degli studi e degli uffici fino alle pagine del periodico che narrava le memorabili gesta di cavalieri e dame del video, la realtà televisiva gli apparteneva.

Vi furono comprensibili allarmi per il dilagare del Cavaliere. Molti di coloro che lo combattevano ebbero tuttavia il torto di farlo glorificando la Rai: impresa ingrata negli anni in cui una classe politica che forse non aveva tutti i demeriti di cui viene ora caricata, ma che era corrotta e dilapidatrice, si affacciava giorno e sera dai teleschermi Rai, rivendicando il diritto d'usarne a suo piacimento; e gremiva gli organici della televisione pubblica di raccomandati politici tra i quali non mancavano, intendiamoci, professionisti eccellenti. Berlusconi poté atteggiarsi a difensore dei diritti dei singoli cittadini contro la protervia del regime. Si librava nell'illegalità, o almeno in un vuoto legale e istituzionale, ma rivendicava un principio più alto delle norme, la libertà.

Sappiamo che un santo nel Paradiso del potere l'aveva anche lui, e che santo: Bettino Craxi, divenuto a metà degli anni Ottanta Presidente del Consiglio, e capace d'interventi e d'arbitrî impensabili in altri. Il 16 ottobre 1984 i pretori di Roma, Torino e Pescara ordinarono l'oscuramento delle reti Fininvest. La clamorosa misura, debitamente motivata, aveva inequivocabili risvolti politici, e autorizzò più d'uno a pensare – nella giungla delle leggi, o dell'assenza di leggi, con un corollario di cavilli a non finire – che i pretori fossero prevenuti, o faziosi. Craxi, reduce da un viaggio a Londra, convocò fulmineamente il Consiglio dei Ministri e dispose per decreto la riaccensione delle emittenti abbuiate. Senonché il 28 novembre il decreto fu bocciato dalla Camera. Altro oscuramento, altro decreto, e la Camera questa volta diede la luce verde. Si mormorò che De Mita avesse ottenuto, in cambio del salvataggio di Berlusconi, un maggior controllo della Rai, e i missini di Giorgio Almirante un qualche spazio nell'informazione televisiva. Solo nel 1990, con la legge Mammì (così chiamata dal nome del ministro repubblicano delle Poste che ne portava la responsabilità) una regolamentazione si sostituì al Far West dell'etere.

S'è visto che nelle sorti della Mondadori Berlusconi aveva avuto una parte di primo piano con l'acquisto di Rete 4. L'operazione aveva salvato il colosso di Segrate dal crollo. Era, rimesso in sesto, un colosso che faceva gola. Su di esso s'erano appuntati gli sguardi concupiscenti di Berlusconi e di Carlo De Benedetti, due uomini antitetici per i casi della vita ma anche per formazione, per indole, per comportamenti. L'ingegner De Benedetti era tanto riservato e freddo quanto Berlusconi era estroverso e intemperante.

Non ci invischieremo nei distinguo – che pure condizionarono la vicenda Mondadori – tra azioni ordinarie e azioni privilegiate, tra assemblee ordinarie e assemblee straordinarie. Basterà dire che la famiglia Mondadori era lacerata, e che l'oscillare di alcuni dei suoi componenti tra l'uno e l'altro competitore, nella lotta per il controllo della casa editrice, creò incertezza e determinò colpi di scena. Nel 1988 parve che Berlusconi avesse perso la partita, nel 1990 sembrò che l'avesse vinta, ma così non era. L'uomo di Arcore e l'uomo di Ivrea – De Benedetti era l'azionista di riferimento della Olivetti – mobilitarono falangi d'avvocati. Berlusconi s'insediava a Segrate, quando un provvedimento della magistratura gli dava ragione (s'affrettava a mandare fiori alle impiegate, un tocco da *charmeur*) e doveva sloggiare quando un altro provvedimento gli dava torto.

Ci si appellò, per una mediazione, a Giuseppe Ciarrapico, sultano delle acque minerali, che s'installò a Milano per trovare un terreno d'intesa tra l'Ingegnere e il Cavaliere: e l'intesa fu trovata – forse più per la logica delle cose che per l'abilità del sensale – in una spartizione salomonica. De Benedetti rinunciava al suo progetto, ossia alla fusione tra la Mondadori e il gruppo Repubblica-Espresso: ma di questo gruppo manteneva la proprietà. La Mondadori, con *Panorama*, *Epoca* e le altre sue pubblicazioni, era invece del Cavaliere.

Alla sfida di Berlusconi gran parte del mondo politico, e degli ambienti intellettuali, reagì con un misto di fastidio e di disprezzo. Il Cavaliere veniva sbrigativamente liquidato come «uomo di plastica», «faccia di gomma», «Re fustino», «ragazzo coccodè», profeta d'un «peronismo elettronico» che faceva leva sulla peggiore subcultura italiana. Questa offensiva che non si curava d'opporre argomenti e suggestioni più validi e più allettanti a quelli di Berlusconi, ma preferiva ridurlo a simbolo della mediocrità imperversante, peccava di presunzione: perché distingueva gli informati e i preparati dalla plebe che, plagiata da imbonitori televisivi, era pronta a consegnarsi all'imbonitore massimo, appunto Silvio. Con un'operazione perfetta nel suo autolesionismo elettorale, gli avversari del Cavaliere spiegarono che i gusti e le simpatie dei molti milioni d'italiani incollati al televisore erano spregevoli, e il loro quoziente d'intelligenza infimo. Segni affettava indifferenza verso le impostazioni del Cavaliere: «Può darsi che la pensi come me, ma non conosco le sue idee perché mi interessano poco». D'Alema andava giù duro: «Berlusconi è mal consigliato dai suoi dottor Stranamore di provincia. Meglio che stia fermo, tanto prenderebbe pochi voti. Non siamo mica in Brasile».

Indifferente agli scetticismi Berlusconi perseguiva la sua operazione seguendo due direttrici: da una parte metteva a punto, con la sua metodicità e il suo perfezionismo ossessivi, l'organizzazione di Forza Italia, dall'altra cercava alleati. Li trovò anzitutto nel Centro cristiano democratico guidato da Pier Ferdinando Casini, Clemente Mastella, Francesco D'Onofrio, Ombretta Fumagalli Carulli. Questi fondatori d'un partito inedito erano tutti, in realtà, dei discendenti: Casini veniva dai forlaniani, Mastella dai demitiani, D'Onofrio dai cossighiani, Ombretta dagli andreottiani. Li aveva uniti la preoccupazione per la linea che Martinazzoli come segretario della Dc seguiva.

Quest'annessione d'una scheggia della defunta Dc era peraltro poca cosa per il Cavaliere: il grosso nucleo residuo delle truppe democristiane rimaneva agli ordini di Martinazzoli, che gratificava Berlusconi d'una istintiva e ironica antipatia. Occorrevano ben altre armi per fronteggiare la gioiosa macchina da guerra di Akel Occhetto. Erano, quelle disponibili, armi a doppio taglio, difficili da impugnare.

Lo era la Lega. Fu chiaro già all'inizio che Bossi sarebbe stato per Berlusconi un compagno di strada da incubo. Condannati a stare insieme per vincere le elezioni, i due camminavano di conserva ma sempre con la mano alla pistola, come certi ceffi da *western*.

L'intesa contrattuale tra Berlusconi e Bossi previde che nelle aree dove il Carroccio era forte la maggioranza dei candidati comuni fosse scelta tra le file della Lega (il che avvenne). Bossi s'illudeva che «una volta in Parlamento quelli là, i berluscones, raccattati col sistema dei provini, finiranno per seguirci come cagnolini». Profezia sballata, al pari di tante altre del *senatur*.

LA DESTRA, che per decenni era stata bollata come neofascista – per alcuni aspetti lo era – e che come tale aveva subito la ghettizzazione politica e culturale, rappresentava un'altra indispensabile ruota per il carro – che non era il Carroccio – su cui Berlusconi sperava di celebrare il suo trionfo. Segretario del Msi lo sappiamo, era Gianfranco Fini, nato a Bologna il 3 gennaio 1952. Un emiliano che, contravvenendo alle tipologie consolidate, è controllato, calcolatore, capace di pesare le parole: tanto da far sospettare che alcune affermazioni imprudenti – come la qualifica, attribuita a Mussolini, di più grande statista italiano del secolo – siano state da lui fatte deliberatamente, a scopi interni di partito. La sua prima matrice ideologica Fini l'aveva ricevuta in famiglia. Il nome, Gianfranco, gli era stato dato a ricordo d'un parente «disperso» (il corpo non fu mai ritrovato) durante la mattanza che in Emilia-Romagna seguì la Liberazione. A Bologna aveva frequentato gli ambienti di estrema destra, e continuò a frequentarli a Roma quando il padre, funzionario d'una compagnia petrolifera, vi si trasferì. Era un «dottorino» anomalo tra i borgatari missini, abituati a subire il carisma piuttosto becero di Teodoro Buontempo, detto *er pecora* per la capigliatura lanosa. S'era presto messo in luce, nelle sezioni missine, fino ad essere preso in simpatia da Giorgio Almirante, capo del Partito per una quarantina d'anni: e proprio Almirante lo designò a suo successore.

Fini non era un innovatore. Anche l'idea d'un *rassemblement* di destra, che troverà realizzazione in Alleanza nazionale, non fu farina del suo sacco. L'aveva lanciata il professor Domenico Fisichella, l'aveva avallata Giuseppe Tatarella (un missino moderato di stampo doroteo), l'aveva poi propagandata, su *L'Italia settimanale*, Marcello Veneziani, intellettuale di destra refrattario ad ortodossie partitiche. A Fini sarebbe piaciuto un «cartello» nazionale comprendente Forza Italia, Alleanza nazionale e la Lega Nord. Ma Bossi fu irremovibile nel rifiutarlo, e lì si manifestò la grande capacità di Berlusconi di fare da cerniera tra i due movimenti che si trovavano molto lontani tra loro. Nacque a quel punto il *ménage à trois* in cui Berlusconi era un marito pronto a dividersi tra una moglie e un'amante: anche se non è ben chiaro a chi, tra Bossi e Fini, toccasse la parte della moglie e a chi quella dell'amante. Forza Italia fu l'anello di congiunzione tra il Polo delle libertà – a nord – e il Polo del buongoverno nel centrosud. Era una coalizione male assortita: ma era anche l'unica, a destra, che in quel momento avesse probabilità di vittoria.

In quei mesi di gennaio e febbraio del 1994 la differenza tra lo stato d'animo di Berlusconi e quello di Occhetto era che Berlusconi faceva l'ottimista, Occhetto lo era. Mai s'era visto, nella storia di Paesi la cui vita politica sia fondata sui partiti, il successo d'una formazione raccogliticcia creata e mandata allo sbaraglio nell'imminenza del voto, e la sconfitta d'una coalizione, imperniata sul più solido e organizzato dei partiti italiani, che pochi mesi prima aveva dimostrato di dominare le piazze e le urne. Occhetto non aveva tutti i torti quando pronosticava che la prima volta d'una sinistra vincente insieme al centro fosse a portata di mano. Oltretutto in quell'inizio del 1994 le vicende politiche di Berlusconi cominciavano ad intrecciarsi fittamente con quelle giudiziarie: e continueranno ad intrecciarsi, dopo d'allora, in una matassa ormai inestricabile.

IL GRUPPO DI MAGISTRATI che nella Procura milanese agiva sotto la guida di Francesco Saverio Borrelli, e che aveva in Antonio Di Pietro la sua *star* procedeva come un rullo compressore: schiacciando sul suo cammino personaggi che a lungo avevano goduto di una sostanziale impunità, e che reagivano secondo la loro indole più o meno bellicosa. Tutti però lamentavano la crudezza inquisitoria con cui Di Pietro – cuor di poliziotto in toga di magistrato – conduceva le sue indagini: e lasciavano intendere che la scarcerazione degli arrestati dipendeva dalla loro disponibilità a confessare, e a coinvolgere altri corrotti e corruttori. Questi appelli al garantismo non trovavano alcuna eco nell'opinione pubblica: che assisteva invece compiaciuta, plaudente e irridente al crollo di notabili di partito e di boiardi di Stato.

Il *pool* sembrava, visto dall'esterno, una formazione molto solida. Perse un pezzo, ma era un pezzo minore e non coeso, quando Tiziana Parenti detta Titti la Rossa (per il colore dei capelli, non certo per le preferenze politiche) se ne staccò, lamentando un atteggiamento riguardoso verso la sinistra che troppo contrastava, secondo lei, con la severità delle inchieste avviate in altre direzioni. Tiziana Parenti approdò poi ai lidi di Forza Italia, presentandosi candidata e venendo eletta nelle sue file: il che autorizzò maliziose letture della sua ribellione. Ma il nucleo forte della squadra di Borrelli non mostrava incrinature. Al di là di diversità ideologiche – del resto tutt'altro che nette – i magistrati della Procura di Milano trovavano un comune denominatore sia nell'intransigenza con cui affrontavano le inchieste che tutte insieme erano un colossale processo alla classe politica detronizzata, sia nella certezza che la pulizia pubblica fosse più importante dei sofismi legali.

Le valutazioni che i politici davano della grande purga erano strumentali, e dunque non di rado contraddittorie. Venivano osannati come salutari gli avvisi di garanzia che fioccavano sugli schieramenti avversari: e invece attribuiti a congiure, o a malanimo, o a errori, o a spiacevole confusione tra responsabilità personali e responsabilità di partito, gli avvisi di garanzia ricevuti in proprio. Quest'atteggiamento fu marcato, per motivi diversi ma coincidenti, nel Pds e nella Lega. Per difendersi, Craxi aveva chiamato in causa – per colpe recenti o per colpe meno recenti – il Pci e il Pds: Occhetto aveva alternato, respingendo o minimizzando i coinvolgimenti, le mozioni degli affetti allo sdegno. Trascinato dalla sua emotività, Occhetto fu senza dubbio troppo declamatorio. La diagnosi migliore, sui comportamenti del Pci, l'aveva data con profetico anticipo Berlinguer: «Occorre ammettere che ci distinguiamo dagli altri non perché non siamo ricorsi a finanziamenti deprecabili, ma perché nel ricorrervi il disinteresse dei nostri è stato assoluto». Anche Bossi scivolò malamente per la «mancia» di 200 milioni che Carlo Sama, uno dei grandi elemosinieri di Tangentopoli, aveva mollato al tesoriere della Lega, Alessandro Patelli. I balbettamenti difensivi di Patelli furono insieme penosi e ridicoli, e le sparate tonitruanti di Bossi – che si scagliò, con il suo linguaggio da curva sud, contro Di Pietro – furono tutto tranne che convincenti.

Ma chiunque avesse un minimo d'accortezza capì che lo sporadico accattonaggio leghista aveva una parentela lontana – per dimensioni e per circostanze – con la straordinaria macchina tangentizia messa a punto dagli esperti della partitocrazia nazionale: e mostrata agli italiani in ogni sua singola vite, rondella e manopola dalle riprese televisive del processo Cusani ch'era cominciato davanti al Tribunale di Milano il 28 ottobre 1993 (una sorta di marcia su Roma, anche questa); e che oppose – o piuttosto sottopose – al pubblico ministero Antonio Di Pietro la *Nomenklatura* della Prima Repubblica.

Imputato era Sergio Cusani, uno sfingeo *yuppie* cui l'Enimont, ossia la colossale *holding* derivata dalla catastrofica fusione tra Eni e Montedison, aveva affidato mansioni d'elargitore di tangenti. Secondo l'accusa Cusani aveva agito nello stesso tempo come gestore dei rapporti tra Enimont e i partiti e come emissario del Psi, e di Bettino Craxi in particolare. 175 miliardi erano stati erogati, contribuendo allo sfascio del colosso petrolchimico. I 123 politici coinvolti nell'inchiesta – tra loro quattro ex-segretari di partito e un segretario ancora in carica, Umberto Bossi – erano formalmente solo dei testimoni. In buona sostanza sovrastavano di molto – per responsabilità e notorietà – il maneggione Cusani. Gli italiani videro in processione, nell'aula del Tribunale milanese, alcuni potenti della Prima Repubblica, fustigati da Antonio Di Pietro: che era rozzo, popolaresco, diretto, efficace. Le sue inflessioni dialettali molisane, il suo ricorso frequente a modi gergali, il suo altalenare tra la bonomia di chi conosce le debolezze umane e il terzo grado psicologico mandavano in solluchero i milioni di persone che seguivano le cronache televisive.

La gente aspettava al varco i politici, e tra loro soprattutto uno, Bettino Craxi, che non tradì né le attese dei suoi detrattori né quelle dei suoi pochi residui fedeli: fu battagliero, dialettico, sfrontato. Un Franti – ricordate il «cattivo» di *Cuore*? – che suscitava perfino ammirazione. Craxi ribadì le sue note tesi, per quanto temerarie potessero apparire. Per sé non aveva preso nulla e lucrato nulla. Se il suo partito aveva incassato somme indebite – e se lui come segretario aveva consentito che le incassasse – se ne doveva dar colpa a un sistema adulterato. Così avevan fatto tutti, comunque. Il problema era politico, non giudiziario.

Se Craxi superò le forche caudine alla sua maniera proterva, Arnaldo Forlani ne uscì distrutto. Non tanto per le incerte negazioni e le imbarazzate reticenze con cui rispondeva alle contestazioni («è venuto qui a dirci "nun lu saccio, nun lu vedo"» irrise Di Pietro nella requisitoria) quanto per l'aria spaurita con cui sedette sul banco dei testimoni. Nessuna immagine del processo Cusani è rimasta impressa negli occhi e nella mente degli italiani più di quella di Forlani pallido, balbettante, quasi tremante, con due grumi di bava agli angoli della bocca. La condanna di Sergio Cusani a otto anni di reclusione fu lo scontato corollario della straordinaria rappresentazione.

Torniamo a Berlusconi: che ebbe una prima avvisaglia dei guai che l'attendevano quando nell'autunno del 1993 il sostituto procuratore romano Maria Cordova chiese l'arresto di Carlo De Benedetti, di Gianni Letta e di Adriano Galliani (sodale e socio del Cavaliere, sia negli affari sia nel Milan) per presunte illegalità nella fornitura di materiali elettronici al Ministero delle Poste e nell'attribuzione delle frequenze televisive. I due stretti collaboratori di Berlusconi evitarono il carcere: non così Davide Giacalone (ex-braccio destro dell'ex-ministro delle Poste Oscar Mammì) che alla questione delle frequenze si era assiduamente dedicato e che, sistematele, era trasmigrato dall'alveo burocratico statale a compiti di consulenza (eccellentemente pagati) per la Fininvest. Comunque questa prima iniziativa, pur estranea al *pool* milanese, non prometteva nulla di buono.

L'8 febbraio 1994 Paolo Berlusconi fu accusato di aver pagato tangenti per una vendita d'immobili, risalente a una decina d'anni prima, alla Cassa di risparmio delle provincie lombarde. Un magistrato specialista in reati fiscali, Margherita Taddei, passava da tempo al setaccio i bilanci della Fininvest, nei cui uffici la Guardia di Finanza aveva ormai messo le tende; Aldo Brancher, uomo del Biscione, era nei guai per sospette tangenti al ministro della Sanità Francesco De Lorenzo e per mazzette ai politici di Grugliasco, dov'era sorto il centro commerciale Le Gru; Adriano Galliani, ancora lui, era nel mirino perché – sosteneva la Procura di Torino – aveva versato somme «in nero» per il trasferimento dal Torino al Milan del giocatore Gigi Lentini. In conclusione tre Procure – Milano, Torino, Roma – erano all'opera per scovare gli illeciti della Fininvest: che diede l'impressione di giuocare d'anticipo – ma Enrico Mentana ha giurato d'aver soltanto diffuso una notizia di cui era venuto in possesso – il 9 marzo 1994: quel giorno il Tg5 comunicò a milioni d'italiani che il *pool* di «Mani pulite» voleva l'arresto di Marcello Dell'Utri e di altri cinque indiziati per falso in bilancio. Marcello Dell'Utri, amministratore delegato di Publitalia, veniva al terzo posto – dopo Silvio Berlusconi e Fedele Confalonieri – nella gerarchia del Biscione. L'informazione era vera, e non poteva venire che dal colabrodo degli uffici giudiziari: la sua prematura diffusione giovò in definitiva a Dell'Utri, perché bloccò la richiesta del *pool* d'incarcerarlo: ma fu una breve tregua. Una settimana prima delle elezioni – fissate per il 27 e 28 marzo 1994 – vennero dalla Sicilia indiscrezioni e voci su contatti affaristici tra lo stesso Marcello Dell'Utri e ambienti mafiosi. Era troppo per Berlusconi che, presa carta e penna, scrisse una «lettera aperta al Presidente Oscar Luigi Scalfaro» in cui denunciava il «complotto a tre stadi» ordito a suo danno con un assiduo ricorso alla «cultura del sospetto».

L'ultima bordata giudiziaria antiberlusconiana echeggiò fragorosamente l'antivigilia del voto. Maria Grazia Omboni, giovane Pm applicato alla Procura di Palmi – da dove il procuratore capo Cordova, poi passato a Napoli, aveva scatenato un'offensiva contro le logge segrete, acquisendo elenchi di massoni d'ogni parte della penisola – sguinzagliò carabinieri e agenti nelle sedi di Forza Italia per avere gli elenchi dei presidenti dei *clubs*, e sapere se tra essi vi fossero massoni. Una misura inusitata, attuata in forma appariscente.

PER VOTARE, a fine marzo del '94, gli italiani avrebbero avuto a disposizione due interi giorni, data la coincidenza del 27 con la Pasqua ebraica i cui precetti impedivano ai praticanti ogni attività che non fosse di carattere religioso. Per non mortificare la comunità israelitica, e per non affrontare le complicazioni derivanti da uno spostamento della data, il governo Ciampi deliberò di prolungare l'apertura dei seggi. Gli ultimi sondaggi avevano voltato le spalle ai progressisti dopo averli per qualche tempo illusi. Lo spoglio delle schede diede alla destra la vittoria, non un trionfo: ma quella vittoria che era stata gonfiata dalla legge elettorale maggioritaria parve un trionfo per la ventata di delusione, d'avvilimento, di recriminazioni, d'autocritica che percorse il campo progressista. La valenza millenaristica che era stata data al giudizio delle urne – e che rammentava la passionalità e gli eccessi del 18 aprile 1948, quando la valanga democristiana aveva travolto il Fronte popolare – avvalorò l'impressione che gli sconfitti non avessero perso una battaglia, ma la madre di tutte le guerre. A Forza Italia, considerata come schieramento autonomo, era andato il 21 per cento dei consensi, un po' più di quanto avesse ottenuto il Pds, con il suo apparato organizzativo e con le sue profonde radici. Era un miracolo, se si pensa che un «non partito» neonato, improvvisato, privo di presenze capillari – che non fossero di carattere aziendale – sul territorio era riuscito a superare ogni rivale. Ma Berlusconi, che era stato un po' illuso dalle profezie computerizzate, non sembrò entusiasta. Più che la percentuale ottenuta dovette soddisfarlo la constatazione che il suo movimento era penetrato profondamente in ogni settore e in ogni fascia della società italiana. Al Nord, in particolare, aveva saccheggiato la Lega e si era affermato in tradizionali roccheforti della sinistra, alcune dotate d'un alto valore simbolico: prime tra tutte Mirafiori, cuore operaio della Fiat, e Sesto San Giovanni, l'ex-Stalingrado d'Italia. In Sicilia la Rete era uscita malconcia dalle urne. Palermo – dove Leoluca Orlando era stato eletto sindaco con il 70 per cento dei voti – le aveva voltato le spalle: tanto da indurre lo stesso Orlando a sentenziare che i voti della città, in massima parte apprezzabili e onesti finché andavano a lui, avevano ormai puzza di mafia. La sinistra aveva peraltro tenuto bene nelle regioni che tradizionalmente le erano fedeli: e che fedeli rimasero. Il 20,4 per cento del Pds – con una rimonta sensibile rispetto alle «politiche» del '92 – poteva essere considerato un ottimo risultato, e Occhetto si sarebbe meritate le congratulazioni per aver fatto svettare, nel disastro democristiano e socialista, la sua Quercia: non il Pds era crollato, e nemmeno Rifondazione comunista, che anzi aveva fatto qualche progresso. La disfatta portava le etichette dei fiancheggiatori di sinistra, incapaci d'attrarre gli elettori centristi. Tuttavia Occhetto fu subissato di critiche e – come egli stesso osservò con amarezza – il suo totodimissioni divenne da quel momento in poi uno dei passatempi preferiti del Palazzo e della stampa. Il tallone non solo d'Achille ma dell'intera sinistra fu probabilmente un eccesso di querula e stizzosa autocommiserazione.

I partiti minori furono duramente penalizzati – ma non era

una sorpresa – dal maggioritario. Alla Camera, ad esempio, il Partito popolare e il Patto per l'Italia di Mariotto Segni, alleati, ottennero 46 deputati – grazie soprattutto alla quota proporzionale del 20 per cento che la legge manteneva – con 6 milioni di voti. A Segni toccò addirittura l'umiliazione d'essere battuto, nel suo collegio di Sassari, da un candidato sconosciuto: e venne ripescato grazie appunto alla quota proporzionale. Il Parlamento del 27 e 28 marzo risultò essere un'immagine deformata del Paese – nel maggioritario succede sempre – e nello stesso tempo un'immagine confusa. Prendiamo i dati della Camera: Forza Italia con il suo 21 per cento ebbe 97 deputati, la Lega con il suo 8 per cento 122 (più del Pds che con il 20,4 per cento ebbe 115 deputati), Alleanza nazionale con il 13,5 per cento 109 deputati, il Centro cristiano democratico, 32 con il 3 per cento. Queste anomalie vistose derivavano dal meccanismo delle candidature che Forza Italia aveva elargito agli alleati. Proprio su questo punto divamperà poi la polemica di Berlusconi contro Bossi e il suo «tradimento»: il Cavaliere non si stancherà di ricordare che nel collegio di Milano-centro Bossi era stato eletto con 14 mila voti leghisti e 27 mila di Forza Italia: inclusi, in questi ultimi, i voti dei familiari di Berlusconi. Il centrodestra – che includeva la Lega – poteva contare alla Camera su una maggioranza ampia, 366 seggi su 630: gli mancava invece qualche unità per avere in Senato la maggioranza assoluta di 158 seggi. A Palazzo Madama la situazione era resa ancor più fluida dalla presenza dei senatori a vita – alcuni tra loro molto anziani e valetudinari – il cui sì o il cui no poteva condizionare, per la sostanziale parità tra gli schieramenti, ogni votazione.

In principio fu il litigio (e anche alla fine). Bossi, alleato del Cavaliere, lo chiamava il Berluscoso, il Berluscone («che fa solo teatrino»), il Berluscaz («la sua è una macchina di cartapesta»), il Berluskaiser. Quando lo schieramento di maggioranza affrontò la battaglia per le presidenze delle Camere, Forza Italia indicò come candidato per la poltrona di Palazzo Madama Carlo Scognamiglio: un liberale cinquantenne, già simpatizzante di Segni, nato a Varese ma discendente da una ricca famiglia d'armatori liguri. Un bell'uomo, con la sua barbetta curata e il suo ciuffo pepe-sale, e un uomo di successo anche nella scelta di mogli e compagne: tutte appartenenti alle grandi famiglie dell'imprenditoria italiana.

Il nome del candidato per la poltrona di Montecitorio fu imposto da Umberto Bossi: che ancora una volta causò sensazione perché estrasse dalla manica quello di Irene Pivetti, trentunenne *pasionaria* del Carroccio. Era una designazione a dir poco audace. Ci fu chi parlò di provocazione: per l'età della designata, per le sue convinzioni di cattolica integralista, per il suo temperamento grintoso. Il meno adatto all'opera di mediazione che una presidenza parlamentare comporta. Il nome – che significa pace – non s'addice molto a questa minuta guerriera, e l'apparenza, per quanto la riguarda, inganna. La sua personcina fragile – e graziosa anche se il volto da furetto poco s'accorda con i canoni della bellezza classica – è fatta di fil di ferro. Milanese, laureata in lettere, nipote di Aldo Gabrielli del cui dizionario ha curato le edizioni postume, i genitori dediti ad attività teatrali e una sorella attrice e doppiatrice, la Pivetti non era una leghista della prima ora: ma buttatasi in politica ci aveva messo tutto il suo impegno. La si riteneva vicina alle posizioni di monsignor Lefebvre e nemica dell'arcivescovo di Milano, cardinal Martini, noto per i suoi atteggiamenti «aperti». Era sospettata di covare pregiudizi antisemiti. Non esiterà, già Presidente della Camera, a visitare la Vandea non come turista, ma per attestare ammirazione verso i cattolici che si batterono contro le milizie della Rivoluzione francese, e furono massacrati.

La prima vera sfida tra maggioranza e opposizione avvenne dunque il 16 aprile, nelle aule di Montecitorio e di Palazzo Madama. La Pivetti passò senza alcuna difficoltà: i numeri erano abbondantemente in suo favore. Per la Presidenza del Senato si ebbe un «braccio di ferro» dall'esito incertissimo tra Spadolini e Scognamiglio. Il regolamento di Palazzo Madama prevede tra l'altro che, in caso di parità, la Presidenza vada al senatore più anziano, che nel caso specifico era Spadolini. All'epilogo della votazione decisiva sembrò per un momento che proprio la parità fosse stata sancita dalle schede, i progressisti esplosero in un lungo applauso, l'infallibile *gaffeur* Occhetto non seppe frenare la sua intempestiva e infantile esultanza, Spadolini s'illuse per un momento di poter continuare a vivere, e più serenamente morire, come Presidente del Senato. Per un voto – fu determinante l'assenza di Carlo Bo che avrebbe votato per Spadolini e che era indisposto – prevalse Scognamiglio: 162 a 161. Non v'era stata irregolarità alcuna: ma il Polo berlusconiano aveva commesso un peccato d'arroganza, e umiliato Giovanni Spadolini che per statura morale e culturale stava un palmo al di sopra della media dei politici.

Ma la lotta era senza quartiere: e senza *fair play*. Lo si vide pochi giorni dopo, per la ricorrenza del 25 aprile. L'anniversario non era tondo – erano trascorsi quarantanove anni dalla Liberazione – e in una situazione di normalità sarebbe passato con celebrazioni e cerimonie di *routine*. Alla tentazione di farne un'arma polemica contro la nuova maggioranza, descritta e anche caricaturata come un assemblaggio di forze antidemocratiche e fasciste (o parafasciste), i progressisti non seppero resistere. Per quel quarantanovesimo furono organizzati a Milano – con apporti di manifestanti d'ogni parte d'Italia – un corteo e un comizio multitudinari: che tali rimasero nonostante la pioggia. Si parlò di Liberazione: ma il linguaggio degli striscioni e dei cartelli, immersi in una marea di bandiere rosse, parlò soprattutto d'antiberlusconismo. Umberto Bossi, cui mancano alcune qualità importanti ma di sicuro non il coraggio, volle aggregarsi con un gruppo dei suoi al corteo. Ne fu impedito da una marea di scalmanati che urlando «vergogna, vergogna» e «fuori, fuori» fiondavano monetine.

A un mese dalle elezioni Scalfaro non aveva ancora dato l'incarico per la formazione del governo. Questa attesa era stata determinata in parte da adempimenti costituzionali e in parte da perplessità dello stesso Scalfaro cui non andava molto a genio la personalità del Cavaliere, e ancor meno il suo essere contemporaneamente *leader* politico, grande imprenditore e signore dell'etere. La diffidenza era senza dubbio reciproca. Il 27 aprile 1994 il Capo dello Stato, sentiti tutti coloro che la Costituzione, il protocollo, la consuetudine gl'imponevano di sentire, diede via libera al Cavaliere perché approntasse la sua «squadra».

BERLUSCONI DOVEVA fare i conti con i ruggiti di Bossi, con gli appetiti di Fini e degli alleati minori, e infine con le alchimie che la sua personale situazione suggeriva. Una, la più ovvia, riguardava l'arruolamento di Antonio Di Pietro nell'*équipe* ministeriale. Il magistrato in cui l'Italia si riconosceva, e cui riconosceva ogni virtù, era in quel momento candidato a tutto: veniva ritenuto idoneo ad occupare ogni poltrona e ogni cattedra. Era indicato, volta a volta, come possibile Presidente del Consiglio, o ministro dell'Interno, o ministro della Giustizia, o capo della polizia, o professore di diritto nelle più antiche università. Il 30 aprile 1994 Borrelli e i suoi sostituti annunciarono ufficialmente che nessuno di loro era disponibile per posti governativi. Il no era generico: ma tutti capirono che riguardava

Di Pietro. Per il resto il «mercato delle vacche», come si usava definirlo nella precedente stagione politica, continuò secondo schemi che purtroppo non solo a quella stagione appartenevano, evidentemente.

A Berlusconi *premier*, Bossi s'era di malavoglia rassegnato. Ma non rinunciava al Ministero dell'Interno per la Lega e a propositi federalisti di cui Berlusconi avrebbe volentieri fatto a meno. C'erano problemi per Berlusconi e ce n'erano per Scalfaro che doveva barcamenarsi tra i doppiogiuochismi incrociati, gli assalti alle poltrone delle ultime leve politiche e le incursioni di reduci carichi di cicatrici della Prima Repubblica. Al Presidente della Repubblica toccò di tranguggiare alcuni grossi rospi. L'insediamento del leghista Maroni al Viminale fu del numero. Ma un rospo lo rifiutò senza possibilità d'appello: Cesare Previti non poteva essere ministro della Giustizia. Con la sfrontatezza che lo distingue, Berlusconi aveva fatto il nome d'uno dei suoi avvocati di fiducia – e del più chiacchierato tra loro – per una poltrona che è sempre importante, negli equilibri di governo: ma che lo era cento volte di più se sul Presidente del Consiglio grandinavano inchieste della magistratura. A Scalfaro fu attribuita una frase perentoria: «Devo insistere: per motivi di opportunità, quel nome non può andare». E non andò. Il guardasigilli fu Alfredo Biondi, penalista di buon nome e acceso sostenitore – quasi tutti i penalisti lo sono – di principi garantisti. Previti fu dirottato alla Difesa, che era un bel premio di consolazione, e sfoggiò il suo ghigno inquietante nelle cerimonie militari.

Il 10 maggio 1994 Berlusconi sciolse – come usa dire in gergo protocollare – la riserva, e presentò a Scalfaro la lista dei 25 ministri: unica donna Adriana Poli Bortone di Alleanza nazionale, professoressa pugliese di lettere, titolare del ministero dell'Agricoltura soppresso con un *referendum* e miracolosamente risorto sotto altro nome in un batter d'occhio. Il Cavaliere aveva due vice: Maroni all'Interno, e l'esponente di Alleanza nazionale Giuseppe Tatarella alle Poste e Telecomunicazioni. I due vicepresidenti erano diversi quanto più non si sarebbe potuto immaginare. Giovane – non aveva ancora quarant'anni – il varesino Maroni, sodale tranquillo del sulfureo *senatur*. Una laurea in giurisprudenza, impieghi piuttosto grigi come bancario o come consulente legale, appassionato di *jazz* e, come Clinton, lieto d'esibirsi in qualche *band* d'amici. Maroni, piacesse o no, era un prodotto della «rivoluzione» leghista. Tatarella, quasi sessantenne, era già un parlamentare di lungo corso (fu deputato del Msi-Dn per la prima volta nel 1979 a Bari). Avvocato, originario di Cerignola, fortemente radicato nella sua regione e nel suo capoluogo in particolare, Tatarella appartiene alla antica scuola della politica meridionale.

Il meglio di sé – lo scriviamo senza ironia – Berlusconi lo diede nello schierare il centrocampo economico. Al Tesoro andò Lamberto Dini, toscano di sessantatré anni, un lungo tirocinio negli Stati Uniti come alto funzionario del Fondo monetario internazionale, poi direttore generale della Banca d'Italia. Quando Carlo Azeglio Ciampi aveva rinunciato, assumendo la Presidenza del Consiglio, al posto di governatore dell'istituto d'emissione, Dini pareva il candidato «fisiologico» alla successione. Gli era stato invece preferito Antonio Fazio, e questo aveva provocato, si diceva, del «freddo» tra Ciampi e Dini. Il titolare del Tesoro era noto per i suoi princìpi «monetaristi», ossia per il rigore con cui affermava l'ortodossia economica contro le utopie e fantasie populiste. Per di più si muoveva perfettamente a suo agio tra i potentati politici ed economici americani. La moglie Donatella, ricchissima per l'eredità lasciatale dal primo marito Renzo Zingone, ha importanti proprietà: non però in Italia come Berlusconi, ha ironizzato qualcuno, ma in Costarica; il che rende assai più improbabili, per Dini, i conflitti d'interesse. Un esperto autentico. Come del resto Giulio Tremonti, ministro delle Finanze: un valtellinese quarantasettenne che insegnava diritto tributario all'Università di Pavia e che aveva idee chiare – altra cosa è averle, altra realizzarle – su una riforma capace di rendere più semplice e più equo il sistema fiscale italiano, paradiso degli evasori e inferno degli onesti. Tremonti aveva avuto un seggio a Montecitorio nelle liste dei «pattisti» di Segni: ma con svelto tempismo era uscito dal Patto, insieme ad Alberto Michelini, e si era allineato con Forza Italia.

Dalla Lega venivano il ministro delle Finanze senatore Giancarlo Pagliarini, cinquantaduenne, milanese, specialista in revisioni contabili; e il ministro dell'Industria Vito Gnutti. La ripartizione degli incarichi presentò una stranezza: Antonio Martino, liberale, deputato di Forza Italia, figlio di Gaetano che, anche lui liberale, era stato tra i numerosi «padri» della Comunità europea, ebbe una poltrona di prestigio (gli Esteri) ma non, come tutti pronosticavano, uno dei grandi ministeri economici.

Prima che i ministri giurassero, Scalfaro – con iniziativa estranea ad ogni consuetudine protocollare e perciò carica di significato – inviò a Berlusconi una lettera che poneva alla sua azione di governo alcuni precisi limiti. 1) Per l'estero «piena fedeltà alle alleanze, alla politica di unità europea, alla politica di pace»; 2) per l'interno, nessuna posizione politica «in contrasto con i principi di libertà e di legalità, nonché con il principio dell'Italia una e indivisibile»; 3) per la politica sociale, pieno rispetto del principio di solidarietà, con particolare attenzione alle attese di lavoro dei giovani. Nulla in queste righe del Quirinale contraddiceva i punti programmatici anticipati dal Polo delle libertà: ma il fatto stesso che Scalfaro avesse sentito – diversamente da quanto era avvenuto con Amato e con Ciampi – il bisogno di richiamare Berlusconi ai doveri dell'ortodossia costituzionale era prova delle sue perplessità.

Durante decenni le crisi di governo italiane avevano avuto – per la loro frequenza, per l'astrusità cavillosa delle loro motivazioni, e per la loro sostanziale inutilità – scarsa risonanza all'estero. L'esecutivo di Berlusconi destò invece un interesse che era sì notevole, ma negativo. C'era da aspettarselo: ma delle due caratteristiche che rendevano sospetta l'*équipe* berlusconiana fu sottolineata con particolare insistenza, dai politici e dai mezzi d'informazione stranieri, la più appariscente e la più inconsistente: ossia il pericolo che la democrazia italiana fosse minacciata da conati fascisti. In Francia il socialista Michel Rocard si dichiarò turbato dalla presenza nel governo italiano di uomini della destra nostalgica, e lo stesso Presidente Mitterrand gli fece eco. Il Parlamento europeo di Strasburgo approvò di strettissima misura – 189 sì e 188 no – una mozione voluta dal gruppo socialista che, sia pure in termini sfumati, esprimeva ansia per le sorti della democrazia in Italia. Qualcuno – si trattasse d'errore o di deliberata manipolazione del testo – volle rendere la mozione più severa di quanto già fosse: nella traduzione italiana si lesse che i parlamentari europei erano preoccupati per quanto accadeva in Italia «dopo gli orrori del fascismo e del nazismo». La frase era posticcia. «È vero – precisò Jean-Pierre Cot, presidente del gruppo eurosocialista – che non c'è base legale per contestare i ministri fascisti, come però non c'era per contrastare l'ascesa al potere di Hitler.» Il parallelo tra Hitler e Berlusconi (o tra Hitler e Fini) era a dir poco forzato, ma a tanti parve azzeccato. Il socialista Elio Di Rupo, vice-primo ministro belga e figlio d'immigrati abruzzesi, rifiutò di stringere la mano al ministro Tatarella in visita a Bruxelles: imitato, nel rifiuto d'ogni contatto con esponenti d'Alleanza nazionale, da ministri norvegesi.

Probabilmente l'allarme fascismo, amplificato ed esasperato, giovò a Berlusconi anziché nuocergli: lo si constatò alle europee del 12 giugno, che videro il Polo in ulteriore progresso rispetto alle politiche. Alla gente stavano a cuore altri problemi: e le lezioni provenienti dall'estero risvegliarono in molti l'insofferenza verso chi pareva pronto a consentire che l'Italia fosse umiliata pur di colpire il nemico politico.

La sberla delle europee colpì in piena faccia Achille Occhetto. Fosse stato un temporeggiatore astuto avrebbe demandato il giudizio della Segreteria ad un congresso lontano. Almeno questo riguardo gli era dovuto. Lo smacco delle europee venne invece visto – da lui e dai suoi nemici interni – in chiave catastrofica. Fu proprio Occhetto a rompere gli indugi scrivendo il 13 giugno un'amara lettera di dimissioni. Non era stata tanto la sconfitta elettorale a dettargliela: era stata piuttosto la sensazione che Massimo D'Alema, per cui aveva un'antipatia incontenibile, gli alitasse sul collo, smanioso di superarlo e di eliminarlo dalla corsa. Il congedo dalla guida del Pds non fu sereno né pacificatore.

Sgombrato subito il campo dalle candidature fantasiose del sindaco di Bologna Walter Vitali e del sindaco di Venezia Massimo Cacciari, fu chiaro che per la Segreteria del Pds si sarebbe assistito a un duello tra Massimo D'Alema e Walter Veltroni: due vite vissute per il comunismo e per il post-comunismo, ma in modo molto diverso. Massimo D'Alema non ispira, di primo acchito, simpatia. Troppo freddo, troppo controllato, troppo sicuro. Quarantacinque anni, romano, ha la politica e il Partito nel sangue. Il padre era un dirigente del Pci, il ragazzino Massimo aveva avuto l'onore d'essere presentato, come «pioniere» modello, a Palmiro Togliatti, da studente era stato un contestatore assai vivace ed aveva anche lanciato – lo ha confessato egli stesso – qualche bottiglia Molotov. Tra il '76 e l'80 aveva guidato la Federazione giovanile comunista, a cavallo tra gli anni Ottanta e gli anni Novanta era stato direttore dell'*Unità*. Il suo collegio elettorale era a Gallipoli in Puglia – vi è stato eletto deputato per tre legislature – e questo lo ha messo in contatto con Rocco Buttiglione, che di Gallipoli è originario, e vi ha mantenuto forti legami.

D'Alema può ricordare, nel fisico, un asceta o un inquisitore ma anche un parrucchiere per signora o un guardiano di museo, o un impiegato di pompe funebri. Ecco come lo crocefisse Giampaolo Pansa, che pure gli era ideologicamente vicino:

«Gerarchetto intelligente, intollerante, saccente, supponente, gelido, attento a non scomporsi mai, un giovane sughero ben piazzato nelle acque morte del centro del partito» (il Pci, s'intende). Il ritratto deformante d'un trinariciuto di lusso: ritratto che poteva calzare a pennello, a voler essere dissacratori, anche al giovane Enrico Berlinguer. Si obbietterà che in Berlinguer c'era ben altra temperie morale e una ben più alta visione politica. Ma non sappiamo quanto intensa sia la temperie morale di D'Alema, per il semplice motivo che non lascia trasparire nulla. Come Berlinguer, D'Alema subisce e razionalizza il nuovo fingendo d'averlo fortissimamente voluto. Una volta accertati il decesso del Pci e la nascita del Pds, nessuno può essere più zelante di D'Alema nello scordare il passato e nel dare connotazioni rigorose e logiche al sopravvenuto presente.

Si capisce bene, da tutto questo, perché Occhetto l'ondivago, nella cui azione politica s'avvertiva un tocco di generoso dilettantismo, non potesse soffrire D'Alema e avesse una gran voglia d'insediare, come suo successore, Walter Veltroni che – romano anche lui, e di sette anni più giovane di D'Alema – aveva fatto il suo diligente tirocinio e conquistato i suoi galloni nel Pci. Ma senza mai acquisire il tratto e patire le chiusure ottuse d'un funzionario di tipo tradizionale, ancor meno d'un *agit-prop*. Tutt'altra, intanto, era la radice familiare. Il padre Vittorio, giornalista, era stato radiocronista e direttore del primo telegiornale della Rai. Aveva anche collaborato a sceneggiature di film, e scritto i testi delle riviste di Renato Rascel. «Doveva essere in gamba» dice Walter Veltroni che tuttavia non lo conobbe. Morì quando lui aveva un anno. Eppure qualcosa gli restò degli interessi paterni. Walter s'era specializzato nello studio delle comunicazioni di massa: avrebbe voluto essere regista cinematografico, anche negli anni bui del conformismo comunista preferiva occuparsi di Hitchcock piuttosto che di Breznev.

Come tutti gli autentici intellettuali di sinistra, Veltroni adorava l'America e i suoi miti – si chiamassero Roosevelt, o Kennedy, o il western, o Hollywood – anche quando diceva d'amare l'Urss e le pellicole cubane e bulgare. Faceva il suo dovere di dirigente con il tono di chi pensasse ad altro. È legato d'amicizia a D'Alema, le mogli e i figli sono intimi. Ma i loro sguardi suscitano sensazioni opposte. D'Alema indaga su di te, Veltroni cerca – o finge – di capirti.

Alla fine il Consiglio nazionale di Botteghe Oscure scelse D'Alema.

ANZICHÉ DEDICARSI a tempo pieno alle questioni economiche (che poi avrebbero dovuto essere la sua specialità e la sua meritoria ossessione) Berlusconi svariava verso altre questioni: l'assetto della Rai e la Giustizia. La Rai era l'avversaria della Fininvest, e la detentrice d'un potere d'informazione non controllato dal governo; la magistratura stava indagando sia sulla Fininvest in generale, sia su Silvio e Paolo Berlusconi in particolare. La cautela avrebbe dovuto consigliare a Berlusconi di inoltrarsi il meno possibile su questi terreni. Vi si avventò invece con aggressività.

A fine giugno i «professori» messi al vertice della Rai da Ciampi, e il direttore generale Gianni Locatelli, presentarono le dimissioni constatando «che non sussistono più le condizioni per proseguire nel proprio mandato». I professori – Claudio Demattè, Paolo Murialdi, Tullio Gregory, Elvira Sellerio, Feliciano Benvenuti – rivendicavano un bilancio molto positivo della loro gestione: ridotto di 1367 unità lo spropositato organico; recisi i «legami impropri» (geniale eufemismo) con i partiti; ridimensionato grandemente il deficit. Il «colpo di mano» governativo fu deplorato da un arco molto vasto dell'opinione pubblica. Controtendenza andò Sandro Curzi, che, da direttore del Tg3, era già passato a dirigere l'eretica Telemontecarlo, e che aveva consigliato senza mezzi termini ai «professori» di «tornare alle loro cattedre». Onesti e benintenzionati, i «professori» avevano tuttavia – più che la propensione per la sinistra loro rinfacciata – un *handicap* che in senso generale può benissimo diventare un vantaggio, ma che, nelle specifiche circostanze, tale non era di certo. Disistimavano, o comunque non amavano la televisione (proprio per questo il professionista Curzi voleva che se ne andassero): ed erano propensi a vederne le finalità, e il prodotto, in un'ottica intellettuale, elitaria, etica assai lontana dalle turbolenze e dalla grossolanità dell'*audience*.

Spazzati via i «professori», la scelta del nuovo Cda tornava ai Presidenti delle Camere. La cinquina che espressero fu ritenuta, da larga parte degli osservatori, di basso profilo. Non nomi cui fossero unanimemente riconosciuti prestigio e autorevolezza, ma piuttosto nomi cui i due Presidenti tributavano personale fiducia. Letizia Brichetto Moratti era legata d'amicizia a Scognamiglio, oltre che a Berlusconi; il professor Franco Cardini, medievalista e polemista di talento, conservatore, ammiratore della rivolta vandeana, era gradito a Irene Pivetti; Ennio Presutti, presidente dell'Assolombarda, già dirigente dell'Ibm, già socio di Raul Gardini, era amico di Fedele Confalonieri; Mauro Miccio era un esperto della comunicazione, e veniva considerato molto vicino al presidente della Confindustria Abete; Alfio Marchini, giovane ingegnere e costruttore romano cui il fisico avrebbe consentito d'essere un interprete di *Beautiful*, era accreditato di aperture a sinistra e qualcuno aveva parlato di lui come d'un «palazzinaro rosso».

Nel gruppo dignitoso ma senza fulgori spiccava Letizia Moratti, divenuta presidente. Spiccava anzitutto perché segnava, dopo il traguardo toccato da Irene Pivetti, un'altra tappa delle conquiste femminili nella vita pubblica. Quarantacinque anni, snella, elegante, i lineamenti del viso marcati ma non sgradevoli, la signora Moratti era nata bene e s'era sposata, se possibile, ancor meglio. I suoi erano *broker* assicurativi a Genova da oltre un secolo, e avevano accumulato un'ingente fortuna. Dopo un precedente matrimonio fallito, Gianmarco Moratti – figlio del petroliere Angelo che era stato un leggendario presidente dell'Inter, squadra di calcio rivale del Milan – si era unito a Letizia Brichetto che non aveva nulla della miliardaria oziosa e frivola: anzi aveva fatto studi seri e un tirocinio altrettanto serio – anche nei Lloyds di Londra – in campo assicurativo; e s'era impegnata negli affari di famiglia. Una donna-*manager*, senza dubbio. I Moratti avevano un'attività di lavoro intensa, e un *hobby* cui va tributata ammirazione: erano sostenitori fervidi – non solo con aiuti finanziari, che sarebbero stati per loro la cosa più facile, ma anche con dedizione personale – di Vincenzo Muccioli e della sua creatura, San Patrignano. Nella comunità trascorrevano spesso e volentieri – mentre altri miliardari sciamavano verso le loro «barche», le loro ville, e i *casino* della Costa Azzurra – i fine settimana.

AI PRIMI DI LUGLIO DEL 1994 il ministro della Giustizia Biondi mise a punto un decreto legge che limitava la possibilità d'ordinare l'arresto degli inquisiti per reati che non destassero particolare allarme sociale (lo destavano invece, secondo il testo, la criminalità organizzata, il terrorismo, l'eversione, il sequestro di persona, il traffico di stupefacenti): ed era appunto stupefacente che in un'Italia ancora battuta dalle inchieste di Tangentopoli la corruzione e la concussione non fossero incluse tra le violazioni di legge contro cui si dovesse procedere con accentuato rigore. Con il provvedimento che

Biondi aveva elaborato un imputato poteva essere tenuto in carcere solo se il rischio di fuga era effettivo e ogni altra misura appariva inadeguata. Veniva inoltre ampliata la possibilità del patteggiamento. Lo si chiamasse come si voleva, il decreto del governo avrebbe prodotto – come le deplorate e ripetute amnistie del passato – l'effetto di decongestionare sì le prigioni, ma privando d'ogni efficacia deterrente la pena, o l'attesa della pena. Sull'opportunità d'un «tutti a casa» che restituiva alla società migliaia di cattivi soggetti si poteva e si doveva discutere. Il problema, dibattuto a lungo, era reale: ma Biondi l'aveva posto sul tappeto in circostanze che più infelici non potevano essere.

Reduce da una riunione a Napoli del cosiddetto G 7 (l'organismo che riunisce i Capi di Stato e di governo dei sette Paesi più industrializzati dell'Occidente), riunione che era stata un successo per il governo e per la città, Berlusconi portò in Consiglio dei Ministri quello che fu battezzato «il decreto salvaladri», frammischiato ad altri provvedimenti. Con un minimo di saggezza Berlusconi e Biondi avrebbero dovuto tener presente ciò che era capitato quando Giovanni Conso, ministro della Giustizia di Amato e di Ciampi, aveva presentato un piano per una più sollecita uscita giudiziaria da Tangentopoli, piano che, vituperato come «colpo di spugna», provocò un moto imponente di rivolta dei cittadini. Forse Biondi faceva assegnamento, a torto, sulle finalità apparentemente umanitarie del suo «salvaladri»: ma sbagliò.

In Consiglio dei Ministri le cose filarono piuttosto lisce. Ebbe qualcosa da obbiettare il titolare della Sanità Raffaele Costa (non era meglio utilizzare un disegno di legge?) ed ebbe qualcosa da obbiettare Altero Matteoli di Alleanza nazionale, ministro dell'Ambiente: cui pareva stravagante che un marito violento potesse essere arrestato, e un malversatore pubblico no. Superate le esitazioni i ministri approvarono all'unanimità, il Capo dello Stato firmò, le porte delle prigioni si spalancarono per lasciar uscire un migliaio di detenuti oscuri – sui quattromila circa previsti – e alcuni «eccellenti».

La sera del 14 luglio, anniversario della presa della Bastiglia, il Di Pietro che si presentò ai teleoperatori e ai cronisti convocati e in ansiosa attesa pareva reduce – per il volto segnato dalla fatica, per gli occhi velati di pianto, per l'abito gualcito, per la camicia aperta sul collo, per la voce rotta – dall'aver partecipato all'assalto. A nome dell'intero *pool* Di Pietro lesse un comunicato amaro e duro: «Fino ad oggi abbiamo pensato che il nostro lavoro potesse servire a ridurre l'illegalità nella società convinti che la necessità di far osservare la legge nei confronti di tutti fosse generalmente condivisa. L'odierno decreto legge a nostro giudizio non consente più di affrontare efficacemente i delitti su cui abbiamo finora investigato. Infatti persone raggiunte da schiaccianti prove in ordine a gravi fatti di corruzione non potranno essere associate al carcere neppure per evitare che continuino a delinquere e a tramare per impedire la scoperta dei precedenti misfatti, perfino comprando gli uomini a cui avevamo affidato le indagini nei loro confronti. Quando la legge, per le evidenti disparità di trattamento, contrasta con i sentimenti di giustizia e di equità, diviene molto difficile compiere il proprio dovere senza sentirsi strumento di ingiustizia. Abbiamo pertanto informato il Procuratore della Repubblica della nostra determinazione a chiedere al più presto l'assegnazione ad altro e diverso incarico nel cui espletamento non sia stridente il contrasto tra ciò che la coscienza avverte e ciò che la legge impone». Il documento era firmato dallo stesso Di Pietro e dai suoi colleghi Piercamillo Davigo, Gherardo Colombo, Francesco Greco.

Le reazioni furono corali, ed eccitate – in qualche caso – fino alla violenza. Manifestazioni di piazza, con incidenti, attestarono l'indignazione popolare; a Genova i magistrati della Procura rinunciarono alle «deleghe», ossia alle loro specifiche mansioni; Fini prese le distanze dall'iniziativa del governo; Costa recriminò con un «l'avevo detto»; D'Alema si chiese se alla guida del Paese ci fosse un esecutivo serio o un comitato di magliari; il Csm approvò una mozione di censura per il decreto, e in replica Scalfaro fu costretto a un intervento con cui precisò che «il Csm non può formulare giudizi politici sull'attività di altri organi dello Stato». Il 19 luglio segnò la Caporetto del Cavaliere e del guardasigilli, a sua volta dimissionario per finta. In base ad un accordo la Commissione Affari costituzionali della Camera bocciò il decreto, negandogli i requisiti d'urgenza che Biondi affermava, e il Consiglio dei Ministri decise di presentare un normale disegno di legge in cui fossero recepiti, con le opportune modifiche, i contenuti del decreto. Il *pool* s'era presa la sua rivincita contro Alfredo Biondi, reo tra l'altro d'avere irriso i magistrati delle Procure con una battuta al vetriolo. «Studia ragazzo mio – dice un padre al figlio universitario – o finirai a fare il Pubblico ministero.»

Tra Berlusconi e i magistrati era ormai battaglia continua. Il

26 luglio il Cavaliere disse, parlando ad una convenzione nazionale del Centro cristiano democratico: «I magistrati devono fare solo il loro mestiere, senza interferenze. Se vogliono governare il Paese, decidere delle sue leggi, assumersi le responsabilità di guida della sua economia, allora devono ottenere il mandato del popolo sovrano». L'indomani di questo discorso veniva emesso un nuovo ordine di custodia cautelare contro Paolo Berlusconi, imputato di concorso in corruzione per una mazzetta di 330 milioni a militari della Guardia di Finanza. Il 29 luglio il fratello del Cavaliere si costituì, e subito – come in febbraio – ottenne gli arresti domiciliari. Quel giorno stesso Silvio Berlusconi annunciò un *blind trust* per i suoi beni, ossia il congelamento d'ogni diritto proprietario sulla Fininvest.

Resta da spendere qualche considerazione sull'annunciato e non attuato Aventino del *pool* di «Mani pulite». Borrelli e i suoi avevano mille ragioni per deplorare un atteggiamento del ministro Biondi – e di Silvio Berlusconi – che, se per avventura fosse stato ispirato da motivi genuini, non avrebbe potuto trovare peggiori circostanze per manifestarsi. Ciò che un po' stupiva e a volte irritava, nel comportamento del *pool* di Milano come nel comportamento della Procura di Palermo, era la voglia di protagonismo, un certo compiacimento esibizionistico, il gusto dei gesti clamorosi e delle interviste a getto continuo, un perenne gridare alla congiura. A ben guardare c'era e sempre più ci sarebbe stato, nelle tecniche d'esternazione del *pool* e di Berlusconi, un certo parallelismo. Le prese di posizione del *pool* potevano destare inquietudine anche per motivi di fondo. I magistrati sono tenuti ad applicare le leggi. Il farlo comporta sicuramente, per tutti i giudici di tutto il mondo, frustrazioni e velleità di ribellione, troppo stridente essendo a volte il contrasto tra le ragioni dell'equità e la lettera delle norme. Ma i giudici non sono autorizzati a superare il confine che separa la funzione legislativa da quella giudiziaria.

IL CONGRESSO DEL PARTITO POPOLARE, tenuto a fine luglio del 1994 nell'hotel Ergife di Roma, fu un regolamento di conti più che un chiarimento delle strategie future. Erede della Democrazia cristiana – e assai meno riluttante a riconoscersi tale di quanto lo fossero il Pds nei confronti del Pci, e Alleanza nazionale nei confronti del Movimento sociale – il Ppi aveva una rispettabile base elettorale e una rappresentanza parlamentare ridotta a 33 deputati e 31 senatori: colpa del maggioritario, o del semimaggioritario, che aveva premiato fortemente la Lega e crudelmente penalizzato il «centro», cui restava solo la nostalgia d'un pluridecennale ruolo d'asse portante della politica italiana. In piccolo, il Ppi tendeva comunque a mimare le consuetudini e i vizi della non compianta Dc: era diviso tra una destra e una sinistra, con un gruppo di collaudati notabili e di benintenzionati mediatori a far da *trait d'union*.

Il congresso fu infuocato, in alcuni momenti tumultuoso, perfino con qualche scontro fisico da tifoseria calcistica. La sinistra adottò come suo campione l'ex-ministro dell'interno Mancino, che non era precisamente una novità per le scene pubbliche: gli si oppose Buttiglione, il cui miglior *atout* consisteva nell'essere stato estraneo – per fatti determinati, o per connessioni indirette, o per silenzi e omissioni – alle abbuffate tangentizie e agli scempi lottizzatori e clientelari della vecchia Dc. Per la generalità degli italiani il filosofo Buttiglione era stato fino a pochi mesi prima uno sconosciuto: famosa era invece la sorella Angela, pacificante volto casalingo del Tg1; tanto che, quando la stampa aveva cominciato ad occuparsi di lui, era stata coniata – riecheggiando il titolo d'un film di Luchino Visconti – la battuta «Rocco e la sua sorella». All'Ergife Buttiglione vinse non a mani basse, ma nettamente: il 56,1 dei delegati votò per lui.

Diversamente dal suo sodale Formigoni, che assicura d'essere casto ma ha una taglia atletica da attore, Buttiglione – sposato, una figlia – è nell'aspetto d'una clericalità così perfetta da sembrare finta. Somiglia a uno di quei fratacchioni che nella pittura sacra del Rinascimento sono disposti a coro del santo protagonista per farne meglio risaltare, nella loro goffa carnalità, l'ascesi. Si esprime con sommessa voce da confessionale, tenendo il capo chino ma di tanto in tanto volgendo gli occhi al cielo. Accade che in quest'atteggiamento da cappuccino questuante faccia affermazioni recise: attenuate tuttavia da un vago profumo d'incenso.

La notte del 10 agosto, san Lorenzo, cadono le stelle. L'11 agosto del 1994 ne nacque invece una nuova nel firmamento politico italiano: o piuttosto rinacque ma, secondo pronostico, splendente come non era mai stata. La stella era Romano Prodi, presidente dell'Iri da poco dimessosi, che uscì dall'ombra alla sua maniera circospetta: ma chi doveva intendere, intese. «Non ho ancora detto – dichiarò da un paesino dell'Appennino emiliano dove trascorreva un periodo di vacanze nella vecchia casa di famiglia – che intendo scendere in campo in prima persona. Adesso che ho le mani libere avendo terminato il mio mandato all'Iri ci sto tuttavia seriamente pensando, anche perché lo impone la gravità della situazione. Io dico che manca il governo.» L'ultima frase bollava d'inadeguatezza sia Berlusconi sia i suoi ministri.

Il rilievo di questa presa di posizione, senza dubbio preceduta da accordi o almeno da segnali di via libera, sta in una considerazione molto semplice: essendo in vigore un sistema grosso modo maggioritario, ed essendo incontestata la *leadership* di Silvio Berlusconi sul versante di centrodestra, Prodi non poteva autolimitarsi candidandosi alla *leadership* del centro. Se *leadership* doveva essere non poteva che riguardare l'intero fronte progressista, poggiato sulla poderosa base del Pds: ai cui vertici si fece spreco di riservatezza, anche perché non mancavano le perplessità. Ma per D'Alema, Prodi era quanto di meglio l'antiberlusconismo potesse desiderare per far breccia al centro. Un professore, un cattolico, un fautore del mercato, un emiliano gioviale. Ancora giovane – è nato nel 1939 a Reggio Emilia – Prodi aveva già alle spalle un lungo tirocinio di «Boiardo di Stato» e di tecnico prestato alla politica. S'era laureato a Bologna in economia e in scienze politiche, e aveva poi intrapreso, come docente d'economia, la carriera accademica cui non ha mai rinunciato. Si dice che gli studenti sempre folti alle sue lezioni lo adorino per la bonomia del tratto, per l'assoluta assenza in lui d'ogni prosopopea baronale, per la chiarezza e la semplicità divulgativa dell'esposizione. Non stentiamo a crederlo. Ne è prova felicemente vivente – stando a un'abbondante e rugiadosa pubblicistica – la moglie Flavia Franzoni che era una sua studentessa, che insegna anche lei, e che gli ha dato due figli maschi. Per la verità la signora Flavia contesta questa versione dei fatti: «Tutti scrivono che sono stata una studentessa di Romano – ha detto in una delle sue rare interviste – ma non è vero. Ci siamo messi assieme quando io andavo ancora al liceo a Reggio Emilia, e dopo non ho mai dato esami con lui». Cattolico del filone solidaristico e sociale, Prodi aveva trovato ovvie consonanze nella sinistra democristiana: dove militava il suo «maestro» Nino Andreatta; tanto collerico e turbolento il «maestro» quanto pacioso e mite è il discepolo.

Dalla notorietà locale Prodi passò per la prima volta a quella nazionale in una circostanza tragica, e per motivi curiosi. Aldo Moro (marzo-aprile 1978) era prigioniero dei brigatisti rossi, e ogni mezzo, compresi i più stravaganti, era messo in opera per scoprirne il rifugio. Il 2 aprile si svolse in casa del professor Alberto Calò, nella campagna bolognese, una seduta medianica, cui era presente tra gli altri Romano Prodi. Dall'esperimento emersero alcune parole compiute e intelligibili: tra esse Gradoli e Bolsena. Poiché Gradoli è il nome d'una località del Viterbese, e il lago di Bolsena non ne dista molto, se ne dedusse che lì potesse trovarsi la «prigione» del presidente democristiano. Sappiamo che invece un covo delle Br era in via Gradoli, a Roma. «La singolare notizia del risultato della seduta spiritica – ha scritto Gino Pallotta nelle sue *Cronache dell'Italia repubblicana* – venne segnalata da Prodi al capo dell'ufficio stampa e consigliere di Zaccagnini (che all'epoca era segretario della Dc – *N.d.A.*) Umberto Cavina; e questi, come faceva per ogni comunicazione riguardante la vicenda Moro, informò a sua volta le autorità. In seguito si seppe che la signora Eleonora Moro aveva fatto presente a un funzionario di polizia che a Roma esisteva appunto una strada che si chiamava Gradoli, ma la risposta fu che tale via non esisteva.»

L'esperienza governativa di Prodi – effimero ministro dell'Industria, non ancora quarantenne, con Andreotti – lasciò scarsa traccia. Si dice che qualcuno gli avesse scritto al ministero e che la lettera fosse stata restituita al mittente perché il destinatario risultava sconosciuto. La sua vera investitura pubblica il professore l'ebbe quando Ciriaco De Mita fortemente lo volle – 1982 – a capo dell'Iri; ossia del maggiore tra i «conglomerati» pubblici. Tutti rigorosamente lottizzati come ogni altra cosa o persona che allo Stato – e dunque ai partiti – facesse capo. L'Iri era targato Dc allo stesso modo in cui l'Eni era targato Psi e l'Efim Psdi. All'Iri venivano imputati inefficienza, spreco, assistenzialismo, clientelismo. Sui risultati di questa sua prima gestione – durata fino al 1987 e da lui definita «il mio Vietnam» – e della seconda – dal 1993 al 1994 – s'è molto discusso e molto si continuerà a discutere. Prodi ascrive a suo merito un'opera difficile ma valida di riassetto e di risanamento dei bilanci, i suoi avversari sostengono che le diminuzioni del deficit derivarono in massima parte dalle vendite. Vi furono grandi operazioni che egli condusse a compimento (la cessione dell'Alfa Romeo alla Fiat) o che gli furono impedite: tra queste ultime la cessione del gigante agroalimentare Sme, valutato 497 miliardi, alla Buitoni controllata da Carlo De Benedetti. La vicenda – che risale al 1985 – è un esempio perfetto della disinvoltura con cui gli «affari» dello

Stato venivano asserviti a criteri politici (o di greppia politica). La vendita della Sme pareva vantaggiosa per entrambi i contraenti. L'Iri avrebbe messo un po' d'ordine in un caos produttivo per cui lo Stato fabbricava panettoni e inscatolava i pomodori pelati; e avrebbe inoltre un po' impinguato le sue casse perennemente a secco. De Benedetti, tramite la Buitoni, avrebbe creato le premesse per competere con i giganti europei del settore alimentare. Il 29 aprile il contratto fu firmato: mancava solo il sì del governo.

Craxi, in quel momento Presidente del Consiglio, aveva per De Benedetti una consolidata antipatia, reciprocata con fervore dall'Ingegnere che lo considerava «pericoloso per la democrazia». Da Palazzo Chigi arrivò l'avvertimento che l'operazione non sarebbe stata approvata perché quello agro-alimentare era un settore strategico, e perché la gara non era stata aperta a più concorrenti. De Benedetti, forte dell'accordo firmato, si rivolse alla Giustizia: e disse pubblicamente che gli erano state chieste tangenti, da lui negate. Gli diede man forte il direttore del *Popolo* Giovanni Galloni, secondo cui «l'affare Sme non viene concluso perché è l'unico grande affare senza tangenti». Altri addebitò a Prodi la colpa d'aver condotto la trattativa in accordo con il suo *sponsor* De Mita e senza il beneplacito di Craxi. Sta di fatto che nell'agosto del 1986 il Tribunale di Roma diede torto a De Benedetti, e di riflesso a Prodi: che dovette chinare la testa. Non fu che una delle sue tante amarezze. Un'altra gli venne dalla *mainmise* di Cuccia, il padrino-padrone di Mediobanca, sulla Banca commerciale italiana e sul Credito italiano.

D'un itinerario così complesso sono state date valutazioni diverse, e mal conciliabili tra loro. Gli osservatori non benevoli rimproverano a Prodi un eccesso di morbidezza diplomatica e l'indulgenza verso le megalomanie di Raul Gardini, di cui era amico. Nelle notazioni del suo pungente diario *Come si manda in rovina un Paese* Sergio Ricossa non è stato tenero con il professore emiliano. Per il 1993 ha scritto: «Ciampi riaffida l'Iri a Prodi, in sostituzione dell'incarcerato Franco Nobili, e Prodi si fa tramutare da Ciampi un debito a breve, verso le banche, di 10.000 miliardi in un debito a lunga di pari importo e meno oneroso verso la Cassa depositi e prestiti (Tesoro) con la garanzia dello Stato. Che bello indebitarsi con la garanzia dello Stato. L'Iri già lo fece nel 1981 a favore della Finsider, lo rifece nel 1985 insieme a Eni ed Efim. Non bastò a salvare Finsider ed Efim. In alternativa ci sono i fondi di dotazione, concessi dallo Stato gratuitamente. Se non sbaglio è dal 1974 che l'Iri non paga dividendi».

Il gestore d'un carrozzone come l'Iri non può essere immune da censure: la più seria delle quali è forse l'aver accettato l'incarico e intrapreso un tentativo di ristrutturazione bonificatrice superiore ad ogni capacità umana. Ma un punto non è contestato – prove alla mano – da alcuno. Issato così a lungo al vertice d'un gigante industriale dai congegni elefantiaci e inquinati, ossia messo nella situazione ideale per elargire ed elargirsi favori, Prodi non è incorso in nessun coinvolgimento tangentizio. Da questo a farne un santo o un sempliciotto che si aggirava nelle stanze del potere senza sapere cosa vi avvenisse (questa è l'immagine di Prodi che qualche suo troppo zelante sostenitore pretende d'avallare) ne passa. Non si sta alla testa del massimo colosso industriale pubblico senza fare politica in senso lato, e senza accettare compromessi (e subire condizionamenti e frustrazioni). Dopo la valanga referendaria del 18 aprile 1993 Scalfaro non aveva pensato in prima istanza, per l'incarico di formare un governo che succedesse a quello di Giuliano Amato, a Ciampi: aveva pensato a Prodi, non ancora restituito alla presidenza dell'Iri (la nomina avverrà il 15 maggio), individuando già allora in lui un personaggio emergente e trasbordabile dalla Prima alla Seconda Repubblica. La designazione di Prodi come *leader* del *rassemblement* di centrosinistra, opposto al centrodestra d'un Berlusconi verso il quale ha più d'un motivo di sospetto, troverà uno Scalfaro non solo consenziente, ma in cuor suo plaudente: anche se la carica istituzionale gli impediva di manifestare questi sentimenti.

Due giorni dopo l'ingresso di Prodi nell'arena politica venne (13 agosto 1994) la breve pace di Arcore: ossia un incontro notturno nella villa (proseguito la mattina dopo) tra Umberto Bossi e Berlusconi: incontro caratterizzato – stando alla documentazione televisiva e fotografica – da una sbracata cordialità da compagnoni: con manate sulle spalle tra i due, in maniche di camicia. «Il suo (di Berlusconi – *N.d.A.*) solito vizio, la tendenza ad abbracciare – commenterà poi acido il *senatur* – un gesto che non mi è mai piaciuto. Io preferisco le strette di mano, possibilmente energiche.» Bossi aveva dormito ad Arcore, ed essendoci arrivato senza bagaglio, era stato dotato d'un pigiama dal premuroso Cavaliere. Berlusconi s'illuse, ancora una volta, di ammansire Bossi, e di porre termine alla guerriglia con cui la Lega lo tormentava. Sappiamo che fallì nel tentativo: e per lui, impareggiabile nel sedurre gli avversari, fu uno smacco cocente.

AGLI INIZI DI SETTEMBRE DEL 1994 Antonio Di Pietro esordì come scrittore. Per i tipi d'un piccolo editore bergamasco usciva un suo commentario alla Costituzione. Dopo di allora la sua attività pubblicistica fu incessante. Nel diluvio dei suoi saggi e dei suoi articoli portava le caratteristiche umane e culturali che gli sono proprie: è didascalico, vuole volgarizzare, indulgendo ai modi proverbiali e al luogo comune, si attiene ai suggerimenti del buon senso. I detti e gli scritti di «Tonino» furono chiosati e lodati molto al di là del ragionevole. Tutto ciò che gli apparteneva era in quel momento rivestito di contenuti epocali, e considerato verità assoluta. I mezzi d'informazione alimentarono di continuo, per quanto li riguardava, questa tendenza dell'opinione pubblica. Dilagò sulle prime pagine dei quotidiani la notizia dell'iscrizione di Antonio Di Pietro nel registro degli indagati della Procura di Brescia. L'iscrizione era, in quel momento, una formalità: le accuse di scorrettezza mosse a Di Pietro dal condannato Sergio Cusani erano campate in aria, e infatti caddero presto. Il fascicolo era finito a Brescia perché nessun magistrato può essere giudicato nella stessa sede in cui svolge la sua attività.

La tensione tra il *pool* e il governo non aveva tregua. L'incubo (o il sogno) italiano era rappresentato in quel momento da un pezzo di carta di cui si discuteva dalla mattina alla sera, in ogni sede politica e in ogni bar. Il pezzo di carta era il possibile avviso di garanzia a Silvio Berlusconi per colpe tangentizie o per frodi fiscali o per trasgressioni amministrative commesse dalla Fininvest. Le magagne di Paolo Berlusconi erano servite da punto d'appoggio per arrivare a Silvio. Il guardasigilli Biondi aveva spiegato, mettendo le mani avanti, che un avviso di garanzia non avrebbe per nulla imposto a Berlusconi di dimettersi: sul versante opposto altri ricordava che, quand'era deflagrata Tangentopoli, i più avevano chiesto a gran voce che chiunque ne fosse toccato lasciasse la scena politica.

Il 5 ottobre (1994) il procuratore capo di Milano, Borrelli, rilasciò al *Corriere della Sera* un'ampia intervista e annunciò che l'inchiesta su Telepiù si stava ormai avvicinando a «livelli finanziari e politici molto elevati». Si ritenne che questa frase non ammettesse equivoci: era pronto l'avviso di garanzia per il Cavaliere. La faccenda di Telepiù non era tale da scioccare i cittadini. La legge Mammì imponeva alla Fininvest di tenere solo tre televisioni, e poiché Telepiù non poteva rientrare nel numero la sua proprietà – rimasta nella sostanza a Berlusconi – era stata fittiziamente ripartita tra alcuni prestanome, tutti amici o famigli del Cavaliere. La fattispecie – come si dice in gergo curialesco – era leggera, ma l'«avviso» sarebbe stato pesante.

Mentre la Borsa perdeva in un solo giorno il 3 per cento, il guardasigilli Biondi si presentò dimissionario (era ormai un'abitudine) al Consiglio dei Ministri, che lo indusse a recedere confermandogli piena fiducia. Berlusconi ribadì che «i poteri dello Stato devono tornare nei loro ambiti». Borrelli rettificò a mezza bocca, senza convinzione, alcuni passi dell'intervista e in particolare disse che nessun avviso di garanzia era già pronto, a carico di Berlusconi; il governo, che si sentiva attaccato (e non aveva tutti i torti), contrattaccò con una mossa aggressiva, eccessiva e maldestra. A Scalfaro (come presidente del Csm) fu inviata una lettera approvata all'unanimità dal governo stesso (inclusi pertanto i ministri leghisti) che segnalava l'intervista di Borrelli: qualificata di «diffamatoria e intimidatoria» con «deplorevoli insinuazioni nei confronti nel ministro Biondi». Il governo chiedeva che si verificasse se «attraverso questi abusi a mezzo stampa per scopi politici, non si ravvisi la volontà di impedire il legittimo svolgimento dell'attività del governo parlamentare in carica». Veniva cioè richiamato all'attenzione di Scalfaro l'articolo 289 del Codice penale che punisce con gravi pene «chiunque commetta un fatto diretto ad impedire al Presidente della Repubblica o al governo l'esercizio delle attribuzioni e delle prerogative conferite dalla legge». La lettera – o l'esposto-denuncia come si preferì chiamarla con terminologia ambigua – fu attenuata in successive dichiarazioni di ministri: ma rimaneva una topica, e comunque lasciò il tempo che trovava. Scalfaro la trasmise al Csm, e il Csm in un batter d'occhio la archiviò per manifesta infondatezza.

La «toghenovela» offriva agli italiani, quasi quotidianamente, nuove, appassionanti puntate, il ritmo delle rivelazioni e delle reazioni era ormai convulso. Il *Corriere della Sera* uscì il 22 novembre 1994 riportando con la massima evidenza, in prima pagina, la notizia d'un avviso di garanzia a Silvio Berlusconi per concorso in corruzione. Il Cavaliere presiedeva quel giorno a Napoli, come padrone di casa, una Conferenza dell'Onu sulla criminalità organizzata. Lo *scoop* del *Corriere* relegò in secondo piano i contenuti dell'imponente assise: e portò alla ribalta le vicende giudiziarie di Berlusconi, e l'avviso di garanzia finalmente piombato su di lui, dopo tanta *suspense*. Berlusconi veniva ufficialmente indagato per mazzette alla

Guardia di Finanza pagate allo scopo d'evitare controlli fiscali alla Mondadori, alle assicurazioni Mediolanum e a Videotime: Paolo Berlusconi e Salvatore Sciascia, che nella Fininvest sovrintendeva alla parte fiscale, avevano già ammesso alcune responsabilità, ma l'indagine puntava – lo si è accennato – più in alto. Il Cavaliere veniva coinvolto come «il soggetto che di fatto controllava le attività delle società del gruppo Fininvest». L'avviso di garanzia, lo sappiamo, era atteso e dai nemici di Berlusconi invocato: inatteso fu, invece, il modo in cui gli italiani ne vennero a conoscenza. La divulgazione giornalistica, prima che l'interessato avesse ricevuto una notificazione formale, era abnorme: e la scelta della data in cui formalizzare l'atto d'accusa appariva deplorevole. Venne avviata la solita inutile inchiesta sulla fuga di notizie, i carabinieri perquisirono la sede del *Corriere della Sera*, la Borsa cedette quasi il 3 per cento mentre il marco volava a 1036 lire e il dollaro a 1614. Gerardo D'Ambrosio si sforzò di dissipare i sospetti d'una volontà vessatoria del *pool* verso Berlusconi. L'avviso era stato emanato mentre il Presidente del Consiglio assolveva un importante compito ufficiale: ma dopo quell'impegno, osservò D'Ambrosio, ne sarebbero sopraggiunti altri. Come a dire che non ci sarebbe mai stato un momento neutro, per agire. Quanto alla «bomba» del *Corriere*, D'Ambrosio spiegò senza spiegare. «Noi abbiamo iscritto il nome subito dopo la fine dell'orario degli impiegati, alle 14 di ieri, e alle 8 di sera c'era già chi sapeva tutto.» Queste circostanze avrebbero dovuto rendere molto facile l'individuazione del colpevole o dei colpevoli: che invece mai sono stati scoperti. Questa stranezza fu rilevata anche da Scalfaro che qualche giorno dopo, in una riunione del Csm, commenterà: «Ci possono essere momenti in cui occorre stare attenti che un atto di giustizia non finisca per avere delle ripercussioni interne e internazionali che non sono volute».

Il Cavaliere affidò la sua amarezza a un messaggio videoregistrato di sette minuti, diffuso da tutte le reti, e a una serie di dichiarazioni. Disse che non aveva nessuna intenzione di dimettersi («chi è stato eletto dal popolo è l'unto del Signore»), che non aveva mai corrotto nessuno, che gli italiani avevano assistito «a un episodio di abuso e di strumentalizzazione infami della giustizia penale, di accanimento inquisitorio dei giudici che fanno politica».

Dopo aver ribadito la sua estraneità alle mazzette – l'intera responsabilità veniva scaricata sul fratello e su altri dirigenti

Fininvest – il Cavaliere riaffacciò il fantasma della congiura «rossa». «Quando un gruppo subisce 126 accessi in pochi mesi, e le indagini che lo riguardano escono dalla normalità, lei crede che possa avere l'opinione che si stia svolgendo un'opera di giustizia e basta? ... Vi rendete conto del danno che avete fatto a me, all'Italia? A Napoli c'erano 70 ministri, 140 delegazioni, uno dei punti che si discuteva, essendo io presidente della Conferenza, era la corruzione, e io ho ricevuto questo avviso, oltretutto con una violazione enorme di segreto istruttorio... Forse la vostra professione e tutto quello che avete visto in questi anni vi ha portato a perdere i contatti con la realtà.» «Io non credo che siamo tenuti a dare delle risposte. L'iscrizione nel registro delle notizie di reato è il presupposto per poter svolgere delle indagini» ribatté un Borrelli di ghiaccio.

Per il trasferimento a Brescia del processo, deciso dalla Cassazione su istanza degli avvocati, la sinistra iscrisse immediatamente Arnaldo Valente, che in Cassazione presiedeva la prima sezione penale, nell'albo dei «cattivi». Si volle frugare anche nei suoi legami familiari: poiché un figlio, Edoardo, è maggiore della Guardia di Finanza (ma a Napoli) ci fu chi lo collegò al generale Cerciello. Venne inoltre ricordato che nel 1990 Valente, allora presidente della I Sezione civile della Corte d'Appello di Roma, aveva firmato un lodo arbitrale che interveniva nella *querelle* tra Berlusconi e De Benedetti per il possesso della Mondadori: lodo che si pretende abbia favorito il Cavaliere. Elena Paciotti parlò, a nome dell'Associazione nazionale magistrati, di «decisione molto grave», Massimo D'Alema si limitò a sottolineare «una curiosa concatenazione di avvenimenti». Gli stessi vertici sindacali della magistratura sembravano dare per scontato che i magistrati di Brescia non avrebbero saputo fare giustizia. Amareggiato, Valente si dimise e poi, come tanti altri personaggi in cui ci siamo imbattuti, dismise le dimissioni.

Fu in questi frangenti che Di Pietro decise di cambiare mestiere. Il gran passo fu annunciato da «Tonino» al suo capo, Borrelli, con una lettera in cui confessava di sentirsi «usato, utilizzato, tirato per le maniche, sbattuto ogni giorno in prima pagina sia da chi vuole contrappormi ai "suoi" nemici, sia da chi vuole così accreditare un inesistente fine politico in ciò che sono le mie normali attività.

«Lascio quindi – concludeva – l'ordine giudiziario senza alcuna polemica, in punta di piedi, quale ultimo spirito di servizio, con la morte nel cuore e senza alcuna prospettiva per il mio futuro, ma con la speranza che il mio gesto possa in qualche modo contribuire a ristabilire serenità».

IL GOVERNO BERLUSCONI era atteso – da molti con armi cariche e puntate – al passaggio critico della legge finanziaria per il 1995: legge tra i cui articoli si annidava la bomba pensionistica, ossia il progetto d'una riforma previdenziale che, per quanto ineluttabile, avrebbe inciso negativamente sui redditi di milioni d'italiani. La finanziaria di Berlusconi s'ispirava a criteri di risanamento dei disastrati conti pubblici: sulla scia, lo si è accennato, di quanto avevano fatto, dopo decenni di sregolatezza amministrativa, Amato e Ciampi. Berlusconi annunciava anche un piano ambizioso, da abbinare a quello per il milione di nuovi posti di lavoro: ossia il raggiungimento d'un consistente «avanzo primario» nel bilancio dello Stato (in parole povere, un attivo qualora non si fosse tenuto conto dell'onere rappresentato dagli interessi sul debito pubblico) e d'una stabilizzazione del rapporto tra debito e Prodotto interno lordo. A poco sarebbero servite comunque le ricorrenti e ben note manovre per tappare i buchi che via via si andavano formando se non si fosse ovviato alla voragine pensionistica. Nei primi nove mesi del '94 l'Inps aveva fatto registrare un deficit di 43 mila miliardi: «in linea con le previsioni» si faceva notare al vertice dell'ente. Ma previsioni ulteriori portavano alla conclusione che, con le regole esistenti, nel 2005 ogni lavoratore avrebbe dovuto destinare la metà del suo salario o stipendio al mantenimento dei pensionati: restando incluse nell'altro cinquanta per cento le spese per il funzionamento dello Stato.

Non tanto destava allarme l'entità delle pensioni, che anzi erano in massima parte modeste, e a volte scandalosamente basse, quanto il loro numero e la loro durata. Dalle statistiche risultava che le pensioni di vecchiaia erogate dall'Inps erano 6 milioni e mezzo, e il 70 per cento non arrivava al milione mensile; le pensioni d'invalidità erano 4 milioni, e il 90 per cento stava al disotto del milione (ma si calcolava che nel totale degli invalidi ve ne fosse almeno un terzo di falsi, con un'incidenza massiccia della frode in alcune regioni). Come tutto ciò che in Italia attiene al pubblico, il sistema pensionistico aveva per caratteristiche essenziali il disordine e i larghi varchi aperti al privilegio e agli abusi.

Ispiratore del progetto di riforma pensionistica inserito nella finanziaria fu il ministro del Tesoro Lamberto Dini: cui vennero immediatamente attribuite, dai sindacati e dalla sinistra in generale, le connotazioni fosche e paurose del falco, o del corvo. Il suo piano si basava su questi punti: 1) L'età per il pensionamento di vecchiaia sarebbe aumentata di un anno ogni 18 mesi, fino ad arrivare a regime, nel Duemila, con 65 anni per gli uomini e 60 per le donne, e con quarant'anni di contributi obbligatori anziché 35; 2) chi volesse andare in pensione anticipatamente, rispetto ai termini indicati (65 e 60 anni) vedrebbe l'ammontare della pensione decurtato d'un 3 per cento per ogni anno d'anticipo; 3) sarebbero state abolite o ridotte le pensioni di reversibilità (spettanti cioè al coniuge superstite) se questi avesse goduto d'un reddito superiore ad un livello fissato per legge; 4) l'ammontare della pensione sarebbe stato percentualmente inferiore, rispetto allo stipendio (ad esempio non più 1'80 per cento, ma il 70 per cento dello stipendio stesso; 5) niente più *pensioni-baby*, e parificazione graduale del trattamento pensionistico per i dipendenti pubblici e per i dipendenti privati; 6) incentivazione delle pensioni integrative, i cui oneri sarebbero stati sopportati sia dai lavoratori sia dai datori di lavoro.

Le indicazioni contenute nel progetto Dini trovarono consensi negli ambienti imprenditoriali e tra gli economisti (incluso Romano Prodi), e urtarono contro l'immediata e aspra opposizione dei sindacati e della loro base. I segretari delle grandi confederazioni sindacali bollavano la manovra (27 settembre l994) come «inaccettabile, iniqua, inefficace».

In un crescendo di turbolenza sociale si arrivò al 12 novembre, quando affluirono a Roma, organizzati dalle confederazioni sindacali, un milione e mezzo di lavoratori e pensionati che ascoltarono in piazza San Giovanni, al Circo Massimo e in piazza del Popolo i discorsi dei segretari Sergio D'Antoni, Sergio Cofferati e Pietro Larizza. I cartelli issati sull'imponente marea di gente non lasciavano dubbi sul significato dell'adunata: che era un forte segnale d'opposizione alla riforma pensionistica, ma era soprattutto un guanto di sfida al governo, e a chi lo guidava. «Berlusconi col naso lungo da Pinocchio»; «Aiuta lo Stato uccidi il pensionato»; «Berlusconi facci il miracolo: sparisci»; «Per un nuovo miracolo italiano vogliamo Berlusconi con la zappa in mano»; «Abbiamo un sogno nel cuore: Berlusconi a San Vittore». Il Tg3 e Telemontecarlo dedicarono ai comizi e ai cortei dirette di ore. «Bisogna lavorare non scioperare» insisteva il Cavaliere sempre meno ascoltato. La finanziaria procedeva zoppicando alla Camera, tra i voti di fiducia e l'approvazione di sostanziali emendamenti che la Lega presentava, e che l'opposizione ufficiale era ben lieta di avallare. Nel segno dell'Ulivo – anche se non era ancora spuntato – Romano Prodi incitava, con saggezza piuttosto ovvia, a «riformare con rigore le pensioni senza rinunciare alla difesa dei deboli». Dini non demordeva: «Vorrei sapere se chi sciopera sa effettivamente perché... Mi stupisce che oltre ai pensionati siano pronti a scioperare i giovani, visto che la riforma protegge proprio loro e garantisce le loro pensioni future».

In parallelo a quella dei sindacati, prendeva l'aire infatti una protesta studentesca innescata da aumenti delle tasse universitarie – in alcune sedi gli oneri per gli iscritti erano stati triplicati – che gli atenei avevano deliberato facendo uso dell'autonomia loro concessa. Decine di migliaia di ragazzi sfilarono rumorosamente in varie città, accomunando nel rifiuto gli aggravi per lo studio e la finanziaria, e munendo le loro richieste di una spiccata connotazione di sinistra. Gli autonomi davano l'impronta – secondo tradizione – alle parole d'ordine e ai cori. Risuonò il canto di *Bandiera rossa*, insieme allo *slogan* «el pueblo unito jamás será vencido». Le «okkupazioni» degli istituti determinarono i soliti danneggiamenti e in qualche caso anche vandalismi, il cui costo sarebbe stato scaricato sui contribuenti.

Settimane amarissime per Berlusconi che a fine novembre, dopo una maratona iniziale con i sindacati, volse in ritirata accettando lo stralcio della riforma pensionistica dalla finanziaria, e alcuni correttivi dolcificanti della finanziaria stessa. La risistemazione dell'assetto pensionistico veniva rinviata a fine giugno del '95: entro quella data doveva essere approvata una legge organica. Il Fondo monetario internazionale «bocciò» lo stralcio, che amputava la finanziaria del suo capitolo più consistente.

Se il Cavaliere s'illudeva d'aver così superato, a prezzo d'un umiliante ripiegamento, lo scoglio maggiore frapposto alla navigazione del suo governo, e di poter da quel momento in poi godere d'un periodo di tregua, sbagliava di grosso. L'ormai ribelle Bossi aveva addentato la preda e non era disposto a mollarla. Nel pomeriggio del 14 novembre 1994 Bossi, Buttiglione e D'Alema tennero un incontro durante il quale fu concertata (e subito dopo resa nota) la decisione di sfiduciare il governo. Sul quale si abbatterono il 17 novembre tre mozioni di sfiducia, una del Pds, una della Lega e dei popolari di Buttiglione, una di

Rifondazione comunista. I tre sparavano contro Berlusconi pre-figgendosi obbiettivi assai diversi, ma perseguendoli attraverso un comune passaggio: la caduta del Cavaliere. Nessuna norma costituzionale italiana prevede che i demolitori d'un governo abbiano l'obbligo – come avviene in Germania – di presentare una nuova maggioranza e un nuovo concorde programma.

La prima risposta alle tre mozioni di sfiducia Silvio Berlu-sconi non la diede in Parlamento ma, com'è nella sua vocazione, dai teleschermi. Un messaggio registrato denunciò al Paese (19 dicembre 1994) il «sopruso» perpetrato nei confronti dei citta-dini che il 27 e 28 marzo gli avevano dato la maggioranza parla-mentare, e l'iniquità della crisi in atto. «Il mandato elettorale di Bossi» disse «è carta straccia. L'uomo che ha tradito il Polo ha una personalità doppia, tripla, quadrupla.» Poi, senza aspettare una pronuncia del Parlamento egli presentò a Scalfaro (22 dicembre 1994) le dimissioni del governo che secondo prassi restava in carica per l'ordinaria amministrazione.

La crisi era al buio: come le peggiori della Prima Repubblica, e peggio di quelle perché allora si sapeva almeno che una futura maggioranza, per quanto rafforzata, avrebbe avuto per perno la Dc, e per corredo i tradizionali alleati dello scudo crociato. Il Paese si trovava invece di fronte a una situazione inedita: proprio la situazione che il sistema maggioritario – o tendenzialmente maggioritario – avrebbe dovuto scongiurare. Non esisteva più la vecchia maggioranza, e non era alle viste una maggioranza nuova. Rilevò Sergio Romano: «La mozione di sfiducia firmata da Bossi e da Buttiglione ha avuto lo straordinario effetto di pro-vare che alle Camere esistono, ormai, soltanto minoranze e opposizioni, tutte altrettanto impotenti e inadatte a governare il Paese».

IN MOLTI LA CADUTA DEL CAVALIERE suscitò un'acre soddisfazione. In molti altri lasciò amarezza e rimpianto per un sogno che non era stato soltanto suo, ma di milioni d'italiani.

Le consultazioni furono avviate da Scalfaro secondo i rituali d'obbligo: ma si vide subito che i metodi consueti erano inade-guati per affrontare e superare la crisi. Non tanto erano in giuo-co problemi di schieramento o d'impostazione ideologica quan-to due diverse concezioni degli equilibri politici, addirittura due diverse interpretazioni del dettato costituzionale. La tesi di Ber-lusconi era, in riassunto, questa: il popolo italiano aveva, con le elezioni di marzo, espresso una maggioranza e approvato un programma di governo, e l'aveva fatto nello spirito del «maggioritario», ossia d'un sistema che mira a designare senza ambiguità un governo, e un governo di legislatura. I consensi andati ai candidati della Lega, essendo quei candidati presentati da una coalizione, erano anche consensi a una linea politica: che gli eletti – eletti anche, anzi prevalentemente, sottolineava Berlusconi, con i voti delle altre forze del Polo – dovevano rispettare. Se quell'impegno veniva disatteso la presenza parlamentare leghista diventava abusiva, il frutto d'uno scippo. Due sole alternative erano dunque possibili, secondo Berlusconi e secondo Fini: o si andava a un Berlusconi bis che riprendesse il cammino interrotto e onorasse il responso del 27 e 28 marzo, o si ridava la parola ai cittadini perché si pronunciassero sul comportamento di Bossi. Ogni altra soluzione sarebbe stata – il termine venne in voga proprio allora – un «ribaltone», ossia uno stravolgimento artificioso e surrettizio della volontà popolare.

Bossi e la sinistra non erano per niente d'accordo. Ma quel che più contava è che non era d'accordo nemmeno Scalfaro, cui spettava d'orientare la crisi. Il Capo dello Stato espresse senza ambiguità il suo pensiero nel messaggio televisivo che a fine anno indirizzò – a reti unificate – agli italiani. Fu un messaggio composito: per una parte bonariamente e quasi paternamente ammonitore nei riguardi di Berlusconi, per un'altra improntato alla solennità d'una lezione di diritto costituzionale. «Qui è necessaria – disse il Presidente della Repubblica – la buona volontà e la collaborazione di tutti. Lo dico con affetto al Presidente del Consiglio nel presentargli gli auguri. Lo dico rispettando la sua posizione e anche la ferita che ha avuto con la rottura della maggioranza. Siamo chiamati entrambi a questo richiamo di questa nostra Patria. Forse siamo chiamati a grandi rinunzie, forse a cercare momenti di tregua, forse a qualche sacrificio.» Il Cavaliere era esortato a facilitare, con un «passo indietro», la pacificazione degli animi. Un lungo, gelido incontro tra Scalfaro e Berlusconi accentuò le divergenze anziché attenuarle. Cominciavano a circolare i nomi dei possibili inquilini di Palazzo Chigi. Di Cossiga si parlava solo per ritenerlo indesiderabile, tranne che nelle file di Alleanza nazionale. Prodi stava da sempre nel cuore di Scalfaro, ma non garbava a Forza Italia il cui consenso era – date le premesse dell'operazione in corso – indispensabile. Lamberto Dini e Mario Monti avevano migliori *chances* perché privi d'una forte colorazione politica e perché erano ritenuti d'area moderata. Ma Bossi bocciava Dini («è un ragioniere») e affacciava la candidatura di Irene Pivetti, presto scartata. La lira intanto andava a rotoli.

Fumata bianca il 13 gennaio 1995. Dini ricevette l'incarico di formare il governo. Ma Scalfaro l'aveva avvertito: il governo numero due della Banca d'Italia doveva essere – diversamente dal governo numero uno, Ciampi – veramente neutrale, incolore, tecnico. Il Quirinale non avrebbe tollerato un rimpasto mascherato, ossia un governo Berlusconi senza Berlusconi. Vana fu pertanto la lotta del Cavaliere per ottenere la conferma di quattro suoi ministri: Tremonti, Martino, D'Onofrio, Fisichella. Dini fece affannosamente la spola tra il Quirinale e Palazzo Chigi – dove Berlusconi era pronto al trasloco – per comporre quest'ennesimo dissidio. Scalfaro rimase irremovibile, la richiesta fu respinta. Il governo non fu tecnico-politico, come avrebbe voluto Buttiglione, ma burocratico-tecnico. Agli Interni Antonio Brancaccio, già primo presidente della Cassazione, agli Esteri Susanna Agnelli, alla Giustizia un altro ex-magistrato, Filippo Mancuso, già procuratore generale della Corte d'Appello di Roma. Un generale, Domenico Corcione, alla Difesa. Per sé Dini aveva conservato il Tesoro, designando alle Finanze il professor Augusto Fantozzi, il cui cognome avrebbe provocato facili facezie (Fantozzi è il più noto e più comico personaggio di Paolo Villaggio), e al bilancio Rainer Masera.

La conferma di Dini e le nomine per i dicasteri economici piacquero alla Borsa, che ebbe un'impennata. Nell'*équipe* di Dini facevano la parte del leone i docenti della Sapienza, l'università di Roma, cui erano andate sei poltrone. I tecnici di Dini passarono l'esame della Camera con 302 sì – il fronte progressista – 270 astenuti – il Polo delle libertà e del buongoverno – infine i 39 no di Rifondazione comunista. Il voto fu bissato senza apprezzabili varianti in Senato. «Avevamo una gran voglia di dire sì» commentò poi Berlusconi. Dini, l'ammazzapensionati, era stato promosso dal centrosinistra e trattato invece con diffidenza dallo schieramento che l'aveva voluto protagonista. Solo una fra le tante singolarità che la cronaca politica stava riservando agli italiani.

NEL PPI IN CERCA D'IDENTITÀ, la candidatura di Prodi a *leader* del *rassemblement* di centrosinistra era deflagrata come un quintale di tritolo. È vero che Prodi, scendendo in campo, aveva promesso di non essere mai un «suddito» del Pds e di non appiattirsi su D'Alema: ma per Buttiglione, segretario d'un partito che era disposto a lasciarlo in carica purché non facesse quel che aveva intenzione di fare, la sortita del professore di Bologna era comunque stata uno schiaffo. Lo si era tenuto fuori dai contatti e dagli accordi che avevano preceduto l'autoinvestitura, fortemente voluta dalla sinistra del Ppi, e con particolare determinazione dal vulcanico Andreatta. Rocco da Gallipoli era nell'ingrata situazione di dover avallare una mossa fatta a sua insaputa, e dunque contro di lui: o di opporsi ad essa, affrontando le prospettive d'una scissione. Gli avversari del segretario avevano buon giuoco nel sostenere che era piuttosto difficile adeguarsi alla sua linea, in quanto era una linea pendolare, e indecifrabile. In fin dei conti proprio lui aveva affossato Berlusconi.

L'ala di sinistra del Ppi, proprio perché non aveva analoghe perplessità sullo schieramento cui aderire, vantava una ben maggiore coerenza, con qualche stranezza: ad esempio il confluire nella fazione antibuttiglioniana e implicitamente filopidiessina di uomini come Gerardo Bianco, o ancor più come il veterano Emilio Colombo, che della Dc «diga anticomunista» erano stati esponenti di spicco. Il Ppi era dunque in subbuglio per quello che, nonostante la contraddizione in termini, possiamo chiamare l'Ulivo della discordia.

L'8 marzo Buttiglione ruppe gli indugi e annunciò il suo proposito di allearsi a Forza Italia e ad Alleanza nazionale per le elezioni regionali. Alla provocazione della sinistra del Ppi – di provocazione bisogna parlare per la scelta d'un candidato Presidente del Consiglio, Prodi, avvenuta all'insaputa del segretario del partito – Buttiglione rispondeva con una provocazione peggiore. L'adesione al Polo – quale che fosse in astratto la sua ragionevolezza e opportunità – contraddiceva una deliberazione del Consiglio nazionale che escludeva ogni alleanza sia con la destra sia con Rifondazione comunista. Con una delle sue battute intelligenti Martinazzoli disse di Buttiglione: «Invece di fare il centro lo distrugge». Le successive vicende del Ppi lasciano supporre che Buttiglione, cui sarebbe insensato negare notevoli sottigliezze filosofiche, basò la sua strategia su due premesse errate. Riteneva d'aver con sé gli organismi deliberativi del partito, e riteneva d'avere con sé la maggioranza dell'elettorato.

Non era così. Il *test* del partito si ebbe già l'11 marzo, in una riunione del Consiglio nazionale che sconfisse per pochissimi voti – si trattò d'una sostanziale parità – la linea di Buttiglione. Questi aveva dichiarato che, se l'assemblea gli si fosse dichiarata contraria, avrebbe dato le dimissioni. Poi ci ripensò e si proclamò in carica a tutti gli effetti sostenendo che era stato proibito di votare ad alcuni consiglieri a lui favorevoli, e che l'esito della votazione era stato pertanto adulterato, e di proposito, da Bianco, il presidente del Partito. Prese così l'avvio una *telenovela* miserevole, e tutto sommato non molto appassionante. I probiviri diedero ragione a Buttiglione che espulse dal Ppi chiunque gli si opponesse, il Consiglio nazionale riconvocato – abusivamente secondo lui – gli diede torto ed elesse un altro segretario nella persona di Gerardo Bianco, i due segretari si disputarono il nome, il simbolo e le proprietà del partito, sistemandosi da separati in casa – con i loro seguaci – nella storica sede di piazza del Gesù, che era stata il quartier generale della politica italiana e che diventava un ballatoio di comari rissanti. La controversia finì davanti ai Tribunali con una serie infinita di batti e ribatti. Finché i due tronconi litiganti dell'ex-Dc trovarono, a distanza d'oltre due mesi, nella cornice mondana di Cannes, un accordo: a Bianco il nome (Partito popolare italiano), a Buttiglione il simbolo dello scudo crociato.

NELLE REGIONALI di fine aprile 1995 fu evidente che, naufragata nella delusione la speranza dei cambiamenti prodigiosi, tornava in quella fetta dell'elettorato che decide, in uno scontro a due, la vittoria, una gran voglia di normalità magari grigia ma rassicurante. Un po' il modello di Lamberto Dini, e della sua squadra senza fuoriclasse ma anche senza teste matte. D'Alema, abituato alle analisi togliattiane dalle quali esula ogni slancio emotivo, s'era reso conto prima e meglio d'altri degli umori che si diffondevano, per usare un termine caro a Cossiga, tra la gente: e con flessibilità anch'essa togliattiana si dedicò all'arruolamento di democristiani in servizio attivo, o della riserva, o delle truppe fiancheggiatrici, che fossero presentabili e utilizzabili a sinistra. Se il massimo esemplare di questa merce che andava a ruba era Romano Prodi – cui venne affiancato nel tandem dell'Ulivo il pidiessino amabile Walter Veltroni – tanti altri esemplari minori s'affacciavano sulla scena politica, e sulla scena elettorale.

Negli italiani sedimentava però la sensazione che il centro cattolico – purché rappresentato da uomini senza macchie tangentizie – fosse una garanzia d'equilibrio. Inoltre i pezzi recuperabili della macchina democristiana – un tempo anch'essa sommessamente gioiosa e ormai disintegrata – avevano dalla loro una conoscenza dell'amministrazione e delle manovre di palazzo pari se non superiore a quella del Pds. Si arrivò così, per le presidenze regionali, al paradosso – che poi lo era fino a un certo punto, se ci si ragionava sopra – di ex-democristiani che dovevano vedersela, in singolar tenzone, con altri ex-democristiani.

I pronostici assegnavano al centrodestra la maggioranza delle quindici regioni – restavano escluse le cinque a statuto speciale – in cui si sarebbe votato. Era determinante, in questa diagnosi, il fatto che la Lega e Rifondazione comunista non fossero impegnate da un patto d'alleanza su scala nazionale con lo schieramento di centrosinistra. Il Polo si aggiudicò sei regioni, anche se tra esse erano le tre più importanti d'Italia dal punto di vista economico ancor più che dal punto di vista demografico: Lombardia, Piemonte, Veneto; e inoltre Campania, Puglia, Calabria. Le altre nove al centrosinistra, con le prevedibili roccheforti ex-comuniste diventate pidiessine (Emilia-Romagna, Toscana, Umbria), ma anche con il Lazio, la Liguria, le Marche, l'Abruzzo, la Basilicata e il piccolo Molise. Piuttosto consistente fu l'astensione, patologicamente alto il numero delle schede nulle: derivanti senza dubbio dal pasticcio d'una elezione che all'inconveniente d'essere multipla assommava quello d'una bizzarra diversità di regole. La sconfitta ai punti che il centrodestra aveva subìto nelle regionali diventò un Ko clamoroso nei ballottaggi del 7 maggio per le provinciali e le comunali. Il doppio turno, non occorrerebbe nemmeno ripeterlo, eliminava l'*handicap* che il centrosinistra aveva per la riluttanza della Lega e di Rifondazione ad una alleanza organica. Quando i nomi dei candidati si riducevano a due la scelta di «comunisti» e leghisti diventava ovvia. Nelle province e nei comuni capoluogo il centrosinistra lasciò al Polo delle libertà le briciole. L'80 per cento degli enti locali italiani sarebbe stato amministrato dalla Quercia e dai suoi cespugli.

DOBBIAMO ORA rituffarci nel viluppo di processi, inchieste, incriminazioni, testimonianze, accuse, controaccuse, pettegolezzi, *scoop* giornalistici, colpi di scena esibizionistici che ha avvolto negli ultimi mesi – sulla scia del resto di quanto era accaduto in precedenza – la vita pubblica italiana. Un labirinto, o meglio ancora una giungla in cui bisogna farsi largo con il *machete*, nel tentativo di sfrondare la narrazione dagli elementi marginali, e di tenersi all'essenziale. In questo panorama cangiante rimaneva uguale a se stesso – benché orbato della sua *star*, Antonio Di Pietro – il *pool* di «Mani pulite». Borrelli, D'Ambrosio, Davigo e Colombo, con i rincalzi sopraggiunti, erano più che mai risoluti a sgominare gli avversari.

Tra questi dovettero d'improvviso annoverare il guardasigilli del governo Dini, Filippo Mancuso, che ritenne di dover avviare un procedimento disciplinare contro il *pool*. Borrelli, D'Ambrosio, Colombo e Davigo avevano, secondo il ministro, «gravemente violato i basilari doveri di correttezza morale e di lealtà di condotta, sia personale che a carattere funzionale, che incombono sui magistrati, così compromettendo la considerazione che i medesimi devono meritare». In coerenza con questa presa di posizione, Mancuso aveva disposto la nuova ispezione a Milano. L'iniziativa era dirompente: perché veniva non da un ministro «politico» come Biondi, cui era facile attribuire una animosità preconcetta, ma da un «tecnico» eccellente, un ex-magistrato senza connessioni politiche, a meno che dovesse essere considerata tale la sua amicizia per Scalfaro.

Se voleva dormire tra due guanciali – per quanto si riferiva ai problemi della Giustizia – Dini aveva di sicuro sbagliato, mettendo a quel posto Mancuso: che è un siciliano piccolo di statura e come molti piccoli – basta pensare a Fanfani – puntiglioso, risentito, suscettibilissimo, pronto a bacchettare tutti, senza riguardi per il loro rango o la loro popolarità. Non che le sue bacchettate cadessero sempre a sproposito. Nemico giurato della «Giustizia spettacolo» nel 1991, quand'era procuratore generale a Roma, se l'era presa con Corrado Augias che nella trasmissione *Telefono giallo* aveva rievocato l'assassinio di Simonetta Cesaroni. «Divertimento erratico, processo parapenale di fatto» aveva tuonato. Il mancusese non è un esempio di scorrevolezza letteraria: si aggroviglia in subordinate e incisi, e fa sfoggio di termini desueti, con una spiccata predilezione per «vieppiù». Ma dai suoi arcaismi, dalle sue eccentricità lessicali e dalle sue contorsioni sintattiche il pensiero emerge, sia pure a fatica.

«Mandarino» di Stato attentissimo alle forme, Mancuso si era rifiutato d'andare al ministero quando Giovanni Falcone lo convocò, come direttore generale degli Affari penali, tutti i procuratori generali italiani. «Un direttore generale – s'inalberò – forse può essere convocato, ma certo non può convocare.» Divenuto ministro, lasciò presto intendere quanto poco l'interessasse il Consiglio superiore della magistratura. «Non crediate – dichiarò intervenendo a una riunione – che sia qui per ottenere il vostro consenso, sono venuto una volta ma non verrò più.» Uno come Mancuso, una volta messosi in testa che il *pool* di Milano avesse esorbitato dai suoi poteri, non poteva essere fermato né da considerazioni politiche – perché la politica gli è estranea – né dai suggerimenti o dalle rampogne di Dini. Quella scatenata da Mancuso non era insomma una guerra tra il potere politico e il potere giudiziario, era una delle tante guerre che imperversano tra le toghe.

Nell'atteggiamento di Borrelli e dei suoi verso gli ispettori v'era stata una nota evidente d'alterigia: ravvisabile d'altronde in tutte le dichiarazioni e decisioni del *pool*. Ma la faccenda era finita. Gli ispettori non avevano mancato di rilevare, nel loro rapporto conclusivo, che per l'uso del carcere preventivo s'erano forse verificati, a Milano, «eccessi e forzature», e che sarebbe stato auspicabile «un maggior distacco dalla notorietà». Il comportamento del sostituto De Pasquale verso Gabriele Cagliari – che s'illudeva di ottenere la libertà per una promessa dello stesso De Pasquale, e dopo che gli era stata negata si tolse la vita – fu ritenuto più che discutibile: vi mancò – osservarono gli ispettori – quella *pietas* che l'osservanza della legge non può escludere. Ma per loro era fuori discussione che le note positive, nell'azione del *pool*, avessero superato largamente quelle negative. Valeva la pena di rimettere tutto in discussione?

Per Filippo Mancuso non era lecito il minimo dubbio. Certo che ne valeva la pena. Mario Cicala, vicepresidente dell'Associazione nazionale magistrati, così si espresse: «Uomini come Filippo Mancuso, individualmente onesti ma dominati da una cultura del formalismo e dell'impotenza, hanno frenato le indagini e hanno sottoposto a provvedimenti punitivi coloro che si impegnavano nella lotta alla criminalità». Né il mafiologo Pino Arlacchi né la parlamentare progressista Sandra Bonsanti erano disposti a concedere a Mancuso l'onestà che gli concedeva Cicala. Arlacchi sostenne che era amico di Corrado Carnevale, l'ammazzasentenze, la Bonsanti andò oltre: «Il ministro Mancuso fa parte della vecchia cupola giudiziaria dominata da Carnevale ed Andreotti. Al confronto, Biondi è stato un galantuomo». Queste accuse avevano una pecca: nessuno ne aveva fatto cenno quando Mancuso era stato nominato ministro, e prima che facesse le pulci alla Procura di Milano.

L'ambito in cui l'effetto Mancuso ebbe le più vistose ripercussioni fu squisitamente politico: esso si abbatté su Lamberto Dini come una tegola inaspettata e pesante. Veniva chiesto a gran voce che Dini deplorasse Mancuso, e lo invitasse ad andarsene. Al che Mancuso rispose alla sua maniera: ossia elencando con tignosa precisione, in Senato, gli esposti e gli elementi di fatto su cui si fondava la sua iniziativa, e sottolineando che non si sognava nemmeno di rassegnare l'incarico. Se il Parlamento non era soddisfatto di lui, ossia del governo, aveva un modo semplice per farlo sapere: sfiduciare Dini. Ma proprio questo l'opposizione, che tanto aveva fatto per tenere in piedi l'esecutivo «tecnico», non voleva. Il suo scopo era di cacciare Mancuso, e salvare Dini con gli altri ministri: fu perciò escogitata la formula della sfiducia limitata a un solo ministro.

Ma di Mancuso ci si dimenticò presto. I riflettori rimanevano puntati su Di Pietro. Il 13 aprile Silvio Berlusconi partecipò, come «mattatore», a una puntata di *Tempo reale*, la trasmissione di Michele Santoro su Rai 3. Sollecitato dalle domande dei giornalisti Barbara Palombelli, Gad Lerner e Gianni Riotta, il Cavaliere stigmatizzò, un'ennesima volta, il colpo basso dell'avviso di garanzia emesso a suo carico, e abusivamente pubblicizzato, mentre a Napoli presiedeva una conferenza internazionale. Santoro rilevò che l'avviso era stato firmato anche da Di Pietro, e il Cavaliere buttò lì, con studiata *nonchalance*, un suo sospetto: «L'ha firmato solo perché è consuetudine che i provvedimenti si firmino collegialmente. Non sono così sicuro che fosse d'accordo». Santoro incalzava: «Possibile che Di Pietro firmasse una cosa di cui non era convinto?». E qui Silvio Berlusconi lasciò cadere, davanti all'immensa platea di 8 milioni d'italiani, una rivelazione: «C'è stato un colloquio privato tra noi, non sono autorizzato a riferirlo». Un Di Pietro imbarazzato diramò in fretta una dichiarazione laconica: «Di ogni avviso che ho firmato mi sono assunto e mi assumo ogni responsabilità». Nell'intervista a un settimanale egli negava inoltre d'aver mai visto in privato il Cavaliere; ma poi disse che le sue parole erano state travisate, perché in effetti con Berlusconi s'era incontrato. Per il manicheo Borrelli la reazione di Antonio Di Pietro alla provocazione berlusconiana era stata troppo stentata e troppo generica. «Non mi stupisco e non mi scandalizzo più che tanto – disse Borrelli – del fatto che uomini politici come Francesco Cossiga, Cesare Previti e Silvio Berlusconi diffondano menzogne sui rapporti tra Antonio Di Pietro e i colleghi del *pool* di cui faceva parte. Ma queste menzogne nascono, sono rese possibili, vengono alimentate anche dal silenzio di Di Pietro. È un silenzio colpevole e lui lo mantiene fin dal giorno della sua defezione... È un silenzio carico di equivoci, che purtroppo getta una luce enigmatica sul suo stesso gesto di uscire dalla magistratura e sui propositi che possono averlo dettato... Di quanto ha fatto gli siamo profondamente grati. Per ciò che non ha detto ci sentiamo in qualche misura traditi.»

La requisitoria di Borrelli era stata – come gli accade quand'è irritato – alquanto sopra le righe. La replica di Antonio Di Pietro fu consegnata, il 15 aprile (1995), alle colonne de *La Stampa*. Dopo aver ribadito che d'ogni atto da lui sottoscritto si assumeva la piena responsabilità, e che nessuno l'aveva costretto ad esserne partecipe, Di Pietro ricorreva a un sottile distinguo: «Il vero dramma dell'indagine della Procura di Milano su Berlusconi è stato non l'invio dell'invito a presentarsi (un atto incontrovertibilmente dovuto) ma la scandalosa fuga di notizie addirittura prima della materiale notifica all'interessato. Un fatto gravissimo non solo per l'immagine personale dell'interessato, ma soprattutto per le istituzioni in generale e il *pool* di "Mani pulite" in particolare. Tanto più» l'inciso non era casuale «che resta da stabilire se si tratta di un fenomeno corruttivo oppure di una patita concussione».

Il processo di Brescia contro il generale Cerciello e altri finanzieri accusati di corruzione non lesinava le scene madri. Nell'udienza del 18 aprile l'avvocato Taormina, difensore di Cerciello, si alzò e chiese che Antonio Di Pietro fosse chiamato a deporre – come indagato in un procedimento connesso – per rispondere a una serie di quesiti: che all'incirca ricalcavano le accuse di cui lo stesso Di Pietro dovrà poi rispondere. Quali erano stati i suoi rapporti col costruttore Antonio D'Adamo, incriminato e arrestato per corruzione, e con l'assicuratore Giancarlo Gorrini condannato per un «buco» di decine di miliardi nelle casse della Maa, la società di assicurazione dello stesso Gorrini? Cosa sapeva dei debiti di giuoco di Eleuterio Rea, comandante dei vigili urbani milanesi, e d'un intervento del Gorrini per ripianarli? In quali termini il Gorrini gli aveva venduto una vettura Mercedes? Quali rapporti professionali erano corsi tra la moglie di Di Pietro, l'avvocatessa Susanna Mazzoleni, e la Maa? L'elenco di Taormina includeva anche altre vicende, ma possiamo trascurarle. Il Tribunale ritenne che non fosse il caso di convocare Di Pietro. Ma questo contava poco. Contava molto, invece, che Taormina avesse aperto in forma pubblica e clamorosa un vaso di Pandora il cui devastante contenuto – e questo è forse l'aspetto più sconcertante della vicenda – non era un'autentica sorpresa.

Verso la fine di maggio si seppe, per la consueta e come di consueto impunita fuga di notizie, che la Procura di Brescia indagava su Di Pietro non più – o non soltanto – per la rudezza con cui interrogava gli arrestati, ma per gli episodi cui aveva alluso Taormina. A quel punto Di Pietro, rientrato in Italia da un giro di conferenze in Argentina, capì che non poteva più liquidare l'imbroglio con espressioni sprezzanti o con articoli sofferti. Doveva passare alla controffensiva. Lo fece presentando alla Procura di Brescia un «esposto-querela-memoria» di 21 pagine.

Ecco come stavano le cose, nella ricostruzione di Di Pietro. Rapporti con la Maa. Giancarlo Gorrini era solo un conoscente, non un amico. Amico e compagno di caccia era invece Osvaldo Rocca, che di Gorrini era intimo. Quando Di Pietro decise di comprarsi una casa e di cambiare l'automobile – ma non disponeva della somma necessaria – Rocca si offrì d'aiutarlo con un prestito di 120 milioni da restituire con tutto comodo. La restituzione avvenne a distanza di qualche anno, senza interessi. Gorrini era al corrente della vicenda, e una volta fece visita a Di Pietro. Parlarono del prestito, e Gorrini disse che per il pagamento non c'era fretta. Rocca si diede da fare – anticipando i venti milioni del prezzo – anche per trovare a Di Pietro una Mercedes usata: che però Di Pietro ritenne troppo impegnativa, e rivendette per lo stesso importo ad un amico, utilizzando il denaro per l'acquisto di un'altra macchina. Sempre a proposito della Maa, Di Pietro spiegava che non v'era stata alcuna pressione, da parte sua, perché il contenzioso sinistri della società fosse affidato allo studio legale del quale è titolare il suocero Arbace Mazzoleni, affiancato anche dalla figlia Susanna: la seconda moglie, appunto, di Antonio Di Pietro. Lo studio si occupa di vertenze della Maa da decenni.

Rapporti con Eleuterio Rea. Di Pietro e il comandante dei vigili milanesi erano legati da un'amicizia nata quando entrambi appartenevano alla polizia, e prestavano servizio a Milano. Rea aveva il vizio del giuoco, e s'era indebitato per varie centinaia di milioni, forse più d'un miliardo. In suo soccorso erano dovuti intervenire, per evitare che divampasse uno scandalo, Giancarlo Gorrini e il costruttore Antonio D'Adamo, inquisito per mazzette ai politici di Segrate. Di Pietro sostenne d'aver ammonito Rea a ravvedersi, e d'aver rotto ogni rapporto con lui quando seppe che frequentava ancora gli allibratori di San Siro. Sostenne inoltre di non essersi adoperato in favore di Rea nel concorso per la nomina a comandante dei vigili. Era nella commissione che valutava i candidati, ma partecipò solo ad una prima seduta, non a quella conclusiva. È superfluo indugiare su altri addebiti fantasiosi o insignificanti.

Il «caso» Di Pietro si ancorò a Brescia: una sede giudiziaria la cui notorietà deriva dal fatto che vi sfociano tutti i procedimenti contro le toghe milanesi. Il compito d'occuparsene toccò al Pm Fabio Salamone, affiancato dal più giovane collega Silvio Bonfigli. Trovatosi tra le mani un pasticcio di quel calibro, e con quell'ingombrante protagonista, i due Pm dovettero scegliere la strategia di seguire: una era la strategia riduttiva. Le colpe attribuite a Di Pietro, che potevano avere qualche rilievo disciplinare o, esagerando, anche penale quando era in magistratura diventavano, per un cittadino qualsiasi, meschine beghe private. Restava la questione delle manovre ordite da poteri e politici d'ogni risma per catturare Di Pietro o per squalificarlo (con lui squalificando il *pool* di «Mani pulite»). Sul fatto che questo fosse avvenuto nessuno aveva dubbi. Ma questa polemica s'inseriva, ed era logico che s'inserisse, nel dibattito politico.

La seconda strategia era quella dell'amplificazione: ossia d'un impegno della Procura di Brescia per riesaminare – come si stava facendo del resto anche per il suicidio di Cagliari – ciò che già era stato da altri magistrati esaminato con scrupolo, e per esplorare in parallelo il comportamento di Di Pietro e di quanti ci avevano marciato per i loro non nobili fini. Può darsi che questa linea d'indagine fosse inevitabile: l'aveva indicata lo stesso Di Pietro. Ma essa corrispondeva anche a una costante propensione della Giustizia italiana, soprattutto nelle vicende che abbiano risvolti politici, per inchieste gigantesche.

L'inchiesta di Fabio Salamone era binaria. Da una parte concerneva il Di Pietro indagato per concussione e abuso d'ufficio, insomma le contiguità inquietanti con il *clan* di Giancarlo Gorrini e di Eleuterio Rea. Da un'altra concerneva il Di Pietro parte lesa per l'assedio di cui era stato oggetto, e che l'aveva indotto a lasciare la toga.

IL 26 MAGGIO 1995 la magistratura torinese ordinò l'arresto di Marcello Dell'Utri, presidente di Publitalia che era il polmone finanziario e organizzativo della Fininvest, e che manovrava migliaia di miliardi. Silvio Berlusconi sbottò: «È un'ingerenza da parte degli estremisti in toga. Una plateale invasione di campo, un'indegna campagna di distruzione di un avversario politico attraverso la criminalizzazione di un'azienda». Le manette – per false fatturazioni e frode fiscale, ossia per la creazione di «fondi neri» da cui trarre le «mazzette» – ad uno dei più stretti collaboratori del Cavaliere segnarono una delle fasi più drammatiche della lunga guerra tra Berlusconi e il *pool* di «Mani pulite».

Il meccanismo grazie al quale, secondo gli inquirenti, Publitalia accantonava «fondi neri», da destinare sia al pagamento di tangenti sia ad altre esigenze di Berlusconi in prima persona o del suo gruppo, era quello delle sponsorizzazioni gonfiate. Publitalia – centrale d'arruolamento dei «venditori» che erano le truppe d'assalto del Cavaliere – patrocinava, direttamente o tramite altre società, un'infinità di attività sportive di alto o medio o basso livello, destinando a quello scopo somme ingenti che venivano nelle debite forme fatturate. Ma l'importo effettivamente pagato era, secondo chi ha svolto le indagini, parecchio inferiore a quello dichiarato. Lo *sponsor* ossia la Publitalia, d'accordo con gli sponsorizzati, sborsava molto meno di quanto risultasse, e il resto poteva essere accantonato «in nero», e dirottato verso i più disparati ed equivoci canali. «Pentito» principe di questa *combine* era il campione di *off shore* Giorgio Arnaboldi; ma anche l'industriale farmaceutico Giampaolo Zambeletti avrebbe fornito informazioni importanti. Va ricordato che l'inchiesta sulle sponsorizzazioni correva parallela a quella sulle tangenti alla Guardia di Finanza e a quella sull'acquisto d'un terreno di Macherio, attorno alla villa della famiglia Berlusconi. La vorticosa giostra dei pagamenti, degli assegni, e degli accantonamenti illeciti di Publitalia aveva il suo manovratore, stando all'accusa, proprio in Marcello Dell'Utri: del quale dovremo riparlare per il processo che lo vede imputato a Palermo.

Torino aveva ordinato la cattura di Dell'Utri, rinchiuso nel carcere di Ivrea. La Procura di Milano non volle rimanere assente, in questo regolamento di conti multimiliardari, e propose il «commissariamento» di Publitalia. Il che avrebbe significato, in parole povere, lo sbaraccamento del consiglio d'amministrazione e l'insediamento d'un commissario nominato dal Tribunale civile. Per le irregolarità i magistrati ritenevano d'avere prove in abbondanza: 70 miliardi di «fondi neri» scoperti, secondo loro, a Milano, altri 60 a Torino: e inoltre le ammissioni di Arnaboldi e d'altri.

Il «commissariamento» restò sospeso nel limbo delle intenzioni, Marcello Dell'Utri riebbe la libertà dopo qualche settimana; l'intero vertice di Publitalia, Dell'Utri incluso, venne rimosso e sostituito per scongiurare successivi guai. Immutata rimase, in questo panorama cangiante, l'ira del Cavaliere contro il *pool*: che fu – benché non esplicitamente nominato – il bersaglio d'una bordata polemica condensata dai legali di Berlusconi in un esposto alla Procura generale della Cassazione. Il documento – in data 16 giugno 1995 – lamentava che fossero stati «pubblicati integralmente o per stralcio 130 interrogatori (concernenti la Fininvest – *N.d.A.*)» e che «dagli uffici della Procura della Repubblica ci sono state fughe di verbali e di testimonianze, cioè di atti segreti anche alle stesse parti processuali». Era, incalzava Berlusconi, il mondo degli atti «depositati attraverso *L'Espresso*». Per verità nel mirino delle Procure non era la sola Fininvest. È difficile – e sarebbe del resto un esercizio ozioso – tentare una contabilità delle ispezioni amministrative e delle iniziative. La Fiat e le società ad essa collegate non furono risparmiate. Vennero incriminati alcuni dirigenti, e l'allora amministratore delegato Cesare Romiti dovette scagionarsi a più riprese. Il 9 aprile 1997 fu condannato a un anno e sei mesi di reclusione, sentenza contro la quale è stato proposto appello.

Tuttavia alla magistratura era da tempo rimproverato d'aver avuto un occhio di riguardo per i finanziamenti illeciti al Pci e al Pds, e per i flussi di denaro dalla Lega nazionale delle cooperative (le cooperative «rosse») al Partito. Solo in una successiva fase le cooperative «rosse» sono state coinvolte. Il Pm Carlo Nordio le ha braccate nel Veneto, sforzandosi d'accertare i modi in cui prima il Pci e successivamente il Pds venivano foraggiati. Un testimone aveva così illustrato le elargizioni delle coop al partito: «La Lega delle cooperative ha un rapporto organico con il Pds e prima lo aveva con il Pci, nel senso che tutti i suoi dirigenti sono funzionari del partito. La Lega finanzia il partito non tanto con la corresponsione di somme quanto con l'accollo di spese, intendo cioè che paga lo stipendio a molti funzionari del partito che lavorano a tempo pieno per il partito stesso, finanzia manifestazioni per il partito, paga il suo materiale pubblicitario e soccorre i periodici». Ma c'era, secondo la Procura di Venezia, anche dell'altro: ossia un giro di finanziamenti pubblici della Cee e della

Regione a cooperative agricole che poi venivano fatte fallire. Molti esponenti del Pds sfilarono davanti a Nordio, altre Procure procedettero ad arresti e ad incriminazioni in Emilia-Romagna, in Lombardia, in Puglia, in Sicilia.

Non vogliamo addentrarci nella casistica complessa – e incompleta, tutto essendo ancora *sub judice* – delle irregolarità addebitate alle cooperative. Ci interessa invece di sottolineare come il loro presidente, Giancarlo Pasquini, abbia reagito all'offensiva giudiziaria con espressioni e toni riecheggianti – sul versante opposto – quelli di Berlusconi. «Le inchieste – disse Pasquini a Bologna – hanno subito una profonda trasformazione: da missione purificatrice a moto inarrestabile che sta spazzando via la certezza del diritto e delle regole. Siamo di fronte a un sommovimento di cui non si intravede ancora la fine, nell'ambito del quale si muovono poteri occulti e forti, gli stessi che si sono mossi negli episodi di stragismo più cupi della Repubblica italiana.» Pasquini affermò inoltre che «il nostro movimento ha subito un uso distorto ed eccessivo della custodia cautelare, e l'esperienza insegna. Credo che abbiano contribuito a fare maturare ed emergere una coscienza garantista».

LA RIFORMA PENSIONISTICA di Dini – in versione Presidente del Consiglio – fu approvata ai primi di agosto del 1995 grazie ai voti progressisti e alla benevola astensione di Forza Italia (contrari Alleanza nazionale e Rifondazione comunista). Non era certo il lavacro di lagrime e sangue che secondo gran parte degli economisti sarebbe stato necessario per rimettere in sesto i bilanci degli enti previdenziali: e il negoziato del governo con i sindacati aveva riesumato pratiche compromissorie che nella Prima Repubblica erano state consuete, e che avevano dato frutti di cenere e tosco. La svolta definitiva – ossia il passaggio totale dal criterio retributivo al criterio contributivo – sarebbe avvenuta a distanza d'una ventina d'anni, troppi. Le aree di privilegio, in particolare quelle dell'impiego pubblico, venivano, almeno nella fase iniziale della riforma, soltanto scalfite. La Confindustria aveva infatti negato la sua benedizione alla legge, che Dini ministro del Tesoro avrebbe senz'altro biasimato come inadeguata. Ma per il varo di questa riforma alla camomilla Dini aveva avuto bisogno dei voti di centrosinistra: e il centrosinistra non poteva alienarsi né il consenso dei sindacati né quello di milioni di potenziali elettori colpiti da un peggioramento della previdenza.

Tirate le somme, Dini era autorizzato a dirsi soddisfatto del suo lavoro. Nulla avrebbe impedito a quel punto che se ne andasse. Ma nulla gli imponeva di farlo. Lui si guardava bene dallo sbilanciarsi: in sintonia, si deve supporre, con Oscar Luigi Scalfaro, che restava il suo più autorevole *sponsor*. Per Prodi l'ipotesi d'un Dini aggregato all'Ulivo era allarmante. «Dini è un tecnico» aveva minimizzato quando il problema gli era stato posto, sottintendendo l'esigenza d'un ritorno alla politica, e ad un governo «normale». Al che Dini aveva con perfida soavità ribattuto che anche Prodi era un tecnico: sottintendendo, a sua volta, che se d'un tecnico bisognava fidarsi, era magari meglio stare sul sicuro, ossia su chi aveva già dato ottima prova. Alle scintille del breve incrocio di ferri seguirono attestazioni di reciproca stima. Ma un fatto era indubitabile: quanto più Dini durava tanto più la sua immagine si rafforzava. Si capisce dunque che al professore bolognese desse qualche fastidio il tifo che tanti facevano per il mantenimento in vita del governo Dini, o per una sua riedizione in copia più o meno conforme: e D'Alema era d'accordo con lui.

CAPITOLO 13

La Sinistra consacrata

L 30 DICEMBRE 1995 un Lamberto Dini puntualissimo nell'onorare la tabella di marcia che s'era imposta rassegnò le dimissioni nelle mani di Scalfaro: che tuttavia le respinse rinviando il governo dei tecnici alle Camere, perché le Camere stesse ne decidessero la sorte. Il comportamento di Scalfaro, pur costituzionalmente ineccepibile, attestava la sua propensione ad una proroga dell'esperienza Dini. Il rituale messaggio di fine d'anno del Capo dello Stato fu, al riguardo, abbastanza esplicito. Egli esortò i partiti a trovare un accordo per realizzare quel governo di larghe intese, impegnato nell'elaborazione di nuove e migliori regole, cui già pensavano tra esitazioni e cautele Berlusconi e D'Alema. L'intervento di Scalfaro ebbe consensi e critiche. Storace, un duro di An il cui linguaggio non eccelle per finezza ma si distingue per rude chiarezza, lo liquidò così: «Per dire le cose che ha detto non c'era bisogno del Capo dello Stato, bastava Funari».

I colloqui che Dini avviò per sondare gli umori dei partiti, e verificarne la disponibilità per una ulteriore durata del governo tecnico, ebbero tutto sommato esito negativo. Giovedì 11 gennaio 1996, il Presidente del Consiglio, che aveva raccolto espressioni di fiducia e di stima non traducibili in voti parlamentari, reiterò le dimissioni con un discorso tacitiano, quattro minuti. Non vale la pena d'indugiare sulle consultazioni che, in ossequio al copione protocollare, Scalfaro avviò. La vera partita si giuocava fuori da questa liturgia risaputa, e consisteva nella possibilità – o non possibilità – di varare un governo delle regole. Ossia un governo con larga base parlamentare – e lontanissimo per questo dalla logica del bipolarismo – che realizzasse poche e precise cose. Tra esse, soprattutto la ristrutturazione dei poteri e l'aggiornamento delle norme che li alimentano e li limitano.

Il compito d'esplorare la fattibilità di quest'opera d'alta ingegneria costituzionale fu affidato in somma segretezza – ma era una segretezza all'italiana, tutta spifferi – a un gruppo di autorevoli esperti: che erano Domenico Fisichella di An, Giuliano Urbani di Forza Italia, Franco Bassanini (aiutato da Cesare Salvi) del Pds. Fu elaborata, con sorprendente convergenza, una bozza di accordo che prevedeva in sintesi questi punti: 1) il 90 per cento dei deputati sarebbe stato eletto con il meccanismo vigente per i senatori, il restante 10 per cento sarebbe stato attribuito alla maggioranza per renderla più robusta e porla al riparo da colpi di mano (il congegno elettorale era, nella sua stesura completa, assai più sofisticato e intricato di come l'abbiamo riassunto, ma non vogliamo frastornare i lettori); 2) niente elezione diretta del Capo dello Stato (come avrebbe voluto il Polo), anzi la sua figura sarebbe diventata ancor più incolore e notarile di quanto sia, almeno sulla carta, oggi. Compiti di garanzia, di vigilanza, di autenticazione, ma non più di questo. All'inquilino del Quirinale sarebbe stato sottratto anche il più significativo tra gli attuali poteri, ossia la nomina del Presidente del Consiglio; 3) nemmeno elezione diretta, in senso stretto, del Primo Ministro, ma ogni lista sarebbe stata aperta dal nome del candidato a Palazzo Chigi di quel partito o di quella coalizione, e il suo insediamento sarebbe divenuto, in caso di vittoria, automatico; 4) un voto di sfiducia al Presidente del Consiglio avrebbe comportato la caduta del governo; 5) veniva accettato, con riserve del Polo, il sistema elettorale a doppio turno.

Sulla bozza – che l'opinione pubblica considerò, con buone ragioni, un progetto pressoché definitivo – si avventarono i dubbiosi e i dissenzienti. La vera vulnerabilità del documento stava nell'ostilità di quanti – a cominciare da Fini, da Prodi e da cespugli vari – ringhiavano all'idea d'un governo interlocutorio che sarebbe stato, in buona sostanza, un governo a due. Infatti Fini sconfessò nel più plateale dei modi il povero Fisichella, che avendo materialmente provveduto alla stesura della bozza si sentì umiliato, annunciò il ritiro da An e s'appartò imbronciato. Salvo ripensarci dopo le pressanti sollecitazioni di Fini, accompagnate da chiarimenti che non chiarivano nulla. Gli abbracci d'obbligo tra Fini e Fisichella seppellirono l'incidente e insieme ad esso la bozza.

Ma le agonie politiche italiane somigliano a quelle del Caudillo Franco e del maresciallo Tito: sono lunghe, penose e, per chi ne aspetta con ansia la conclusione, estenuanti. La trama interrotta fu riannodata proprio da Scalfaro che affidò un nuovo tentativo per la formazione del governo ad Antonio Maccanico. L'uomo era particolarmente adatto alla missione. Già segretario generale della Camera, già segretario generale del Quirinale con il vulcanico Pertini, già presidente di Mediobanca – e amico del potente Cuccia – Maccanico aveva la vocazione del mediatore. Con pazienza e abilità consumate egli si adoperò per dare al governo *in fieri* una base accettabile non solo da D'Alema e da Berlusconi – entrambi ben disposti – ma dai loro scalpitanti e vociferanti soci. Già correvano insistenti, a Roma, i nomi dei futuri probabili ministri. Maccanico aveva trovato un posto anche per il boiardo Lorenzo Necci, che qualche mese dopo ne avrebbe invece avuto uno meno invidiabile in carcere. Fatica inutile.

Il 14 febbraio 1996 uno stremato e stizzito Maccanico si arrese, e arrendendosi attribuì le maggiori responsabilità del fallimento al Polo (sottintendendo che nel Polo il vero *vilain* era stato Gianfranco Fini). Il giorno successivo Scalfaro sciolse «con vivissimo rammarico» le Camere, e fissò le elezioni per il 21 aprile. A quel traguardo l'Italia sarebbe arrivata con il governo di Lamberto Dini, sia pure confinato nell'ambito dell'ordinaria amministrazione: al che il centrodestra s'era opposto sempre con foga, ma la foga divenne furore dopo che Dini ebbe annunciato, a fine febbraio, la decisione d'entrare in politica e d'entrarvi con un suo partito, Rinnovamento italiano, d'impronta liberaldemocratica e riformista. Nelle settimane che mancavano all'appuntamento con le urne l'Italia sarebbe stata affidata – strillava il Polo – non ad un arbitro neutrale e imparziale ma ad un partecipante alla gara. All'ira del Polo le sinistre opposero un argomento forte, nella sua linearità. In quasi tutti i Paesi democratici, esse osservarono, si va alle elezioni con il governo in carica. Ci si era andati di norma anche in Italia. Il Polo insisteva peraltro su una differenza. Il governo Dini era nato come «tecnico», e in quanto tale era stato accettato: salvo cambiar volto d'improvviso – nel Presidente del Consiglio e in alcuni ministri – nell'imminenza delle elezioni. Alcuni provvedimenti che Dini adottò nell'ultima fase del soggiorno a Palazzo Chigi – e che furono da lui definiti «atti dovuti» – vennero letti dall'opposizione in chiave maliziosa: furono cioè letti come regalie e favori a questa o quella categoria e corporazione, per catturare consensi. Le lamentele del Polo, quale che fosse il loro fondamento, avevano una connotazione profetica. Dopo una sfingea esitazione, e dopo un appassionato corteggiamento dei due schieramenti, Dini – con il suo Rinnovamento – decise di entrare nella *Grande Armée* dell'Ulivo: e il suo apporto fu senza dubbio decisivo per l'esito della contesa.

Assai più opinabile è l'influenza del «caso Squillante» – che potrebbe anche essere definito «caso Ariosto» – sul responso degli italiani. Il 12 marzo 1996, quando mancava poco più d'un mese alle elezioni, il *pool* di «Mani pulite» ordinò l'arresto a Roma di Renato Squillante, settantenne capo dei Gip (i giudici per le indagini preliminari) romani, magistrato legato da una fitta rete di conoscenze – alcune delle quali si traducevano, secondo gli inquirenti, in favori – a gente della cosiddetta «Roma bene» (che spesso e volentieri è «Roma male»). La cattura e la «traduzione» dell'anziano giudice da Roma a Milano avvennero con l'apparato scenografico che in queste operazioni, sempreché si svolgano sotto gli occhi delle telecamere, non manca mai. Ma al di là dell'enfasi spettacolare, l'arresto era sensazionale. Un alto magistrato finiva in galera con l'accusa d'aver ricevuto mazzette e d'essersi adoperato per sviare e adulterare il corso della giustizia a vantaggio di chi lo foraggiava. Con lui finì dentro l'avvocato Attilio Pacifico, complice, secondo Borrelli e i suoi sostituti, nella grande abbuffata. Ben presto si seppe che la «gola profonda» delle rivelazioni che avevano portato a Squillante era una teste – designata in codice come Omega – che per l'anagrafe si chiamava Stefania Ariosto, bionda signora quarantaseienne, assai nota nella «Milano bene» (qui vale la stessa osservazione fatta a proposito della «Roma bene») per il suo fascino elegante, per le sue frequentazioni importanti, per le sue irrequietezze, e per l'affettuosa amicizia che la legava all'avvocato Vittorio Dotti.

E a questo punto siamo costretti a trascinare i lettori in un gorgo di chiacchiericci di portineria, che nei Paesi seri e politicamente maturi rimangono in portineria, gioia e delizia della stampa scandalistica e dei suoi *aficionados*; ma che in Italia purtroppo influenzano e orientano – o disorientano – tutta la grande opinione pubblica, compresa quella dei piani (si fa per dire) nobili, e la condizionano.

Stefania Ariosto, intelligente e intraprendente, è figlia d'un collaudatore d'armi e apparecchi di precisione per il Ministero della Difesa. S'era sposata diciassettenne, e dal primo marito, Enrico Pierri, aveva avuto due figli morti poco dopo la nascita per fibrosi cistica. Il secondo marito fu un architetto, Mario Margheritis, ma anche questo matrimonio, rattristato dalla morte d'una bambina che visse solo quattro mesi, non durò. L'ingresso di Stefania Ariosto nel «generone» politico-affaristico dell'Italia craxiana fu opera di Giorgio Casoli, un massone che era stato magistrato e presidente di Corte d'Assise a Milano (aveva giudicato tra gli altri i terroristi Curcio e Franceschini) e che successivamente s'era buttato nell'arena elettorale: sindaco di Perugia nel 1980, senatore socialista nel 1987. Sorretta e spinta dal premuroso Casoli la Ariosto entrò, a Roma, nel giro di Cesare Previti, quindi si legò a Vittorio Dotti e ne fu la «compagna» per otto anni.

Gli innumerevoli biografi della Ariosto – e lei stessa in un libro molto reclamizzato – hanno arricchito questa scheda di episodi romanzeschi, drammatici, galanti, salottieri e bancarottieri a non finire. Tutto è stato descritto: le attività di Stefania come addetta alle pubbliche relazioni in Guinea, le sue iniziative imprenditoriali in genere non coronate da successo, il negozio d'antiquariato in via Montenapoleone a Milano (gestito assieme al fratello Carlo), la passione divorante per il giuoco che la portò infinite volte nei casinò dove dilapidava grosse somme di denaro, la persecuzione degli strozzini, le vertenze in cui era impelagata: e in parallelo con questa esistenza convulsa e travagliata i fasti della mondanità più esclusiva, la partecipazione ai pranzi con caviale e champagne nei salotti o sulle terrazze romane e milanesi, le vacanze nelle «barche» dei miliardari o di coloro che fingevano d'esserlo, i viaggi. D'ogni avvenimento Stefania Ariosto, maniaca dell'istantanea, conservava una documentazione fotografica che ha fatto la felicità della Procura di Milano e dei settimanali: e inoltre agende gremite di nomi.

Alla teste Omega il *pool* di Milano era arrivato nel più banale dei modi: ossia spulciando i nomi delle persone cui erano finiti i quattrini che Silvio Berlusconi elargiva con generosità a familiari e collaboratori, e che passavano di mano con libretti al portatore. Uno dei libretti – 600 milioni – era toccato a Vittorio Dotti che come avvocato di Berlusconi – per il quale aveva condotto e concluso trattative molto delicate – presentava le sue parcelle a fine anno: ma che trovandosi nell'urgente necessità d'avere a disposizione una forte somma, s'era rivolto al protettore, e il protettore non s'era tirato indietro. Parte di quel denaro era poi finito su un conto dell'Ariosto. Seguendo quel sostanzioso rivolo di denaro i Pm milanesi si trovarono, il 21 luglio 1995, faccia a faccia con Stefania Ariosto. Riluttante dapprima, la signora fu convinta quattro giorni dopo a rilassarsi e a spifferare quanto sapeva. Lo fece dopo aver ottenuto l'esitante e tormentata autorizzazione di Dotti, cui peraltro sarebbe tanto piaciuto di chiamarsi fuori da questa faccenda.

Da quel luglio del '95 in poi la Procura di Milano lavorò sulle rivelazioni della teste Omega. Ridotte all'essenziale esse delineavano un sistema di corruzione e di favori reciproci che coinvolgeva magistrati romani in vista – foraggiati perché «accomodassero» processi – e gli avvocati Cesare Previti e Attilio Pacifico, pagatori per conto d'altri. Tra gli altri cui si dava la caccia era Silvio Berlusconi. Secondo Stefania, Vittorio Dotti era, per il Cavaliere, l'avvocato delle cause pulite, e Previti l'avvocato delle cause sporche (e vinte grazie alle mazzette). L'inchiesta aveva, come la più parte delle inchieste di Tangentopoli, uno sfondo politico. Basta pensare alla connotazione craxiana di certa mondanità arrogante ed esibizionista: e basta pensare che Dotti era il capogruppo di Forza Italia alla Camera, e Cesare Previti era stato ministro della Difesa nel governo Berlusconi.

Avuta l'imbeccata, i Pm di Milano ordinarono agli uomini della Polizia giudiziaria di scovare riscontri alle dichiarazioni di Stefania: e autorizzarono intercettazioni telefoniche in gran numero. L'operazione rischiò d'andare in fumo – consentite lo scherzo – per un posacenere. Una microspia era stata collocata appunto nel doppiofondo d'un posacenere su un tavolino del bar Tombini di Roma, frequentato da molti magistrati, e fu scoperta per caso. Quando la microspia venne trovata, sedevano al tavolino Renato Squillante, il Gip Augusta Iannini – moglie del noto conduttore televisivo Bruno Vespa – e Vittorio Virga: quest'ultimo avvocato di Cesare Previti e Paolo Berlusconi nel processo bresciano per il presunto complotto mirante a ottenere le dimissioni di Antonio Di Pietro dalla Magistratura (nel codice degli inquirenti la collocazione della microspia era stata battezzata, senza troppa fantasia, *no smoking*). Vi fu emozione, al Palazzo di Giustizia, per la «cimice» di paternità ancora ignota: e perciò attribuita da qualcuno ai soliti servizi segreti deviati. Era invece una «cimice» legittima e per la verità in alcuni momenti topici non funzionante: tanto che per rimediare al guasto un poliziotto seduto accanto ai sospettati annotava furtivo e febbrile, su foglietti di carta, il contenuto delle loro conversazioni.

Squillante sapeva, per molti sintomi, d'essere nel mirino dei Pm milanesi, e aveva confidato le sue angosce a due colleghi ed amici, il procuratore capo di Roma Michele Coiro e il Pm Francesco Misiani: entrambi affiliati a Magistratura democratica, la corrente di sinistra dell'Associazione magistrati, e lodati dalla sinistra come risanatori e redentori del Palazzaccio romano. I due, sollecitati da Squillante, avevano cercato di sapere dalla

Procura milanese, dove contavano molti amici, cosa stesse bollendo in pentola, ottenendo risposte evasive, e proprio per la loro evasività allarmanti. Di quest'interessamento Coiro e Misiani saranno poi chiamati a rispondere. Il ministro Flick, giurista di multiforme ingegno, nominerà Coiro direttore generale delle carceri per sottrarlo alla competenza del Csm ed evitargli una umiliante sanzione disciplinare. Misiani subirà invece dal Csm (dopo una discussione animata e una decisione non unanime) la punizione del trasferimento d'imperio ad altra sede.

Il romanzone balzachiano che Stefania Ariosto andava ricostruendo a beneficio degli inquirenti – e che sosteneva di conoscere a fondo proprio per essere stata partecipe di quella società smargiassa – aveva, lo si è accennato, una cornice dorata e una sostanza da codice penale. Ai pranzi con aragoste, alle parate di belle donne che sfoggiavano le *toilettes* di famosi e costosi stilisti – chiamarli sarti è ormai offensivo – alle prime della Scala, alle nottate di *roulette* e *baccarat* s'intrecciavano conciliaboli loschi, maneggi affaristici spregiudicati e soprattutto «dazioni», tante «dazioni»: termine, quest'ultimo, con cui il burocratese definisce quelle che in linguaggio più volgare abbiamo già chiamate mazzette. Quest'universo di lustrini e reati aveva per nume tutelare negli ultimi anni Ottanta, lo si è già accennato, Bettino Craxi. Infatti nel 1988 parecchi vip – un buon numero dei quali Stefania Ariosto coinvolgerà nelle sue accuse dopo averli immortalati con l'obbiettivo – erano volati a New York per assistere alla cerimonia con cui la Niaf, potente organizzazione degli italoamericani, voleva onorare Craxi (nel 1996 lo stesso riconoscimento sarà attribuito a Romano Prodi). Il pellegrinaggio cortigiano includeva un folto gruppo di magistrati – tra essi Squillante – le spese di viaggio di alcuni dei quali si vuole siano state pagate da Cesare Previti.

In questo contesto carico di ombre per magistrati e boiardi di Stato – impegnati dalle loro funzioni all'imparzialità e alla difesa del pubblico interesse e dediti invece alla parzialità più smaccata e più privata – la teste Omega inserì due specifici episodi: nel circolo Canottieri Lazio aveva visto Previti consegnare a Squillante una busta gonfia di denaro con l'amichevole avvertimento «A Renà, ti sei dimenticato questa»; in casa Previti aveva visto lo stesso Previti, l'avvocato Pacifico e Squillante, che davanti a un tavolo disseminato di banconote avvolte da fascette (dunque una somma ingente) procedevano ad una spartizione. Per questi racconti Stefania Ariosto fu sottoposta a fine maggio del '96 a un pesante «incidente probatorio», ossia a una testimonianza resa in presenza di avvocati degli inquisiti, e sotto il fuoco di fila delle loro contestazioni. Stefania Ariosto ammise d'aver fatto confusione su date e circostanze, e martellata da domande incalzanti ebbe anche uno svenimento. Fu tuttavia ferma nel ribadire, al di là di errori marginali, l'esattezza del quadro che aveva delineato: Pacifico e Previti pagavano Squillante e Squillante smistava a colleghi complici le mazzette, ovviamente dopo aver trattenuto la sua.

Cesare Previti – che ha denunciato la Ariosto per calunnia – la smentisce su ogni punto. Non è vero che lui si sia assunte le spese della famigerata trasferta di gruppo a New York; non è vero che alla Canottieri Lazio potesse accadere ciò che la Ariosto pretende vi sia accaduto; è impossibile che siano state spartite mazzette nella casa indicata come sua – con profusione di particolari – dalla Ariosto perché al tempo in cui il fattaccio sarebbe avvenuto lui abitava altrove. Infine Previti sottolinea che la Ariosto, così attenta non solo alle conversazioni ma anche ai sussurri, è stata vaga su un punto fondamentale: quali erano i processi che dovevano essere addomesticati? Questo Stefania non lo sapeva: ma sapeva che Previti corrompeva per conto di Berlusconi.

I Pm di «Mani pulite» – secondo i quali Stefania Ariosto è ormai poco rilevante come teste essendo sopravvenute conferme documentali delle sue accuse – hanno posto gli occhi su due megacause civili che da sole potevano spiegare le «dazioni». La prima – Berlusconi non c'entrava – riguardava il contenzioso per qualcosa come mille miliardi tra l'avventuroso magnate della chimica Nino Rovelli e l'Istituto mobiliare italiano (Imi). Il Rovelli, seducente e convincente Clark Gable della Brianza, aveva promosso, con l'entusiastico appoggio di politici nazionali e locali, un progetto di straordinaria espansione dell'industria chimica riguardante in particolare la Sardegna. Nell'immane fornace chimica era stata incenerita una montagna di denaro dei contribuenti: ma Rovelli – cui veniva mosso l'addebito d'essersi arricchito a spese degli italiani, illudendo e ingannando una classe dirigente leggera e scorretta che all'illusione e all'inganno era disposta – non si sentiva per niente in debito verso la collettività o verso altri: anzi, vantava addirittura un credito gigantesco verso l'Imi, ossia verso chi l'aveva con scarsa cautela finanziato. Dopo un lungo e tortuoso tragitto giudiziario che impegnò molti magistrati a vari livelli, la Cassazione stabilì definitivamente e incredibilmente – confermando una sentenza d'appello – che Rovelli aveva ragione e che gli spettava un migliaio di miliardi. Senza entrare nel merito, la Suprema Corte aveva rigettato il ricorso dell'Imi perché la procura speciale dell'istituto ai suoi rappresentanti legali era misteriosamente sparita dal fascicolo. Dedotte le tasse, un tesoro di 678 miliardi spettava così agli eredi del finanziere, nel frattempo defunto: e i miliardi furono versati con singolare docilità. Ebbene, un quindici per cento del malloppo era finito agli avvocati: 35 miliardi a Mario Are e Angelo Giorgianni, che avevano sostenuto nelle varie istanze le ragioni del Rovelli; e poi 33 miliardi a Pacifico, 21 a Previti, 13 a Giovanni Acampora per una non ben precisata opera d'assistenza e d'intermediazione. Previti non nega d'aver incassato la somma, in favore suo e in favore di terze persone. Ma sostiene che non un centesimo è andato a uno o più magistrati, o comunque a pubblici ufficiali. La seconda megacausa era quella – di cui già ci siamo occupati – in cui Silvio Berlusconi e Carlo De Benedetti avevano duellato, durante un decennio, per assicurarsi il controllo del colosso editoriale Mondadori.

Itinerari giudiziari di tanta lunghezza e di tanta rilevanza economica fanno la felicità degli avvocati e coinvolgono – tra primo grado, appello, Cassazione e possibili deviazioni cammin facendo – decine e decine di magistrati. Quanti e quali tra loro ricevettero – se ricevettero – mance, e per quali specifici favori? Il punto rimane, per quanto ne sappiamo, abbastanza oscuro. Si ha l'impressione che il *pool* di Milano conosca – o ritenga di conoscere – i passaggi e i destinatari delle «dazioni» assai meglio di quanto conosca i momenti in cui certe cause furono «accomodate». Sul modo in cui Squillante smistava e collocava all'estero il malguadagnato i magistrati hanno una convinzione: il giudice fu aiutato da due dei suoi figli, entrambi giornalisti, o almeno si servì di loro. Mariano Squillante era corrispondente della Rai da Londra, Fabio corrispondente della *Stampa* da Bruxelles: sia l'uno che l'altro avevano il diritto di tenere in perfetta legalità conti esteri, sui quali appunto il padre avrebbe versato ingenti somme. La Procura milanese chiederà infatti l'arresto di Mariano e di Fabio Squillante, nonché della moglie russa di Fabio, Olga Savtchenko: per i Pm tutti coinvolti in questa sorta di riciclaggio.

Nell'occhio del ciclone Ariosto era Vittorio Dotti: un italo Amleto o un Tristano della Padania, o un Jean Buridan. Filosofo francese, quest'ultimo, il cui nome è stato italianizzato in Buridano, e il cui pensiero è stato riassunto nella favola dell'asino che, incapace di scegliere tra due mucchi di fieno uguali, moriva di fame. Dotti non voleva smentire Stefania né mettersi contro la Procura di Milano, ma nemmeno voleva rinunciare alle sue ambizioni politiche. Intendeva ricandidarsi. Dopo qualche esitazione il Cavaliere lo bocciò. Anche Stefania Ariosto, discussa ma molto popolare, era stata lì lì per candidarsi con l'Uds di Bordon e Ayala: ma poi un ripensamento generale aveva fatto fallire la balzana idea. Pur senza due attrazioni di rilievo, prendeva il via lo spettacolo elettorale.

LA CAMPAGNA ELETTORALE di primavera '96 fu più accanita che interessante. Lo scetticismo era con ogni probabilità il sentimento prevalente tra gli elettori (lo attesterà l'alta percentuale delle astensioni, il 17,3 con un netto aumento rispetto alle «politiche» precedenti). Tuttavia Prodi, aiutato con abile discrezione da Massimo D'Alema, riuscì ad accreditare in molti italiani moderati – quelli che in un sistema maggioritario o semimaggioritario fanno la differenza, e decidono l'esito delle elezioni – l'immagine di un Ulivo saggio e insieme compassionevole, attento al bilancio dello Stato ma solidale e progressista. Cattolico osservante, pellegrino al santuario di Compostela, democristiano da sempre, Prodi era una smentita vivente a Berlusconi e Fini quando denunciavano la minaccia della sinistra atea ai valori religiosi e alla scuola libera. L'ingombrante compagnia di Bertinotti e Cossutta era giustificata con una spiegazione contorta, che alla prova delle urne risultò persuasiva. Rifondazione era estranea all'Ulivo, non ne condivideva il programma, innalzava orgogliosa il vessillo lacero del comunismo. Ma all'Ulivo l'avvicinava la volontà di sconfiggere il pericoloso Cavaliere e i suoi alleati, e dunque era la benvenuta nell'ora della battaglia. Prodi prometteva insomma di vincere con Bertinotti – simpatico ai salotti per l'erre moscia alla Gianni Agnelli – senza lasciarsene poi condizionare.

Il meccanismo grazie al quale l'Ulivo e Rifondazione si proponevano – e raggiunsero l'obbiettivo – di unire le loro forze senza sconfessare i loro diversi ideali si chiamava «desistenza». Per la quota elettorale maggioritaria l'Ulivo si impegnava, in un certo numero di collegi, a non presentare suoi candidati e a votare quelli di Rifondazione, in cambio Rifondazione prometteva di convogliare i voti dei suoi militanti sull'Ulivo, nel resto dei collegi. Era lo stesso meccanismo di cui Berlusconi s'era servito per avere, nelle «politiche» del 1994, l'appoggio della Lega. La formazione più debole veniva di solito avvantaggiata, in questo *do ut des*: infatti a Bossi era toccato un numero di deputati eccedente di gran lunga il suo consenso nel Paese. Anche D'Alema s'era rassegnato a fare il donatore di sangue per Rifondazione: ma era persuaso che ne valesse la pena. Ancor più valeva la pena di fare il donatore di sangue – e lo fece – per i cespugli moderati. Ogni voto moderato – l'ha rilevato Andreotti con il suo acume di veterano del Palazzo – «valeva in effetti il doppio, essendo sottratto al Polo».

Berlusconi – pur sottoposto a un incessante tiro a segno giudiziario – rimaneva l'incontestato *leader* carismatico del centrodestra: ma aveva parecchio piombo nelle ali. Le sue oscillazioni fra intransigenza e arrendevolezza, il sostegno dato al fallito tentativo di Maccanico, le intese cordiali con D'Alema, i poco credibili soprassalti di decisionismo spaccatutto sapevano di vecchia politica: su quel terreno un D'Alema o un De Mita si muovevano mille volte meglio di lui. Poi, avviata la campagna, il Cavaliere brandì la lancia e annunciò la sua sfida al sistema partitocratico, ai residuati della Prima Repubblica, allo statalismo paralizzatore, al fantasma del comunismo, agli sprechi, ad una tassazione oppressiva e iniqua. Questa tematica aveva un difetto grave: era una replica, le mancava il tocco della novità e dunque l'impulso della speranza. Questo *handicap* poteva essere di scarsa importanza per partiti stagionati e collaudati, che alle repliche erano abituati, e anzi ci si erano esercitati per decenni senza mai trovarsi a disagio. Dal Polo gli elettori pretendevano dell'altro. Si aggiunga che troppi candidati del Polo non erano di prima scelta.

I ragionamenti sugli errori di Berlusconi e sulla diminuita incisività del suo messaggio sarebbero stati d'importanza solo teorica se Bossi si fosse schierato: come aveva fatto in precedenza due volte, con l'elezione del 1994 e con il ribaltone. I sondaggi davano Bossi in caduta libera, nel favore degli italiani (e furono sonoramente smentiti). Ma anche se in calo, i voti di Bossi sarebbero bastati per fare la differenza. Tuttavia il *senatur* preferì questa volta l'isolamento – che se non splendido era sicuramente orgoglioso – alle alleanze del passato. Così l'Ulivo vinse. Di poco o niente in termini di voti: anzi a conti fatti risultò che al Polo era andata una manciata di consensi in più. Ma un sistema maggioritario – o semimaggioritario – ha meccanismi che premiano la qualità oltre che la quantità dei voti. Con i suoi 157 senatori su 315 – cui dovevano essere aggiunti i 2 della Südtiroler Volkspartei e parte dei 10 senatori a vita – l'Ulivo ebbe una maggioranza abbastanza comoda a Palazzo Madama. I 10 senatori di Rifondazione potevano essergli utili in qualche circostanza, ma non erano necessari. Altro discorso per la Camera. I deputati dell'Ulivo erano 284 sui 630 dell'assemblea. La maggioranza poteva essere raggiunta solo con l'apporto dei 35 di Rifondazione comunista, la quale così diventava condizionante. Bertinotti promise il suo appoggio a un governo Prodi, pur riservandosi libertà d'azione quando si fosse trattato d'approvare singoli provvedimenti. Il Polo gridò che l'Ulivo era prigioniero di Rifondazione e che Bertinotti avrebbe dettato la politica del governo. Era un segnale d'allarme non campato in aria, come si vide in seguito.

Perché il Polo era stato sconfitto? Alle già accennate spiegazioni della svolta elettorale dobbiamo aggiungerne alcune altre. Una sta di certo nell'imprevisto peso della Lega, i cui consensi – quasi tutti collocabili, dal punto di vista sociale, nell'area di centrodestra – erano sottratti in primo luogo al Polo. Bossi s'era preso – su scala nazionale – il 10 per cento dei voti: e i suoi parlamentari – 59 deputati e 27 senatori – erano ben più che marginali a Palazzo Madama e a Montecitorio. Forza Italia aveva peraltro tenuto benissimo, sfiorando il 21 per cento: il Pds ne aveva preso il posto, come primo partito italiano, ma senza umiliarla. Semmai la delusione veniva da An che s'era dovuta accontentare del 15,7 per cento. Nell'amarezza dell'insuccesso Silvio Berlusconi avrà senz'altro tratto da questo un'acre soddisfazione. I sogni di sorpasso che Fini aveva cullato erano morti in una notte d'aprile. La frustata a Fini era duplice: aveva mancato la pronosticata travolgente avanzata ed era stato logorato dal 2 per cento raccolto, alla sua destra, dai neofascisti di Pino Rauti. Quella percentuale in apparenza trascurabile era stata non solo determinante in alcuni collegi, ma con ogni probabilità decisiva per i risultati nazionali e per la vittoria dell'Ulivo.

I due tronconi ex-democristiani del Polo (Ccd e Cdu) avevano raccolto all'incirca il 6 per cento, non più e non meno di quanto ci si aspettasse. Ma i candidati di area ex-democristiana avevano ottenuto buoni risultati, sia nell'Ulivo sia nel Polo, in confronto al '94: Andreotti l'ha annotato con soddisfazione. «I sessanta deputati sono divenuti sessantasette, e i trentaquattro senatori sono ora quarantanove.» Tra gli eletti l'inaffondabile Ciriaco De

Mita che Prodi, pur essendone stato un *poulain*, avrebbe volentieri relegato in un ruolo oscuro da Padre Giuseppe, ma che era ben risoluto a presentarsi, sia pure come isolato, ai suoi elettori: i quali gli avevano confermato la loro entusiastica fiducia.

Nel campo di Berlusconi la sconfitta delle politiche, sia pure decisa da un *fotofinish*, lasciò un profondo scoramento. Si ripeteva, nel centrodestra, ciò che era già avvenuto a sinistra due anni prima. Allora Occhetto era stato sommerso dalle critiche ingenerose di chi dimenticava quanto gli si dovesse per aver salvato il grosso delle truppe comuniste – divenute pidiessine – mentre infuriava un devastante terremoto politico e ideologico. Il peggio fu che alla fondatezza di quelle critiche Occhetto sembrava credere. Allo stesso modo non solo gli avversari ma anche gli «amici» se la presero con Berlusconi per il suo dilettantismo, il suo egocentrismo, le sue incertezze: senza tuttavia saper dire chi altro sarebbe riuscito nell'impresa di tenere a galla, alla seconda prova, un partito inesistente. A un uomo così travagliato l'annuncio della nomina di Antonio Di Pietro – si era ormai ai primi di maggio – a ministro dei Lavori pubblici dovette sembrare funesto. Dalla presenza del Grande Accusatore nel governo non potevano venirgli che guai.

Con l'invito a Di Pietro perché occupasse, nel governo dell'Ulivo, la poltrona di ministro dei Lavori pubblici, Prodi aveva giuocato d'anticipo. Dell'attribuzione a Tonino d'un dicastero s'era saputo prima che Scalfaro designasse ufficialmente Prodi come Presidente del Consiglio. Nella lettera di accettazione Di Pietro aveva scritto a Prodi: «Mi riconosco nei punti fondamentali del tuo programma, che sono proprio quelli che abbiamo tracciato nell'autunno scorso e resi pubblici con reciproci interventi sulla stampa». Quello che aveva portato Di Pietro al fianco di Prodi sembrava, in un così sobrio riassunto, un percorso lineare: ed era stato invece un percorso travagliato e zigzagante. La circostanza in cui l'ex-Pm aveva per la prima volta conosciuto Romano Prodi non era favorevole alla nascita d'una intesa. Durante le sue indagini a tutto campo sulla corruzione e sui finanziamenti illeciti ai partiti, Di Pietro aveva convocato anche Romano Prodi come teste. Di Pietro aveva aggredito il suo interlocutore con la tecnica inquisitoria che gli era abituale, e che gli aveva procacciato tanti successi. Prodi fu molto turbato dalla veemenza del Pm. Fu per lui un sollievo l'uscire dall'ufficio di Di Pietro, ma era, come disse poi, «arrabbiato», e forse voleva dire spaventato. Dopo d'allora era passata tuttavia molta acqua sotto i ponti. Prima che fosse annunciata, il 17 maggio 1996, la lista dei ministri le due Camere procedettero all'elezione dei loro presidenti. A Palazzo Madama andò Nicola Mancino, democristiano di lungo corso e «popolare» inaffondabile: a Montecitorio andò Luciano Violante del Pds; ex-magistrato delle covate di sinistra che aveva mantenuto legami assidui con le Procure.

Il ministero Prodi parve in complesso, per la qualità e la capacità delle persone, di notevole livello. Includeva due ex-Presidenti del Consiglio, Lamberto Dini e Carlo Azeglio Ciampi. Al primo furono assegnati gli Esteri, poltrona prestigiosa e defilata. L'abilità negoziatrice, la conoscenza degli ambienti internazionali – oltre che delle lingue – la mondanità un po' superciliosa, la moglie miliardaria facevano di Dini un perfetto titolare della Farnesina. Per di più, messo agli Esteri, non aveva voce in capitolo – nonostante la lunga esperienza bancaria – per la guida dell'economia italiana: e questo avrebbe evitato conflitti con Ciampi (cui lo legava una stagionata inimicizia) che dell'economia era, come ministro del Tesoro e del Bilancio, il supervisore e il coordinatore. Un altro esperto d'economia, Beniamino Andreatta, fu dirottato verso la Difesa. La vicepresidenza e il Ministero dei Beni culturali e ambientali (con delega per lo sport e lo spettacolo) furono assegnati a Walter Veltroni, sostenitore incondizionato di Prodi in un Pds dove molti erano, a cominciare dallo stesso D'Alema, i dubbiosi. La Quercia insediò al Viminale – che dopo il Romita del *referendum* istituzionale e fino al leghista Maroni era stato per quasi mezzo secolo un feudo democristiano – Giorgio Napolitano. Da lui non si poteva pretendere il pugno di ferro, nemmeno nascosto da un guanto di velluto, ma allo stesso tempo non si poteva temere alcuna sopraffazione. Dai suoi «quadri» o dai suoi professori il Pds attinse personaggi qualificati per le Finanze (il fiscalista Vincenzo Visco), per l'Istruzione (il «barone» universitario Luigi Berlinguer), per i Trasporti (Claudio Burlando che era stato sindaco di Genova, con qualche incidente giudiziario felicemente superato), per l'Industria (Pierluigi Bersani ex-presidente della regione Emilia-Romagna), per le Regioni e la Funzione pubblica (Franco Bassanini). Due ministri, affiliati infatti a Rinnovamento, Prodi li ebbe in eredità dal governo Dini: Augusto Fantozzi, angustiato dal cognome, al Commercio estero; e Tiziano Treu al Lavoro. I Popolari che insieme ad Andreatta ebbero un dicastero furono Rosy Bindi (Sanità) e Michele Pinto (Risorse agricole).

La Giustizia e le Poste erano, nella «squadra» di Prodi, posti

chiave. Da anni ormai le decisioni della magistratura influenza-
vano e condizionavano la politica. Forse anche per questo Prodi
scelse, per la guida d'un ministero preso nella morsa di magistrati inamovibili, di politici suscettibili e d'un Csm gelosissimo
delle sue prerogative, un tecnico. Non che questo fosse garanzia
di tranquillità, lo si era ben visto con Mancuso. Ma Giovanni
Maria Flick, il designato, amico di Prodi e a lui ideologicamente
vicino, non pareva proprio tipo da alzate d'ingegno temerarie.

Antonio Maccanico era fatto su misura per le Poste. Intelligente, amico di tutti, simpatico a tutti; avrebbe avuto il compito
di sbrogliare la matassa televisiva; che le sentenze della Corte
costituzionale, i *referendum*, i veti incrociati degli opposti schieramenti, gli anatemi degli antiberlusconiani e i gemiti vittimisti-
ci del Cavaliere avevano aggrovigliato come se fosse passata per
le mani d'una scimmia impazzita. Maccanico non aveva una
qualifica di tecnico, era in forza alla centrista Unione democratica. Ma si poteva essere certi che avrebbe agito da tecnico: non
delle poste, delle emittenze e delle frequenze, ma delle manuten-
zioni di Palazzo. I verdi ebbero, come da copione, l'Ambiente: il
cui titolare Edo Ronchi, rustico e imprevedibile personaggio, fu
presto in rotta di collisione con Di Pietro. A due signore del Pds,
Anna Finocchiaro e Livia Turco, toccò un paio di quei ministeri
dei buoni propositi che i Presidenti del Consiglio si sentono in
obbligo d'escogitare, a dimostrazione del loro interesse per gli
umili, i diseredati, i deboli, gli emarginati. La Finocchiaro ebbe
le Pari opportunità, che non si sa bene cosa significhi ma lo significa con enfasi, Livia Turco la Solidarietà sociale. Per soddisfare
i molti appetiti Prodi fu costretto ad aumentare il numero dei sottosegretari: 49, nella peggior tradizione repubblicana, contro i
42 di Dini e i 39 di Berlusconi. Merita un cenno, a titolo di curiosità, la nomina a viceministro della Difesa di Gianni Rivera, ex-
calciatore famoso che per la verità s'era distinto, sui campi di
gioco, più come attaccante che come difensore.

Gli obbiettivi che il governo s'era proposti – o che piuttosto gli
erano imposti dalla situazione del Paese e dagli impegni internazionali – apparivano d'una chiarezza abbagliante. L'Italia doveva intanto adeguarsi, entro il 1998, ai parametri di Maastricht:
ossia alle regole in mancanza delle quali le sarebbe stato negato
l'ingresso nel club dell'Euro, la moneta unica europea. Da questo punto di vista l'Italia stava, nel 1996, non solo peggio della
Germania e della Francia ma anche peggio della Spagna.
Guardiamo i dati. Maastricht vuole un'inflazione al 2,6 per cen-

to e l'Italia era al 4,7, sia pure con un andamento in rapida discesa (la Germania all'1,3, la Francia al 2,1, la Spagna al 3,8).
Maastricht vuole che il deficit statale rappresenti il 3 per cento
del prodotto interno lordo, e l'Italia era al 6,6 (la Germania e la
Francia al 4, la Spagna al 4,4). Infine – ed è per l'Italia il punto
più dolente – Maastricht vuole che il debito pubblico sia al massimo il 60 per cento del prodotto interno lordo, e in Italia era il
123 per cento (in Germania il 60,8, in Francia il 56,4, in Spagna
il 67,8). Lo Stato italiano porta un immane fardello di debito
pubblico per effetto di trascorse spensieratezze, inefficienze e
insensatezze: e deve rapidamente redimersi, con una condotta
virtuosa. La parola d'ordine per Prodi (così come per Amato, per
Ciampi Presidente del Consiglio, per Berlusconi) è risanare. Già,
ma come riuscirci? E dove risparmiare?

Di fronte a questi primi dilemmi Prodi s'è immediatamente
scontrato con le diverse anime (ma anime ingombranti quando
non paralizzanti) della sua alleanza. Per il superministro
dell'Economia, Carlo Azeglio Ciampi, che sa il fatto suo e gode
d'un invidiabile prestigio internazionale, la strada giusta era
quella suggerita dall'ortodossia economica, dai tecnocrati di
Bruxelles, dal Fondo monetario internazionale: abbassare la
spesa, non alzare la tassazione. Dello stesso parere erano i riformatori di Dini ed era – anche se non poteva gridarlo ai quattro
venti – Massimo D'Alema. Il partito trasversale di coloro che col
linguaggio d'un tempo sarebbero stati definiti cattocomunisti e
di coloro che con linguaggio attuale sono definiti neocomunisti –
la sinistra cattolica e Rifondazione – accettava sì il rigore, e
anche i tagli alla spesa, purché non si tagliasse niente: guai a chi
volesse toccare lo Stato sociale.

Su un altro versante, quello dell'impiego pubblico, l'idea del
licenziamento di statali in esubero o di statali incapaci era ed è
estranea al Moloch burocratico. Niente ricambi, niente selezione.
E soprattutto nessuno snellimento. La burocrazia ha – in comune
con alcune specie animali inferiori – la straordinaria facoltà di
ricreare le parti che le vengono amputate.

Il sistema è vigilato e protetto da una serie di corazze pressoché imperforabili. I pretori del lavoro che reintegrano nei loro
incarichi funzionari ladri e inservienti scolastici che favoriscono
lo spaccio di droga perché, in mancanza d'una sentenza passata in giudicato, sono presunti innocenti; i Tar che bloccano i trasferimenti e le punizioni. Sopra i Tar, se per caso si sono concessa qualche apertura al buon senso, sta il Consiglio di Stato. E

quando proprio appaia necessario interviene la Corte costituzionale composta in maggioranza da personaggi che hanno una matrice burocratica e formalistica, e che si comportano in coerenza con questo loro *pedigree*. Le pronunce bizzarre – ma d'una bizzarria mirata – di questi protettori della peggiore burocrazia sono per lo più accettate come un flagello naturale. Fatti d'ordinaria amministrazione, non «casi». «Caso» è invece diventato – perché connesso alle inchieste di «Mani pulite» – quello di Aldo Lattanzi; un maggiore della Finanza che, patteggiata una condanna per corruzione, e scontata una blanda sanzione disciplinare, era stato riammesso in servizio, con provvedimento firmato dal ministro delle Finanze Visco. Di fronte allo sconcerto dei cittadini lo stesso Visco spiegò che secondo i Soloni della giurisprudenza il patteggiamento non equivale a una condanna, e che di conseguenza l'incensurato (si fa per dire) Lattanzi – dopo un amorevole buffetto dell'amministrazione per le sue disinvolture – aveva pieno diritto di ricominciare, proprio lui, a fare le pulci ai contribuenti.

Qualche ministro di Prodi ha dichiarato guerra verbale – forse con le migliori intenzioni di far sul serio – alla semiparalisi amministrativa, e messo in cantiere progetti di profonda ristrutturazione: ad esempio la possibilità della cassa d'integrazione o del licenziamento per gli statali. Ma in tanti, nell'Ulivo o attorno all'Ulivo, erano, per motivi diversi, di parere contrario.

La lotta alla disoccupazione: che in Italia – e in tutto il mondo sviluppato – è una disoccupazione selettiva. Non lasciamoci fuorviare dalle piazze che invocano lavoro (e che pure esprimono, intendiamoci, sofferenze vere). Gli italiani, come i francesi o i tedeschi, lasciano ormai agli extracomunitari i lavori pesanti e sgradevoli, anche se pagati come da contratto. Decine di migliaia di candidati sgomitano per qualche posto pubblico, ma le scuole dei mestieri manuali, dove s'impara a essere falegnami o idraulici o elettricisti o carpentieri mancano d'allievi: e bisogna cercare i saldatori o i tornitori in Croazia o altrove, comunque fuori dai confini. Chiunque abbia un titolo di studio non ritiene che quel pezzo di carta attesti una determinata preparazione culturale o professionale: ritiene che quel pezzo di carta – avente valore legale – gli dia diritto a un posto che al pezzo di carta sia adeguato. Il fumoso pressappochista Bertinotti ha lanciato l'idea dello studio obbligatorio fino al titolo di scuola media superiore. Se compatibile con le risorse, è un'ottima idea: a patto però che i diplomati – e tutti lo sarebbero – non esigano un'occupazione da diplomato, ossia impiegatizia. In tal caso chi lavorerebbe in fabbrica o sul trattore? Il risultato del *todos empleados* sarebbe piuttosto singolare per l'apostolo del proletariato.

Le cifre della disoccupazione italiana ben superiore – ufficialmente – ai due milioni di unità, anzi vicina ai tre milioni, devono dunque essere interpretate. Risulta da sondaggi che di quei due milioni e rotti solo meno di duecentomila sono disposti ad accettare un posto qualsiasi, anche trasferendosi. Senonché nessuno cancella dagli elenchi dei disoccupati chi abbia ripetutamente rifiutato il lavoro che gli venga offerto. La piaga, intendiamoci, resta grave e dopo anni in cui nel Settentrione d'Italia – anche se nessuno lo ammetteva – esisteva la piena occupazione e le aziende si contendevano gli operai è venuto un periodo di vacche magre. I sindacati e i politici suggeriscono, per lenire la disoccupazione, i soliti incentivi come stanziamenti di fondi, lavori pubblici di dubbia utilità, salari ai giovani (misura quest'ultima attuata in Sicilia, e divenuta una fonte di parassitismo garantito). Ma Ciampi e Dini sanno che il rimedio vero alla disoccupazione si chiama mobilità. In Italia – ma anche nel resto d'Europa, con l'eccezione vistosa della Gran Bretagna – non si assume perché è difficile quando non impossibile licenziare. Il liberismo che gli Stati Uniti praticano ha spietatezze e ingiustizie: ma grazie ad esso l'America ha creato tra il '91 e il '96 quasi venti milioni di posti di lavoro, la disoccupazione era del 5 per cento (in Italia il 12), l'inflazione meno del due per cento, il tasso di crescita del 4,7, l'espansione economica impetuosa. In linea con la strategia americana, la Gran Bretagna dei conservatori aveva anch'essa un numero di disoccupati che era, in percentuale, la metà dell'italiano o del tedesco. Il laburista Tony Blair s'è ben guardato, vinte le elezioni e insediato al numero 10 di Downing Street, dall'alterare la linea liberista, ha agito da thatcheriano di sinistra. Quei modelli non sono probabilmente mutuabili in Paesi – particolarmente l'Italia – che alla competitività spietata della libera iniziativa sono refrattari e abituati all'assistenzialismo sprecone. Ma i vincoli devono essere fortemente allentati.

LA QUESTIONE GIUSTIZIA affiorava quotidianamente dalle cronache, e poi dalle polemiche infervorate e spesso avvelenate che ne derivavano. L'attivismo e il presenzialismo delle Procure «eccellenti» – Milano e Palermo in particolare – davano la sensazione che i magistrati potessero, con i loro procedimenti e con i loro interventi pubblici, orientare o imporre i comportamenti politici. La sinistra – con qualche eccezione di garantisti a tutta prova – s'era associata, nel segno di Tangentopoli e in omaggio al *pool* di «Mani pulite», al «partito dei giudici»: che aveva peraltro qualche ramificazione in Alleanza nazionale. Le proteste contro l'invadenza della magistratura, forte d'un vasto consenso e molto risoluta nell'utilizzarlo, erano lasciate a Forza Italia: ostile ai giudici, si diceva, non per motivi di principio ma perché Silvio Berlusconi era nel loro mirino. A un certo punto, tuttavia, la solidarietà ai magistrati e l'unanimità dei magistrati avevano perso compattezza. Anche a sinistra furono deplorati gli eccessi d'un presenzialismo che sconfinava nell'esibizionismo. Ci fu chi – in parallelo con i sospetti sul garantismo berlusconiano – attribuì questo mutamento di rotta alle incursioni che la magistratura andava facendo nella gestione finanziaria del Pci e poi del Pds, e nella contabilità delle «cooperative rosse». Ma la maggior causa del mugugno di sinistra per gli sconfinamenti delle toghe stava nella rivendicazione d'un non rinunciabile primato della politica. Un uomo come Massimo D'Alema, che nella chiesa comunista s'è formato, e ha una concezione precisa delle gerarchie sacerdotali, non poteva ammettere a lungo che i politici diventassero vassalli dei burocrati, e che gli eletti fossero posposti ai vincitori d'un concorso. Ma anche su un tema così scottante la maggioranza era disarticolata, e se da un lato D'Alema, e il senatore Giovanni Pellegrino, e il battitore libero Emanuele Macaluso davano ai giudici un sostegno con riserva, molti altri erano sempre e comunque dalla parte delle Procure.

La disputa sulla separazione delle carriere era determinante per i destini della giustizia. In Italia la carriera è unica. Chi ha superato il concorso per entrare in magistratura – che esamina, quando ci riesce, la preparazione «tecnica» dei concorrenti, ma non verifica né il loro equilibrio né la loro imparzialità né la loro correttezza – viene avviato a una carriera nel corso della quale potrà essere volta a volta Pm o giudice. Tangentopoli, e il fenomeno Di Pietro, hanno aureolato i magistrati, anche giovanissimi e, si suppone, inesperti, d'un prestigio e d'una autorità straordinari. Eppure sono «arruolati» allo stesso modo degli altri appartenenti alla burocrazia, hanno lo stesso retroterra ambientale e culturale. Ma gli italiani, che disistimano la burocrazia in generale e la ritengono inefficiente e poco preparata, fanno credito di grandi qualità ai magistrati, e approvano l'autonomia decisionale e l'indipendenza di cui sono dalla Costituzione gratificati. Il nuovo Codice di procedura penale e le vicende della lotta alla corruzione e alla criminalità organizzata hanno molto accresciuto il potere dei Pm, le cui proposte vengono tuttavia sempre vagliate da un giudice «terzo»: cui spetta d'autorizzare, o no, il rinvio a giudizio (è l'ormai famoso Gip). Ma è davvero «terzo» quel giudice, tratta cioè allo stesso modo le tesi del Pm e le tesi dei difensori? A questa domanda gli avvocati rispondono no, perché il Pm e il Gip – e questo vale per ogni altro grado di giudizio – sono colleghi.

Il centrodestra ha perciò sostenuto – sulla genuinità dei motivi per cui vuole il cambiamento è possibile avanzare, intendiamoci, ogni sospetto – che le carriere devono essere separate. I giudici siano giudici, sempre, gli accusatori siano accusatori, sempre: e se un cambiamento avviene equivale al normale passaggio da un lavoro all'altro (Di Pietro, tanto per citare un esempio, è stato prima commissario di polizia e poi magistrato). Come nei Paesi anglosassoni, come in Germania. In Francia la carriera è invece unica, ma i Pm hanno una dipendenza gerarchica precisa dai loro superiori e in definitiva dall'esecutivo.

Tutto questo è ipocrisia mirata, ribattono i Pm. Quello italiano è il miglior assetto che si possa immaginare per la magistratura, chi pretende di modificarlo ha come obbiettivo l'asservimento delle Procure.

NEL MAGGIO del 1994 una *troupe* televisiva americana della rete Abc, capeggiata dal «conduttore» e *reporter* Sam Donaldson, piombò a San Carlos de Bariloche in cerca di ex-gerarchi e ex-scherani del nazismo: si voleva imbastire una trasmissione su di loro, sui loro trascorsi, e sul loro esilio. Bariloche è in Argentina, ai piedi delle Ande, e dista quasi duemila chilometri da Buenos Aires. Molti tedeschi coinvolti nelle atrocità del regime hitleriano avevano, decenni or sono, cercato rifugio in Sud America, e i più prudenti s'erano rintanati in località remote, come appunto Bariloche: che è, vista dall'Europa, all'altro angolo del mondo, ma ha fama internazionale come stazione sciistica.

Un nazista Donaldson lo scovò presto, nella persona d'un certo Reinhardt Kops che aveva aiutato alcuni «camerati» a raggiungere l'Argentina, e che là s'era sistemato. Ma Kops, che prevedeva quali guai potessero capitargli se la sua faccia fosse apparsa nel documentario, sventò la minaccia indirizzando gli americani verso un personaggio che, sottolineò, era di ben maggiore rilievo. Quel personaggio era Erich Priebke che, capitano delle Ss nel comando romano del colonnello Kappler, per ordine dello stesso Kappler aveva partecipato alla strage delle Fosse Ardeatine, e abbattuto personalmente, a colpi di pistola, due ostaggi.

Un ottantenne «boia» della croce uncinata era stato così riportato, dalla penombra in cui era per tanto tempo rimasto, sotto la luce dei riflettori: una luce che per impulso delle organizzazioni internazionali dedite alla cattura di criminali nazisti divenne abbacinante. Una laboriosa procedura d'estradizione fu avviata, e conclusa nel novembre del 1995 con la consegna dell'ex-capitano alle autorità italiane, che lo rinchiusero a Forte Boccea. Competente a giudicarlo era infatti il Tribunale militare, sulle cui caratteristiche è necessario non fare confusione. Da tempo ormai nei Tribunali militari solo uno tra i giudici è un vero militare: gli altri due – così come il rappresentante dell'accusa – sono magistrati di carriera, entrati per concorso nella giustizia militare anziché in quella ordinaria.

Per strano che sembri, Priebke era restato, dal punto di vista giudiziario, ai margini del processo celebrato nel 1948, davanti al Tribunale militare di Roma, proprio contro i responsabili della rappresaglia per l'attentato di via Rasella. Era stato citato come testimone, ma a lui si rinunciò perché risultava irreperibile. Non si capisce bene perché sia stato escluso dal gruppo degli accusati: aveva una posizione che non differiva da quella dei cinque suoi «camerati» che, insieme a Herbert Kappler, furono imputati di strage. Il diverso trattamento appare a prima vista inspiegabile, e fu probabilmente dovuto ad una grande confusione e all'essere tutti gli occhi puntati, allora, su Kappler: unico condannato – all'ergastolo – dalla sentenza del Tribunale, confermata in appello e in Cassazione. I subordinati di Kappler furono prosciolti per avere obbedito a ordini superiori. La conclusione del drammatico dibattimento – trentaquattro udienze – non sollevò proteste. Nel darne notizia in una sobria cronaca in pagina interna con titolo su due colonne, il *Corriere della Sera* annotava: «La sentenza è stata pronunciata alle 23,15 (del 20 luglio 1948) ed è stata accolta con grida di approvazione dai familiari dei caduti». I giudici – che allora erano tutti militari «veri» – fissarono nelle loro motivazioni alcuni punti fermi: la rappresaglia

-10 ostaggi da sacrificare per ogni soldato tedesco ucciso – era stata feroce ma non estranea alle leggi di guerra; Kappler e i suoi ufficiali erano però diventati assassini comuni quando avevano incluso nella tragica lista cinque ostaggi in più di quelli previsti dal crudele *diktat* del Quartier generale hitleriano.

C'è chi si è scandalizzato per lo scarso zelo con cui ci si dedicò, in quella occasione, alla ricerca di Priebke. Se scandalo esiste, riguarda anzitutto un altro nome iscritto nella lista degli imputati irreperibili: è il nome dell'ex-maggiore Karl Hass che come Priebke sparò a due ostaggi delle Ardeatine, che è sempre vissuto non in Argentina ma in Italia, che aveva collaborato con i servizi segreti, che era ben noto sia alla Polizia sia alla Procura militare, e che è stato portato a Roma dal Pm Intelisano come testimone, perché accusasse Priebke (poi l'ha scagionato e s'è messo nei guai con un tentativo di fuga, ma questa è una delle tante strane appendici dell'*affaire*).

L'arrivo in Italia di Priebke, e la prospettiva d'una inchiesta e d'un processo che rievocassero una delle più fosche pagine dell'occupazione nazista, provocò una tempesta emotiva la cui intensità era direttamente proporzionale alla lontananza dal fatto. L'Italia si riscoprì virtuosa nel dare addosso al vecchio Priebke, dimenticando che qualche rappresaglia l'avevano perpetrata, in Jugoslavia, anche i reparti del Regio Esercito, e che terroristi truci, i cui misfatti risalgono a venti o dieci anni fa, sono in libertà o in semilibertà. Ma una dimenticanza ancora più rilevante, dal punto di vista giudiziario, condizionò il processo. Si gridò all'esigenza di conoscere la verità sulle Fosse Ardeatine quasi che la verità non fosse stata cercata, i fatti sviscerati, le responsabilità soppesate nel processo del 1948. Parve che per la prima volta uno dei «carnefici» dovesse render conto del suo crimine, e che per la prima volta i testimoni fossero in grado di raccontare la tragedia. A questa logica s'adeguò il Pm, Intelisano, che non denunciò come un imperdonabile errore la sentenza di mezzo secolo prima, ma scelse un'altra strada: quella di provare che Priebke non era stato un subalterno come gli altri, ma un *alter ego* di Kappler. La prova non fu ottenuta. L'accusa pubblica e privata lamentarono a più riprese che il ritmo del dibattimento fosse troppo sbrigativo. Il presidente Agostino Quistelli, il giudice Bruno Rocchi e il capitano medico Sabatino De Macis arrivarono al momento della sentenza con un marchio di sospetto se non d'infamia. Si temeva – e gli addetti ai lavori lo davano per certo – che Priebke sarebbe stato con un qualche espediente legale rimesso in libertà. Nel pomeriggio del 1° agosto 1996 Quistelli lesse il dispositivo della sentenza (uno dei giudici aveva fatto verbalizzare, in camera di consiglio, il suo dissenso). Priebke veniva riconosciuto colpevole di omicidio plurimo, ma le aggravanti erano considerate equivalenti alle attenuanti, il che escludeva la condanna all'ergastolo, faceva scattare i termini della prescrizione e apriva all'ex-capitano delle Ss le porte del carcere. Ciò che seguì fu indegno d'un Paese civile. La folla tumultuante – d'ebrei e di non ebrei – assiepata nell'aula e nei corridoi strinse d'assedio sia Priebke sia i giudici sia i carabinieri di servizio. Quistelli, Rocchi e De Macis furono costretti a rimanere chiusi per lunghe ore in un locale, e a servirsi di bottiglie per dar sfogo a qualche bisogno fisiologico. Mentre infuriava la canea contro il bieco Quistelli cominciavano a mobilitarsi i politici, ansiosi d'esprimere il loro sdegno, e il sindaco di Roma Rutelli accorse per annunciare che avrebbe fatto spegnere, in segno di lutto, le luci dei monumenti. Nessuna autorità si preoccupò della dignità e dell'incolumità dei giudici d'un Tribunale accerchiati e insultati dalla folla, nessuna autorità dichiarò che la sentenza doveva essere rispettata.

Nella notte il ministro della Giustizia Flick raggiunse la sede del Tribunale militare: non per portare con sé un consistente nucleo di forza pubblica e per liberare Quistelli e gli altri; disinteressandosi invece di loro si limitò ad incontrare il Pm Intelisano. Dopodiché, sudato e impacciato, annunciò alla folla («per rasserenare gli animi») che la polizia aveva emesso contro Priebke un nuovo ordine di custodia cautelare essendo pendente a suo carico una richiesta d'estradizione della Germania. Vi fu un boato di soddisfazione, la sentenza era stata vanificata, dunque giustizia era fatta. Questa volta la gherminella politica che compiaceva gli umori popolari era di grana così grossa – tanto più che l'aveva escogitata un esperto di diritto – che anche a sinistra molti ne furono turbati. Il presidente della Commissione giustizia della Camera Giuliano Pisapia (Rifondazione comunista) dichiarò senza mezzi termini che «anche se quella sentenza ha trovato unanimi nella critica le forze politiche, l'operatore del diritto non deve mai accettare decisioni che derivano dall'esigenza di soddisfare l'opinione pubblica».

Dopo che a Priebke erano stati concessi gli arresti domiciliari – da trascorrere nella pace d'un convento – si arrivò al processo bis: con nuovi giudici, un nuovo difensore (l'onnipresente professor Carlo Taormina), un imputato aggiunto (Karl Hass) e lo stesso Pm, Antonino Intelisano. L'atmosfera del dibattimento, pressoché ignorato dall'opinione pubblica, era meno tesa. Priebke ripeté in una lunga dichiarazione – 24 giugno 1997 – che non poteva sottrarsi all'ordine di strage («Kappler fu irremovibile, l'ordine veniva direttamente da Hitler, chi si rifiutava sarebbe stato mandato al Tribunale delle Ss»); ripeté inoltre che in mezzo secolo non aveva mai nascosto la sua identità. «Nel 1993 – disse – cenai con gli eurodeputati Gerardo Gaibisso e Carlo Casini nella sala dell'Associazione italiana di Bariloche.» Priebke, rispettato notabile della località, era tra i promotori dell'incontro. «Scambiai con lui poche parole di circostanza – ha ammesso Carlo Casini – ma non sapevo chi fosse.»

Il 22 luglio 1997 la replica processuale giunse a conclusione con una sentenza che era anche un capolavoro d'alchimie cavillose. Sia Priebke sia Hass venivano condannati per omicidio plurimo, quindici anni al primo, dieci al secondo: per Priebke l'entità della pena era inferiore a quella decisa da Quistelli (ventiquattro anni). Senonché Quistelli aveva ritenuto che scattasse, in favore dell'imputato, la prescrizione. Luigi Maria Flamini (il nuovo presidente) e gli altri giudici del secondo processo hanno stabilito invece che la strage delle Ardeatine era un crimine contro l'umanità, come tale imprescrittibile. A entrambi gli imputati sono stati condonati dieci anni, il che equivaleva per Hass all'immediata liberazione, e per Priebke a una liberazione ritardata quel tanto che bastava per salvare la faccia. Ma ancora non bastava. Il 7 marzo 1998 la Corte militare di appello inflisse a Erich Priebke e a Karl Hass l'invocata pena dell'ergastolo.

Sulla scia del «caso Priebke», e con un intento commemorativo che ai crimini del nazismo era strettamente connesso, un consigliere comunale pidiessino di Roma, Victor Magiar, aveva avanzato la proposta d'un «luogo della memoria di coloro che, nel corso di questi duemila anni, sono caduti sotto i colpi delle violenze religiose, etniche, ideologiche e sociali». All'iniziativa di Magiar si associò, in una lettera aperta indirizzata al sindaco Rutelli, una quarantina di intellettuali e politici della sinistra. L'idea, riconobbero in molti, era nobile, ma occorreva precisare quali stermini meritassero, per le loro dimensioni e le loro caratteristiche, d'essere ricordati nel museo: e su questo tema fu imbastito un dibattito acceso e disordinato, durante il quale Magiar sentenziò che insieme alle vittime del nazismo potevano figurare nel «luogo della memoria» «tutte le culture minori fatte sparire da quelle egemoni, dagli indiani d'America agli Ugonotti»; Luca Zevi della comunità ebraica romana si dichiarò disposto a includervi «il genocidio degli armeni e quello dei curdi»; Roberto Vacca si chiese perché non ci si occupasse allora dei tasmaniani, «popolazione molto poco interessante, sterminata alla fine del secolo scorso, che non ha lasciato nessuna traccia di civiltà, vestiva con pelli di canguro e non conosceva neppure i cibi cotti, ma solo affumicati». Ma queste erano divagazioni sofisticate fino alla stravaganza. In buona sostanza la polemica si ridusse a un solo quesito: gli orrori delle foibe potevano o no essere associati – per la loro efferatezza – a quelli dell'olocausto, e gli stermini del comunismo erano paragonabili agli stermini del nazismo?

Le foibe – dal latino *fovea* (fossa) – sono depressioni profonde anche decine di metri, e a forma di imbuto, che la natura ha creato nei terreni carsici del confine orientale italiano. Le foibe divennero, tra la fine del 1943 e tutto il 1945, le tombe di sventurati che i partigiani di Tito, a volte con la volonterosa collaborazione di partigiani comunisti italiani, misero a morte perché fascisti, o perché sospetti di fascismo, o semplicemente perché italiani. È impossibile accertare il numero delle vittime, ma di sicuro furono nell'ordine delle decine di migliaia. Solo di rado esse venivano prima fucilate e poi infoibate. Spesso le vittime finivano nell'abisso quando respiravano ancora. La furia dei persecutori era feroce: vi furono uomini evirati e accecati, donne stuprate. Qualcuno venne legato ai cadaveri d'altri «giustiziati» con filo spinato e gettato vivo nei crepacci. Un Pm romano, Giuseppe Pititto, aveva avviato qualche anno fa un'inchiesta su questi scempi, e identificato due presunti responsabili, Ivan Matika (un giudice titino che avrebbe mandato a morte migliaia d'italiani) e Oskar Piskulic, già capo della polizia segreta di Tito a Fiume. Nelle carte di Pititto figurava anche il nome del partigiano comunista Mario Toffanin («capitan Giacca») che era stato condannato all'ergastolo per aver fatto uccidere ventidue partigiani «bianchi» della brigata Osoppo, e che, graziato da Pertini nel '78, vive ora in Slovenia e percepisce, al pari di tanti altri «titini», una pensione mensile dell'Inps.

Quando la faccenda del museo s'incentrò sul parallelo tra le Fosse e le foibe – fu chiaro che quasi nessuno aveva l'animo sgombro da preconcetti. Non lo aveva Stefano Rodotà il quale sottolineava che gli italiani avevano compiuto atti di guerra anche atroci in Jugoslavia (il che secondo lui legittimava in qualche modo così la spaventosa risposta delle foibe) e poi aggiungeva: «Ci sono differenze enormi tra uno sterminio e un altro. Nell'Olocausto c'era un programma scientifico di sterminio d'un popolo e d'una razza. Le foibe sono state orribili, è vero, ma sono manifestazioni di brutalità di tipo militare, come ne abbiamo avute tante nella storia». In realtà la logica di Rodotà porta a una deduzione obbligata: scartato uno sterminio perché era brutalità militare, scartato un altro perché non mirava all'eliminazione d'un popolo e d'una razza, l'unico sterminio che valga veramente la pena di condannare è l'Olocausto: semmai aggiungendoci l'eliminazione degli indiani d'America. Si può convenire con Rodotà sulla connotazione unica – per la sua implacabile e mostruosa coerenza – dell'antisemitismo nazista. Riconosciuto questo, vien fatto peraltro di chiedersi se ne vengano riabilitati Stalin, Pol Pot, e i massacratori delle foibe. La voglia di sangue di Stalin – a volte sistematica e a volte erratica, ma appagata da milioni di morti – ha attenuanti? Ne ha la furia sterminatrice di Pol Pot, che non dava la caccia agli ebrei ma faceva ammazzare chi portasse gli occhiali, perché borghese e nemico del popolo? Queste osservazioni riguardano i *leaders* dell'orrore. Se poi ci si riferisce agli esecutori e in generale agli assassini «politici» la tesi di Rodotà e di chi ragiona come lui diventa ancora più fragile. L'ideologia nazista si tradusse, non c'è dubbio, in crimini contro l'umanità. Ma lo stesso può dirsi per gli atti compiuti da ogni subordinato dell'immane macchina hitleriana di guerra e di repressione? Priebke, che partecipò a una rappresaglia impostagli, fu più disumano degli infoibatori e anche, per essere chiari, dei terroristi che in tempo di pace, non per ritorsione a un attentato né per obbedienza agli ordini ma per obbedienza ad un fanatismo cieco feroce e sciocco abbatterono i cinque uomini della scorta di Moro e poi abbatterono lo stesso Moro? Sono domande inquietanti, alle quali la sinistra aveva voluto rispondere durante il processo Priebke con una verità assoluta (da corroborare allestendo il museo degli stermini): e la verità per la sinistra è che il nazismo fu il male assoluto, e il comunismo fu una speranza benintenzionata anche se fallimentare, con qualche episodio di «brutalità».

TRA I PRIMI ASSILLI della maggioranza vi fu il cambio della guardia alla Rai e in altri posti di sottogoverno. Letizia Moratti se n'era andata in anticipo dalla Rai, sbattendo la porta, com'era nel suo carattere, anzi nel suo caratteraccio, e l'*interim* della presidenza era stato assunto da Giuseppe Morello, anziano giornalista di Palazzo. Toccava a Mancino e a Violante – e di nuovo si aveva un'accoppiata di maggioranza – d'indicare i componenti del Cda ulivista. Se volevano marcare la differenza tra le due gestioni, i Presidenti delle Camere ci riuscirono alla perfezione. I cinque saggi di loro scelta furono Enzo Siciliano, Fiorenza Mursia della dinastia editoriale, l'imprenditrice Federica Olivares, la regista Liliana Cavani e il costituzionalista Michele Scudiero. L'ex-presidente della Corte costituzionale Francesco Paolo Casavola rimpiazzava Giuseppe Santaniello come garante del sistema di comunicazione italiano. Secondo qualche malalingua doveva entrare nel Cda non Fiorenza Mursia ma la madre Giancarla, senonché per un errore l'invito era stato recapitato alla figlia, che un po' sorpresa aveva accettato. Fosse vera a no questa diceria, certo è che la rappresentanza femminile era forte, benché orbata della presidenza: che spettò invece a Enzo Siciliano, un letterato morbido – anche fisicamente – dopo Letizia, la donna d'affari il cui viso ricordava una scultura (autentica) di Modigliani.

Forse la sola propensione per l'Ulivo – con un appello alla «nuova Resistenza» dopo la vittoria di Berlusconi e un brindisi gioioso a Botteghe Oscure la notte della rivincita – non sarebbe bastata per procacciare a Siciliano il prestigioso incarico. Militava in suo favore un'altra importante circostanza: da sempre Siciliano odiava la televisione «attraverso la quale si sta demolendo ogni forma di cultura in Italia». L'affermazione di Siciliano è più che fondata; e il suo disprezzo per il piccolo schermo trova molti consensi: ma si sarebbe potuto ritenere che queste posizioni severe sconsigliassero di prendere in considerazione il suo nome per la guida della Rai, e inducessero lui a un rifiuto, se la guida gli fosse stata offerta. È andata invece in altro modo.

Siciliano, sessantatré anni compiuti e portati piuttosto bene, era in realtà romano di nascita. Considerava però questo suo dato anagrafico «del tutto trascurabile da un punto di vista letterario». Non trascurabili erano altri dati della sua biografia. Come scrittore aveva attraversato «i territori del romanzo, del teatro, del cinema, della poesia». Nelle stanze di *Nuovi Argomenti*, la rivista da lui diretta e fondata da Alberto Moravia, «ha assistito – ricordava Pierluigi Battista sulla *Stampa* – al passaggio di almeno tre generazioni di scrittori incarnando il ruolo del più giovane nella prima, del fratello maggiore nella seconda, del padre premuroso nella terza». I suoi numi tutelari furono

Moravia e Pier Paolo Pasolini, del leggendario *clan* moraviano era un fedelissimo, i suoi ricordi sono affollati di nomi citati affettuosamente e colloquialmente senza cognome, Dacia, Laura, Natalia, Elsa (Maraini, Betti, Ginzburg, Morante). Per l'onnipresenza mondana Sergio Saviane gli aveva affibbiato un perfido «salotto continuo», altri l'aveva annoverato tra gli «Enzi inutili». Ma lui navigava sicuro nel mare delle patrie lettere, otteneva premi e riconoscimenti di rango, come la direzione del fiorentino Gabinetto Viesseux.

Siciliano ha resistito con olimpica calma alla caterva di critiche e d'ironie riversatasi su di lui. Ha resistito fino al gennaio del 1998, quando Roberto Zaccaria, già a lungo consigliere di amministrazione della Rai, ha preso il suo posto. Al vertice dell'Enel era stato invece issato il quarantaquattrenne Chicco Testa, lombardo, contestatore, ambientalista, antinuclearista accanito, militante del Partito comunista ma antisovietico. Il professor Felice Ippolito diceva di lui che era «un radicale romantico con il quale non si può nemmeno cominciare a discutere» e Romano Prodi, fautore convinto del nucleare, lo liquidava come «una graziosa testa calda». Le provocazioni sollecitavano la sua vanità, aveva posato per un fotoromanzo sul giornale delle prostitute *La Lucciola*. Difendeva i diritti dei *gay*, e Francesco Merlo sul *Corriere* ha riportato i mugugni dei comunisti di Treviglio: «Il compagno Testa ci spieghi perché ha riempito il Partito e l'Arci di busoni». Ma sotto quelle vesti bizzarre batteva il cuore d'un *manager*, e il sindaco Francesco Rutelli, altra testa graziosa ma meno calda, ne avvertì il pulsare e nominò Testa presidente dell'Acea, l'azienda comunale di Roma per l'elettricità e l'acqua: il trampolino che ci voleva per il salto all'Enel. La designazione di Testa – già nemico a oltranza dell'Enel – alla presidenza dell'Enel aveva le connotazioni d'una stravaganza: corretta però dalla contemporanea nomina di Franco Tatò come amministratore delegato dell'ente elettrico, ossia come vero timoniere del colosso. Tatò da Lodi, detto Kaiser Franz per gli studi e le esperienze manageriali in Germania oltre che per il temperamento ruvido.

Alle Ferrovie Giancarlo Cimoli – poi associato al professor Dematté – ha occupato il posto già tenuto con splendori rinascimentali da Lorenzo Necci, e s'è subito trovato alle prese con una spaventosa voragine di perdite e con un contenzioso aspro per gli «esuberi» (solo in Italia, tra i Paesi sviluppati, alla guida dei treni sono due macchinisti, anziché uno solo). Questi avvicendamenti – dal Polo stigmatizzati come lottizzazioni – sono avvenuti senza eccessivo travaglio. V'è stata invece battaglia, e battaglia grossa, per l'Iri dove il presidente Michele Tedeschi era entrato in conflitto con Fabiano Fabiani, gran capo di Finmeccanica, uno dei settori della *holding*. Fabiani non era un *manager* qualsiasi. Uscito dalla covata fanfaniana, giornalista (è stato direttore del Tg1), aveva portato nelle aziende di Stato, durante quarant'anni, la sua efficienza da culdipietra e la sua abilità di politico collaterale. I propositi dell'Iri – che a suo avviso voleva vendere Finmeccanica come uno «spezzatino» – non gli andavano a genio, e nemmeno gli andavano a genio i propositi del governo benché a Prodi lo legasse una solida amicizia. Sacrificato dal governo sull'altare della coerenza economica, per coerenza personale si era orgogliosamente dimesso.

La conquista dell'Euro è stata la grande promessa e la grande scommessa di Prodi e dei suoi ministri finanziari. Conquista dell'Euro voleva dire essere in regola con i parametri di Maastricht alle scadenze fissate. Il 1° gennaio 2002 circoleranno in tutti i Paesi ammessi nel club della moneta unica le banconote e le monete in Euro, valide per un semestre insieme alle monete e alle banconote nazionali. Dal 1° luglio 2002 rimarrà solo l'Euro, le banconote nazionali avranno perduto valore legale, ma i distratti che non se ne fossero sbarazzati disporranno di tempi lunghi per cambiarle agli sportelli delle banche autorizzate. Tra gli eletti dell'Euro l'Italia ci sarebbe stata, Prodi e Ciampi lo giuravano nonostante gli scetticismi e i commenti acri interni e internazionali. Ma il biglietto per il viaggio verso l'Euro era caro, e gli italiani se ne accorsero presto: anche se il governo, preoccupato per l'amaro della medicina che si apprestava a propinare loro, ricorreva ad eufemismi.

L'avvio di Prodi e di Ciampi fu in sordina. A metà giugno del 1996 venne varata una «manovra correttiva» (affettuosamente battezzata manovrina) sedicimila miliardi: undicimila di tagli alla spesa e cinquemila di nuove entrate; e alla fine di quel mese il Consiglio dei Ministri approvò il Documento triennale di programmazione economico-finanziaria in cui era prevista, per il 1997, una manovra di 32 mila miliardi. Un terzo del totale costituito da nuove entrate, ossia da tasse. La botta era forte ma, si assicurò, definitiva. A breve distanza di tempo Prodi, Ciampi e il ministro delle Finanze Visco rivelarono agli italiani che per l'Europa ci voleva ben altro. La manovra sarebbe stata non di 32 mila ma di 62 mila miliardi, con una tassa *una tantum* per l'Europa da restituire un giorno, almeno in parte, ai contribuenti. Accusato d'aver detto bugie, Ciampi spiegò che la mazzata era diventata indispensabile per l'improvvisa accelerazione subita dal processo d'avvicinamento alla moneta unica. I sindacati e anche Rifondazione accettarono, tra proteste ed effimeri veti, l'entità del salasso, ma ottennero che esso scalfisse senza davvero intaccarlo il sistema pensionistico e le incrostazioni parassitarie.

Il centrodestra – che soffiava sul vento del malcontento, sostenendo che la manovra era dura come quella che il governo Berlusconi voleva, ma era anche sterile – indisse per il 9 novembre, a Roma, una manifestazione di piazza il cui successo allarmò D'Alema (Prodi affettò invece la sua olimpica tranquillità). Un milione o poco meno di persone ascoltò in piazza San Giovanni, luogo deputato dei comizi di sinistra, i capi del Polo: con Berlusconi che intimava a Prodi di tornarsene a casa mentre Buttiglione parlava di «dittatura sudamericana».

L'ULIVO E IL POLO duellarono, nel maggio del 1997, in un test elettorale significativo. Si votava per i sindaci di dieci città capoluogo e per alcune amministrazioni provinciali. Due risultati soprattutto erano attesi con ansia negli opposti schieramenti: quello di Milano e quello di Torino. L'esito dei due maggiori duelli era incerto, e la vittoria dipendeva dalle scelte decisive dei moderati ancora in forse. Per questo l'Ulivo schierava candidati rassicuranti, che smentissero per ciò che erano – non solo per ciò che dicevano – ogni sospetto di sinistrismo all'antica. Infatti a Milano si fronteggiavano due imprenditori, Gabriele Albertini (Polo) e Aldo Fumagalli (Ulivo). A Torino l'uscente Valentino Castellani, un professore universitario che nel suo mandato precedente aveva acquisito largo e non immeritato credito, doveva vedersela con Raffaele Costa, un liberale che nella politica militava da tempo e che s'era distinto – in tempi d'acquiescenza consociativa – per le sue coraggiose battaglie contro gli abusi e i privilegi dei partiti e dei loro notabili. A Trieste chiedeva conferma, per l'Ulivo, un altro imprenditore, il re del caffè Riccardo Illy.

Il verdetto fu di sostanziale parità, nei voti e nella spartizione delle città. Albertini, un uomo grigio di faccia arcigna e negato alla retorica che proprio per questo, probabilmente, era piaciuto ai milanesi, prevalse con largo margine su Fumagalli, a Torino Castellani s'impose per un soffio, quattromila voti, su

Costa. Illy si affermò senza patemi d'animo a Trieste, Ancona e Novara ebbero sindaci dell'Ulivo (Renato Galeazzi e Giovanni Correnti), sindaci del Polo ebbero Catanzaro (Sergio Abramo), Terni (Gianfranco Ciaurro) e Crotone (Pasquale Senatore). La sorprendente Lega si aggiudicò Pordenone (Alfredo Pasini) e Lecco (Lorenzo Bodega). Se al Polo fossero andate le due metropoli in lizza si sarebbe potuto parlare di sconfitta dell'Ulivo, se l'Ulivo avesse conquistato Milano sarebbe stata la disfatta del Polo. Da Prodi l'esito fu considerato soddisfacente, e non aveva torto. Il Polo era uscito piuttosto bene dalla prova. Le amministrative erano state un tormento per Berlusconi, che aveva finalmente catturato, con Milano, una preda grossa.

Prodi aveva l'aria d'essere rilassato, sicuro, a suo completo agio nella guida d'una maggioranza le cui fibrillazioni cardiache venivano interpretate – molto a torto – come gli innocui svenimenti, nell'Ottocento, delle signorine di buona famiglia. Il Professore di Bologna aveva molto guadagnato in autorevolezza, e anche in grinta. Ci teneva a sfatare il *cliché*, che l'aveva accompagnato durante i primi mesi a Palazzo Chigi, di re Travicello messo lì per volere di D'Alema.

Un giornalista che pure non gli è ostile aveva usato il termine «ganassite» («ganassa» in milanese è uno spavaldo, se non uno spaccone) per definire il Prodi in versione aggiornata: imitatore di Sisto V che, eletto Papa, aveva gettato il bastone cui s'era appoggiato, vacillante e smarrito, entrando in conclave, e aveva portato allo scoperto la sua autentica tempra di monarca autoritario. Non che Prodi gli somigli, nel cinismo e nel dispotismo. Ma i farfugliamenti incerti, i borbottii goffi, le professioni d'umiltà del suo avvio potevano anche essere visti, alla luce di questi sviluppi, come una tattica sottile che aveva ingannato molti, quasi tutti. Sia come sia, Prodi aveva capito che la sua debolezza di capo d'una coalizione in apparenza vulnerabile, e di comandante d'un esercito dove le sue truppe contano poco o niente, era anche la sua forza. Collocato come chiave di volta in un arco politico dagli equilibri delicati, il Romano di Bologna capiva d'essere diventato indispensabile perché, se lo si toglieva, l'intera costruzione era a rischio di crollo.

SI SAPEVA che l'autunno del 1996 avrebbe riportato sull'Italia, dopo la calma vacanziera d'agosto, nuvoloni politici, economici, giudiziari: ma nessuno era stato in grado di preve-

dere la bufera che investì le Ferrovie dello Stato, la magistratura, e il governo nella persona di Antonio Di Pietro: e che traeva
origine – questa fu una sorpresa nella sorpresa – da un'iniziativa non del *pool* di «Mani pulite», ma da un'iniziativa dell'appartata e oscura Procura di La Spezia. Per ordine dei Pm Alberto
Cardino e Silvio Franz la polizia procedette, il 15 settembre, a
una retata di personaggi in vista, alcuni mandati in carcere, altri
agli arresti domiciliari. Figurava nell'elenco una vecchia e nota
conoscenza dei «palazzacci», il finanziere internazionale (con
accento pisano) Pierfrancesco Pacini Battaglia. Ma al suo nome
non immacolato se ne aggiungevano altri che definiremmo
insospettabili se il termine potesse avere ancora un briciolo di
credibilità. Anzitutto Lorenzo Necci, amministratore delegato
delle Ferrovie dello Stato, ministro *in pectore* del mancato
governo Maccanico. E poi l'amministratore delegato della fabbrica d'armi Oto Melara, Pierfrancesco Guarguaglini, l'ex-nota-
bile Dc (e piduista) Emo Danesi, i magistrati Roberto Napolitano
e Orazio Savia, già sostituti alla Procura della capitale. Infine,
trascinata anche lei nel gorgo, la fedele segretaria di Pacini
Eliana Pensieroso. La sferza di La Spezia si abbatteva inoltre su
personaggi già indagati come l'ex-capo dei Gip romani, Renato
Squillante. Era questa, si affermò, la Tangentopoli 2: ma la
numerazione appare piuttosto arbitraria, le Tangentopoli s'in-
trecciano e formano una catena della quale è arduo, o impossibile, distinguere gli anelli.

Al di là delle formulazioni tecniche, i reati di cui gli inquisiti
dovevano rispondere erano quelli classici del repertorio tangen-
tistico: corruzione, appalti truccati, elargizioni di denaro a qualcuno perché favorisse qualcun altro, interferenze nell'assegnazione di poltrone pubbliche; e infine, come extra che rendesse
più appetitoso e piccante il *menu* standard, il traffico di armi. Al
centro di questo andirivieni di miliardi e di favori stava – come
il dirigente d'una cabina di smistamento ferroviaria, tanto per
stare in argomento – Pierfrancesco Pacini Battaglia detto «Chicchi», l'uomo che per il Gip milanese Italo Ghitti era appena un
gradino sotto Dio. L'inchiesta aveva il suo fondamento in una
messe imponente d'intercettazioni telefoniche: ed era stata affidata dai Pm di La Spezia al Gico (Gruppo investigativo sulla criminalità organizzata) della Guardia di Finanza di Firenze. Il
Gico aveva riassunto i risultati dell'indagine in un lungo rapporto – trasmesso alla Procura di La Spezia – che dalle intercettazioni traeva conclusioni, poi aspramente contestate.

Pacini Battaglia è un toscanaccio a prima vista estroverso e ben decifrabile: vociante, donnaiolo, amante dei cavalli, giocatore d'azzardo, gagliardo bevitore, smargiasso: eppure con risvolti molto misteriosi. A cominciare dal cognome. Per i primi ventidue anni della sua vita s'era chiamato solo Pacini, poi una sentenza del Tribunale di Pisa aveva accessoriato il Pacini con un Battaglia grazie al quale attorno al giovanotto aleggiava una certa aura nobiliare. Però nobili i suoi non lo erano di certo: pescatori furbi, s'erano arricchiti – stando alle memorie paesane – con la bonifica del Padule di Bientina, il paese dove «Chicchi» è nato nel 1934: ma la crisi dell'agricoltura li aveva colpiti duramente. Il padre, avvocato, era anche stato – secondo una dichiarazione dello stesso Pacini Battaglia – un «importante gerarca fascista». Ottenuta la maturità scientifica, intrapresi studi universitari mai completati, superata una breve esperienza come operaio in una fabbrica di refrattari, Pacini Battaglia s'era dedicato alle sue vere vocazioni: che erano la bella vita – e poco gli interessava che fosse una vita indebitata – e l'intermediazione. Uno spiccato talento da faccendiere. Nel 1980, dopo un'intrusione della Finanza nelle sue attività italiane, s'era trasferito a Neuchâtel. Lì aveva impiantato una fabbricuccia d'etichette per bottiglie. Per quale miracolo quel modesto avvio svizzero abbia consentito a Pacini Battaglia di fondare, già l'anno successivo, la finanziaria Karfinco, e nel 1985 d'ottenere che potesse operare come una banca, è impossibile dirlo con il metro della normale logica economica. La spiegazione va cercata altrove, e del resto l'ha data in qualche modo lo stesso Pacini Battaglia negli interrogatori cui fu sottoposto nel 1993 dal *pool* di «Mani pulite». Tra il 1987 e il 1992 la Karfinco era stata il centro di raccolta e di distribuzione di 60 milioni di dollari «neri», un centinaio di miliardi di lire, messi dall'Eni e dalle sue propaggini a disposizione del sistema tangentizio, con il Psi e la Dc a fare la parte del leone. Oggi la Karfinco ha una sigla diversa, Bpg (*Banque de patrimoines privés*, Genève).

La figura di Pacini Battaglia era così incombente sull'arraffa arraffa pubblico e privato che il *pool* di «Mani pulite» doveva per forza imbattervisi, nella sua esplorazione delle fogne tangentizie: e infatti il faccendiere italo-svizzero (aveva preso la cittadinanza della Confederazione) divenne assiduo della Procura milanese. Lo martellò Di Pietro, lo martellarono altri del *pool*, e su di lui s'addensarono undici richieste di rinvio a giudizio per altrettanti episodi o imputazioni che formavano un immane garbuglio di spericolatezze miliardarie. Fortunato – o come alcuni insinuano privilegiato – il *patron* della Karfinco aveva tuttavia evitato l'arresto: nei percorsi accidentati di Tangentopoli era stata trovata per lui una corsia preferenziale. La qualifica di supertestimone, che nelle cronache giudiziarie viene elargita con generosità, gli calzava a pennello.

L'indulgenza accordata a Pacini Battaglia da un *pool* che non s'era mai fatto troppo pregare per mandare in galera i sospettati poteva obbedire a una strategia utilitaria: che era poi quella del pentitismo, e dei «premi» ai «collaboranti». Ad essa non erano però vincolati i Pm di La Spezia che senza esitare avevano messo sotto chiave Pacini Battaglia, e con lui Necci: un «boiardo» di gran lignaggio, intelligente, efficiente, ammanigliato con i politici, salottiero. «Lorenzo il Magnifico» del quale, prima del dispetto di due giovanotti come Cardino e Franz, non si parlava che bene, in tutti i partiti e in tutte le terrazze romane. S'era laureato in giurisprudenza a Roma ed aveva intrapreso la carriera universitaria come assistente d'un maestro indiscusso del diritto amministrativo, Massimo Severo Giannini.

La sua scalata aveva avuto per scenario le vette dirigenziali di colossi dell'industria: Enichem, Enimont, quel settore chimico i cui bilanci rovinosi hanno funestato più d'una carriera e d'una sostanza, ma non le sue. Della politica non era stato spettatore interessato, ma militante e partecipe. Quest'uomo di bell'aspetto e di multiforme ingegno fu messo, nel 1990, a capo di quel carrozzone sgangherato che ha nome Ferrovie dello Stato: e che già si era distinto, oltre che per l'inefficienza, per gli scandali in cui erano stati coinvolti i suoi vertici politici, tanto che un presidente, il calabrese Ligato, era stato prima messo sotto inchiesta per accuse di forniture «truccate» e poi assassinato dalla 'ndrangheta. Circondato da diffusa stima e fiducia, Necci aveva messo a punto programmi ambiziosi per risanare il gigante malato. Creatura prediletta di Necci era il progetto dell'Alta Velocità, che comportava investimenti massicci: voleva portare le Ferrovie italiane al livello delle francesi, delle tedesche, delle svizzere.

Le conversazioni collezionate dai finanzieri del Gico, trasmesse alla magistratura e lestamente date in pasto ai mezzi d'informazione delineavano il solito torbido intreccio tra affaristi, politici, boiardi, magistrati, avvocati: una piovra di favori e di omertà che allungava i suoi tentacoli nei palazzi romani, nei piani nobili delle grandi imprese, nei corridoi dei Palazzi di

Giustizia. Un universo, stando alle voci captate, d'incredibile volgarità e meschinità di linguaggio: i termini che si riferiscono agli organi genitali dominavano, e accanto alla loro schiettezza *osée* era tutto un crepitare d'ammiccamenti, di frasi mozze, di sottintesi criptici. Il pecoreccio s'intrecciava all'alta finanza, gli interlocutori ragionavano di miliardi come fossero poca cosa, e Pacini Battaglia, Babbo Natale sboccato, prodigo e irruente nonostante i due *by-pass* che l'avevano afflitto negli ultimi anni, aveva una buona parola e un mucchietto di quattrini per tutti. Foraggiava con venti milioni al mese – la restituzione era senza data fissa – il povero Necci cui lo stipendio delle Ferrovie non bastava, con tutti gli impegni mondani e politici dai quali era assillato: era pronto ad ottenere per la figlia di Necci, Alessandra, un incarico molto vago ma ben remunerato da un qualche potentato mediorientale. Come sempre accade, l'impietosa divulgazione delle intercettazioni aveva uncinato persone innocenti o comunque estranee all'inchiesta.

Ma aveva uncinato, quella divulgazione, anche una preda grossa, anzi grossissima, Antonio Di Pietro. Parevano compromettenti per l'ex-Pm soprattutto quattro passaggi dei farraginosi sproloqui di Pacini Battaglia. A Enrico Minemi, già dirigente dell'Eni, aveva detto: «Si è usciti da "Mani pulite" parlando di qualcun altro... e perché si è pagato». All'avvocato Marcello Petrelli: «A me Di Pietro e Lucibello m'hanno sicuramente sbancato». All'avvocato Lucibello: «C'avevamo un unico pezzo bono in famiglia... che si chiamava Antonio». E per il *pool*: «Come sono difeso dal *pool* a Milano sono difeso da Salamone (il Pm che aveva indagato su Di Pietro per le accuse di Gorrini – *N.d.A.*) a Brescia... Vivo nell'equilibrio, nell'equidistanza tra i due poli... anche perché qualche cosina so di loro *pool* e di Salamone uguale». Allusioni dette ridacchiando che s'accordavano alla perfezione con una filosofia espressa più volte senza ambiguità: «Io vivo di ricatti». Pacini Battaglia avrebbe poi spiegato che «sbancato» era un errore del trascrittore, e che la parola esatta era «sbiancato»: nel senso che Di Pietro e il suo amico Lucibello gli avevano messo paura, facendolo impallidire. Lucibello offriva un'altra versione, non era «sbancato» ma «stangato». Il «perché si è pagato» aveva una spiegazione altrettanto innocente: gli indagati avevano pagato con umiliazioni, spese legali, e condanne le loro trasgressioni.

L'aggressiva indagine del Gico e della Procura di La Spezia ipotizzava per Di Pietro qualcosa di più e di peggio di sbadataggini facilone: ipotizzava cioè un suo inserimento, diretto o indiretto, nelle tele che il ragno Pacini Battaglia andava infaticabilmente tessendo. Gli amici di Di Pietro erano amici di Pacini Battaglia, e Pacini Battaglia aveva galleggiato senza troppi danni nel mare tempestoso di Tangentopoli. Questo in succo il ragionamento della Finanza e dei Pm. Intimo di Di Pietro era l'avvocato Giuseppe Lucibello («Geppino»), che Pacini Battaglia aveva scelto come suo difensore. Qualcuno, spiegò poi Pacini Battaglia, gli aveva consigliato di trovarsi «non un principe del foro, ma un tipo sveglio e in contatto con la Procura». Sveglio, «Geppino» lo era senza alcun dubbio. Approdato nel 1985 a Milano dalla natia Vallo della Lucania, s'era subito distinto per il *look* audace: un giovanottino riccioluto, gesticolante, grondante braccialetti e medaglioni dai polsi e dal collo. E a Milano s'era imbattuto in Tonino, come lui voglioso di farsi strada, e di strada ne avevano fatta molta, insieme.

Intimo di Di Pietro era anche il «palazzinaro» Antonio D'Adamo: un quasi conterraneo di Tonino perché era nato nel Foggiano ma a poche decine di chilometri da Montenero di Bisaccia. D'Adamo, fregiato d'una laurea in ingegneria, era sbarcato a Milano negli anni Cinquanta, e dal '71 al '78 era stato direttore generale della Edilnord di Silvio Berlusconi. Quindi aveva fondato l'Edilgest che pareva avviata a una vigorosa espansione ma che – come la Maa di Gorrini – era precipitata in un vortice di iniziative fallimentari, e di debiti. A Di Pietro l'ingegnere era stato presentato da Eleuterio Rea: una conoscenza, poi divenuta amicizia, consolidata dagli incarichi che D'Adamo affidava a Susanna Mazzoleni, moglie dell'ex-Pm. Questi era stato tuttavia molto attento a distinguere i suoi rapporti personali con il costruttore dai doveri di magistrato: e a due riprese – nel procedimento contro Mario Chiesa e nei successivi sviluppi di Tangentopoli – aveva chiesto di astenersi dall'indagare su D'Adamo, il cui nome ripetutamente affiorava.

L'*affaire* sfociò, com'era scritto nelle stelle, in un caos giudiziario. Indagava la Procura di La Spezia; indagava la Procura di Brescia, che era stata investita fin dall'inizio di tutte le inchieste su Di Pietro (trattandosi d'un magistrato non poteva essere indagato dai colleghi di Milano); indagava la Procura di Perugia, perché Cardino e Franz avevano imputato due magistrati romani, e per loro la sede competente era Perugia così come Brescia lo era per Tonino; indagava la Procura di Roma, non foss'altro che per le connessioni «centrali» d'uno scandalo delle Ferrovie e per alcuni addebiti a D'Adamo; infine indagava la Procura di Milano, che di Pacini Battaglia s'era interessata e continuava a interessarsi.

Antonio Di Pietro, che gridava alla persecuzione, la sera del 14 novembre 1996 era a Istanbul. L'avevano invitato a un convegno sulla corruzione, promosso dagli industriali turchi: tutti di rango i relatori, tra i quali figurava Henry Kissinger. Là, nel suo albergo a cinque stelle, Tonino apprese che l'inchiesta di Brescia aveva avuto ulteriori sviluppi. Con decisione che forse era stata covata da giorni, ma che parve improvvisa, cominciò a scrivere di getto a Prodi, in inconfondibile stile dipietrese, una lettera di dimissioni da ministro.

Da quel 14 novembre in poi il duello tra Di Pietro e chi indagava su di lui ebbe le caratteristiche d'una faida avvilente: la legge – se di legge nel senso più alto del termine si può parlare – incalzava con pesantezza e spietatezza ottuse. Qualcuno ravvisò in questo tormento di Di Pietro una sorta di legge del taglione, toccava a lui adesso d'essere stritolato in ingranaggi implacabili. Il 6 dicembre vi fu per mandato della Procura di Brescia (a La Spezia era rimasta solo qualche frattaglia, il traffico d'armi, dell'inchiesta su Pacini Battaglia) una raffica di perquisizioni in ogni abitazione e in ogni ufficio che potesse risalire a Di Pietro: le case di Curno e di Montenero di Bisaccia, l'Università di Castellanza, i Lavori pubblici. Sessantotto incursioni contemporanee della Guardia di Finanza. Insieme agli incartamenti, ai computer, ai dischetti appartenenti a Di Pietro furono confiscati anche quelli dell'avvocato Lucibello e del costruttore D'Adamo. Venne fatta razzia d'una montagna di documenti in massima parte di nessun interesse.

CHIEDIAMO SCUSA al lettore di averlo condotto in questo dedalo di sordide trame, nelle quali è difficile distinguere la verità dal pettegolezzo e dalla calunnia. Purtroppo queste trame condizionavano – e continuano a condizionare – tutta la politica italiana, cui ora cerchiamo di tornare.

La lunga marcia verso una revisione profonda della Costituzione repubblicana era cominciata con i *referendum* voluti da Mario Segni: che tuttavia non incidevano, dal punto di vista formale, sulla Magna Charta della Repubblica perché il sistema elettorale è deciso con leggi ordinarie. E tuttavia quei *referendum*, avevano assestato – insieme alla Lega e a Tangentopoli – un colpo rude al Palazzo, in alcune sue parti diroccato ma non ancora ristrutturato. Il coro furibondo che nei decenni precedenti aveva zittito, con le buone o cattive, ogni accenno ad un aggiornamento costituzionale – ne aveva saputo qualcosa Randolfo Pacciardi che si batteva per il presidenzialismo, ed era stato accusato di golpismo – non trovava più ascolto. Il popolo aveva detto la sua, l'aveva detta in maniera che più esplicita non poteva essere: e i nostalgici del passato – ce n'erano tanti – si vedevano costretti a mascherare con formule ambigue il loro rimpianto, e il loro sotterraneo desiderio di veder ripristinato l'edificio istituzionale «com'era e dov'era»: sì agli aggiornamenti, no a rifacimenti che buttassero via, insieme a talune norme invecchiate della Costituzione, il molto di buono che essa conteneva; e che veniva ravvisato soprattutto nella sua ispirazione sociale. Le vie percorribili per arrivare alle riforme erano in sostanza due: una Costituente, ossia un parlamento «monotematico», che in piena autonomia rifondasse la Repubblica; o una Commissione bicamerale – composta cioè in pari numero da deputati e senatori – che elaborasse un progetto da sottoporre alla decisione finale del Parlamento, con le complesse procedure previste dalla Costituzione vigente per ogni sua modifica. Dopo lunghe esitazioni del Polo – che voleva la Costituente – si optò per la Bicamerale: che ebbe per presidente Massimo D'Alema e s'insediò, al primo piano di Montecitorio, nella sala chiamata della Regina. Proprio la Regina d'Italia vi sostava infatti una volta all'anno mentre il Re, assiso sul trono installato nell'aula parlamentare, leggeva il discorso della corona.

Come blasone la Sala della Regina non poteva confrontarsi con l'altra che le sta di fronte, detta della Lupa, dove nel giugno del 1946 furono annunciati i risultati del *referendum* da cui nacque la Repubblica: ma ha avuto finalmente i suoi mesi di gloria. Alla Bicamerale era stato assegnato un termine tassativo per la conclusione delle sue sedute: il 30 giugno 1997. Sarebbe poi spettato alla Camera e al Senato, in due votazioni intervallate di almeno tre mesi l'una dall'altra, di approvare – o no – il progetto o i progetti di riforma. Concluso anche questo *iter* parlamentare complesso, le modifiche della Costituzione sarebbero state sottoposte a un *referendum* popolare confermativo.

Ma il colpo d'acceleratore all'accordo in Bicamerale – che era comunque solo una premessa al dibattito in Parlamento – non venne dalla Sala della Regina: venne, molto italianamente, da una cena a quattro nella casa di Gianni Letta, l'esperto del Palazzo che di Berlusconi è il mentore politico, e che dai suoi trascorsi democristiani attinge inesauribili risorse negoziali. Commensali di Letta furono Berlusconi, D'Alema, Fini e Marini. Da allora, pur con qualche sussulto polemico, la strada verso l'approvazione d'un documento nel termine stabilito del 30 giugno 1997 sembrava tutta in discesa.

Nel Palazzo era festa per il traguardo raggiunto, tra i commentatori prevalevano le perplessità. Un pasticcio, un ginepraio, un compromesso di basso profilo. E comunque non più che un'indicazione – più vincolante d'un consiglio ma meno d'una decisione formale – al Parlamento. Vediamo i punti di maggior rilievo.

Presidente della Repubblica. È eletto direttamente dal popolo con maggioranza assoluta (si va al ballottaggio se nel primo turno nessun candidato raggiunge il cinquanta più uno per cento), resta in carica sei anni, dirige la politica estera e la difesa nazionale, non è capo dell'esecutivo, nomina il Primo Ministro e su proposta di questi i ministri. Un Presidente che è una via di mezzo tra l'austriaco – lo elegge il popolo ma ha funzioni notarili, il potere lo esercita il Cancelliere – e il francese, che presiede il Consiglio dei Ministri. Non è ben chiaro, in questo adattamento all'italiana del semipresidenzialismo francese, se ai vertici internazionali – dove non si discute solo di politica estera e di difesa, ma dei più svariati argomenti – debba partecipare il Presidente, o il Presidente con il Primo Ministro, o il solo Primo Ministro. Il Presidente della Repubblica può sciogliere il Parlamento solo in caso di dimissioni del governo (ma il Primo Ministro deve dimettersi dopo l'elezione d'un nuovo Presidente): lo scioglimento è interdetto nel primo anno di legislatura e negli ultimi sei mesi del mandato presidenziale.

Parlamento. Camera di 400 deputati (possono essere eletti coloro che abbiano compiuto i 21 anni), 200 senatori (minimo d'età 35 anni) e in più un «camerino», ossia una Commissione delle autonomie composta per un terzo da senatori, per un terzo dai presidenti delle Regioni, per un terzo da rappresentanti degli enti locali. Il Parlamento non potrà essere scavalcato dai decreti legge con la frequenza di cui hanno fatto uso e abuso i governi italiani. Ai decreti legge l'esecutivo potrà ricorrere solo in presenza di emergenze riguardanti la sicurezza nazionale o per norme finanziarie da attuare immediatamente.

Referendum. Occorrerà un maggior numero di firme (800 mila) per chiederli, sarà imposto un tetto al numero dei quesiti proponibili in ogni «tornata», verrà introdotto il referendum propositivo: che cioè legifera, e non si limita a cancellare una legge esistente.

Federalismo. «La Repubblica è costituita da Comuni, Province, Regioni e Stato» recitava la bozza, e aggiungeva che «allo Stato sono riservate 31 materie su cui ha competenza esclusiva», il resto era competenza delle Regioni. Ma poi il documento della Commissione, che pareva incamminato con risolutezza sulla via del federalismo, rallentava molto – come già era accaduto con il presidenzialismo – il suo slancio.

Giustizia. La rivolta del «partito dei giudici» aveva seminato zizzania e dubbi nella maggioranza. Nessuno, neppure D'Alema che pur l'aveva avallato, osava sostenerlo a oltranza. Poiché l'ostacolo appariva troppo alto, e la Bicamerale rischiava di caderci senza rimedio, si ricorse a un espediente infallibile: aggirarlo. In Parlamento si sarebbe svolta la vera discussione sul tema.

Legge elettorale. La legge elettorale che non è, a stretto rigore, materia costituzionale – la regolano leggi ordinarie – faceva però da sottofondo, lo si è già rilevato, a tutte le altre questioni. La Bicamerale ha approvato, in proposito, un ordine del giorno che ribadiva la proporzione tra i seggi parlamentari ottenuti con il maggioritario (75 per cento) e i seggi ottenuti con il proporzionale (gli altri). Ma il resto era buio pesto, almeno per i profani.

Archiviata – salvo i previsti strascichi – la Bicamerale, infuriò subito una caccia degna di Erode alla creatura che nella Sala della Regina era venuta alla luce: caccia che portò – in Parlamento – al decesso del macchinoso progetto. Tanta fatica per nulla.

IL 25 MARZO 1996 Giacomo Mancini, ottantenne «patriarca» del disastrato Psi e sindaco di Cosenza, fu condannato dal Tribunale di Palmi a tre anni e sei mesi di reclusione per concorso esterno in associazione mafiosa: e proprio con il «caso Mancini» vogliamo dare avvio a una carrellata sui grandi processi di mafia (o di 'ndrangheta, che in sostanza è la stessa cosa seppure con diversa radice territoriale, la Calabria anziché la Sicilia). Una precisazione: con il termine «grandi processi di mafia» non vogliamo riferirci a quelli, anche di massima rilevanza cronistica o addirittura storica (si pensi al processo per la strage di Capaci) che riguardano unicamente la criminalità nota e catalogata, sia pure nelle sue espressioni più feroci. Vogliamo invece riferirci ai maggiori processi di mafia che hanno coinvolto personaggi pubblici di primo piano, e che per questa loro singolarità hanno provocato reazioni e polemiche risonanti fino ai piani più alti nel Palazzo.

Mancini, dunque. Molti gridarono allo scandalo dopo la sentenza che precipitava nel fango un indomito leone della politica, campione dell'antifascismo, alfiere di battaglie contro la criminalità organizzata, accusatore del sistema tangentizio. Sei volte ministro, segretario del Psi, Giacomo fu grande elettore di Craxi nel memorabile Congresso socialista del Midas (1976).

Sull'immagine di questo massimalista impetuoso s'era addensata anche qualche consistente ombra negli anni Settanta, quando gli era stato affidato il Ministero dei Lavori pubblici. Il settimanale d'estrema destra *Candido*, diretto dal bellicoso Giorgio Pisanò, sostenne, in una inchiesta particolareggiata e velenosa, che l'autostrada Salerno-Reggio Calabria fosse stata lastricata, sotto l'egida manciniana, di favori e mazzette. Il clamore della campagna giornalistica non sfociò in provvedimenti giudiziari, anche se inferse un colpo serio alla credibilità politica e morale di Mancini e fu tra le cause del suo lento declino. Ma ciò che gli venne imputato molti anni dopo era cosa ben diversa, era la contiguità e addirittura la collusione con le cosche addebitata a chi contro le cosche aveva sempre tuonato, esprimendo piena solidarietà all'allora procuratore di Palmi, Agostino Cordova. Le insinuazioni erano venute, nel 1993, da alcuni «pentiti» di 'ndrangheta (in breve tempo se n'era assembrata una dozzina) concordi nel sostenere che Mancini aveva garantito il suo aiuto influente ai *boss* mafiosi Natale Iamonte e Peppino Piromalli.

Per effetto dell'incriminazione Giacomo Mancini fu sospeso dalla carica di sindaco di Cosenza, e dovette presentarsi davanti ai giudici – tre signore – del Tribunale di Palmi: dove il pubblico ebbe modo d'assistere alla rituale sfilata di «collaboranti» ciarlieri. Secondo uno di loro Mancini era stato coinvolto in un attentato al ponte di Catanzaro che doveva favorire la fuga di Franco Freda, già imputato per la strage di piazza Fontana. Secondo un altro aveva fatto da mediatore in un sequestro di persona. Secondo un terzo partecipava a vertici loschi nella villa di Ludovico Ligato, l'ex-presidente delle Ferrovie poi assassinato. Secondo un quarto consegnava denaro a emissari della 'ndrangheta o della Sacra Corona Unita in stazioni di servizio delle autostrade. Non era mancato – come poteva? – un pentito che aveva saputo del bacio di Mancini a un notabile della criminalità. All'abbondanza dei pentiti faceva riscontro la scarsità, per non dire l'assenza, di prove o di riscontri: ma il concorso in associazione mafiosa non ne ha bisogno. Inquieta piuttosto che il Pm Boemi, sostituto procuratore antimafia di Reggio Calabria, abbia (a quanto riferito nelle cronache) detto testualmente: «Questa inchiesta supporta quella di Palermo (contro Andreotti – *N.d.A.*) e da quella di Palermo è supportata». La Corte d'Appello di Reggio Calabria ha poi temporaneamente cancellato, il 24 giugno 1997, la condanna di Mancini.

I vicendevoli supporti (per stare all'itagliese del dottor Boemi) non riguardano solo Mancini e Andreotti: in mezzo c'è Bruno Contrada il cui processo è stato dai più valutato come una «prova generale» della successiva recita andreottiana. Il poliziotto Contrada era tenuto in grande considerazione dai suoi superiori, tanto che a due riprese (nel 1977 e nel 1979, dopo l'assassinio di Boris Giuliano) era stato messo a capo della Squadra mobile di Palermo, certo non una sinecura: e poi era diventato numero tre del Sisde, il servizio segreto civile. Ma proprio nel '79 – secondo le rivelazioni del pentito Gaspare Mutolo – Contrada s'era lasciato irretire da Cosa nostra, e tutto il suo apparente zelo inquisitorio era in realtà l'astuta copertura della collusione con i *boss*. I sospetti sfociarono in un mandato di cattura eseguito la vigilia di Natale del 1992. Contrada restò in carcere trentun mesi – se liberato, sosteneva la Procura, avrebbe potuto inquinare le prove – e il processo contro di lui si concluse il 5 aprile 1996, Venerdì Santo, dopo 168 udienze e una sfilza di testimoni: una decina, tra loro, i pentiti di vario calibro, inclusa la *vedette* della categoria, Tommaso Buscetta. Erano stati convocati dalla difesa anche prefetti, questori e politici dai quali Contrada dipendeva o con i quali aveva collaborato: tutti concordi nel riconoscergli notevoli meriti di funzionario e d'investigatore. I pentiti pluriomicidi furono ritenuti attendibili dal Tribunale, i servitori dello Stato compiacenti o bugiardi. La sentenza che inflisse a Bruno Contrada, «per concorso esterno in associazione mafiosa», dieci anni di reclusione, l'interdizione per lo stesso periodo dai pubblici uffici e tre anni di libertà vigilata fu accolta con palpabile disagio.

Per Giulio Andreotti, grande vecchio della politica italiana, sette volte Presidente del Consiglio, innumerevoli volte ministro, sono stati allestiti due processi in contemporanea, uno in Tribunale a Palermo che lo vede imputato d'associazione mafiosa e uno in Corte d'Assise a Perugia che lo vede imputato di complicità in omicidio: e lui, curvo, sommesso, attento, sornione, ironico è in perpetua *tournée* insieme ai pentiti. Il più importante tra i due processi è quello di Palermo dove Andreotti figura come unico e indiscusso protagonista. Per anni e anni, secondo l'accusa, avrebbe aiutato la mafia: l'avrebbe aiutata anche quando, come Presidente del Consiglio, dava l'impressione di combatterla. Il suo referente in Sicilia era Salvo Lima, assassinato nel marzo del 1992 e indicato come patrono e amico dei *boss*: i quali gli si sarebbero rivoltati contro, ordinandone l'uccisione, perché ormai li serviva male, o non li serviva più. A compenso della complicità «zio Giulio» (così si vuole fosse confidenzialmente chiamato dai «picciotti») e Lima avrebbero ottenuto un vigoroso appoggio elettorale per la corrente andreottiana della Dc.

Dapprima ad Andreotti era stata mossa, come a Mancini e come a Contrada, l'imputazione di «concorso esterno» in associazione mafiosa. Ma solo per lui il concorso era diventato associazione vera e propria: lo esigeva quanto di terribile era emerso sui suoi comportamenti, secondo i Pm; lo esigeva il rischio che la competenza a giudicarlo passasse da Palermo a Roma, secondo la difesa. Il concorso non è impedito dalla lontananza, anzi, e se Andreotti avesse favorito la mafia come Presidente del Consiglio e come ministro, avrebbe dovuto occuparsene il Tribunale dei ministri. Lo si trasformò invece in un mafioso a tempo pieno, inserito stabilmente nell'organizzazione: ossia domiciliato, come mafioso, a Palermo. Questo l'impianto logico dell'accusa, sorretto dalle dichiarazioni d'un battaglione di pentiti e dissociati: alcuni di loro affermati e noti, nell'universo collaborazionista, altri piuttosto anonimi. Tra i primi il solito Tommaso Buscetta, Balduccio Di Maggio che vide Andreotti baciare Totò Riina nell'appartamento di Ignazio Salvo, Francesco Marino Mannoia che seppe d'incontri tra Andreotti e capicosca tra i più temibili.

È un processo, quello contro Andreotti, che mira a riscrivere la storia d'Italia nel dopoguerra, e che vuol sostituirsi alla doverosa e impietosa indagine degli storici. A loro spetta e spetterà di valutare le responsabilità di Andreotti per il degrado della vita pubblica italiana e anche per gravi contiguità della politica – non quella andreottiana e nemmeno quella democristiana unicamente – con le ramificazioni di Cosa nostra. Si pretende invece che questo compito sia delegato ai Buscetta, ai Brusca, ai Balduccio Di Maggio, e tramite loro alla Procura di Palermo.

La Corte d'Assise di Perugia non è alle prese soltanto con

vaghe ombre mafiose e con un imputato «eccellente» solitario ed enigmatico: è alle prese con un assassinio di vecchia data ma non per questo meno autentico, con dei presunti assassini, con dei presunti mandanti. Il 20 marzo 1979 Mino Pecorelli, spregiudicato editore e direttore d'una pubblicazione (*OP, Osservatorio Politico*) che viveva di rivelazioni, di mancate rivelazioni, e di sovvenzioni non disinteressate, fu finito con quattro colpi di pistola, a Roma, mentre saliva sulla sua automobile. La rivista, fitta di informazioni comprometttenti e di insinuazioni mirate, pareva fatta apposta per esporre Pecorelli a vendette. I moventi insomma si sprecavano, e i sospettabili anche. Ma la prima lunga fase dell'inchiesta sfociò in un nulla di fatto. La magistratura romana nel novembre del '91 archiviò la vicenda. Toccò all'onnipresente Tommaso Buscetta di riproporla all'attenzione della magistratura con una dichiarazione del 26 novembre 1992, il cui succo era questo: Buscetta aveva saputo dal *boss* mafioso con cui aveva maggiore dimestichezza, Gaetano Badalamenti, che sia Pecorelli sia il generale Carlo Alberto Dalla Chiesa erano stati uccisi perché in possesso di segreti sul caso Moro la cui rivelazione avrebbe danneggiato Andreotti. Don «Tano» e Stefano Bontade, altro pezzo da novanta, avevano commissionato l'esecuzione di Pecorelli su richiesta dei cugini Salvo (l'accusa li vuole intimi di Andreotti che nega perfino d'averli mai conosciuti).

Con la nuova inchiesta fu disegnata questa trama delittuosa: Pecorelli infastidiva lo «zio Giulio»: e Claudio Vitalone – magistrato, democristiano dichiarato e andreottiano fervente – s'era rivolto ai Salvo perché provvedessero. I Salvo avevano contattato Badalamenti e Bontade i quali avrebbero a loro volta trovato i soggetti adatti per il truce incarico: il «picciotto» Michelangelo La Barbera e l'estremista di destra Massimo Carminati, inserito nella banda della Magliana. Badalamenti, che è detenuto negli Stati Uniti e che sarebbe stato la fonte delle informazioni di Buscetta, lo smentisce su ogni punto.

Alcune delle rivelazioni di Pecorelli erano serie e *OP*, per dirlo in romanesco, ci marciava. Alla giustizia italiana Andreotti risulta, per quanto concerne il maneggio di fondi neri, illibato: ma alcuni passaggi di denaro – in assegni – dalla Sir di Nino Rovelli a lui e alla sua corrente, e i rapporti tra la Dc e l'Italcasse potevano aver sollecitato le curiosità del curiosissimo Pecorelli: che aveva preparato – senza mai pubblicarlo – un numero della sua rivista recante in copertina la fotografia di Andreotti e il titolo «Gli assegni del presidente». *OP* era una pubblicazione semi-clandestina, Pecorelli – a detta di chi lo conosceva – poteva essere convinto nel più ovvio dei modi a non insistere nei suoi attacchi. La validità dei moventi ipotizzabili è lasciata alla libera opinione di ciascuno. Il punto è un altro. Dov'è la prova che Giulio Andreotti sia stato il mandante del delitto? Anche i pentiti – d'altro non c'è nulla – sostengono d'aver saputo che i cugini Salvo volevano fargli, eliminando Pecorelli, un favore. Gente premurosa, se fosse vero: ma da dove risulta che la «premura» sia stata richiesta?

Il Marcello Dell'Utri che interessa in questo *collage* d'inchieste e di processi non è quello delle false fatturazioni e delle frodi fiscali di Publitalia, polmone finanziario e organizzativo della Fininvest. Le vistose trasgressioni contabili che gli furono attribuite – e che lo portarono brevemente in carcere per ordine della Procura di Torino – appartenevano alla logica tangentizia. Interessa il Dell'Utri che dall'autunno del 1997 viene processato a Palermo per concorso esterno in associazione mafiosa. Cinquantaseienne, bibliofilo raffinato, tifoso di calcio, questo signore compito non corrisponde al *cliché* degli incolti berlusconiani in *blazer*, e ancor meno al *cliché* degli untuosi mestatori ammanigliati con la mafia. Eppure la Procura di Palermo ha tracciato, ricostruendo il suo itinerario umano e professionale, l'immagine d'un favoreggiatore di lungo corso della criminalità organizzata. Due elementi appaiono evidenti: il primo è che Dell'Utri, nato a Palermo e a Palermo cresciuto, aveva conosciuto tipi e tipacci che erano o che sarebbero stati chiacchierati, e che avrebbero molto interessato l'autorità giudiziaria; tra gli altri Gaetano Cinà la cui frequentazione Dell'Utri non ha mai rinnegato. Non può essere un caso che un rapporto di polizia del 1981 lo indicasse come «amico di mafiosi». Il secondo elemento è che l'inchiesta di Palermo su Dell'Utri – divenuta anche inchiesta per mafia su Silvio Berlusconi, sia pure con una archiviazione – decollò quando il Cavaliere entrò in politica, e per luce riflessa Marcello Dell'Utri, che di Forza Italia era stato l'ispiratore e che si era molto adoperato per farne un movimento popolare, acquisì la statura di personaggio nazionale.

La memoria con cui la Procura ha chiesto e ottenuto il rinvio a giudizio di Marcello Dell'Utri segue il filo comune a tutte le inchieste riassunte in questo capitolo: una ventina di pentiti e un attento mosaico di dichiarazioni, ipotesi e anche fatti: questi ultimi suscettibili di svariate interpretazioni. Un incontro di Dell'Utri con il malfamato Cinà è un indizio di traffici loschi o una rimpatriata tra conoscenti d'antica data? L'assunzione del picciotto Vittorio Mangano come stalliere ad Arcore fu un infortunio dovuto alla sicilianità o una manovra mirata per stabilire un contatto tra Cosa nostra e Dell'Utri (ossia Berlusconi)? Quando Dell'Utri e Mangano parlavano al telefono dell'acquisto d'un cavallo, intendevano dire proprio cavallo oppure il termine era usato – come sembra avvenisse tra mafiosi – nel significato di carico di droga?

Per i pentiti che puntano il dito contro Dell'Utri valgono le osservazioni e le perplessità che questa categoria suscita. Un pentito tra i più in vista, Gaspare Mutolo, era stato sentito dai Pm a metà agosto del 1993 e non aveva accennato a Dell'Utri, era stato risentito il 30 marzo 1994 e ancora aveva detto di non ricordare che gliene fosse stato fatto il nome: finalmente, due anni dopo, gli si erano ravvivati i ricordi. Spiegazione: «Quando il 30 marzo 1994 mi venne domandato se il Mangano mi avesse mai parlato di Dell'Utri ebbi paura di parlare sia perché persona (il Dell'Utri – *N.d.A.*) a me nota perché potente e influente a più livelli: sia perché parlare del Dell'Utri mi avrebbe portato a parlare anche del Berlusconi, persona che mi appariva ancora più potente, e potenzialmente per me pericolosa, per la sua recente "discesa in campo"».

Le vicende che abbiamo riassunto hanno in comune il fatto che si fondano sui pentiti. Ossia sulle testimonianze di chi, inserito in una organizzazione criminale, decide di uscirne e di collaborare con la giustizia: e in segno di gratitudine lo Stato concede ai «collaboranti» – questa è la loro etichetta ufficiale – grossi sconti di pena, protezione, uno stipendio, sostanziose gratifiche. Come grimaldello per aprire varchi nelle blindature del crimine di gruppo il pentitismo ha una efficacia straordinaria. L'avevano sperimentato, assai prima che lo si facesse in Italia, gli Stati Uniti: dove la giustizia è improntata, come tutta la vita americana, a un calcolo attento di costi e ricavi, e il baratto («tu mi aiuti e io sarò indulgente») non trova troppe remore di carattere moralistico. L'ingresso vero del pentitismo nel sistema italiano avvenne con il terrorismo: sgominato anche – o soprattutto – grazie alle confessioni di chi nel terrorismo era vissuto, e vi aveva sparso sangue. La parabola umana che porta dal terrorismo al pentitismo è del resto facilmente decifrabile. Al di là della convenienza pratica – una pena scontatissima – il terrorista ideologizzato e fanatico poteva approdare, un giorno, alla consapevolezza dell'inutilità d'una battaglia cruenta e disperata. Il terrorismo politico è legato a determinati momenti della vita nazionale e della vita individuale: non è un mestiere.

Trasferito nell'ambito della criminalità comune, il pentitismo ha cambiato connotati. Nessun tormento dell'anima, nessun recupero di decenza civica – tranne forse sporadiche eccezioni da contare sulle dita d'una mano – nei «collaboranti» di mafia: che sono di norma mossi o da un semplice calcolo, quello di cavarsela a buon mercato (godendo anzi di agi e perfino di lussi), dopo che sono stati catturati; o dall'esigenza di sfuggire alla caccia degli affiliati d'una cosca rivale; o dal desiderio di prendersi, nei riguardi d'altre cosche e d'altri mafiosi, una vendetta. Alcuni pentiti esercitano – mentre lo Stato li coccola – attività malavitose.

Nella criminalità comune la figura del pentito ha in qualche modo soppiantato quella antica del confidente di polizia: che dava delle «dritte» agli inquirenti e otteneva in cambio che si chiudesse un occhio sui suoi trascorsi e sulle sue malefatte. Ma tutto avveniva nella zona grigia in cui la polizia aveva un margine – non ufficiale – di spregiudicata discrezionalità. Il confidente non poteva diventare testimone, nei processi arrivavano soltanto i riscontri delle sue soffiate, ossia vere e concrete prove. Il pentito è invece un testimone a tutti gli effetti, ossia un elemento di prova: in alcuni processi – come quelli indicati – è in buona sostanza l'unico elemento di prova.

I pentiti erano diventati troppi, più di 1200 con cinquemila familiari (il ministro dell'Interno Napolitano non aveva esitato ad ammetterlo): e la legislazione che li riguarda doveva essere modificata per impedire che il pentitismo diventasse una professione, e che i nomi noti della categoria si comportassero come consulenti pronti ad accorrere, e a fare rivelazioni, ogni volta che un Pm avesse bisogno d'aiuto. Tre erano i punti su cui fioccavano le critiche: i ricordi a rate, i «sentito dire», i riscontri. Non si può pretendere, osservano i Pm, che un pentito sia indotto a parlare senza un certo processo di «maturazione». Ma non si può nemmeno consentire, ribattono gli avvocati (ma anche osservatori non interessati), che la maturazione duri anni e che dai recessi della memoria affiorino ricordi scaglionati in un infinito arco di tempo. Va fissato un termine entro il quale il pentito parla.

Per i pentiti occorrono limiti di tempo e limiti d'argomento. Più d'ogni altra cosa occorrono riscontri che non consistano nelle chiacchiere di altri pentiti. Nessun Pm è contro i riscontri.

Tutti sostengono d'averne a bizzeffe. Un Pm del «caso Tortora», Lucio Di Pietro, aveva detto a un intervistatore: «Nessuna confessione è mai stata presa per oro colato. Su ogni circostanza abbiamo cercato riscontri, con un minuzioso lavoro di setaccio... Il collega Di Persia, io, la polizia e i carabinieri abbiamo lavorato quattro o cinque mesi. A fare cosa? A identificare ogni riscontro, a fare rilievi fotografici, a rileggere centinaia di vecchie indagini di polizia giudiziaria, rimaste senza sviluppo». La realtà, si voglia o no ammetterlo, è diversa. Alcuni processi sono costruiti sui pentiti, e soltanto su di loro: e le menzogne d'un Gianni Melluso possono costare a Enzo Tortora la condanna a dieci anni di reclusione, errore riparato dalla Corte d'Appello con l'assoluzione piena, ma la vergogna resta.

LA TATTICA di Umberto Bossi è ignota ai manuali politici e militari, e incomprensibile ai più. Forse anche a lui, quando ci ripensa. Colpi di mano, «ribaltoni», irrigidimenti, ammorbidimenti, diserzioni, irruzioni. Un repertorio sterminato di sorprese, un «fattore B» che con sistematicità manda all'aria – grazie a un artefice in apparenza così rustico e *naïf* – i sottili calcoli dei più scafati professionisti. La tattica è volubile fino alla stravaganza, la strategia ha forse una sua sotterranea coerenza. Chiedere la secessione, e indipendenza, o qualcosa che alla secessione e all'indipendenza somigli il più possibile per ottenere qualcos'altro: un federalismo estremo, e soprattutto un posto al sole per la Lega. Gli accenni di Bossi agli armati delle vallate bergamasche e la sua predilezione per l'uniforme paramilitare delle camicie verdi erano temperati di norma da dichiarazioni distensive: nessuna violenza, la via alla secessione doveva essere pacifica e democratica. In effetti l'Umberto ha sul tamburo «scomunicato» gli otto mattoidi che la sera del 9 maggio 1997 erano riusciti a impadronirsi, come avanguardia spericolata d'un Veneto Serenissimo Governo, del campanile di San Marco, e che ne sono stati sloggiati piuttosto rudemente da un *commando* della Digos. Il gruppo di esaltati, ha detto il *senatur*, non ha nulla a che vedere con la Lega e con i suoi ideali.

L'impresa di questi secessionisti da sbarco, che s'erano impadroniti d'una motonave lagunare per raggiungere il loro obbiettivo e che disponevano d'armi per fortuna non utilizzate e d'un artigianale mezzo blindato (Vtd ossia Veneto Tank Distruttore, più colloquialmente tanko, o tanketo) ha scosso l'Italia e interessato il mondo. L'azione di guerriglia incruenta s'era svolta nello scenario più suggestivo e solenne che si potesse immaginare, e i richiami alla gloriosa Repubblica dominatrice dei mari, ai dogi, a un cattolicesimo integralista di tipo vandeano, erano fatti apposta per ispirare romantiche fantasticherie e nostalgie. Accantonate le quali gli assaltatori e i loro complici apparivano solo l'espressione di confusi risentimenti e di grossolane velleità politiche: il tutto tradotto in un *blitz* vernacolo.

I risvolti goliardici della spedizione hanno sollecitato l'estro di cronisti e commentatori. Gli autodidatti dell'insurrezione erano provvisti – oltre che d'ordigni bellici pericolosi soprattutto per chi si fosse azzardato ad impiegarli, nonché di bevande tra le quali non figurava l'acqua – anche di biancheria pulita per il caso che dovessero subire un assedio di lunga durata. Ma il ministro dell'Interno Napolitano, personaggio alieno da violenze anche verbali, ha dato – ci scommettiamo a malincuore – l'ordine di usare le maniere forti.

La sventagliata di reati che è stata loro contestata dal Pm era tale da far quasi sfigurare i bucanieri che andavano per la maggiore e che, se i galeoni di Sua Maestà cristianissima il Re di Spagna riuscivano a catturarli, finivano alla forca. Sequestro di persona (per avere costretto l'equipaggio del natante a condurli dove volevano), dirottamento, fabbricazione e uso di un «blindato con potente lanciafiamme», porto di fucile, interruzione di pubblico servizio, occupazione e danneggiamento del campanile, attentato alla sicurezza dei trasporti, minacce a pubblico ufficiale.

Il 9 luglio (1997) la Corte d'Assise di Venezia arrivò alla sentenza di primo grado: sei anni di carcere ai più anziani e più autorevoli membri del *commando*, quattro anni e nove mesi – con la concessione degli arresti domiciliari – per i ventenni. I giudici s'erano attenuti alla ragionevolezza: avevano mantenuto ferma l'impostazione dell'accusa – e dato credito alle finalità eversive dell'assalto – ma avevano anche tenuto conto del goliardico dilettantismo al quale l'assalto stesso era stato ispirato. Restava spazio per altre attenuazioni negli appelli.

All'eventualità che una siffatta armata clandestina – ma vogliosa di notorietà – fosse in grado di spiantare lo Stato, sia pure uno Stato poco incline a dimostrarsi tale, si deve dare scarso credito. Non verrà dai predatori di campanili il segnale rivoluzionario che sfascerà l'Italia unita. Tutte le caratteristiche del *blitz*, dalla caratura umana dei suoi arditi alla tartarinesca megalomania degli scopi, induce al sorriso piuttosto che al timore, tanto meno al panico. La riduttiva serenità con cui Napolitano – allergico per temperamento ai toni allarmistici – valutava l'episodio era condivisibile. Una inquietante farsa.

«IO NON CI STO PIÙ»: così si è ribellato Antonio Di Pietro quando, nel luglio del 1997, un'ennesima colata rovente d'insinuazioni l'ha investito: e le sue parole erano pressoché identiche a quelle pronunciate nel novembre del 1992 da uno Scalfaro infuriato per i tentativi di coinvolgerlo nell'«affare Sisde». Non era, quella di Tonino, la rituale espressione di fiducia nella giustizia «che farà il suo corso», ma una dichiarazione di guerra al sistema – giudiziario e politico – che consentiva questo tiro al bersaglio. Uno scoppio d'ira provocato dal riaffiorare, in una nuova e lunga testimonianza del costruttore Antonio D'Adamo, di accuse già emerse in parte nei vari *dossiers* che addebitavano all'ex-Pm frequentazioni dubbie e comportamenti leggeri.

A Brescia D'Adamo era uscito dal riserbo prudente cui s'era per lungo tempo attenuto – davanti ai Pm aveva invocato la facoltà di non rispondere – e aveva arricchito di particolari inediti il copione che potrebbe avere per titolo «le tentazioni d'un giovane povero». Il giovane povero è Di Pietro. C'era tra l'altro la storia dei 15 (o 12) miliardi con cui Pacini Battaglia aveva foraggiato D'Adamo le cui imprese erano in seria difficoltà. Si sospettava che Pacini Battaglia desse a D'Adamo perché D'Adamo era intimo amico di Di Pietro, che proprio a Di Pietro D'Adamo avesse passato una parte del gruzzolo, e che questo ingente passaggio di quattrini fosse legato a favori giudiziari. La vecchia costruzione d'accusa contro Di Pietro non mutava sensibilmente, con i mattoni portati dall'ingegner D'Adamo, se non per un elemento rilevante: questa volta la testimonianza non veniva da uno – come Silvio Berlusconi o Cesare Previti – che avesse il dente avvelenato con il *pool* di «Mani pulite» in generale e con Di Pietro in particolare, e nemmeno da un affabulatore scaltro come Pacini Battaglia: veniva da uno che era stato nella cerchia delle persone più vicine all'ex-Pm.

In questa occasione si formò attorno a Di Pietro un quadrato che tuttavia era, come mai in precedenza, scarso d'organici. Le frasi di Borrelli in sua difesa sottolineavano il distacco tra chi – come il procuratore capo di Milano – ha della giustizia una concezione sacrale trasmessagli dagli avi e chi, come Di Pietro, ne ha una concezione casereccia, buon senso cucinato alla molisana. Di Pietro, ammise Borrelli, aveva amicizie imprudenti. «Credo che si spieghino – aggiunse un po' sprezzante – anche con la sua storia personale, con il lavoro che faceva prima di diventare magistrato. Per un poliziotto è possibile che i livelli di prudenza siano diversi, che certi rapporti disinvolti siano considerati normali, perfino che facciano parte in qualche modo del mestiere. Altra cosa però è affermare che Di Pietro abbia preso dei soldi per influenzare in un senso o nell'altro il corso delle indagini. Io a questo non credo.» Il docente di Castellanza scadeva, in questa lucida e perfida diagnosi, al livello d'un capace questurino all'antica.

Era dunque un Di Pietro con le ali piuttosto impiombate – ma la sua popolarità sembra inossidabile – quello della nuova estate dei veleni. Ma proprio in questi frangenti «Tonino» diede prova delle sue risorse e della sua capacità di recupero. Lo si voleva prigioniero in un cerchio di fango e inservibile, almeno momentaneamente, come primattore della politica: nella politica attiva e militante entrò invece d'impeto – con la prospettiva d'un seggio in Senato grazie ad uno stratagemma che non si sa bene a chi debba essere accreditato: ma che aveva un tocco d'ingegnosità birbona.

Il collegio senatoriale di Firenze-Mugello era vacante perché il suo titolare, Pino Arlacchi, aveva ottenuto l'importante incarico di vicesegretario generale dell'Onu con competenza sulla lotta alla criminalità. Diventava perciò necessaria una elezione suppletiva da tenersi nel novembre del 1997. Chi candidare? Chiunque va bene, da quelle parti, se lo sponsorizza la sinistra: all'Ulivo era andato, l'ultima volta, il 67 per cento dei voti. Ma nel modesto appuntamento elettorale D'Alema e Di Pietro videro un'opportunità insperata. Tonino aveva un provvidenziale biglietto d'ingresso in Parlamento senza dover attendere la fine della legislatura. In una cena il *leader* del Pds e l'oggetto del suo desiderio formalizzarono, a metà luglio (1997), l'intesa.

Le sorprese non erano finite, anzi erano appena cominciate. Con una tecnica mutuata da quella dei presidenti calcistici – se l'Inter compra Ronaldo il Bologna compra Baggio – Fausto Bertinotti escogitò, per neutralizzare la trovata di D'Alema, una contromossa di sicuro impatto sui *media*, se non sui disorientati elettori del Mugello. Il Pds voleva Di Pietro senatore? Ebbene, Rifondazione comunista gli avrebbe opposto Sandro Curzi: un comunista indelebile, in terra comunista, contro il reazionario dell'Ulivo, spregiatore del Parlamento e dei partiti. La sortita bertinottiana – che suonava come uno schiaffo a D'Alema – anticipava successive e ben più dirompenti iniziative del segretario rifondatore. Ma si stentava a capirlo, mentre l'Ulivo svettava sul panorama politico. Si pensò anche questa volta, equivocando, a una lizza salottiera, la rivoluzione del *cachemire*.

All'ombra di falce e martello Curzi era rimasto durante tutto il suo lungo percorso politico e professionale. Questo dogmatico che Guareschi avrebbe definito trinariciuto era però dotato d'intelligenza flessibile e di capacità organizzative eccellenti. Mettendolo a capo del Tg3 – quando la terza rete era stata appaltata ai comunisti – il Pci aveva fatto un *en plein*. Il telegiornale di Curzi – Telekabul secondo i detrattori – non lasciava indifferente nessuno. Lo si amava o lo si odiava, ma se ne parlava, e l'effetto Telekabul divenne travolgente quando il populismo di Curzi si sommò al populismo di Michele Santoro, con le ruggenti piazze televisive di *Samarcanda*, le folle meridionali che invocavano pane e lavoro, gli studenti che esaltavano la rivoluzione e volevano una poltroncina burocratica.

A Di Pietro e a Curzi doveva aggiungersi, nel Mugello, almeno un altro candidato serio. Era impensabile – anche se di stranezze ne abbiamo viste tante – che il Polo in odio a Di Pietro convogliasse i suoi elettori sull'uomo di Rifondazione. Poiché la gara era, per chiunque portasse i colori del centrodestra, disperata, si supponeva che la scelta del Polo sarebbe caduta su uno scialbo e onesto signor nessuno. Chi la pensava a questo modo – ossia quasi tutti – non aveva fatto i conti con la fantasia del Cavaliere: che alle trovate di D'Alema e di Bertinotti seppe opporre una malandrinata delle sue. Altro che signor nessuno: per i colori di Forza Italia avrebbe corso Giuliano Ferrara. Pochi giorni prima di quest'annuncio Ferrara aveva lasciato la direzione di *Panorama*: se n'era andato, chiarì, non per dissidi con l'editore o con la redazione ma per stanchezza: e inoltre per il desiderio di seguire assiduamente la sua creatura prediletta, *Il foglio*. La stanchezza era passata d'incanto quando Berlusconi gli aveva proposto, con una telefonata, d'affrontare Di Pietro: e lui, Ferrara, prometteva d'incalzare Tonino – e quando incalza, con la sua stazza fisica e polemica, è temibile – sui soliti e inesauribili temi dei cento milioni, delle Mercedes, delle pessime amicizie. La *troupe* elettorale del Mugello, così completata, era perfetta per gli *show* televisivi. Quanto all'esito, era scontato. Di Pietro senatore, alla grande.

Pur orbate di «Tonino», le Procure non davano segno di voler disarmare. Nel settembre del 1997 il *pool* di «Mani pulite» ha chiesto che la Camera autorizzasse l'arresto di Cesare Previti, deputato di Forza Italia. L'iniziativa dei Pm milanesi veniva molto tempo dopo l'avvio della vicenda giudiziaria nata dalle rivelazioni di Stefania Ariosto. Secondo Borrelli e i suoi sostituti la documentazione raccolta in Svizzera attestava ormai in maniera inconfutabile che Previti era stato al centro di una immane rete di corruzione, e aveva potuto contare sulla complicità dei giudici da lui foraggiati.

La mossa della Procura di Milano provocò una serie di reazioni divergenti e in qualche misura anche trasversali. Soprattutto a destra – ma con l'adesione di alcuni garantisti della sinistra – vi fu chi si preoccupò per l'ipotesi che un parlamentare finisse in galera, a distanza di anni dai reati contestatigli e per una severità mirata: il *fumus persecutionis*. I «giustizialisti» ribatterono sottolineando l'enorme gravità della trama criminosa che – se vera – sarebbe stata tessuta da Previti e da altri, e che avrebbe portato la corruzione in uffici giudiziari di grande importanza, adulterando processi e sentenze. L'imputato Previti non aveva, come tale, molti sostenitori, anzi quasi nessuno: il punto in discussione era l'opportunità dell'arresto, che la Camera negò.

L'APPROSSIMARSI della discussione sulla legge finanziaria non preoccupava più che tanto, fino all'autunno del 1997, Romano Prodi. Il Dpef (documento di programmazione economica e finanziaria) approvato nel luglio precedente delineava i propositi dell'esecutivo: e prevedeva in particolare – consenziente Rifondazione comunista – ottomila miliardi di risparmio sulla spesa previdenziale. Inoltre la manovra – 25 mila miliardi, 10 mila di nuove entrate e 15 mila di tagli – era molto leggera se raffrontata ai quasi centomila miliardi rastrellati nel 1996 per l'acquisto del biglietto d'ingresso in Europa. Era una manovra che aveva le caratteristiche delle precedenti: i tagli erano a volte generici e sempre elastici, le entrate si basavano in parte su valutazioni ottimistiche di cespiti prossimi venturi. Il bisturi per gli interventi risanatori era stato reso meno affilato nella trattativa tra il governo e i grandi sindacati che, pur essendo ben disponibili e assennati come forse mai in passato, qualche concessione dovevano pur strapparla: e infatti la mutilazione della spesa previdenziale era passata da ottomila a cinquemila miliardi. Ma d'improvviso l'attesa manfrina delle proteste declamatorie e dei voti a favore si trasformò in un inatteso e autentico dramma politico.

Dopo brontolii cupi il 28 settembre, in un'intervista all'*Unità*, il segretario di Rifondazione aveva detto con durezza che i suoi deputati non avrebbero votato la finanziaria di Prodi. Il giorno successivo Cossutta rincarava la dose con un «inevitabile la rottura della maggioranza, ci vorrebbe un miracolo»; e il 30 settembre Bertinotti tornava alla carica in tono apocalittico: «Solo Dio può salvare il governo» («Ma Dio ha altro da fare» ribatteva Clemente Mastella). Scese in campo – e in campo rimase costantemente, da quel momento in poi – Oscar Luigi Scalfaro, schierato senza riserve con Prodi: che del resto aveva dalla sua parte la quasi totalità dell'informazione, e senza dubbio la grande maggioranza del Paese (inclusa la Confindustria).

La maggioranza era andata in pezzi sulla legge che era la trave portante della politica governativa e l'opposizione, sorpresa e deliziata insieme per il gentile omaggio, chiese un dibattito parlamentare in cui fossero verificate le condizioni di salute della maggioranza. Prodi disse immediatamente di sì, la seduta alla Camera fu fissata per martedì 7 ottobre. Quali erano i motivi dichiarati della disputa tra Rifondazione e l'Ulivo? Il primo è che Cossutta e Bertinotti non s'appagavano delle possibili modifiche da apportare, cammin facendo, alla finanziaria. Pretendevano che essa fosse ritirata, e ristrutturata. Da come era – ossia, a loro avviso, una finanziaria che privilegiava i ricchi e penalizzava i poveri – doveva diventare una vera finanziaria di sinistra. Dunque nessun taglio alla spesa sociale, un impegno per la diminuzione dell'orario di lavoro a 35 ore a partire dal duemila, l'abolizione dei *ticket* a carico dei malati cronici, non il decesso ma anzi la rivitalizzazione dell'Iri, con l'assunzione di trecentomila giovani per lavori non precisati di pubblica utilità. Fu largo di riconoscimenti a Rifondazione per il contributo dato all'azione del governo, insistette sui ritocchi alle cifre, sottolineò grave e risoluto il danno enorme che una crisi avrebbe arrecato all'Italia proprio nel momento in cui i parametri di Maastricht venivano raggiunti, e il traguardo dell'Europa era a un passo. Nessuno di questi argomenti persuase Bertinotti. La Borsa non aveva dubbi: la caduta del governo sarebbe stata una jattura. Infatti le quotazioni scendevano a precipizio quando la rottura era data per certa, e risalivano ad ogni sintomo di schiarita, ma il saliscendi lasciava del tutto indifferente Rifondazione.

L'8 ottobre parve che un'intesa fosse vicina. Bertinotti accennava a un patto di stabilità che vincolasse, per un anno, le due ali della maggioranza. Prodi era disposto a esonerare da ogni decurtazione le pensioni degli operai, e a trasformare l'Iri in una agenzia di coordinamento per le iniziative in favore dell'occupazione nel Sud. Nel giorno della verità una sola dichiarazione di voto contava veramente, quella di Rifondazione comunista affidata al capogruppo dei deputati, Oliviero Diliberto. Prima che s'arrivasse a un voto di sfiducia Prodi disse: «Dopo la presentazione della risoluzione da parte di Rifondazione comunista con la quale questa forza ha sancito la crisi della maggioranza politica espressa dagli elettori il 21 aprile, mi recherò dal Capo dello Stato e presenterò le dimissioni».

L'ondata d'anatemi, insulti, deprecazioni dalla quale Rifondazione fu sommersa dopo la sua azione di killeraggio era più che comprensibile. L'infantilismo e il pressappochismo evidenti delle tesi di Bertinotti nascondevano tuttavia i problemi reali d'una sinistra divisa nella quale una delle sue due «anime», la pidiessina, aspirava all'egemonia, e l'altra, la neocomunista, voleva preservare la sua identità, il suo mordente, il suo elettorato. Rifondazione sapeva che il peso dei lavoratori manuali diventa, nella società italiana, sempre minore, che i proletari della vulgata marxista non esistono quasi più: e allora puntava sul mondo studentesco con fremiti sessantottini, sugli emarginati, sui disoccupati intellettuali del Sud, sugli immigrati. Le aspirazioni che Rifondazione pretendeva di interpretare sono profondamente diverse non solo da quelle del ceto medio (che anche nell'Ulivo ha un ruolo determinante) ma da quelle degli operai che nella Cgil votano per il suo segretario Cofferati.

Gli italiani rividero in televisione, con malinconia, lo stanco rituale delle consultazioni di Scalfaro, mentre anche nelle fabbriche e nelle piazze montava la rabbia contro Bertinotti. Finché gli italiani appresero con nauseato stupore dalla bocca stessa di Bertinotti che lo spazio per un «compromesso» esisteva ancora, bastava un po' di buona volontà del governo. A dare una mano a Bertinotti era sopraggiunto, provvidenziale, il Primo Ministro francese Lionel Jospin sbandierando la proposta d'un disegno di legge per la settimana lavorativa di 35 ore, in Francia, già dal duemila (si trattava per lui d'onorare una piuttosto sconsiderata promessa elettorale). In atteggiamento di bonaria rampogna Bertinotti – alla cui resipiscenza aveva dato forte impulso Cossutta – diceva all'Ulivo: vedete, m'avete imputato deliri utopistici, avete sostenuto che la riduzione dell'orario va ottenuta con lo strumento dei contratti e non per legge, e invece la Francia ci dà una lezione. Adeguatevi a Jospin sull'orario, e potremo ricucire lo strappo.

L'accordo che chiuse l'incidente prevedeva che: a) la finanziaria fosse approvata da Rifondazione così come Prodi l'aveva illustrata alla Camera prima della crisi; b) l'orario di lavoro fosse ridotto, nel

2001, a 35 ore, con modalità fissate di concerto dai sindacati e dalle aziende; c) dal previsto giro di vite pensionistico fosse escluso il lavoro operaio e quello equivalente. E poi una agenzia per il Sud – c'è da rabbrividire se si pensa alla Cassa del Mezzogiorno e alle varie Agensud, Insud, Fime – con il compito di coordinare gli interventi e gli incentivi. La maggior concessione spuntata da Bertinotti era la riduzione dell'orario di lavoro, subito deplorata dalla Confindustria e accolta con mugugni dai moderati dell'Ulivo.

Superato l'«incidente», il governo ebbe, pur nella sua sostanziale stabilità, vicende alterne. Conobbe un momento di grande popolarità – e d'euforia – quando, nel marzo del '98, l'Italia fu ammessa, con deliberazione dell'Unione europea, alla moneta unica. Prodi e Ciampi avevano raggiunto il traguardo che da molti mesi perseguivano, e che era stato in forse per trascorse e non del tutto superate spensieratezze. Un indubbio successo, che l'opposizione sminuì: osservando che undici Paesi su dodici – tra quelli candidati all'Euro – avevano superato la prova, tra essi la Spagna e il Portogallo. La sola Grecia era rimasta temporaneamente fuori. Prodi e il superministro dell'Economia Ciampi avevano comunque buon motivo per festeggiare. I salassi fiscali, di estrema durezza, avevano tuttavia attizzato i malumori. Lo si vide nelle amministrative parziali del 7 giugno, con il Polo in netta ripresa: aveva conquistato quindici capoluoghi di provincia (otto all'Ulivo) e soprattutto strappato al centrosinistra città come Parma, Piacenza, Lucca. Berlusconi ebbe ragione d'esultare. Gridò invece «addio democrazia!» quando nel volgere di pochi giorni gli fu inflitta una condanna a due anni e 9 mesi per le mazzette alla Guardia di Finanza, e un'altra a due anni e quattro mesi per la vicenda All Iberian, ossia per i presunti finanziamenti illeciti della Fininvest a Bettino Craxi.

Il copione insomma non cambiava. Politica e processi, una frana a Sarno in Campania (con più di cento morti) ad attestare tragicamente il degrado geologico dell'Italia, i disastri delle Ferrovie allo sfascio, la disoccupazione che ancora attanagliava una società per altri aspetti prospera, l'incontenibile ondata immigratoria degli extracomunitari, la piaga incivile dei sequestri di persona. Il bipolarismo veniva osannato, ma Francesco Cossiga varava un movimento, l'Unione democratica per la Repubblica, che pareva volesse riproporre il grande centro. Prodi e il suo vice Veltroni ipotizzavano un Ulivo planetario – insieme all'inglese Tony Blair e a Bill Clinton – ma l'ambizioso disegno passò in sott'ordine quando il Presidente americano subì invece una grottesca gogna planetaria per i suoi incontri ravvicinati con la stagista Monica Lewinsky. La Russia affondava nel caos, l'Italia galleggiava, nemmeno tanto male, nella confusione: sotto la sorveglianza dei guardiani europei. Poi, alle prime avvisaglie d'autunno del 1998, il mondo fu sconvolto da una crisi economica seria – la Russia era alla bancarotta, il Giappone aveva l'affanno, le maggiori borse crollavano – e anche l'Italia venne investita dalla bufera. Bertinotti replicava la recita dell'anno precedente e, imputando alla finanziaria elaborata dal governo un'impronta troppo «capitalista», annunciava che Rifondazione avrebbe votato contro. Prodi, che aveva posto la questione di fiducia, venne sconfitto, per un solo voto, a Montecitorio e rassegnò le dimissioni. Era caduto il governo, e si era scissa Rifondazione: Cossutta e i suoi, contrari alla rottura della maggioranza, si distaccarono da Bertinotti e fondarono un altro Partito comunista.

A Prodi non riuscì di rimettere insieme una maggioranza, e l'incarico di provarcisi fu da Scalfaro affidato a Massimo D'Alema in quanto *leader* del maggior partito italiano. Il tentativo ebbe successo perché Francesco Cossiga assicurò al nuovo esecutivo l'appoggio della sua Udr e dei parlamentari (una trentina, quasi tutti provenienti dalle file del Polo) che ad essa avevano aderito. Con i cossuttiani e con i cossighiani D'Alema poteva contare su una base parlamentare eterogenea ma più che sufficiente. D'Alema ebbe un «vice» nella persona del «popolare» Sergio Mattarella, conservarono le loro poltrone alcuni ministri di Prodi, in particolare Dini (Esteri), Ciampi (Tesoro), Luigi Berlinguer (Pubblica Istruzione). Fu trovato un posto (Riforme istituzionali) per Giuliano Amato. Rosa Russo Jervolino sostituì Napolitano agli Interni, il cossighiano Carlo Scognamiglio andò alla Difesa, il cossuttiano Oliviero Diliberto alla Giustizia. Walter Veltroni annunciò la rinuncia a cariche governative e il ritorno all'impegno di partito. Tra critiche e auspici il governo D'Alema ebbe un solo unanime rinoscimento: aveva una rappresentanza femminile – sei ministeri – superiore a quella d'ogni precedente governo della Repubblica.

Il governo di Massimo D'Alema, sostenuto da una coalizione molto spesso turbolenta, tentava di praticare una politica riformista basata sulla "concertazione: ossia su accordi con le parti sociali e in particolare con le grandi organizzazioni sindacali. Il che non gli evitava un susseguirsi di scioperi nei servizi pubblici, promossi a volte da piccoli sindacati corporativi. Una legge pose poi qualche freno al dilagare delle agitazioni. Con lodevole efficienza le forze armate italiane s'impegnarono a fianco dei *partners* della Nato, a fine marzo 1999, nella guerra e nella pacificazione del Kosovo.

In maggio (sempre del '99) scadeva il settennato presidenziale di Oscar Luigi Scalfaro: cui il leader dell'opposizione, Silvio Berlusconi, attribuiva la colpa d'aver assunto, dopo la caduta del governo di centrodestra, un ruolo non neutrale. A successore di Scalfaro il Parlamento designò Carlo Azeglio Ciampi, già governatore della Banca d'Italia, già ministro e presidente del Consiglio. Sul suo nome v'era stata una larga convergenza, anche l'opposizione lo aveva votato. Romano Prodi ebbe un importante riconoscimento internazionale con la nomina a Presidente della Commissione europea di Bruxelles.

La navigazione del governo D'Alema era travagliata da contrasti tra le formazioni minori dalle quali il governo stesso era sostenuto, oltre che da una latente rivalità tra il Presidente del Consiglio e il segretario dei Ds Valter Veltroni. Nelle elezioni "europee" del giugno '99 il centrosinistra dovette registrare una perdita di consensi. A fine anno D'Alema fu costretto a "rimpastare" il suo esecutivo per il malcontento del cosiddetto Trifoglio (socialisti, cossighiani e repubblicani) che minacciava di passare all'opposizione, e poi si contentò dell'astensione. Il D'Alema bis escluse (tra i nomi più noti) Rosa Russo Jervolino all'Interno e Carlo Scognamiglio alla Difesa: e arruolò per l'Interno il sindaco di Catania Enzo Bianco mentre alla Difesa veniva trasferito il vicepremier Mattarella.

Più che da questa burraschetta governativa gli ultimi mesi del '99 erano stati tuttavia contrassegnati dall'assoluzione di Andreotti nel processo di Palermo che lo vedeva unico imputato per associazione mafiosa. Già riconosciuto estraneo – in Corte d'Assise, a Perugia – all'assassinio del giornalista Mino Pecorelli, il senatore a vita veniva così liberato, dopo un lungo Calvario, da ogni pendenza penale. La sentenza di Palermo, sacrosanta, divenne – per reazione a una lunga persecuzione – anche una totale e di sicuro eccessiva riabilitazione politica.

Maggioranza e opposizione erano attese, per il 16 aprile del 2000, alla decisiva verifica delle "regionali": un'elezione che riguardava le quindici regioni a statuto ordinario oltre che un notevole numero di province e comuni. Si trattava, in sostanza, d'una prova generale delle "politiche" previste, per la scadenza fisiologica della legislatura, nel 2001. La campagna propagandistica – preceduta da una violenta polemica per la legge sulla *par condicio*, da Berlusconi equiparata a un bavaglio – ebbe toni accesi e un impianto quasi esclusivamente politico: tanto da somigliare, nella sua ultima fase, a un giudizio di Dio tra Massimo D'Alema e Silvio Berlusconi. Il giudizio non di Dio ma degli elettori fu sfavorevole a

D'Alema e al suo centrosinistra. Il Polo trionfò in otto regioni su quindici ma tra le otto erano le quattro del nord (Lombardia, Veneto, Piemonte, Liguria) ossia la parte di gran lunga più popolosa, ricca e produttiva del Paese. Il centrosinistra mantenne il centro tradizionalmente "rosso" (Emilia-Romagna, Toscana, Umbria, Marche) e in più conquista la Campania grazie alla popolarità dell'ex sindaco di Napoli Bassolino, ma perse il Lazio.

Conti alla mano, il centrodestra poté affermare che il centrosinistra era minoritario nel Paese, e chiedere le dimissioni di D'Alema: con il seguito – ritenuto inevitabile – d'elezioni parlamentari anticipate. Da sinistra veniva obbiettato che – essendo stato fissato per il 21 maggio il voto su una vasta gamma di *referendum*, il più importante dei quali riguardava proprio la legge elettorale per la Camera – bisognava almeno salvaguardare quella scadenza.

D'Alema prese atto della sconfitta e presentò dimissioni "irrevocabili". Ma Ciampi non accolse la richiesta del Polo di scioglimento delle Camere, e affidò invece l'incarico di formare il governo al Ministro del Tesoro Giuliano Amato, che riuscì in pochi giorni a varare un D'Alema senza D'Alema. Pochi i cambi di ministri. Particolarmente significative le bocciature di Rosy Bindi (Sanità) e di Luigi Berlinguer (Istruzione): sostituiti da due insigni "tecnici", il professor Umberto Veronesi e il professor Tullio De Mauro. Autori di riforme molto contestate e responsabili in larga misura – secondo le critiche dalle quali erano subissati anche all'interno della loro coalizione – dell'impietosa bocciatura popolare, i due sono stati sacrificati. Ciampi aveva chiesto a D'Amato una drastica riduzione nel numero dei ministri, ma a causa degli appetiti partitici il *premier* s'è dovuto accontentare del taglio d'un ministero e d'una decina di sottosegretariati. Nell'organigramma delle massime cariche statali i due posti più significativi – Quirinale e Palazzo Chigi – erano affidati a personaggi, Ciampi e D'Amato, che erano sprovvisti d'un mandato parlamentare.

D'Amato l'aveva avuto ripetutamente, un mandato parlamentare, in anni passati. Era stato il braccio destro di Craxi nel periodo di quel governo socialista, e dallo stesso Craxi era stato designato per la sua prima esperienza come Presidente del Consiglio, nel 1992. Lo scandalo di Tangentopoli, dal quale Craxi era stato politicamente e anche umanamente distrutto, non lo coinvolse. Alle sue qualità di *grand commis* viene tributato un omaggio unanime. I socialisti gli rimproverarono – come segno d'ingratitudine e di cinismo – l'assenza ai funerali di Craxi ad Hammamet. Ma forse in politica è difficile distinguere tra cinismo e saggezza.

CRONOLOGIA ESSENZIALE

1900
29 luglio - Uccisione di Umberto I. Gli succede Vittorio Emanuele III.

1901
marzo - Ministero Zanardelli con Giolitti agli Interni.

1902
28 giugno - Quarto rinnovo della Triplice Alleanza.
settembre - Congresso nazionale socialista di Imola.

1903
gennaio - Accordo anglo-italiano sulle questioni coloniali.
4 agosto - Pio X succede a papa Leone XIII, morto il 20 luglio.
ottobre - Giolitti è capo del governo.

1904
15 settembre - Sciopero nazionale con gravi disordini nelle grandi città.
ottobre - Elezioni generali: prima affermazione dei movimenti cattolici.

1905
dicembre - Sonnino succede a Fortis, subentrato in marzo a Giolitti.

1906
maggio - Cade il governo Sonnino e ritorna Giolitti.
13 dicembre - Accordo italo-franco-inglese sull'Etiopia.

1907
8 settembre - Pio X condanna il modernismo con l'enciclica *Pascendi*.

1908
dicembre - Terremoto a Messina e a Reggio Calabria.

1909
dicembre - Nuove dimissioni di Giolitti, cui succede Sonnino.

1910
marzo - Nuovo governo formato da Luigi Luzzatti.

1911
marzo - Giolitti ancora capo del governo.
5 novembre - Annessione della Libia all'Italia.

1912
luglio - Mussolini direttore dell'*Avanti!*

1913
26 ottobre - Alle elezioni generali vince il governo.

1914
19 marzo - Dimissioni di Giolitti, sostituito da Salandra.
28 giugno - Attentato di Sarajevo: inizia la I guerra mondiale.
2 agosto - Dichiarazione di neutralità dell'Italia.
20 agosto - Muore Pio X; gli succede Benedetto XV.

1915
26 aprile - Patto di Londra.
24 maggio - L'Italia dichiara guerra all'Austria.

1916
15 maggio - Grande offensiva austriaca sul fronte italiano.
10 giugno - Cade il governo Salandra. Boselli nuovo Presidente.

1917
24-29 ottobre - Caporetto.
30 ottobre - Cade Boselli; Orlando forma il nuovo governo.
6 novembre - Convegno interalleato di Rapallo.
9 novembre - Diaz è il nuovo capo di Stato Maggiore al posto di Cadorna.

1918
8 aprile - Patto di Roma.
15-22 giugno - Battaglia del Piave.
3 novembre - Firma dell'armistizio a Villa Giusti.

1919
23 marzo - Mussolini fonda a Milano il primo Fascio di combattimento.
28 aprile - Approvazione dello Statuto della Società delle Nazioni.
22 giugno - Nitti capo del governo.
10 settembre - Trattato di Saint-Germain con la Germania.
16 novembre - Affermazione dei socialisti alle elezioni.

1920
giugno - Nuovo governo Giolitti.
8-12 novembre - Convegno di Rapallo.

1921
15 maggio - Prima affermazione dei fascisti alle elezioni.
giugno - Bonomi subentra a Giolitti.
12 novembre - Il movimento fascista diviene partito.

1922
22 gennaio - Muore Benedetto XV; il 6 febbraio viene eletto papa Pio XI.
25 febbraio - Primo gabinetto Facta.
28 ottobre - Marcia su Roma.

29 ottobre - Mussolini è incaricato di formare il nuovo governo.
15 dicembre - Si costituisce il Gran Consiglio del Fascismo.

1923
10 luglio - Don Sturzo si dimette da segretario del Partito popolare.

1924
5 aprile - Elezioni con il nuovo sistema maggioritario. Vince il «listone».
10 giugno - Assassinio di Giacomo Matteotti.
27 giugno - L'opposizione parlamentare si ritira sull'Aventino.
30 novembre - L'Aventino pone la «questione morale» al regime fascista.

1925
3 gennaio - Mussolini annuncia alla Camera l'inizio della dittatura fascista.
5-16 ottobre - Conferenza di Locarno.

1926
5 novembre - Il Consiglio dei Ministri scioglie i partiti d'opposizione.
25 novembre - Istituzione del Tribunale speciale.

1927
dicembre - Viene fissata la cosiddetta «quota novanta» in difesa della lira.

1928
16 marzo - La Camera approva la nuova legge elettorale.
4 agosto - Firma ad Addis Abeba del Trattato di amicizia tra Italia ed Etiopia.

1929
11 febbraio - Firma dei Patti Lateranensi.
24 marzo - Plebiscito per il Regime fascista.
24 ottobre - Crollo della Borsa di New York.

1930
14 settembre - Elezioni in Germania: successo del Partito nazionalsocialista.

1931
maggio-giugno - Encicliche *Quadragesimo anno* e *Non abbiamo bisogno*.
7 dicembre - Starace nuovo segretario del Partito nazionale fascista.

1932
31 luglio - I nazionalsocialisti vincono le elezioni in Germania.

1933
30 gennaio - Hitler è Cancelliere del Reich.
7 giugno - Firma a Roma del Patto a Quattro.

1934
25 marzo - Plebiscito per il Regime fascista.
14-15 giugno - Incontro Hitler-Mussolini a Venezia.
25 luglio - Tentativo di colpo di Stato a Vienna. Assassinio di Dollfuss.
19 agosto - Un plebiscito in Germania riconosce Hitler Führer della nazione.
15 dicembre - L'Etiopia denuncia alla Società delle Nazioni la minaccia italiana.

1935
23 febbraio - Invio del primo contingente italiano in l'Africa Orientale.
7 marzo - Il generale Graziani nominato governatore della Somalia.
3-6 ottobre - Iniziano le operazioni militari italiane contro l'Etiopia.
10-11 ottobre - Sanzioni economiche e finanziarie contro l'Italia.

1936
16 febbraio - Alle elezioni in Spagna vincono le sinistre del Fronte popolare.
5 maggio - Le truppe italiane entrano in Addis Abeba.
9 maggio - Proclamazione dell'Impero. Il re assume anche il titolo di Imperatore.
1° novembre - Mussolini annuncia a Milano l'asse Roma-Berlino.

1937
8-23 marzo - Battaglia di Guadalajara.
14 marzo - Enciclica *Mit brennender Sorge*.
25-29 settembre - Visita di Mussolini in Germania.

1938
13 marzo - Con l'*Anschluss* l'Austria è annessa alla Germania.
3-9 maggio - Visita di Hitler in Italia.
29-30 settembre - Patto di Monaco.

1939
2 marzo - Pio XII succede a Pio XI, morto il 10 febbraio.
28 marzo - Madrid occupata dalle forze nazionaliste.
7-8 aprile - Occupazione italiana dell'Albania.
22 maggio - Firma del Patto d'Acciaio.
23 agosto - Patto di non aggressione tra Germania e Urss.
1° settembre - Invasione tedesca della Polonia: inizia la II guerra mondiale.

1940
18 marzo - Incontro Mussolini-Hitler al Brennero.
10 giugno - L'Italia dichiara a Gran Bretagna e Francia.
24 giugno - Armistizio tra Francia e Italia.
1° luglio - Graziani è governatore della Libia, al posto di Italo Balbo.
13 settembre - Inizio dell'offensiva italiana in Africa Settentrionale.
27 settembre - Patto tripartito tra Italia, Germania e Giappone.
28 ottobre - Inizio della campagna di Grecia.
4 dicembre - Cavallero sostituisce Badoglio come di capo di Stato Maggiore.

1941
28-29 marzo - Battaglia di Capo Matapán.
6 aprile - Le truppe britanniche occupano Addis Abeba.
23 aprile - Armistizio tra la Grecia e l'Asse.
22 giugno - Le truppe tedesche invadono l'Urss.
26 dicembre - Aldo Vidussoni nuovo segretario del Pnf.

1942
21 gennaio - Inizio dell'offensiva di Rommel in Africa Settentrionale.
21 giugno - Le forze dell'Asse occupano Tobruk.
4 novembre - Vittoria inglese a El Alamein.

19 novembre - Offensiva sovietica sul Don.
11 dicembre - Inizio della ritirata dell'Armir.

1943
14-24 gennaio - Conferenza di Casablanca.
30 gennaio - Il generale Cavallero è sostituito da V. Ambrosio.
31 gennaio - Resa di von Paulus a Stalingrado.
17 aprile - Carlo Scorza segretario del Pnf.
10 luglio - Truppe anglo-americane sbarcano in Sicilia.
19 luglio - Bombardamento di Roma.
25 luglio - Il Gran Consiglio sfiducia Mussolini, che viene arrestato.
8 settembre - Annuncio dell'Armistizio.
9 settembre - I sovrani e il governo italiano abbandonano Roma.
10 settembre - Le truppe tedesche occupano Roma.
18 settembre - Da Monaco, Mussolini annuncia la costituzione della RSI.
13 ottobre - Il governo Badoglio dichiara guerra alla Germania.

1944
8-10 gennaio - Processo di Verona contro i gerarchi del Pnf.
22 gennaio - Sbarco ad Anzio della V armata americana.
24 marzo - Eccidio delle Fosse Ardeatine.
5 giugno - Vittorio Emanuele III nomina Luogotenente il figlio Umberto.
6 giugno - Gli Alleati sbarcano in Normandia.

1945
4-11 febbraio - Conferenza di Yalta.
25 aprile - Insurrezione partigiana a Milano. Il Clnai assume tutti i poteri.
28 aprile - Uccisione di Mussolini.
19 giugno - Parri costituisce il governo in sostituzione di Bonomi.
6 e 9 agosto - Bombe atomiche su Hiroshima e Nagasaki.
2 settembre - Capitolazione del Giappone: termina la II guerra mondiale.
10 dicembre - Dimissioni di Parri; primo governo De Gasperi.

1946
9 maggio - Abdicazione di Vittorio Emanuele III in favore di Umberto II.
2 giugno - Referendum istituzionale: l'Italia è una Repubblica.
13 giugno - Umberto II lascia l'Italia.
28 giugno - Enrico De Nicola Presidente provvisorio della Repubblica.
16 luglio - Secondo governo De Gasperi (Dc, Psiup, Pci, Pri).
21 luglio - Inizio a Parigi della Conferenza per la pace.
5 settembre - Accordo De Gasperi-Gruber per l'Alto Adige.

1947
11 gennaio - Scissione di Palazzo Barberini: il Psiup si divide in Psi e Psli.
3 febbraio - De Gasperi costituisce il suo terzo governo.
10 febbraio - Firma a Parigi del Trattato di pace tra Italia e Alleati.
30 maggio - Quarto governo De Gasperi (monocolore Dc).
5 giugno - Viene varato il Piano Marshall per la ricostruzione dell'Europa.
22 dicembre - Approvazione della Costituzione della Repubblica italiana.

1948
23 gennaio - Pci e Psi costituiscono il Fronte democratico popolare.
18 aprile - Elezioni politiche in Italia: successo della Democrazia cristiana.
11 maggio - Luigi Einaudi Presidente della Repubblica.
23 maggio - Quinto ministero De Gasperi (coalizione quadripartita.
18 ottobre - Scissione delle componenti non comuniste della Cgil.

1949
4 aprile - Firma a Washington del Patto Atlantico.

1950
27 gennaio - Sesto governo De Gasperi.
1° aprile - L'Italia assume l'amministrazione fiduciaria della Somalia.
10 agosto - Istituzione della Cassa per il Mezzogiorno.

1951
1° maggio - Costituzione del nuovo Partito socialista (Psdi) guidato da Saragat.
26 luglio - Settimo governo De Gasperi (democristiani e repubblicani).
4 novembre - Alluvione in Polesine.

1952
27 maggio - Elezioni amministrative in Italia.

1953
5 marzo - Muore Stalin.
7 giugno - Elezioni politiche in Italia. Bocciata la «legge-truffa».
26 luglio - L'ottavo ministero De Gasperi non ottiene la fiducia.
15 agosto - Giuseppe Pella Presidente del Consiglio.

1954
19 gennaio - Governo Fanfani, subito sconfitto in Parlamento.
10 febbraio - Scelba forma un governo di coalizione Dc, Psdi e Pli.
19 agosto - Muore De Gasperi.
26 ottobre - Trieste passa dall'amministrazione alleata a quella italiana.

1955
29 aprile - Giovanni Gronchi è il nuovo Presidente della Repubblica.
6 luglio - Primo governo Segni, che succede a Scelba.

1956
25 febbraio - Kruscev dà inizio in Urss alla destalinizzazione.
25 maggio - Elezioni amministrative in Italia.
ottobre - Rivolta in Ungheria.

1957
25 marzo - Firma a Roma dei trattati istitutivi della Cee.
6 maggio - Dimissioni del governo Segni. Monocolore Dc guidato da Zoli.

1958
25 maggio - Elezioni politiche.
1° luglio - Secondo governo Fanfani (il primo di centrosinistra).
9 ottobre - Muore Pio XII. Gli succede Giovanni XXIII, eletto il 28 ottobre.

1959
18 febbraio - Secondo governo Segni, monocolore.
15 marzo - Nasce nella Dc la corrente dorotea.

1960
24 febbraio - Cade il governo Segni.
25 marzo - Tambroni forma un governo monocolore.
26 luglio - Terzo governo Fanfani.

1961
Celebrazioni del centenario dell'unità d'Italia.
15 maggio - Enciclica *Mater et magistra*.

1962
21 febbraio - Fanfani forma un governo di centrosinistra.
6 maggio - Segni succede a Gronchi come Presidente della Repubblica.
11 ottobre - Giovanni XXIII apre il Concilio Vaticano II.

1963
11 aprile - Enciclica *Pacem in terris*.
28 aprile - Elezioni amministrative in Italia.
3 giugno - Muore Giovanni XXIII. Gli succede Paolo VI.
4 dicembre - Primo governo Moro.

1964
12 gennaio - Scissione nel Psi, la cui ala di sinistra forma il Psiup.
22 luglio - Secondo governo Moro.
21 agosto - Muore Togliatti. Gli succede alla segreteria del Pci Luigi Longo.
28 dicembre - Giuseppe Saragat è il nuovo Presidente della Repubblica.

1965
20 settembre - Il ministro degli Esteri Fanfani è eletto presidente dell'Onu.
8 dicembre - Si conclude il Concilio Vaticano II.

1966
23 febbraio - Moro forma il suo terzo governo, dopo la caduta del secondo.
30 ottobre - Riunificazione dei partiti socialista e socialdemocratico.
novembre - Gravi alluvioni a Firenze e Venezia.

1967
aprile - Interrogazioni parlamentari su presunte «deviazioni» del Sifar.
novembre - Enciclica *Populorum progressio*.

1968
15 gennaio - Terremoto nel Belice.
31 gennaio - Inizia dall'Università di Trento la «contestazione studentesca».
19 maggio - Elezioni politiche.
24 giugno - Governo Leone (monocolore Dc).
12 dicembre - Rumor ricostituisce un governo di centrosinistra.

1969
5 agosto - Rumor, forma il suo secondo governo (monocolore Dc).
settembre- dicembre - «Autunno caldo» nel mondo del lavoro.

9 novembre - Forlani è il nuovo segretario della Dc.
12 dicembre - Strage di piazza Fontana a Milano.

1970
27 marzo - Terzo governo Rumor che riconferma il centrosinistra.
6 agosto - Emilio Colombo forma un governo di centrosinistra.
settembre-ottobre - Gravi episodi di violenza in tutta Italia.
1° dicembre - Approvata la legge sul divorzio.

1971
13 giugno - Alle amministrative parziali un calo della Dc e avanzata del Msi.
24 dicembre - Giovanni Leone viene eletto Presidente della Repubblica.

1972
17 febbraio - Primo governo Andreotti (monocolore Dc).
26 febbraio - Leone scioglie anticipatamente le Camere e indice nuove elezioni.
marzo - Prime azioni delle Brigate rosse. Muore Giangiacomo Feltrinelli.
17 marzo - Berlinguer è nominato segretario del Pci.
7 maggio - Elezioni anticipate per il rinnovo del Parlamento.
26 giugno - Secondo governo Andreotti (coalizione di centrodestra).

1973
10 giugno - Fanfani sostituisce Forlani alla Segreteria Dc.
7 luglio - Quarto governo Rumor (centrosinistra).

1974
14 marzo - Quinto governo Rumor, di centrosinistra.
12 marzo - Referendum sul divorzio.
28 maggio - Strage in piazza della Loggia a Brescia.
3-4 agosto - Strage sul treno *Italicus*.
23 novembre - Quarto governo Moro (bicolore Dc-Pri).

1975
15 giugno - Votarono per la prima volta i diciottenni alle amministrative.
26 luglio - Zaccagnini sostituisce Fanfani alla Segreteria Dc.

1976
11 febbraio - Quinto governo Moro (monocolore Dc).
28 marzo - Scoppia lo scandalo del Sid.
30 aprile - Crisi di governo: si decidono elezioni anticipate.
6 maggio - Terremoto in Friuli.
20 giugno - Elezioni politiche. Si registra un avanzamento del Pci.
16 luglio - Rinnovo delle cariche del Psi: Craxi è il nuovo segretario.
30 luglio - Terzo governo Andreotti.
14 ottobre - Aldo Moro nuovo presidente della Dc.

1977
21 gennaio - La Camera approva la legge sull'aborto.
giugno - Le Brigate rosse feriscono dodici giornalisti.
ottobre - Ristrutturazione dei servizi di sicurezza.

1978
12 marzo - Quarto governo Andreotti (dimissionario dal 16 gennaio).
9 maggio - Viene ritrovato il cadavere di Aldo Moro, rapito a Roma il 16 marzo.
10 maggio - Si dimette il ministro dell'Interno Cossiga.
15 giugno - Si dimette il Presidente della Repubblica Giovanni Leone.
9 luglio - Sandro Pertini è il nuovo Presidente della Repubblica.
6 agosto - Muore Paolo VI. Muore Papa Giovanni Paolo I, eletto il 26 agosto.
16 ottobre - Viene eletto Papa Giovanni Paolo II.

1979
20 marzo - Andreotti presenta il suo quinto governo dopo 49 giorni di crisi.
3 giugno - Alle elezioni politiche affermazione del Partito radicale.
10 giugno - Prime elezioni europee.
4 agosto - Primo governo Cossiga (Dc, Psdi, Pli).
7 novembre - All'interno della Dc si forma la corrente Forze nuove.

1980
4 aprile - Secondo governo Cossiga (Dc, Psi, Pri).
27 giugno - Disastro aereo di Ustica.
2 agosto - Strage alla stazione di Bologna.
18 ottobre - Governo Forlani.
23 novembre - Terremoto in Irpinia.

1981
marzo - Scoppia lo scandalo della P2.
17 maggio - Referendum per la legalizzazione dell'aborto.
28 giugno - Primo governo Spadolini (pentapartito).

1982
3 maggio - De Mita nuovo segretario Dc.
23 agosto - Secondo governo Spadolini (che si era dimesso il 7 agosto).
3 settembre - Assassinio del generale Carlo Alberto Dalla Chiesa.
1° dicembre - Quinto governo Fanfani (quadripartito).

1983
26 giugno - Elezioni politiche anticipate: la Dc tocca il suo minimo storico.
4 agosto - Primo governo Craxi.

1984
18 febbraio - Nuovo Concordato tra Italia e Santa Sede.
7 giugno - Muore Berlinguer. Nuovo segretario del Pci è Alessandro Natta.
17 giugno - Elezioni per il Parlamento europeo.
23 dicembre - Strage sul treno Napoli-Milano.

1985
13 maggio - Elezioni amministrative generali.
26 giugno - Francesco Cossiga Presidente della Repubblica.
7 ottobre - Sequestro della *Achille Lauro*.
27 dicembre - Strage a Fiumicino.

1986

10 febbraio - Inizia a Palermo il maxiprocesso alla mafia.

22 giugno - Elezioni in Sicilia.

8 agosto - Secondo governo Craxi.

1987

17 aprile - Sesto governo Fanfani, dopo le dimissioni di Craxi il 3 marzo.

14 giugno - Elezioni politiche anticipate: prima affermazione delle Leghe.

28 luglio - Governo Goria.

11 novembre - Si conclude il maxiprocesso alla mafia.

1988

12 marzo - Dimissioni di Goria.

13 aprile - Governo De Mita.

21 giugno - Achille Occhetto nuovo segretario del Pci.

1989

20 maggio - Dimissioni del governo De Mita, riconfermato il 13 giugno.

18 giugno - Elezioni europee.

22 luglio - Sesto governo Andreotti.

9 novembre - Cade il Muro di Berlino.

1990

7-11 marzo - Ultimo Congresso del Pci a Bologna; nasce il Pds.

6 maggio - Elezioni amministrative.

agosto - Andreotti ammette ufficialmente l'esistenza di Gladio.

12 dicembre - Nasce Rifondazione comunista.

1991

12 aprile - Settimo governo Andreotti.

9 giugno - Referendum sulla preferenza unica.

1992

17 febbraio - A Milano prende il via l'inchiesta «Mani pulite».

6 aprile - Elezioni politiche.

25 aprile - Dimissioni del Presidente della Repubblica Cossiga.

23 maggio - Assassinio di Giovanni Falcone a Capaci.

25 maggio - Oscar Luigi Scalfaro è il nuovo Presidente della Repubblica.

28 giugno - Governo Amato.

19 luglio - Assassinio di Paolo Borsellino.

1993

18 aprile - Referendum sulla legge elettorale e sul finanziamento dei partiti.

28 aprile - Governo Ciampi.

29 aprile - Negata l'autorizzazione a procedere contro Bettino Craxi.

6 giugno - Con le amministrative si introduce l'elezione diretta del sindaco.

6 agosto - Approvata la nuova legge elettorale.

28 ottobre - Si apre a Milano il processo contro Sergio Cusani.

21 novembre - Prime elezioni amministrativa con le nuove regole elettorali.

1994

13 gennaio - Dimissioni del governo Ciampi.

26 gennaio - Silvio Berlusconi annuncia il suo diretto impegno in politica.

27-28 marzo - Alle politiche vince lo schieramento guidato da Forza Italia.

10 maggio - Governo Berlusconi (Forza Italia, An, Lega, Ccd, riformatori).

12 giugno - Elezioni europee, con nuova affermazione di Forza Italia.

1° luglio - Massimo D'Alema sostituisce Occhetto alla Segreteria del Pds.

12 novembre - Il XLVII Congresso sancisce la morte del Psi.

20 novembre - Amministrative parziali. Affermazione del centrosinistra.

6 dicembre - Di Pietro annuncia che lascerà la magistratura.

22 dicembre - Dimissioni del governo Berlusconi.

1995

17 gennaio - Lamberto Dini forma un governo di «tecnici».

2 febbraio - Romano Prodi si candida alla guida del polo di centrosinistra.

23 aprile - Elezioni amministrative parziali. Affermazione del centrosinistra.

21 luglio - Scoppia il caso Ariosto.

4 agosto - Approvata definitivamente la riforma del sistema pensionistico.

1996

11 gennaio - Dimissioni del governo Dini.

15 febbraio - Il Presidente Scalfaro scioglie le Camere.

21 aprile - Elezioni politiche: netta affermazione dell'Ulivo.

17 maggio - Romano Prodi è Presidente del Consiglio.

9 giugno - Elezioni amministrative in 162 Comuni.

16 giugno - Elezioni regionali in Sicilia.

16 settembre - Riesplode Tangentopoli: arrestati di Necci e Pacini Battaglia.

19 novembre - Viene introdotta la tassa straordinaria per l'Europa.

1997

5 febbraio - Iniziano i lavori della Bicamerale; si concluderanno il 30 giugno.

27 aprile - Elezioni amministrative in 1138 Comuni.

11 maggio - Elezioni del sindaco in dieci città.

settembre - Terremoto in Umbria e Marche.

9 ottobre - Dimissioni del governo Prodi, che riottiene la fiducia il 16 ottobre.

1998

marzo - L'Italia è ammessa, con deliberazione della Ue, alla moneta unica.

5 maggio - Una frana a Sarno, in Campania, provoca più di cento morti.

7 giugno - Elezioni amministrative parziali, con una netta ripresa del Polo.

2 luglio - Cossiga fonda l'Unione democratica per la Repubblica.

9 ottobre - Il governo Prodi non ottiene la fiducia e si dimette.

21 ottobre - Massimo D'Alema forma il nuovo governo.

1999

marzo - Le Forze armate italiane si sono impegnate a fianco dei *partners* della Nato nella guerra e nella pacificazione del Kosovo.

24 marzo - Romano Prodi viene eletto Presidente della Commissione Europea, rimarrà in carica fino al 2005.

15 maggio - Dimissioni del Presidente Oscar Luigi Scalfaro. Il mandato sarebbe scaduto il 28 maggio.

18 maggio - Carlo Azeglio Ciampi, nuovo Presidente della repubblica italiana, ha giurato fedeltà alla Costituzione.

13 giugno - Elezioni Europee. Il centrosinistra registra una perdita di consensi.

22 ottobre - Il tribunale di Palermo ha assolto il senatore Giulio Andreotti dall'accusa di associazione mafiosa.

2000

19 gennaio - Muore Bettino Craxi.

16 aprile - Alle elezioni regionali il Polo trionfa.

18 aprile - Dimissioni di Massimo D'Alema da Presidente del Consiglio.

26 aprile - Giuliano Amato eletto Presidente del Consiglio.

iNDICE DEI NOMI